經學研究叢書・臺灣高等經學研討論集叢刊

嶺南大學經學國際學術研討會論文集

李雄溪、林慶彰　主編
蔣秋華、許子濱　編輯

序

一八六一年理雅各（James Legge，1815-1897）在香港出版英譯本《四書》，也為香港播下經學研究的種子，可惜這些種子並沒有生根發芽。直到一九二三年，賴際熙在香港般含道（Bonham Road），創立學海書樓，聚書講學，才開啟了經學研究之門。一九二七年香港大學成立中文系，聘賴際熙、區大典為專任講師，講授經學課程，區大典並編有引證繁複的《經學講義》多種。一九四〇年，香港最大的官辦書院中央書院恢復漢文課程，講授《四書》。多管齊下，奠定經學研究的基礎。

五、六〇年代以後，從大陸或臺灣來港的經學研究者甚多，他們在書院或學院講授經學，生活清苦，卻培育了經學研究的人才。近四十年，香港的經學人才大多出自香港大學中文系。李家樹教授專研《詩經》，單周堯教授專研《左傳》，可謂當代香港經學研究的雙璧。年輕一代的經學研究者出身較為多元，他們在各大學任教，較有成就的，有郭鵬飛（香港城市大學中文、翻譯及語言學系）、李雄溪（香港嶺南大學副校長）、陳致（香港浸會大學饒宗頤國學院院長）、許子濱（香港嶺南大學中文系）、盧鳴東（香港大學中文系系主任）、許振興（香港大學中文學院）。

可惜這些經學家由於教學工作非常繁忙且分散在不同的學校，所以平常疏於聯絡，要合作執行研究計畫也相當的不容易。二〇〇八年香港浸會大學邀請我去當經學名師講座，演講兩個主題，一是香港近五十年《詩經》研究述要；二是中國經學詮釋的重要概念，許多各校經學研究的學者和學生皆來聽講，以前不太聯絡的學者也聚集在一起，也多了交流的機會。我在演講時強調，香港有很深的經學傳統，只是大家並不太注意而已，我建議香港研究經學的學者應該執行下列四件事情：一、編輯「香港研究經學論著目錄」，讓世界各地學者知道香港研究經學的成果如何；二、要召開「經學研討會」，除促進交流外，也可以發揚校譽；三、要多參加海內外各地的經學會議，讓世界各地的學者知道香港有哪些研究經學的學者，他們的研究方向是什麼；四、應多申請研究計畫，在香港本地應多互相交流、聯絡感情、切磋學術。

二〇〇八年七月二十一至三十日，香港城市大學中文語言翻譯學系郭鵬飛教授也邀請我去作訪問學人，演講「中國經學史上簡繁更替的詮釋形式」，接著二〇〇九年五月二十九至三十日嶺南大學中文系和中央研究院中國文哲所合辦召開「國際經學學術研討會」，發表論文四十餘篇，參加者接近一百五十人，這是香港第一次舉辦經學國際研討會，意義重大。香港浸會大學也於二〇一〇年五月二十七至二十八日舉辦「中日韓經學國際學術研討會」，打開了召開經學國際研討會的大門。嶺南大學的研討會論文集交給萬卷樓圖書公司來出版，全書收論文四十餘篇，內容包括主題演講三篇、出土文獻兩篇、《周易》研究三篇、《尚書》研究三篇、《詩經》研究六篇、三《禮》研究兩篇、《春秋》及三《傳》研究九篇、《四書》研究五篇、《孝經》一篇、讖緯一篇、經學史七篇，參加的香港學者有單周堯、謝向榮、羅燕玲、鄧國光、李雄溪、蔡崇禧、鄧佩玲、李家樹、張錦少、陳雄根、汪春泓、郭鵬飛、蕭敬偉、潘漢芳、許子濱、鄺健行、盧鳴東、許振興、潘銘基、陳以信二十位；臺灣學者有葉國良、蔡根祥、蔣秋華、張高評、馮曉庭、張曉生、金培懿、丁亞傑、孫劍秋、蔡長林、吳儀鳳、車行健、張壽安、林慶彰十四位；中國學者有彭林、錢宗武、虞萬里、楊天宇、趙生群、王鍔六位；日本學者有末永高康一位；新加坡學者有勞悅強一位，可惜韓國及歐美沒有學者發表論文。

這本論文集從二〇一〇年開始發函給發表論文的學者繳交文稿的定本，直到二〇一二年稿件才收齊，但其中仍有數篇作者沒有回音，所以僅收錄四十二篇。論文集的編輯工作由嶺南大學副校長李雄溪教授和我擔任主編，中央研究院中國文哲研究所蔣秋華教授和嶺南大學中文系許子濱教授負責編輯實務，經過了一年多的努力，全書各論文的體例大體統一，附註不夠完備夠完備的也儘量增補，二〇一三年年底全書定稿。

感謝各位作者提供文稿，也感謝蔣秋華和許子濱兩位教授的辛勞，更應感謝的是，主辦單位嶺南大學提供部分出版經費，這本書才能順利出版。本書的出版象徵了香港研究經學的重新出發，未來遠景看好。

二〇一四年一月林慶彰誌於
中央研究院中國文哲研究所五〇一研究室

目次

關於劉師培的《禮經舊說》

葉國良*

一　緒論

儀徵劉氏，是清代幾個著名學術家族之一。從劉文淇（1789-1854）起，子劉毓崧（1818-1867）、孫劉壽曾（1838-1882）、曾孫劉師培，四代家學相承，除以治《左傳》舊注聞名學界外，又因學術背景和經濟因素，擅長校勘及方志之學，而方志多有金石門，所以又兼長金石之學。劉氏家學，到了師培，更能兼綜條貫，發揚光大。

劉師培，字申叔，別名光漢，號左盦。生於清光緒十年（1884），卒於民國八年（1919），年僅三十六。但其一生著作，實為可觀，佚者不計，僅《劉申叔先生遺書》[1]即收書七十四種，遍及四部。其中研究群經（含小學）有二十二種，而以標榜古注古說者最為突顯，校勘先秦漢代諸子書則有二十四種；這兩種所占比例最高，正是家學擅長者。

劉文淇以來，其子孫除沿續研究《左傳》舊注的故業之外，又將此法擴及他經[2]，與本文有關的是《三禮》。本來，《左傳》中涉及禮學的內容極多，劉氏一家自不陌生，因而間有論述，如劉毓崧有《禮記舊疏考正》一卷，劉壽曾有《昏禮重別論對駁議》，其《傳雅堂集》也有〈讀周禮野廬掌固〉、〈車制考略〉、〈姑歿未殯而婦死斂婦當用何服議〉等禮學論文，但在禮學

* 臺灣大學中國文學系。

1 《劉申叔先生遺書》（臺北市：華世出版社，1975年）。蓋據國民出版社《儀徵劉師培先生遺著》景印。凡本文引文僅標篇名而未注頁數者，均據此書。

2 如劉毓崧有《周易舊疏考正》、《尚書舊疏考正》、《毛詩舊疏考正》、《禮記舊疏考正》各一卷。

上，劉師培用力最多。劉師培病篤時自言他在入川（1911）後精力貫注在《三禮》之上，其弟子陳鐘凡在為《周禮古注集疏》作〈跋〉時說：

> 中華建國之八年秋九月，鐘凡北旋故都，謁先師儀徵劉君於寓廬。君以肺病沈緜，勢將不起，不禁愀然棖觸，涕零被面，慨然謂鐘凡曰：「余平生述造，無慮數百卷。清末旅扈，為《國粹學報》撰稿，率意為文，說多未瑩。民元以還，西入成都，北居北平。所至，任教國學、纂輯講藁外，精力所萃，寔在《三禮》。既廣徵兩漢經師之說，成《禮經舊說考略》四卷。又援據《五經異誼》所引古《周禮》說、古《左氏春秋》說及先鄭、杜子春諸家之注，為《周禮古注集疏》四十卷，堪稱信心之作。嘗迻寫淨本，交季剛製序待梓。世有定論予書者，斯其嚆矢矣。」

因而《禮經舊說考略》、《周禮古注集疏》兩書，學界理應重視。

劉師培入川前，並非未曾研究《三禮》[3]，但當時與他經並治，並未特別專注，因而入川後，為何將精力貫注在《三禮》研究之上？值得考察。筆者以為和川人廖平（1852-1932）有關。先是廖平於一八八六年出版《今古學考》，說經嚴分今、古，是為經學初變。一八八八年，撰〈知聖篇〉及〈辟劉篇〉，尊今抑古，認為《周禮》、《左傳》都是偽作。但自一八九七年廖氏開始三變，說經有大幅度轉折，不再嚴分今、古，因而也不再尊〈王制〉而貶《周禮》，反而認為〈王制〉與《周禮》是規模小、大的問題。一九〇一年經學四變，講天人之學，仍重《周禮》。一九一八年，其弟子黃鎔撰《五變記箋述》，謂廖氏人學三經為《禮經》、《春秋》、《書》，〈王制〉為《春秋》之傳，《周禮》為《書》之傳；天學三經為《樂》、《詩》、《易》。《儀禮》一書，《今古學考》斷入古學，原來並未受到廖氏重視，五變始為廖氏推崇，置於六經之首，並稱「乃修身、齊家事，為治平根本」。一九一八

---

[3] 如一九一三年出版《西漢周官師說考》二卷，其〈序〉云：「師培服習斯經，於茲五載。」可見劉師培於入川前已從事《周禮》舊說的研究。

年，距一九〇一年四變已十七年，其時弟子黃鎔既已出版《箋述》，則廖平推崇《儀禮》自然遠早於此。一九一一年，劉師培入川，一九一二年任四川國學館館長，延攬廖平講學，一九一三年推介廖平出版〈孔聖哲學發微〉，時間正在廖平經學五變之時[4]。然則劉師培學術傾向原來雖偏向古文（撰按：另詳本文第四節），但其在川之時，與廖氏學術在根本上並不牴牾，其轉治《三禮》，且取徑與廖氏不同，或許有感於廖氏學風而發。因為當時廖氏講《儀禮》、《周禮》，都放在天人之學的脈絡中，其思想已逐漸轉向對未來世界的建構之上，脫離了傳統經學的範疇。而劉師培則不僅回歸經典本身，甚且窮究鄭玄以前的「舊說」、「古注」，此一治經途徑，雖是劉氏家學擅長者，但在劉師培心中，或許有意為之，讓世人得以從另一個角度認識禮學。

《禮經舊說考略》一書，是未完成的著作。根據附於該書之後的錢玄同〈後記〉的說明，民國二十三年，南佩蘭聘鄭友漁編印劉氏遺書，鄭友漁與錢玄同從《國故》雜誌第一、二、三、四期中尋得〈士冠禮〉的一部分，又從蒙文通處得〈喪服經傳〉傳抄本，二十五年在《制言》雜誌第廿六期、廿七期尋得〈士喪禮〉、〈既夕禮〉與〈士虞禮〉，二十六年又從劉師培從弟處獲得其餘各篇殘稿，才得以編成全書，其中數處原稿下有空行，因而知道此書其實並未全部完稿。至於此書書名，錢玄同說：

> 〈喪服〉一卷，邵次公（撰按：名瑞彭）君有〈題記〉，〈士喪〉、〈既夕〉、〈士虞〉三卷，孫鷹若（撰按：名世揚）及沈延國兩君有〈題記〉，對於此書之名，皆稱為「禮經舊說」，惟《國故》所載者，則稱為「禮經舊說考略」。殘稿首頁闕佚，不知用何名，今從多數，稱為「禮經舊說」，惟〈士冠〉之錄自《國故》者，仍加「考略」二字，以循其舊。

4　以上所述，廖平部分，依據〈廖季平先生學術年表〉、《今古學考》、《四益館經學四變記》、《五變記箋述》，均收入劉夢溪主編：《中國現代學術經典》《廖平　蒙文通卷》（石家莊市：河北教育出版社，1996年）。劉師培部分，依據萬仕國編著：《劉師培年譜》（揚州市：廣陵書社，2003年）。

按：劉氏弟子陳鐘凡提到此書時均稱為《禮經舊說考略》，凡四卷（撰按：除見上引文外，另詳下）；但學者習用「寧武南氏校印」本，一如錢氏所言，多作《禮經舊說》，篇各一卷，凡十七卷，所以本文也稱此書為《禮經舊說》。

本文的寫作，先指出此書的撰作方式，其次擇要分析劉師培對疑難問題的論證，再提出筆者的考察所得。唯大雅君子教正之。

二　所謂「舊說」

此書所謂「舊說」，是指鄭玄之前經師的經說。陳鐘凡的〈劉先生行述〉提到此書時稱：

> 又以《禮經》十七篇目[5]，大、小戴及劉向《別錄》所次不同，鄭注據小戴本，其篇次則從《別錄》，〈既夕〉、〈有司徹〉二篇篇名仍從小戴。魏晉以下，推崇鄭本，三家舊誼，遂以湮沒。考鄭氏《目錄》於經文十七篇，分屬吉、凶、嘉、賓四禮，前此禮家並無此說，鄭義雖合古文，然不得目為此經舊誼。爰廣徵兩漢經師之說，為《禮經舊說考略》四卷。

陳鐘凡提到十七篇的篇名、篇目次第以及分屬四禮的問題，乃是《儀禮》一書的大節目，該等大節目，禮家自有所知，乍看並不是學者最關心的課題。學者最關心的，自是《儀禮》中的疑難，劉氏能否從兩漢經師的遺說中入手而獲得解決。然而劉師培常從篇目次第的角度去解釋問題，所以陳鐘凡的陳述，也有其道理，不能忽視。

至於劉氏「廣徵兩漢經師之說」，其資料的來源，邵瑞彭對〈喪服經傳〉一篇的〈題記〉說：

> 其書甄采古義，香輯遺佚，自經傳、《白虎通義》、《通典》，以迄唐

5　原文「十七」誤植為「十九」，茲逕改。

> 宋類書，網羅殆遍，復下己意，折中而疏通之。

邵文說的雖僅指〈喪服經傳〉一篇而言，事實上劉氏全書都是如此。自從鄭玄注《三禮》，蔚為「鄭學」，所有漢代與《儀禮》相關的注解專著全部亡佚，後人難以了解其他漢代經師的詮釋。若欲深究，除了《白虎通義》外，就只剩一些零星的佚文，以及散見經傳的漢人注釋。其實，《儀禮》鄭注本身即留下一些問題，但後世如敖繼公等抨擊鄭注，大多是從禮意的角度逕予質疑，而未考慮到或許鄭玄之前的經師曾有較鄭玄為佳的解說，當然，元朝時輯佚工作不彰，學者不易運用，也是原因。到了清代，輯佚書籍提供學者檢索兩漢經師遺說的方便，但並無人針對《儀禮》遺說作有系統的整理。劉師培此書，除善用《白虎通義》、《五經異義》外，還勾勒散見經傳的注釋、《通典》所載漢代禮家之說、唐宋類書所載異文等資料，此外還以金石資料為佐證，可說充分運用了家傳的學問。

須注意的是，劉氏綜合以上各種資料，除了闡明兩漢經說之異於鄭玄《儀禮注》者外，也企圖解決一些禮學上的疑難。因而書名雖稱「舊說」，表面看來有如陳喬樅父子的《三家詩遺說考》一般，屬於較有系統的輯佚之作，其實還內藏劉師培個人的特殊見解。

關於漢人「舊說」，劉氏還斟酌細分出今文、古文經說，這是其家學原未強調的，而對《儀禮》研究來說，這也是前代經師未多措意的，值得學界特別注意。此一研究方向，邵瑞彭在其〈題記〉中指出，這是劉師培入川後治經的改變，且和廖平由嚴分今古轉向不分的改變正好相反：

> 歲辛亥，入蜀，居成都，蜀人為立講堂，奉廖先為本師，而君貳之。盍戠餘叚，輙相諏討。時廖先已擯棄今古部分之說，君反惓惓於家法，尤好《白虎通義》，每就漢師古文經說，尋繹條貫，泝流窮原，以西京為歸宿。其所造述，體勢義例，敻異曩日。三百年來，古文流派，至此碻然卓立。烏乎，豈不盛哉！

劉師培既在病篤時自稱此書為「信心之作」，而此點又是學界前此所未曾措意的，則其「信心」所在，除了劉師培個人的特殊見解外，是否也包括此項在內？似乎也值得學界注意。

三　劉師培對《儀禮》疑難問題的詮釋舉要

《儀禮》一書，細節繁多，文字又極簡省，自來以難讀著稱。本文表彰劉氏此書，既無法也不必毛舉細節，所以僅選擇其中數項涉及禮家聚訟的問題加以分析，以見其大端。

（一）饗禮的問題

食禮、燕禮、饗禮三者，其間的差別何在？禮家均欲釐清。但《儀禮》有〈燕禮〉、〈公食大夫禮〉兩篇，食、燕二禮有明文可據，饗禮則無專篇，因而引起禮家聚訟。

關於饗禮有無專篇的問題，〈公食大夫禮〉「設洗如饗」句下鄭注云：

> 必如饗者，先饗後食，如其近者也。〈饗禮〉亡。〈燕禮〉則設洗於阼階東南。古文「饗」或作「鄉」。

鄭玄又於同篇「皆如饗拜」句下注云：

> 饗，大夫相饗之禮也，今亡。古文「饗」或作「鄉」。

據此，是鄭玄認為「古禮經」原有〈饗禮〉，因為亡佚，儀節不詳，所以即使是饗禮之洗設於何處也無法確知。

鄭玄的認定，後世多信從，賈公彥《儀禮注疏》固不必論，敖繼公《儀禮集說》、胡培翬《儀禮正義》也無異議。但是，鄭玄卻留下了無法詳細分辨「食禮」、「燕禮」、「饗禮」三者儀節的區別的問題。因為《儀禮》中所見饗禮，僅〈士昏禮〉和〈聘禮〉中寥寥數語，《禮記》所載饗禮，唯〈郊特牲〉、〈仲尼燕居〉、〈坊記〉及〈雜記〉、〈曲禮〉中數語，至於《周禮》，亦唯〈舂人〉、〈大行人〉數事而已[6]，並無足夠記載以構築完整的儀節，如此一來，饗禮的全貌便極模糊。以至於萬斯大稱「食禮主于食飯，而無賓主之酬酢。其食飯也，亦止賓一人，而主君不與共食，故其禮視燕、饗為輕」[7]，而淩廷堪則稱「食禮有幣，燕禮無幣；食行於廟，燕行於寢；食牲用太牢，燕牲用狗；食使大夫戒賓，燕於庭命賓；皆其例矣。萬氏斯大乃謂食禮視燕、饗為輕，則誤甚。〈饗禮〉篇亡，不可考，其禮盛，則又重於食焉」[8]，二說頗不一致。面對二人的異說，吾人固不能確知食禮輕於饗禮者何據？亦不知何以饗禮又重於食禮與燕禮？足見鄭玄主張〈饗禮〉亡佚，的確造成饗禮內容不明的問題，因而引起討論，而有主張鄉飲酒禮即饗禮或燕禮即饗禮者，但或無論證，或不能愜人之意[9]。

劉師培則歷舉漢代文獻，說明「饗」、「鄉」二字通用，力主鄉飲酒禮

---

6 萬斯大論〈曲禮〉「大饗不問卜不饒富」條云：「方氏謂：禮言大饗有別。〈月令〉『季秋大饗帝』、〈禮器〉〈郊特牲〉『大饗腥』，祀帝也。〈禮器〉又言『大饗其王事』、『大饗之禮不足以大旅』，祫祭先王也。〈郊特牲〉又言『大饗，君三重席而酢』、〈仲尼燕居〉言『大饗有四』、〈坊記〉言『大饗廢夫人之禮』，兩君相見之禮也。〈雜記〉言『大饗卷三牲之俎』，凡饗賓客之禮也。先儒以此大饗為冬至祀天、夏至祭地。愚考《禮經》，祀帝、祀先，牲、日皆卜，此言不問卜，乃指兩君相見及凡賓客之禮也。賓客既行朝聘，當饗即饗，牲、日皆不卜，其言不饒富，即《左傳》所云『饗以訓恭儉』之謂也。舊說非。」見氏著：《禮記偶箋》（臺北市：廣文書局，1977年景印《經學五書》本），卷1，頁16。

7 萬斯大：《儀禮商》（臺北市：廣文書局，1977年景印《經學五書》本），卷1，頁43，「公食大夫禮第九」。

8 淩廷堪撰，彭林點校，程克雅校對：《禮經釋例》（臺北市：中央研究院中國文哲研究所，2002年），卷4，「凡燕禮使宰夫為主人，食禮公自為主人」條，另參同卷「凡食賓以幣曰侑幣，飲賓以幣曰酬幣」條。

9 如惠士奇曾有「鄉人飲酒謂之饗，然則鄉飲酒即古之饗禮，先儒謂饗禮已亡，非也」之說，然無論證，說見惠棟：《九曜齋筆記》（臺北市：臺灣學生書局，1971年景印本），卷1。又見惠棟：《讀說文記》（臺北市：藝文印書館，1967年《百部叢書集成》景印《借月山房彙鈔》本），第五。但惠士奇又有「饗禮不亡，盡在〈燕禮〉矣」之說，詳惠士奇：《禮說》，卷5，「〈舂人〉食米」條，見《皇清經解》，卷218。筆者以為其論據亦不愜人意。

即是饗禮，只是饗禮因對象有別其禮數隆殺亦有不同而已。《禮經舊說・公食大夫禮第九》云：

> 案鄭注云：「古文『饗』或作『鄉』。」又下文「大夫相食，親戒、速，迎賓于門外，拜至，皆如饗拜。」鄭注亦云：「古文『饗』或作『鄉』。」竊以作「鄉」是也。「鄉」，即本經〈鄉飲酒禮〉。鄉者，省辭，如《禮記・鄉飲酒義》「吾觀于鄉」是也。「設洗如鄉」者，〈鄉飲酒禮〉云「設洗于阼階東南，南北以堂深，東西當東榮，水在洗東，篚在洗西，南肆」，謂食禮設洗之位亦當彼，禮略同也。「迎賓門外，拜至，皆如鄉拜者」，〈鄉飲酒禮〉云「主人一相迎于門外，再拜賓，賓答拜，拜介，介答拜」，謂大夫相食亦于門外拜賓介，其賓介皆有答拜之禮也。以經證經，合若符節。其作「饗」之本，雖與「鄉」殊，然二字古通。漢代今古文先師，並以鄉飲酒為「饗」，則經文作「饗」，亦必據〈鄉飲〉為釋，確然可知。鄭氏不以鄉飲酒為饗，因以饗禮及大夫相饗之禮為亡，一若禮經五十六篇外，別有諸侯、大夫〈饗禮〉二篇，此則鄭氏新意，不與禮說相同者也。

據劉氏說，則食、饗、燕三禮具在，並無別有〈饗禮〉之篇且已亡佚之事。

至於饗禮為何有鄉飲酒禮之名，〈鄉飲酒禮第四〉說；

> 此經鄉飲、鄉射二禮，漢人稱為饗射。……惟即漢人說鄉飲者考之，似此禮以饗為名，其制專主于養老。……更以鄉飲、鄉射並稱饗射者，迻為天子養老、大射二禮之稱。……蓋饗為鄉人飲酒之名，由養老之禮引申之，故天子養老亦得稱饗。援是而言，則舍養老而外，別無所謂鄉飲禮，確然明矣。

據此，劉氏認為：饗禮本出於養老，包括天子之養三老五更、鄉大夫在鄉之養耆老，後由在鄉之養耆老而有鄉飲酒禮之名。劉氏言下之意，饗禮儀節即〈鄉飲酒禮〉中之儀節，故下文即舉《左傳》、《國語》、《周禮》所見饗禮加以印證，謂有賓有介、獻酢酬、奏樂、折俎、立成等儀節均與鄉飲酒禮相同

（撰按：文長不詳述）。

於是，劉氏論饗禮與燕禮之區別云：

> 此義既明，則知古人飲酒禮惟有二端，一為鄉飲酒禮，一為燕禮。鄉飲禮之末，亦同燕禮；然行禮之初，其儀節較燕為繁，是名為饗。其〈聘〉經「再饗」、「一饗」之饗，雖禮之所施與鄉飲異，至其概略，大抵相同，故亦以饗為禮名。蓋凡飲酒之禮，備有賓介，兼備獻酬酢三節，獻由主人躬親，且其禮惟行于晝者，皆饗禮，本于鄉飲禮者也。（原稿下缺）蓋凡飲酒之禮，有賓無介，不以所尊為賓，又主不自獻，別立獻主，且其禮得行于宵者，皆燕禮也。（原稿下缺）

姑不論以上所述之正確性如何，據筆者所知，劉氏論饗禮之儀節，雖然仍不完整，但已是歷來最具體明確者。

（二）終虞與卒哭的問題

《儀禮》中，〈既夕禮〉有「三虞卒哭，明日以其班祔」、〈士虞禮・記〉有「三虞卒哭，他用剛日，亦如初，曰哀薦成事」之文，漢人舊說有以終虞與卒哭同為一事者[10]，鄭玄不以為然。

鄭注以為「卒哭，三虞之後祭名」，以終虞與卒哭為二祭。鄭玄所以有此說者，因《禮記・雜記下》有「上大夫之虞也少牢，卒哭成事、附皆大牢。下大夫之虞也犆牲，卒哭成事、附皆少牢」之文，鄭注云：「卒哭成事、附言『皆』，則卒哭成事、附與虞異矣。」再者，〈士虞禮・記〉「明日以其班祔。沐、浴、櫛、搔、翦。用專膚為折俎，取諸脰膉，其他如饋食」，鄭玄之前，有「班」作「胖」之本，有人解為虞用左胖，祔用所餘右

---

10 〈士虞・記〉「哀薦成事」下賈公彥疏云：「鄭注〈檀弓〉云：『卒哭而祭，其辭蓋曰哀薦成事。』言蓋，疑之者，以鄭君以前人有人解云三虞與卒哭同為一事解之者，鄭故疑卒哭之辭而云蓋也。」又《禮記・雜記下》孔穎達疏云：「先儒以此三虞、卒哭同是一事。」

胖，正是別無卒哭一祭、終虞與卒哭同為一事之證。鄭玄駁之云：「（班）今文為胖。……如特牲饋食之事。或云：以左胖虞，右胖祔。今此如饋食，則尸俎、肵俎皆有肩、臂[11]，豈復用虞臂乎？其不然明矣。」故在鄭玄，仍堅持卒哭別是一祭之說。並謂「他」指不及時而葬者之祭祀：「他，謂不及時而葬者。〈喪服小記〉曰：『報葬者，報虞者，三月而後卒哭。』然則虞、卒哭之間有祭事者，亦用剛日。其祭無名，謂之他者，假設言之。文不在卒哭上者，以其非常也。」其意以為：士若有故或家貧，卒而數日間遂葬而虞，亦必待三月而後行卒哭祭，故虞與卒哭之間須行「他祭」，日用剛日。

禮家多同意鄭說，如萬斯大《儀禮商》、胡培翬《儀禮正義》等是，但反對者亦有之，如敖繼公《儀禮集說》卷十三〈既夕禮〉云：

> 卒哭謂卒殯宮之哭也。禮於三虞既餞之後而遂卒哭，以其明日祔于祖，故不復朝夕哭於殯宮，惟朝一哭、夕一哭于其次而已。

又卷十四〈士虞禮〉云：

> 三虞卒哭，謂既三虞，遂卒朝夕哭也。

是敖繼公認為卒哭為終虞後卒朝夕哭，並非另為一個祭祀。蓋敖氏訓「他」為「別」，謂「他用剛日」為終虞「別用剛日」，所以不以為另有「他祭」。但敖氏並未具陳理據。

他如張爾岐《儀禮鄭注句讀》、吳廷華《儀禮章句》亦不以鄭說為然。而韓儒丁若鏞（1762-1836）《檀弓箴誤》除呼應敖氏，認為應解為「終虞即卒哭，別用剛日」外，尤力批鄭玄「他祭」之說，認為隔日行「他祭」，則將在虞與卒哭之間憑空產生數十個無名之祭，極不合理：

> 鄭欲以「他」字捏作祭名，可乎？且卒哭之謂成事者，謂虞安之禮成

---

11 王引之云：「據賈疏，則注內『肵俎』當為『阼俎』，謂主人俎也。今作『肵俎』者，涉上注『肵俎』而誤。肵俎心舌，安得有臂乎？『肩』，衍字也。」《經義述聞》（臺北市：世界書局，1963年），卷10。

於此祭也。所謂「他祭」，或至五十，或至八十，八十餘祭皆曰「成事」，可乎？[12]

不過，這是負面批評，丁氏其實未能提出終虞即是卒哭的正面證據。

對於鄭玄據〈雜記下〉之文為說，劉師培亦據〈雜記下〉駁之，《禮經舊說．既夕禮第十三》云：

鄭注云「卒哭成事、附言『皆』，則卒哭成事、附與虞異」，今即彼〈記〉之文繹之，蓋以最後一虞別稱卒哭，故對前四虞言，則前者為虞，後為卒哭，與〈檀弓〉「虞而立尸，卒哭而諱」同，是猶王禮廟祭九獻，其前二獻稱二祼，析言則別稱祼、獻，通言則獻亦兼祼也。故彼〈記〉此文雖以虞、卒哭、附分言，其上文則曰「虞、附亦然」，下文亦曰「非虞、附、練、祥，無沐浴」，均虞、附並詞，不言卒哭，明卒哭即該于虞，不如鄭意所說。

據劉說，終虞與卒哭是同一事，虞與卒哭只是通言和析言之別而已。劉說尤有力者，是〈雜記下〉的上、下文都有虞、附對言的文例，說明了卒哭不是虞、附之間單獨的祭祀。此外，劉師培也反駁「其他如饋食」之鄭說，《禮經舊說．士虞禮第十四》云：

此〈記〉「饋食」，今文舊說謂即上經之特豕饋食，以為祔祭之禮，舍用專膚為折俎數事外，其九飯之節亦與初虞之禮同也。知彼必以此饋食屬虞祭者，據〈特牲禮〉，尸俎、阼俎皆有臂，明同用二胖，今文禮說既以祔祭為惟用左胖[13]，必不以此饋食為特牲饋食，故觀鄭所駁，而舊說之義益明。

---

12 本段引文見《喪禮外篇》中《檀弓箴誤》，另參《喪禮四箋》，丁若鏞：《與猶堂全書》（韓國．肅蘭市：民族文化推進會．景印標點韓國文集叢刊．網路全文資料庫 http://www.minchu.or.kr）。

13 「左胖」當為「右胖」之誤。

劉師培既力主〈士虞・記〉之「饋食」並非鄭玄所認定之「特牲饋食」，而是見於〈士虞禮〉篇首之「特豕饋食」，遂以漢時大戴本各篇次第加以論述：

> 且即《禮經》大戴本之次言之，凡經、記所云「如某禮」者，舍〈鄉射・記〉「若飲君，如燕」外，均所如之禮其篇在前，如者在後，如〈燕禮〉「若射，則大射正為司射，如鄉射之禮」，以〈鄉射禮〉第十一、〈燕禮〉第十二也。〈聘禮・記〉「賜饔，惟羹飪，筮一尸，僕為祝，如饋食之禮」，以〈少牢饋食禮〉第八，〈聘禮〉第十四也。〈公食大夫禮〉「賓朝服，即位于大門外，如聘」，以〈聘禮〉第十四，〈公食大夫禮〉第十五也。今〈士虞禮〉之次，大戴列第六，在〈特牲饋食〉前，明此記所云之如，不謂彼禮。本經既有饋食之文，故禮家據以為說也。

按：劉說堪稱巧妙。簡言之，劉氏主張，「如饋食」既不指特牲饋食，則祔祭不必然用全牲，自不能排除用虞祭所餘右胖之說，若祔祭用虞祭所餘，則自無卒哭之祭。除此之外，劉氏又引漢代故事為佐證，〈既夕禮第十三〉云：

> 試以《續漢書・禮儀志》證之。〈志〉述大喪葬禮，謂還宮反廬，立主，如禮，桑木主尺二寸，不書謚。虞禮畢，祔于廟，如禮。明既虞即祔，漢代亦用斯禮。若既虞別行卒哭祭，則〈志〉不當云虞畢祔廟矣。此即今文禮說不與鄭同之證也。

總之，劉師培不持鄭說，均針對鄭玄所依之理據加以辨駁，並舉明文、實例為佐證，與敖繼公說之理據不詳者，精粗不同，深淺有別。

（三）大夫士祭祀有主與否的問題

天子、諸侯之祭，有主有樂，典籍有明文。大夫與士，則〈士虞禮〉、

〈特牲饋食禮〉、〈少牢饋食禮〉、〈有司徹〉均無明文，而鄭玄亦謂大夫、士無主無樂。

關於無主的問題，萬斯大不以為然，其《儀禮商．士虞禮第十四》云：

> 〈喪禮〉不言作主，而〈虞禮〉及〈特牲〉、〈少牢〉皆有尸無主，先儒因謂主惟天子、諸侯有之，大夫、士不得有主。按：〈檀弓〉云：「重，主道也。周主，重徹焉。」（原注：虞時作主，則徹重而埋之。）夫主，所以依神，重有主道者，始死未作主而依神於重，有主之道也。重既天子、諸侯、大夫、士皆有之，則主亦天子、諸侯、大夫、士皆有之矣。……《左傳》云：「祔而作主。」《公羊》云：「虞主用桑。」蓋作主本為祔廟，而其作則在虞時。故二傳異文而同實。在二傳，雖指君禮言，然大夫、士之作主，亦即此可見。然〈特牲〉、〈少牢〉何以不言主？主以依神，主在則祖考之神即在，祭時則立尸象神，以行獻酬，而無事于主，故文不之及。乃遂謂大夫、士無主，豈知禮意者哉？

萬斯大主張大夫、士有主，純粹用禮意去推論，而未舉實證。且《公羊》「虞主用桑」之說，明是他祭另將作主，與《左傳》「祔而作主」之說相矛盾，而萬氏竟謂「二傳異文而同實」，可謂粗疏。（說另詳下）

劉師培則不然。《禮經舊說．士虞禮第十四》首先指出漢時別本〈士虞．記〉有作主之文，疑是大戴或慶氏本，先取得文獻上之依據：

> 案：《公羊》文二年，《解詁》引〈士虞．記〉曰：「桑主不文，吉主皆刻而謚之。」……何氏所引，鄭本無其文，或據大戴、慶氏本也。

其次據《通典》引《五經異義》指出：謂大夫、士無主者乃是今文師說，鄭從之，而與古文殊。劉氏云：

> 考《通典．吉禮》引《五經異義》云：「或曰：卿、大夫、士有主否？答曰：案《公羊》說，卿、大夫非有土之君，不得祫享昭穆，故

> 無主。大夫束帛依神，士結茅為菆。慎據《春秋左氏傳》曰『衛孔悝反祏于西圃』，祏，石主也，言大夫以石為主。」鄭駁云：「〈少牢饋食〉，大夫禮也，束帛依神。〈特牲饋食〉，士祭禮也，結茅為菆。」如其義，是今文師說均謂士、大夫無主，與古文殊。[14]

然後說明作主乃在既祔之後，虞祭時尚無之：

> 蓋古文家說，以為士、大夫均有主，惟作主必待既祔。（原注：《禮記》〈檀弓〉、〈曲禮〉疏引《異義》，《公羊》說「虞而作主」，古《春秋左氏》說「祔而作主」，是其證。）虞祭之時，主尚未作，故立苴以示主道，猶之未葬以前，立重以示主道也。

以上均依據漢時古文家明文為說，遠較萬斯大說為可信。而既祔然後作主之說，雖與今文家說相左，但在古文家本身並無矛盾，故劉說亦可糾正萬氏之粗疏。

（四）大夫士祭祀有樂與否的問題

關於無樂的問題，萬斯大不以為然。其《儀禮商・特牲饋食第十五》云：

> 〈曲禮〉曰：「大夫無故不徹縣，士無故不徹琴瑟。」眾仲言羽數，大夫四，士二，是大夫、士皆有舞矣。〈祭統〉云：「禮有五經，莫重于祭。」〈特牲〉、〈少牢〉，大夫、士祭禮也，皆不用樂，何歟？嘗考之，〈郊特牲〉云：「饗、禘有樂，而食、嘗無樂。凡飲，養陽氣也，故有樂。食，養陰氣也，故無聲。」竊意：古者大夫、士四時

---

[14] 《通典・吉禮》引《五經異義》云：「主者，神象也。孝子既葬，心無所依，所以虞而立主以事之。唯天子、諸侯有主，卿、大夫無主，尊卑之差也。卿大夫無主者，依神以几筵，故〈少牢〉之祭，有尸無主。」此處與上文所引矛盾，《禮經舊說・少牢饋食禮第十六》云：「所引《異義》，似屬鄭駁之文，從《公羊》卿、大夫無主說。」

> 之祭，有用燕禮者，有用食禮者。用燕禮有樂，用食禮則無樂。〈特牲〉、〈少牢〉皆用食禮，故名饋食，而無樂也。

萬斯大認為二祭都以「饋食」為名，主食飯，所以無樂，並非大夫、士之祭都不用樂，〈曲禮〉與《左傳·隱公五年》眾仲論羽數「天子用八，諸侯用六，大夫四，士二」之言可以為證。只是祭祀何以有時用食禮？有時用燕禮？何時用食禮？何時用燕禮？萬氏並未進一步說明。

劉師培論祭祀之前，先從士、大夫在一般情況下有樂無樂說起。劉氏指出：主無樂者為今文家說，古文家則主有樂。《禮經舊說·鄉飲酒禮第四》云：

> 竊謂：依此經今文說，凡《論語》諸書所謂「鄉人飲酒」者，鄉人均謂人民，其飲、射二禮，雖兼有公、卿、大夫、士，然其禮實以合民為主，故所行之禮，與士禮、大夫禮不盡從同。如士、大夫本無樂，飲、射則均有樂，並有樂懸。……惟依古文說，大夫、士亦得有樂。又《周禮·小胥》亦有「大夫軒縣，士特縣」之文，特縣之制，與本〈記〉「磬階間縮霤北面鼓」之制合，亦即〈鄉射禮〉所謂「縣于洗東北西面」也。故《續漢書·禮儀志》「行鄉飲禮」，劉注引服虔、應劭曰：「漢家郡縣饗射祭祀，皆假士禮而行之，樂縣笙磬籩俎皆如士制。」如其說，蓋服、應均從古文誼，以漢行飲、射二禮，其樂縣笙磬籩俎之制，與此經同，亦與《周禮》所云士禮合。援是而推，則此經飲、射二禮，依服、應說，並為士禮之一。與今禮說，以此二禮惟主合民，不涉大夫、士恆禮者，其說迥異。

劉氏又針對〈曲禮〉「大夫無故不徹縣，士無故不徹琴瑟」下孔疏引熊安生說加以推論，認為大夫、士祭祀無樂也是今文家說，但與《周禮》不合，鄭玄調停其說，卻陷入違反今文家本說的矛盾之中。〈少牢饋食禮第十六〉云：

> 又《禮記·曲禮》孔疏引熊氏云：「案《春秋說題辭》『樂無士大夫

> 制』，鄭玄《箴膏肓》從《題辭》之義，大夫、士無樂。〈小胥〉『大夫判縣，士特縣』者，〈小胥〉所云，娛身之樂及治人之樂則有之也。故〈鄉飲酒〉有工歌之樂是也。《說題辭》云『無樂』者，謂無祭祀之樂，故〈特牲〉、〈少牢〉無樂。」推繹熊誼，蓋今文家說，據本篇及〈特牲禮〉不見樂舞，因謂大夫、士無樂，鄭氏知其與《周禮》不合，因調停其說，以為士、大夫惟有娛身、治人二樂，無祭祀樂舞。凡熊所言，均鄭義也。然依今文本說，則大夫、士舍琴瑟外，別無他樂。

劉氏於是下結論說：

> 依古文義，則士、大夫祭祀亦當有佾舞，不以本經不見為憑。

從劉氏的語氣看，他傾向同意古文說，認為大夫士之饋禮本來即有樂。不過，〈特牲〉、〈少牢〉為何未見樂舞，劉氏卻未加以解釋。

四　關於劉書

劉師培此書，為了收集「舊說」，廣泛引用先秦兩漢典籍，如《周禮》、《禮記》、《公羊》、《穀梁》、《左傳》、《鄭志》、《五經異義》、《漢書》、《後漢書》、《孟子》、《荀子》、《淮南子》、《白虎通義》、《風俗通義》、《鹽鐵論》、《獨斷》等及其注疏。又引《通典》所見馬融說、譙周說、大戴《喪服變除》、《石渠禮議》、杜預《宗譜》以及《北堂書鈔》、《聶氏三禮圖》等，此外還有漢石經、漢碑。以上資料除用以校勘經、注的誤、衍外，也分析今、古文舊有經說之異於鄭玄者。這便發揮了擅長古注、校勘、金石的家學。

捧讀劉書，筆者認為其研究取徑有兩點值得向學界提出；而對上節所述劉氏的個人的特殊見解，筆者不揣仄陋，也有兩點意見。以下分述之。至於士、大夫祭祀有無主與樂的問題，筆者認為難以裁斷，故置而不論。

（一）論證方式

探討《儀禮》中的疑難，劉氏往往先從文字等具體證據入手，然後穿針引線，將鄭玄以前的異說組織起來，以求明確顯現其理據。其書雖然延續傳統隨文立說的方式寫作，但邏輯性極強，善讀者自能了解其思惟的先後順序。譬如論饗禮，劉氏先依鄭注取得「『饗』古文作『鄉』」以及漢人多稱鄉飲酒禮為「饗」的具體證據，然後據《左傳》、《國語》、《周禮》等文獻，指出饗禮儀節多同於鄉飲酒禮的事實，最後論鄉飲酒禮即是饗禮，所以並無〈饗禮〉亡佚之事，其論證可謂層次分明，條理井然。又如論終虞與卒哭問題，劉氏先據鄭注取得今文「班」作「胖」，以及鄭玄之前有人解終虞與卒哭同為一事的證據，然後逐一反駁鄭玄的依據，特別是在鄭玄依據的〈雜記〉中找出反證，再舉漢代資料支持卒哭即在終虞之說，層層推論，遠較敖繼公憑空立說者為有說服力。

其次，此書分別重要證據與次要證據，重要資料用大字書寫，次要資料則用雙排小字繫於大字之下，層次極為分明。再者，由於此書分別今、古文經說（撰按：另詳下文），劉氏對於難以判定屬今抑屬古者，不輕易採用為佐證。譬如論大夫士祭祀有樂無樂的問題，《禮記・曲禮》有「大夫無故不徹縣，士無故不徹琴瑟」的明文，但劉氏並不引為重要證據，足見劉氏的謹慎。

（二）對今古文的態度

劉師培生當晚清，正是經學區分今、古最激烈的時代，其立場如何？似為值得討論的問題。

劉氏家學，以治《左傳》聞名，《左傳》固屬古文。劉師培於民元前初與章炳麟、黃侃善，二人在經學上亦偏向古文，這當是氣味相投所致，而與廖平、康有為異派，所以章炳麟於民前四年致書孫詒讓稱師培「素治古文

《春秋》，與麟同術」[15]，民前三年致書劉師培則稱「與君學術素同」[16]，足見劉師培當時之經學立場傾向古文。

民前一年，劉師培與端方入川，武昌起義後，劉師培留川，在國學館講學。此後精力貫注於研究《三禮》，其中《周禮古注集疏》固屬古文之學，至於《儀禮》一經，據鄭玄注，個別文字雖有「今文作某」、「古文作某」之別，但前人並未刻意區別今、古文在學說上的不同。當時廖平與劉師培共同講學，久已放棄尊今抑古的主張，而劉師培則區分《儀禮》的今、古文經說，在《禮經舊說》中，觸目可見，此點本文第二節所引邵瑞彭〈題記〉已曾指出。

廖、劉二人處理今、古文問題，還可以作一個有趣的對照，即二人均喜利用許慎《五經異義》佚文。廖平於經學初變時的代表作為《今古學考》，其分今、古文的主要依據為《五經異義》，由於許慎於其書分別標明今文說、古文說，廖平遂稱：「許君《五經異義》臚列今、古師說，以相折中，今與今同，古與古同，二者不相出入，足見師法之嚴。」[17]又謂其區分今、古之學乃在禮制而不在個別文字：「乃據《五經異義》所立之今、古二百餘條，專載禮制，不載文字。今學博士之禮制出於〈王制〉，古文專用《周禮》，故定為今學主〈王制〉、孔子，古學主《周禮》、周公，然後二家所以異同之故燦若列眉，千谿百壑得所歸宿。」[18]若依此言，廖氏此後應無二變、三變以至六變之事，然而有之，原因何在？筆者以為必是其後發現此一假設不能成立之故。李學勤〈今古學考與五經異義〉[19]一文，針對所謂「師法之嚴」舉例加以反駁，指出漢人並非完全「今與今同，古與古同」，許慎也不是均從古文，其說均能切中要害。廖平其後放棄舊說，應是亦有感於此。劉師培《禮經舊說》，亦喜引用《五經異義》為分別今、古文說之一助，但對

15 見《劉申叔先生遺書》，章炳麟〈與孫仲容書〉。

16 見《劉申叔先生遺書》，章炳麟〈與劉光漢書七〉。

17 見《今古學考》，卷上，頁15，〈五經異義今與今同古與古同表〉。

18 見《四益館經學四變記》，〈初變記〉，頁4。

19 文收入張岱年等：《國學今論》（瀋陽市：遼寧教育出版社，1992年），頁125-135。

今、古並沒有普遍性的軒輊，而是在個別問題上或支持古文、或支持今文。以本文第三節劉氏所討論者為例，饗禮的問題支持古文，終虞與卒哭的問題支持今文，大夫士祭祀有無主與樂的問題支持古文。此外，在漢代各本《儀禮》中，劉師培最信從大戴本（撰按：另詳下文），大戴既於西漢時立於學官，自然是今文。換言之，劉師培治《三禮》，對今、古並不有所抑揚，而能以客觀的求真態度對待學術問題。錢玄同在〈劉申叔先生遺書序〉中說：

> 劉君于經學，雖偏重古文，實亦左右采獲，不欲專己守殘也。……劉君不反對今文經說，而反對今文家目古文經為偽造及孔子改制託古之說也。

其實錢氏所言，還是侷限於今、古文對立的思惟中，似不如逕以上文所言「能以客觀的求真態度對待學術問題」稱之為宜。也許是這種態度，在廖平有需要放棄原有主張的問題，在劉師培卻沒有這種困擾。此點似可提供研究劉氏學術以及研究經學者的參考。

（三）饗禮的問題

劉師培主張饗禮儀節大抵就是〈鄉飲酒禮〉所見，而且其宗旨源自養老。由於這是創說，劉氏必須圓滿處理因此衍生的疑問。

首先，〈樂記〉有「射、鄉、食、饗」之文，鄉與饗對言，應屬不同禮儀。按：鄭玄以《三禮》相互為注，務求條貫不牴牾，〈樂記〉所載，或為鄭玄不以〈鄉飲酒禮〉所見即饗禮的理由之一。而劉氏此書，雖有盡量不從《禮記》取證的原則，但也必須有所解釋，而上引劉說，儘管能指出饗禮與鄉飲酒禮的共同點，但對於相異處僅稱：「其〈聘〉經『再饗』、『一饗』之饗，雖禮之所施與鄉飲異，至其概略，大抵相同，故亦以饗為名。」事實上並沒有說出異者究竟何在。劉氏曾引今文說云：「今文家詁『饗』字者，惟《公羊》經莊四年『夫人姜氏饗齊侯于祝丘』，《解詁》云：『牛酒曰犒，加飯羹曰饗。』依何義，是《春秋》之饗與犒禮略同，與〈聘〉經饗燕之饗迴別，不得據彼說以釋饗燕之饗也。」實則依何休說推論，則〈樂記〉所述「射、鄉、食、饗」之區別甚明，即鄉飲酒禮惟有酒餚而不食飯，食禮惟有飯餚而不飲酒（食禮雖或有酳，但酳並非有獻酢酬儀節之飲酒禮），饗禮則兼有酒餚與飯食。又據〈士昏禮〉:「舅姑共饗婦以一獻之禮。舅洗于南洗，姑洗于北洗，奠酬。舅姑先降自西階，婦降自阼階。歸俎于婦氏人。舅饗送者以一獻之禮，酬以束錦。姑饗婦人送者，酬以束錦。」鄭注：「以酒食勞人曰饗。」經文雖簡，而鄭注稱勞人有酒有食曰饗，與何休之說相同。又，《周禮・舂人》云：「凡饗、食，共其食米。」鄭注：「饗有食米，則饗禮兼燕與食。」饗禮既兼有酒食，劉氏卻稱與無食之鄉飲酒禮相同，何也？

又據上引〈士昏禮〉，饗禮有酬幣，而〈鄉飲酒禮〉無酬幣，若鄉飲酒禮可稱為饗禮之一種，何以如此？劉說亦未能解釋。

再者，《禮記・王制》有「凡養老，有虞氏以燕禮，夏后氏以饗禮，殷人以食禮，周人修而兼用之」之文，劉氏主張饗禮、鄉飲酒禮以養老為依歸，已經與之不全相合，更明顯的是古籍論周代養三老五更都偏向食禮，萬斯大《儀禮商・公食大夫禮第九》稱：

> 此禮公親設者，醬湆飯粱，而牲不親割，樂舞不具。〈樂記〉言食三老五更也，「天子袒而割牲，執醬而饋，執爵而酳，冕而總干」。然則食禮通乎上下，而行禮之隆殺，與儀物之多寡，則視乎食之之人與所食之人，以為之節也。

萬氏論〈公食大夫禮〉與天子養三老五更亦有不同，食禮「牲不親割，樂舞不具」，其說甚是。總之，文獻所見，周代養老不以飲酒為主，與〈鄉飲酒禮〉以飲酒為主者不合。然則劉氏以養老說鄉飲酒及饗禮，實難證成。更何況他國卿、大夫、士來聘，而以「養老」之禮待之（撰按：卿再饗、上介一饗、士介若食若饗），亦於禮意不通。

根據上述，劉說雖能指出饗禮儀節有與鄉飲酒禮相同者，但欲逕指鄉飲酒禮即是饗禮，且都以養老為宗旨，尚難取信於人。

（四）大戴本的問題

劉師培此書，一開卷即論大戴本、小戴本、《別錄》本（鄭玄本篇次從之）各本的篇名、篇目次第，稱「篇次各自不同，然均各有意義」，並詳細解說各本編次的安排的用意。其後各卷解經，往往以大戴本篇次為說，如本文第三節論終虞與卒哭問題，主張〈士虞・記〉之「如饋食」不如鄭玄所云乃指〈特牲饋食禮〉而言，而是指〈士虞禮〉篇首的「特豕饋食」而言，即是運用劉氏個人特有的此種思惟。茲再引述一次，以便覽者：

> 且即《禮經》大戴本之次言之，凡經、記所云「如某禮」者，舍〈鄉射・記〉「若飲君，如燕」外，均所如之禮其篇在前，如者在後，如〈燕禮〉「若射，則大射正為司射，如鄉射之禮」，以〈鄉射禮〉第十一、〈燕禮〉第十二也。〈聘禮・記〉「賜饔，惟羹飪，筮一尸，僕為祝，如饋食之禮」，以〈少牢饋食禮〉第八，〈聘禮〉第十四也。〈公食大夫禮〉「賓朝服，即位于大門外，如聘」，以〈聘禮〉第十四，〈公食大夫禮〉第十五也。今〈士虞禮〉之次，大戴列第六，在〈特牲饋食〉前，明此記所云之如，不謂彼禮。本經既有饋食之文，故禮家據以為說也。

劉氏此言，固然聲明是依照大戴本而論，但如依照《別錄》、鄭玄本，則〈聘禮〉第八，〈少牢饋食禮〉第十六，和大戴本的前後相反，便不符合。而且各本既然都以〈士冠禮〉、〈士昏禮〉、〈士相見禮〉冠首，自然都是依照士、大夫、諸侯、天子的先後次序編次，只是各本對吉凶禮儀的安排又有先後之不同而已。則〈燕禮〉在〈鄉射禮〉之後，乃是當然，又由於〈公食大夫禮〉補述〈聘禮〉中不詳的食禮，繫於其後也是當然，因而就劉氏的論證言，本不足以取為「所如之禮其篇在前，如者在後」之說的佐證，更何況〈鄉射禮・記〉中的「如燕」，劉氏已自承是例外呢！如此說來，劉氏之說，缺乏有力佐證，其論證是不能成立的。

其實劉氏此說，還涉及一個有關《儀禮》更根本的問題，即是其說乃假定《儀禮》各篇於撰作時即有固定編序，而大戴本最符合原始狀況。按：此即道咸間人邵懿辰（1810-1861）《禮經通論》的說法，邵氏認為大戴本《儀禮》即是孔子「手定」的「完書」，既是「手定完書」，當然有固定篇次。此說之源由、影響及錯誤處，筆者撰有專文討論，茲不重複。[20]如僅以劉氏《逸禮考》論之，劉氏既言「是則古經篇目當據班（固）書，逸禮源流當宗劉（歆）說」，亦即認定士禮（即《儀禮》）十七篇，《禮》古經有五十六篇，可見當時並無成書，則自不應以《儀禮》為完書。既不認為今傳《儀禮》乃是完書，則《禮經舊說》假定各篇撰作時即有固定編次，豈不矛盾？

五　結語

劉師培生命最後八年，精力貫注在《三禮》研究上，《禮經舊說》和《周禮古注集疏》是其力作，這固然和家學有些淵源，卻可能因接觸到廖平，對當時廖氏所代表的學風有感而發，因而研究取徑和廖平截然不同，筆者認為這應是有意為之。《禮經舊說》的撰寫，劉氏發揮了家學擅長的研究路徑，且在整理「舊說」之外，有其個人的特殊見解。儘管其部分見解似難成立，但其主要貢獻是將若干《儀禮》疑難問題整理出異於鄭玄的今、古文「舊說」，並「能以客觀的求真態度對待學術問題」，擇善而從，筆者認為此點遠較晚清民初某些學者嚴分今、古門戶的學風為可取。

---

20 葉國良：〈駁「《儀禮》為孔子手定完書」說及其延伸論述〉，文載《屈萬里先生百歲誕辰國際學術研討會論文集》（臺北市：國立臺灣大學中國文學系等主編，2006年），頁433-453。

錢穆先生與禮學

彭林*

錢穆（賓四）先生博通古今、學及四部，乃近代學術之山斗。禮學為耑門之學，瑣碎繁難，治之者代不數人。然先生邃於禮學，見解深刻，絕非等閑者可比，既有考辨之專著，亦有宏通之議論，縱論漢宋，黜陟乾嘉，若游刃之有餘，筆鋒所及，無不砉然響然。而環視今日之學界，研究先生學術者甚眾，涉及其禮學者則無多，竊每每為之長歎。今摭取其一二，冀以彰明先生禮說，並略申後學之心得，以就教於四方之達雅君子。

一 《周官著作時代考》：以史學治經學

光緒十一年（1885），廖平作《今古學考》創為今文、古文新說：今文宗孔子，古文出周公；西漢官學為今文，古文流行於民間、非始出於孔壁；云云。康有為《新學偽經考》踵武廖平，褒揚今文，力詆古文，指《周官》、《左傳》、《毛詩》、《爾雅》為劉歆偽作。康氏左之右之，翻手雲雨，學者靡然從之，相與鼓蕩，競標新說，一時蔚為新潮。然學風浮躁，多為率爾操觚之作，渠輩論諸子年世，不能貫通各家、鉤稽晦沉，不能細勘史籍、察其訛謬，故乖戾四起，學術與思想之混亂，於此為烈。

先生頗反感「民初新文化運動對國史多加詬詈」，決意對其「略有匡正」、「補偏救弊」[1]，聚焦之目標有二，一為今文、古文之爭，二為漢學、宋

---

* 北京清華大學人文學院歷史系。

1 錢穆：《湖上閑思錄．再跋》（北京市：三聯書店，2000年），頁130。

學之爭。先生於一九三〇至一九三五年陸續面世之《劉向歆父子年譜》、《周官著作時代考》、《先秦諸子繫年》等著作，乃完整之體系，皆為平定今古文之爭而作。

上述三書，《先秦諸子繫年》面世最晚，而著墨最先。先生自言，「余草《諸子繫年》，始自民國十二年秋，積四五載」[2]而成，是一九二三始撰，四、五載之後，即一九二七、一九二八年初稿甫成。《劉向歆父子年譜》撰於一九二六年，是前文未定，而後文繼起。《周官著作時代考》一九三二年六月刊載於《燕京學報》，先於《諸子繫年》刊載，然此作始撰於何年，先生未曾言及，因其篇幅浩大，洋洋十餘萬言，絕非倉促之間所能定稿，推想此作當動筆於《諸子繫年》與《向歆年譜》未成之時，三文曾並駕而行。

先秦諸子之研究，學者立論，多各執一端，論法者不及儒，論儒者不及墨。單篇而言，皆頭頭是道；合而觀之，則彼此牴牾。為奠定學術爭論之基石，先生沉潛往復，統觀畢究，「凡先秦學人無不一一詳考」、「無不為之輯逸證墜，辨偽發覆，參伍錯綜，曲暢旁達」，使二百年學術流變之跡，「無不粲然條貫，秩然就緒」[3]。自信百脈底定，再無扞格：「如長山之蛇，擊其首則尾應，擊其尾則首應，擊其中則首尾相應。」[4]《先秦諸子繫年》成，則東周學術史源流如示諸掌，《周官》著作年代之論定，已是水到渠成。

《周官》一書康有為等指為劉歆偽作，乃今古文之爭之聚焦所在，故欲破其說，則不能不論及此書之性質與著成年代。《周官》著作年代之論定，自武帝時即已聚訟，紛紛之說，莫衷一是。先生此作，於成書年代贊同何休「《周官》乃六國陰謀之書」之說，於研究路徑則採用龔自珍、康有為以史治經之方法，似均新意，然皆不可同日而語，先生此書，無論史料與方法，皆更為精審、詳密。何休之說，無論證之過程。近代今文家雖創新法，而大多論證疏鬆，如胡適〈論秦畤及周官書〉[5]寥寥一千餘字，未成正果。先生云：

---

2 錢穆：《先秦諸子繫年・自序》（北京市：商務印書館，2001年），頁21。

3 錢穆：《先秦諸子繫年・自序》，頁22。

4 錢穆：《先秦諸子繫年・自序》，頁21。

5 《古史辨》第五冊（上海市：上海古籍出版社，1982年），頁636。

> 夫治經終不能不通史，即清儒主張今文經學，龔定庵、魏默深為先起大師，此兩人亦既就史以論經矣。而康長素、廖季平，其所持論，益侵入歷史範圍。故旁通於史以治經，篳路藍縷啟山林者，其功績正當歸之晚清今文諸師。惟其先以經學上門戶之見自蔽，遂使流弊所及，甚至於顛倒史實而不顧。凡所不合於其所欲建立之門戶者，則胥以偽書偽說斥之。於是不僅群經有偽，而諸史亦有偽。輓近世疑古辨偽之風，則胥自此啟之。[6]

先生此書縱論《周官》制度，劃分為四：一論祀典，二論刑法，三論田制，四為雜論（封建、軍制、外族、喪葬、音樂），均置於先秦歷史之大背景之下考察，以下略引數端：

1　祀典

《周官》有九處「祀五帝」之記載。此「五帝」非《史記．五帝本紀》之黃帝、顓頊之等，乃指青、赤、黃、白、黑五色之帝。先生駁之云：

《詩》、《書》只言「天」、「帝」，不言「五帝」，祀五帝乃戰國晚起之說：「五帝祠」乃秦人特創，且只祀白、青、黃、赤四帝，高祖入關，始足成「五帝」。郊天祀帝，為周家舊制。〈小宗伯〉「兆五帝於四郊」，以五帝分祀四郊，乃戰國晚年五行學者理想上的冥構。《周官》作者將兩者兼羅並存，以至自陷扞格。如〈司服〉祀昊天上帝及五帝服「大裘而冕」，不知祀夏秋及中央三帝，皆非服裘之時。

《周官》以「昊天上帝」為二：冬日至圜丘所祭之「天」為昊天，以立春南郊所祭之「上帝」為受命帝，可謂聞所未聞。

6　錢穆：《兩漢經學今古文平議．自序》（北京市：商務印書館，2001年），頁6。

2 「方澤祭地」與「朝日夕月」

《周官》以「方澤祭地」與「圜丘祭天」相對，又有「朝日夕月」之祭，以月與日配。今北京天壇有祭天之圜丘，地壇有祭地之方澤；又有日壇、樂壇，即鋪陳《周官》此制所為。先生指其適足為晚出之證：

> 古人只有社祭，別無他祭；
> 《詩》、《書》不見有天地對偶相稱之說；
> 西周「天」為至尊，若天地並列，則天之尊已失。

《周官》天與地偶、日與月偶之類的配偶哲學，當是〈齊物論〉自然哲學之陰陽二元論出現之後方才形成。

3 救日食月食

《周官》之〈鼓人〉、〈大僕〉、〈庭氏〉等職，凡遇日食、月食，則以伐鼓等方式救之，此亦戰國配偶哲學之反映，徵諸文獻，即可見其荒唐。先生云：

> 《春秋》記日食三十六，而絕不提及月食；
> 《左傳》所言，日食並非月月為災，子午卯酉之日食不為災，其餘諸月則為災，而建巳之月尤甚，故獨有伐鼓救日之禮。
> 《春秋》日食三十六，記伐鼓用牲於社者僅三次，並非逢日食必舉；
> 《漢書．五行志》記西漢二百十二年之中，日食五十三，亦不著月食；
> 漢儒說災異，多及星象，少言月食。

4 法之觀念

《周官．大宰》「以八法治官府」，〈小宰〉、〈小司徒〉、〈鄉大夫〉、〈州長〉、〈黨正〉、〈族師〉、〈閭胥〉等均有聚官吏讀法之責。先生認為，此乃《周官》晚出之證：

> 古人治國，只知有「禮」或「刑」，此外似不知有所謂「法」，故《詩》、《書》中「法」字少見。
>
> 《左》昭六年，鄭子產鑄刑書，時人名之為「辟」而不稱「法」。叔向在諫書中亦未及「法」。
>
> 《左》昭二十九年，晉鑄刑鼎，著范宣子所為刑書，足見當時無「法」的觀念。
>
> 《論語》孔子云：「道之以政，齊之以刑，民免而無恥。道之以德，齊之以禮，有恥且格。」亦以「刑」、「禮」對舉。

「法」之興起，始於魏李悝之撰《法經》，此後有吳起、商鞅提倡法制，政治界「法」之概念逐步成立。

5 布憲

《周官》有法律公布之制，〈小宰〉、〈宰夫〉、〈宮正〉、〈內宰〉、〈鄉師〉、〈鄉大夫〉等均有布憲刑禁之責，嚴密之程度，難以想像，先生云：「大抵通觀《周官》全書，可以說三百六十官無一官無法制，也無一官無禁令。而這些法制禁令，又惟恐其下之不知，所以逐時逐年常竭力的用意於宣布和申述。」[7]先生斷言，此法絕不甚古：

> 若先周初早有每逢正月「縣法象魏，使萬民觀」的定制，子產鑄刑書，叔向博聞多識，何致驚詫反對？[8]
>
> 鄭國之刑書、晉國之刑鼎，只是一種較為固定的刑律，亦還說不到是

7　錢穆：〈周官著作時代攷〉，見晁岳佩編：《經史關係》（北京市：國家圖書館出版社，2009年），頁572。

8　錢穆：〈周官著作時代攷〉，頁571。

「法」，更講不到一切國家法典，都時時要公開宣布；

春秋時貴族與平民截然劃分，貴族制裁平民，平民服從貴族，無需預定刑律。其後平民崛起，貴族需預定刑律，以為制裁，故有鄭之刑書、晉之刑鼎出現；

吳起令民償南門外之表、商鞅徙木立信等，均是法家故事，絕非周公所制；

此等情況，則正合於《老子》「法令滋彰」之一語。

諸如此類之精采論辯，全書觸目皆是，限於篇幅，不盡一一。先生此作，篇幅之大、方法之新、考辨之精、涉及領域之廣，於當時均屬空前。先生將以史學治經學之方法發揮至極致，所有立論，均建立於《先秦諸子繫年》史學研究之基石之上，如老子與孔子，孰先孰後，關係極大，先生考定老子晚於孔子，於此書發揮重要作用。先生之後，研究《周官》時代者甚夥，立說各異，而研究路徑幾乎不出先生之範圍，足見先生制作堪為學林典範。

二 《中國近三百年學術史》：破除漢宋門戶

若說《周官著作時代考》之主旨，為平定今文、古文之爭，則先生《中近三百年學術史》之立意，在破除清代學術之漢宋門戶。

一九二三年至一九二五年春，梁任公先生於南開、清華兩校教授中國學術史，題其講稿名為《中國近三百年學術史》。一九三一年秋，錢先生為北大諸生講近三百年學術史，五載之後，講義刊布，亦名《中國近三百年學術史》。二書雖同名，而學術旨趣則大相逕庭。今專就兩者均涉及之禮學略作論列，以窺其異同。

任公論清人學術，最為推重考據學，即所謂「漢學」。一九二一年，任公於其《清代學術概論》云：「其在我國自秦以後，確能成為時代思潮者，則漢之經學，隋唐之佛學，宋及明之理學，清之考證學，四者而已。」[9]任公之《中國近三百年學術史》，乃以《清代學術概論》為綱要鋪延而成，故猶以乾嘉考據學為清代學術之典範，讚賞有加：

> 乾隆、嘉慶兩朝，漢學思想正達於最高潮，學術界幾乎全被他占領。
>
> 總之乾嘉間學者，實自成一種學風，和近世科學的研究法極相近，我們可以給他一個特別名稱，叫做「科學的古典學派」。[10]
>
> 乾嘉諸老中有三兩位——如戴東原、焦里堂、章實齋等，都有他們自己的哲學，超乎考證學以上。[11]
>
> 總而言之，乾嘉間考證學，可以說是，清代三百年文化的結晶體，合全國人的力量所構成。[12]

任公《中國近三百年學術史》一書，以檢閱清人文獻整理之既有成果為主要特色，故重在鋪陳與點評，如論《三禮》之學云：

> 現在且說清朝「禮學」復興的淵源。自黃梨洲、顧亭林懲晚明空疏之弊，提倡讀古書，讀古書自然觸處都感覺禮制之難懂了。他們兩位雖沒有關於禮學的專門著作，但亭林見張稷若治禮便讚嘆不止，他的外甥徐健庵便著有《讀禮通考》。梨洲大弟子萬充宗、季野兄弟經學的著述，關於訓詁方面的甚少，而關於禮制方面的最多，禮學蓋萌芽於此時了。其後惠、戴兩家，中分乾嘉派。惠氏父子著《禘說》、《明堂大道錄》等書，對於某項的禮制，專門考索。戴學出江慎修，慎修著《禮書綱目》，對於禮制為通貫的研究，而東原所欲著之《七經小記》中，禮學篇雖未成，而散篇見於文集者不少。其並時皖儒如程易疇、金櫱齋、淩次仲輩，皆篤嗜名物數制之學。而績溪、涇縣兩胡竹

---

9 梁啟超：《清代學術概論》（上海市：上海古籍出版社，1998年），頁1。

10 梁啟超：《中國近三百年學術史》（天津市：天津古籍出版社，2003年），頁25。

11 梁啟超：《中國近三百年學術史》，頁26。

12 梁啟超：《中國近三百年學術史》，頁27。

> 村、景莊以疏禮名其家，皆江、戴之遺風也。自茲以往，流風廣播，作者間出，而最後則孫仲容、黃儆季稱最善云。[13]

任公之意，清初理學之興起，乃源於古書中禮制之難懂，故或就「某項的禮制，專門考索」，或「於禮制為通貫的研究」，要之，清代理學「皆篤嗜名物數制之學」，彼此僅有精粗、詳略之別。

錢先生《中國近三百年學術史》旨在反思、檢討清代學術，重心在剖析其文化精神。先生有關理學之論述，主要見於第十、十二兩章；前者論評乾嘉禮學名家焦里堂、阮芸臺、淩次仲，而多所批評；後者探究曾滌生之理學觀，而多所褒揚。先生所論，要點有三：

其一，建立評判漢宋之標準。學界說清學，每分漢、宋疆域，且多抑宋、揚漢。對此，錢先生頗不以為然。為作徹底之澄清，先生先行樹立評判標準：及闡明何謂宋學精神，而後再論清人排斥宋學之是非：

> 治近代學術者當何自始？曰：必始於宋。何以當始於宋？曰：近代揭櫫漢之名以與宋學敵，不知宋學則無以平漢學之是非。且言漢學淵源者，必溯諸晚明諸遺老。然其實如夏峯、梨洲、二曲、傅山、桴亭、亭林、蒿菴、習齋，一世魁儒者碩，靡不寢饋于宋學。繼此而降，如恕谷、望溪、穆堂、謝山乃至慎修諸人，皆於宋學有甚深契詣。而于時以及乾隆，漢學之名，使稍稍起。而漢學諸家之高下淺深，亦往往視其所得于宋學之高下淺深以為判。道咸以下，則漢宋兼采之說漸盛，抑且多尊宋貶漢，對乾嘉為平反者。故不識宋學，即無以識近代也。[14]

然則，宋學之淵源又何在？先生云：宋學之源頭活水，始於韓昌黎，故欲知宋學，當「以昌黎韓氏為之率」。孔子整理「六經」，旨在「經世致用」，此一傳統綿延不絕。入唐，釋老之道勃興，詩賦之藝轉盛，學風為之丕變，學

---

13 梁啟超：《中國近三百年學術史》，頁211-212。

14 錢穆：《中國近三百年學術史》（香港：商務印書館，1997年），頁1。

者「非進士場屋之業，則釋、道山林之趣」[15]，而儒學式微，不絕如縷，惟昌黎高標獨立，砥柱中流，以繼承儒統自居：

> 韓氏論學雖疏，然其排釋老而返之儒，昌言師道，確立道統，則皆宋儒之所濫觴也。嘗試論之，唐之學者，治詩賦取進士第得高官，卑者漁獵富貴，上者建樹功名，是謂入世之士。其遯迹山林，棲心玄寂，求神仙，溺虛無，皈依釋老，則為出世之士。亦有既獲膴仕，得厚祿美名，轉而求禪問道于草澤枯槁之間者；亦有以終南為捷徑，身在江海而心在魏闕者。要之不越此兩途。獨昌黎韓氏，進不願為富貴功名，退不願為神仙虛無，而昌言乎古之道。曰為古之文者，必有志乎古之道，而樂以師道自尊。此皆宋學精神也。治宋學者首昌黎，則可不昧乎其所入矣。[16]

錢先生以昌黎為開宋學之先河者，堪為的當之論。入宋，胡安定等「始有意於為生民建政教之大本，而先樹其體於我躬，必學術明而後人才出」[17]，以「道德仁義為聖人體用，以為政教之本」[18]為學術之精神，經世致用之風復振。學者皆知重節操，以天下為己任，宋學自此而興。

明代東林書院，乃繼承宋學之重鎮「宋學重經世明道，其極必推之於權政，故繼之以東林」（〈自序〉）。東林為私學，學者有獨立之思想，繼重風骨，復以天下為己任，「東林之學起于山林，講于書院，堅持于牢獄刀繩」。東林雖遭宦黨荼毒，而其遺風則遠播於明清之際，故「謂清初學風盡出東林，亦無不可」[19]：

> 明清之際，諸家治學，尚多東林餘緒。梨洲嗣軌陽明，船山接迹橫

15　錢穆：《中國近三百年學術史》，頁3。
16　錢穆：《中國近三百年學術史》，頁2。
17　錢穆：《中國近三百年學術史》，頁3。
18　錢穆：《中國近三百年學術史》，頁2。
19　錢穆：《中國近三百年學術史》，頁22。

> 渠，亭林於心性不喜深談，習齋則兼斥宋明，然皆有聞於宋明之緒論者也。不忘種姓，有志經世，皆確乎成其為故國之遺老。[20]

先生云，乾嘉學者之失，在於見小而不能識大，戴震云：「故訓詁明，則聖人之禮亦明。」直以聲音故訓等同理義，而次仲等競相以此標榜漢學門戶。渠等之禮學，考證名物多，而發明禮義少。其所研究，大多碎又逃難，再無宋學之經世意識：

> 康、雍以往，極於乾、嘉，考證之學既盛，乃與東林若渺不相涉。而康、雍、乾、嘉之學則主張於廟堂，鼓吹於鴻博，而播揚於翰林諸學士。其意趣之不同可知矣。[21]

足見，清代乾嘉之學已背離經學之本義，漸次進入象牙之塔，盤據於科場，成為脫離現實社會之「純學術」，故先生譏其「精氣敻絕」[22]。

其二，清代漢、宋之學難以分割。如前所述。任公以為，清代禮學之興，乃是基於古書所見禮制難明。先生非之。清人禮學，以江慎修為宗。江氏兼通《十三經》，所學淹博，乃及於天官星歷之類，而尤精於《三禮》，其學以名物度數為長，故學人多視之為迥異於宋人之「漢學」，與宋學了不相涉。此乃似是而非之論。

先生有云，慎修為婺源人氏，與朱子同鄉。雖至清代，「流風未歇，學者固多守朱子圭臬」[23]。慎修生平所撰卷帙最大之著作，乃《禮書綱目》，達八十五卷之巨[24]。然是書之作，乃是有憾於朱子晚年發憤撰《儀禮經傳通解》未竟，雖有黃榦、楊復相繼，亦未成完帙，自謂「欲卒朱子之志，成禮樂之完書，雖僭妄有不辭也」。足見任公禮學起於「禮制難明」之說為非。又，

---

20 錢穆：《中國近三百年學術史》，〈自序〉。
21 錢穆：《中國近三百年學術史》，頁21。
22 錢穆：《中國近三百年學術史》，〈自序〉。
23 錢穆：《中國近三百年學術史》，頁340。
24 錢穆：《中國近代三百年學術史》，頁339作「八十八卷」，似誤。

慎修六十二歲時，撰《近思錄集注》十四卷，其自序盛推宋儒繼承道統，「其功傳矣，其書廣大精微，學者所當博觀而約取，玩索而服膺者也」。慎修而有述宋五子書數十卷，可知其絕非排棄宋學者，故先生又云：「大抵江氏學風，遠承朱子格物遺訓則斷可識也。」[25]

慎修之學傳之東原，東原之學傳之淩次仲。東原早期受宋學影響至深，晚年乃力詆宋儒，淩次仲頗受其影響：

> 夫而後東原之申斥宋儒以言理者，次仲乃易之以言禮。同時學者里堂、芸臺以下，皆承其說，一若以理、禮之別，為漢、宋之鴻溝焉。夫徽、歙之學，原於江氏，胎息本在器數、名物、律曆、步算，以之治理而獨精。然江氏之治禮，特以補紫陽之未備。一傳為東原，乃大詈朱子，而目其師為婺源之老儒焉。再傳為次仲，則分樹理、禮，為漢、宋之門戶焉。[26]

次仲為有清一代禮學大家，精於考證之學，先生云：「次仲制經精宙，於當時堪推巨擘。」其短處在義理不精，故「好越訓詁考據而言義理，架空為大言，抑揚漢宋」[27]，先生此評，乃指次仲〈復禮〉諸篇「以禮代理」之說：

> 次仲謂義因仁生，禮因義生，則先王制禮大原，端在此心之仁矣。顧曰為仁惟禮，求諸禮使可以復性，是原仁制禮者惟屬古人，後人只能習理以識仁，不得明仁以制禮。此亦與東原所謂「故訓明而古聖賢之理義明，古聖賢之理義明，而我心之同然者亦從而明」之說，為徑略似。要之祗許古人有劍，後人有裘，不敢求古聖之所以為劍者，以自為劍而通其變，故使義理盡於考據，此則東原、次仲之缺也。宋儒重義理，故言「理」，東原、次仲重考據，故言「禮」。[28]

---

25 錢穆：《中國近三百年學術史》，頁340。
26 錢穆：《中國近三百年學術史》，頁548。
27 錢穆：《中國近三百年學術史》，頁554。
28 錢穆：《中國近三百年學術史》，頁546。

禮言研究之第一要務，乃是探究聖人製作之本義。《禮記》云：「禮，時為大。」得禮之義理者，方能與時變通，而不失其本。「苟不知制禮之原，即無以通禮之變」[29]。先生批評次仲「以禮代理」之說，亦在標榜門戶，自為營參：「次仲十年治禮，考覈之精，固所擅長，然必裝點門戶，以復禮為說，等天下萬事之學術，必使出於我之一途，夫岂可得？」[30]「良以當時學風，本上考覈，於義理並不精，而必架空為大言以價宋儒義理之上，適足陷於東原之所謂『意見』也。」[31]次仲以敵愾之氣排斥宋學，確有無足夠之理論修養以為新構，故徒逞臆說。

其三，禮學之價值何在？「三禮」為上古時代之作品，兩千餘年之中，其社會作用何在？晚近以後，是否獲有價值？此乃無可迴避之問題。任公談禮學之價值云：

> 禮學的價值到底怎麼樣呢？幾千年很繁瑣很繁重的名物宮室、衣服、飲食之類，制度井田、封建、學校、軍制、賦役之類，禮節冠婚、喪祭之類，勞精敝神去研究它，實在太不值了。雖然，我們是換個方向，不把他當作經學，而把他當作史學，那麼，都是中國法制史、風俗史、XX史、XX史的第一期重要資料了。所以這門學問不必人人都學，自無待言。說他沒有學問的價值，卻大大不對。[32]

如任公所言，則禮學為幾千年很繁瑣、繁重的名物、制度、禮節，僅有史料價值，為無靈魂之古董，先生之見，與任公迥然相反，禮教乃中國文化之第一要義，貫穿千古今，捨此則無以言中華文明。任公《中國近三百年學術史》無曾滌生之名，遑論其禮說。錢先生則專闢一節，詳引滌生倫理之語，引為知己，大加激賞。滌生云：

---

29 錢穆：《中國近三百年學術史》，頁553。

30 錢穆：《中國近三百年學術史》，頁548。

31 錢穆：《中國近三百年學術史》，頁553。

32 梁啟超：《中國近三百年學術史》，頁217。

> 古之學者，無所謂經世之術也，學禮焉而已矣。……唐杜佑纂《通典》，言禮者居其泰半，始得先王經世之遺意。有宋張子、朱子，益崇闡之。聖清膺命，巨儒輩出，顧亭林氏著書，禮教為己任。江慎修氏纂《禮書綱目》，洪纖畢舉。——而秦樹峰氏遂修《五禮通考》，自天文、地理、軍政、官制都萃其中，旁綜九流，細破無內，國藩私獨宗之。（《文集》一，〈孫芝房芻論序〉）

> 先王之道，所謂修己治人、經緯萬彙者何歸乎？亦曰禮而已矣。秦滅書籍，漢代諸儒之所拾掇，鄭康成之所以卓絕，皆以禮也。杜君卿《通典》，言禮者十居其六，其識已跨越八代矣。有宋張子、朱子所討論，馬貴與、王伯厚之所纂輯，莫不以禮為兢兢。我朝學者，以顧亭林為宗，《國史·儒林傳》，褎然冠首，言及禮俗教化，則毅然有守先待後，捨我其誰之治，何其壯也！厥後張蒿菴作《中庸論》，及江慎修、戴東原輩，尤以禮為先務。而秦尚書蕙田遂纂《五禮通考》，舉天下古今幽明萬事，而一經之以禮，可謂體大矣。（《文集》卷二，〈聖哲畫像記〉）

滌生稱先王修已治人之道可總括為禮，杜佑等頗得先王之遺意，顧亭林以禮數為己任，頗有壯懷，錢先生深以為然，盛讚稱滌生之「甚卓絕」：

其論清儒實事求是即朱子格物窮理之旨，與章實齋談論漢學為朱子嫡傳之說，不謀而合。其論亭林學術，推本扶植禮教之意，較之《四庫》館臣論調，超越甚遠。以杜、馬補許、鄭之偏，以禮為之綱領，綰經世、考覈、義理於一紐，尤為體大思精，足為學者開一瑰境。其據秦蕙田《五禮通考》定理之輪廓，較之顏、李惟以六藝言古禮者，亦遙為恢宏。且其言禮，又能深領「禮，時為大」之意，以經世懸之的，與嘉、道漢學繼東原後，書以考訂古禮冗碎為能事者，迴不侔焉[33]。

先生贊同宋學，以為得經世傳統之神髓，清儒淵源於宋學，即戴震早期

33 錢穆：《中國近三百年學術史》，頁651。

不能免，而至晚期，即刻意與宋學分割，意欲自立門戶，然所割捨者，乃宋儒學術精神，此已鑄成大錯。而所謂漢學家，考據之外，未能推出理論新構，而強為之說，如次仲之「以禮代理」。如此，漢學門戶如何成立？

三　《湖上閒思錄》等：為中國文化立心

二次大戰起，先生學術境入另一境。一九八〇年，先生時年八十有六，於臺北素書樓回顧學術生涯云：

> 自世界第二次大戰開始，確信歐西文化亦多病痛，國家民族前途，斷不當一意慕效，無所批評抉擇，則盲人瞎馬，夜半深池，危險何堪設想。又歷史限於事實，可以書就本己，真相即明。而文化則寓有價值觀，必雙方比較，乃知得失。余在成都始寫《中國文化史導論》一書，此為余對自己學問有意開新之發端。[34]

先生《中國文化史導論》，始從大文化之視野研究中國文化精神。自是之後，先生論禮，多散見於書文之中，雖無鴻篇巨製，然立論高遠，更有深意存焉。先生治禮，前後異趣如此，於此可窺見其心路歷程。一九四八年，先生養病於無錫太湖之濱，乃靜心思考，轉以〈人文與自然〉、〈精神與物質〉、〈藝術與科學〉、〈自由與干涉〉、〈科學與人生〉、〈經驗與思維〉、〈推蓋與綜括〉、〈價值觀與仁慈心〉等問題為中心，揭示西方文化之弊端及中國文化之優長，並結集為《湖上閒思錄》一書。先生〈價值觀與仁慈心〉之篇云：

> 近代西方二三百年來物質科學進步，盡人皆知。但人文科學之落後脫節，其弊已顯。我們要建立新的人文科學，自然也不該乞尋於牛頓與大爾文，更不應該乞尋於上帝或神。要想把自然科學上的一視平等的精神移植到人文科學的園地裏來，這又是現代人文科學不能理想發展

34　錢穆：《湖上閒思錄》（北京市：三聯書店，2000年），頁130。

的一個原因。

再次，人類研究物質科學以及生命科學，研究對象，都不是人類之自身。

（西方人之人文科學）常想把物質科學的規律來代替宗教，來指導人文，如是則人類社會本身——人——無地位、無重量。

人類社會本身依然無地位、無重量。從前是聽命於宗教，聽命於人類以外的上帝。現在是聽命於物質，依然要聽命於人類以外之另外一位上帝。其實處乃與科學精神正相連。因科學精神正貴在事實本身上尋知識，但西方人卻想把物質科學的已有成績一轉手用來贈與給人文科學，那又如何可以呢？

要尋求一種心習，富於價值觀，又富於仁慈心，而又不致染上宗教色彩的，而又能事實求是向人類本身去探討人生知識的，而又不是消極與悲觀，如印度佛學般只能講出世的，那只有中國的儒家思想[35]。

中國文化與西方文化對話，當首先舉出自身文化之特質。余英時先生云「錢先生深信中國文化和歷史自由其獨特的精神」[36]，「錢穆先生最關心的是怎樣發掘出中國文化傳統的特徵，因此往往以西方文化作為對照」[37]。

如前所述，先生與《中國近三百年學術史》中，認同曾滌生之說，以禮為貫穿中國歷史始終之文化核心。一九八四年，先生於〈禮語法〉一文中，詳細論述中國實行禮治之優越，崇禮抑法之立場極為鮮明，茲摘其要點如下：

> 禮治與法治，見稱為中國思想史上的兩大潮流。依照中國國情而論，中國是一大國，以一個中央政府統治一個偌大的國家，應該有一種普遍而公平的法律，才能將全國各地撮合在一起。而且農業社會比較穩定，不多變動，那一種法律，因而也必得有其持久性以相適應，因此，中國政治從其客觀要求論，實在最易走上一條法治的，用一種統

---

35 錢穆：〈價值觀與仁慈心〉，《湖上閒思錄》，頁124-128。

36 余英時：〈一生為故國招魂——敬悼錢賓四師〉，《錢穆與中國文化》（上海市：上海遠東出版社，1994年），頁23。

37 余英時：《錢穆與中國文化》，頁41。

一而持久的法律來維繫政治。但中國思想界卻總是歌詠禮治，排棄法治。尤其是儒家可為代表。這裏面也有一番理由。

比較而言，禮之外面像是等級的，其實卻是平等的。法之外面像是平等的，其實則是等級的。禮是尋達人走向自由的，而法則是束縛限制人的行為的。禮是一種社會性的，而法則是一種政治性的。無論如何，禮必然承認有對方，而且其對對方又多少必有一些敬意的。法則只論法，不論人。

禮治精神需寄放在社會各個人身上，保留著各個人之平等與自由，而趨向於一種鬆弛散漫的局面。法治精神則要放在國家政府，以權力為中心，而削弱限制各個人之自由，而趨向於一種強力的制裁。中國人傳統提倡禮治，因此社會鬆弛散漫。不是自由太少，而是自由太多。法的重要性，在保護人之權利。而禮之重要性，則在尋達人之情感……權利是對峙的，而感情則是交流的。惟其是對峙的，所以可保，也可奪取。惟其是交流的，所以當尋達，又當通融。因而禮常是軟性的。而法則常是硬性的。

本來政治最多是件次好的。人類不能沒有社會，但不一定不能沒有政治。人類是為了有社會而始須有政治的，並不是為了政治而始須有社會的。法律只是政治方面的事，更其是最多也不能超過次好的。若使能有一個操握得權利量最少量的政府，能有一個政治居在最輕地位的社會，那豈不是更合理想嗎？……但中國的禮治思想，總像是朝著這一理想的方向而達進。至少是想把政治融入進社會，不是把社會來統治於一政府。

現在人痛恨中國政府無能，因而討厭禮治而歡迎有法治。其實中國人提倡禮治，正是要政府無能，而多把責任寄放在社會。因此想把風俗來代替了法律，把教育來代替了治權，把師長來代替了官吏，把情感來代替了權益。[38]

[38] 錢穆：〈禮與法〉，《湖上閒思路》，頁48-49。

在先生而言，禮並非沒有生命之僵屍，僅有解剖之價值，禮與中國傳統文化，乃是流動之生命體，依然存活於當今社會之中。若加以發掘，繼續廣大，則大有裨益於民族。先生希冀將禮樂文化作為新亞書院之育人理念，並貫徹於教學過程之中。一九六三年四月二十七日，先生於新亞書院第三期新校舍落成典禮之講演云：

> 教育的功效，在最粗處說是傳授技藝，此即如冉求之「藝」。精則培養智慧，此則如臧武仲之「知」。更要再修煉品德，此則如孟公綽之「不欲」、卞莊子之「勇」。但有技能、有智慧、有品德，仍不是孔子理想中之完人。孔子理想中之完人，則須於技能、智慧、德行之上，更有禮樂一項。唯有禮樂人生，始是經過教育文化陶冶的人生中之最高境界。禮樂，非技能，非智慧，亦非品德。乃是三者之上，而亦在三者之內。若使人類日常生活沒有了禮樂，縱使個人都具備才藝、智慧與品德，仍不理想。未經禮樂陶冶的個人，不得為成人。無禮樂的社會，將是一個不安的社會。無禮樂的天下，將是一個不安的天下。[39]

一九六三年五月，先生為《新亞雙週刊》六卷一期撰文，題為〈禮樂人生〉[40]，指出禮對於個人之作用，在於養成「節制心」與「和順心」，以適應群體生活。並提出禮樂人生可以救世界之理念：

> 禮樂之重要性並不在其外面所用以表現的某些器物，乃至行事上。主要還在人之內心，在一切群體，深感於要用器物和行事來表現禮樂之本原的心情上。
>
> 禮是一種節制心，樂是一種和順心。由於有此節制與和順的心情之內蘊，而使引生出禮樂。鐘鼓玉帛，則只是表現此類心情之工具，而非其本真。

---

39 錢穆：〈第三期新校舍落成典禮演講詞〉，《新亞遺鐸》（北京市：生活、讀書、新知三聯書店，2004年），頁513。

40 錢穆：〈禮樂人生〉，《新亞遺鐸》，頁516-520。

> 此種心情，即節制與和順心的心情，便不能有禮樂的心情。也可說，人若沒有群體生活，便不能有禮樂的生活。
>
> 中國古代所言禮樂精義，即中國社會一向所遵行的禮樂人生之實踐，則迄今仍存。
>
> 我們學校，一向提倡中國傳統文化，一向重視人生最高哲理之探究與實踐，一向鼓勵同學們自主發的團體活動。綜和此三，而求揭示出一項統一原則，我想首舉此「禮樂」二字。
>
> 我認為，禮樂人生可以救此世，亦只有禮樂人生可以救此世。在禮樂中生活的人，自具有明誠之德。具有明誠之德，自可進入禮樂人生。此道不難，主要只是在能群體生活中去尋求，去體認。

一九六九年至一九七一年，先生於臺灣文化大學講授《中國史學名著》，明確將中國政治以及政治理想歸結為「禮治主義」，與西方法治主義有本質區別：

> 諸位要知，中國政治是一個禮治主義。倘使我們說西方政治是法治主義，最高是法律，那麼中國政治是「禮」，中國傳統政治理想是禮治。[41]

由以上所述可知，從一九四八年先生作《禮與法》，此後先生論禮之說不絕於書，幾無稍輟。一九八三年七月，先生於臺北接見美國學者鄧爾麟，談及中國文化之特點、中西文化之區別。鄧氏將先生所論，整理為〈一堂中國文化課〉一文。先生於此明確提出禮是「中國之心」、「中國的核心思想是禮」的觀點：

> 在西方語言中沒有「禮」的同義詞。他是整個中國人世界裏一切習俗行為的準則，標誌著中國的特殊性。
>
> 西方只是用風俗之差異來區分文化，似乎文化只是其影響所及地區各

41　錢穆：《中國史學名著》（北京市：生活．讀書．新知三聯書店，2000年），頁151。

種風俗習慣的總和。

（在中國人眼中）所謂鄉俗、風情、方言只代表某一地區。中國人不管來自何方都有一個共同的文化。

要了解中國文化，必須站到更高來看到中國之心。中國的核心思想就是「禮」。

平心而論，近代學者認同禮為中國文化核心者，並非先生一人，然深知禮學精義、決心以之弘揚中華文化者，惟先生一人而已。其緣由，余英時先生《錢穆與中國文化》言之甚詳。余先生「用一生為故國招魂」[42]一語，歸結錢先生之學術宗旨，可謂深契胸臆者。王汎森先生云，錢先生「一生與晚清以來有志之士一樣，以『救國保種』為第一義」[43]，亦深知先生者。筆者作此文，亦知先生為中國文化立心之志。先生感人至深之處在此，先生學術所以超過前賢之處亦在此，後生晚學，敢不踵武先生之足跡？

42　余英時：〈一生為故國招魂——敬悼錢賓四師〉，《錢穆與中國文化》，頁19。

43　王汎森：《近代中國的史家與史學》（北京市：三聯書店〔香港〕有限公司，2008年），頁218。

高本漢的經籍研究

單周堯*

一

瑞典學者高本漢（Klas Bernhard Johannes Karlgren, 1889-1978）是二十世紀西方漢學界的大師，一九〇九年畢業於烏帕沙拉大學（Uppsala University），主修俄文。一九一〇年得到了一筆獎學金，於是遠赴中國，幾個月間學會了說中國話，在中國的兩年間，收集了二十四個方言的讀音。一九一二年返歐後，以方言為資料，用比較擬構的方法，擬測出中古音[1]，用法文寫成其首部中國音韻學鉅著──“Études sur la phonologie chinoise”（〈中國音韻學研究〉）。

其後高本漢有下列著作面世[2]：

1. “Ordet och pennan i Mettens rike”（〈中國語與中國文〉）（1918）
2. “Le Proto～Chinois, langue flexionelle”（〈原始中國語為變化語說〉）（1920）
3. “The Reconstruction of Ancient Chinese”（〈古代漢語的重建問題〉）（1922）
4. “Contribution a l'Analyse des Caracteres Chinois”（〈漢字解析新論〉）

* 香港大學陳漢賢伉儷基金中文明德教授。

1 參見梅祖麟：〈高本漢和漢語的因緣〉，載《傳記文學》，第39卷第2期（1981年8月），頁102。

2 參見陳舜政：〈高本漢著作目錄〉，載《書目季刊》，第4卷第1期（1969年9月）。此處所列舉者，為相對重要之著作。

（1923）

5. *Analytic Dictionary of Chinese and Sino-Japanese*（《漢和語文解析字典》）（1923）
6. “A Principle in the Phonetic Compounds of the Chinese Script”（〈形聲字之本質〉）（1925）
7. “Review of Alfred Forke: Der Ursprung der Chinesen auf Grund ihrer alten Bilderschrift”（評Alfred Forke氏〈中國原始象形文字論〉）（1925）
8. “Philology and Ancient China”（〈中國語言學研究〉）（1926）

可見高本漢早年的著作，都與中國語言文字學有關。跟“Philology and Ancient China”同年發表的，有“On the Authenticity and Nature of the Tso Chuan”一文，發表於*Göteborgs Högskolas Arsskrift*（《哥騰堡大學年報》）第32卷第3號。陸侃如（1903-1978）將之翻譯為中文，譯本命名《左傳真偽考》[3]。這是高本漢首篇直接跟中國經籍有關的著作，用的是他所熟悉的語言學方法。

“On the Authenticity and Nature of the Tso Chuan”分上下兩篇，上篇專論《左傳》的真偽，下篇從語法分析去研究《左傳》的性質。下篇又分三部分：第一部分從語法上證明《左傳》不是魯國人作的。第二部分用《書經》、《詩經》、《莊子》、《國語》等書來比較《左傳》的語法，證明《左傳》有特殊的語法組織，不是作偽者所能虛構的。第三部分又用《左傳》的語法來比較「前三世紀的標準文言」，證明《左傳》是前四五世紀的作品。

陸侃如在〈譯序〉中說：「《左傳真偽考》出版時，在中國史學界曾發

---

3 陸氏譯文曾登載於北大研究所《國學門月刊》第六、七、八號，一九二七年由上海新月書店出版單行本，書中附有胡適的〈序〉和衛聚賢的〈跋〉。陸譯於一九三六年由上海商務印書館印行第二版，書中又增加了高氏的另兩篇論文：（1）“The Authenticity of Ancient Chinese Texts”（〈中國古書的真偽〉）；（2）“The pronoun Küe in Shu King”（〈書經中的代名詞厥字〉）。書內附有胡適、衛聚賢和馮沅君等人的序跋。

生很大的影響。」[4]胡適（1891-1962）為陸侃如譯本寫了一篇〈《左傳真偽考》的提要與批評〉，認為高本漢的特別貢獻在指出語法差異與地域的關係[5]。高本漢用《論語》和《孟子》來代表魯國的方言，叫它做「魯語」，又把《左傳》的方言簡稱做「左語」，並選了七種助詞來比較，結果發現《論》、《孟》和《左傳》虛詞的用法很不同，因此，他認為《左傳》的作者不是魯國人。胡適認為這是他的最大成功[6]。周予同（1898-1981）也認為：「這在《左傳》作者問題的研究方法上實是一種新穎而重要的貢獻。」[7]

事實上，談到《左傳》的作者問題，眾說紛紜，莫衷一是。《春秋・序》孔穎達（574-648）《疏》引沈文阿[8]（503-563）曰：

> 《嚴氏春秋》引〈觀周篇〉云：「孔子將脩《春秋》，與左丘明乘，如周，觀書於周史，歸而脩《春秋》之《經》，丘明為之《傳》，共為表裏。」[9]

〈觀周篇〉是西漢本《孔子家語》中的一篇，如果上述文獻可靠，那麼，這就是最早提到《左傳》作者的記載。司馬遷（前145-前86）《史記・十二諸侯年表》說左丘明是魯君子[10]；《漢書・藝文志》載有《左氏傳》三十卷，下面寫着作者「左丘明，魯太史」[11]；杜預（222-284）則以為左丘明是孔子的學生[12]。總之，自漢至晉的學者，都認為《左傳》的作者是魯國的左丘明，而左

---

4 見《〈左傳真偽考〉及其他・譯序》（上海市：商務印書館，1936年），頁2。

5 《〈左傳真偽考〉及其他》，頁110。

6 《〈左傳真偽考〉及其他》，頁118。

7 見周予同：《群經概論》（上海市：商務印書館，1933年），頁69。

8 《春秋正義・序》作「沈文何」（見臺北市：藝文印書館，景印清嘉慶二十年〔1815〕南昌府學重刊宋本《左傳注疏》，總頁4），《隋書・經籍志》作「沈文阿」（見《隋書》〔北京市：中華書局，1973年〕，頁930），今從《隋書・經籍志》。

9 《春秋左傳正義》，總頁11。

10 見《史記》（北京市：中華書局，1972年），頁509-510。

11 見（漢）班固撰，（唐）顏師古注：《漢書》（北京市：中華書局，1975年），頁1713。

12 杜預《春秋左氏經傳集解・序》說：「左丘明受《經》於仲尼。」（見《春秋左傳正義》，總頁11）

丘明的身分大概是孔子的後輩或學生。不過，到了唐代的趙匡，卻有不同的看法。原因是「左丘明」一名，見於《論語》，《論語．公冶長》說：

> 子曰：「巧言令色足恭，左丘明恥之，丘亦恥之；匿怨而友其人，左丘明恥之，丘亦恥之。」[13]

趙氏根據《論語》這一章的辭氣，認為左丘明應該是孔子的前輩。

此外，《左傳》中所記載的某些謚號、官爵制度、學術思想與戰具，比較晚出，似乎是與孔子同時的左丘明所不應該知道的；而《左傳》所載卜筮，有不少是預言戰國時事的，而又大都應驗，因此，頗有人懷疑《左傳》作者是戰國時人，在這些歷史事件發生以後，才從後傅會，把這些卜筮編造出來[14]。不過，《四庫提要》卻認為這些說法只能證明《左傳》一書部分成於左丘明之後，不足證實全書的年代[15]。

高本漢嘗試用助詞的比較研究來證明《左傳》不是魯國人所作。他用《論語》和《孟子》來代表魯國的方言，叫它做「魯語」，又把《左傳》的方言簡稱做「左語」，並選了七種助詞來比較：

（一）「若」和「如」

高本漢說這兩個助詞在古代聲音很不同[16]；其實，「若」字古音日紐鐸部，「如」字古音日紐魚部，雖不是同音字，上古音還是相當接近的（二

---

[13] 見《十三經注疏》本《論語注疏》（臺北市：藝文印書館，景印清嘉慶二十年〔1815〕南昌府學重刊本，1973年），總頁46。

[14] 見（宋）葉夢得（1077-1148）：《春秋考》（《武英殿聚珍版叢書》，第60冊），卷3，頁20上-20下；鄭樵：《六經奧論》（清同治十二年〔1873〕重刊本《通志堂經解》，第473冊），卷4，頁28下-30上。

[15] 《四庫全書總目提要》（上海市：商務印書館，1939年，《萬有文庫簡編》本），第6冊，頁2。

[16] 見 *On the Authenticity and Nature of the Tso Chuan*（臺北市：成文出版社，1968年），頁36；陸侃如譯本，頁63。

字同紐，又魚鐸對轉）。高本漢指出，「若」和「如」在古漢語中絕對同義的，有下列兩種意義：（甲）作「假使」、「至於」解；（乙）作「好像」解。他又舉出幾種常用的固定結構。屬甲種意義的，他舉「若（如）某（之）何」；屬乙種意義的，他舉「不（弗、莫、豈）若（如）」。並把「若」和「如」在左語和魯語中作這兩種意義用的次數表列如下：

	左傳	論語	孟子
（甲）若（假使）	334		2
如（假使）	3	17	37
若某何	82		
如某何	2	23	20
若（至於）[17]	11		15
如（至於）		1	
（乙）若（像）	3	13	71
如（像）	199	69	50
不（弗等）若	1		11
不（弗等）如	102	12	12
何若			
何如	21	20	18
若何	27		
如何	2		3

由上表可以見到，作「假使」解時，《左傳》很規則的用「若」，只有三處用「如」，那是例外，高本漢認為那很可能是長期口授同傳寫所改動的；另一方面，魯語也同樣規則的用「如」，只有兩處例外地用「若」。

17 高本漢原書有「as to」二字（見頁36），陸侃如譯本漏譯，今補。

作「至於」解時，高本漢認為「便稍微有點紛亂了」[18]。在「若（如）某（之）何」這結構中，《左傳》還是很規則的用「若」（只有兩處例外地用「如」），魯語還是很規則的用「如」；但當「若（如）」獨用而解作「至於」時[19]，《孟子》卻像《左傳》一樣用「若」不用「如」，《論語》則用「如」，但這種獨用的情況只出現一次。由於《孟子》用「若」，與《左傳》同而與《論語》異，跟高本漢的整個理論有所衝突；因此，高本漢不得不承認「稍微有點紛亂」。這實在很值得加以注意。

以上是甲種意義的情況。一般來說，《左傳》一定用「若」，魯語一定用「如」；「若」獨用而作「至於」解則例外。

至於乙種意義，作「像」解時，或者在「不（弗等）若（如）」這固定結構中，《左傳》一定用「如」（只有四處例外地用「若」），魯語則「如」、「若」混用。但這只是籠統的初步分析。細看表中的數字，我覺得有兩點高本漢沒有指出而值得我們注意的：（1）「若（如）」獨用作「像」解時，《孟子》用「若」多於用「如」（七十一個「若」，五十個「如」），《論語》則用「如」遠比用「若」多（六十九個「如」，十三個「若」），因此，我們不能說《論語》與《孟子》全同而與《左傳》全異（當然，《左傳》一九九個「如」，三個「若」，比《論語》更懸殊）。（2）在「不（弗等）若（如）」這固定結構中，《論語》全用「如」，與《左傳》同（《左傳》一〇二個「如」，一個「若」），而與《孟子》異（《孟子》「如」、「若」混用，十二個「如」，十一個「若」）。以上兩點都跟高本漢的理論有所衝突。

跟疑問字「何」連用時，魯語全用「如」字；《左傳》則根據「何」字在前在後而定，若在前則用「如」（共二十一個「何如」），在後則用「若」（二十七個「若何」，兩個「如何」為例外）。

高本漢的結論是：乙種意義——除了在「若何」這固定結構中，《左傳》

---

18 見高本漢原書，頁37及陸侃如譯本，頁65。

19 高本漢原書，頁37作 "But when 若（如）is used alone in the sense of 'as to' "，陸侃如譯本誤譯作「但是『若（如）』、獨用的時候解作『像』」（頁65），今正。

一定用「如」；魯語則兼用「如」、「若」，除了跟疑問字「何」連用，那便只用「如」。

（二）「斯」解作「則」

高本漢指出，「斯」作「則」解，在魯語很常見。另一方面，《左傳》雖然有幾百個「則」字，卻只有四個「斯」字用作「則」，其中兩個在「君子曰」的說話裏，另外兩個也是在引別人的話裏。所以可以說，作「則」解的「斯」字，在《左傳》中差不多完全沒有。

（三）「斯」解作「此」

高本漢又指出，「斯」字作為指示代名詞和形容詞，解作「這個」，在魯語中很常見，在《左傳》中則沒有。

（四）「乎」解作「於」

高本漢指出，解作「在」的最普通的介詞是「於」和「于」，而作同樣用的「乎」字，在魯語裏是一個規則的常用的介詞，計《論語》共二十八處，《孟子》共四十七處；而在《左傳》裏，卻絕無僅有。

（五）「與」解作「乎」

高本漢指出，「與」解作「乎」，用作疑問字，在魯語裏很常見，在左語則沒有。

（六）「及」和「與」解作「和」

高本漢指出，在左語裏，作「和」解的「與」和「及」都有，而「及」字尤其通行；而魯語只用「與」字。

（七）「於」和「于」

高本漢指出，「於」和「于」在古代不同音[20]。案：《廣韻》「於」字「央居切」一音，中古屬影紐魚韻開口三等，以此推之，上古屬影紐魚部；「于」字「羽俱切」，中古喻紐虞韻合口三等，上古匣紐魚部。根據《廣韻》上推，在先秦時，二字大抵主要元音相同，聲母不同，介音也不完全相同。

高本漢把他的討論限於「於」和「于」的原始、具體的意義，特別是下列三種不同的用處：

（甲）用如法文的chez, auprès de, vis-à-vis de，置於人名之前，《左傳》多用「於」字。例如「請於武公」，「公問於眾仲」，「有寵於王」，「言於齊侯」，「晉君宣其明德於諸侯」。

（乙）用如英文的at, to，或法文的à，置於地名之前，《左傳》多用「于」字。例如「敗宋師于黃」，「至于廩延」，「遂田于貝丘」。

（丙）用如英文的in, into，法文的dans，表示地位所在或動作所止，但其下不是地名，故與（乙）項不同。《左傳》「於」、「于」混用，例如「見孔父之妻于路」，「殺孟陽于牀」，但又有「淹久於敝邑」，「趙旃夜至於楚軍」。

---

20 見高本漢原書，頁42及陸侃如譯本，頁70。

高本漢做了一個統計表如下：

	於	于
（甲）用如auprès de	581	85
（乙）用如à	97	501
（丙）用如dans	197	182

從表中可見，用如法文的auprès de, chez, vis-à-vis de，置於人名之前時，用「於」是用「于」的七倍；用如法文的à，置於地名之前時，用「于」是用「於」的五倍；用如法文的dans，表示地位所在或動作所止，但其下不是地名時，用「於」和用「于」數目大致相同。

高本漢指出，上列的比例，在《左傳》全書各部分是一致的。

此外，高本漢又指出兩點，很值得我們注意：

（1）用如法文的auprès de時，「于」雖佔少數，但仍有八十五次；用如法文的à時，「於」雖佔少數，但也有九十七次，這到底是由於在左語裏「於」和「于」已開始混亂，還是純粹因為傳寫致譌？照道理說，只要這兩個字的發音仍然不同，學者口頭傳授的時候，一定可以保存《左傳）中原有的「於」、「于」的分別；但當它們的發音漸漸變得相近，傳授的人在語感上覺得它們同義，於是很容易便會忽略書中原有的異點了。因此，高本漢認為在原書中這些規則很可能比在統計表上所見到的還要嚴密。此外，那些忠實的學者能純粹機械地保存他們當日已不能了解的異點，高本漢也感到驚奇。

（2）《欽定春秋傳說彙纂》本《左傳》中的「於」和「于」很混亂；但高本漢做統計所根據的《四部叢刊》本《左傳》，與阮元（1764-1849）的《十三經注疏》本、陸德明（556-627）的《經典釋文》及伯希和（Paul Pelliot, 1878-1945）在敦煌所發現的四段很長的六朝稿本、唐稿本《左傳》殘簡，就「於」和「于」的分配來說，卻相當一致。

高本漢指出的這兩點，我們在下文還要討論，高本漢又指出，左語裏「於」、「于」的分別，在魯語裏並不存在，魯語只用「於」字。高本漢作一比較表如下：

	左語	魯語
（甲）用如auprès de	於	於
（乙）用如à	于	於
（丙）用如dans	於、于	於

高本漢根據上述七項標準，得到的結論是：《左傳》的語法，與《論語》、《孟子》所代表的魯語的語法很不同，因此，《左傳》不是孔子作的，也不是孔門弟子作的，也不是司馬遷所謂「魯君子」作的，因為此書是用一種與魯語完全不同的方言寫的。不過，《左傳》是一個人或同一學派中的幾個同鄉人作的，因為它的語法是全書一致的。

衛聚賢（1899-1989）為陸侃如的譯本寫了一篇跋，認為中國古籍上的「於」和「于」的分別，有時間性而無空間性。衛氏指出，甲骨文、金文、《尚書》[21]、《詩經》[22]、《春秋》都用「于」做介詞，《左傳》、《國語》、《論語》、《孟子》、《莊子》則「于」和「於」並用作介詞。他指出「於」和「于」的比例是：

---

21 衛氏於「《尚書》」後注明「今文二十八篇」，又注云：「《尚書》中有九個『於』字，但〈堯典〉、〈益稷〉的三個『於』字作感歎詞『烏』字用。〈金縢〉的兩個『於』字，《尚書大傳》引作『于』。〈酒誥〉的兩個『於』字，〈吳語〉韋《註》引作『于』。查核了〈金縢〉、〈顧命〉的兩個『於』字，當係後人傳寫錯誤。」

22 衛氏原注曰：「《詩經》中有四十四個『於』字，除作感歎詞『烏』字用外，下餘十三個作介詞用的。但〈静女〉的『於』字《說苑》引作『乎』。《十駕齋養新錄》卷一說：『于、於兩字義同而音稍異，《尚書》、《詩經》例用于字，《論語》例用於字，唯引《詩》、《書》作于字。今字母家以於屬影母，于屬喻母，古音無影、喻之別也。』可見《詩》中的『於』字古本作『于』字，今本被後人傳寫錯誤而有了十五個『於』。」

《左傳》 19：17[23]

《國語》 9：2

《論語》 21：1

《孟子》 96：1

《莊子》 849：1

衛氏說，由此可見「於」和「于」的升降之際了。他又指出，戰國的金文，如〈陳貝方敦〉，也用「於」作介詞[24]。

胡適在〈《左傳真偽考》的提要與批評〉中指出，衛氏之說，也有相當的價值，因為文法的變遷，確有時間的關係，如《論語》與《孟子》同為魯語，而《孟子》用「于」字比《論語》少得多；又如《論語》只有「斯」字，而無「此」字，《孟子》裏則多用「此」字，很少「斯」字。不過，胡氏認為衛氏說「於」、「于」之別，只有時間性而無空間性，是太武斷的結論，是大錯。胡氏說，例如各書用「於」、「于」的比例，從《論語》的二十一比一到《孟子》的九十六比一，還可說是時代升降的關係；但何以解釋《左傳》的十九比十七呢？難道可以說《左傳》之作遠在《論語》之前嗎？胡氏指出，高本漢一共用了七項標準作證，「於」、「于」之別，不過是七項標準中的一項。胡氏認為高本漢的結論是可以成立的[25]。

如果把《左傳》、《春秋》和《論》、《孟》的語法加以比較，便會發現一個有趣的問題。莫非斯在〈《春秋》和《左傳》的關係〉[26]一文中，根據高本漢所提出的七項語法現象，將《春秋》、《左傳》的語言和《論》、《孟》之所謂魯語加以比較。前五項現象，由於《春秋》的文字過於簡略，因此

---

23 衛氏原注指出，高本漢原書，頁44有一表，歸納起來為：於（581＋97＋197）：于（85＋501＋182）＝於875：于769＝於19：于17。衛氏沒有像高本漢那樣，將「於」和「于」在不同用法中的比例分別計算。

24 衛氏的意見，見《〈左傳真偽考〉及其他》，頁121-122。

25 見《〈左傳真偽考〉及其他》，頁109-110。

26 見《考古學社社刊》，第6期（1937年6月），頁136-144。

無法得到明證。至於第六項，《春秋》用了七十三個「及」字，而只用了一個「與」字，這個惟一的「與」字，出現在桓公十八年「公與夫人姜氏遂如齊」，但據《公羊傳》，則只作「公夫人姜氏遂如齊」，並無「與」字，且說：「何以不言及夫人，夫人外也。」由此可見，這個惟一的「與」字，可能是後人加的，莫氏因此斷定：《春秋》只用「及」而不用「與」，與左語同[27]而與魯語異。至於第七項，《春秋》全用「于」字，粗看起來，似乎和《左傳》不合，可是這些「于」字，作第一項解的只有二個，作第二項解的則有三五六個，作第三項解的則有二十五個。換句話說，左語中應該用「於」字的，在《春秋》中不過只得兩個「于」字；左語中應該用「于」的，在《春秋》中卻有三五六個之多；左語中「于」、「於」可並用的，在《春秋》中則有二十六個。莫氏假設第一項的兩個「于」字乃後人妄改所致；即或不然，則《左傳》於第一項用法，也用了八十五個「于」，因此，莫氏說即使《春秋》用兩個「于」字，也不為過。莫氏的結論是：有關「於」、「于」的用法，《春秋》和《左傳》一致[28]，而與魯語之全用「於」字不同。莫氏說《春秋》和《左傳》語法相同，那是有問題的，下文再作討論。不過，《春秋》和魯語的語法不同，卻是事實，那麼，《春秋》便不是魯國人所作，不是孔子所作的了。

對於這種現象，周法高（1915-1994）用文體說來解釋，他在〈上古語法札記〉一文中，談到「於」和「于」的用法時說[29]，較古的（或是摹古的）文體，如甲骨文、金文、《書》、《詩》、《春秋》等，大體用「于」；新興的文體，如《論語》、《墨子》、《孟子》、《莊子》、《荀子》等書，大體用「於」。而《左傳》、《國語》「於」、「于」並用，是一種獨特的現象。周氏根據莫非斯所看到的《春秋》和《左傳》語法相似的現象，指出在《竹書紀年》裏，也有類似的情形，並根據王國維《古本竹書紀年輯校》統計，用作

---

27 這一說法不完全對，《左傳》其實用了不少解作「和」的「與」字，下文再作討論。

28 這一說法也不完全對，下文再作討論。

29 見《中央研究院歷史語言研究所集刊》，第22本（1950年），頁182-183。

「和」字解的「及」字二十見，「與」字四見，這和《左傳真偽考》所說「左語內『與』和『及』都有，而『及』字尤其通行」很相像，介詞也用「于」而不用「於」，《竹書紀年》為晉史，成於戰國之世，也和《春秋》、《左傳》有相似處，因此，周氏認為文體的影響，可能遠甚於地域的影響。周氏進一步解釋說：當時新興的論說文體用「於」字，而《春秋》等記事史書卻沿襲舊習慣用「于」字，在第二項用法即介詞後加地名時，《左傳》沿襲《春秋》一類史書的習慣，多用「于」字；第一項用法是《春秋》一類史書所缺少的，所以便大致採用新興的辦法，多用「於」字；至於第三項用法，形式上和第二項用法相像，但並不相同，所以「於」和「于」便混用了。周氏認為《春秋》的書法，大概代表當時諸侯史書的形式；《左傳》和《國語》在性質上是一種史書，同時又和舊史的體裁不盡相同，在「於」和「于」的使用上，便成了新舊雜揉的現象了。周氏指出，考察書中某些語詞的用法，是可以幫助我們判斷古書的性質；但是，有許多用法是因襲的，不能全認為是代表某種方言的特色，在一種文體已定型的時候，其因襲成分往往很大。周氏並且引述高本漢"Le Proto～Chinois langue flexionelle"（馮承鈞譯文命名《原始中國語為變化語》）中的一段話：「孔子所作魯史《春秋》，始七二二年，終四八一年，其後部之年代，與孔子同時（前551-前479）；但《春秋》之文體與《書經》相類，魯國方言從格通用『吾』字，而《春秋》常有語句如『侵我西鄙』之類，足證史家並未以魯語誌史事，而用撰述文體也。」周氏指出，《春秋》和《論語》的不同，除高本漢所舉者外，尚有：（一）《春秋》用「及」，《論語》用「與」；（二）《春秋》用「于」，《論語》用「於」。但我們不能根據這些差別，便斷定《春秋》不是魯人所作，所以純粹靠語法上的根據是不夠的。

周氏的文體說，是承自高本漢的。高本漢在"Le Proto-Chinois langue flexionelle"一文中指出，《書經》、《詩經》、《論語》所用的第一位代名詞，差別很大，但這並非由於時代不同，《詩經》的時代，與《書經》中時代較後的〈周書〉大致相同，但〈周書〉有「予」字一一三，「朕」字三十八，「我」字一七一，而《詩經》則差不多全用「我」字——共二六八，而只有三十七個「予」字；況且《書經》中最晚的〈周書〉，止於西元前六二七年，距孔子的時代不遠（孔子生於公元前551年），但《書經》中絕無「吾」字，而「吾」字卻是《論語》主格、從格所常用的字，因此這種現象不能用時代不同去解釋。如果說是由於方言殊異的緣故，這問題也不易解決，因為《書經》為一千五百年典錄之纂集，而《詩經・國風》為十五個國家之歌謠，其中有數國與魯國地域接近。高本漢認為邁埃（M.A. Meillet）《希臘語言史概要》中的一段說話，是解決這一問題的關鍵。邁埃認為語言之區別，視各種文體發展之地而異，視其發展之特別條件而異，蓋各地各自有其語言。挽歌盛行於岳尼（Ionie），其韻語即大受「岳尼化」。多利德（Doride）諸市流行合唱抒情詩歌，用語大致如多利德語，即非多利德之詩人所撰，如岳尼詩人巴基里德（Bacchylide）或別阿西（Béotie）詩人屏大勒（Pindare）之作品，亦用多利德語言。所以各種文體各自有其語言。高本漢認為，中國古代的狀況，必亦相類。撰述與演說文體，原為有「予」、「朕」、「我」等詞方言區的代表所發起，以後這種文體的著作，如《書經》之類，即沿用其文體。詩歌體為有「我」這個詞的方言區的詩人所發起，而各國詩人皆用之。而《論語》則為一種哲學的新文體，所用的語言，當為孔子所說的方言，高本漢更指出，孔子作《春秋》，文體與《書經》相類，這是因為他並非以魯語記史事，而是用撰述文體[30]。

高本漢"Le Proto-Chinois langue flexionelle"一文，於一九二〇年發表於*Journal Asiatique*；而"On the Authenticity and Nature of the Tso Chuan"，則於一九二六年發表於*Göteborgs Högskolas Årsskrift*。高本漢似乎是放棄了文體說而用方言說。到了一九五〇年，周法高又引用高本漢的文體說來壓倒方言說。二說到底孰優孰劣呢？這是一個很有趣的問題。

如果根據方言說，《春秋》便不是魯國的作品，而且，據高本漢研究，

30 詳見Karlgren, Bernhard: "Le Proto-Chinois langue flexionelle", *Journal Asiatique* 15（1920）, pp.205-232，及馮承鈞譯：〈原始中國語為變化語說〉，《東方雜誌》，第26卷第5號，頁77-89。

《莊子》、《呂氏春秋》、《戰國策》、《荀子》和《韓非子》，這幾部西元前三世紀的書，語法上很一致：（一）解作「像」（「如此」、「若此」等等）的，在這幾部書內，「若」和「如」都通行。（二）「斯」用作「則」，「斯」用作「此」，「及」用作「和」，這幾部書都沒有。（三）「乎」用作介詞，這幾部書都有，不過使用的程度不同。在《莊子》和《呂氏春秋》中，這種用法很通行；在別的書內則比較少。（四）「與」用在句尾，在《莊子》、《呂氏春秋》、《戰國策》和《荀子》內都很少，《韓非子》則沒有。（五）在這幾部書內，「於」絕對通用，「于」則很少見，只有《呂氏春秋》比較多一點。（六）用「吾」（主格和領格）、「我」、「予」，和魯語、左語一樣。（七）句尾的「邪」，這幾部書都有，《莊子》內常見，別的書內少一點。高本漢指出，韓非子在文體上有可能受他的老師荀子的影響，但至少莊子和荀子是絕不相干的，而且我們也沒有理由猜想《呂氏春秋》和《戰國策》的作者會受荀子的影響，但他們的語法卻那麼一致，高本漢認為他們可能共同採用一種西元前三世紀的標準文言。高本漢說：「這種現象很自然，而且和別國的情形也相同，在文學發展的早期，作者很少，無所因襲，便得創造自己的文體，所以呈現出不同的方言；當文學進步後，著作變成普遍的事業，便有大致相同的標準文字出現，而這種情況，在西元前三世紀已達到了。」[31]可是，高本漢又指出，《莊子》、《呂氏春秋》、《戰國策》、《荀子》和《韓非子》這些書的語言，和魯語很不同，沒有「斯」用作「則」和「斯」用作「此」，這些都是魯語很常用的。我們不禁會問：孟子（前372-前289）和莊子（前369-前286?）、荀子（前313?-前238）、呂不韋（?-前235）、韓非（前280?-前233）時代相距不遠，為甚麼其他書都採用當時的標準文言，而《孟子》卻不用標準文言而用方語呢？這是很值得注意的。

至於文體說，也有些地方值得留意。上文提到莫非斯在〈《春秋》和《左傳》的關係〉一文中，根據高本漢所提出的七項語法現象，將《左傳》和《春秋》加以比較。前五項現象，由於《春秋》的文字過於簡略，因此

---

31 參 *On the Authenticity and Nature of the Tso Chuan*，頁62-63及陸侃如譯本，頁92-94。

無法得到明證。至於第六項，《春秋》用了七十三個「及」字，而只用了一個「與」字，而這個惟一的「與」字，也可能是後人加的，因此莫氏說《春秋》只用「及」而不用「與」。又因為高本漢說：「左語內『與』和『及』都有，而『及』字尤其通行。」[32]莫氏遂說在解作「和」的「及」和「與」的使用中，《春秋》與左語同。但事實上，在《左傳》中，解作「和」的「與」字觸目皆是，如：

公孫閼與潁考叔爭車。（隱11）
父與夫孰親？（桓15）
宣姜與公子朔構急子。（桓16）
初，內蛇與外蛇鬥於鄭南門中。（莊14）
陳公子完與顓孫奔齊。（莊22）
賂外嬖梁五與東關嬖五。（莊28）
而重耳、夷吾主蒲與屈，（莊28）
晉荀息請以屈產之乘與垂棘之璧假道於虞以伐虢。（僖2）
齊侯與蔡姬乘舟於囿。（僖3）
失忠與敬。（僖5）
君以禮與信屬諸侯。（僖7）
子弒二君與一大夫。（僖10）
不書朔與日。（僖15）
以太子罃、弘與女簡璧登臺而履薪焉。（僖15）
卜招父與其子卜之。（僖17）
公與管仲屬孝公於宋襄公。（僖17）
懷與安，實敗名。（僖23）
姜與子犯謀。（僖23）
趙姬請逆盾與其母。（僖24）
唯西廣、東宮與若敖之六卒實從之。（僖28）

---

32 *On the Authenticity and Nature of the Tso Chuan*，頁40及陸侃如譯本，頁69。

大心與子西使榮黃諫。（僖28）

例子實在太多，不勝枚舉，粗略統計，最少有二百例。我們又怎可以說《春秋》在「與」的使用上與《左傳》同呢！

至於第七項，我們試把高本漢和莫非斯的統計列成下表：

		左傳	春秋
（甲）用如auprès de	於	581	0
	于	85	2
（乙）用如à	於	97	0
	于	501	356
（丙）用如dans	於	197	0
	于	182	26

我們又怎可以說《春秋》在「於」、「于」的使用上與《左傳》一致呢！

周法高說：「《左傳》、《國語》『於』、『于』並用是一種獨特的現象。」又說：「《左傳》和《國語》在性質上是一種史書，同時又和舊史的體裁不盡相同，在『於』和『于』的使用上，便成了新舊雜揉的現象了。」好像是說《左傳》和《國語》性質相近，所以文體也相近，語法特點也相近。可是，《左傳》和《國語》的語法特點真的那麼接近嗎？根據高本漢的研究，它們是相當接近的，其異同如下：

（一）解作「像」的「如」和「若」（「如此」、「若此」等等），《國語》都有，後者和前者是一樣的通行，這和左語不同，左語只用「如」字。

（二）「斯」用作「則」，「斯」用作「此」，「乎」用作介詞，「與」用作疑問字，《國語》都沒有，和左語一樣。

（三）「及」解作「和」，《國語》常見，和左語一樣。

（四）在《國語》中，「於」和「于」都通行，而且用法上的不同在左語完全一樣（「於」用作auprès de，「于」用作à，「於」和「于」用作dans），甚至例外用法的百分率也一樣。

（五）「吾」（主格和領格）、「我」和「予」，《國語》都有，和左語一樣。

（六）《國語》沒有用「邪」作後置詞表疑問，與左語同。

上列各點中，只有第一點相異，其他各點都相同[33]。這對文體說相當有利。不過，馮沅君認為高本漢的統計，未嘗無可商榷之處；根據馮氏研究，《國語》和《左傳》在語法上相異之處，有下列數點[34]：

（一）高本漢以為《國語》和《左傳》裏「于」、「於」的用法相同，但根據馮氏的統計，可得出下表：

		左傳	國語
（甲）用如auprès de	於	581	
	于	85	
（乙）用如à	於	97	94
	于	501	24
（丙）用如dans	於	197	155
	于	182	10

就甲項來說，馮氏沒有提供《國語》中「於」和「于」用如auprès de的統計數字；至於乙項，《左傳》裏「于」大概是「於」的五倍，而《國語》裏「於」卻差不多是「于」的四倍；至於丙項，《左傳》中「於」、「于」數目大致相同，《國語》中「於」卻差不多是「于」的十六倍。

（二）高本漢說在左語中，解作「和」的「與」和「及」都有，而「及」字尤其通行，而在《國語》中「及」解作「和」是常見的，和左語一樣。但據馮氏統計，《國語》內解作「和」的「及」字遠不如解作「和」的「與」字多，全書只有二十五個「及」字，而「與」字卻有一五五個。

---

33 *On the Authenticity and Nature of the Tso Chuan*，頁58-59及陸侃如譯本，頁88-89。

34 參馮沅君：〈論《左傳》與《國語》的異點〉，《〈左傳真偽考〉及其他》，頁140-181。

（三）高本漢說《國語》沒有用「邪」作後置詞表疑問，與左語同；但馮氏卻在《國語》內找出三個這樣用的「邪」字。

（四）《左傳》只用「若何」，不用「奈何」；《國語》卻用了五個「奈何」。

由此可見，《左傳》和《國語》的語法特點並非像高本漢說的相近。

至於《左傳》和《書經》的語法特點，也很不相同，高本漢已曾指出[35]，此處不贅。

《左傳》和《書經》、《左傳》和《國語》語法上的不同，還可以用記事體、記言體相異來解釋。但《左傳》和《春秋》同是記事體，語法卻也很不相同。再看《書經》和《國語》：

（一）作「假使」和「像」解時，《尚書》用「若」，「如」只用在少數特別的地方；在《國語》中，兩者同樣通行。

（二）在《書經》中，「于」是常用的介詞，「於」只用在少數地方；而在《國語》中，「於」卻遠多於「于」。

（三）在《書經》中，用作第一位代名詞的，「予」和「我」都有（「我」在早期的〈虞書〉、〈夏書〉中少用，後乃逐漸增多），而且不辨語格，「吾」字則只用了兩次；在《國語》中，「吾」（主格和領格）、「我」、「予」都有。

（四）《書經》沒有用「邪」作後置詞表疑問，《國語》卻有三個這樣用的「邪」字。

《書經》和《國語》同是記言體，也有這許多的差異，可見文體說也很難成立。（當然，我們不能說文體對語法特點沒有影響，但我們卻不能光用文體的異同來解釋古書語法特點的異同。）

此外，大家似乎都忽略了一個非常重要的問題，那就是傳世的《左傳》，到底是否《左傳》初成書時的本來面目[36]。近二、三十年出土的文獻顯

---

[35] *On the Authenticity and Nature of the Tso Chuan*，頁49-51及陸侃如譯本，頁78-80。

[36] 同註35，頁222-229。

示，傳世的典籍都不是先秦的本來面貌，《左傳》似乎不應例外。因此，高本漢根據《十三經注疏》本《左傳》、《論語》和《孟子》所使用的助詞來證明左語不同於魯語，從而證明《左傳》的作者不是魯國人，是不可靠的，主要是因為材料有問題。只有找到原本，或十分接近原本的《左傳》、《論語》和《孟子》來比較，才能得出比較可信的結論。

一九七三年十二月，長沙馬王堆出土了大批帛書。根據同時出土的一件有紀年的木牘，可以確定該墓的年代是漢文帝前元十二年（前168）。帛書共約十餘萬字，包括《老子》、《周易》等二十餘種古籍，其中有很多是湮沒兩千年的佚書。這次發現的帛書中，《老子》有兩種寫本，字體較古的一種被稱為甲本，另一種稱為乙本。甲本卷後和乙本卷前各有數篇古佚書。《老子》甲本及卷後佚書合抄成一長卷，硃絲欄墨書，字在篆隸間，共四六四行。此卷帛書不避漢高祖劉邦、高后呂雉諱，字體接近秦篆，抄寫年代可能在高祖時期，即西元前二〇六年至西元前一九五年間。《老子》乙本及卷前佚書抄在一幅大帛上，折疊後放在漆奩內，出土時已沿折痕斷成三十二片，帛書原高約四十八釐米，現已斷成上下兩截，硃絲欄墨書，隸體，共二五二行。此卷帛書避「邦」字諱，不避漢惠帝劉盈、文帝劉恆諱，字體與同墓所出有文帝三年紀年的「五星占」很相似，抄寫年代可能在文帝時期，即公元前一七九至公元前一六九年間。

又一九九三年冬，湖北省荊門市郭店一號楚墓出土八百餘枚竹簡。郭店一號楚墓位於紀山楚墓群中，據發掘者推斷，該墓年代為戰國中期偏晚。郭店楚簡年代下限應略早於墓葬年代，出土時已經散亂、殘損，其中有一少部分無字簡；有字簡據整理後的數字統計，共存七三〇枚，當中包含《老子》、〈緇衣〉等多種古籍。郭店楚簡《老子》為迄今年代最早的《老子》傳抄本，其章序與今本有較大差異，文字也有不少出入。根據竹簡形狀及編繩契口位置之不同，可將郭店《老子》竹簡分為甲、乙、丙三組。甲組共存竹簡三十九枚，簡長三十二點三釐米，竹簡兩端均修削成梯形；乙組共存十八枚，簡長三十點六釐米，竹簡兩端平齊；丙組共存十四枚，簡長二十六點五釐米，竹簡兩端亦平齊。甲、乙、丙三組共存二〇四六字，僅為今本《老子》的五分之二。

試比較帛書《老子》、竹簡《老子》和傅奕本《老子》所用的助詞，其間就有不少出入，例如：

傅奕本　　不笑不足以為道。
竹簡乙本　弗大英（笑）不足以為道矣。
帛書乙本　弗笑□□以為道。

傅奕本　　不為而成。
帛書甲本　弗為而□。
帛書乙本　弗為而成。

傅奕本　　生而不有，為而不恃，長而不宰。
帛書甲本　□□弗有，為而弗寺也，長而勿宰也。
帛書乙本　□□□□，□□□□，□□弗宰。

傅奕本　　蜂蠆不螫，猛獸不據，攫鳥不摶。
竹簡甲本　蟲（蜾）芙蟲它（蛇）弗蠚（螫），攫鳥猷（猛）獸弗扣。
帛書甲本　逢（蜂）㾐（蠆）虫畏地弗螫，鳥猛獸弗搏。
帛書乙本　螽癘虫蛇弗赫，據鳥孟獸弗捕。

傅奕本　　知者不言也，言者不知也。
竹簡甲本　智（知）之者弗言，言之者弗智（知）。
帛書甲本　□□弗言，言者弗知。
帛書乙本　知者弗言，言者弗知。

傅奕本　　以輔萬物之自然而不敢為也。
竹簡丙本　是以能補（輔）壈（萬）勿（物）之自肰（然），而弗敢為。

帛書甲本　能輔萬物之自□□弗敢為。
帛書乙本　能輔萬物之自然而弗敢為。

傅奕本　是以聖人處之上而民弗重，處之前而民不害也。
竹簡甲本　其才（在）民上也，民弗厚也；其才（在）民前也，民弗害也。
帛書甲本　故居前而民弗害也，居上而民弗重也。
帛書乙本　故居上而民弗重也，居前而民弗害。

傅奕本　是以天下樂推而不猒。
竹簡甲本　天下樂進而弗詀（厭）。
帛書甲本　天下樂隼而弗猒也。
帛書乙本　天下皆樂誰而弗猒也。

傅奕本　不以其不爭，故天下莫能與之爭。
帛書甲本　非以亓无諍與？故□□□□□諍。
帛書乙本　不□亓无爭與？故天下莫能與爭。

傅奕本　天無以清，將恐裂。
帛書甲本　胃天毋已清，將恐□。
帛書乙本　胃天毋已清，將恐蓮。

傅奕本　明道若昧。
竹簡乙本　明道女（如）孛（費）。
帛書乙本　明道如費。

傅奕本　夷道若類，進道若退。

竹簡乙本　遲（夷）道□□，□道若退。
帛書乙本　進道如退，夷道如類。

傅奕本　　上德若谷，大白若黷，廣德若不足，建德若媮。
竹簡乙本　上悳（德）女（如）浴（谷），大白女（如）辱，（廣）㞷（德）女（如）不足，建悳（德）女（如）□□貞（真）女（如）愉。
帛書乙本　上德如浴，大白如辱，廣德如不足，建德如□。

傅奕本　　大滿若盅。
竹簡乙本　大涅（盈）若中（盅）。
帛書甲本　大盈若溫。
帛書乙本　□盈如沖。

傅奕本　　大直若詘，大巧若拙，大辯若訥。
竹簡乙本　大攷（巧）若佃（拙），大成若詘，大植（直）若屈。
帛書甲本　大直如詘，大巧如拙，大贏如炳。
帛書乙本　□□□□，□□如掘，□□□絀。

傅奕本　　慎終如始，則無敗事。
竹簡丙本　新（慎）終若訂（始），則無敗事喜（矣）。
帛書甲本　故慎終若始，則□□□。
帛書乙本　故曰：慎冬若始，則无敗事矣。

在上述例子中，有一點值得留意，那就是即使同一版本之內，助詞的使用前後也不一定一致，例如傅奕本「是以聖人處之上而民弗重，處之前而民不害也」，前句用「弗」，後句用「不」；竹簡乙本「弗大芺（笑）不足以為道矣」，既用「弗」，又用「不」；帛書甲本「□□弗有，為而弗寺（恃）

也，長而勿宰也」，前兩句用「弗」，後句用「勿」；又如傅奕本多用「若」字，可是在「慎終如始」中，則用「如」字；竹簡乙本在「上悳（德）女（如）浴（谷），大白女（如）辱，𡈼（廣）悳（德）女（如）不足，建悳（德）女（如）□□貞（真）女（如）愉」及「明道女（如）孛（費）」中用「女（如）」字，在「遲（夷）道□□，□道若退」、「大浧（盈）若中（盅）」及「大攷（巧）若㑁（拙），大成若詘，大植（直）若屈」中則用「若」字；帛書乙本多用「如」字，但在「慎冬若始」中，則用「若」字。那麼，最初著諸竹帛的時候，是否一定嚴格一致呢？似乎也不是完全不可以懷疑的。

再加上時代和文體等因素的考慮，我認為對高本漢《左傳》作者一定不是魯國人這說法，應有所保留。我們要注意：（一）《左傳》對魯國的國君但稱公，對其他國家的諸侯則稱「宋公」、「晉侯」、「秦伯」、「楚子」；（二）到魯國去的多用「來」字，如「來歸」、「來聘」、「來奔」之類；（三）主語是魯國時，大多省略，如「夏四月，取郜大鼎于宋」（桓2）；（四）紀魯時用「我」字，如「庚寅，我入祊」（隱8）。其記載很明顯以魯為中心。如果《左傳》作者不是魯國人，為甚麼要這樣記載呢？

因此，高本漢這首次研究中國經籍的論文——“On the Authenticity and Nature of the Tso Chuan”，雖然在中國引起一陣哄動，被認為是一種新穎而重要的貢獻，其實卻未能徹底解決《左傳》的作者問題，只是提供了一些研究方法和學術觀念供學術界參考而已。

一九二九年，高本漢在*Bulletin of the Museum of Far Eastern Antiquities*（《遠東博物館館刊》）第1期發表“The Authenticity of ancient Chinese texts”（〈中國古書的真偽〉）一文中，仍堅持他的方言說。

一九三二年，高本漢在*Bulletin of the Museum of Far Eastern Antiquities*（《遠東博物館館刊》）第4期發表“Shï King Researches“（〈詩經研究〉），此文載有高氏考訂上古音讀之重要結論。同一年，高氏又在*Göteborgs Högskolas Arsskrift*（《哥騰堡大學年報》）第38卷第3號發表“The Poetical Parts in Lao～tsi”（〈老子韻考〉），以其在〈詩經研究〉所擬上古音考證

《老子》的押韻，卷末附載《書經》、《莊子》、《荀子》、《呂氏春秋》、《管子》、《韓非子》、《淮南子》、《逸周書》等八部古書的押韻舉例，此文亦為高氏考訂上古音讀重要之作。

一九三三年，高本漢在 *Göteborgs Högskolas Arsskrift*（《哥騰堡大學年報》）第39卷第2號發表"The Pronoun Küe in the Shï King"（〈書經中的代名詞厥字〉），繼續其古籍語法研究。

一九三五年，高本漢在 *Göteborgs Högskolas Arsskrift*（《哥騰堡大學年報》）第41卷發表"The Rime in the Sung Section of the Shï King"（〈論詩經頌的押韻〉），繼續其《詩經》押韻的討論。

二

從一九四二年起，高本漢發表了一系列的經書注釋與翻譯，其中經書注釋包括：

1. "Glosses on the Kuo feng Odes"（〈詩國風注釋〉）（1942）
2. "Glosses on the Siao ya Odes"（〈詩小雅注釋〉）（1944）
3. "Glosses on the Ta ya and Sung odes"（〈詩大雅與頌注釋〉）（1946）
4. "Glosses on the Book of Documents Ⅰ"（〈尚書注釋（一）〉）（1948）
5. "Glosses on the Book of Documents Ⅱ"（〈尚書注釋（二）〉）（1949）
6. "Glosses on the Tso Chuan"（〈左傳注釋〉）（1969）
7. "Glosses on the Li Ki"（〈禮記注釋〉）（1971）

經書翻譯包括：

1. "The Book of Odes, Kuo feng and Siao ya"（〈詩國風與小雅英譯〉）（1944）
2. "The Book of Odes, Ta ya and Sung"（〈詩大雅與頌英譯〉）（1945）
3. "The Book of Documents"（〈英譯尚書〉）（1950）

於"The Book of Documents"發表的同一年，即一九五〇年，"The Book of Odes, Kuo feng and Siao ya"與"The Book of Odes, Ta ya and Sung"合為一

書出版，名為*The Book of Odes*。從《詩經》與《尚書》的注釋與翻譯年份看，可知這兩書的注釋研究與翻譯工作，差不多在同一時期進行。

正如一些學者指出[37]，在發表《詩經》和《尚書》的注釋前，高本漢在中國語言學和中國古籍方面，曾做過大量深入的研究工作；高本漢有關《詩經》和《尚書》的注釋，可說是建基於那大量深入研究之上。高本漢在一九四二年以前所發表的有關中國語言學和中國古籍的著作，除上文所列舉者外，還有[38]：

1. "Till det Kinesiska problemet"（〈漫談中國語文問題〉）（1927）
2. "Tibetan and Chinese"（〈藏語與漢語〉）（1931）
3. "Word families in Chinese"（〈漢語詞類〉）（1933）
4. "On the script of the Chou Dynasty"（〈論周人的文字〉）（1936）
5. *Grammata Serica, Script and Phonetics in Chinese and Sino-Japanese*（《漢文典》，或譯為《中日造字諧聲論》）（1940）

在發表《詩經》和《尚書》注釋期間，高本漢同時發表了下列有關中國語言學和中國古籍的著作[39]：

1. *Fran Kinas Sprakvärld*（《漢語通論》）（1946）
2. *The Chinese language an essay on its nature and history*（《中國語之性質及其歷史》）（1949）

"Glosses on the Book of Documents II"發表於一九四九年，二十年後，高本漢發表"Glosses on the Tso Chuan"。在這二十年中，高本漢發表了下列有關中國語言學和中國古籍的著作[40]：

1. "Excursions in Chinese Grammar"（〈漢語文法初探〉）（1951）
2. "New excursions in Chinese Grammar"（〈漢語文法新探〉）（1953）

---

37 參陳遠止：《〈書經〉高本漢注釋斠正》（臺北市：文史哲出版社，1996年），頁1-6；李雄溪：《高本漢雅頌注釋斠正》（臺北市：文史哲出版社，1996年），頁6-9。

38 同註2。

39 同上。

40 同註2。

3. *Compendium of phonetics in ancient and archaic Chinese*（《古代漢語音韻概要》，張洪年譯本命名《中國聲韻學大綱》）（1954）
4. "Cognate Words in the Chinese Phonetic Series"（〈中國音韻系列中的同語根詞〉）（1956）
5. *Grammata Serica Recensa*（《漢文典續編》）（1957）
6. "Tones in Archaic Chinese"（〈上古漢語的聲調問題〉）（1960）
7. "Final d and r in Archaic Chinese"（〈論上古漢語之韻尾d與r〉）（1962）
8. "Loan Characters in Pre～Han Texts Ⅰ"（〈漢以前文獻中的假借字（一）〉）（1963）
9. "Loan Characters in Pre～Han Texts Ⅱ"（〈漢以前文獻中的假借字（二）〉）（1964）
10. "Loan Characters in Pre～Han Texts Ⅲ"（〈漢以前文獻中的假借字（三）〉）（1965）
11. "Loan Characters in Pre～Han Texts Ⅳ"（〈漢以前文獻中的假借字（四）〉）（1966）
12. "Loan Characters in Pre～Han Texts Ⅴ"（〈漢以前文獻中的假借字（五）〉）（1967）

其中有關漢以前文獻假借字的那幾篇，更與經籍注釋密切相關。

綜而觀之，高本漢的確費了不少功夫，為《書經》、《詩經》、《左傳》、《禮記》等經籍中一些有疑難的詞句重新注釋。高氏先把各家的異文異說臚列出來，然後細察這些解說在先秦典籍中是否有例證，在訓詁上是否有根據，析纖甄微，詳稽博辨，他的成績為學術界所一致推崇。由於高氏享譽甚隆，音韻學大師董同龢（1911-1963），願意暫時擱置他的音韻學研究，把高氏的"Glosses on the Kuo Feng odes"、"Glosses on the Siao Ya odes"、"Glosses on the Ta ya and Sung odes"譯成中文，合為一書，共分兩冊，題為《高本漢詩經注釋》[41]；而陳舜政則把"Glosses on the Book of Documents"、

41 該書臺北中華叢書編審委員會於一九六〇年七月初版，一九七九年二月再版。

“Glosses on the Tso Chuan”、“Glosses on the Li Ki” 翻譯為中文，名之為《高本漢書經注釋》、《高本漢左傳注釋》、《高本漢禮記注釋》[42]。董同龢在《高本漢詩經注釋．譯序》中，指出高本漢注釋中的一些優點：

（一）處理材料比較有系統

在《高本漢詩經注釋．譯序》中，董同龢稱讚高氏處理材料比較有系統，並且說：

> 因為所討論的都是有問題的字句，所以每一條的注釋的第一步都是臚列各家的異文或異說，逐一察看他們是否在先秦文籍中有例證，或者察看在訓詁上是否有根據。因為各家的說法都是分項引述和審核，材料雖然繁複，擺到讀者面前，都是有條不紊。這種做法當然是純西洋式的，同時也是我們舊有的「注疏」或「札記」的體裁辦不到的。[43]

為了使大家能更真確看到高氏如何處理材料，謹引述“Glosses on the Tso Chuan”第一六八條如下：

> 168. Hi 28 phr. a. k’ang ch’ou, **A**. Tu Yü: k’ang b. = c. :（If we break our promise to Ch’u）“and（stand up against:）face its（sc. Ch’u’s）enmity”（Couvreur: “nous serons en butte à sa vengeance”; Legge : “meeting Ch’u as an enemy”）. This meaning of k’ang（*k’âng*, k’ü sheng b）‘to be the equal of , to stand up against, to oppose, to withstand, antagonist’ is common, written b. or d. or e. Cf. Tso Gl. 328 below. — **B**. Kyü: Tsin yü 4 has another version: f., and Wei Chao defines k’ang e. as = g. ‘to save’: f. =（If we do not requite Ch’u’s kindness）“but save Sung”（which Ch’u

---

42 以上三書，臺北中華叢書編審委員會分別於一九六九、一九七二、一九八一年出版。

43 高本漢 Bernhard Johannes Karlgren 注釋，董同龢譯：〈譯序〉，《高本漢詩經注釋》（臺北市：中華叢書編審委員會，1960 年），頁 3。

beleaguered). This entails that ch'ou 'enemy' in phr. a. refers to Sung, not to Ch'u. a. =(If we break our promise to Ch'u) "and save (protect) its ch'ou enemy". Wang Nien-sun confirms this by pointing our that both b. and e. frequently occur in Tso with the meaning 'to protect, to defend'. — **C**. Liu Wen-k'i would propose yet another interpr. : "…… and (oppose:) prevent its (Ch'u's) enmity (against Sung)", which is certainly no improvement. — Wei Chao and Wang Nien ~ sun are convincing.[44]

由於當時瑞典排印條件所限，漢字往往不得不另頁處理，如上列高氏英文原文刊於頁四十七，相關漢字則置於頁四十五：

168 a 以亢其讎 b 亢 c 當 d 伉 e 抗 f 而抗宋 g 救[45]

需據正文內英文小寫字母查閱，始知高氏原文首行之a為「以亢其讎」，前後翻檢為勞，頗覺不便。不過，正如董同龢所說，高氏處理材料的確比較有系統，如上引"Glosses on the Tso Chuan"，開首即標明此為高氏《左傳》研究之第一六八條。此一做法，頗便尋檢。高氏採用逐字逐句討論的方式，他的討論，通常分為兩個步驟。第一是臚列歷來各家的異文異說，如上引"Glosses on the Tso Chuan"，即把相關異說分為A、B、C三類，各冠以英文字母，提綱挈領，條目清晰。把材料羅列好後，高氏便對他所列舉的每一項材料進行詳細審察，逐一衡量比較，然後斷定哪一個說法最可靠。他徵引的材料雖然繁複，但因為有清楚的原則和步驟，所以都能處理得有條不紊。陳舜政的翻譯，基本上保存高本漢原文的體例，茲引陳氏譯文如下：

一六八、僖公二十八年：以亢其讎

（一）杜預是把「亢」字講成「當」（意思是：「抵擋」、「面臨」）。

---

[44] Bernhard Karlgren, "Glosses on the Tso Chuan", *Bulletin of the Museum of Far Eastern Antiquities*, 41:47 (1969).

[45] 同上，頁45。

所以，這句話就是說：「（背惠食言）並（敵對著＝）面臨著（楚＝）他的敵意。」（顧偉Couvreur譯此句為：nous serons en butte à sa vengeance。意思是：「我們將怕他的報復（報仇）。」理雅各Legge是指這話譯成：「與楚國敵對相見。」）「亢」字（*k'âng去聲）當「對等」、「對抗」、「反對」、「敵對」、「對立」（對立者）來講是很普通的。字或作「亢」、或作「伉」或「抗」，請參閱本書注（下文）第三二八條有說。

（二）《國語・晉語四》述此作「而抗宋」。韋昭注把「抗」字講成「救」。那麼，「而抗宋」的意思便是說：「（如果我們不報答楚國的恩惠）而去解救（被楚圍攻的）宋國。」這樣一來，《左傳》裏所說的「讐」，就是「宋」而不是「楚」，因為「宋」是「楚」的敵國。所以，「以亢其讐」的意思就是：「**來解救它（楚國）的敵人**。」王念孫還為此說增加了證據。他說，「亢」與「抗」在《左傳》裏出現多次，都帶有「防禦」、「抵禦」這類的意思。

（三）劉文淇又主張這樣的一個說法：他以為這話的意思應該是：「防止它（＝楚國）（對宋國）的敵對情形。」這樣講，自然也毫無可取之處。

韋昭與王念孫的說話，是很可信的。[46]

如果我們把陳氏譯文和高氏原文作一比照，便會覺得譯文更為清晰易讀。不過，雖然說眉目清晰是高本漢經籍注釋勝於我國傳統注疏和札記的一大優點，我國傳統注疏和札記，其實也不難讀，且讓我引述王引之（1766-1834）《經義述聞》「以亢其讐」一條如下，以窺一斑：

背惠食言，以亢其讐：杜注曰：「亢，猶當也。讐，謂楚也。」家大人曰：「杜訓亢為當，故以讐為楚，其實非也。」（《周官・馬質》：

---

46 高本漢Bernhard Johannes Karlgren撰，陳舜政譯：《高本漢左傳注釋》（臺北市：中華叢書編審委員會，1972年），頁132-133。

「綱惡馬。」鄭司農曰：「綱，讀為『以亢其讎』之『亢』。亢，御也，禁也。」則自先鄭已誤解。——王氏自注）此言亢者，扞蔽之意。亢其讎，謂亢楚之讎也。楚之讎，謂宋也。亢楚之讎者，楚攻宋而晉為之扞蔽也。〈晉語〉曰「未報楚惠而抗宋」，是其明證矣。（韋注：「抗，救也。」《說文》：「抗，扞也。」抗與亢通。《列子・黃帝篇・釋文》曰：「抗，或作亢。」——王氏自注）凡扞禦人謂之亢，為人扞禦亦謂之亢，義相因也。昭元年《傳》曰：「苟無大害於其社稷，可無亢也。」又曰：「吉不能亢身，焉能亢宗！」（杜注：「亢，蔽也。」——王氏自注）二十二年《傳》曰：「無亢不衷以獎亂人。」皆是扞蔽之義。[47]

對於研治故訓的人，王氏《經義述聞》，何嘗難讀，何嘗不是處理材料有條不紊！它還有原原本本將引文呈現於讀者眼前的優點，例如上引「以亢其讎」一條，出自《左傳》僖公二十八年，當時正處於晉楚城濮之戰前夕，楚軍主帥子玉率兵追逐晉軍，晉軍往後退。軍吏認為是恥辱，說：「楚軍長期在外作戰，已經衰疲，為甚麼要後退？」子犯說：「軍隊作戰，理直則氣壯，理曲則氣衰，哪裏在乎是否長久在外作戰呢！如果沒有楚國的恩惠，我們到不了今天，退九十里避他們，就是作為報答。背棄恩惠，說話不算數，以此保護他們的敵人，我們理曲而楚國理直，加上他們的士氣一向飽盈，不能認為是衰疲。我們退兵，而楚軍亦撤退回國，我們還要求甚麼？如果他們不撤軍回國，國君往後退，而臣下進犯，他們就理曲了。」晉軍終於後退九十里。《左傳》所載子犯說話原文如下：

師直為壯，曲為老，豈在久矣？微楚之惠不及此，退三舍辟之，所以報也。背惠食言，以亢其讎，我曲楚直，其眾素飽，不可謂老。我退而楚還，我將何求？若其不還，君退臣犯，曲在彼矣。[48]

---

[47] （清）王引之：《經義述聞》（南京市：江蘇古籍出版社，1996年），總頁413。

[48] 《春秋左傳正義》，總頁271-272。

其中需要研究的是「以亢其讐」一句，杜注說：「亢，猶當也。讐，謂楚也。」王引之先把杜注原原本本呈現於讀者眼前，然後引其父王念孫（1744-1832）批評杜注的話：「杜訓亢為當，故以讐為楚，其實非也。」再看高本漢的 "Glosses on the Tso Chuan"，高氏把杜注理解為 "（stand up against:）face its（sc. Ch'u's）enmity"（陳舜政譯為「（敵對著＝）面臨著（楚＝）他的敵意」）。高氏的理解是否一定正確呢？從好的方面說，他幫助讀者理解杜注；從不好的方面說，他剝奪了讀者獨立判斷的權利。我們不是說高本漢的經籍注釋沒有處理材料有條不紊的優點，也不是說稱讚高氏此一優點的人不對，只是覺得有點兒誇大了。也許，高氏的經籍注釋，對一般學習經籍的人比較有用，對學習中國經籍的外國人（懂英語者）尤其有用；至於專家學者，則可能覺得前賢的札記比高氏的注釋更清楚。

（二）取捨之間有一定的標準

董同龢在《高本漢詩經注釋・譯序》中說，高氏注釋的第二個優點，是取捨之間有一定的標準。董氏指出，高本漢在比較不同說法的優劣時，最重視有沒有先秦文籍實例做佐證，以及證據之多寡及其可靠性。如果多於一個說法可以成立，就用上下文相關句子來對照，看哪一個最合用。如果所有的說法都沒有先秦文籍實例作佐證，就要看在訓詁上哪一個說法最合理。訓詁上不止一個說法講得通的時候，則利用上下文的關係來決定。又如果兩個說法都可用，則取較古的一個（往往是漢儒的說法），他的理由是：較古的說法得之於周代傳授的可能性高[49]。

讓我們先看看高氏最重視的一點，那就是訓釋需有先秦文籍實例做佐證。例如《詩・小雅・伐木》「釃酒有衍」，《高本漢詩經注釋》：

A 《毛傳》：美也；所以：釃酒很美。沒有佐證。

B 朱熹訓「衍」為「多」；所以：**釃酒很多**。「衍」當「溢，多，豐

---

49 參董同龢譯：《高本漢詩經注釋・譯序》，頁3。

> 富」講是普通的，如《荀子·賦篇》:「暴人衍矣」;《管子·山至數》「伏尸滿衍」。
>
> B說有實證。[50]

《毛傳》訓「衍」為「美」，沒有先秦文籍實例做佐證，因此高本漢棄而不取；朱熹訓「衍」為「多」，因有荀子〈賦篇〉「暴人衍矣」、《管子·山至數》「伏尸滿衍」等先秦實例，於是高氏認為可取。高氏這樣處理〈小雅·伐木〉「衍」字的解釋，無疑非常合理[51]。當然，如果我們翻閱段注本《說文》:「衍，水朝宗于海貌也。」[52]再看段玉裁（1735-1815）的注：「海淖之來，旁推曲暢，兩厓渚涘之閒，不辨牛馬，故曰『衍』。引申為凡有餘之義。」[53]便會對「衍」何以有「多」義有較深的理解。

董同龢注意到，高氏極端嚴格執行訓釋需有先秦文籍實例做佐證此一最高原則。有些時候，某種解釋只見於某家古注或字典，在先秦古籍中沒有相同的用例，雖然由上下文看比較妥貼，高氏還是不採用。他好像有個假定：見於某一經籍的字，在其他古籍一定也有，而且今存先秦古籍就是原有的全部。董同龢認為，以常情論，這似乎大有疑問。古注或字典中對某些字的解釋，在今存先秦古籍中找不到相同用例的，未必都不足取信[54]。

呂珍玉《詩經訓詁研究》也有與董同龢大致相同的意見，呂氏說：

> 雖然有時候高氏本此原則訓釋得到成績，但並不表示此原則可以毫無障礙的應用於每一條訓釋，書中高氏本此原則在許多時候窒礙難行，並且出了毛病。講求證據雖是從事任何學術研究必須秉持的原則，但

---

50 《高本漢詩經注釋》，頁420。高氏原文見“Glosses on the Siao ya Odes”, *Bulletin of the Museum of Far Eastern Antiquities*, 16:32-33（1944）。

51 呂珍玉認為高本漢有關「衍」字的研究，犯了堅持先秦文籍例證的錯誤，但欠缺說明，未知其據為何。呂說見《詩經訓詁研究》（臺北市：文津出版社，2007年），頁143。

52 《說文解字詁林》（臺北市：臺灣商務印書館，1969年），頁4940a。

53 同上。

54 《高本漢詩經注釋·譯序》，頁6。

為三千年前的《詩經》作訓解，要求證例也要出自《詩經》或其他先秦典籍，這確實相當困難，若依此要求，恐怕古書少有可信之言了。因此與其強求對早期注家的說法，一定要拿出證據，否則拒不接受，不如找出證據證明古人的說法錯誤，不可採信，而自己又能提出較古人更好的說法，然後才變易前人的成說。高氏訓釋《詩經》非常堅持無證不信的原則，而且這個證據更要出現在和《詩經》相當時代的先秦文籍，對於漢以後收入字書的證據，除《方言》外，高氏並不重視，雖然這很合乎科學的研究態度，但事實上根本無法如此理想做到，因此有時候連他自己也不免疏忽所提出的證例並不早於《毛傳》，他在書中往往為了尊重證據，而推翻傳統不錯的說法，並且將文意串講得牽強難通，這樣堅持先秦例證的訓詁原則是值得商榷的。[55]

呂珍玉談的是《詩經》訓詁，她還舉了一些《詩經》注釋的例子，說明高氏因為堅持先秦文籍例證，而忽視運用訓詁專業知識所犯的錯誤[56]。其實，高氏有關其他經籍的注釋也有同樣的問題。

董同龢和呂珍玉說得對，要求每一條訓釋都有先秦文籍實例做佐證是不可能的。讓我舉一個《易經》的例子，《易．睽》六三：「見輿曳，其牛掣，其人天且劓。无初有終。」[57]「其人天且劓」的「天」是甚麼意思呢？陸德明《經典釋文》說：「天，剠也。馬云：『剠鑿其額曰天。』」[58]又《周易集解》引虞翻（164-233）說：「黥額為天。」[59]可見古注都以「黥額」來解釋《易．睽》六三的「天」。不過，「天」作「黥額」解，只見於《易．睽》

---

55 《詩經訓詁研究》，頁135。

56 同上，頁136-144。

57 見《十三經注疏》本《周易注疏》（臺北市：藝文印書館，景印清嘉慶二十年〔1815〕南昌府學重刊本，1973年），總頁91。

58 見（唐）陸德明：《經典釋文》（上海市：上海古籍出版社，景印北京圖書館藏宋刻宋元遞修本，1985年），總頁102。

59 李道平：《周易集解纂疏》（北京市：中華書局，1994年），頁359。

六三爻辭[60]的漢人訓釋，沒有其他先秦文籍實例做佐證，有違高本漢的最高原則，高本漢遇到這種情況，不一定會相信。事實上，宋代的胡瑗（993-1059），甚至懷疑《易・睽》六三的「天」是「而」字之譌，胡氏《周易口義》說：

> 「其人天且劓」者，「天」當作「而」字，古文相類，後人傳寫之誤也。然謂「而」者，在漢法，有罪髡其鬢髮曰「而」，又《周禮》梓人為筍簴作而，亦謂髡其鬢髮也。[61]

《元史・李孟傳》引〈睽〉六三爻辭作「其人耏且劓」[62]，也是根據胡說而易「天」為「耏」。清人俞樾（1821-1906）則認為〈睽〉六三爻辭的「天」是「兀」字之誤，俞氏《群經平議》說：

> 《易》凡言「天」者，大率為乾、為陽，此乃以為剠額之名，不亦異乎？馬、虞之說，皆非也。「天」疑「兀」字之誤。《說文・足部》：「跀，斷足也。」重文「trip」，曰：「跀，或從兀。」《莊子・德充符篇》：「魯有兀者。」《釋文》曰：「李云：『刖足曰兀。』」蓋兀即trip之省也。「其人兀且劓」，猶〈困〉九五曰「劓刖」也。古文「天」作「兲」，見《玉篇》。故「兀」誤為「天」矣。[63]

現代學者中，仍有相信胡瑗和俞樾的。其中尚秉和（1870-1950）認為俞說較勝，《周易尚氏學》說：

---

60 《山海經・海外西經》：「形天與帝至此爭神，帝斷其首，葬之常羊之山。乃以乳為目，以臍為口，操干戚以舞。」雖亦以「天」為「首」，但究竟與「黥額」不完全相同。《山海經》文引自《景印文淵閣四庫全書》第1042冊（臺北市：臺灣商務印書館，《景印文淵閣四庫全書》景國立故宮博物院藏本，1983年），卷7，頁2a。

61 （宋）胡瑗：《周易口義》，載《景印文淵閣四庫全書》，第8冊，卷7，頁5。

62 參（明）宋濂：《元史》（北京市：中華書局，1976年），頁4086。

63 （清）俞樾：《群經平議》，《續修四庫全書》（上海市：上海古籍出版社，2002年，景清光緒二十五年〔1899〕刻在《春堂全書》本），冊178，卷1，頁25。

> 《周禮・梓人》：「作其鱗之而。」……按「之而」，注訓為「頰頌」，《釋文》云：「禿也。」《玉篇》亦訓頌為禿。賈疏亦无髡其鬢髮之解。然頌之為禿，字書皆同。則而者禿也，禿則天然无髮，不必受刑。似胡說不如俞說優也。[64]

黃壽祺（1912-1990）、張善文（1949-）《周易譯注》則取胡氏說[65]。

其實，《說文》「剠」字的說解為今本《易經》「天」字不誤提供了證據，《說文・刀部》：「劓（剠），刑鼻也。从刀，臬聲。《易》曰：『天且剠。』」[66]根據《說文》，可知今本《易經》「天」字不誤。

不過，高本漢是不大重視《說文》的，他認為清代學者過分看重《說文》，是一個大弱點[67]。但中文大學文物館所藏楚簡本及阜陽漢簡本《周易・睽》六三爻辭均作「天」[68]，未見有作「而」或「兀」的，可見《說文》還是可靠的。另一方面，《說文》「黥」字的訓釋為「黥額」之刑提供了更多資料，《說文・黑部》：「黥，墨刑在面也。从黑，京聲。剠，黥或从刀。」[69]桂馥（1736-1805）《說文解字義證》說：

> 墨刑在面也者，《易・睽卦》「其人天且剠」，虞云：「黥額為天。」《書・呂刑》「墨辟疑赦」，《傳》云：「刻其顙而涅之曰墨刑。」又「爰始淫為劓刵椓黥」，鄭注：「黥，謂羈黥人面。」《周禮》「司刑

---

64 尚秉和：《周易尚氏學》，載《尚氏易學存稿校理》第3卷（北京市：中國大百科全書出版社，2005年），頁164-165。

65 黃壽祺、張善文：《周易譯注》（修訂本）（上海市：上海古籍出版社，2001年），頁313。

66 《說文解字》（香港：中華書局，1972年），頁92。

67 Bernhard Karlgren,「Glosses on the Kuo feng Odes」, *Bulletin of the Museum of Far Eastern Antiquities*, 14:81-82（1942）.

68 參陳松長編：《香港中文大學文物館藏簡牘》（香港：香港中文大學文物館，2001年），頁12；韓自強：《阜陽漢簡〈周易〉研究》（上海市：上海古籍出版社，2004年），頁65。

69 《說文解字》，頁211。

> 掌五刑之法，……墨罪五百」，注云：「墨，黥也。先刻其面，以墨窒之。」《書．傳》曰：「非事而事之，出入不以道義，而誦不詳之辭者，其刑墨。」〈秦策〉「黥劓其傅」，高云：「刻其顙，以墨實其中，曰黥。」《漢書．刑法志》「其次用鑽鑿」，韋昭曰：「鑿，黥刑也。」〈志〉又云「墨罪五百」，顏注：「墨，黥也。鑿其面，以墨涅之。」《後漢書．朱穆傳》「臣願黥首繫趾」，注云：「黥首，謂鑿額涅墨也。」[70]

可見先秦、兩漢古籍有不少地方談到黥額之刑。《廣韻》：「黥，黑刑在面。」其下列「剽」、「剠」二字，云：「並上同。」[71]可見「剠」即「黥」之異體，馬融（79-166）說「剠鑿其額曰天」，猶虞翻謂「黥額為天」，即在罪人額上刺字為罰。《說文》：「天，顛也。」[72]「天」字甲骨文作（前2.3.7）、（拾10.18）[73]，金文作（象人形鼎文）、（天作從尊）、（盂鼎）[74]諸形，王國維（1877-1927）《觀堂集林．釋天》說：

> 古文天字本象人形，殷虛卜辭或作，盂鼎、大豐敦作，其首獨巨。案《說文》：「天，顛也。」《易．睽》六三：「其人天且劓。」馬融亦釋天為鑿顛之刑。是天本謂人顛頂，故象人形。卜辭、盂鼎之、二字所以獨墳其首者，正特著其所象之處也。[75]

額為頭顛之一部分，故「天」引申為剠鑿額顙之墨刑[76]。由此可見，古籍的一

---

70 《說文解字詁林》，頁4539a。

71 （宋）陳彭年等：《新校宋本廣韻》（臺北市：洪葉文化事業公司，景印清康熙四十三年〔1704〕吳郡張士俊刊澤存堂本，2001年），頁187。

72 《說文解字》，頁7。

73 見中國科學院考古研究所編：《甲骨文編》（香港：中華書局，1978年），頁2-3。

74 見《金文編》（北京市：中華書局，1985年），頁3-4。

75 見王國維：《觀堂集林》（香港：中華書局，1973年），卷6，頁10b（總頁282）。

76 參黃壽祺、張善文：《周易譯注》（修訂本）頁133；鄧球柏：《帛書周易校釋》（修訂本）（長沙市：湖南人民出版社，1987年），頁381；張立文：《周易帛書今注今譯》（臺北市：臺灣學生書局，1991年），頁630。

些訓釋，雖然沒有先秦文籍實例做佐證，但也不一定不可信。此外，研究古籍，《說文》等字書還是很有用的。高本漢重視先秦文籍實例，本來有一定道理，但過分執著而顯得拘泥，於是優點有時反變成缺點[77]。

（三）處理假借字問題極其嚴格慎重

董同龢在《高本漢詩經注釋・譯序》中說，高氏注釋的第三個優點，是不輕言假借。前人說某字是某字的假借字時，高氏必定用現代的古音知識來看那兩個字古代是否的確同音（包括聲母和韻母的每一個部分）。如果的確同音，還要看古書有沒有同樣確實可靠的例證。但即使音全同，例證也有，只要照原字講可以講通，他仍然不去相信那是假借字，因為他認為漢語同音字很多，如果漫無節制地談假借，大可以隨便照自己的意思去講，那是不足為訓的[78]。

讓我們以《詩・魯頌・閟宮》「克咸厥功」為例，看看高本漢「不輕言假借」此一特點。《高本漢詩經注釋》：

> A　鄭《箋》：咸，同也……使得其所能，同其功於先祖也。朱熹改作：輔佐之臣，同有其功。
>
> B　馬瑞辰：「咸」訓「同」，也就是「備」的意思。所以：**他能使他的工作完備**。參看《禮記・樂記篇》「咸池備矣」；《國語・魯語》「小賜不咸」（韋昭注：咸，徧也）。
>
> C　陳奐：「咸」是「減」的省體，在這裏是「滅絕」的意思；「克」是「克服」。所以，克服和滅絕是他的功績。
>
> B說有實證。[79]

77　參《詩經訓詁研究》，頁133-145。

78　參董同龢譯：《高本漢詩經注釋・譯序》，頁4。

79　《高本漢詩經注釋》，頁1095-1096。高氏原文見"Glosses on the Ta ya and Sung odes", *Bulletin of the Museum of Far Eastern Antiquities*, 18:179（1946）。

茲錄《詩·魯頌·閟宮》第二章如下：

> 后稷之孫，實維大王。居岐之陽，實始翦商。至于文、武，纘大王之緒。致天之居，于牧之野。無貳無虞，上帝臨女。敦商之旅，克咸厥功。[80]

馬瑞辰（1777-1853）《毛詩傳箋通釋》說：

> 「克咸厥功」，《箋》：「咸，同也。能同其功於先祖也。」瑞辰按：〈樂記〉「咸池，備矣」，《史記·樂書》作「咸池，備也」，謂咸即備也。《方言》：「備、該，咸也。」《廣雅》：「備、賅，咸也。」是咸與備可互訓。《說文》：「咸，皆也，悉也。从口，从戌。戌，悉也。」訓皆、訓悉，正與備義相同。《尚書大傳》：「備者，成也。」《廣雅》：「備，成也。」「克咸厥功」，猶云「克備厥功」，亦即「克成厥功」也。[81]

馬瑞辰認為「克咸厥功」，即「克備厥功」、「克成厥功」。《書·武成》：「我文考文王，克成厥勳，誕膺天命，以撫方夏。」[82]「克成厥勳」，與「克成厥功」句式相同。

陳奐（1786-1863）《詩毛氏傳疏》則認為「咸」義為「滅絕」，陳氏說：

> 咸，讀為「咸劉厥敵」之「咸」。《書》《述聞》云：「咸者，滅絕之名。《說文》：『㦰，絕也。讀若咸。』……咸與減古文通，文十七年《左傳》曰：『克減侯宣多。』……謂滅絕也。」案《詩》「克咸」

80 見《十三經注疏》本《毛詩正義》（臺北市：藝文印書館，景印清嘉慶二十年〔1815〕南昌府學重刊本，1973年），總頁777。

81 馬瑞辰：《毛詩傳箋通釋》（北京市：中華書局，1989年），頁1141-1142。

82 見《十三經注疏》本《尚書正義》（臺北市：藝文印書館，景印清嘉慶二十年〔1815〕南昌府學重刊本，1973年），總頁161。

與《左傳》「克滅」同。克，勝也，減，亦滅絕也。「克減厥功」，即〈武〉所謂「勝殷遏劉，耆定爾功」也。[83]

案：「咸劉厥敵」，出自《書・君奭》。〈君奭〉敘述周公跟召公說，上帝降大命於周文王，是因為文王能在諸夏行和睦教化，同時也因為有虢叔、閎夭、散宜生、泰顛、南宮括等五位賢臣的輔助。武王時，虢叔已死，文王的賢臣只有四人健在。後來，他們和武王奉行天威，「咸劉厥敵」。偽孔《傳》解釋說：「言此四人後與武王皆殺其敵，謂誅紂。」[84]王引之認為「咸」意為「滅絕」，是「伣」字的假借。王氏說：

> 咸者，滅絕之名。《說文》曰：「伣，絕也。讀若咸。」聲同而義亦相近，故〈君奭〉曰：「誕將天威，咸劉厥敵。」咸、劉，皆滅也，猶言遏劉、虔劉也。（〈周頌・武篇〉曰：「勝殷遏劉。」成十三年《左傳》：「虔劉我邊垂。」杜注曰：「虔、劉，皆殺也。」——王氏自注）《逸周書・世俘篇》及《漢書・律曆志》引〈武成篇〉竝云「咸劉商王紂」，與此同。解者訓咸為皆，失其義也。咸與減古字通，文十七年《左傳》曰：「克減侯宣多。」昭二十六年《傳》曰：「則有晉、鄭，咸黜不端。」《正義》曰：「咸，諸本或作減。」《史記・趙世家》曰：「帝令主君減[85]二卿。」皆謂滅絕也。[86]

案：《說文》：「𢦟（伣，又書作𢧵、㦰），絕也。一曰：田器。从从持戈。古文讀若咸。讀若《詩》云：『攕攕女手。』」[87]大徐音「子廉切」。「从从持

---

[83] 陳奐：《詩毛氏傳疏》（臺北市：臺灣學生書局，1970年），頁891。

[84]《尚書正義》，總頁247。

[85] 北京市商務印書館景印百納本（卷43，頁9，總頁600）、臺北市藝文印書館景印武英殿本（卷43，頁8，總頁711）及中華書局標點本《史記》（頁1788）均作「滅二卿」。

[86]《經義述聞》，總頁100。

[87]《說文解字》，頁266。

戈」，王筠《說文釋例》認為當作「从二人持戈」[88]。「二」非實數，「二人」表示多人。多人持戈，當然可以有殲滅、滅絕之意。有關「党」字的形體結構，林義光《文源》有另一種看法，林氏說：

> 《說文》云：「党，絕也。从从持戈。」按从戈戮从，从，人多之象。經傳以殲為之。[89]

「党」字不見於古籍。桂馥《說文解字義證》說：

> 《禮·文王世子》：「其罪則纖剸。」馥案：纖剸，謂斬絕也。又通作殲，趙宧光曰：「《夏書》『殲厥渠魁』，當用党絕之党。」[90]

根據王引之的意見，「咸劉厥敵」，就是「殲劉厥敵」、「殲殺商王紂」的意思。高本漢不同意王引之的意見，《高本漢書經注釋》說：

> A　偽孔《傳》把「咸」字講成「皆」（這是它一般的意思）。所以，這句話的意思就是說：「**他們把他的敵人都殺了**。」（「劉」字訓「殺」，請參看拙著《詩經注釋》第一一〇七條，即《詩經·周頌·武》「勝殷遏劉」條注）。
>
> B　江聲以為：「咸之言徧」，就是「各處」、「到處」的意思。
>
> C　王引之與孫星衍都以為「咸」是「減」字的省體，在此地有「毀滅」的意思，而「減劉」是一個複詞，這一說實在是很多餘的，因為古代的註解（偽孔《傳》）已經是很簡單而又通順了。[91]

案：王引之說「咸與減古字通」，他的意思是「咸劉厥敵」的「咸」與文十七年《左傳》「克減侯宣多」的「減」在古代通用，都是「党」字的假

---

88 《說文解字詁林》，頁5693a。

89 同上，頁5693b。

90 同上，頁5693a。

91 《高本漢書經注釋》，頁892-893。高氏原文見「Glosses on the Book of Documents II」，*Bulletin of the Museum of Far Eastern Antiquities*, 21:125（1949）.

借。高本漢認為《書・君奭》「咸劉厥敵」的「咸」當訓為「皆」，不過，如果將《書・君奭》「咸劉厥敵」和《逸周書・世俘篇》以及《漢書・律曆志》引〈武成篇〉的「咸劉商王紂」互相比照，結論便可能不一樣。《逸周書・世俘解》：「惟一月丙辰旁生魄，若翼日丁巳，王乃步自于周，征伐商王紂。越若來二月既死魄，越五日甲子朝，至，接于商，則咸劉商王紂，執天惡臣百人。」[92]說「王乃步自于周，征伐商王紂」，然後「接于商，則咸劉商王紂」，這幾句話的主語是「王」，如果把「咸劉商王紂」說成「皆殺商王紂」，那就是「王皆殺商王紂」，便有點不辭，比不上說「王殲殺商王紂」合理。同樣道理，《漢書・律曆志》說：「〈武成篇〉曰：『粵若來三月，既死霸，粵五日甲子，咸劉商王紂。』」[93]「咸劉商王紂」，也不宜說成「皆殺商王紂」。至於文十七年《左傳》的「克減侯宣多」，王引之說：

> 十七年《傳》：「克減侯宣多，而隨蔡侯以朝于執事。」杜注曰：「減，損也。難未盡而行，言汲汲于朝晉。」引之謹案：上文云：「敝邑以侯宣多之難，寡君是以不得與蔡侯偕。」若難猶未盡，亦不能朝于晉矣。減，謂滅絕也。《管子・宙合篇》曰：「減，盡也。」《說文》曰：「𠟭，減也。從刀，尊聲。」《史記・趙世家》曰：「當道者謂簡子曰：『帝令主君射熊與羆，皆死。』簡子曰：『是，且何也？』當道者曰：『晉國且有大難，帝令主君滅二卿。』」是減為滅絕也。甫減侯宣多而即朝于晉，言不敢緩也。減與咸古字通，《周書・君奭篇》：「咸劉厥敵。」與此同義。《傳》訓咸為皆，非是。（說見前「咸劉厥敵」下。——王氏自注）昭二十六年《傳》：「則有晉、鄭，咸黜不端。」咸黜，亦滅絕之意。謂晉文殺叔帶，鄭厲殺子頹也。《正義》曰：「咸，諸本或作減。」（〈月令〉：「水泉咸竭。」《呂氏春秋・仲冬紀》咸作減，減與竭皆消滅也，因而滅人亦謂之減。——王氏自注）

---

92 （晉）孔晁等註：《逸周書》（臺北市：臺灣商務印書館，景國立故宮博物院藏本，1983年），冊370，卷4，頁9b。

93 《漢書》，頁1015。

王肅注訓為皆，亦非是。[94]

《左傳》文公十七年記載晉靈公不肯與鄭穆公相見，認為他背叛晉國，倒向楚國。鄭國的子家於是派使者帶著他的信去晉國，跟趙宣子說：「寡君即位三年，召請蔡侯和他一起事奉貴國國君。九月，蔡侯進入敝邑前去貴國。敝邑因為有侯宣多造成的禍難，寡君因此不能與蔡侯一起去貴國。十一月，克減侯宣多，就跟隨蔡侯一起朝見貴國執事。……」「克減侯宣多」，杜注解釋說：「減，損也。難未盡而行，言汲汲于朝晉。」[95]王引之則訓「減」為「滅絕」，並且說：「若難猶未盡，亦不能朝于晉矣。」對於「克減侯宣多」的解釋，高本漢也不同意王引之的意見，《高本漢左傳注釋》說：

(一) 杜預云：「減，損也。」意思是：「減少」、「削減」，這是普通的講法。如此，這句話就是說：「**就削減了侯宣多（的權力）**。」

(二) 王引之以為：「減」的意思是：「滅絕」(消滅、毀滅)。那麼，這句話就是說：「消滅了侯宣多。」王氏又引了《史記・趙世家》的一句話「帝令主君滅二卿」(意思是：上帝命令君主消滅兩位大臣)，以為在〈趙世家〉這句話裏「滅」的意思實際上是「殺」，所以《左傳》此句中的「減」字，必然應該當「絕滅」講了(這是很古怪的想法)。另外，王引之又舉了《尚書》的一個例子。他說，《尚書・君奭篇》云：「咸劉厥敵。」「咸」是「減」的省體，意思就是「絕滅」。這一說是不能成立的，詳論請參閱拙著《書經注釋》第一八八三條。在另一方面，朱駿聲則以為「減」(*kəm) 是「𢧵」(*k'əm) 的假借字，後者的意思是「殺」。這也是不足取的臆說。

(三) 昭公二十六年《左傳》有這麼一句話：「咸黜不端。」杜預的本子作如此。意思是說：「(晉與鄭兩國) 把那邪惡 (=不端) 的都消除了。」另一個本子作：「減黜不端。」(見孔穎達《左傳正義》引)

94 《經義述聞》，總頁419-420。

95 《春秋左傳正義》，總頁349。

那麼，這句話就是說：「他們削滅並消除那些邪惡（＝不端）的。」

（四）王引之仍然用「咸」假借為「滅」（「滅絕」之意）來講昭公二十六年《左傳》這句話，所以「咸黜不端」就是說：「他們消滅並去除那些邪惡的人。」

王氏所論不免武斷而多餘。（一）、（三）兩說（不管字作「咸」或是作「滅」）都能合適地講好這句話，當從之。[96]

根據杜預的解釋，「克滅侯宣多」是戰勝、削滅侯宣多；根據王引之的解釋，「克滅侯宣多」是戰勝、殲滅侯宣多。相對來說，王引之說似較通順[97]。

《高本漢左傳注釋》還提到昭公二十六年《左傳》的「咸黜不端」。這句話出於王子朝派人告於諸侯的說話，內容如下：「昔日武王戰勝商朝，成王安定四方，康王讓百姓得以休養生息，他們都分封同胞兄弟，以作為周室的屏障。……到了惠王，上天不讓周室安定，使王子頹產生禍心，又有叔帶也學王子頹的樣。惠王、襄王避難，離開了國都，於是有晉國、鄭國，咸黜不端，以安定王室。……」最末幾句，《左傳》的原文是：「則有晉、鄭，咸黜不端，以綏定王家。」[98]杜注：「黜，去也。晉文殺叔帶，鄭厲殺子頹，為王室去不端直之人。」[99]孔疏：「諸本『咸』或作『滅』。王肅云：『咸，皆也。』」[100]既然「諸本『咸』或作『滅』」，王引之的說法比較可信，「則有

---

96 引自《高本漢左傳注釋》，頁188-189，標點有少許改動。高氏原文見"Glosses on the Tso Chuan", *Bulletin of the Museum of Far Eastern Antiquities*, 41:64（1969）.

97 古人有說「克翦」、「克殄」的，意為殲滅。說「克翦」的，如南朝陳徐陵〈移齊文〉：「克翦無算，縲禽不貲，欲計軍俘，終難巧曆。」《周書．文閔明武宣諸子傳論》：「高祖克翦芒刺，思弘政術。」唐柳宗元〈獻平淮夷表〉：「今又發自天衷，克翦淮右。」說「克殄」的，如《陳書．世祖紀》：「今元惡克殄，八表已康，兵戈靜戢，息肩方在，思俾余黎，陶此寬賦，今歲軍糧通減三分之一。」雖然用例非出於先秦，但總可以反映一種傳統說法。至於「克滅」，似乎沒有說「克滅」（戰勝、削滅）一個人，只會說「克滅」一個人某些東西。

98 《春秋左傳正義》，總頁904。

99 同上。

100 同上。

晉、鄭，殲黜不端」，似較「則有晉、鄭，皆黜不端」通順和合理。

綜觀上文，《書・君奭》「咸劉厥敵」與昭公二十六年《左傳》「咸黜不端」的「咸」字，以及文公十七年《左傳》「克減侯宣多」的「減」字，王引之謂借作「𢦏」，義為「滅絕」，似屬可信。高本漢認為不應輕言假借，那是合理的。不過，不輕言假借不等於不言假借，王引之《經義述聞・敘》說：

> 詁訓之指，存乎聲音。字之聲同聲近者，經傳往往假借。學者以聲求義，破其假借之字而讀以本字，則渙然冰釋；如其假借之字而強為之解，則詰為病矣。[101]

因此，最主要是斟酌文義、文理，務求怡然理順。在這方面，高本漢對漢語觸覺之敏銳，似不如王引之。

至於《詩・魯頌・閟宮》的「克咸厥功」，馬瑞辰讀作「克備厥功」、「克成厥功」，陳奐讀作「克減厥功」、「克殲厥功」，馬瑞辰的讀法似較怡然理順。高本漢在這裏不輕言假借，那是對的。王引之是「咸」、「減」專家，在這裏也沒有應用他的「咸」、「減」理論，沒有把〈閟宮〉的「咸」說成是「𢦏」的假借。

由此可見，我們固然不應輕言假借，但也不能「如其假借之字而強為之解」，以致「詰籥為病」，應仔細斟酌文義、文理，求其怡然理順。董同龢指出，高本漢處理假借字問題極其嚴格慎重，除了不輕言假借外，還用現代的古音知識來看前人認為有假借關係的字古代是否的確同音（包括聲母和韻母的每一個部分）。高本漢在"Glosses on the Kuo feng Odes"中曾談及假借的一些語音準則，現引董同龢譯文如下：

> 因為沒有現代語言學的方法，尤其是對於中國上古語音系統實在缺乏確切的知識——這是在他們（指清代學者——引者）的時代沒有辦法的——他們的工作就不免大大的受到限制，並且他們的論證的

101《經義述聞》，總頁2。

> 價值也要受到影響。現在舉一個簡單的例子來說。〈北門〉的「王事敦我」，《毛傳》解釋作「王的事務堆在我身上」，（敦，厚也。）《韓詩》把「敦」釋作「迫」，說是「王的事務逼迫我」；於是胡承珙就加以揣測說：「敦」tun和「督」tu是「一聲之轉」（一個聲音的改變，tun：tu），而「督」《廣雅》訓為「促」，所以這裏「敦」和「督」是同源的字。馬瑞辰和王先謙都贊成這一說而加以引述。照這一說，《韓詩》的說法好像是證實了。一百五十年前（胡是嘉慶年間的進士），把「督」tu認作和平聲「敦」tun相當的入聲字，是自然而和一般人的知識相合的。但是時至今日，我們已經知道：「敦」的上古音是*twən，「督」的上古音是*tôk，它們之間並無語源的關係。所以，胡氏的揣測實在是一點都靠不住的。實在說，並不是只有這一處才如此，中國講語文的著述中，這樣的揣測真是多極了；他們以為甲等於乙，只說它們「古音同」，或者它們是「雙聲」（聲母同屬一類），又或者它們是「疊韻」（韻母同）就行了。總之，在他們只知道古代語音系統的間架（聲母和韻母的大類）而不知道古音的實值的時候，任何一個字都未嘗不可以用那一套理論說作等於另外一個字。現在，我們的古音知識比他們進步得多了，我們確實處在一個非常好的地位，可以對他們的學說，從語言學的觀點，重新予以估量。[102]

有關「敦」字的讀音，陸德明《經典釋文》說：

> 敦，毛如字，厚也。《韓詩》云：「敦，迫。」鄭「都回反」，投擿也。[103]

案：「敦」「如字」一音，當為「都昆切」，上古端紐文部；「督」屬端紐覺

102《高本漢詩經注釋．作者原序》，頁21-22。高氏原文見“Glosses on the Kuo feng Odes”, Bulletin of the Museum of Far Eastern Antiquities, 14:81（1942）。

103《經典釋文》，總頁229。

部。文、覺二部相距甚遠[104]。如讀「都回反」，則屬端紐微部，微部與「督」字覺部亦相距甚遠[105]。清代學者，特別是乾嘉以後的學者，對上古音之聲韻分類及各類相距之遠近，已基本掌握，雖尚未能確知各類聲韻之實際讀音，但對其判斷甚麼字具備通假條件，甚麼字不具備通假條件，不致構成很大的障礙。高本漢說他們對上古語音系統缺乏確切知識，又說他們的研究工作不免因此而大大受到限制，未免有些誇大。清代某些學者的確有輕言假借的傾向，但那只是治學不夠嚴謹而已。

讓我們再看《詩・邶風・北門》「王事敦我」的訓釋。謹錄〈北門〉全詩如下：

> 出自北門，憂心殷殷。終窶且貧，莫知我艱。已焉哉！天實為之，謂之何哉！
> 王事適我，政事一埤益我。我入自外，室人交徧讁我。已焉哉！天實為之，謂之何哉！
> 王事敦我，政事一埤遺我。我入自外，室人交徧摧我。已焉哉！天實為之，謂之何哉！[106]

《高本漢詩經注釋》在「王事敦我」下說：

> A 《毛傳》：敦，厚也；所以：**王的事厚厚的在我身上**（堆在我身上）。參看《呂覽・達鬱篇》「敦顏而土色者」；《左傳・昭公二十三年》「後者敦陳」；《國語・鄭語》「敦，大也」。如此用的，古書常見。「敦」*twən / tuən / tun 語源上和「屯」*d'wən / d'wən / t'un（屯積）很相近。所以〈大雅・常武〉的「鋪敦淮濆」，《毛傳》讀「敦」*twən 而訓「厚」；鄭《箋》則讀「屯」*d'wən 以為是「聚集」的意思：**在淮河岸上大大的集中軍隊**。

---

104 參陳新雄：《古音學發微》（臺北市：文史哲出版社，1975年），頁1088。

105 參《古音學發微》，頁1082。

106《毛詩正義》，總頁103。

B 《韓詩》(《釋文》引):敦,迫也;所以:王的事催迫我。〈常武〉的「鋪敦淮濆」,《韓詩》也訓「敦」為「迫」。這種解說只能在漢代的文籍中找到例證,而古籍中沒有。

C 鄭《箋》讀「敦」為*twən / tuən / tun,訓「投擲」;所以:王事投擲在我身上。參看《淮南子.兵略篇》:「敦六博,投高壺。」

C說雖也可用,A說似乎還是最為確鑿。[107]

高本漢認為當從《毛傳》訓「敦」為「厚」。但是說「王事厚我」,頗覺不辭[108]。朱駿聲《說文通訓定聲》說:「《傳》訓『厚』,謂借為『惇』,失之。」[109]馬瑞辰《毛詩傳箋通釋》說:

《廣雅》:「搥,擿也。」《箋》訓敦為投擲者,以敦為搥之假借。敦與搥雙聲,搥借作敦,猶追琢之借作敦琢也。[110]

《廣雅》:「投、敎、石、搥、摚,擿也。」王念孫《廣雅疏證》:

搥音都回反。《法言.問道篇》「搥提仁義」,《音義》云:「搥,擲也。」〈邶風.北門篇〉「王事敦我」,鄭《箋》云:「敦,猶投擲也。」敦與搥同,擲與擿同。[111]

如果說「敦」借為「搥」,二字《廣韻》同音「都回切」[112],完全具備通假條件。〈北門〉第二章「王事適我」,馬瑞辰《毛詩傳箋通釋》:

「適」當為「擿」之省借。《說文》、《廣雅》竝曰:「投,擿也。」

---

[107]《高本漢詩經注釋》,頁108-109。高氏原文見"Glosses on the Kuo feng Odes", *Bulletin of the Museum of Far Eastern Antiquities*, 14:126(1942)。

[108] 黃焯:「《傳》訓敦為厚,非為親厚之厚,厚猶多也,言多以役事加之。」頗嫌增字解經。黃說見《詩說》(武漢市:長江文藝出版社,1981年),頁62。

[109]《說文解字詁林》,頁1352b。

[110]《毛詩傳箋通釋》,頁153。

[111] 徐復主編:《廣雅詁林》(南京市:江蘇古籍出版社,1992年),頁289。

[112]《新校宋本廣韻》,頁97。

> 《說文》「擿」字注：「一曰：投也。」古書投擲字多作「擿」，「擿我」猶「投我」也，正與二章《箋》訓「敦」為投擲同義。[113]

根據馬瑞辰的說法，「王事適我」、「王事敦我」等於今天說「王室差事扔給我」。這樣，「王事敦我」的訓釋問題，便完全解決了。

附帶一提，正如董同龢所指出，高本漢處理假借字問題極其嚴格慎重，除了不輕言假借外，還用現代的古音知識來看前人認為有假借關係的字古代是否的確同音（包括聲母和韻母的每一個部分）。嚴格慎重固然好，不過，古籍的假借字，事實上不一定跟本字完全同音（聲母和韻母每一部分都相同）。例如《左傳》隱公元年記載武姜與叔段密謀造反，約定裏應外合。但最後叔段給莊公打敗了，莊公一怒之下，把武姜安置到城潁，並發誓說：「不到黃泉，永不相見。」但後來又後悔，潁考叔獻計說：「若闕地及泉，隧而相見，其誰曰不然？」[114]「闕地及泉」，就是掘地直至泉水出現。「闕」很明顯是「掘」的假借字，讓我們看看這兩個字的語音關係——「闕」上古溪紐月部，「掘」羣紐物部，溪、羣旁紐雙聲，月、物旁轉，雖然有語音關係，但聲母和韻母都不相同。可見古籍的假借條件，並非如高本漢所說的嚴格。

上文就董同龢所提及高本漢經籍注釋的三大優點[115]略陳管見，不免掛一漏萬。目前已有不少關於高本漢經籍注釋的研究，如麥淑儀「高本漢《左傳注釋》研究」（香港大學哲學碩士論文，1985）、黃翠芬「高本漢《左傳注釋》研究」（臺灣師範大學碩士論文，1994）、陳遠止「高本漢《書經注釋》研究」（香港大學哲學博士論文，1994；一九九六年由臺灣文史哲出版

---

[113]《毛詩傳箋通釋》，頁153。

[114]《春秋左傳正義》，總頁37。

[115] 董同龢還談到高本漢經籍注釋的另一優點，那就是見於各篇的同一個語詞合併討論，例如討論〈召南・采蘩篇〉的「被之祁祁」，就把〈小雅・大田篇〉的「興雨祁祁」、〈大雅・韓奕篇〉的「祁祁如雲」、〈豳風・七月篇〉的「采蘩祁祁」，以及〈商頌・玄鳥篇〉的「來假祁祁」一併提出。這樣互相參照，的確順利解決了許多不好解決的問題。董氏指出，清人也偶爾這樣做，不過不如高氏徹底。參《高本漢詩經注釋・譯序》，頁4。

社出版，書名《書經高本漢注釋斠正》）、李雄溪「高本漢〈雅〉〈頌〉注釋研究」（香港大學哲學博士論文，1995；一九九六年由臺灣文史哲出版社出版，書名《高本漢雅頌注釋斠正》）、呂珍玉「高本漢《詩經注釋》研究」（臺灣東海大學博士論文，1997；二〇〇五年收入《古典文獻研究輯刊》初編第二十七冊，由臺灣花木蘭文化工作坊出版；部分內容又載於臺灣文津出版社二〇〇七年出版的《詩經訓詁研究》中篇第一、二章），對高著都有深入的探討。這些研究說得比較簡略的，本文予以加詳；這些研究說得詳細的，本文限於篇幅，就不贅了。

《上博（五）．鮑叔牙與隰朋之諫》

——「天不見禹，地不生龍」解義

蔡根祥*

一　前言

一九九四年初，上海博物館從香港的古董文物市場裏，收購得一批非常罕見而且出土時間與地點不甚明確的竹簡。五月起，這批竹簡就陸續被運送到上海。經過科研人員反覆實驗，發明了一種脫水加固定形法，有效保存了這批竹簡，並恢復原貌，字跡亦變得清晰。經過專家的文字識讀，斷定竹簡的時代地域應該是戰國時代的楚國竹簡，於是定名為「楚竹書」。「楚竹書」約共有一二〇〇支竹簡，文字總數達三五〇〇〇餘字，內容涵蓋經、史、子、集各部，書篇涉及八十多種（部）戰國古籍，其中有不少為佚書，而與傳世文獻相同者約十種。這樣龐大的出土文獻，對先秦的文化、思想，甚至書法、文字的研究，都具有無比的巨大意義。

自二〇〇一年十一月，《上海博物館藏戰國楚竹書（一）》出版後，立刻引起研究的狂潮巨浪。後來陸續出版《上海博物館藏戰國楚竹書》二、三、四、五、六，二〇〇八年十二月，第七冊出版了。本文所要討論的問題，是二〇〇五年底印行的第五冊[1]。

---

* 高雄師範大學經學研究所。

[1] 馬承源主編：《上海博物館藏戰國楚竹書（五）》（上海市：上海古籍出版社，2005年）。

《上博（五）》一開始的兩篇，是分題為〈競建內之〉以及〈鮑叔牙與隰朋之諫〉，兩篇文章的筆跡並不相同，還有個別文字如「易牙」的「易」字寫法也不一樣；然而兩篇的竹簡形制、長短、距離等都是一致的；從內容上看，兩篇之間的文句也可相連接，故此實應合併為一篇。〈競建內之〉四字寫在第一簡的反面下方，〈鮑叔牙與隰朋之諫〉篇題則寫在第二十簡的正面下端，兩者字體則一致，應出於同一人的手筆；這更可以推估兩篇之間具有密切的關係。「競建內之」這四個字，與文章內容看不出有何關連性，而〈鮑叔牙與隰朋之諫〉的標題，則可涵蓋兩部分的全部內容，可視為全部文字的標題。況且〈競建內之〉之語，既然與內文無關，就很可能是這篇文章寫就之後的一種使用記錄，揣測所謂「內之」應是「納之」的古寫，「競建」可能是「藏納」者的名字。以上的看法，李學勤先生在他所撰的〈試釋楚簡〈鮑叔牙與隰朋之諫〉〉一文中提出[2]，其見解是筆者所贊成與參考的。筆者所要補充的，是在〈競建內之〉裏，有少數的簡文筆跡與〈鮑叔牙與隰朋之諫〉的字跡是相同的，如第一簡的「[illegible]」字，第七簡的「則」字，第八簡的「公曰：虗，不智亓為不善也，含內」諸字，還有簡末的「不」字，都跟〈鮑叔牙與隰朋之諫〉的筆跡同出一轍。筆者猜想可能是第一位抄寫者沒有完成抄寫的工作就停筆了，接棒的寫手除了繼續抄寫下去之外，還刪削修改了前者所抄寫的部分文字，才會有這樣的現象[3]。這更能證明李學勤先生所說的，《上博（五）》的〈競建內之〉與〈鮑叔牙與隰朋之諫〉兩部分，原本就是同一篇文章。所以，筆者本文所討論的問題，雖然是在原題為〈競建內之〉的第七簡內，而論文卻以〈鮑叔牙與隰朋之諫〉為標題，就是根據上述論據而作的。

〈競建內之〉第七簡是一支相當獨特的竹簡，這可以從諸多學者對它的編聯關係歧見紛陳，就可以知道。如楊澤生發表在簡帛網所撰寫的〈《上博五》札記兩則〉一文，對這一支簡的文字編聯順序為〈競〉簡2＋7＋4，於

2　李學勤：〈試釋楚簡〈鮑叔牙與隰朋之諫〉〉，《文物》，2006年第9期，頁90-96。

3　如果能就原簡來觀察，判定有沒有經過刪削，應該可以證明筆者的推想是否正確。

是，簡文呈現如下：

> 祖己答曰：「昔先君（競建2）客（格）王：天不見禹（害），地不生孽，則諸鬼神曰『天地盟弃我矣』；近臣不訐（諫），遠者不方，則修諸向（鄉）（競建7）里……（競建4）[4]

而李學勤先生在他的〈試釋楚簡〈鮑叔牙與隰朋之諫〉〉一文中，則提出不同的看法，他說：

> 原題〈競建內之〉的簡共有十支，書中做了編排，並指出尚有缺失。……另外，七號簡看形制、筆跡，卻似屬於本篇，不過其內容文句似難同其他簡接連，這裏暫置不論。現有九支簡的次第，依原簡號，當為：一……五、六、二、三、四……八、九、十。一號簡和五號簡，四號簡和八號簡之間，都各有一支缺簡。[5]

就李先生所說，就是〈競建〉七號簡不作編聯，所以，他在第四簡與第八簡之間，標注為〔原缺〕字眼。然而後來李學勤先生撰寫了〈〈鮑叔牙與隰朋之諫〉禹、龍解〉一文[6]，又主張接受原來整理者的編法，將第七簡放在第八號簡之前。他說：

> 小文（指〈試釋楚簡〈鮑叔牙與隰朋之諫〉〉）付印後，我再三考慮，這支簡還是應如上海博物館書裏那樣，排在原八號簡前面，上接原四號簡，也便是在我重排的7號、9號兩簡之間，作為8號簡。如此

---

4 楊澤生：〈《上博五》札記兩則〉（武漢大學簡帛研究中心，簡帛網，簡帛文庫，楚簡專欄。本文發佈時間為：2006年2月28日）其自注說：「參看季旭昇〈上博五芻議（上）〉、陳劍〈談談《上博（五）》的竹簡分篇、拼合與編聯問題〉、林志鵬〈上博楚竹書〈競建內之〉重編新解〉，簡帛網，2006年2月18、19、25日。……『害』、『孽』二字從季旭昇前揭文釋。」

5 李學勤：〈試釋楚簡〈鮑叔牙與隰朋之諫〉〉，《文物》，2006年第9期，頁90。

6 李學勤：〈〈鮑叔牙與隰朋之諫〉禹、龍解〉，方勇主編、華東師範大學先秦諸子研究中心主辦：《諸子學刊》第1輯（上海市：上海古籍出版社，2007年12月），頁75-76。

編排之後，連同上下文，有關的一段文字是這樣的：

> 昔高宗祭，有雉雊於尸前，召祖己而問焉，曰：「是何也？」祖己答曰：「昔先君（競二）祭，既祭，焉命行先王之法，廢故錯，行故作，廢作者死，弗行者死。不出三年，逃人之倍者七百（競三）里。今此，祭之得福者也，庸餗之以浸湆。既祭之後，焉修先王之法。」高宗命傅鳶（說）餗之以（競四）客（格）王。天不見（現）禹，地不生龍，則訢（祈）諸鬼神，曰：「天地盟（明）棄我矣；從臣不許，遠者不方（謗），則修諸鄉（競七）邦。【此能從善而遠禍者。」公曰：「吾不智其為不善也。今內之不得百姓，外之為諸侯笑，寡人之不（競八）剩也，幾不二子之憂也哉！」……（競九）】[7]

就竹簡的編聯而言，筆者是贊成李學勤先生的處理順序的。以下就李先生的編聯，針對〈競建〉第七簡中「天不見禹，地不生龍」兩句，討論「禹」、「龍」這兩個字的解釋問題。

二　學者對「天不見禹，地不生龍」中「禹」「龍」解讀評議

二〇〇五年底，《上博（五）》出版之後，學者紛紛對其中內容投入積極的研究，產出大量的論文成果，相信其中不少學者專家，早就透過其他管道先睹為快，日夜鑽研了。

原簡整理者陳佩芬應該是最先對這一句加以解釋的，她在原書中對「天不見禹，地不生龍」一句，作了註解說：

7　李學勤：〈〈鮑叔牙與隰朋之諫〉禹、龍解〉，方勇主編、華東師範大學先秦諸子研究中心主辦：《諸子學刊》第1輯，頁75。為求簡文文意完整，引文後黑括號內之第八、九號簡文字，為筆者所加入，非原文所有的。

> 句意與《春秋繁露・必仁且知》莊王曰：「天不見災，地不見孽，則禱之於山川曰：『天其將亡予耶？不說吾過，極吾罪也。』」相似。[8]

陳女士只說是「句意相似」，而並未對其中的「禹、龍」所指為何物作出解釋。

其後，臺灣玄奘大學的季旭昇教授在武漢大學簡帛研究中心的簡帛網上，發表了一篇〈上博五芻議（上）〉，對第七簡有積極的論說，謂：

> 第七簡：天不見禹，地不生龍，則訢諸鬼神。
>
> 案：全句當隸作：天不見禹（害），地不生䖸（孽），則訢（祈）諸鬼神。
>
> 原考釋引《春秋繁露・必仁且知》「天不見災，地不見孽，則禱之於山川」為證，甚是。本句之「禹」疑為「䙡」（災害的「害」的本字）省。原考釋所隸「龍」字，與楚系文字所見「龍」字不合，當非。字從它、屮、月，如以「月」為聲符，則此字可讀為「孽」，月、孽二字上古音同在疑紐月部。從「它」則可視為義符，古人以「它（蛇）」為一種災害。[9]

季旭昇教授並沒有說明他的觀點從何而來，不過，根據筆者的了解，這個說法應該是啟發自郭店楚簡〈尊德義〉篇中，裘錫圭先生的註解。裘先生在〈尊德義〉第二十六簡「不以旨（嗜）谷（欲）䙡其義」句中的「䙡」字，作以下的注解說：「裘按：『䙡』讀為『害』，參看〈五行〉注（四五）。」[10] 而在〈五行〉篇的註解第四十五下，裘先生說：

> 帛書本此字作「害」。裘按：此字上部與「𡕒」字上部有別，疑是

---

8 馬承源主編：《上海博物館藏戰國楚竹書（五）》（上海市：上海古籍出版社，2005年），頁173。

9 見武漢大學簡帛研究中心：簡帛網。季旭昇〈上博五芻議（上）〉本文發佈時間：2006年2月18日。

10 荊門市博物館編：《郭店楚墓竹簡》（北京市：文物出版社，1998年），頁175。

「（害）」之訛形。（參看拙文《古文字論集·釋「𧊒」。》）本書〈尊德義〉二六簡「萬」字作「㝵」，可參照。故此字似當依帛書本讀為「害」。[11]

裘先生所說的「𧊒」，就是甲骨文中的「𧊒 𧊒」字，徐中舒主編的《甲骨文字典》，在「蚩」字下說：

〔解字〕：從止從虫，象蛇嚙足趾之形，引申之，固有災禍之義。或增從彳，表行道時遇蛇也。《說文》篆文訛從㞢。《說文》：「蚩，虫也；从虫之聲。」[12]

此「𧊒 𧊒」字亦常被書寫為「㞢」，解釋為「災禍」，裘先生隸定作「𧊒」，並認定此字為「害」字。裘先生在所撰的〈釋「𧊒」〉一文中，根據《說文解字》裏有「舝」字及其相關的資料，來證明「舝」字與「𧊒」、「萬」、「舝」是同一個字，本來就是「害」的本字。《說文》說：

舝，車軸耑鍵也。兩穿相背。从舛𥠍省聲。𥠍古文禼字。[13]

段玉裁注說：「金部鍵，一曰轄也。車部轄，一曰鍵也。然則許意謂舝、『轄』同也。」又《說文》有「𨗨」字說：「無違也。從辵舝聲，讀若害。」[14]又有「𤩽」字說：「石之似玉者。从玉舝聲，讀若曷。」[15]可見「舝」本即有「害」的音讀；轄字也是从「害」聲的，所以，「舝」字與「害」聲音相通，是沒有問題的。而《四部叢刊》的影宋鈔本《說文解字繫傳》裏，「舝」字作「舝」，不從「𥠍」而從禹。睡虎地十一號秦墓出土竹簡有「萬」字，也有寫成「𡨦」，而且對應的意義是「害」義。馬王堆三號墓出土的西漢前期

11 荊門市博物館編：《郭店楚墓竹簡》（北京市：文物出版社，1998年），頁153。

12 徐中舒主編：《甲骨文字典》（成都市：四川辭書出版社，1990年），頁1425。

13 （東漢）許慎撰，（清）段玉裁注：《說文解字注》（高雄市：高雄復文圖書出版社，據經韵樓藏版翻印，1998年），頁234。

14 《說文解字注》，頁70。

15 《說文解字注》，頁17。

帛書《周易》，其中〈大有〉卦「无交害」的「害」字寫作「䍐」[16]。根據以上的論證，裘錫圭先生認為「䍐」字與「𧊒」、「䍐」、「䍐」、「䍐」是同一個字，本來就是「害」的本字；其辯證與結論是可信的。

不過，這並不見得就能據此來證明〈競建〉第七簡中的「禹」字是「䍐」的省略。就〈競建〉第七簡簡文而言，字形是「禹」字無疑；從文字使用的角度而論，如果「䍐」字可以省略成「禹」的話，那在形、音、義上都使讀者無法正確了解文義，這是非常不合理的。「䍐、轄、害」等字上古音在匣母月部，而「禹」字則在匣母魚部，聲紐雖然相同，然而韻部差距卻很大，不可相通。假如楚竹書真的這樣省略，那看竹簡書的人可能看不懂或必有所誤解，在語言文字的運用上來說，這是不合理的現象。打個比方，《說文解字》中有「𡕒」（音害）字說：「相遮要害也。从夊丯聲。南陽新野有亭。」[17]如果省略「丯（音介）」，只餘下上端「夊」的話，則讀者只會唸成「夊」（音黹），解釋為「從後至也」，不可能知道讀為「害」的。所以，筆者以為〈競建〉第七簡的「禹」字還是應該讀為「禹」而不是「䍐」（害）字的省略。

其後李學勤先生在二〇〇七年底，發表一篇〈〈鮑叔牙與隰朋之諫〉禹、龍解〉一文，以為「天不見禹，地不生龍」一句，乃作者用《尚書．堯典》故事。李先生說：

> 「天不見禹，地不生龍」則很難講，這究竟何所指，為什麼武丁要祈求鬼神，認為遭到天地的拋棄？最近我才悟出，「天不見禹，地不生龍」這兩句原來與《尚書．堯典》有關。〈堯典〉係《尚書》首篇，古本與今本的〈舜典〉相聯，今傳《孔傳》本分作兩篇。在古本〈堯典〉後半，即今〈舜典〉部分，記載帝堯死去，舜即帝位，任命九位大臣，依次是：

---

16 裘錫圭：《古文字論集》（北京市：中華書局，1992年），頁11-16。書中〈釋「𧊒」〉一文。

17 《說文解字注》，頁237。

禹	棄	契	皋陶	垂	益	伯夷	夔	龍
司空	后稷	司徒	士	共工	虞	秩宗	典樂	納言

後人注疏，如蔡沈的《書集傳》，稱他們為「九官」。傳說被古人尊為至治的舜的盛世，是在他們的輔佐下實現的。「九官」頭一個是禹，末一個是龍，所以〈鮑叔牙與隰朋之諫〉的作者舉這兩人為「九官」代表。所謂「天不見（現）禹，地不生龍」，就是說天地不生出「九官」這樣的朝政輔佐，武丁的事業難於成功，也便是天地拋棄他了。[18]

李先生這個創新的見解，似乎亦言之成理，也相當的巧合。這跟龔自珍《己亥雜詩》中的第二百二十首所言「九州生氣恃風雷，萬馬齊喑究可哀。我勸天公重抖擻，不拘一格降人才」，在思想上頗為相似。不過仔細深思之後，頗覺得其中有可議之處；這可以從三個方向來論議：

第一、就簡文前後文的文義關係而論，在〈競建〉第二簡裏，有提及：「昔高宗祭，有雉雊於尸前，召祖己而問焉。」這跟《尚書．高宗肜日》篇當有密切關係。〈高宗肜日〉說：

> 高宗肜日，越有雊雉。祖己曰：「惟先格王，正厥事。」乃訓于王曰：「惟天監下民，典厥義。降年有永有不永；非天夭民，民中絕命。民有不若德，不聽罪；天既孚命正厥德，乃曰：『其如台？』嗚呼！王司敬民；罔非天胤，典祀無豐于昵。」

可見高宗之時，發生了「雉雊」事件，雖然簡文所述不見得就是〈高宗肜日〉的本文，但必然是指同一件事；從〈高宗肜日〉文句裏，可以清楚看出「雉雊」的出現，是被認定為上天的「警告」，所謂「天既孚命正厥德」，

18 李學勤：〈〈鮑叔牙與隰朋之諫〉禹、龍解〉，方勇主編、華東師範大學先秦諸子研究中心主辦：《諸子學刊》第1輯，頁75-76。其中「九官」以表格出之，是筆者所改的。

「典祀無豐于昵」，都是說現今國君的施為有「失」，需要有所弼正。那麼，「天不見禹，地不生龍」中的「禹、龍」，應該也是一種「警告」性的事物才對，與「雉雊」的性質相似，而非如李學勤先生所說是正面的「輔佐」性的股肱大臣。而且，簡文下文說「從臣不訐，遠者不方（謗）」，是跟「天不見禹，地不生龍」相對的，如果將兩節文字排比對看，就更清楚：

天不見**禹**，地不生**龍**，則訢諸鬼神。

從臣不**訐**，遠者不**方**，則修諸鄉邦。

「訐」是對別人的錯誤加以挑剔，這個字有人讀為「諫」，其意義也相似；「方」讀為「謗」，亦是對錯誤的事情表示不滿與批評。以此見之，「禹、龍」不應該是正面的事物，當為「負面警告」性的顯象。

第二、從傳世文獻中相似的論述裏，也可看出所謂「天不見」、「地不生」的，都是「負面」事物。一如〈競建內之〉的原整理者陳佩芬所引用的《春秋繁露・必仁且知》：「莊王曰：『天不見災，地不見孽，則禱之於山川。』曰：『天其將亡予耶？不說吾過，極吾罪也。』」其中的「災」、「孽」，也都是「負面警告」性的現象。

在傳世文獻中，其實還有不少類似觀念、事件的記載：如漢劉向撰《說苑》卷一〈君道〉云：「楚莊王見天不見妖而地不出孽，則禱於山川，曰：『天其忘予歟？』此能求過於天，必不逆諫矣。安不忘危，故能終而成霸功焉。」又《說苑》卷十〈敬慎〉曰：「孔子曰：存亡禍福，皆在己而已。天災地妖，亦不能殺也。」

而在《論衡》卷十四〈譴告〉說：「論災異者，謂古之人君為政失道，天用災異譴告之也・災異非一，復以寒溫為之效，人君用刑非時則寒，施賞違節則溫・天神譴告人君，猶人君責怒臣下也，故楚嚴王曰：『天不下災異，天其忘予乎！』異為譴告，故嚴王懼而思之也。」

劉向《說苑》所記，可能有不少是出自於漢朝中祕府所藏先秦遺籍[19]，而

19 如郭店楚簡中的〈窮達以時〉，其中大部分文字都見於《說苑・雜言》篇中，即是一例。

所記與董仲舒《繁露》相若，可能都是有所本的。他們所記都是「妖、災、孽、異」，可見天降負面異象作為警告人間統治者施政不當，是古代一種普遍的觀念。那「禹、龍」就應該是其中的一種「負面」、「警告」性的異象。

第三、就古籍中所記的政治思想而論，上天所命而下治民間者，唯有最高之統治者，其他大臣皆由天子所選拔，不必由天所命。如《尚書・堯典》所述堯、舜之間的政權轉移，還需薦之於天，所以，要在「慎徽五典，五典克從；納于百揆，百揆時敘；賓于四門，四門穆穆」之後，還要「納於大麓，烈風雷雨弗迷」，才將帝位傳授給舜。而舜登位之後，任命「九官」，都是舜所認定而委命的，完全與天是否派遣而來無關。

《上博（二）・子羔》中記夏、商、周三代的祖先禹、契、稷，所謂「參天子」，都是無父天授而生的。可見能為天子直系的祖裔，都被認為是上天所命而來[20]。

與楚簡時代相近的孟子，在論到古代人物時，也說：「舜發於畎畝之中，傅說舉於版築之間，膠鬲舉於魚鹽之中，管夷吾舉於士，孫叔敖舉於海，百里奚舉於市。」（《孟子・告子下》）孟子談到舜是用「發」字，而講其他的人則用「舉」，就是因為舜後來成為天子，就天子的身分而論，是經過上天所認可的，並不是別人如帝堯所能推舉讓授的，故此不能用「舉」；反過來說，為人臣者都用「舉」的，因為他們都是由天子所舉拔任命的。孟子談論政權的傳承轉移，並不贊成人為認定的「禪讓」，以為「天子不能以天下與人」[21]，所以，堯可以舉舜為大臣，但是不能直接推舉任命舜為天子。

---

20 見馬承源主編：《上博（二）・子羔》（上海市：上海古籍出版社，2002年），頁192-199。

21 《孟子・萬章上》：萬章曰：「堯以天下與舜，有諸？」孟子曰：「否，天子不能以天下與人。」「然則舜有天下也，孰與之？」曰：「天與之。」「天與之者，諄諄然命之乎？」曰：「否，天不言，以行與事示之而已矣。」曰：「以行與事示之者，如之何？」曰：「天子能薦人於天，不能使天與之天下；諸侯能薦人於天子，不能使天子與之諸侯；大夫能薦人於諸侯，不能使諸侯與之大夫。昔者堯薦舜於天而天受之，暴之於民而民受之。故曰：天不言，以行與事示之而已矣。」曰：「敢問薦之於天而天受之，暴之於民而民受之，如何？」曰：「使之主祭而百神享之，是天受之。使之主

《尚書》中的堯、舜之所以成為後世聖王的典範，都是因為他們能任用得人；故《論語·衛靈公》也說：「子曰：『無為而治者，其舜也與！夫何為哉？恭己正南面而已矣。』」

《尚書》中談到歷代賢君的施政，都是因為能任用適當的賢臣。〈君奭〉、〈呂刑〉篇都歷歷有陳述[22]。如殷高宗武丁夢得傅說，還要畫出畫像，到四方旁求，最後才在傅巖之野尋獲，再經過一番談辯之後，才任用為輔相的[23]。

荀子在〈正論〉篇中，也陳述天下是不能「擅讓」的，而任命大臣之賢庸，與是否得其人，則是國君的權分。〈正論〉篇曰：

> 世俗之為說者曰：「堯、舜擅讓。」是不然。天子者，埶位至尊，無敵於天下，夫有誰與讓矣！道德純備，智惠甚明，南面而聽天下，生民之屬莫不振動從服以化順之。天下無隱士，無遺善，同焉者是也，異焉者非也，夫有惡擅天下矣？曰：「死而擅之。」是又不然。聖王

事而事治，百姓安之，是民受之也。天與之，人與之，故曰：天子不能以天下與人。舜相堯，二十有八載，非人之所能為也，天也。堯崩，三年之喪畢，舜避堯之子於南河之南。天下諸侯朝覲者，不之堯之子而之舜；訟獄者，不之堯之子而之舜；謳歌者，不謳歌堯之子而謳歌舜；故曰『天』也。夫然後之中國，踐天子位焉。而居堯之宮，逼堯之子，是『篡』也，非『天與』也。〈泰誓〉曰：『天視自我民視，天聽自我民聽』，此之謂也。」

22 《尚書·君奭》：公曰：「君奭！我聞在昔，成湯既受命，時則有若伊尹，格于皇天。在太甲，時則有若保衡。在太戊，時則有若伊陟、臣扈，格于上帝；巫咸乂王家。在祖乙，時則有若巫賢。在武丁，時則有若甘盤。」又：「公曰：『君奭！在昔，上帝割申勸寧王之德，其集大命于厥躬。惟文王尚克修和我有夏，亦惟有若虢叔，有若閎夭，有若散宜生，有若泰顛，有若南宮括。』」〈呂刑〉篇曰：「皇帝清問下民，鰥寡有辭于苗。德威惟畏，德明惟明。乃命三后，恤功于民：伯夷降典，折民惟刑；禹平水土，主名山川，稷降播種，農殖嘉穀。三后成功，惟殷于民。士制百姓于刑之中，以教祗德。」

23 《尚書正義·說命上》《書序》曰：「高宗夢得說，使百工營求諸野，得諸傅巖，作〈說命〉三篇。」又經文曰：「乃審厥象，俾以形旁求于天下。說築傅巖之野，惟肖。爰立作相，王置諸其左右。」

> 在上，決德而定次，量能而授官，皆使民載其事而各得其宜。不能以義制利，不能以偽飾性，則兼以為民。聖王已沒，天下無聖，則固莫足以擅天下矣。天下有聖，而在後子者，則天下不離，朝不易位，國不更制，天下厭然與鄉無以異也；以堯繼堯，夫又何變之有矣！聖不在後子而在三公，則天下如歸，猶復而振之矣。天下厭然與鄉無以異也；以堯繼堯，夫又何變之有矣！唯其徙朝改制為難。故天子生則天下一隆，致順而治，論德而定次，死則能任天下者必有之矣。

從以上與楚竹書時間相近的孟、荀政治思想，以及古籍中對舉任大臣的記載，都清楚顯示只有天子才需要由天所派命，輔佐大臣的任命正確與否，則視為統治者的賢愚以及政治良窳的檢覈標準。因此，如果將〈競建內之〉第七簡中的「禹、龍」，用《尚書．堯典》「九官」中的「禹、龍」來解釋的話，是跟古代思想不相侔而衝突的。

據上所論，李先生認為簡文所謂「禹、龍」者，即是《尚書．堯典》後半[24]所記，舜命「九官」中之命禹為司空，命龍為納言之事，並謂簡文之意，是「天地不生出『九官』這樣的朝政輔佐，武丁的事業難於成功，也便是天地拋棄他了」。這樣的解讀是有問題的。

三　〈競見七〉「天不見禹，地不生龍」重解

既然如筆者所考察，傳世文獻中凡言及「天不見」、「地不生」者，都認為是負面警誡性的事物，非如李學勤先生所指為「朝政輔佐」的大臣，正面的忠良，也不是如季旭昇教授所訓釋的「害」。那麼，總得有一種合理的解釋提出來討論。

依筆者的研究所得，認為〈競建內之〉第七簡中的「禹、龍」，就應該

24　所謂《尚書．堯典》後半，即是今本《尚書正義》中題屬〈舜典〉者。蓋偽《古文尚書》作者離析原〈堯典〉之後半，並標以〈舜典〉之名。此前儒多有論及，證據充分可信。

按照原來字面上來訓解。

《說文解字》裏，對「禹」字的解釋：

> 禹：蟲也，从禸，象形。[古文禹字形]，古文禹。[25]

段玉裁注說：「夏王以為名，學者昧其本義。」是許慎根據「禹」字的字形來解釋其意義，認為是一種「蟲」類，在當時可說是一番很前衛的創見；因為在傳世的文獻裏，「禹」字都被用作夏王朝的開國君主之名，所以，段玉裁才作這樣的註解。而《說文》所列的古文「禹」字，見於《漢志》，字形跟〈競建〉七的「禹」字非常相似。

「禹」字的原形，在甲骨文中可能本來就是「虫[古文字形]」字，本義就是一種爬蟲動物，後來因字形的演變，加入了「[古文字形]又」形，構成了所謂「禸」部，才變成「禹」的。這樣的情形在古文字演變上，類似的字例不少：如「萬」字，甲骨文本作「[古文字形]」的，到了金文就變作「[古文字形]」，後來又變為「[古文字形]」，在變為篆文的「萬」，下半作「禸」部了[26]。還有「禽」字，甲骨文作「[古文字形]」、「[古文字形]」，演變到後來，就成為「禽」的下半，下部也變作「禸」了[27]。甲骨文有「[古文字形]」字，聞一多先生釋為「齲」[28]，其中的「[古文字形]」也變作「禹」而聲符化

---

25 （東漢）許慎撰，（清）段玉裁注：《說文解字註》（高雄市：高雄復文圖書出版社，據經韵樓藏版翻印，1998年），頁739。

26 參考周法高主編，張日昇等編纂：《金文詁林》（香港：香港中文大學，1975年），冊13，總頁7368，「蠆」字下引容庚之說。于省吾主編：《甲骨文字詁林》（北京市：中華書局，1996年），冊2，總頁1806，于省吾按語下，亦有「萬」字形體演變圖：以為有[古文字形]→[古文字形]→萬；[古文字形]→[古文字形]→蠆兩系。

27 于省吾主編：《甲骨文字詁林》，冊4，總頁2821，于省吾按：「唐蘭據孫詒讓釋[古文字形]為禽之本字是對的。……本象有柄之网形，其後加『今』為聲符作[古文字形]，進而譌變作禽，其演化如下：[古文字形]（甲骨文）→[古文字形]（秦簋）→[古文字形]（不嬰簋）→[古文字形]（石鼓文）→禽（小篆）。」

28 于省吾主編：《甲骨文字詁林》，冊3，總頁2151。聞一多：〈釋齲〉，《聞一多》，卷2，頁557。聞一多說：「金文秦公簋禹字作禹，从[古文字形]从禸，[古文字形]其本形，禸即又，象人手執之，與[古文字形]加禸作萬同意。禹之本形既祇作[古文字形]，則於此即禹之初文。[古文字形]與[古文字形]同，此从[古文字形]从[古文字形]，當即齲字。」

了。

顧頡剛先生在《古史辨》中有〈與錢玄同先生論古史〉書，書中顧先生論「禹」字說：

> 至於禹從何來？禹與桀為何發生關係？我以為都是從九鼎上來的。禹，《說文》云：「蟲也。從内，象形。」内，《說文》云：「獸足蹂地也。」以蟲而有足蹂也，大約是蜥蜴之類。我以為禹或是九鼎上鑄的一種動物，當時鑄鼎象物，奇怪的形狀一定很多，禹是鼎上動物最有力者；或者有敷土的樣子，所以就算他是開天辟地的人。（伯祥云：禹或即是龍，大禹治水的傳說與水神祀龍王事恐相類。）流傳到後來，就成了真的人王了。[29]

根據顧先生的說法，「禹」這種動物，很可能是古代傳說中的某種爬蟲動物，所以被崇敬為圖騰標誌，那它在古代社會成為人們腦袋裏具有「警告性」的象徵，應該不難理解。

至於「龍」，《說文解字》云：

> 龍，鱗蟲之長；能幽能明，能細能巨，能短能長。春分登天，秋分而潛淵。从肉，[illegible]，肉飛之形，童省聲。

甲骨文的「龍」字作「[illegible]」，也可以簡化為「[illegible]」，是一個象形字，其頭上有冠，口大而突出，體形長而盤屈，應該是像蛇一樣的爬蟲類動物。龍在我國古代，是傳說中的一種神祕而靈異的動物，甲骨文中有這個字，就可以證明「龍」的傳說，其由來已久。說文裏所說的龍，有鱗有足，能飛潛化幻，興雲作雨，應是後世演化發展而來的形象。在我國很多神話傳說中，人們經常將大蛇視為龍，也許就是保留了原始對龍的理解意義。龍既然是這麼一種神祕靈異的動物，那牠的出現，當然會引起人們的驚疑與恐慌，以為這是上天藉此異物的出現，來顯示某種指示或警告，使統治者反省自己的施政作

29　見《古史辨》（臺北市：中央研究院陳槃序重印本，1970年），冊1，頁63。

為，檢視有無缺失，有則改之；這應該是古人心理的正常反應，也是人類社會由宗教迷信轉化為人文意識的思想歷程。

季旭昇教授認為〈競建〉七簡中的「龍」應該是「孽」字，他說：

> 原考釋所隸「龍」字，與楚系文字所見「龍」字不合，當非。字從它、屮、月，如以「月」為聲符，則此字可讀為「孽」，月、孽二字上古音同在疑紐月部。從「它」則可視為義符，古人以「它（蛇）」為一種災害。[30]

季教授說簡文的字形从「它」是對的，寫法的確跟一般簡帛中龍字不大一致；然而，他認為字形的下半部是从「屮」从「月」，而且以「月」為聲符，所以可與「孽」聲音相通，這個說法筆者則不敢苟同。原因是這個像「月」的字形，是不是月字還是疑問；而且它與上面的「屮」相連接，季教授卻對「屮」形沒有說明。如果將「屮月」兩部分連接起來當作一件事物來看，那所謂「月」聲就不能成立了。

從甲骨文來看，龍字的左下方是牠的嘴巴，後來演變為小篆的「肉」形。戰國文字裏，肉部字的肉旁，與月部字的月旁，幾乎是一樣的寫法。文字之中，跟龍字字形演變相似的，還有「能」、「賔」[31]等字，如果將那像肉的部分都看作「月」的話，那就很離譜了。《楚帛書》裏有一個「[illegible]」的字形，被認為是「龍」字[32]，這個字形的右半，跟〈競建〉七簡隸為「龍」的下半相當相似；隸作「龍」的字就缺了一條長曲的軀體，而其上半的「它」形，正代表著蛇的形軀；龍本來就是古代某一種特殊的大蛇，所以，字形从它，也正表是牠是「龍蛇」之屬。

在文字上而言，龍蛇之類與虫類被視為近同之類的。《說文》「虫」字

30 見武漢大學簡帛研究中心：簡帛網。季旭昇：〈上博五芻議（上）〉，本文發佈時間：2006年2月18日。

31 此字見湯餘惠主編：《戰國文字編》（福州市：福建人民出版社，2001年），頁265。

32 陳建貢、徐敏編：《簡牘帛書字典》（上海市：上海書畫出版社，1994年），頁954引《楚帛書》。

下說：

> 一名蝮。博三寸，首大如擘指。象棋臥形。物之微細，或行或飛，或毛或蠃，或介或鱗，以虫為象。

所以，《說文》虫部裏也有不少龍蛇之屬的動物：如螣，神它也；蚺，大它可食；蛟，龍屬，無角曰蛟；螭，若龍而黃；虬，龍無角者；蜦，它屬也，黑色，潛於神淵之中，能興雲致雨。以此可見「禹」、「龍」是足以相比的類似事物。

在古代，人們往往將自然界種種不尋常的異象，視為上天對人間的一種譴告，或者是一種嘉許，這種天人相應的思想，早深入於人心。《論語．子罕》篇有云：「子曰：『鳳鳥不至，河不出圖，吾已矣夫！』」又〈泰伯〉篇曰：「唯天為大，唯堯則之。」《尚書．皋陶謨》謂：「天聰明，自我民聰明；天明畏，自我民明威。達于上下，敬哉有土！」《孟子．萬章上》：「〈泰誓〉曰：『天視自我民視，天聽自我民聽。』此之謂也。」《尚書．君奭》篇記載周公勸說召公奭，還怕「我則鳴鳥不聞，矧曰其有能格」？《周易．繫辭上》曰：「是故天生神物，聖人則之；天地變化，聖人效之；天垂象，見吉凶，聖人象之。河出圖，洛出書，聖人則之。」在在都顯示古人深具天人相應的思想。像《荀子．天論》所說，天地間的異象與人間無關的論調，在先秦時期是很少見的[33]。

這種思想從先秦一直延續到漢代，並將之與經典結合，創造出一套天人相應的學說。蟲虫、龍蛇的出現，被認定為是因某種施政舉措的錯謬，引致上天垂示的警告現象。如劉向《洪範五行傳》說：

---

[33] 《荀子．天論》曰：「星隊，木鳴，國人皆恐。曰：是何也？曰：無何也！是天地之變，陰陽之化，物之罕至者也。怪之，可也；而畏之，非也。夫日月之有蝕，風雨之不時，怪星之黨見，是無世而不常有之。上明而政平，則是雖並世起，無傷也；上闇而政險，則是雖無一至者，無益也。夫星之隊，木之鳴，是天地之變，陰陽之化，物之罕至者也；怪之，可也；而畏之，非也。」

> 《傳》曰：「皇之不極，是謂不建，厥咎眊，厥罰恆陰，厥極弱。時則有射妖，時則有**龍蛇之孽**，時則有馬禍，時則有下人伐上之痾，時則有日月亂行，星辰逆行。」[34]

《左傳》昭公十九年，記有鄭大水，龍鬥於時門之外洧淵，國人請為禜焉；劉向以為近於龍孽。《左傳》莊公十四年也有記載魯莊公時有內蛇與外蛇鬥於鄭南門中，內蛇死[35]；劉向以為近蛇孽。所謂「孽」，其實應該寫作「蠥」，《說文》云：「禽獸蟲蝗之怪為之蠥，从虫辥聲。」龍蛇正是屬於這一類的「蠥」。

〈競建〉二簡文提到殷朝高宗武丁因有「雉雊」而召祖己詢問，劉向《說苑》卷一的〈君道〉篇，也記述了不少古代君王面對異象的態度，其中也有有關殷高宗武丁的。《說苑》說：

> 高宗者，武丁也；高而宗之，故號高宗。成湯之後，先王道缺，刑法違犯；桑穀俱生乎朝，七日而大拱。武丁召其相而問焉。其相曰：「吾雖知之，吾弗得言也。聞諸祖己，桑穀者，野草也，而生於朝，意者國亡乎！」武丁恐駭，側身修行，思先王之政，興滅國，繼絕世，舉逸民，明養老。三年之後，蠻夷重譯而朝者七國。此之謂存亡繼絕之主，是以高而尊之也。

相似的記載也見於卷十〈敬慎〉篇。高宗武丁相傳是殷商的賢明君主，所以，在後世有很多傳說故事，都藉著他來寄託表達。而殷人尚鬼，對於自然界的種種異象，都視為神明的顯示，要舉行祭祀儀式來禜祓，武丁當然是最佳人選。而傳說中武丁對這些異象的反應，都是從自身反省求過，知所改

---

34 班固：《漢書》，卷二十七下之上〈五行志〉下之上，引劉向說。

35 《左傳》莊公十四年：「鄭厲公自櫟侵鄭，及大陵，獲傅瑕。傅瑕曰：『苟舍我，吾請納君。』與之盟而赦之。六月甲子，傅瑕殺鄭子及其二子，而納厲公。初，內蛇與外蛇鬥於鄭南門中，內蛇死。六年而厲公入。公聞之，問於申繻曰：『猶有妖乎？』對曰：『人之所忌，其氣燄以取之。妖由人興也。人無釁焉，妖不自作。人棄常，則妖興，故有妖。』」

善，力謀更進來作因應，這可能是後人對武丁之所以號稱商朝明君的一種詮釋。

荀子雖然在〈天論〉篇中強調天地異象與人世舉措無關，然而他還是記錄了商湯面對天降異災的反應與態度。《荀子．富國》篇說：「故禹十年水，湯七年旱，而天下無菜色者。」而在〈大略〉篇裏，則陳述了湯為旱災禱雨之詞說：

> 湯旱而禱曰：「政不節與？使民疾與？何以不雨至斯極也！宮室榮與？婦謁盛與？何以不雨至斯極也！苞苴行與？讒夫興與？何以不雨至斯極也！」

可見古代社會以為有為的國君，對於天地異象的反應，都是反躬自省，求過改善，所以皆能轉禍為福。反過來說，如果天地不顯現警告性的異象，統治者往往就以為自己的措政都是對的，而不會加以檢討，也就不能更臻善治之境，甚至自驕自滿，放縱妄為，終至敗亡之地而不自知。就此而論，天地出現異象，對古代有為之國君而言，反而是件好事。所以，董仲舒《春秋繁露》卷八〈必仁且知〉章裏說：

> 故見天意者之於災異也，畏之而不惡也，以為天欲振吾過，救吾失，故以此救我也。《春秋》之法，上變古易常，應是而有天災者，謂幸國。孔子曰：「天之所幸，有為不善而屢極。」

劉向在《說苑．君道》篇中亦言：

> 能求過於天，必不逆諫矣。安不忘危，故能終而成霸功焉。

他們的論點，相信正是〈競建內之〉第七簡所要表達的觀念。

四　結語

《上海博物館楚竹書（五）》的〈競建內之〉和〈鮑叔牙與隰朋之諫〉，

原本是一篇文章的前後兩部分，然而由於抄寫的筆跡顯然有異，所以，原整理者將之分為兩部分，並題上不同的名稱。今按前輩如李學勤先生的見解，把〈競建內之〉視為〈鮑叔牙與隰朋之諫〉的前半，而以〈鮑叔牙與隰朋之諫〉為全篇的總名。文中對於簡牘的編號則一仍其舊。對於〈競建內之〉第七簡中「天不見禹，地不生龍」句，前輩學者既有不同的解釋主張，也與筆者的看法有所差異。季旭昇教授以為其句應解釋為「天不見禹（害），地不生（孽）」。李學勤先生則以為其中的「禹」與「龍」，應該以《尚書．堯典》後段所記舜命「九官」中的「禹、龍」來解釋，認為「禹、龍」指的是忠良賢臣。

然而據筆者的研究，如前文所論，就文字而言，應以原整理者所隸定的「禹、龍」為是。就內涵意義而論，「禹」應解釋為「蟲虫（虺）」之災，而「龍」是指「龍蛇」之蠥。所以，簡文這段文字意義是說：

> 上天不降現蟲虫之災，地面也沒有冒生出龍蛇之蠥（以作為我施政措失的警告），那就需主動向人鬼神明禱告，以占問說：「是不是天地已經明顯地要放棄我（不再對我的錯過發出警示），認為我的作為已經無可救藥呢？」（不然為甚麼沒有垂示異象，讓我有檢討改過的機會呀！）

（右圖：〈競建內之〉第七簡[36]）

就筆者的觀念認為，學術是公器，「當仁」是可以「不讓於師」的。李學勤先生是筆者推崇的前輩大師，季旭昇教授更是筆者的前期學長，交誼甚篤；但是筆者還是不忝冒昧，就研

---

36 取自馬承源主編：《上海博物館藏戰國楚竹書（五）》，頁24，〈競建內之〉第七簡圖。

探所得，陳述自己的見解，冀能就正於方家，獲得回饋。否則就如〈競建〉七簡文所說：「天地（學術界）明棄我矣！」

《子羔》、《孔子詩論》中的有關《詩》的提問

末永高康*

一

在哲學這項活動中，最重要的是提出問題的方式。這是因為提問的方式決定探索的方向，探索的方向決定所得的結論。

但我們提出的問題，常常被我們常識性的思維限制。比如，我們關於「天命」提出的問題，也受到我們的常識的影響。我們都知道五十歲的孔子「知天命」，不過孔子所說的「天命」究竟是什麼，很難臆測。因此，作為古文獻學者，我們提問「知天命」的「命」究竟是「命運」，還是「使命」[1]。但我們絕對不問：「上天用什麼樣的方法來傳達其『命』而孔子用什麼樣的方法來聽到其『命』。」為什麼呢？因為按照我們常識性的看法，「天」必定是不說話的。孔子也說：「天何言哉？」[2]因此，我們不問「天」下「命」和孔子聽「命」的具體場面。

但我們現代人的常識，未必是古代人的常識。他們對「天」和「命」提出的問題，跟我們提出的問題太不一樣。在這裏，我想談論的是，上海博物館藏戰國楚竹書中的有關「天」和「命」的提問。這是傳世文獻裏沒有出現過的。他們提出的問題，雖然非常樸素，但這些樸素的問題所開闢的新局面卻不小。下面，我們看看這些問題和其所開闢的思想境界。

---

* 日本鹿兒島大學教育學部。

1 參看金谷治：〈孔孟の「命」について——人間性とその限界——〉，《日本中國學會報》，第8號（1965年）。

2 《論語．陽貨篇》。

二

楚竹書《子羔》的開頭部分[3]有如下的提問：

> 子羔問於孔子曰：三王者之作也，皆人子也。而其父賤而不足偁也歟，抑亦誠天子也歟[4]。

這裏的「三王」就是禹、契、后稷。只看子羔的這個提問，他想問的內容還不太清楚。為了理解子羔的提問，我們需要接著看下面的孔子的回答：

> 孔子曰：善，爾問之也。久矣其莫……
>
> （禹之母，有莘氏之女[5]）也。觀於伊而得之，懷三年而劃於背而生，生而能言，是禹也。
>
> 契之母，有娀氏之女也。遊於瑶臺之上，有燕銜卵而措諸其前，取而吞之，懷三年而劃於膺生，乃呼曰：欽，是契也。
>
> 后稷之母，有郃氏之女也，遊於玄丘之內，冬見芺，搴而薦之，乃見人武，履以忻，禱曰：帝之武，尚使……是后稷（之母[6]）也。三王者之作也如是。

---

3 筆者支持李學勤：〈楚簡《子羔》研究〉，上海大學古代文明研究中心、清華大學思想文化研究所編：《上博館藏戰國楚竹書研究續編》（上海市：上海書店出版社，2004年）的編聯，即：簡9／11上段＋10＋11下段／香港中文大學3＋12／13／7／1／6＋2／缺／3＋4／5／8／14（「＋」表示拼合，「／」表示相聯）。裘錫圭：〈談談上博簡《子羔》篇的簡序〉，《上博館藏戰國楚竹書研究續編》也把簡9看作一篇的開端。裘說和李說不同的地方只在簡7的處理，裘說則把簡7和簡14拼合後，放在全篇的結尾。

4《子羔》收入馬承源主編：《上海博物館藏戰國楚竹書（二）》（上海市：上海古籍出版社，2002年）。參照各家的意見改變其釋文的地方不一一注明。

5 根據季旭昇：〈〈子羔〉譯注〉，《〈上海博物館藏戰國楚竹書（二）〉讀本》（臺北市：萬卷樓圖書公司，2003年）補這八字。

6 根據張富海：〈上海簡《子羔》篇「后稷之母」節考釋〉，《上博館藏戰國楚竹書研究續編》刪除「之母」二字。

這裏描述的是三王的感生傳說。在這描述中有關三王母親的消息非常明顯，但有關他們父親的消息則不太清楚。因此，不能把三王叫做「某某的兒子」，不能稱道他們的父親。但三王的母親確實是個「人」，三王也應該是個「人」的兒子。他們雖然是個「人」的兒子，卻不被叫做「某某的兒子」，那麼，是因為他們的父親的地位卑賤而不足稱道嗎（「其父賤而不足偁也歟？」）？這就是子羔的第一個提問。

另一方面，禹、契、后稷分別是夏、殷、周的「天子」的鼻祖。沒有有關他們父親的消息，有可能暗示著他們的父親就是天帝。因此，子羔又問三王是否真是天的兒子（「抑亦誠天子也歟？」）？

三王是「人的兒子」還是「天的兒子」，這樣的問題在傳世的先秦文獻中沒有出現過。

對這個問題，只用三王的感生傳說來回答，還不能解決子羔的疑問。因此，子羔再問：

> 子羔曰：然則三王者孰為……

雖然缺少提問的後邊，按照前面的子羔的問題，「孰為」的後面，我們可以補「其父」二字。子羔聽完三王的感生傳說後，再問：「誰是他們的父親？」可惜，孔子的回答也欠缺，不過我們可以猜測孔子的回答就是「天」。是因為《子羔》的後面談到把禹、契、后稷當做臣下的「人的兒子」——舜的故事，然後用如下的問答來結束文章。

> 子羔曰：如舜在今之世，則何若？孔子曰：……三天子事之。

這裏的「三天子」應該是像禹、契、后稷一般的三位「天的兒子」。所以，這裏的孔子認為三王不是「人的兒子」而是「天的兒子」，他們的父親就是「天」。

我們要注意的是，子羔的這樣的提問來自有關《詩》的樸素疑問。眾所周知，《詩》中出現有關后稷的感生傳說[7]。契的感生傳說也可以說出現在《詩》裏面[8]。所以，對於深信《詩》中的記載的人來說，不能不懷有有關（禹）、契、后稷的疑問，就是「他們的父親是誰」？我們知道這些感生傳說只不過是一種神話傳說。所以我們不提出這種無意義的問題。但《子羔》的作者相信《詩》的記載，使子羔代替自己發出這樣樸素的疑問。

筆者不太了解這個樸素的疑問所開闢的思想境界。如果問三王的父親是「人」還是「天」，有可能回答是「人」。如果回答是「人」，感生傳說本身也不能成立。這個樸素的疑問，可能轉變為是否承認感生傳說的問題。眾所周知，是否承認感生傳說的問題，後來導致今文經說和古文經說的分歧。比如，關於《詩・大雅・生民》「履帝武敏」，鄭《箋》承認后稷的感生傳說，而《毛傳》則不承認。但他們只在是否承認感生傳說的層面進行討論，對相信感生傳說的人發出的樸素疑問，沒有更深的探求[9]。

其實《子羔》的關心也不在這方向的追求。假如他們加深這方向的研

---

7 〈大雅・生民〉、〈魯頌・閟宮〉。

8 〈商頌・玄鳥〉、〈商頌・長發〉。但在《詩》中有關契的感生傳說沒后稷的明顯。關於后稷和契的感生傳說，參看白鳥清：〈殷周の感生傳說の解釋〉，《東方學報》，第15卷第4號（1925年）、出石誠彥：〈上代支那の異常出生說話について〉，《支那神話傳說の研究》（東京都：中央公論社，1933年，原載《民族》，第4卷第4號〔1929年〕）、森三樹三郎：〈帝王の感生傳說〉，《中國古代神話》（東京都：清水弘文堂，1969年，原題《支那古代神話》，京都：大雅堂，1944年），第二章。

9 魯瑞菁：〈《上海博物館藏戰國楚竹書（二）・子羔》感生神話內容析論——兼論其與兩漢經說的關係〉（清華大學簡帛研究 http://www.confucius2000.com/admin/list.asp?id=3872，2009/1/2）說：「子羔問孔子：『三代始祖（聖人）是有父而生，然其父賤而不足稱也歟？還是皆無父，感天而生？』此一問題後來成為兩漢經學中，今文經學家主張『聖人無父，感天而生』，古文經學家主張『聖人有父，父皆同祖』，兩造爭議不休、聚訟紛紛的先聲。」筆者也同意《子羔》的問答是兩漢今古文經學家經說討論的「先聲」，但《子羔》的疑問是相信感生說的人發出的，與兩漢今古文經學家經說討論有所不同。兩漢經學家的「聖人無父」還是「聖人有父」的提問完全等於相信感生說還是不相信感生說的提問，子羔的「無父」還是「有父」的提問不在相信不相信感生說的層面。感生說只講帝王母親的故事，因此有子羔的疑問，已站在相信不相信感生說的層面的人，根本沒有這樣的樸素疑問。

究，古代中國或許就有神學中的「聖父（上帝）」和「聖子（基督）」之間的關係般的思想展開。但《子羔》的主要問題不在這裏。他們談到「天的兒子」，只是為了讚揚「人的兒子」的舜[10]。《子羔》後半的主題是「人的兒子」的舜怎麼能成為「天子」。對這個問題，《子羔》的主要回答是「堯見舜之德賢，故讓之」般的禪讓說。但也有如下的回答。

孔子曰：舜其可謂受命之民矣，舜，人子也。

感生傳說講的是先天的「天子（天的兒子）」，受命說講的是後天的「天子（天的兒子）」。《子羔》的主要關心在於後天的「天子」，就是受命而成為「天子」的「人的兒子」。

那麼我們也換個話題，開始談談受命說吧。跟感生傳說一樣，受命說也來自《詩》。《子羔》不僅對感生傳說提出了樸素問題，對受命說也發出了非常樸素的問題。但這裏所說的《子羔》不等於上面所說的《子羔》，而是楚竹書中自題為《子羔》的一篇，就是包括《孔子詩論》、《魯邦大旱》、《子羔》三個部分的一篇[11]。其中的《孔子詩論》，對《詩》中的有關受命說的記載發出相當樸素的問題。這個問題雖然非常樸素，但其所開闢的思想境界並不小。下面，我們接著看看這個樸素的問題吧。

三

《孔子詩論》[12]有如下的記載。

（帝謂文王，予[13]）懷爾明德，曷，誠謂之也。有命自天，命此文王，

---

10 參看前注魯瑞菁論文。

11 參看馬承源主編：《上海博物館藏戰國楚竹書（一）》（上海市：上海古籍出版社，2001年），頁121。

12 《孔子詩論》收入馬承源主編：《上海博物館藏戰國楚竹書（二）》。

13 根據李零：《上博楚簡三篇校讀記》（臺北市：萬卷樓圖書公司，2002年），頁41-42，補這五字。

誠命之也，信矣。

「帝謂文王，予懷爾明德」、「有命自天，命此文王」分別出自〈大雅・皇矣〉、〈大雅・大明〉，都是有關文王受命的記載[14]。假如相信這些記載，天帝真的告訴文王，真的命令文王。但一般人都沒有聽過天帝之聲，所以《孔子詩論》的作者發出樸素的疑問：「是怎麼回事？」他們自己的回答就是「誠謂之也」、「誠命之也」。

關於這裏的「誠」，目前有兩種解釋。一是解釋為「真正」、「確實」之意。比如季旭昇主編：《〈上海博物館藏戰國楚竹書（一）〉讀本》（〔臺北市：萬卷樓圖書公司，2004年6月）所收的〈《孔子詩論》譯釋〉（鄭玉姍撰寫，季旭昇訂改〕）的譯文如下：

〈大雅・皇矣〉：「天帝告訴文王：『我給你光明之德。』」為什麼？那是真的告訴文王啊！〈大雅・大明〉：「上天有命、要命文王。」那是真的要命文王啊！真是可信啊！

另一種是把「誠」看作形容天帝說法的狀語。比如：

所謂「誠×之也」，乃「誠由其中心行之」（《五行》說二十一），絕非表面文章的意思，也就是現代口語中的「誠懇」、「真心」等意思。[15]

所謂「誠謂之也」， 是誠心誠意相告的意思[16]。

---

14 今本〈大雅・皇矣〉沒有「爾」字。關於這「爾」字，參看李銳：〈上海簡「懷爾明德」探析〉，《簡帛釋證與學術思想研究論集》（臺北市：臺灣書房，2008年，頁113-120。原載《中國哲學史》，2001年第3期，頁126-129。）。

15 龐樸：〈上博藏簡零箋〉，見上海大學古代文明研究中心、清華大學思想文化研究所編：《上博館藏戰國楚竹書研究》（上海市：上海書店出版社，2002年），頁235。

16 黃懷信：《上海博物館藏戰國楚竹書〈詩論〉解義》（北京市：社會科學文獻出版社，2004年），頁227。另外有把「誠」看作名詞的見解。廖名春〈上博《詩論》簡的天命論和「誠」論〉說：「簡文的『誠』、『誠謂之』，即『謂之誠』，『誠』顯然是在先秦文獻中，作為副詞的「誠」，絕大多數表示「真正」、「確實」之意，所以《孔子詩論》的「誠」也表示「真正」、「確實」之意的可能性比較高。但先秦文獻中也有如下的例子。

> 「君子知而舉之，謂之尊賢。」君子知而舉之也者，猶堯之舉舜也，湯之舉伊尹也。舉之也者，誠舉之也。知而弗舉，未可謂尊賢。「君子從而事之」也者，猶顏子、子路之事孔子也。事之者，誠事之也。知而弗事，未可謂尊賢也。[17]（第二十一章、說[18]）

「誠＋動詞＋之也」的「誠」，的確可以表示其後面的動詞所表示的動作的做法。因此，另一種的讀法的可能性也仍然存在。《孔子詩論》的「誠」究竟是「真正」、「確實」之意，還是形容天帝說法的狀語，難以斷定。但，即使是「真正」、「確實」之意，《孔子詩論》的這個回答應該導致進一步的疑問，就是「既然天帝真的告訴文王、真的命令文王，那麼，天帝如何告訴文王、如何命令文王呢」？對懷有這種疑問的人來說，「誠謂之也」、「誠命之也」的「誠」會變成另一個意義。不管《孔子詩論》的作者本人的用法如何，他們的樸素疑問和樸素回答使「誠」擁有形容天帝說法的狀語之意。「誠」的這種用法的出現，在古代哲學史上的意義極大。是因為可能在此「天」和「誠」首次被結合。

我們都知道《禮記・中庸》和《孟子・離婁上》都說：「誠者，天之道也。」但我們不知道為什麼「天」和「誠」會有關係。其他的傳世先秦文獻也沒有記載說明「誠」為什麼可以說是「天之道」[19]。以前，我們沒有方法探

一名詞。」但先秦文獻中，沒有以「〇謂之」的形式來表示「謂之〇」之意的例子。此說恐怕難以成立。見《哲學研究》，2002年第9期，頁51-56。

[17] 這是上引龐樸論文指出的例子。類似的用例還見於《荀子・議兵》：「明道而鈞分之，時使而誠愛之。」

[18] 分章是池田知久：《馬王堆漢墓帛書五行篇研究》（東京都：汲古書院，1993年）的分章。

[19] 先秦文獻裏把「天」和「誠」結合的例子很少。除了上引的《孟子》和《中庸》之外，只有《荀子・不苟》：「天不言而人推高焉，地不言而人推其厚焉，四時不言而百

究「天」和「誠」結合的原因。我們探究這個問題時，《孔子詩論》的這些記載給予我們啟示。

他們相信《詩》中有關受命說的記載，相信天帝真的告訴文王、真的命令文王，而發出有關天帝說法的樸素疑問。然而開始用「誠」來形容天帝說話的樣子。

那麼，這裏的「誠」的含義是什麼？沒有聽過天帝的聲音的我們，不能正確地了解這種「誠」字的真正含義。其實，他們用「誠」來形容天帝說法，也一定和我們一樣，不知道天帝說話的具體情況，只是認為「誠」這個字比較適合形容天帝的與人不同的神秘說法而已。

人和人用語言來溝通意思，天和人的溝通方法肯定是不用語言，而是直接傳達意思。其實，我們也知道，只靠語言不能充分地溝通意思，為了充分地溝通還需要比語言更重要的要素，就是「信」、「誠」。《子思子》也說：

> 語曰：同言而信，則信在言前。同令而行，則誠在令外。[20]

發出同樣的語言，一方被人相信，另一方不被人相信，那麼，被人相信的因素不在語言上，而在發出語言以前的「誠」和「信」。我們說話時，即使對方了解我們所說的內容、了解語言層面的意思，但如果他們不相信我們說話的內容，我們的溝通就失敗。為了溝通意思，語言發揮的作用是有限的。漢代的《淮南子．繆稱》也引用上面的《子思子》的文章後繼續說：

> 聖人在上，民遷而化，情以先之也。動於上，不應於下者，情與令殊也。……三月嬰兒，未知利害也，而慈母之愛諭焉者，情也。故言之用，昭昭乎小哉。不言之用者，曠曠乎大哉。

姓期焉。夫此有常，以至其誠者也。」和《莊子．徐無鬼》：「吾與之乘天地之誠而不以物與之相攖，吾與之一委蛇而不與之為事所宜。」

20 《後漢書．王良傳》。李賢注：「此皆《子思子．累德》篇之言，故稱『語曰』。」徐幹《中論．貴驗》也用「子思曰」來引用這個文章。又參看馬總《意林》卷一所引的《子思子》。

這裏的「情」相當於《子思子》的「誠」和「信」[21]。這裏的「嬰兒」和「慈母」的比喻是值得注意的。嬰兒不了解語言，嬰兒和母親之間的溝通，只靠「情（誠、信）」。有時候，我們也不發出語言，只靠「誠」來溝通意思。

現在沒有足夠資料得知這種「誠」的用法是何時開始的。但這種用法一開始，就覺得用「誠」來形容天帝那不靠語言而傳達意思的方法是比較合適的。雖然不知道天帝說話的具體情況，只用「誠」可以表示天之非語言的神秘作用。原來「天帝如何告訴文王、如何命令文王呢」之類的樸素疑問是不能回答的。但他們用「誠」這個詞來回答原來不能回答的問題，我們不能忽視這一事件的意義。是因為，這種回答方式讓他們能回答有關「天」的原來不能回答的其他的問題。

比如，「天（地）」化育萬物的作用也不依靠語言。春天，「天」不說：「發芽！」草木就一齊發芽；秋天，「天」不說：「成熟！」草木就一齊結實。我們沒聽過「天」下命令的聲音，看起來草木也沒有聽聲音的耳朵。但所有的草木都老老實實地聽「天」的命令。對此，如果樸素地問：「為什麼？」應該怎麼回答好呢？還是只能回答「以其誠（信）也」吧。

從我們現在擁有的文獻裏，我們找不到這種提問，但相當於其回答的語言，就是把「誠（信）」當做天地化育萬物的條件的說法，就有如下的例子[22]：

> 天地為大矣，不誠則不能化萬物。[23]
>
> 天行不信，不能成歲。地行不信，草木不大。……天地之大，四時之化，而猶不能以不信成物，又況乎人事。[24]

---

21 參看《呂氏春秋．具備》：「三月嬰兒，軒冕在前，弗知欲也，斧鉞在後，弗知惡也，慈母之愛諭焉，誠也。」《淮南子》把這裏的「誠」改寫為「情」。

22 雖然不直接提到天地的化育，郭店楚簡《忠信之道》也說：「信之為道也，群物皆成，而百善皆立。」

23 《荀子．不苟》。

24 《呂氏春秋．貴信》。

「天（地）」有「誠（信）」後，才能發揮其化育萬物的力量，沒有「誠」，「天」也不能發揮其力量。

不管「天」和「誠」結合的開端是什麼，一旦用「誠」來形容「天」的看不見聽不見的一個作用，「天」的其他的作用也開始跟「誠」結合起來。同時，「誠」的含義也擴大起來。然而，「誠」的含義十分擴大而包括「天」的主要作用後，「誠」被認為代表「天道」的要素。筆者推測《中庸》（《孟子》）的「誠者，天之道也」也是這樣得出來的。

如此通過「天」擴大其含義的「誠」，當然影響到「人」的「誠信」。有人開始認為，既然「天」用「誠」化育萬物，那麼，「人」也應該能夠用「誠」來參與化育萬物。這種思想的最明顯的表現就是下面的《中庸》的文章：

> 唯天下至誠，能為盡其性。能盡其性，則能盡人之性。能盡人之性，則能盡物之性。能盡物之性，則可以贊天地之化育。可以贊天地之化育，則可以與天地參矣。

當然，這種說法有點不合邏輯。「『天』用『誠』發揮化育萬物的力量」和「人也會有『誠』」，只用這兩個條件，我們不能導出「人也以『誠』發揮化育萬物的力量」這一結果。一般人不能參與化育萬物，這不是他們失掉「誠」的結果。一般人不能參與化育的原因與「天」喪失其力量的原因應該不一樣。超過這不一樣，導出「人也以『誠』參與化育」，需要某些前提或者成見。筆者臆測，導致這些成見的也是對受命說的樸素疑問。下面，繼續說明這一點。

四

為了說明的方便，我們先參看董仲舒的〈對策（第三策）〉。下面就是劉寶楠注《論語·為政》「知天命」時所引用的部分：

> 天令之謂命。……人受命於天，固超然異於群生。……故孔子曰：天地之性，人為貴。明於天性，知自貴於物。知自貴於物，然後知仁誼。知仁誼，然後重禮節。重禮節，然後安處善。安處善，然後樂順理。樂順理，然後謂之君子。故孔子曰：不知命，亡以為君子。此之謂也[25]。

按照顏師古注：「性，生也。」這裏的「性」就是每個生物的生活方式。對每個生物，「天」給予它們生活方式。觀察它們的生活方式，我們可以了解「人」是最卓越的，是因為「人」有「仁義（誼）」。因此，「人」的義務是發揮根據「仁義」的生活方式。這就是董仲舒的想法。在這裏，他把「天命」解釋為「天」對整個人類所下的「命」。然後，他了解「天命」的具體內容是根據「仁義」的生活方式（＝「性」），或者發揮其「性」的命令。《中庸》開頭的「天命之謂性」的「天命」也應該是對整個人類所下的「命」。

當然，對「天命」的這樣的理解，不是受命說直接導致的。受命說的「天命」是「天」對一個特別的人所下的「命」，而不是對整個人類所下的「命」。不過，這兩種「命」會有密切關係。下面，補充劉寶楠省略的部分而引用《對策》的開頭部分：

> 天令之謂命，命非聖人不行。質樸之謂性，性非教化不成。人欲之謂情，情非度制不節。是故王者上謹於承天意，以順命也。下務明教化民，以成性也。正法度之宜，別上下之序，以防欲也。脩此三者，而大本舉矣。

董仲舒說「命非聖人不行」時，肯定意識到受命說的「命」。「天」對整個人類也下了「命」，但一般的民眾只靠自己的力量不能實行其「命」，所以「天」又選擇一個特別的人而給他下命令，讓這位受命的聖人完成「天」對整個人類所下的「命」。

---

25 《漢書·董仲舒傳》。

當然，這樣的理論反映董仲舒的主觀意圖，比如「對強大的君子權賦予理論根據」等等[26]。但，筆者以為，不管有沒有這樣的意圖，只要有有關受命說的樸素提問，就很自然地導出這樣的理論。為了了解這一點，我們也素樸地試問「天」對文王所下的「命」的內容是什麼？

雖然我們沒聽過「天命」，不能了解「天命」的詳細內容，不過，我們也知道「天」命令文王的內容——就是「成為天子」。這「成為天子」可能有兩種意思。一種是「成為天的兒子」，另一種是「（成為天子而）統治天下」。

兒子的任務是繼承父業、完成父業，因此，「成為天的兒子」導致這些問題，就是「作為父親的『天』的事業是什麼」？或者「作為兒子應該繼承父業的什麼東西」？連親生的兒子也要繼承父業，那麼，特意受命的兒子更應該聽從父親，幫助父親完成事業。

另一方面，「統治天下」導致這種問題，就是「『天』所要求的『治』的具體內容是什麼」？當然，一般的人不能直接領悟「天」的意向，所以他所了解的「治」只不過是他自己的理念。

有些儒家，把「治」理解為一種和諧。《中庸》說：「萬物並育而不相害。」萬物各自發揮各有的生命而不發生矛盾的世界，換句話說，萬物各自能夠發揮其「性」的世界，這是《中庸》的作者所設想的理想狀態。這些「性」是「天」所「命」的，所以我們可以了解「天」對萬物要求發揮其「性」。但在現實世界，萬物之「性」，特別是「人」之「性」還沒達到其本來應有的狀態，也就是說「天」的要求還沒實現。因此，「天」選擇某一個特別的人而下命令，讓他完成「天」的事業。這就是受命的天子。為了實行這項命令，受命的天子應該擁有幫助完成「天」的事業的力量。在這樣的前提下，把「誠」當做發揮其力量的條件而主張「至誠」的人「可以贊天地之化育」，就是上引的《中庸》的文章。

因為可靠的資料不夠，我們不能進行足夠的論證。不過，筆者認為，假

26　參看重澤俊郎：《周漢思想研究》（東京都：弘文堂，1943年），頁233。

設《中庸》之「誠」的背後有有關受命說的樸素提問時，我們能最順利地描述其思想的演變。

五

眾所周知，《中庸》不是強調受命說的一篇。其中比較明確說到受命說的只有第十七、十八章[27]。尤其是以「誠」為中心話題的後半部分，幾乎不留受命說的痕跡[28]。所以，我們討論《中庸》時，即使提出「為什麼『天』和『誠』結合」、「為什麼『至誠』的人可能參與化育」般的問題，也想不到利用受命說來解決這些問題。《中庸》本文不提供解決這些問題的情報。其他的傳世資料也一樣。如果不出現《孔子詩論》這種新資料，我們不知道「天」和「誠」結合的開端在哪裏，也想不到利用受命說考察《中庸》的「誠」。

雖然僅僅是二十多字的記載，但，關於「誠」的思想演變，《孔子詩論》告訴我們的信息並不少。

附記：研討會上承蒙國立高雄師範大學經學研究所蔡根祥教授的指教，特此致謝。

27 用朱子的分章。

28 雖然第二十六章引《詩．周頌．維天之命》「維天之命、於穆不已」，但該章的記載跟受命說沒有關係。

《周易．屯》卦音義辨正

——敬答成中英教授

鄭吉雄*

一　撰著緣起[1]

前年（2007）承*Journal of Chinese Philosophy*向我約一篇《易》學注釋傳統的英文稿，遂以近年研究《易》理的心得，即關於《易》理奠基於以太陽為中心的宇宙論此一論點，撰文「Interpretations of YANG（陽）in the *Yijing*」以應邀約。二〇〇八年四月收到該刊人員Joyce Li來信，表示Editorial Board不同意我將〈屯〉卦的「屯」的音讀注為「zhun」，並要求我列舉證據說明。我閱信後頗感驚訝，但既承賜問，遂於四月十六日簡短地抄錄了三條證據，以電子郵件回覆：

A. Zhu Xi（朱熹1130～1200）indicated "屯" as "張倫反" in his *Zhouyi benyi* 周易本義 and that would be "zhun" instead of "tun."

B. Duan Yu-cai（段玉裁1735～1815）pronounced "屯" as "陟倫切" in his *Shuowen jiezi zhu* 說文解字注 and that would be "zhun" instead of "tun" as well.

C. Professor Edward Shaughnessy Romanized the "屯" hexagram as "zhun" in his work *I Ching, The Classic of Changes*, Ballantine Books, 1996, p.83.

---

* 臺灣大學中國文學系。

1 本文承楊秀芳教授就古聲類和詞族的觀念，提供寶貴的意見，讓我避免了一些思考的盲點，也增加了更多的考慮，特此致謝。

我在回覆後，也同時請Joyce Li轉達編輯委員會，請編委會向我具體提出證據，說明他們堅持唸「tun」的理由。Joyce Li隨後給我的回覆，並沒有提任何證據，反而要求我直接致電成中英教授，向他說明，不過我沒有理會。四月十九日成教授親自寫了電子郵件給我，再次要求我就「屯」的讀音問題向他說明。我隨即以電子郵件再給予更詳細的回覆。由於我覺得證據已充分，另一位編輯委員亦曾表示不會改動我的讀音，最多只會加注處理一下。主觀上，我以為成教授已經接受了「zhun」的讀法。

不久該刊出刊（*JCP* Volume 35, Number 2, June 2008）後，我非常遺憾讀到我的刊出稿（pp.219-234）中的拚音，仍然被直接更改為「tun」（p.221），同頁並附上主編的注，內容如下：

Editor's note: Editor acknowledges author's intention to change the pronunciation of 屯 from "tun" to "zhun" in light of some commentarial usage in the past. But Editor and referees find stronger evidence to support the pronunciation of "tun" for 屯 as presented in the original text and the present day's common usage where "tun" has primary sense of gathering which gives rise to secondary sense of difficulty as represented by the sound of "zhun." Hence is "tun" is the correct pronunciation conveying a broader message befitting our understanding of the *Yijing* hexagram.

成教授既沒有將他所宣稱的"stronger evidence"列舉出來，又直接忽略我所提供的文獻證據，並指我的音注為錯誤。這種情況下，問題既沒有得到任何的釐清，我也沒有受到公平的對待。而今期刊已公開刊佈，大家都讀到了我論文中的Editor's note。以後廣大的*JCP*讀者（包括我的學生）不但誤會我在此字的音讀上犯錯，更嚴重的是，*JCP*在西方中國哲學界向負重望，如果此一問題無人加以辨正，從此《易經．屯》卦音義，終將積非成是，甚至反過來影響中國年輕學者誤讀此字，誤解此卦。再說，以成教授在《易》學界的重望，既然他在公領域揭開了這個問題，勢之所至，我也只能公開撰寫論文，將整個問題鋪陳出來給予回應。

本文謹從「屯」的兩種音義紀錄講起，再從〈屯〉卦爻辭通貫之義、

〈彖傳〉的辭例、歷代的《易》注三個方面，說明「屯」卦之「屯」必須讀為「屯難」字而非「屯聚」字。至於「屯」字的“present day's common usage”，和音義的正確與否，是沒有關係的，因此本文將不予討論。

二 「屯」的兩種音義紀錄

「屯」字在現代漢語中有“zhun”、“tun”兩讀，前者聲母為齒音，後者為舌音。這兩種讀音，最早反映在陸德明（元朗，約550-630）《經典釋文》。錢大昕（辛楣、竹汀、曉徵，1728-1804）《十駕齋養新錄》「舌音類隔之說不可信」說：

> 古無舌頭舌上之分。知、徹、澄三母以今音讀之，與照、穿、牀無別也；求之古音，則與端、透、定無異。[2]

又說：

> 古人多舌音，後代多變齒音，不獨知徹澄三母為然也。[3]

借用錢大昕的話來說明，「屯」字在《經典釋文》裏有兩種音義紀錄，其一反切上字（聲母）為「張」或「陟」，「知」紐，屬於舌上音，後代變為「齒音」“zhun”；另一反切上字為「徒」，「定」紐，屬於舌頭音，後代維持不變而唸為「舌音」“tun”。這兩類讀法，在上古雖無差異，都讀為舌頭音「t」；但中古以降，此字另外派生出「舌上音」（知母）復變為今天「齒音」“zhun”的讀法以表達「困難」的意思，確是事實。所以，「屯難之屯」的讀音，中古以降以迄今天讀為齒音“zhun”，「屯聚之屯」的讀音維持舌音“tun”，以音別義，已歷千餘年之久。以下略作分梳，以見二者之殊別。

2 （清）錢大昕：《十駕齋養新錄》，卷5，收入陳文和主編：《嘉定錢大昕全集》（南京市：江蘇古籍出版社，1997年），冊7，頁137。

3 同前註，頁142。

（一）屯難之「屯」

屯難之「屯」在上古屬文部，中古為「知」紐「諄」韻[4]，《經典釋文》音注為「張倫反」或「陟倫反」，反切上字今天讀為齒音「zh」，意義則為「困難」。此一音義最早即用於「屯」卦，諸家略無異辭。許慎（叔重，約58-147）《說文解字》正是用《易經》之義，而引據的則是〈彖傳〉：

> 屯，難也。屯，象屮木之初生，屯然而難。从中貫一屈曲之也。一，地也。《易》曰：「剛柔始交而難生。」

「屯」〈彖傳〉說：

> 屯，剛柔始交而難生。動乎險中，大亨，貞。雷雨之動滿盈，天造草昧，宜建侯而不寧。

「剛柔始交而難生」是〈彖傳〉依上下體所昭示之卦義而解釋，許慎即根據《周易》經傳〈屯〉卦之義，來解釋「屯」字的形與義。〈彖傳〉接著稱「雷雨之動滿盈」，「盈」則是「屯」的引申義。故《經典釋文》於「屯」字兩義並存：

> 張倫反，難也，盈也。

〈序卦傳〉：

> 屯者，盈也。

「屯」字「盈」的意義，〈序卦傳〉也予以採用，但就〈屯〉卦而言，畢竟是引申義而非本義（雄按：〈屯〉卦爻辭皆用「困難」義，故「屯盈」應為該卦之引申義而非本義。說詳下。）。段玉裁（懋堂、若膺，1735-1815）《說文解字注》云：

4　參王力：《王力古漢語字典》（北京市：中華書局，2000年）「屯」條，頁241。

> 《說文》多說「一」為「地」，或說為「天」，象形也。中貫「一」者，木剋土也；屈曲之者，未能申也。

在「《易》曰：剛柔始交而難生」句下段《注》又說：

> 《周易・彖傳》文。《左傳》曰：「屯固比入。」〈序卦傳〉曰：「屯者，盈也。」不堅固、不盈滿，則不能出。……陟倫切，十三部。

許慎引用了〈彖傳〉「難」字來解釋「屯」，段玉裁則同時解釋了「難也」和《經典釋文》「盈也」二處的意旨，又引用了《左傳》和〈序卦傳〉，說明「屯」兼有「固」、「盈」之義。依段氏的講法，艸木初生，不固、不盈，則不能出土地之上；反過來說，既固既盈，才有「屯」然始生可言。這說明了「難」、「盈」和「固」三種意義之間，是有關係的。讀音方面，段玉裁則採用了《經典釋文》的記載。清代小學家除段玉裁外，朱駿聲（允倩，1788-1858）《說文通訓定聲》亦注為「陟倫切」，唯以《說文》「屯，難也，象艸木之初生屯然而難」定為本義，而以下列的用法，俱屬假借：

> 為偆、為奄，《易・序卦傳》：「屯者，盈也。」《廣雅・釋詁一》：「屯，滿也。」又為惇，〈晉語〉：「厚之至也。故曰屯。」《左・閔・元・傳》：「屯固比入。」又為笹，《廣雅・釋詁三》：「屯，聚也。」《漢書・陳勝傳》：「人所聚曰屯。」[5]

從《說文通訓定聲》的實例看，朱駿聲「假借」含有音義引申的關係，和今天的定義並不相同（雄按：聲韻學上所謂「假借」僅有聲音的關聯，沒有意義上的關聯）。朱駿聲依讀音的近同而聯繫到意義引申之字，故而有偆、奄、笹、屯盈、惇厚、屯聚、屯戍等新的字形和字義。「屯」為「盈滿」之義，朱駿聲亦歸為假借。依照王念孫（懷祖、石臞，1744-1832）《廣雅疏證》的解釋，「屯盈」字亦當讀為「屯難」之「屯」：

---

[5] （清）朱駿聲：《說文通訓定聲》（臺北市：藝文印書館，景本衙藏版，1975年）「屯」部第十五，頁806。

〈序卦傳〉：「盈天地之間者唯萬物，故受之以屯；屯者，盈也。」又「屯」〈彖傳〉云：「雷雨之動滿盈。」是「屯」為盈滿之義，不當讀為「屯田」之「屯」。曹憲音「大村反」，失之。[6]

王念孫認為〈彖傳〉和〈序卦傳〉記「屯」字用為「盈滿」之義時，不應該讀作「屯田」(「屯田」含有「屯聚」之義）之「屯」。由此可見，清代最重要的幾位研究文字、聲韻、訓詁之學的學者，注《周易．屯卦》之「屯」，無論意義為「屯難」，抑或「屯盈」，都讀為“zhun”而不讀為“tun”。

《莊子．外物》有「沈屯」一詞，用的亦是屯難字：

慰暋沈屯。

《經典釋文》：

張倫反。司馬云：「沈，深也；屯，難也。」

這樣看來，《莊子．外物》的「屯」字應該是採用《易經．屯卦》「屯難」的音義。

（二）屯聚之「屯」

先秦經典「屯」字另一類音義紀錄為「屯聚」之「屯」，在上古屬「文」部，中古為「定」紐「魂」韻[7]，《經典釋文》音注為「徒本反」或「徒尊反」，反切上字今天維持上古的舌頭音“t”。此一音義，最早的文獻紀錄可能是《詩經．召南．野有死麕》「白茅純束」，《毛傳》「純束，猶包之也」，鄭《箋》：

純，讀如屯。

[6] （清）王念孫：《廣雅疏證》(京都：中文出版社，1981年），卷1上，頁12。

[7] 同註4。

《經典釋文》：

> 徒本反。沈云：鄭徒尊反。「如屯」，舊徒本反，沈徒尊反，云「屯，聚也」。

徒本反、徒尊反，都讀為「屯聚」之屯。又《莊子・寓言》「火與日，吾屯也」的「屯」亦是「屯聚」字，《經典釋文》音義紀錄為：

> 徒門反，聚也。[8]

成玄英（子實）[9]《疏》：

> 屯，聚也。

成《疏》的解釋是有所本的。《楚辭・離騷》有「飄風屯其相離兮，帥雲霓而來御」之句，正用「聚」之義。《廣雅・釋詁》卷一記載了「屯，難也」之外，卷三又載：

> 屯，聚也。[10]

《集韻》：

> 屯，徒渾切，音豚。

這個「屯」字義的發展，以後又有「屯陳」[11]、「屯戍」[12]等義，與「屯難」之「屯」字在上古音同樣屬「文部」，讀音是近同的，僅聲母不同。由「屯聚」字發展，又衍生了「囤」、「笹」等字。

---

8 《經典釋文》，頁1559。

9 生卒年不詳，主要活動年代為唐貞觀年間。

10 （清）王念孫：《廣雅疏證》，卷3下，頁90。

11 《楚辭・離騷》：「屯余軍其千乘兮。」

12 《管子・輕重乙》：「置屯籍農。」《注》：「屯，戍也。」又《漢書・陳勝傳》：「勝、廣皆為屯長。」顏師古《注》：「人所聚曰屯。」

（三）異文「肫」及其他

《阜陽漢簡周易》以及《帛書周易》作「肫」[13]。「肫」字《說文解字》釋為「面頯也」。段玉裁《注》釋為「高祖隆準」（《史記》）的「準」字的本字，即俗稱顴骨。又說：

> 《儀禮》《釋文》引《說文》「肫」，之允反，是也。……又《中庸》「肫肫其仁」，鄭讀為「誨爾忳忳」之「忳」。忳忳，懇誠皃也。是亦假借也。〈士昏禮〉「腊一肫」，「肫」者，純之假借。純，全也。

雄按：《儀禮．士昏禮》「肫髀不升」，《經典釋文》云：

> 劉音純，音之春反。《字林》之閏反。[14]

又《禮記．中庸》「肫肫其仁」鄭玄《注》云：

> 肫肫，讀如「誨爾忳忳」之「忳」。「忳」，懇誠貌也。「肫肫」，或為「純純」。[15]

《經典釋文》云：

> 依注音之淳反，懇誠皃。……純音淳，又之淳反。[16]

很有趣的是，〈屯〉卦〈象傳〉：

> 雲雷屯，君子以經綸。

---

[13] 參韓自強：《阜陽漢簡《周易》研究》（上海市：上海古籍出版社，2004年），頁47。又參《馬王堆簡帛文字編》（北京市：文物出版社，2001年），頁159。

[14] 《經典釋文》，頁565。

[15] （東漢）鄭玄注，（唐）孔穎達等正義：《禮記注疏》（臺北市：藝文印書館，景嘉慶二十年〔1815〕江西南昌府學刊本），頁900。

[16] 《經典釋文》，頁824。

屈萬里《周易集釋初稿》：

> 屯，金文作[illegible]，即純字，本為絲，故有經綸之象。[17]

《說文解字》：

> 純，絲也。

《阜陽漢簡周易》和《帛書周易》「屯」作「肫」，據鄭玄《禮記注》「肫」則作「純」，而追溯〈象傳〉以「經綸」演繹「屯」字，顯然〈象傳〉的作者是將「屯」讀為「純」字，或特意將「屯」字依聲音的近同引申到「純、經綸」這樣的意義。這就是拙著〈從卦爻辭字義演繹論《易傳》對《易經》的詮釋〉[18]所說的「字義演繹」。「屯」的異文情形，其實正是說明《易經》字義演繹的一個很好的例子。但回來講聲母的問題，無論是「之允反」、「之春反」、「之閏反」，反切上字「之」為「止而切」，章母，屬「照三」，是真正的齒音，今亦讀為"zh"而不讀為"t"。

綜合分析，依照前引段玉裁的「不堅固、不盈滿，則不能出」的說法，「屯聚」的意義和「物之初生」、「盈滿」、「堅固」等意義是有關係的。試想有機的生命體經由各種物質條件的聚合，至於充盈、堅固，然後屈屈折折地冒出來成為獨立的生命體，是一個完整的過程，草苗、種子、果實、嬰兒、幼雛無不如此。因此，從「詞族」（word family）的觀念看，屯聚之屯、屯固之屯、屯難之屯、以至於[illegible]、[illegible]、芚、肫、囤等字，應該都是同出一源。「屯」字上古聲母僅有「舌音」，也是事實。這一點我們無須否認。

然而，今人不能因此而堅持將《周易》「屯」卦的「屯」字聲母唸為"t"，原因有二：第一、除非今天有人能完全用上古音唸《周易》，否則沒有任何理由要單單將「屯」字唸成錢大昕所講之「舌音」「t」。第二、中古以

---

17 屈萬里：《周易集釋初稿》，見《讀易三種》（臺北市：聯經出版事業公司，1983年），頁41。

18 見《漢學研究》，第24卷第1期（2006年6月），頁1-33。

降，「屯」字既已出現「清濁別義」的情形，也就是動作動詞「屯」（屯聚字）仍然維持濁音定母“t”的讀法，故反切上字為「徒」；狀態動詞「屯」（屯難字）則轉變為清音知母“zh”讀法，故反切上字為「張」或「陟」（「屯盈」亦與「屯難」相同，讀為“zh”。），這樣的區別，已歷經一千五百年之久，最後形成了今天「屯」字的兩種讀法，那麼我們必須接受這個讀音演變的歷史事實。

讀音既已確定，以下我們只要證明《周易》「屯」卦本義為「難」，它的聲母必須讀為“zh”就可以確定。因此，下文我將針對此一問題加以論證。

三　從爻辭內容證明「屯」讀為屯難之「屯」

「屯」字固然兼有兩種音義紀錄，但單就「屯」卦而言，讀為屯難之「屯」是沒有任何爭論餘地的，因為從卦爻辭進行內證（或本證），「屯」卦六爻均係圍繞「屯難」之義。以六爻依次而論，初九「磐桓，利居貞，利建侯」，呼應了卦辭的內容「元亨，利貞，勿用有攸往，利建侯」。「磐桓」即「盤旋不進」之義[19]，也就是卦辭所謂「勿用有攸往，利居貞」。王弼《注》釋為「動則難生，不可以進，故磐桓也」，正是注意及此[20]。由初九引申，二、三、四、上爻又都出現「乘馬班如」四字，櫽括了「盤旋不進」的困難之義。如六二「屯如邅如，乘馬班如，匪寇，婚媾。女子貞不字，十年乃

---

19 《李氏易解賸義》卷一雜引漢儒經說云：「『《子夏傳》曰：盤桓，猶桓旋也。』（原注：《漢上易》一）馬融曰：『槃桓，旋也。』（原注：《釋文》）陸績曰：『屯難之際，盤桓不進之貌。』（原注：《京易注》）」參嚴靈峰編：《無求備齋易經集成》，冊185，頁22。

20 關於「磐桓」的異文，吳新楚：《周易異文校證》（廣州市：廣東人民出版社，2001年）有綜合說明：「『磐』，帛《易》作『半』，阜《易》作『般』，《釋文》：『本亦作盤，又作槃。』『桓』，帛《易》作『远（遠）』。按：《釋文》云：『馬云：槃桓，旋也。』『槃桓』，本疊韻連綿詞，字无定形。『磐』、『盤』、『槃』、『般』、『半』和『桓』、『远』，古音均屬元部。」

字」，「屯」亦係「難」義，「邅」則亦「盤旋」之貌。《楚辭・九歌・湘君》「邅吾道兮洞庭」王逸（叔師）[21]《注》：

> 邅，轉也。

「乘馬班如」，「班如」亦是「盤旋」之貌。孔穎達（沖遠，574-648）《正義》引馬融（季長，79-166）云：

> 班，班旋不進也。

「班旋」就是「盤旋」。「屯如邅如」四字，就是對於「乘馬班如」四字的描述。乘馬求婚媾至中途而盤旋不進，復被人誤會為匪盜，這就是「屯難」的一種具體形象的描述。「女子貞不字，十年乃字」二語，更加強了這種「屯難」之象。王引之（伯申，1766-1834）《經義述聞》說：

> 六二居中得正，故曰「女子貞」。……「不字」為一句，猶言婦三歲不孕也。「不字」者，屯邅之象，非以「不字」為貞也。……二至四互坤，坤為母為腹，故有妊娠之象。二乘剛則難，故「不字」；應五則順，故反常乃「字」。

王引之的解釋，再明白不過了。婚媾之始，妻子不孕，十年乃孕，正是一個鮮活的「初生屯然而難」的象徵。接著再看〈屯〉卦六三：

> 即鹿无虞，惟入於林中。君子幾不如舍，往吝。

描述君子逐鹿，鹿入林中[22]，但虞人（治林之官）[23]又不在（无虞），前進則有

---

21 生卒年不詳，主要活動年代為東漢安帝、順帝年間。

22 〈象傳〉：「即鹿无虞，以從禽也。」《詩經・齊風・還》「並驅從兩肩兮」，《毛傳》：「從，逐也。」故「從禽」即是追逐禽獸。又《經典釋文》「鹿」：「王肅作麓，云：山足。」如依王肅說，則「即鹿无虞」指君子欲入山麓狩獵，而無虞人引導，故「幾不如舍」也。

23 《周禮・天官・大宰》：「虞衡作山澤之材。」《疏》：「掌山澤者謂之虞。」

危險，亦等於是「盤旋不進」之貌，故爻辭有「幾不如舍」[24]的喻象。六四「乘馬斑如，求婚媾」雖然結果為「往吉，无不利」，但首二句亦喻一事在起始階段即遇到困難之意。不過六四與初九相應，往上承九五有志行之象，故屯邅之象暫時消失，而有往吉之慶。至於上六「乘馬班如，泣血漣如」，與九五為乘剛，與六三則無陰陽之應，故不能如六四之往吉无不利，而為「泣血漣如」也。

但學者也應該注意到，《易經》一卦之中，卦義本可以隨卦爻變動而引申演繹，六十四卦中例子甚多，〈屯〉卦亦不例外。〈屯〉卦本義為「屯難」固然毫無疑問的，但該卦九五爻辭也有字義演繹、一字兼二義的情形。爻辭「屯其膏，小貞吉，大貞凶」，「屯」即讀為「囤」。「囤其膏」，就是聚斂貨財之意[25]。朱子《本義》說：

> 九五坎體，有膏而不得施，為屯其膏之象。占者以處小事，則守正猶可獲吉；以處大事，則雖正而不免於凶。

朱子用「有膏而不得施」，那就是將「屯」讀為「屯聚」；但引申至「處小事獲吉，處大事不免於凶」，那表示本爻亦未嘗脫離「屯難」之義。卦爻辭本來就存在一種扣緊卦名一字的字形或字音，或引申其意義、藉以創造新義的一種詮釋方法，「屯」九五喻指「施膏」之事受到困阻，屯聚貨財反而招致凶事，顯然亦是一種「屯難」之象。如果說「屯其膏」是兩種音義同時並存，讀者亦不必多慮，因為熟悉《易經》的學者都知道，《易經》卦爻辭這一類「一字而兼二義」或「兼多義」的情形很多，即就「易」字而言，「一名而含三義」就是最顯著的例子[26]。

---

24 幾，《經典釋文》：「鄭作機，云：弩牙也。」「機不如舍」，指準備入林而獵獸，不如舍棄。

25 屈萬里《周易集釋初稿》即讀此字為「屯聚」字，引《廣雅．釋言》：「膏，澤也。」《孟子．離婁》：「膏澤不下於民。」（詳《讀易三種》，頁41）又屈萬里《周易批注》：「屯，聚；膏，澤。〈大學〉：『財聚則人散。』」見《讀易三種》，頁629。

26 說詳拙著：〈從卦爻辭字義的演繹論《易傳》對《易經》的詮釋〉，刊《漢學研究》，如前所述，事物在始生之前，多歷經積聚、堅固、充盈的階段，但整個由「始生」到「已生」的過程，都離不開困難。難怪《易經·屯》卦的取義，許慎《說文解字》的說解，都將「困難」定為「屯」字的根本意義。

從《易·屯》卦九五爻辭「屯」兼有「屯難」與「屯聚」二義（說詳下）看來，《易經》撰著之時（西周初年），「屯」字已兼有此二義[27]。從〈彖傳〉、〈序卦傳〉、〈象傳〉「屯難」、「屯滿」、「屯固」、「經綸」等用法看來，「屯」字字義的演繹，至《易傳》朝多向性有更進一步的發展。然而，〈屯〉卦的音義，卻應从「屯難」而不應从「屯聚」，這是因為〈屯〉卦六爻，皆有「屯難」的象徵。這是「屯」讀為「屯難」之「屯」最直接而堅實的內證。任何脫離卦爻辭本義，而妄求引申而與卦爻辭違悖的臆測，都是不可靠的。

四　從〈彖傳〉辭例證明「屯」讀為屯難之「屯」

成教授"'tun' has primary sense of gathering which gives rise to secondary sense of difficulty as represented by the sound of 'zhun'"的推論，是產生自〈彖傳〉「剛柔始交而難生」一語。從Editor's note內容推斷，他是將「剛柔始交」四字理解為「陰陽屯聚在一起」，並認此為原始意義（primary sense of gathering），之後才引申出「而難生」的第二層意義（secondary sense of difficulty）。熟悉《周易》的學者都應該知道，這樣的理解絕不符合〈彖傳〉的辭例，蓋依〈彖傳〉辭例，「剛柔始交」四字講的是卦的上下二體之關係，並非泛指陰陽屯聚（而且「始交」的「交」字也不能訓解為「屯聚」）。謹說明如下。

〈屯〉䷂〈彖傳〉全文為：

第24卷第1期（2006年6月），頁14。《易緯·乾鑿度》:「易一名而含三義：所謂易也，變易也，不易也。」

27 《莊子》〈外物〉、〈寓言〉兩篇出現兩個「屯」字，一讀為屯難，一讀為屯聚，亦可為一佐證。

屯，剛柔始交而難生，動乎險中，大亨貞。雷雨之動滿盈，天造草昧，宜建侯而不寧。

朱子（熹、元晦、晦翁，1130-1200）《周易本義》的讀法是：

以二體釋卦名義。「始交」謂震，「難生」謂坎。[28]

《本義》的意思是「屯」的內卦「震」初九與六二為六十四卦首次出現陰陽二爻相交接，此所謂「剛柔始交」；外卦「坎」則為困難之象，即所謂「難生」，也就是〈屯〉卦取義的重心。又六十四卦首二卦〈乾〉、〈坤〉為純剛、純柔之卦，故剛柔不交；第三卦〈屯〉才開始六爻有剛有柔，「剛柔始交」四字的立論基礎，亦與此有關（詳下文）。前文引虞翻所謂「乾剛坤柔」，即指此。「震」初九、六二兩爻為陰陽相交，就是不折不扣的「始交」。前文引虞翻所謂「坎二交初」，亦指此[29]。簡而言之，「剛柔始交而難生」，漢儒、宋儒的解釋，都著眼於上下二體的關係，沒有絲毫涉及「剛柔相聚」（gathering）的含義。

也許成教授會認為，無論是虞翻或朱子讀〈彖傳〉都讀錯了。那麼請再看看〈彖傳〉本身解釋經文的模式，就不難證明虞翻和朱子都是立說有據。眾所周知，〈彖傳〉就是解釋〈彖辭〉（即卦辭）的一種《傳》，它在六十四卦中，有非常一貫的解釋形態，就是以釋卦的上下二體（即內外卦）作為基礎，再從二體之關係引申（或說明）德性或自然的意義。我舉數例如下：

※訟䷅〈彖〉：訟，上剛下險，險而健，訟。……（雄按：上剛下險，

---

28 雄按：《本義》的詮解，可能是參考了北宋學者龔原（深甫，1043-1110）《周易新講義》之說：「『剛柔始交而難生』，此屯之成體也。『剛柔始交』者，震也；『難生』者，坎也。乾坤之畫，一索而得震，故曰『剛柔始交』；一陽蹈乎二陰之間，而在蹇為難，故曰『難生』。有體斯有用，『震』動乎『坎』險之中者，用也。故二體合而成卦，成卦而後致用。」見《無求備齋易經集成》，冊17，頁74。

29 虞翻釋《易》諸例之中，有陰陽升降之例。〈屯〉卦之解，虞翻意指內卦原應為「坎」，九二下降為初九，初六上升為六二，「坎」遂變動為「震」。

即指外卦乾而內卦坎，故稱「險而健」。）

※履☱☰〈彖〉：履，柔履剛也，說而應乎乾，是以履虎尾，不咥人。……（雄按：「巽」為長女之卦為柔，乾為剛，故稱「柔履剛」。）

※泰☷☰〈彖〉：泰，「小往大來，吉亨」，則是天地交而萬物通也。……（雄按：卦爻辭通用之語言，陽稱「大」，陰稱「小」；「來」指內卦，「往」指外卦。「小往」指上體坤，而「大來」指下體乾。）

※隨☱☳〈彖〉：隨，剛來而下柔，動而說，隨。……（雄按：「剛來」指內卦震為長男之卦，「下柔」指外卦兌為少女之卦。）

※蠱☶☴〈彖〉：蠱，剛上而柔下，巽而止，蠱。……（雄按：「剛上」指外卦艮為少男之卦，「柔下」指內卦巽為長女之卦。）

※蹇☵☶〈彖〉：蹇，難也，險在前也。見險而能止，知矣哉！……（雄按：「蹇」亦有「難」義，亦在於上下二體，即內卦「艮」之上為外卦「坎」，所謂「險在前」；進一步則引申至人文意義，而稱「見險而能止，知矣哉」。）

※解☳☵〈彖〉：解，險以動，動而免乎險，解。（雄按：「解」內卦「坎」而外卦「震」，故稱「險以動」；進一步則引申至人文意義，而稱「動而免乎險」。）

※困☱☵〈彖〉：困，剛揜也。險以說，困而不失其所亨，其唯君子乎！……（雄按：剛揜，指內卦「坎」之陽卦為外卦「兌」之陰卦所揜，而下承以「險以說」，即內卦坎險而外卦兌說。）

※鼎☲☴〈彖〉：鼎，象也，以木巽火，亨飪也。……（雄按：「鼎」卦內卦「巽」為「木」之象，外卦「離」為「火」之象，故稱「以木巽火」，而有烹飪之象。）

或從爻位說明，亦是強調上下體的關係的。例如：

※需☵☰〈彖〉：需，須也，險在前也，剛健而不陷，其義不困窮。（雄

按：「險在前」，即指「需」外卦「坎」；「剛健而不陷」，即指內卦「乾」。）

※小畜䷈〈彖〉：小畜，柔得位而上下應之，曰小畜。健而巽，剛中而志行，乃亨。（雄按：柔得位而上下應之，指六四得位，與九五為志行，與初九為相應[30]。）

※損䷨〈彖〉：損，損下益上，其道上行。……（雄按：損下益上，指減損內卦三爻自陽變陰，以益上爻自陰變陽。）

※益䷩〈彖〉：益，損上益下，民說无疆。……（雄按：此與「損」卦辭例相同。兩卦「上」、「下」二字，均亦同時喻指君子與小民，故「益」卦〈彖傳〉稱「民說无疆」。）

※中孚䷼〈彖〉：中孚，柔在內而剛得中，說而巽，孚乃化邦也。（雄按：「柔在內」指上下體均為女性之卦，亦指三、四爻為陰爻居四陽之內；「剛得中」則指九二及九五。）

※小過䷽〈彖〉：小過，小者過而亨也。（雄按：卦爻辭例，陰稱「小」，陽稱「大」。「小者過」，指內外卦之中爻即「六二」、「六五」以陰遇陰，不得相應。）

※未濟䷿〈彖〉：「未濟，亨」，柔得中也；「小狐汔濟」，未出中也。「濡其尾，无攸利」，不續終也；雖不當位，剛柔應也。（雄按：「未濟亨」為卦辭，「柔得中也」指外卦離之中爻為六五以柔居中；「小狐汔濟」亦為卦辭，「未出中也」，指內卦坎以剛居中[31]。）

以上我舉了十六個例子，我認為應該夠了。當然，與上述十六例子不同的例外模式，在〈彖傳〉中也是有的，例如「剝䷖」、「復䷗」、「夬䷪」、「姤䷫」四卦，〈彖傳〉均以六爻陰陽消長以為說，而不以上下二體為說。〈剝〉

30 朱子《易本義》則認為與其餘五陽相應：「以卦體釋卦名義。『柔得位』，指六居四，『上下』，謂五陽。」

31 經卦「坎」有「狐」之象，說詳拙著：〈論象數詮《易》的效用與限制〉，《中國文哲研究集刊》，第29期（2006年9月），頁205-236。

〈彖傳〉「剝，剝也，柔變剛也。……」，即指「陰」自初至五共成五陰爻決「陽」而成卦。〈復〉〈彖傳〉「剛反」，即指初九陽爻居五陰之下，為卦辭「七日來復」之意。〈夬〉〈彖傳〉「夬，決也，剛決柔也。健而說，決而和。……」，即指「陽」自初至五共成五陽爻決「陰」而成卦。〈姤〉〈彖傳〉「姤，遇也，柔遇剛也」，即初六陰爻遇五陽爻之意。但這四個例子都是陰陽爻數懸殊，故以剛柔決變以為言，在〈彖傳〉中算是特例，與絕大部分的辭例不同是有其特殊原因的。

上文所述〈彖傳〉的辭例，絕不是我個人的特殊理解，歷代《易》家無不如此。舉例言之，如〈復〉卦〈彖傳〉：

> 「復，亨」，剛反，動而以順行，是以「出入无疾，朋來无咎」。

王弼（輔嗣，226-249）《注》：

> 入則為反，出則「剛長」，故「无疾」。

「入則為反」釋卦辭「剛反」，就是指初九一陽；「出則剛長」，指的是外卦三陰終將變而為陽。朱子《易本義》解釋各卦的〈彖傳〉內容時，更常常用「以卦體釋卦名義」或「以卦體、卦德釋卦名義」以為說；在〈履〉卦〈彖傳〉更特別說明「柔履剛」三字是「以二體釋卦名義」。這些例子實在太多，幾已是讀《易》的常識。

五　從歷代《易》注證明「屯」讀為屯難之「屯」

就《周易》歷代的注解而言，以我的淺陋，可以說從來未見過有任何的注釋，是將〈屯〉卦用「屯聚」之義來解釋的。這是因為自〈彖傳〉以降，歷代注家對於〈彖傳〉「剛柔始交而難生」一語，雖有不同的說解，但都一致認為萬物初生而困難才是「屯」的本義。這一點是沒有任何異議的。除了上文已引述的許慎、朱子、龔原、段玉裁等《易》家和經學家外，以下再略舉數家《易》注說明。漢儒或以象數以為說，如虞翻（仲翔，164-233）以

「陰陽升降」的《易》例以為說，亦以「難」義解釋「屯」。他說：

> 震為侯，初剛難拔，故利以建侯。《老子》曰：「善建者不拔。」

這是以內卦初九說明其「難拔」之義，似亦參用了《左傳》「屯固比入」之誼。同時引《老子》善建者不拔之義，說明卦辭之所以有「利建侯」之辭，關鍵即在於初爻的剛強義；因其剛強難拔，故為善建封地之侯。虞翻解釋〈彖傳〉「剛柔始交而難生」句又說：

> 乾剛坤柔，坎二交初，故始交。確乎難拔，故「難生」也。

虞翻認為「剛柔始交」的理據有二，一者指〈屯〉的前兩卦（也是六十四卦的首二卦）為〈乾〉、〈坤〉，恰好一為純剛、一為純柔之卦；二者指「屯」內卦原為坎卦，唯二爻與初爻陰陽互換而成為震，故稱「始交」。「確乎難拔」即取「難」的意思而言。又漢儒崔憬說：

> 十二月陽始浸長，而交於陰，故曰「剛柔始交」。萬物萌芽，生於地中，有寒冰之難，故言「難生」。於人事則是運季業初之際也。[32]

「屯」卦二陽四陰，故以十二月為言（十二消息卦之觀念，一陽之「復」為十一月，十二月則添一陽，故崔憬稱「陽始浸長」。）。相對於漢儒喜談象數，宋儒則多循陰陽消長以為說。蘇軾《東坡易傳》卷一：

> 屯有四陰，屯之義也。其二陰以无應為屯，其二陰以有應而不得相從為屯。故曰「剛柔始交而難生」。[33]

蘇軾著眼於〈屯〉卦四陰爻而以為屯難之義取於此。相對於蘇軾著眼於「陰」，宋儒趙彥肅《復齋易說》釋「剛柔始交而難生」則著眼於「氣宇宙論」的「陽」的出現，云：

---

[32] （唐）李鼎祚：《周易集解》，卷2，頁38。

[33] 《無求備齋易經集成》，冊16，頁32。

> 分氣者一，受施者二；一專而精，二博而衍。始者難生，終焉效著；陽之體段，明見于此。[34]

彥肅所謂「分氣者一」指的是「天」，為理之本源（宋儒常引〈繫辭傳〉「天一」以作詮解）；「受施者二」指的是「地」，為氣化流行（宋儒常引〈繫辭傳〉「地二」以為詮解）。天是專而精，地是博而衍；「乾知大始」而難生，「坤作成物」而效著。彥肅以為「陽」的體段，即於〈屯〉卦可見。

以陰陽以為說者，尚有北宋陳瓘（瑩中，1057-1124）《了齋易說》：

> 剛柔不交，而萬物不生；交而難生，交之始也。「動乎坎中」者，震出而坎伏也。「交」非乾也，子考也。「乾」至健而常易，「難」則不易矣。盈天地之間者唯萬物，雷雨之動滿盈，則无不生也。生之謂動，草而未竭，昧而未麗，天造之始也。[35]

這段話的意思是，〈乾〉、〈坤〉二卦為純陽純陰，天地肇始，剛柔不交故萬物不生；「剛柔始交」則已脫離了「乾」的階段，是萬物隨雷雨之動而始生的現象，意指〈屯〉卦處於天地始生之後。又清儒孫彤序於嘉慶年間的《易義考逸》論〈屯〉卦引李氏曰：

> 雲，陰也；雷，陽也。陰陽二氣相激薄而未感通，情不相得，故難生也。[36]

陰陽二氣之始交，主要還是由於〈屯〉卦之前，即為六十四卦首二卦〈乾〉及〈坤〉的緣故。故除了據陰陽以為說外，亦有直接指「剛柔始交」為「乾坤始交」。如宋儒張根（知常）[37]《吳園周易解》：

> 「震」、「坎」皆陽，而曰「剛柔始交」者，此論乾坤而不論卦，與損

34 《無求備齋易經集成》，冊17，頁22。

35 《無求備齋易經集成》，冊19，頁21-22。

36 《無求備齋易經集成》，冊185，頁3。

37 生卒年不詳，主要活動年代在北宋徽宗大觀年間。

剛益柔之義同。[38]

歷代諸家之中，似以清儒王夫之（而農、船山、薑齋，1619-1692）《周易內傳》解釋得最為詳細。他說：

> 「始交」，謂繼〈乾〉、〈坤〉而為陰陽相雜之始也。《周易》竝建〈乾〉、〈坤〉以為首，立天地陰陽之全體也。全體立，則大用行。六十二卦，備天道人事、陰陽變化之大用。物之始生，天道人事變化之始也。陰以為質，陽以為神；質立而神發焉。陽氣先動，以交乎固有之陰，物乃以生。〈屯〉之為卦，陽一交而處乎下，以〈震〉動乎陰之藏；再交而函乎中，以主陰而施其潤。其在艸木，則陽方興而欲出之象，故〈屯〉繼〈乾〉、〈坤〉而為陰陽之始交。

上段文字主要釋「剛柔始交」四字，王夫之直接指出〈屯〉是接〈乾〉、〈坤〉二卦而為第三卦，也是「陰陽相雜之始」（因首二卦為純陽純陰之卦），那就是「天道人事、陰陽變化之大用」，而陽氣處於下，施潤於陰而興盛欲出。以下三段文字，則分別詮解「難生」二字。他接著又說：

> 乾坤初立，天道方興，非陰極陽生之謂，是故不以「復」為始交，而以「屯」也。「難生」，謂九五陷於二陰之中，為上六所覆蔽，有相爭不寧之道焉。陽之交陰，本以和陰，而普成其用；然陰質凝滯而吝於施，陽入其中，欲散其滯以流形於品物，情且疑沮，而不相信任，則難之生，不能免也。故六二疑寇、九五屯膏、上六泣血，皆難也。[39]

夫之強調「屯」的「難生」並不是像〈復〉卦的「陰極陽生」，而是「陽」陷於陰之中而為陰所凝滯。就各爻具體而言，則是九五陷於二陰之中，反映了陽氣受陰氣的凝滯疑沮，遂有困難產生。〈屯〉六二、九五、上六都是「難」的具體描述（此處夫之亦用爻辭以為內證）。王夫之有如此清楚的解

---

[38] 《無求備齋易經集成》，冊19，頁31

[39] 以上引自《周易內傳》，收入《無求備齋易經集成》，冊75，頁115-116。

釋，故為後世學者所接受[40]。

論者或以為，《易經》撰著之世距今遙遠，後世學者或亦有累世承繼之錯誤，亦未可知。故〈彖傳〉以降，以迄清代學者都將「屯」釋為「屯難」，亦不代表今人不能將「屯聚」義定為〈屯〉卦本義。對於這樣的看法，我不以為然。我所不能理解的是：今天究竟有何種理由支持我們遽棄舊說，另標新義呢？《易經》是中國的經典。中國經典的詮釋傳統，二千年來一向有其科學求真的精神。這種精神，除了講求「實證」以外，也強調尊重較早期的說解。也就是說，如果沒有充分的證據，一般都會以奕世相傳的傳注之解為基礎，進行修正、討論、重探。所可惜的是，《易經》自二十世紀初即受到廣泛攻擊、排詆，在科學主義思潮盛行之下，學者普遍先認定《易經》是毫無義理可言的卜筮之書，進而摧毀《易傳》和漢儒說解的權威性，遂使近當代學者多轉而任意雜引古文字和先秦諸子學說，來重新詮解《易經》，而產生了種種奇奇怪怪、自騁心臆的解說。《易經》究竟始作於何時？原始作者為誰？這是今天仍無法回答的問題，也許他日亦不會有答案。然而，任何時代的學者讀經典，都不能迴避不去閱讀文本；而讀文本，又不能毫無文獻訓詁的依據。這時候，後人既不能師心自用，就必須回歸較早的文獻紀錄以及傳注傳統，去求得一個至少是相對可靠的答案。我們對於傳統經典的內容，包括字形、字音、字義，一般學術規範大體都如此。如前所說，中國經學研究的傳統一向是尊重層累下來的傳注之說，除非有新證據出現（如出土文獻），否則任何人都不能依憑一己的揣度，來決定哪一個字唸成什麼音或作什麼形。我之所以不厭其煩地提出這一點，主要是要說明我們對於詮釋經典的一種基本的態度。對於「屯」卦的解釋，亦不能例外。學術研究者一旦放棄了這種基本態度，那就可以很容易地將秦、漢以後儒者的說解視為誤說，全盤否定，轉對於早期文本（如《易經》、《易傳》）直抒胸

40 蕭元認為〈屯〉接〈乾〉、〈坤〉二卦之後，故為「剛柔始交」以為說：「〈屯〉卦是〈乾〉、〈坤〉二卦始交所生的第一卦。」（參蕭元主編、廖名春副主編：《周易大辭典》〔北京市：中國工人出版社，1992年〕，頁97。該條的作者為蕭元。）

臆，作出似是而非的推論。在此我不想具體舉證，批評前賢。但二十世紀以來，這樣的冤枉路已走了不少，未來我們研究經典，似應更重視「同情的理解」這一原則了。

六　結語

本文首先臚列〈屯〉卦兩種音義紀錄，以說明「屯難」字與「屯聚」字派分的實況，接著引〈屯〉卦六爻爻辭說明〈彖傳〉「剛柔始交」四字（內證）。第四節則引〈彖傳〉辭例說明〈屯〉〈彖〉辭句（本證）。第五節引歷代《易》注以見《周易》詮釋傳統的說解（旁證）。關於「屯」的讀音問題，我一向不認為有需要撰文討論，如我上文所述，這是顯而易見、毫無爭議餘地的。

「屯」字上古聲類雖只有「舌音」，「屯難」、「屯滿」、「屯聚」諸義也可能同出一源，是由一個「詞族」派分出來的。但中古以降，「屯」的聲母早已派分為清（知母）濁（定母）兩類，前者表屯難義（狀態動詞），後者表屯聚義（動作動詞），而《周易・屯》卦本義為「難」，從內證、本證、旁證看來都毫無爭議餘地。生於當代的我們既不能重現古音，那就必須依照累積了一千五百年的讀法；故今天〈屯〉卦之名，自應讀為“zhun”而非“tun”。

在西方學術界，成中英教授並不是第一位犯錯誤的學者，如Richard Rutt將「屯」意譯為“massed”（聚集）[41]，就犯了和成教授同樣的錯誤；但Rutt注音為“zhun”，至少讀音唸對了。其餘翻譯《易經》的學者絕大部分都沒有犯錯，如理雅各（James Legge）[42]、衛禮賢父子（Richard Wilhelm,

---

41 See Richard Rutt, *The Book of Changes*（*Zhouyi*）（Surrey: Curzon Press, 1996）, p.198, 226.

42 理雅各音注為“chun”，意譯為“Initial difficulties, the symbol of bursting”。參James Legge trans., *I Ching, Book of Changes*（New York: University Books, 1964））

Hellmut Wilhelm）[43]、Richard Kunst[44]、John Lynn[45]等等，都掌握了正確的音與義。成中英教授音譯為“tun”，意譯為“gathering”，在音和義兩個方面都錯了。

《周易·屯》卦音義的問題，驗之以「屯」字兩種音義的區別，驗之以〈屯〉卦各爻爻辭，驗之以〈彖傳〉的辭例，驗之以歷代注家對「屯」的解釋，在在都證明，讀為「屯難」之「屯」“zhun”才是正確的。這當中沒有絲毫模糊的空間。任何人要堅持「屯」讀為「屯聚」之「屯」，除非改變爻辭的內容，否定〈彖傳〉的辭例，再將漢代以迄近代所有《易》學家的解說全盤推翻。但這樣的可能性有多大呢？相信讀本文者閱讀至此，已能了然於胸了。

---

[43] 音注為“Chun”，意譯為“Difficulty at the Beginning”。參Richard Wilhelm（衛禮賢）trans., rendered into English by Cary F. Baynes, *The I Ching or Book of Changes*（New York: Stratford Press, 2nd Ed. Reprinted 1964）, p.15. Hellmut Wilhelm, *Heaven, Earth, and Man in the Book of Changes*（Seattle: University of Washington Press, second printing 1980）, p.65.

[44] Kunst音注為“zhun”（See Richard A. Kunsty, *The Original Yijing": A Text, Phonetic Transcription, Translation and Indexes, with Sample Glosses*（U.M.I Dissertation Information Service）, p.244）

[45] John Lynn音注為“zhun”，意譯為“the difficulty of giving birth when the hard and soft begin to interact”（See John Lynn, *The Classic of Changes, A New Translation of the I Ching as Interpreted by Wang Bi*（New York: Colombia University Press, 1994））

《周易・萃》卦辭首「亨」字衍文說平議

謝向榮*

《周易》之卦、爻辭，多繫有「吉」、「凶」、「悔」、「吝」、「利」、「厲」、「咎」等斷占辭，指示休咎意義。《漢書・藝文志》曰：

> 凡《易》十三家，二百九十四篇。……漢興，田何傳之。訖于宣、元，有施、孟、梁丘、京氏列於學官,而民間有費、高二家之說。劉向以中古文《易經》校施、孟、梁丘經，或脫去「无咎」、「悔亡」，唯費氏經與古文同。[1]

漢代去古未遠，猶有斷占辭脫佚問題，則通行本《周易》[2]斷占辭相異問題之嚴重，推而可知。近半世紀，地不愛寶，國內出土材料甚夥，如楚竹書《周易》[3]、

* 香港大學中文學院。

[1] （東漢）班固撰，（唐）顏師古注：《漢書》（北京市：中華書局，1962年），冊6，卷30，志3，頁1704。標點與原文略異。

[2] 通行本《周易》，指（魏）王弼、（東晉）韓康伯注，（唐）孔穎達疏：《周易正義》本。本文所用《周易》底本，據清嘉慶二十年（1815）南昌府學重刊宋本《十三經注疏》（臺北市：藝文印書館，1973年）。

[3] 上海博物館藏戰國楚竹書《周易》於二〇〇四年面世，為迄今所見最早之《周易》寫本，存58簡，涉及34卦之內容，共1806字。詳參馬承源主編：《上海博物館藏戰國楚竹書（三）》（上海市：上海古籍出版社，2003年）。

馬王堆帛書《周易》[4]、阜陽漢簡《周易》[5]等，其斷占辭亦與傳本頗有相異之處[6]。

考通行本〈萃〉卦辭：「亨，王假有廟，利見大人。亨，利貞。用大牲，吉。利有攸往。」[7]《上海博物館藏戰國楚竹書（三）．周易》簡42〈啐（萃）〉卦辭作：

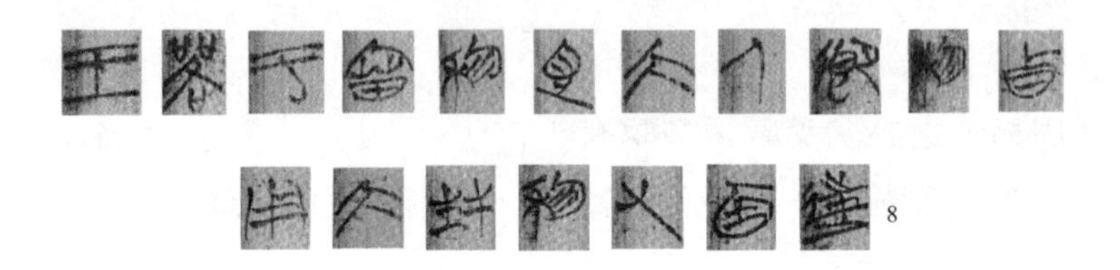
[8]

整理者濮茅左先生釋為：「王畧于宙，利見大人，卿，利貞。用大牲，利又卣迮。」[9]馬王堆帛書本則作：

王叚于廟利見大人亨利貞

---

4 馬王堆帛書《周易》出土於一九七三年底，其卦序與今本差異頗大。釋文詳參馬王堆漢墓帛書整理小組：〈馬王堆帛書《六十四卦》釋文〉，載《文物》，1984年第3期（1984年3月），頁1-8；廖名春：〈帛書《易經》釋文〉，載《帛書〈周易〉論集》（上海市：上海古籍出版社，2008年），頁359-369。圖版可參傅舉有、陳松長編著；周士一、陳可風翻譯：《馬王堆漢墓文物》（長沙市：湖南出版社，1992年），頁1-162。

5 阜陽漢簡《周易》於一九七七年於安徽阜陽雙古堆一號漢墓出土，竹簡殘碎厲害，經文僅存一一一〇字。詳參韓自強：《阜陽漢簡〈周易〉研究》（上海市：上海古籍出版社，2004年）。

6 詳參拙著：〈上博簡《周易》斷占辭相異問題管窺〉，《周易研究》，2009年第3期（2009年6月），頁40-52。

7 （魏）王弼、（東晉）韓康伯注，（唐）孔穎達疏：《周易正義》，卷5，頁6b-7a（總頁105下-106上）。標點為筆者所加。

8 馬承源主編：《上海博物館藏戰國楚竹書（三）》，頁54。

9 馬承源主編：《上海博物館藏戰國楚竹書（三）》，頁193。

用大生利有攸往[10]

馬王堆漢墓帛書整理小組隸定為：「王叚于廟，利見大人，亨，利貞。用大生，吉。利有攸往。」[11]廖名春先生釋文同[12]。

透過文本比照，可知通行本與竹書本、帛書本〈萃〉斷占辭相異之處有二：（一）通行本《周易》「王」字前有斷占辭「亨」，竹書本、帛書本俱無；（二）通行本、帛書本「利有攸往」前有「吉」字，竹書本則無。

〈萃〉卦辭「吉」字或有或無之異，非本文考察重點，將另文探討[13]。今不揣譾陋，擬就諸本所見，從文獻、辭義、辭例諸端[14]，為通行本〈萃〉卦辭首「亨」字為衍文之說作一平議，希能於《周易》斷占辭研究，有小補焉。

一

〈萃〉卦辭「王」字前有無斷占辭「亨」，前人論之者甚眾。陸德明（556-627）《經典釋文》於〈萃〉卦辭「亨」下注云：「王肅本同。馬、鄭、陸、虞等並無此字。」[15]陸氏指出，馬融（79-166）、鄭玄（127-200）、陸績

---

10 參濮茅左：《楚竹書〈周易〉研究——兼述先秦兩漢出土與傳世易學文獻資料》（上海市：上海古籍出版社，2006年），下冊，頁571。

11 馬王堆漢墓帛書整理小組：〈馬王堆帛書《六十四卦》釋文〉，頁6。

12 廖名春：〈帛書《易經》釋文〉，見廖名春：《帛書周易論集》（上海市：上海古籍出版社，2008年），頁366。

13 詳參拙著：〈上博簡《周易・萃》卦辭斷占語「吉」考異——兼述《萃》卦《彖傳》「利貞」脫文說〉，見彭林主編：《中國經學》第5輯（桂林市：廣西師範大學出版社，2009年10月），頁177-190。

14 有關《周易》斷占辭之研究方法，詳參拙著：〈《周易》斷占辭異文研究方法芻議〉，《古籍整理研究與中國古典文獻學學科建設國際學術研討會論文集》（濟南市：山東大學文史哲研究院、中國古典文獻研究所，2009年），頁324-339。

15 （唐）陸德明：《經典釋文》（上海市：上海古籍出版社景印北京圖書館藏宋刻宋元遞修本，1985年），上冊，卷2，頁17b（總頁106）。標點為筆者所加。敦煌寫卷「伯2617號」所載，除起首多「許庚反」三字外，內文大意與傳本《經典釋文》無異，

（187-219）、虞翻（164-233）諸本無「亨」字。又〈彖傳〉云：「『王假有廟』，致孝享也；『利見大人，亨』，聚以正也；『用大牲，吉，利有攸往』，順天命也。」[16]《後漢書・楊秉傳》[17]、《後漢紀・孝恒皇帝紀上》[18]引曰：「王假有廟，致孝享也。」其所引者，「王假有廟」前皆無「亨」字。程頤（1033-1107）曰：

> 萃下有亨字，羨文也。亨字自在下，與〈渙〉不同。〈渙〉則先言卦才，〈萃〉乃先言卦義，〈彖〉辭甚明。[19]

鄭汝諧（1126?-1205?）《易翼傳》從程子「羨文」之說[20]。又朱熹（1130-1200）《周易本義》云：「『亨』字衍文。」[21]王申子《大易緝說》云：「『萃』下『亨』字羨文。」[22]項安世（1153-1208）《周易玩辭》曰：

> 按《釋文》：馬、鄭、陸、虞本並无亨字，獨王肅本有之，王弼遂用其說，而孔子〈彖〉辭初不及此字也。[23]

詳參王重民原編，黃永武新編：《敦煌古籍敘錄新編》（臺北市：新文豐出版公司，1986年），冊1，頁103。

16 （魏）王弼、（東晉）韓康伯注，（唐）孔穎達疏：《周易正義》，卷5，頁7a-b（總頁106上）。標點為筆者所加。

17 參（劉宋）范曄撰，（唐）李賢等注：《後漢書》（北京市：中華書局，1965年），冊7，卷54，傳44，頁1770。

18 參（東晉）袁宏：《後漢紀》，卷21，載張烈點校：《兩漢紀》（北京市：中華書局，2002年），下冊，頁399。

19 （北宋）程頤：《周易程氏傳》，載（北宋）程顥、程頤：《二程集》（北京市：中華書局，1981年初版，2008年2版5印），下冊，卷3，頁929。

20 參（南宋）鄭汝諧：《易翼傳》（上海市：上海古籍出版社，景印《文淵閣四庫全書》本，1989年），下經，頁42b（總頁78上）。

21 （南宋）朱熹：《周易本義》，載《朱子全書》（上海市：上海古籍出版社；合肥市：安徽教育出版社，2002年），冊1，卷2，頁71。

22 （元）王申子：《大易緝說》（上海市：上海古籍出版社，景印《文淵閣四庫全書》本，1990年），卷7，頁18b（總頁182上）。標點為筆者所加。

23 （南宋）項安世：《周易玩辭》（上海市：上海古籍出版社，景印《文淵閣四庫全書》

俞琰（1258-1314）《周易集說》曰：

「萃」下「亨」字衍文，觀〈傳〉可見。[24]

何楷（1594-1644）《古周易訂詁》曰：

馬、鄭、陸、虞本无「亨」字，程子疑為羨文。今觀〈彖傳〉不另釋，恐或然也。[25]

俞樾（1821-1906）《艮宧易說》曰：

馬、鄭、陸、虞等並無此「亨」字，當從之。觀〈傳〉文於〈彖〉辭，逐句釋之，而不及此「亨」字，則原無此字可知。王肅本誤衍，輔嗣因為作注，非其舊也。[26]

于鬯（1854-1910）《香草校書》曰：

〈萃〉卦「萃亨」，〈彖傳〉不釋「亨」字，陸《釋》云「馬、鄭、陸、虞等並無此字」，則「亨」亦衍文矣。[27]

屈萬里（1907-1979）《周易集釋初稿》曰：

亨，《釋文》:「馬、鄭、陸、虞等並無此字。」按：無之是也。[28]

本，1990年），卷9，頁10b（總頁136上）。標點為筆者所加。

[24] （元）俞琰：《周易集說》（上海市：上海古籍出版社，景印《文淵閣四庫全書》本，1990年），卷7，頁21a（總頁65下）。標點為筆者所加。

[25] （明）何楷：《古周易訂詁》（臺北市：臺灣商務印書館，景印《文淵閣四庫全書》本，1986年），冊36，卷5，頁17b（總頁206下）。標點為筆者所加。

[26] （清）俞樾：《艮宧易說》（上海市：上海古籍出版社，《續修四庫全書》景清光緒二十五年〔1899〕《春在堂全書》俞樓襍纂本，1995年），冊34，卷1，頁17b（總頁191上）。標點為筆者所加。

[27] （清）于鬯：《香草校書》（北京市：中華書局，1984年），上冊，頁52。新式標點為筆者所加。

[28] 屈萬里：《周易集釋初稿》，載屈萬里：《讀易三種》（臺北市：聯經出版事業公司，

案：綜上所舉，諸家多據《經典釋文》與〈彖傳〉，以為〈萃〉卦辭起首當無「亨」字。又考馬王堆帛書本及竹書本《周易》，其〈萃〉卦辭「王」字前均無斷占辭，黃壽祺（1912-1990）《周易譯注》據帛書本《周易》案曰：

> 帛書《周易》「萃」下亦無「亨」字，此字似屬衍文。[29]

張善文先生云：

> 據陸德明《經典釋文》、朱熹《周易本義》之說，及馬王堆漢墓《帛書周易》，此「亨」字當為衍文，宜刪。[30]

林忠軍先生云：

> 今本〈萃〉卦辭開始有「亨」字，戰國楚簡本和帛本皆無「亨」字。《釋文》曰「馬、鄭、陸、虞並無此字」，知今本衍「亨」字。[31]

徐富昌先生從其說[32]。又劉大鈞先生云：

> 「萃」下之「亨」字，《釋文》曰：「王肅本同，馬、鄭、陸、虞等並無此字。」今案之帛本與竹書本，卦名下亦皆無「亨」字，可證帛本及竹書本與馬、鄭、陸、虞本同，今本誤依王肅本，此處衍一「亨」字。[33]

陳戍國先生云：

1983年），頁275。

29 黃壽祺、張善文：《周易譯注》（修訂本）（上海市：上海古籍出版社，2001年），頁371。

30 張善文譯注：《周易》（太原市：山西古籍出版社，2006年），卷2，頁124。

31 林忠軍：〈從戰國楚簡看通行《周易》版本的價值〉，《周易研究》，2004年第3期（2004年6月），頁20。

32 參徐富昌：《簡帛典籍異文側探》（臺北市：國家出版社，2006年），頁495。

33 劉大鈞：《今、帛、竹書〈周易〉綜考》（上海市：上海古籍出版社，2005年），頁73。

> 「萃」下「王」上「亨」字衍，據《周易》卦辭文例可知。竹書《周易》與帛書《周易》正無此「亨」字。他如李氏《集解》本亦無此「亨」字。[34]

朱興國先生云：

> (〈萃〉)卦辭句首「亨」字，馬王堆漢墓帛書《周易》和上海博物館藏戰國楚竹書《周易》均無，當為衍文。[35]

張立文先生云：

> 「王叚（假）于（有）廟」，通行本作「亨，王假有廟」，《帛書周易》無「亨」字。《竹書周易》作：「王畧于廟，利見大人，卿，利貞。」亦無「亨」字。《釋文》曰：「亨，《王肅本》同，馬、鄭、陸、虞等並無此字。」阮元《校勘記》：「《石經》、《岳本》、《閩》、《監》、《毛本》同。《釋文》：《王肅本》同，馬、鄭、陸、虞等並無亨字。」與《帛書》無「亨」字合，從《帛書周易》和《竹書周易》。[36]

知諸家多據帛書本、竹書本《周易》，認為通行本〈萃〉卦辭之「亨」字為「衍文」。

元人吳澄（1249-1333）《易纂言》[37]、清人惠棟（1697-1758）《周易述》[38]，近人尚秉和（1870-1950）[39]、宋祚胤（1918-1994）[40]、楊柳橋（1908-1993）注

---

[34] 陳戍國：《周易校注》（長沙市：嶽麓書社，2004年），頁110。

[35] 朱興國：《三易通義》（濟南市：齊魯書社，2006年），頁146。

[36] 張立文：《帛書周易注譯》（修訂本）（鄭州市：中州古籍出版社，2008年），頁300。

[37] 參（元）吳澄：《易纂言》（上海市：上海古籍出版社，景印《文淵閣四庫全書》本，1990年），卷2，頁35b（總頁69下）。

[38] 參（清）惠棟撰，鄭萬耕點校：《周易述》（北京市：中華書局，2007年），上冊，頁126-127。

[39] 參尚秉和：《周易尚氏學》，載《尚氏易學存稿校理》（北京市：中國大百科全書出版社，2005年），卷3，頁190-191。

[40] 參宋祚胤注譯：《周易》（長沙市：嶽麓書社，2000年），頁218。

《易》[41]及日人高島嘉右衛門（號吞象，1832-1914）《高島易斷》[42]等，更引〈萃〉卦辭作：「王假有廟，利見大人。亨，利貞。用大牲，吉。利有攸往。」直接刪去「王假有廟」前之「亨」字。

二

綜上所述，諸家均謂「萃」後之「亨」為衍文。惟毛奇齡（1623-1716）曰：

> 馬融、鄭玄、陸績、虞翻本俱無「亨」字，此偶遺耳。《程頤傳》本謂此係羨文，而《本義》遵之，至吳澄《纂言》直刪此字，何其妄也。[43]

又劉健海先生曰：

> 〈萃〉卦辭「亨王叚於廟」，帛書闕「亨」。[44]

是劉氏認為帛書本無「亨」字，乃屬闕文。高亨（1900-1986）亦認為通行本之「亨」字並非衍文，高氏曰：

> 按經文當有亨字，亨即享字，祭也。「享王假有廟」，謂舉行享祭，王親至祖廟也。「王假有廟」乃承「享」字而言，則經文當有亨字，

---

41 參楊柳橋：《周易繹傳》（天津市：天津社會科學院出版社，1993年），上冊，頁256。

42 參高島吞象著，王治本譯：《高島易斷：易經活解活斷800例》（北京市：北京圖書館出版社，2006年），頁454。

43 案：《皇清經解》本《仲氏易》曰：「馬融、鄭元（玄）、陸績、虞翻本俱無『亨』字，此偶遺耳。」（參《皇清經解易類彙編》〔新北市：藝文印書館，1992年〕，卷108，頁9b〔總頁259〕。）此從《四庫全書》本。參毛奇齡：《仲氏易》（上海市：上海古籍出版社，1990年），卷19，頁15a（總頁184下）。標點為筆者所加。

44 劉健海：《帛書《易經》異文研究》（臺北市：國立臺灣師範大學國文研究所碩士學位論文，邱德修教授指導，2005年6月），頁169。

> 明矣。〈傳〉文「王假有廟」上亦當有「亨」字，蓋轉寫誤脫。此亨字〈傳〉亦讀為享（原注：《易傳》有此例）。其文曰：「致孝享也。」正以享釋經文之亨。〈彖傳〉重舉經文，例不省字（原注：與〈象傳〉不同），則〈傳〉文亦當有亨字，明矣。[45]

馬恒君先生、趙建偉先生亦與高亨有相近意見，馬氏曰：

> 卦辭說：「萃，亨，王假有廟。利見大人，亨，利貞。」程頤認為卦辭不應當出現兩個「亨」，第一個「亨」是衍文（原注：多餘的字）。有的本子就把這個字刪掉了。〈彖〉辭不這樣講。依據〈彖〉辭「王假有廟，致孝享也」的說法，顯然是把第一個「亨」字當成「享」字來讀。古代「亨」與「享」是同一個字。「亨」不是衍文，而是祭享的意思。[46]

趙氏曰：

> 注家多以此「亨」（向榮案：指卦名後之「亨」字）為衍字，各本無此字，帛本亦無，獨王肅本、王弼本有此字。按：疑此非衍字，可能本作「享」。「享，王假有廟」，謂為享祀祖先，王至於宗廟。〈彖傳〉「王假有廟，致孝享也」正釋此「享」字。[47]

辛介夫（原名佳甫，1912-2007）亦謂「亨」當讀作「享」，惟語序應在「王假有廟」之後，辛氏曰：

> 此處（向榮案：指卦名後之「亨」）應讀作享。以酒食祭祀鬼神曰享。以文意推之，此字應在「王假有廟」之後。（原注：另本無此

---

45 高亨：《周易大傳今注》（濟南市：齊魯書社，1998年），頁292。

46 馬恒君：《周易正宗》（北京市：華夏出版社，2004年），頁454。標點與原文略異。

47 趙建偉：《出土簡帛〈周易〉疏證》（臺北市：萬卷樓圖書公司，2000年），頁93；又參陳鼓應、趙建偉：《周易今注今譯》（北京市：商務印書館，2005年），頁404。

字，疑漏。）[48]

案：高、馬、趙、辛四家均謂「亨」當讀「享」，解作享祀，蓋〈彖傳〉云「王假有廟，致孝享也」，故疑「孝享」正釋經文之「亨」也。舒大剛先生則從金文及先秦文獻用例，考證〈彖傳〉「孝享」之義曰：

> 《周易．萃卦．彖傳》有「致孝享」一語，古今學人都把「孝」字理解為普通的孝道之孝，謂「孝享」為孝子之享，實未得古義。……歷考兩周金文10餘處「享孝」用例及30餘例「孝」字用例，幾乎無一例外都作祭祀講。……金文、《詩經》中的「孝」都是祭祀，「孝」與「享」單用時可互通，連用時則指祭神的禮拜和供品的獻物。……《周易．萃卦》的「孝享」也應作如是觀，〈彖傳〉說「王假有廟，致孝享也」，「孝享」活動在廟中舉行，其非祭祀而何？[49]

舒氏所論，信而有徵，知〈彖傳〉所云「孝享」，當解作享祀無疑。惟趙氏疑〈萃〉卦辭「亨」本作「享」，辛氏疑「亨」讀「享」，語序當在「王假有廟」之後，均為臆測之說；高氏、馬氏謂「亨」為「享祀」義，亦未合《周易》辭例。案今本《周易》之「亨」，作斷占辭者，均以「通達」一義為勝[50]；至於用作「享祀」義者，如〈大有〉九三「公用亨于天子」、〈隨〉上六「王用亨于西山」、〈損〉卦辭「二簋可用享」、〈益〉六二「王用享于帝」、〈升〉六四「王用亨于岐山」、〈困〉九二「利用享祀」等，其辭式均作「用亨」或「用享」。又上引〈大有〉九三、〈隨〉上六、〈損〉卦辭、〈益〉六二、〈升〉六四、〈困〉九二等六例，帛書本除〈升〉六四爻辭殘缺外，其餘五例均引作「用芳」，竹書本則引作「用 」（〈隨〉上六），其用字

---

48 辛介夫：《〈周易〉解讀》（西安市：陝西師範大學出版社，1998年），頁408。

49 舒大剛：〈《周易》、金文「孝享」釋義〉，《周易研究》，2002年第4期（2002年8月），頁55-59。

50 參周師錫：《易經詳解與應用》（香港：三聯書店，2007年），頁1。

與釋義均顯與斷占辭之「亨」字不同[51]。〈彖傳〉之「孝享」，當承卦辭「王假有廟」而來，而非釋〈萃〉卦名後之「亨」，故謂「亨」當解作「享祀」義者，殆非。

究竟通行本《周易．萃》卦辭「王假有廟」前之「亨」字為衍文，抑帛書本、竹書本有所闕文，似未宜妄下定論。以下試從文獻、辭義、辭例諸端考之。

三

《經典釋文》於〈萃〉卦辭「亨」下注云：「王肅本同。馬、鄭、陸、虞等並無此字。」[52]可知〈萃〉卦名後之「亨」字或有或無，王肅（195-256）及馬、鄭、陸、虞等不同版本，至唐陸德明時仍有流傳。通行本《周易》用王弼（226-249）本，與王肅本同存「亨」字。陳戍國先生則以竹書本、帛書本、《周易集解》本無「亨」字，疑通行本之「亨」為衍文，陳氏曰：

> 「萃」下「王」上「亨」字衍，……竹書《周易》與帛書《周易》正無此「亨」字。他如李氏《集解》本亦無此「亨」字。[53]

案：陳氏謂《周易集解》本無「亨」字。考清嘉慶三年（1788）姑蘇喜墨齋張遇堯局鐫本引〈萃〉卦辭作「萃王假有廟」[54]，李道平《周易集解纂疏》引同[55]，「萃」下俱無「亨」字；惟明嘉靖三十六年（1557）聚樂堂刻本[56]、《四

---

51 參西山尚志：〈關於《周易》的「亨」字〉，簡帛研究網，2007年1月13日；劉保貞：〈從今、帛、竹書對比解《易經》「亨」字〉，《周易研究》，2004年第6期（2004年12月），頁17-21。

52 （唐）陸德明：《經典釋文》，上冊，卷2，頁17b（總頁106）。標點為筆者所加。

53 陳戍國：《周易校注》，頁110。

54 參（唐）李鼎祚：《周易集解》（北京市：中國書店，景印清嘉慶三年〔1788〕姑蘇喜墨齋張遇堯局鐫本，1984年），卷9，頁6a。

55 李道平：《周易集解纂疏》（北京市：中華書局，1994年），頁408。

56 參李鼎祚：《周易集解》，載《北京圖書館古籍珍本叢刊》（北京市：書目文獻出版

庫全書》本[57]、古經解彙函本[58]等，〈萃〉卦辭均引作「萃亨王假有廟」，與通行本無異。明聚樂堂刻本為現存最古之《周易集解》本，他本「萃」下無「亨」字者，疑為轉寫誤脫。又諸本《周易集解》〈萃〉卦辭「用大牲吉，利有攸往」下皆引鄭玄曰：

> 萃，聚也。坤為順，兑為悦。臣下以順道承事，其君悦德，居上待之。上下相應，有事而和通，故曰「萃亨」也。[59]

是《周易集解》本「萃」下當有「亨」字，陳氏所論非確。《經典釋文》謂鄭玄本無「亨」字之說，亦有可疑。又《周易集解》「萃：亨，王假有廟」下引虞翻曰：

> 觀上之四也。觀乾為王。假，至也。艮為廟，體觀享祀，故通。上之四，故「假有廟，致孝享」矣。[60]

虞翻謂「上之四，故『假有廟，致孝享』」者，正釋卦辭之「王假有廟」；至於前文謂「艮為廟，體觀享祀，故通」，「通」蓋釋「王假有廟」前之「亨」也。是虞翻本似亦當有「亨」字，《經典釋文》謂虞翻本無「亨」字，未必可信。

屈萬里據漢石經《周易》每行七十三字之例曰：

> 自「起凶」至此數語中（向榮案：由〈姤〉九四「起凶」至〈萃〉初

社，1988年），冊1，卷9，頁15a（總頁160上）。

57 參（唐）李鼎祚：《周易集解》（上海市：上海古籍出版社，景印《文淵閣四庫全書》本，1989年），卷9，頁13a（總頁148下）。

58 參（唐）李鼎祚：《周易集解》（臺北市：臺灣學生書局，景印清光緒十四年〔1888〕上海蜚英館石印《古經解彙函》本，1967年），卷9，頁4a（總頁151）。

59 聚樂堂刻本《周易集解》載《北京圖書館古籍珍本叢刊》，冊1，卷9，頁15b（總頁160上）；又參姑蘇喜墨齋張遇堯局鐫本卷9，6a；《古經解彙函》本卷9，頁4a（總頁151）；《四庫全書》本卷9，頁13b（總頁148下）。標點為筆者所加。

60 （唐）李鼎祚：《周易集解》，載《北京圖書館古籍珍本叢刊》，冊1，卷9，頁15a（總頁160上）。標點為筆者所加。

六「有孚不」），唐本及今本並衍一字。[61]

李漢三《周易卦爻辭釋義》則據此而推論漢石經或無「亨」字，李氏曰：

> 本卦（向榮案：〈萃〉）卦辭上「亨」字，《釋文》馬、鄭、虞等竝謂：「無此字。」朱《傳》亦云：「衍文。」屈先生據漢石經殘字推證，謂：「自〈姤〉『起凶』起，至〈萃〉『有孚不終』止，今本中間多一字。」（原注：見屈先生〈讀易簡端便識〉）則石經蓋無此「亨」字歟？[62]

惟阮元（1764-1849）《周易校勘記》云：「亨，《石經》、《岳本》、《閩》、《監》、《毛本》同。」[63]又北京圖書館藏熹平石經《周易》拓本存「萃：亨，王假」數字[64]，與唐石經無異[65]，是石經本與通行本同存斷占辭「亨」，當無可疑。

陳惠玲女士論〈萃〉卦辭曰：

> 今本卦名下有「亨」字，朱熹以為卦名下的「亨」為衍文。《石經》、《岳本》、《閩本》、《監本》、《毛本》有「亨」字，楚簡本、帛書《周易》、《釋文》引王肅本、馬、鄭、陸、虞等無「亨」字，有無「亨」字皆非孤證，且皆可通。[66]

---

61 屈萬里：《漢石經周易殘字集證》（臺北市：中央研究院歷史語言研究所，1961年），卷2，頁9a。

62 李漢三：《周易卦爻辭釋義》（臺北市：中華叢書編審委員會，1969年），頁219。標點與原文略異。

63 （清）阮元：《周易校勘記》，載《皇清經解易類彙編》，卷811，頁3a（總頁110上）。標點為筆者所加。

64 北京圖書館金石組編：《北京圖書館藏中國歷代石刻拓本匯編（戰國、秦漢部分）》（鄭州市：中州古籍出版社，1989年），冊1，頁160。

65 參中華書局編：《景刊唐開成石經：附賈刻孟子嚴氏校文》（北京市：中華書局〔景印1926年上海皕忍堂刊本〕，1997年），冊1，卷5，頁5（總頁47）。

66 陳惠玲：〈周易譯釋〉，載季旭昇主編：《〈上海博物館藏戰國楚竹書（三）〉讀本》（臺北市：萬卷樓圖書公司，2005年），頁111。

案：《經典釋文》原謂王肅本有「亨」字，陳氏不慎誤讀，而謂王肅本無「亨」字；至於〈萃〉卦辭有無「亨」字均非孤證之說，則是也。就文獻所見，阜陽漢簡《周易》殘缺，有無「亨」字，已不可考；竹書本、帛書本〈萃〉卦辭起首無「亨」字，諸家多據而推論通行本之「亨」為衍文。

綜考通行本、帛書本、竹書本《周易》，斷占辭異文問題屢見，以〈訟〉六三為例，諸本所載如下：

> 通行本：食舊德，貞厲，終吉。或從王事，无成。[67]
>
> 帛書本：食舊德，貞厲。或從王事，无成。[68]
>
> 竹書本：飤舊悳，貞礪，冬吉；或從王事，亡成。[69]

比照通行本、帛書本與竹書本〈訟〉六三爻辭，獨帛書本無「終吉」一語[70]。劉大鈞先生《今、帛、竹書〈周易〉綜考》曰：

> 今本此爻作「貞厲，終吉」，竹書作「貞礪，冬吉」，與今本同。據此可證帛本僅作「貞厲」，是遺「終吉」也。[71]

是劉氏認為通行本、竹書本〈訟〉六三爻辭可從，帛書本則當有脫文也。惟考〈解〉六三之斷占辭，通行本、帛書本與竹書本亦不盡相同，諸本所載如下：

> 通行本：負且乘，致寇至，貞吝。[72]

---

67 （魏）王弼、（東晉）韓康伯注，（唐）孔穎達疏：《周易正義》，卷2，頁6a（總頁34下）。標點為筆者所加。

68 馬王堆漢墓帛書整理小組：〈馬王堆帛書《六十四卦》釋文〉，頁1。

69 馬承源主編：《上海博物館藏戰國楚竹書（三）》，頁143。

70 詳參拙著：〈今本、帛書本、竹書本《周易．訟》六三斷占辭相異問題小識〉，2009 Annual PolyU Faculty of Humanities Postgraduate Research Symposium（香港：香港理工大學人文學院主辦，2009年3月13日）。

71 劉大鈞：《今、帛、竹書〈周易〉綜考》，頁13。

72 （魏）王弼、（東晉）韓康伯注，（唐）孔穎達疏：《周易正義》，卷4，頁25a（總頁94上）。標點為筆者所加。

帛書本：〔負〕且乘，致寇至，貞閵（吝）。[73]

竹書本：儥虘𨍭，至寇至。[74]

比照諸本〈解〉六三爻辭，獨竹書本無「貞吝」二字[75]。劉大鈞先生曰：

竹書此爻作「儥虘𨍭，至寇至」，無「貞吝」二字，今、帛本皆有之，疑竹書抄寫者遺缺。[76]

則劉氏又疑竹書本存在脫文，似當據通行本、帛書本為是。又考〈既濟〉九五之斷占辭，通行本、帛書本、竹書本所載如下：

通行本：東鄰殺牛，不如西鄰之禴祭，實受其福。[77]

帛書本：東鄰殺牛以祭，不若西鄰之濯（禴）祭，實受其福，吉。[78]

竹書本：東䣙殺牛，不女西䣙之酌祭，是受福吉。[79]

比照諸本〈既濟〉九五爻辭，獨通行本無「吉」字。劉大鈞先生曰：

帛本與竹書此爻作「實受亓福吉」、「是受福吉」，其「福」後皆有「吉」字，此正合〈象〉云「吉大來也」之旨。今本「福」後無「吉」，乃抄書者誤遺此字。[80]

是劉氏又疑通行本存在脫文，當據帛書本、竹書本為是也。

---

73 馬王堆漢墓帛書整理小組：〈馬王堆帛書《六十四卦》釋文〉，頁4。

74 馬承源主編：《上海博物館藏戰國楚竹書（三）》，頁186。

75 詳參拙著：〈上博簡《周易．繲》六三斷占辭考異〉，古道照顏色——先秦兩漢古籍國際學術研討會（香港：香港中文大學中國語言及文學系、中國文化研究所中國古籍研究中心合辦，2009年1月16-18日）。

76 劉大鈞：《今、帛、竹書〈周易〉綜考》，頁62。

77 （魏）王弼、（東晉）韓康伯注，（唐）孔穎達疏：《周易正義》，卷6，頁22b（總頁136下）。標點為筆者所加。

78 馬王堆漢墓帛書整理小組：〈馬王堆帛書《六十四卦》釋文〉，頁3。

79 馬承源主編：《上海博物館藏戰國楚竹書（三）》，頁212。

80 劉大鈞：《今、帛、竹書〈周易〉綜考》，頁108。

然則通行本、帛書本與竹書本《周易》均見斷占辭相異問題，其應脫抑衍，孰有孰無，甚難論定。帛書本、竹書本〈萃〉卦辭起首雖無「亨」字，惟王肅本、王弼本、漢石經、唐石經、岳本、閩本、監本、毛本，及《周易集解》所引虞翻本、鄭玄本等，其〈萃〉卦辭均有「亨」字，是《周易》有無「亨」字均非孤證。通行本《周易》存「亨」字，未能輕斷為衍文。

四

〈彖傳〉云：「萃，聚也。」[81]〈序卦傳〉：「萃者，聚也。」[82]〈雜卦傳〉：「萃，聚。」[83]《周易集解》引鄭玄曰：「萃，聚也。」[84]王弼於「萃：亨」下注云：「聚乃通也。」[85]均釋「萃」為「聚集」。近人亦多解「萃」為「聚」、「聚集」，如周振甫（1911-2000）《周易譯注》曰：「萃：聚會，聚集。」[86]然亦有別為新說者，如高亨《周易古經今注》曰：

> 萃疑當讀為顇，《爾雅・釋詁》：「顇，病也。」字亦作瘁，《詩・雨無正》：「憯憯日瘁。」《毛傳》：「瘁，病也。」〈蓼莪〉：「生我勞瘁。」鄭《箋》：「瘁，病也。」萃、顇、瘁古通用，《詩・出車》：「僕夫況瘁。」《釋文》：「瘁，本作萃。」〈四月〉：「盡瘁以仕。」《釋文》：「瘁，本作萃。」〈北山〉：「或盡瘁事國。」《漢書・五行志》引瘁作

---

81 （魏）王弼、（東晉）韓康伯注，（唐）孔穎達疏：《周易正義》，卷5，頁7a-b（總頁106上）。標點為筆者所加。

82 （魏）王弼、（東晉）韓康伯注，（唐）孔穎達疏：《周易正義》，卷9，頁13b（總頁188上）。標點為筆者所加。

83 （魏）王弼、（東晉）韓康伯注，（唐）孔穎達疏：《周易正義》，卷9，頁15a（總頁189上）。標點為筆者所加。

84 （唐）李鼎祚：《周易集解》，載《北京圖書館古籍珍本叢刊》，冊1，卷9，頁15b（總頁160上）。標點為筆者所加。

85 （魏）王弼、（東晉）韓康伯注，（唐）孔穎達疏：《周易正義》，卷5，頁6b（總頁105下）。標點為筆者所加。

86 周振甫：《周易譯注》（北京市：中華書局，1991年），頁157。

> 頓。〈瞻卬〉:「邦國殄瘁。」《漢書・王莽傳》引瘁作頓。並其證。諸瘁字亦皆病義也。[87]

李鏡池(1902-1975)《周易通義》曰:

> 萃:借為悴、瘁。《說文》:「悴,憂也。讀如《易・萃卦》同。」[88]

案:通行本「萃」,帛書本作「卒」[89],王家臺秦簡《歸藏》同[90],竹書本則作「啐」[91],「萃」、「啐」二字皆从「卒」聲,故「萃」、「啐」、「卒」三字可相通假。《說文・艸部》曰:「(萃),艸 。从艸卒聲。」[92]朱駿聲(1788-1858)《六十四卦經解》曰:「萃,艸 。物之聚者,莫甚于艸。」[93]「萃」為草木叢生之貌,引申為聚集。就卦象言,〈萃〉卦體䷬上兌下坤,兌為悅,坤為眾,為合眾而悅之象;又兌為澤,坤為地,澤上於地,喻水源積聚,俱有「聚集」之象。又《周易》六十四卦「二二相耦,非覆即變」,凡「二二相耦」之卦,其卦義均「相反為義」[94],廖名春先生曰:「〈彖傳〉:『萃,聚也。』〈序卦傳〉同。〈雜卦傳〉:『萃聚而升不來也。』韓康伯注:『來,還也。方在上升,故不還也。』一為薈萃內聚,一為上升不返,卦義相反。」[95]吳辛丑先生《周易講讀》則云:

> 由於文句簡略,爻辭中「萃」字究為何義,頗難取捨。初六「乃亂乃

---

87 高亨:《周易古經今注》(重訂本)(北京市:中華書局,1984年),頁288。

88 李鏡池:《周易通義》(北京市:中華書局,1981年),頁89。

89 參廖名春:〈帛書《易經》釋文〉,《帛書〈周易〉論集》,頁366。

90 參王明欽:〈王家臺秦墓竹簡概述〉,載艾蘭、邢文編:《新出簡帛研究》(北京市:文物出版社,2004年),頁33。

91 參馬承源主編:《上海博物館藏戰國楚竹書(三)》,頁193。

92 許慎:《說文解字》(長沙市:嶽麓書社,景印清同治十二年〔1873〕陳昌治刻本,2006年),卷1下,頁17b(總頁23上)。標點為筆者所加。

93 朱駿聲:《六十四卦經解》(臺北市:頂淵文化事業公司,2006年),卷6,頁194。新式標點為筆者所加。

94 參廖名春:《〈周易〉經傳十五講》(北京市:北京大學出版社,2004年),頁153-162。

95 廖名春:《〈周易〉經傳十五講》,頁159。

> 萃」，六三「萃如嗟如」，「萃」與「亂」、「嗟」相並列，「憂慮」、「病累」義均可當之。而九五「萃有位」，似解「聚集」義為勝。由於傳統上多以「聚」訓「萃」，而新說又模稜兩可（本字有「悴、瘁、顇」三個，意義有「憂」、「病」兩個），故我們仍將〈萃〉卦各爻中的「萃」字連同卦名都理解為「聚集」義。[96]

其說甚是。高亨、李鏡池釋「萃」為「病」、「憂」，似可商榷。《周易》之「萃」，仍當以「聚集」一義為勝。

孔穎達（574-648）亦以「聚集」之義釋「萃」，並云：

> 「萃」，卦名也。又萃，聚也，聚集之義也。能招民聚物，使物歸而聚己，故名為「萃」也。亨者，通也。擁隔不通，无由得聚，聚之為事，其道必通，故曰「萃亨」。[97]

孔氏謂：「聚之為事，其道必通，故曰『萃亨』。」其說影響甚大，後世注家，不乏繼其說者，如宋人易祓（1156-1240）《周易總義》曰：

> 萃之為言聚也。以卦言之，則坤順而兌說。以爻言之，則九五爻以剛中在上，而六二爻應于下。所謂亨者，特所聚之亨而已。王道萃天下之道至于有廟，則足以合聚人心，惟九五爻足以當之，故曰：「王假有廟，致孝享也。」天下既聚，九五爻以中正為大人之德，六二爻亦以中正往應之，至此而復言亨，故曰：「『利見大人，亨，利貞』，聚以正也。」「用大牲，吉」，繼于「王假有廟」之後；「利有攸往」，繼于「利見大人，亨，利貞」之後，凡此皆天之所以命聖人者。聖人順天之命，合天地、鬼神、君臣、民物之所萃，而歸之于一；觀其所聚，而天地萬物之情于此可見，此萃之所以兩言「享」矣。[98]

---

96 吳辛丑：《周易講讀》（上海市：華東師範大學出版社，2007年），頁142。

97 （魏）王弼、（東晉）韓康伯注，（唐）孔穎達疏：《周易正義》，卷5，頁6b（總頁105下）。標點為筆者所加。

98 （南宋）易祓：《周易總義》，載《景印文淵閣四庫全書》，冊17，卷13，頁2b–3a（總元人李簡（?-1319）《學易記》曰：

「萃亨」者，萃聚之時，自有亨義。[99]

清人胡煦（1655-1763）《周易函書約註》曰：

萃則必亨，不亨何由得萃？亨非衍也。「萃亨」，即卦德以其義盡于此也。假同格，人必凝聚精神，然後可昭格鬼神，此驗于幽，為「萃亨」之象。「利見大人，亨，利貞」，此驗于明，為「萃亨」之象。「大人」指中正之五，總由內順而外悅，則人心極和，故獲有「亨，利貞」也。上「亨」字，卦德之亨；下「亨」字，見大人之亨。「利貞」，因正而利也。以上皆「萃亨」之事。「大牲」，因精誠之象而有此，本「假廟」句来；「利有攸往」，本大人句来，皆推原未萃之先，以發「萃亨」之義。盖「假廟，見大人」，止釋亨義；而「用牲，利往」，補釋萃義也。[100]

易祓、李簡、胡煦三家，均釋「萃」為「聚集」，強調「萃聚之時，自有亨義」，故以「萃亨」並言，並謂「亨」非衍文。

考《周易》六十四卦，除〈履〉、〈否〉、〈同人〉、〈艮〉之卦名脫佚外，其餘六十卦，皆先列卦形，次列卦名，再列卦辭[101]。據此通例，知〈萃〉卦辭「萃」字當為卦名，「萃」、「亨」二字不宜連讀。孔穎達、李簡、胡煦等以「萃亨」並言，非是；至於謂萃聚則亨通，故「亨」非衍文，雖似非的論，惟亦可自成一說。

頁522）。標點為筆者所加。

[99] （元）李簡：《學易記》，載嚴靈峰主編：《無求備齋易經集成》（臺北市：成文出版社公司，景清同治十二年，粵東書局未刊，1976年），冊39，卷5，頁10b（總頁580）。標點為筆者所加。

[100] （清）胡煦：《周易函書約註》，載《景印文淵閣四庫全書》，冊48，卷9，頁36b–37a（總頁614）。標點為筆者所加。

[101] 參高亨：《周易古經今注》（重訂本），頁18-23。

又有從卦變釋〈萃〉之所以有二「亨」者，如趙以夫（1189-1256）《易通》曰：

> 〈萃〉自〈觀〉來，以上為主。……卦有二「亨」，「萃亨」者，指來卦言也；「利見大人，亨」者，變〈萃〉為〈比〉也。[102]

諸如此類，以卦變、爻變釋「亨」者，多為穿鑿附會之說，未足為「亨」非衍文之據。

五

諸家有以為〈萃〉卦辭「亨」為衍文者，觀其所據，除《經典釋文》所載，及帛書本、竹書本無「亨」外，另一主要原因，為〈彖傳〉引文不釋「亨」字。徐𤊹（1570-1642）《徐氏筆精》則批評此說「太拘」，徐氏曰：

> 萃，聚也；民富物阜，財力有餘之時也。萃則亨矣。經文原有亨字，解之未嘗不通，《本義》以亨字衍文，豈以〈彖〉文不及亨字乎？太拘矣。[103]

案：《易傳》釋《經》，因欲求簡練，且受協韻所限，故多有省文成辭之例[104]。〈彖傳〉不釋卦辭之「亨」字，除〈萃〉卦外，另有〈乾〉、〈豐〉、〈兌〉三例。考此三卦卦辭，竹書本及阜陽漢簡本殘缺，惟帛書本[105]、《周

---

102 （南宋）趙以夫：《易通》，載《景印文淵閣四庫全書》，冊17，卷5，頁8b–9a（總頁879）。標點為筆者所加。

103 （明）徐𤊹：《徐氏筆精》，載《景印文淵閣四庫全書》，冊856，卷1，頁14b–15a（總頁459下-460上）。標點為筆者所加。

104 參黃沛榮：《周易彖象傳義理探微》（臺北市：萬卷樓圖書公司，2001年），頁168-170。

105 參廖名春：〈帛書《易經》釋文〉，《帛書〈周易〉論集》，頁359、364、365。

易集解》本[106]及石經本〈豐〉[107]，均與通行本同見「亨」字。是〈彖傳〉引〈萃〉卦辭雖無「亨」字，經文未必即無此字也。

又有據辭例疑〈萃〉卦辭有衍文者，如李衡（1100-1178）《周易義海撮要》引王昭素（894-982）曰：

> 繇辭有「亨」者三十六[108]，唯〈萃〉有二亨，〈彖〉中又无相關之意。陸氏云：諸家本无，惟王肅本有。[109]

李振興先生《王肅之經學》曰：

> 〈萃〉卦一卦用兩「亨」字，於六十四卦中，誠為僅有，而〈彖傳〉之不釋卦中「亨」字者有〈乾〉、〈豐〉、〈兌〉三卦，如以〈萃〉、〈渙〉二卦相較，〈萃〉當衍一「亨」字，而〈彖〉中釋用「利見大人亨」之「亨」，不釋用「萃」下之「亨」，此各家所以為衍之由也。[110]

李威熊先生《馬融之經學》曰：

> (〈萃〉卦辭)「亨」下《釋文》云：「王肅本同。馬、鄭、陸、虞等

---

106 參（唐）李鼎祚：《周易集解》，載《北京圖書館古籍珍本叢刊》，冊1，卷9，頁15a（總頁160上）。

107 參屈萬里：《漢石經周易殘字集證》，卷2，頁11b。

108 案：今傳本《周易》卦辭存「亨」者共三十九卦：(1)〈乾〉、(2)〈坤〉、(3)〈屯〉、(4)〈蒙〉、(5)〈需〉、(6)〈小畜〉、(7)〈履〉、(8)〈泰〉、(9)〈同人〉、(10)〈大有〉、(11)〈謙〉、(12)〈隨〉、(13)〈蠱〉、(14)〈臨〉、(15)〈噬嗑〉、(16)〈賁〉、(17)〈復〉、(18)〈无妄〉、(19)〈大過〉、(20)〈坎〉、(21)〈離〉、(22)〈咸〉、(23)〈恆〉、(24)〈遯〉、(25)〈萃〉、(26)〈升〉、(27)〈困〉、(28)〈革〉、(29)〈鼎〉、(30)〈震〉、(31)〈豐〉、(32)〈旅〉、(33)〈巽〉、(34)〈兑〉、(35)〈渙〉、(36)〈節〉、(37)〈小過〉、(38)〈既濟〉、(39)〈未濟〉。王昭素所言，未知何據。

109 李衡：《周易義海撮要》（上海市：上海古籍出版社景印《文淵閣四庫全書》本，1989年），卷1，頁16b–17a（總頁150）。標點為筆者所加。

110 李振興：《王肅之經學》（臺北市：嘉新水泥公司文化基金會，1980年），頁80。標點與原文略異。

並無此字。」朱熹《周易本義》亦云「亨」字為衍文。〈萃〉卦辭：「王假有廟，利見大人，亨、利貞。」「利見大人」下既言「亨」，「王假有廟」上之「亨」，確屬贅言，當刪。[111]

趙又春先生《我讀〈周易〉》曰：

(〈萃〉卦辭）頭上的「亨」字，多數注家認為是衍文，理由是許多版本中都沒有此字，帛書中也沒有。我認同這意見，還加一條理由：後面既有「亨利貞」的評語，這個「亨」字本來就沒有必要。[112]

秦倞女士〈利用出土資料校讀《周易》經文〉曰：

本卦辭（向榮案：指〈萃〉卦辭）中先後出現了兩個占斷詞「亨」，是不見於其他卦爻辭的反常現象。我們懷疑第一個「亨」字很有可能是衍文。[113]

觀其所論，皆以〈萃〉有二「亨」而疑其有衍文。陳戍國先生云：

「萃」下「王」上「亨」字衍，據《周易》卦辭文例可知。[114]

其所謂「卦辭文例」，蓋即〈萃〉有二「亨」之辭例也。此說固有所據，惟亦不乏疑之者，如黃震（1213-1280）《黃氏日抄》曰：

程、朱皆以「亨」為衍字，蓋以〈彖〉文不及「亨」字，而下文又有「利見大人，亨」也。鄒氏曰：「萃者，聚也；民富物阜，財力有餘之時也。萃則亨矣。」然則依經文於「萃」之下有「亨」字，亦未嘗不

---

111 李威熊：《馬融之經學》（臺北市：國立政治大學中國文學研究所博士學位論文，高明教授指導，1975年6月），頁123。

112 趙又春：《我讀〈周易〉》（長沙市：嶽麓書社，2007年），頁276。

113 秦倞：〈利用出土資料校讀《周易》經文〉（上海市：復旦大學中文系碩士學位論文，陳劍教授指導，2008年5月），頁43。

114 陳戍國：《周易校注》，頁110。

可也。[115]

靳極蒼（1907-2006）《周易卦辭詳解》曰：

> 「亨」，《釋文》：「王肅本同。馬、鄭、陸、虞等並無此字。」……俞越（向榮案：當作樾）《艮宦易說》：「馬、鄭、虞本並無此『亨』字，則原無此字可知，王書（向榮案：「書」疑為「肅」之誤）本誤衍，輔嗣因為作注，非其舊也。」我看全卦辭，全是「亨」，有亦無傷。俞說，似較武斷。〈渙〉卦辭就作「亨王假有廟」。[116]

是黃、靳二氏，均謂〈萃〉有二「亨」，不必視作衍文。又清儒李南暉（1709-1784）釋〈萃〉卦辭曰：

> 有謂卦辭第一個「亨」字為羨文者，以〈彖〉辭未明釋出第一個字故也。不知孔子〈彖〉辭「萃聚也」三字，已釋名卦之義（向榮案：「名卦」當為「卦名」之誤）。「順而說」十字，則釋〈萃〉卦中第一個「亨」字也。是文王卦辭，當日本有一「亨」字，誰見得卦名下元（原）無「亨」字，亦不在某某本中有無也。只因後人於文王所繫四德字樣分不開陰陽，故見多有一字則疑之耳。殊不思卦辭中連用三「利」字，豈亦有一羨文耶？[117]

李氏以卦辭連用三「利」字為例，諷刺後人見二「亨」即疑衍之論；更謂〈彖傳〉「順以說，剛中而應，故聚也」十字，正釋卦名後之「亨」義。然則〈萃〉卦辭本有二「亨」，並無衍文可言。

案：〈萃〉卦辭有二「亨」字，諸家乃疑其中必有衍文。然則卦辭所見

---

115 （南宋）黃震：《黃氏日抄》，載《景印文淵閣四庫全書》，冊707，卷6，頁33a（總頁91下）。標點為筆者所加。

116 靳極蒼：《周易卦辭詳解》（太原市：山西古籍出版社，2002年），頁52。

117 李南暉：《讀易觀象惺惺錄‧上下經問答》（蘭州市：甘肅人民出版社，2005年），第3冊，下經卷23，頁987。標點與原文略異。

二「亨」字，皆可能為衍文。諸家所說，除程石泉（1909-2005）《易辭新詮》疑「利貞」前之「亨」字為衍文外[118]，其餘均以卦名「萃」後之「亨」為衍。考「亨」字重見於同一卦辭者，除〈萃〉卦外，別無他例。惟《周易》四五〇條卦爻辭中，實不乏斷占辭重見於同一筮辭之例，上引李南暉所舉「利」字，即如是。又如「吉」字用例：

1.〈蒙〉九二：包蒙，**吉**。納婦，**吉**。子克家。
2.〈解〉卦辭：利西南。无所往，其來復，**吉**；有攸往，夙，**吉**。
3.〈益〉六二：或益之十朋之龜，弗克違。永貞**吉**。王用享于帝，**吉**。
4.〈巽〉九五：貞**吉**，悔亡，无不利。无初，有終。先庚三日，後庚三日，**吉**。
5.〈未濟〉六五：貞**吉**，无悔。君子之光，有孚，**吉**。

又如「凶」字用例：

1.〈復〉上六：迷復。**凶**，有災眚。用行師，終有大敗，以其國君，**凶**，至于十年，不克征。

又「有孚」用例：

1.〈比〉初六：**有孚**，比之，无咎。**有孚**，盈缶，終來有它。吉。
2.〈益〉九五：**有孚**，惠心。勿問，元吉。**有孚**，惠我德。
3.〈未濟〉上九：**有孚**，于飲酒，无咎。濡其首，**有孚**，失是。

斷占辭「吉」、「凶」、「有孚」等，均有同一卦辭或同一爻辭兩見之例，則〈萃〉卦辭「亨」字兩見，亦非必有衍文也。

考今本《周易》六十四卦，除〈萃〉卦辭外，以「亨」字起首者另有十八見[119]：

---

118 參程石泉：《易辭新詮》（上海市：上海古籍出版社，2000年），頁123。

119「亨」、「元亨」、「小亨」之辭例，參Kunst, Richard Alan, *The Original Yijing: A Test,*

1.〈蒙〉：**亨**。匪我求童蒙，童蒙求我。初筮告，再三瀆，瀆則不告。利貞。

2.〈小畜〉：**亨**。密雲不雨，自我西郊。

3.〈謙〉：**亨**。君子有終。

4.〈噬嗑〉：**亨**。利用獄。

5.〈賁〉：**亨**，小利有攸往。

6.〈復〉：**亨**。出入无疾，朋來无咎。反復其道，七日來復。利有攸往。

7.〈咸〉：**亨**，利貞。取女吉。

8.〈恆〉：**亨**。无咎。利貞。利有攸往。

9.〈遯〉：**亨**，小利貞。

10.〈困〉：**亨**。貞大人吉，无咎。有言不信。

11.〈震〉：**亨**。震來虩虩，笑言啞啞，震驚百里，不喪匕鬯。

12.〈豐〉：**亨**，王假之，勿憂。宜日中。

13.〈兌〉：**亨**，利貞。

14.〈渙〉：**亨**，王假有廟。利涉大川。利貞。

15.〈節〉：**亨**。苦節，不可貞。

16.〈小過〉：**亨**，利貞。可小事，不可大事。飛鳥遺之音。不宜上，宜下。大吉。

17.〈既濟〉：**亨**，小利貞。初吉，終亂。

18.〈未濟〉：**亨**。小狐汔濟，濡其尾。无攸利。

以「元亨」起首者共九見：

1.〈乾〉：**元亨**，利貞。

2.〈坤〉：**元亨**，利牝馬之貞。君子有攸往，先迷，後得，主利。西南

Phonetic Transcription, Translation, and Indexes, with Sample Glosses（unpublished Ph.D. dissertation, University of California, Berkeley, 1985）, pp.508-09.

得朋，東北喪朋。安貞吉。

3.〈屯〉：**元亨**，利貞。勿用有攸往。利建侯。

4.〈大有〉：**元亨**。

5.〈隨〉：**元亨**，利貞。无咎。

6.〈蠱〉：**元亨**。利涉大川，先甲三日，後甲三日。

7.〈臨〉：**元亨**，利貞。至于八月有凶。

8.〈无妄〉：**元亨**，利貞。其匪正有眚。不利有攸往。

9.〈升〉：**元亨**。用見大人，勿恤。南征吉。

以「小亨」起首者二見：

1.〈旅〉：**小亨**。旅貞吉。

2.〈巽〉：**小亨**。利有攸往。利見大人。

案：「元亨」、「小亨」中「元」、「小」二字，均為「亨」之狀語，用以指示「亨」之程度。是「元亨」、「小亨」，均可歸入以「亨」字起首之屬。然則《周易》六十四卦中，卦辭以「亨」起首者，幾過半矣，〈萃〉「亨，王假有廟」，當為卦辭之常例。又《周易》「王假有廟」一語，除見於〈萃〉卦辭外，又見於〈渙〉卦辭；而〈豐〉卦辭「王假之」，意亦與「王假有廟」相近[120]。為便於直觀，謹列三卦卦辭如下：

1.〈萃〉：亨，王假有廟，利見大人。亨，利貞。用大牲，吉。利有攸往。

2.〈渙〉：亨，王假有廟。利涉大川。利貞。

3.〈豐〉：亨，王假之，勿憂。宜日中。

由此可見，卦辭中凡言「王假……」者，前皆繫一「亨」字。「亨，王假……」或為卦辭之特殊辭式，〈萃〉卦辭「王假有廟」前之「亨」字，恐不宜妄刪。

---

120 參周師錫：《易經詳解與應用》，頁295。

六

觀上所論，通行本〈萃〉卦辭「王假有廟」前之「亨」，程頤、朱熹以為衍文，後人多從之。其所據者主要有三：（一）《經典釋文》謂馬融、鄭玄、陸績、虞翻本無此「亨」字，（二）〈彖傳〉於此「亨」字並無闡釋，（三）他卦卦辭不見有二「亨」字者。

考諸文獻所見，竹書本、帛書本〈萃〉卦辭無首「亨」字，而王肅本、王弼本、漢石經、唐石經、岳本、閩本、監本、毛本及《周易集解》所引虞翻本、鄭玄本則有之，是《周易・萃》卦辭有無首「亨」字，均非孤證。又〈彖傳〉於卦辭亦不一定逐字闡釋，其不釋卦辭「亨」字者，有〈乾〉、〈豐〉、〈萃〉、〈兌〉四例；其中〈豐〉卦辭之「亨」，帛書本、《周易集解》及石經本均有「亨」字，與通行本無異。是〈彖傳〉不釋〈萃〉卦辭首「亨」字，不表示經文本無此字。考諸辭例，《周易》「吉」、「凶」、「有孚」等斷占辭，均有於同一卦爻辭二出之例，故〈萃〉卦辭非不可能有二「亨」字。

《周易》六十四卦中，卦辭以「亨」起首者屢見，〈萃〉卦辭作「亨，王假有廟」，並非罕見之例。又《周易》卦辭數言「王假……」，其前端皆繫一「亨」字。〈萃〉卦辭「王假有廟」前之「亨」字，似不宜妄刪。孔穎達、李簡、胡煦等則認為「萃」有「聚集」之義，〈萃〉卦辭正言萃聚而亨之理，故「亨」非衍文，所言可備一說。

綜而論之，〈萃〉卦辭首「亨」字，既有文獻根據，又無背全經辭例，且有助通讀辭義，似不宜輕言刪之。

王弼《易》學「主爻說」中的義理成分

羅燕玲*

一

「主爻說」（或稱「卦主說」）即以一爻為一卦之主。這種解《易》方法萌芽於《易傳》，〈繫辭・下〉「陽卦多陰，陰卦多陽」[1]的說法以及〈彖傳〉的爻位說，皆可視為「主爻說」的先驅[2]。明確提出「主爻」概念的是西漢京房（前77-前37），《京氏易傳・姤》：「定吉凶，只取一爻之象。」[3]京房從占筮角度出發，在六爻中選取一爻以決定一卦的吉凶悔吝，而他確定主爻的方法主要有三種：一、五陽一陰的卦以一陰為主，五陰一陽的卦以一陽為主；二、以中位為主；三、以世爻為主。此外，京房亦綜合數個角度來推算主爻，方法不一而足，間亦涉及卦義，但大多以象占為依歸。王弼（226-249）繼承京房的「主爻說」，沿用京房以「一陰」、「一陽」或中位為主爻的方法，並能兼顧卦義和卦爻辭的詮釋，以主爻統率一卦的整體意義。與京房相比，王弼的「主爻說」明顯地注入了較多義理成分。

---

* 香港中文大學中國語言及文學系。

1 （魏）王弼注，（唐）孔穎達疏，盧光明、李申整理，呂紹綱審訂：《周易正義》，《十三經注疏》編輯委員會整理：《十三經注疏》（北京市：北京大學出版社，2000年），頁356。

2 朱伯崑：「一爻為主說，乃是對〈彖〉的爻位說的發揮。」見《易學哲學史（上冊）》（北京市：北京大學出版社，1988年），頁251。

3 （西漢）京房撰、（東漢）陸績注：《京氏易傳》（上海市：上海古籍出版社《四庫全書》據《文淵閣四庫全書》景印，1987年），頁441。

二

王弼《周易注》明確指稱為「卦主」者共二十七例（詳附表）[4]，除〈頤〉上九及〈明夷〉上六外，各卦皆以「一陰」、「一陽」或中位為卦主，與京房確定主爻的方法相同。王弼並將「主爻說」繫源於〈彖傳〉而與卦義聯繫，其《周易略例‧明彖》：「夫〈彖〉者，何也？統論一卦之體，明其所由之主也。夫眾不能治眾，治眾者，至寡者也。夫動不能制動，制天下之動者，貞夫一者也。……繁而不憂亂，變而不憂惑，約以存博，簡以濟眾，其唯〈彖〉乎？亂而不能惑，變而不能渝，非天下之至賾，其孰能與於此乎？故觀〈彖〉以斯，義可見矣。」[5]王弼以為〈彖傳〉總論一卦，通過主爻辯明一卦的主旨，故觀於〈彖傳〉，便可得一卦之主，既知卦主所在，卦義亦可得而明。〈彖傳〉「約以存博，簡以濟眾」，故京房與王弼以「一陰」或「一陽」為主爻，以至寡治眾的做法，當可繫源於〈彖傳〉；此外，〈彖傳〉強調「居尊」、「處中」之德，這亦與京房以中位為主爻、王弼「雜物撰德，辯是與非，則非其中爻，莫之備矣」[6]的原則相關。王弼更在京房「主爻說」的基礎上，加強說明〈彖傳〉所揭示的卦義。以下將從王弼確定主爻的各種方法中，舉例說明王弼的「主爻說」與卦旨及卦爻辭義理的關係：

4 本文只選取王弼明確稱為「一卦之主」的例子，他如「眾陰之主」（〈蒙〉九二）、「群物之主」（〈中孚〉九五）、「上／下卦之主」〈蹇〉九三、九五）等雖亦稱「主」，卻未可統率一卦，故不包括在本文的統計之內。另外，王弼雖未將〈小畜〉六四稱為「卦主」，惟注文謂「成卦之義，在此爻也」，則〈小畜〉六四亦可視為「主爻」。

5 （魏）王弼著，樓宇烈校釋：《王弼集校釋‧周易略例》（北京市：中華書局，1980年），頁591-592。

6 《王弼集校釋‧周易略例》，頁591。案，此語出〈繫辭（下）〉：「若夫雜物撰德，辯是與非，則非其中爻不備。」《十三經注疏整理本‧周易正義》，頁373。

（一）以「一陰」或「一陽」為主爻

1 〈師〉（䷆）九二

〈師〉（䷆）五陰，獨九二為陽爻，京房與王弼皆以之為主爻。《京氏易傳．師》：「陽在其中矣。處下卦之中，為陰之主，利於行師。《易》云：『師者、眾也。』眾陰而宗於一，一陽得其貞正也……九二貞正，能為眾之主，不潰於眾。」[7]京房雖點出〈師〉卦有「行師」之意，又謂九二貞正而「不潰於眾」，惟其引〈彖傳〉所謂「師者，眾也」，更多是就卦象之眾陰一陽而發，並未將「眾」的意思與〈師〉卦興役動眾的卦義聯繫。他確定九二為主爻，乃根據「少為多所宗」的觀點，認為九二以一陽可統率眾陰，不潰敗於眾。

〈師〉卦卦辭：「貞，丈人吉，无咎。」〈彖傳〉曰：「師，眾也。貞，正也。能以眾正，可以王矣。剛中而應，行險而順，以此毒天下而民從之，吉又何咎矣？」[8]〈彖傳〉訓「師」為「眾」，齊「眾」能用「貞正」，則可以「王」。〈師〉（䷆）卦坎（☵）下坤（☷）上，象行險而有順，出師而得吉。九二以剛處中而有應於六五，〈彖傳〉謂以此使役天下民眾，可以得「吉」而「无咎」。王弼注〈師．九二〉爻辭「在師中，吉，无咎，王三錫命」云：「以剛居中，而應於上，在師而得其中者也。承上之寵，為師之主，任大役重，无功則凶，故吉乃无咎也。行師得吉，莫善懷邦，邦懷眾服，錫莫重焉，故吉乃得成命。」[9]王弼所注，與〈彖傳〉對卦義的詮釋緊密聯繫，他以九二為〈師〉之主，除因九二為此卦獨有的陽爻外，亦因九二有應於五，任大役重而備受王命。〈師〉卦為興役動眾之稱，九二應於六五，如將帥受君王之重任，行師得吉，能招懷萬邦，君王三加賜命，尊之至甚。從王弼所注，可知〈師．九二〉無論在爻位或爻辭義理上均得〈師〉卦之

7　《京氏易傳》，頁449。

8　《十三經注疏整理本．周易正義》，頁59-60。

9　《十三經注疏整理本．周易正義》，頁62。

至，故九二可為〈師〉卦之主，統率〈師〉卦卦義。

2 〈比〉（䷇）九五

九五是〈比〉（䷇）卦唯一的陽爻，京房與王弼皆以之為主爻。《京氏易傳．比》：「九五居尊，萬民服也。比親於物，物亦附焉，原筮於宗，歸之於眾……陰道將復，以陽為主，一陽居尊，群陰宗之。」[10]京房謂〈比〉有親比於物、群物歸附之意，並指出九五居於尊位，萬民皆順服於其下，惟京房確定九五為主爻，仍是根據「一陽居尊，群陰宗之」的原則，未有明確道出主爻與卦義的關係。

王弼確定九五為〈比〉卦主爻時，對卦義的詮釋較京房為多。〈比〉卦辭云：「吉，原筮，元永貞，无咎。不寧方來，後夫凶。」〈彖傳〉：「比，吉也。比，輔也，下順從也。『原筮，元永貞，无咎』，以剛中也。」王弼注：「處比之時，將原筮以求无咎，其唯元永貞乎？夫群黨相比，而不以『元永貞』，則凶邪之道也。若不遇其主，則雖永貞而未足免於咎也。使永貞而无咎者，其唯九五乎？」[11]王弼以為九五能使「比」永貞而无咎，最得〈比〉卦卦義。民相親比之時，如不得「元永貞」，則易涉於朋黨，陷於凶邪。九五以剛居中，有中正之德，是〈比〉之明主，能照察下民，使比者均得久長貞正而无咎。〈彖傳〉又謂：「『不寧方來』，上下應也。」王弼注：「上下无陽以分其民，五獨處尊，莫不歸之，上下應之，既親且安，安則不安者託焉，故不寧方所以來，『上下應』故也。」[12]王弼以為眾陰歸附於九五，如上下皆親比相輔，相安而好，使不寧者亦悉來歸附。由〈彖傳〉及王弼注可知，九五最得卦辭「原筮，元永貞」及「不寧方來」之義，故可為〈比〉之主。

---

10 《京氏易傳》，頁455-456。

11 《十三經注疏整理本．周易正義》，頁64。

12 《十三經注疏整理本．周易正義》，頁65。

3 〈小畜〉（☴☰）六四

《京氏易傳．小畜》：「〈小畜〉之義在於六四，三陽連進於一危也，外〈巽〉體陰，〈畜〉道行也。」[13]〈小畜〉（☴☰）之象三陽連進於一陰，京房謂「〈小畜〉之義在於六四」，有以六四為〈小畜〉主爻之意。此外，〈小畜〉（☴☰）卦乾（☰）下巽（☴）上，外〈巽〉為陰卦，內〈乾〉為陽卦，有陰卦畜止陽卦之象。

〈小畜〉卦辭云：「亨。密雲不雨，自我西郊。」〈彖傳〉曰：「小畜，柔得位而上下應之，曰『小畜』。」王弼注：「謂六四也，成卦之義，在此爻也。體无二陰，以分其應，故上下應之也。既得其位，而上下應之，三不能陵，小畜之義。」[14]王弼亦從卦象入手，確定六四為〈小畜〉的主爻。〈小畜〉六四以陰爻居於陰位，故稱「得位」，而六四是〈小畜〉唯一的陰爻，上下五陽皆與之相應，是〈彖傳〉所謂「上下應之」。王弼言「三不能陵」，意謂六四只能畜止九三，而初九與九二猶可上行，是小有所畜而「不能畜大」[15]，可見六四是成〈小畜〉卦義的一爻。

確定六四為〈小畜〉的主爻後，王弼進一步分析卦辭義理。〈彖傳〉曰：「『密雲不雨』，尚往也；『自我西郊』，施未行也。」王弼注：「〈小畜〉之勢，足作密雲，乃『自我西郊』，未足為雨也。何由知未能為雨？扶能為雨者，陽上薄雲，陰能固之，然後烝而為雨。今不能制初九之『復道』，固九二之『牽復』，九三更以不能復為劣也。下方尚往，施豈得行？故密雲而不能為雨，尚往故也。何以明之？夫陰能固之，然後乃雨乎。上九獨能固九三之路，故九三不可以進而『輿說輻』也。能固其路而安於上，故得『既雨既處』。」[16]陰、陽二氣相薄相交，方可為雨。在〈小畜〉卦中，六四只能畜

---

13 《京氏易傳》，頁456。

14 《十三經注疏整理本．周易正義》，頁68-69。

15 卦辭云：「〈小畜〉：亨。」王弼注：「不能畜大，止健剛志，故行是以亨。」《十三經注疏整理本．周易正義》，頁68。

16 《十三經注疏整理本．周易正義》，頁69-70。

止九三，初九、九二猶可上通，但有密雲，而未足為雨。王弼亦將主爻與爻辭聯繫，六四未能畜止初、二，初九之「復道」，以陽升陰，與四為應，「復自其道，順而无違」[17]；九二之「牽復」，升於九五，「牽以獲復」[18]；九三既為六四所止，又為上九所固，不可以行，故爻辭云「輿說（脫）輻」[19]。由此可知，王弼利用「主爻說」發揮卦爻辭義理，與京房多從象數立說的方法不同。

（二）以中位為主爻

1 〈訟〉（䷅）九二／九五

京房未有說明〈訟〉卦主爻，王弼則以為〈訟〉有九二和九五二主。〈訟〉:「有孚，窒惕，中吉。」〈彖傳〉曰:「訟，上剛下險，險而健，訟。『訟有孚，窒惕中吉』，剛來而得中也。『終凶』，訟不可成也。『利見大人』，尚中正也。『不利涉大川』，入于淵也。」王弼注:「必有善聽之主焉，其在二乎？以剛而來正夫群小，斷不失中，應斯任也。」[20]另外，九五爻辭「訟元吉。」王弼謂:「處得尊位，為訟之主，用其中正以斷枉直，中則不過，正則不邪，剛无所溺，公无所偏，故『訟元吉』。」孔穎達（574-647）疏:「一卦兩主者，凡諸卦之內，如此者多矣。……今此〈訟〉卦二既為主，五又為主，皆有斷獄之德，其五與二爻，其義同然也，故俱以為

---

17 初九爻辭:「復自道，何其咎？吉。」王弼注:「處乾之始，以升巽初，四為己應，不距己者也。以陽升陰，復自其道，順而无咎，何所犯咎，得義之吉。」《十三經注疏整理本·周易正義》，頁71。

18 九二爻辭:「牽復吉。」王弼注:「處乾之中，以升巽五，五非畜極，非固己者也。雖不能若陰之不違，可牽以獲復，是以吉也。」孔穎達疏:「『牽』謂牽連，『復』謂反復。二欲往五，五非止畜之極，不閉固於己，可自牽連反復於上而得吉也。」《十三經注疏整理本·周易正義》，頁71。

19《十三經注疏整理本·周易正義》，頁71。

20《十三經注疏整理本·周易正義》，頁54。

主也。」[21]〈訟〉卦言訴訟不可妄興，必須惕懼以應，如初六「不永所事，小有言，終吉」，言不宜長久為訟；六三「食舊德，貞厲，終吉。或從王事无成」，謂六三居於爭訟之時而處兩剛之間，須貞正危厲，又六三從於上九王事，无敢先成，體柔不爭；六四「不克訟。復即命渝，安貞吉」，主張返回本初不爭之理；上九「或錫之鞶帶，終朝三褫之」，謂以訟受錫，榮不可保[22]。要止息爭訟，則須有「善聽之主」，九二與九五皆以陽爻處於中位，可以正於群小，以中正之德判斷獄訟，故可以為主。九五爻辭云「訟元吉」，正因九五處於尊位而以中正斷獄，不失「枉直」之實，故雖有訟而仍得「元吉」。可見九二與九五善聽獄訟，既與〈訟〉卦「止訟」的卦義配合，又是「止訟」的要訣，故能為〈訟〉卦之主。

2 〈觀〉（䷓）九五

京房並未指出〈觀〉的主爻，王弼則認為九五「居於尊位，為〈觀〉之主」[23]。卦辭曰：「〈觀〉：盥而不薦，有孚顒若。」〈彖傳〉：「大觀在上，順而巽，中正以觀天下，觀。『盥而不薦，有孚顒若』，下觀而化也。觀天神之道，而四時不忒。聖人以神道設教，而天下服矣。」王弼注：「統說觀之為道，不以刑制使物，而以觀感化物者也。神則無形者也。不見天之使四時，『而四時不忒』，不見聖人使百姓，而百姓自服也。」[24]〈觀〉卦主張「以觀感化物」來代替刑罰制度的約束。天以無形的神道化物，不加干預，而四時自然運行，沒有差忒；聖人以神道設教，不假刑、制，而百姓自能觀化服從。

九五爻辭「觀我生，君子无咎」，王弼注：「居於尊位，為觀之主，宣弘大化，光于四表，觀之極者也。上之化下，猶風之靡草，故觀民之俗，以察己道，百姓有罪，在予一人。君子風著，己乃『无咎』。上為觀主，將欲

21 《十三經注疏整理本．周易正義》，頁58。案，孔疏雖云：「一卦兩主者，凡諸卦之內，如此者多矣。」然《周易注》明確在一卦中指出二主者，卻只有〈訟〉卦。

22 《十三經注疏整理本．周易正義》，頁56-59。

23 《十三經注疏整理本．周易正義》，頁117。

24 《十三經注疏整理本．周易正義》，頁114-115。

自觀乃觀民也。」[25]九五居中得正，為一卦之主，沿於〈彖傳〉所謂：「中正以觀天下，觀。」王弼以為九五處於君主之位，又有中正之德，能善教化，使四海皆披著君子之風。此外，九五更能「觀民之俗，以察己道」：如天下著小人之俗，則反映君王教化不善；若天下有君子之風，則人主亦可以「无咎」。可見九五不但能「以觀感化物」，更能透過「觀我生」以省察己道，實踐〈觀〉之至道，能為一卦之主。

3 〈賁〉（䷕）六五

《京氏易傳》未有指出〈賁〉卦的主爻，王弼則以六五「處得尊位，為飾之主」[26]，然王弼對〈賁〉卦主爻的確定，卻並非據〈彖傳〉而來。卦辭：「〈賁〉：亨。小利有攸往。」〈彖傳〉：「賁『亨』，柔來而文剛，故『亨』。分剛上而文柔，故『小利有攸往』。」[27]「柔來而文剛」、「分剛上而文柔」，謂坤體在上而以上六下居二位、乾體在下而分九二上居六位，因以成〈賁〉（䷕）。柔來文剛，剛上文柔，以文相飾，正是〈賁〉卦卦義。六五爻辭「賁于丘園，束帛戔戔。吝，終吉。」王弼注：「處得尊位，為飾之主，飾之盛者也。施飾於物，其道害也。施飾丘園，盛莫大焉，故賁于束帛，丘園乃落，賁于丘園，帛乃『戔戔』。用莫過儉，泰而能約，故必『吝』焉乃得終吉也。」[28]王弼以六五為主爻，因為六五處於一卦之尊，為「飾之盛者」。孔穎達疏：「丘謂丘墟，園謂園圃。唯草木所生，是質素之處，非華美之所。若能施飾，每事質素，與丘園相似，『盛莫大焉』。」[29]「丘園」是草木所生、質實樸素的地方，施飾其中，則是最盛大的賁飾，能使束帛珍寶皆用得其所，不致浪費。反之，若施飾於束帛，則所飾皆不得其所，未盡「賁飾」之道。王弼以〈賁〉六五為卦主，表達「賁飾」的最大意義。

---

25 《十三經注疏整理本．周易正義》，頁117。

26 《十三經注疏整理本．周易正義》，頁126。

27 《十三經注疏整理本．周易正義》，頁123。

28 《十三經注疏整理本．周易正義》，頁126。

29 《十三經注疏整理本．周易正義》，頁126。

4 〈剝〉（䷖）六五

〈剝〉卦陰長陽消，〈彖傳〉謂：「剝，剝也，柔變剛也。『不利有攸往』，小人長也。順而止之，觀象也。君子尚消息盈虛，天行也。」[30]「柔變剛」、「小人長」、「順而止」，均就卦象而言，在〈剝〉卦中，〈彖傳〉似未有提示一卦「所由之主」。《京氏易傳・剝》：「成剝之義，出於上九。」[31]〈剝〉（䷖）五陰一陽，京房根據「少為多所宗」的原則，確定上九為卦主。王弼不受〈剝〉（䷖）卦卦象所限，改從義理入手而以六五為主爻[32]。六五爻辭「貫魚，以宮人寵，无不利」，王弼注：「處剝之時，居得尊位，為『剝』之主者也。『剝』之為害，小人得寵，以消君子者也。若能施寵小人，於宮人而已，不害於正，則所寵雖眾，終无尤也。『貫魚』謂此眾陰也，駢頭相次，似『貫魚』也。」[33]王弼未有解釋「宮人」之意，《周易集解》引何妥（生卒年不詳）謂：「『宮人』者，后夫人嬪妾，各有次序，不相瀆亂。」[34]可知「宮人」蓋指〈剝〉卦群陰，喻為后妃。小人道長、君子道消，是〈剝〉之所以為害。若六五能善待眾陰，如寵幸宮人，眾陰則能得安而不再為害。六五是應對〈剝〉的方法，從正面統率卦義，故王弼以之為卦主。

〈象傳〉曰：「山附於地，剝。上以厚下安宅。」王弼注：「『厚下』者，牀不見剝也。『安宅』者，物不失處也。『厚下安宅』，治『剝』之道也。」[35]

---

30 《十三經注疏整理本・周易正義》，頁127。

31 《京氏易傳》，頁443。

32 林麗真：「〈夬〉（䷪）、〈剝〉（䷖）、〈姤〉（䷫）、〈復〉（䷗）四卦，因其唯一之陰爻或陽爻皆在初位或上位，故王弼並未以之為卦主⋯⋯」林麗真：《王弼》（臺北市：東大圖書公司，1988年），頁96。案：「初、上無位」之說，見王弼《周易略例・辯位》：「〈象〉无初上得位失位之文。⋯⋯歷觀眾卦，盡亦如之，初上无陰陽定位，亦以明矣。」（《王弼集校釋》，頁613）惟王弼亦以〈頤〉上九、〈明夷〉上六為主爻，可見「初、上無位」並非王弼改以六五為主爻的原因。

33 《十三經注疏整理本・周易正義》，頁130。

34 （清）李道平撰，潘雨平點校：《周易集解纂疏》（北京市：中華書局，1994年），頁258。

35 《十三經注疏整理本・周易正義》，頁128。

王弼以豐厚於下、安物之居為「治剝之道」，似與六五爻辭「以宮人寵」相關。〈剝〉（䷖）坤（☷）下艮（☶）上，〈彖傳〉以「順而止」釋之。六五以懷柔方法止息小人之害，亦與「順而止」的意義相當。由此可見，王弼以六五為〈剝〉卦之主，跟〈彖〉、〈象〉二傳對〈剝〉卦的詮釋有密切關係。

5 〈遯〉（䷠）六二

京房未指明〈遯〉卦主爻，王弼則將六二定為卦主。〈遯〉：「亨，小利貞。」〈彖傳〉：「剛當位而應，與時行也。」王弼注：「謂五也。『剛當位而應』，非否亢也。遯不否亢，能『與時行也』。」[36]〈彖傳〉認為〈遯〉能致亨，乃因九五以陽爻得位，又能和六二相應，動得其時，得〈遯〉之時義。然而，王弼並未以九五為〈遯〉卦主爻。六二爻辭「執之用黃牛之革，莫之勝說」，王弼注：「居內處中，為遯之主，物皆遯已，何以固之？若能執乎理中厚順之道以固之也，則莫之勝解。」[37]王弼以為六二居內處中，為「非遯之人」，故作可為〈遯〉者之主，以中和厚順之道固留遯逃的人[38]。黃是得中之色，牛性順從而皮體堅厚，爻辭「黃牛之革」比喻中和厚順之道。〈象傳〉：「執用黃牛，固志也。」[39]正謂六二能堅固遯者的心志，使之不會脫已而去。綜觀〈遯〉卦爻辭，除六二外，皆具遯逃之意：初六「遯尾」，指在最後逃遯的人；九三「繫遯」處於遯世而意有所繫；九四「好遯」，逃遯而超然不顧；九五「嘉遯」是遯之嘉美者；上九「肥遯」更是遯之而無所顧慮[40]。六二獨言治「遯」之道，故成為〈遯〉卦之主。

---

36 《十三經注疏整理本．周易正義》，頁171。

37 《十三經注疏整理本．周易正義》，頁172。

38 孔穎達疏：「『執之用黃牛之革莫之勝說』者，逃遯之世，避內出外，二既處中居內，即非遯之人也。既非遯之人，便為所遯之主，物皆棄己而遯，何以執固留之？惟有中和厚順之道可以固而安之也。」（《十三經注疏整理本．周易正義》，頁172）

39 《十三經注疏整理本．周易正義》，頁172。

40 《十三經注疏整理本．周易正義》，頁172-173。

（三）其他

1 〈頤〉（䷚）上九

《京氏易傳》未有分析〈頤〉卦主爻，王弼則以上九為「養之主」。〈頤〉卦辭「貞吉。觀頤，自求口實。」〈彖傳〉曰：「頤『貞吉』，養正則吉也。『觀頤』，觀其所養也。『自求口實』，觀其自養也。天地養萬物，聖人養賢以及萬民，頤之時義大矣哉！」[41]「頤」是頤養之意，天地養萬物，聖人自養其身，又養賢治眾，使上下皆安，所養得正，便能「貞吉」。可見〈頤〉卦之義，在使萬物各得其養。

上九：「由頤，厲吉，利涉大川。」王弼注：「以陽處上而履四陰，陰不能獨為主，必宗於陽也。故莫不由之以得其養，故曰『由頤』。為眾陰之主，不可瀆也，故厲乃吉。有似家人『悔厲』之義，貴而无位，是以厲也。高而有民，是以吉也。為養之主，物莫之違，故『利涉大川』也。」[42]〈頤〉初九以陽爻處於一卦之下，「不能令物由己養」，更躁求所養，損德而「凶」[43]，故初、上同是陽爻而上九獨為眾陰所宗。〈頤〉卦之義，在於使萬物各得其養，王弼從上九爻辭「由頤」而確定上九為「養之主」，認為萬物皆可由上九而得其所養，與卦、爻辭義理相配。

2 〈明夷〉（䷣）上六

〈明夷〉卦主，《京氏易傳》從缺，王弼則以上六為主爻。〈明夷〉：「利

---

41 《十三經注疏整理本．周易正義》，頁143-144。

42 《十三經注疏整理本．周易正義》，頁147。

43 初九：「舍爾靈龜，觀我朵頤，凶。」王弼注：「『朵頤』者，嚼也。以陽處下而為動始，不能令物由己養，動而求養者也。夫安身莫若不競，修己莫若自保。守道則福至，求祿則辱來。居養賢之世，不能貞其所履以全其德，而舍其靈龜之明兆，羨我朵頤而躁求，離其致養之至道，闚我寵祿而競進，凶莫甚焉。」《十三經注疏整理本．周易正義》，頁144-145。

艱貞。」〈彖傳〉：「明入地中，明夷。……『利艱貞』，晦其明也。」[44]夷者，傷也。〈明夷〉（䷣）離（☲）下坤（☷）上，象明入於地而晦闇生。初九爻辭：「明夷于飛，垂其翼。……」王弼注：「明夷之主，在於上六。上六為至闇者也。……」[45]王弼以為上六「至闇」，可為〈明夷〉之主。上六爻辭：「不明晦，初登于天，後入于地。」王弼謂：「處明夷之極，是至晦者也。本其初也，在乎光照，轉至於晦，遂入于地。」[46]上六晦而不明，故王弼以之為「至晦者」，本應照遍各處的光轉至於晦而入於地中，更顯「明夷」之意。王弼以上六為卦主，與〈明夷〉的卦義緊密聯繫。

三

京房從象數入手，以卦象之「一陰」、「一陽」或中位為卦主，成為「主爻說」的先驅。王弼繼承京房確定卦主的方法，並將「卦主說」與卦、爻辭義理緊密聯繫，以主爻統率一卦的整體意義。王弼主張「象者，所以存意，得意而忘象」[47]，認為卦象不過是卦義之所寄，一旦得意，則不必再受卦象束縛，這種思想與王弼的主爻說正密切相關。例如，〈剝〉（䷖）卦五陰一陽，京房以「少為多所宗」的原則，確定上九為卦主，王弼卻不受卦象限制，從六五爻辭「以宮人寵」，能善待眾陰並可為治「剝」之道，而改以六五為主爻。由此可知，王弼在確定主爻時，「意」比「象」佔有更重要的地位，這亦是京房與王弼所取卦主每有不同的原因。

清人李光地（1642-1718）論「卦主」云：「凡所謂卦主者，有成卦之主焉，有主卦之主焉。成卦之主，則卦之所由以成者，無論位之高下、德之善惡，若卦義因之而起，則皆得為卦主也。主卦之主，必皆德之善，而得

44 《十三經注疏整理本．周易正義》，頁181。

45 《十三經注疏整理本．周易正義》，頁182。

46 《十三經注疏整理本．周易正義》，頁185。

47 《王弼集校釋．周易略例》，頁609。

時得位者為之，故取於五位者為多，而它爻亦間取矣。」[48]「成卦之主」取決於卦義之所以成，「主卦之主」則取決於卦德之善。林麗真認為王弼以「一陰」或「一陽」為卦主，屬於「成卦之主」；而以五位或二位為卦主，則屬「主卦之主」[49]。「成卦之主」固然與卦義密切相關，就上文分析所見，取中位的「主卦之主」亦與卦、爻辭義理緊密相連，如〈訟〉一卦二主，九二與九五皆能以中正之德判斷獄訟；〈觀〉之九五居中得正，既能以觀感化物，又能觀民以察己道。王弼亦以他爻為主，如〈頤〉之主上九，萬物由之而得其養、〈明夷〉之主上六為「至晦者」，皆取決於〈頤〉卦「頤養」、〈明夷〉「闇晦」的卦義。

《周易略例．明彖》：「夫〈彖〉者，何也？統論一卦之體，明其所由之主也。」王弼認為〈彖傳〉申明一卦主旨，觀於〈彖傳〉，則能知主爻所在。〈彖傳〉對王弼的「主爻說」具有相當重要的參考作用，在本文所舉例子中，據〈彖傳〉而確定主爻的條目甚多，如〈彖傳〉釋〈師〉（䷆）卦曰：「師，眾也。……剛中而應，行險而順，以此毒天下而民從之，吉又何咎矣？」王弼以九二為〈師〉卦之主，乃因九二以剛處中，並與九五相應，任大役重而備受王命，表現興役行師的善境，深得〈師〉卦之旨；〈小畜〉（䷈）六四以陰爻居於陰位，又與上下陽爻相應，即〈彖傳〉所言：「小畜，柔得位而上下應之，曰『小畜』。」王弼認為〈小畜〉成卦之義在於六四，亦據〈彖傳〉而得。《周易略例．明象》又謂：「是故雜物撰德，辯是與非，則非其中爻，莫之備矣！……夫少者，多之所貴也；寡者，眾之所宗也。一卦五陽而一陰，則一陰為之主矣；五陰而一陽，則一陽為之主矣！」[50]王弼在〈明彖〉具體提出以「中位」或「一陰」、「一陽」為主爻，將確定主爻的方法繫源〈彖傳〉，益見〈彖傳〉與「主爻說」的密切關係。

王弼以主爻統率一卦的整體意義，貫徹了「崇本息末」的思想。「崇本

---

48 （清）李光地：《周易折中》（成都市：巴蜀書社，2006年），頁19。

49 《王弼》，頁96。

50 《王弼集校釋．周易略例》，頁591。

息末」是王弼對《老子》一書義理的概括，《老子指略》:「《老子》之書，其幾乎可一言而蔽之。噫！崇本息末而已矣。觀其所由，尋其所歸，言不遠宗，事不失主。」[51] 王弼尋求事物的宗主，主張舉本以證末、守本以盡末。《周易略例．明象》:「故六爻相錯，可舉一以明也：剛柔相乘，可立主以定也。……故自統而尋之，物雖眾，則知可以執一御也；由本以觀之，義雖博，則知可以一名舉也。」[52] 王弼主張「由本以觀之」，舉一爻以統御六爻的意義，實際地應用「崇本息末」的思想，是王弼援《老子》義理入《易》的側面反映。

王弼繼承京房的主爻說而加入更多義理方面的分析，豐富了主爻說的內容。然而，和京房一樣，王弼並未將主爻說應用到每一卦之中，更未有建立確定卦主的通則。從《易》學發展的角度看，京房和王弼所提出的只是主爻說的雛形，後來歷經朱熹（1130-1200）、吳澄（1249-1333）和李光地等人的補充，主爻說才漸漸得以完備。

51 《王弼集校釋．老子指略》，頁 198。
52 《王弼集校釋．周易略例》，頁 591。

附錄：王弼確定主爻的方法

如王弼說明主爻所在的文字並不在主爻爻辭注中，則附上主爻爻辭及注文以為參考。

一　以「一陰」或「一陽」為主爻

卦名	主爻	經文	王弼注文
師（䷆）	九二	九二：在師中，吉，无咎，王三錫命。	以剛居中，而應於上，在師而得其中者也。**承上之寵，為師之主**，任大役重，无功則凶，故吉乃无咎也。行師得吉，莫善懷邦，邦懷眾服，錫莫重焉，故乃得成命。
比（䷇）	九五	九五：顯比。王用三驅，失前禽。邑人不誡，吉。	**為比之主而有應在二，「顯比」者也**。比而顯之，則所親者狹矣。夫无私於物，唯賢是與，則去之與來，皆无失也。夫三驅之禮，禽逆來趣己則舍之，背己而走則射之，愛於來而惡於去也，故其所施，常「失前禽」也。以「顯比」而居王位，用三驅之道者也，故曰「王用三驅，失前禽」也。用其中正，征討有常，伐不加邑，動必討叛，邑人无虞，故「不誡」也，雖不得乎大人之吉，是「顯比」之吉也。此可以為上之使，非為上道也。
小畜（䷈）	六四	〈彖〉曰：小畜，柔得位而上下應之，曰「小畜」。	**謂六四也，成卦之義，在此爻也**。體无二陰，以分其應故上下應之也。既得其位，而上下應之，三不能陵，小畜之義。

		六四：有孚，血去惕出，无咎。	夫言「血」者，陽犯陰也。四乘於三，近不相得，三務於進，而己隔之，將懼侵克者也。上亦惡三而能制焉，志與上合，共同斯誠，三雖逼己，而不能犯，故得血去懼除，保无咎也。
履（☰）	六三	〈彖〉曰：履，柔履剛也。說而應乎乾，是以「履虎尾，不咥人亨」。	凡「彖」者，言乎一卦之所以為主也，成卦之體在六三也。「履虎尾」者，言其危也。**三為履主，以柔履剛，履危者也**。「履虎尾」，而「不見咥」者，以其說而應乎乾也。乾，剛正之德者也。不以說行夫佞邪，而以說應乎乾，宜其「履虎尾」，不見咥而亨。
		六三：眇能視，跛能履。履虎尾，咥人凶。武人為于大君。	居「履」之時，以陽處陽，猶曰不謙，而況以陰居陽，以柔乘剛者乎？故以此為明眇目者也，以此為行跛足者也，以此履危見咥者也。志在剛健，不修所履，欲以陵武於人，「為于大君」，行未能免於凶，而志存于五，頑之甚也。
同人（☰）	六二	〈彖〉曰：同人，柔得位得中而應乎乾，曰「同人」。	**二為同人之主**。
		六二：同人于宗，吝。	應在乎五，唯同於主，過主則否。用心褊狹，鄙吝之道。
大有（☲）	六五	六五：厥孚交如，威如，吉。	君尊以柔，處大以中，无私於物，上下應之，信以發志，故其孚交如也。夫不私於物，物亦公焉。不疑於物，物亦誠焉。既公且信，何難何備？不言而教行，何為而不威如？**為「大有」之主，而不以此道，吉可得乎？**

豫（䷏）	九四	九四：由豫，大有得。勿疑，朋盍簪。	處豫之時，居動之始，獨體陽爻，眾□陰所從，莫不由之以得其豫，故曰「由豫，大有得」也。夫不信於物，物亦疑焉，故勿疑則朋合疾也。盍，合也。簪，疾也。
		六五：貞疾，恒不死。	**四以剛動為豫之主**，專權執制，非己所乘，故不敢與四爭權，而又居中處尊，未可得亡，是以必常至于「貞疾，恒不死」而已。

二　以中位為主爻

卦名	主爻	經文	王弼注文
訟（䷅）	九二	〈彖〉曰：訟，上剛下險，險而健，訟。「訟有孚，窒惕中吉」，剛來而得中也。「終凶」，訟不可成也。「利見大人」，尚中正也。「不利涉大川」，入于淵也。	凡不和而訟，无施而可，涉難特甚焉。唯有信而見塞懼者，乃可以得吉也。猶復不可終，中乃吉也。不閉其源使訟不至，雖每不枉而訟至終竟，此亦凶矣。故雖復有信，而見塞懼，猶不可以為終也。故曰「訟有孚，窒惕，中吉，終凶」也。无善聽者，雖有其實，何由得明？而令有信塞懼者，得其「中吉」，**必有善聽之主焉，其在二乎**？以剛而來正夫群小，斷不失中，應斯任也。
		九二：不克訟，歸而逋其邑。人三百戶，无眚。	以剛處訟，不能下物，自下訟上，宜其不克。若能以懼歸竄其邑，乃可以免災。邑過三百，非為竄也。竄而據強，災未免也。
	九五	九五：訟元吉。	**處得尊位，為訟之主**，用其中正以斷枉直，中則不過，正則不邪，剛无所溺，公无所偏，故「訟元吉」。

觀（䷓）	九五	九五：觀我生，君子无咎。	**居於尊位，為觀之主**，宣弘大化，光于四表，觀之極者也。上之化下，猶風之靡草，故觀民之俗，以察已道，百姓有罪，在予一人。君子風著，已乃「无咎」。上為觀主，將欲自觀乃觀民也。
噬嗑（䷔）	六五	〈彖〉曰：……柔得中而上行，雖不當位，「利用獄」也。	**謂五也。能為齧合而通，必有其主，五則是也**。「上行」謂所之在進也。凡言「上行」，皆所之在貴也。雖不當位，不害用獄也。
		六五：噬乾肉，得黃金，貞厲无咎。	乾肉，堅也。黃，中也。金，剛也。以陰處陽，以柔乘剛，以噬於物，物亦不服，故曰：「噬乾肉」也。然處得尊位，以柔乘剛而居於中，能行其戮者也。履不正而能行其戮，剛勝者也。噬雖不服，得中而勝，故曰「噬乾肉得黃金」也。已雖不正，而刑戮得當，故雖「貞厲」而「无咎」也。
賁（䷕）	六五	六五：賁于丘園，束帛戔戔。吝，終吉。	**處得尊位，為飾之主**，飾之盛者也。施飾於物，其道害也。施飾丘園，盛莫大焉，故賁于束帛，丘園乃落，賁于丘園，帛乃「戔戔」。用莫過儉，泰而能約，故必「吝」焉乃得終吉也。
剝（䷖）	六五	六五：貫魚，以宮人寵，无不利。	**處剝之時，居得尊位，為「剝」之主者也**。「剝」之為害，小人得寵，以消君子者也。若能施寵小人，於宮人而已，不害於正，則所寵雖□眾，終无尤也。「貫魚」謂此眾□陰也，駢頭相次，似「貫魚」也。
无妄（䷘）	九五	九五：无妄之疾，勿藥有喜。	**居得尊位，為无妄之主者也**。下皆「无妄」，害非所致而取藥焉，疾之甚也。非妄之災，勿治自復，非妄而藥之則凶，故曰「勿藥有喜」。

大畜（䷙）	六五	六五：豶豕之牙，吉。	豕牙橫猾，剛暴難制之物，謂二也。**五處得尊位，為畜之主**。二剛而進，能豶其牙，柔能制健，禁暴抑盛，豈唯能固其位，乃將「有慶」也！
習坎（䷜）	九五	九五：坎不盈，祗既平，无咎。	**為坎之主而无應輔可以自佐，未能盈坎者也**。坎之不盈，則險不盡矣。祗，辭也。為坎之主，盡平乃无咎，故曰「祗既平无咎」也。說既平乃无咎，明九五未免於咎也。
離（䷝）	六二	離：利貞，亨。畜牝牛，吉。	離之為卦，以柔為正，故必貞而後乃亨，故曰「利貞亨」也。柔處于內而履正中，牝之善也。外強而內順，牛之善也。**離之為體，以柔順為主者也，故不可以畜剛猛之物，而「吉」於「畜牝牛」也**。
		六二：黃離，元吉。	居中得位，以柔處柔，履文明之盛而得其中，故曰「黃離元吉」也。
恒（䷟）	六五	六五：恆其德，貞。婦人吉，夫子凶。	**居得尊位，為恆之主**，不能「制義」，而係應在二，用心專貞，從唱而已。婦人之吉，夫子之凶也。
遯（䷠）	六二	六二：執之用黃牛之革，莫之勝說。	**居內處中，為遯之主**，物皆遯己，何以固之？若能執乎理中厚順之道以固之也，則莫之勝解。
睽（䷥）	六五	九二：遇主于巷，无咎。	處睽失位，將无所安。**然五亦失位，俱求其黨，出門同趣，不期而遇，故曰「遇主于巷」也**。處睽得援，雖失其位，未失道也。
		六五：悔亡。厥宗噬膚，往，何咎？	非位，悔也，有應故悔亡。「厥宗」謂二也。「噬膚」者，齧柔也。三雖比二，二之所噬，非妨己應者也。以斯而往，何咎之有？往必合也。

益（䷩）	九五	九五：有孚惠心，勿問元吉。有孚，惠我德。	**得位履尊，為益之主者也**。為益之大，莫大於信。為惠之大，莫大於心。因民所利而利之焉，惠而不費，惠心者也。信以惠心，盡物之願，固不待問而「元吉有孚惠我德」也。以誠惠物，物亦應之，故曰「有孚惠我德」也。
夬（䷪）	九五	九四：臀无膚，其行次且。牽羊悔亡，聞言不信。	不剛而進，非已所據，必見侵傷，失其所安，故「臀无膚，其行次且」也。羊者，抵狠難移之物，謂五也。**五為夬主，非下所侵**。若牽於五，則可得「悔亡」而已。剛亢不能納言，自任所處，聞言不信，以斯而行，凶可知矣。
		九五：莧陸夬夬，中行无咎。	莧陸，草之柔脆者也。決之至易，故曰「夬夬」也。夬之為義，以剛決柔，以君子除小人者也。而五處尊位，最比小人，躬自決者也。以至尊而敵至賤，雖其克勝，未足多也。處中而行，足以免咎而已，未足光也。
萃（䷬）	九五	〈彖〉曰：萃，聚也。順以說，剛中而應，故「聚」也。	但「順而說」，則邪佞之道也。剛而違於中應，則強亢之德也。何由得聚？**順說而以剛為主，主剛而履中**，履中以應，故得聚也。
		九五：萃有位，无咎，匪孚。元永貞，悔亡。	處聚之時，最得盛位，故曰「萃有位」也。四專而據，已德不行，自守而已，故曰「无咎匪孚」。夫脩仁守正，久必悔消，故曰「元永貞，悔亡」。
渙（䷺）	九五	九五：渙汗其大號。渙，王居无咎。	處尊履正，居巽之中，散汗大號，以盪險阨者也。**為渙之主，唯王居之，乃得无咎**。
節（䷻）	九五	九五：甘節，吉。往有尚。	**當位居中，為節之主不失其中**，不傷財，不害民之謂也。為節之不苦，非甘而何？術斯以往，往有尚也。

未濟（䷿）	六五	六五：貞吉，无悔。君子之光，有孚，吉。	**以柔居尊，處文明之盛，為未濟之主，**故必正然後乃吉，吉乃得无悔也。夫以柔順文明之質，居於尊位，付與於能，而不自役，使武以文，御剛以柔，斯誠君子之光也。付物以能，而不疑也，物則竭力，功斯克矣，故曰：「有孚，吉。」

三　其他

卦名	主爻	經文	王弼注文
頤（䷚）	上九	上九：由頤，厲吉，利涉大川。	以陽處上而履四陰，陰不能獨為主，必宗於陽也。故莫不由之以得其養，故曰「由頤」。為眾口陰之主，不可瀆也，故厲乃吉。有似家人「悔厲」之義，貴而无位，是以厲也。高而有民，是以吉也。**為養之主，物莫之違**，故「利涉大川」也。
明夷（䷣）	上六	初九：明夷于飛，垂其翼。君子于行，三日不食。有攸往，主人有言。	**明夷之主，在於上六**。上六為至闇者也。初處卦之始，最遠於難也。遠難過甚，「明夷」遠遯，絕跡匿形，不由軌路，故曰「明夷于飛」。懷懼而行，行不敢顯，故曰「垂其翼」也。尚義而行，故曰「君子于行」也。志急於行，飢不遑食，故曰「三日不食」也。殊類過甚，以斯適人，人心疑之，故曰「有攸往，主人有言」。
		上六：不明晦，初登于天，後入于地。	處明夷之極，是至晦者也。本其初也，在乎光照，轉至於晦，遂入于地。

傳本今文《書》經文獻價值的語言學證明

錢宗武[*]

《尚書》在群經中不僅地位尊崇，而且具有複雜的流傳歷史。《尚書》不僅有今文古文之爭，又有真偽之辨；不僅有官方勒石，又有私家傳抄；不僅有多家並行之世，又有傳播中斷之時，失而復得，得而復失，東晉元帝司馬睿執政時突然出現的《孔傳古文尚書》，歷經自宋代著名儒師以迄乾嘉學人的疑偽和考辨，又斷定是偽作，作偽者是誰，至今仍然是一個不解之謎。

《孔傳古文尚書》是今古文《尚書》唯一的傳世版本，偽作的定讞與經學的威嚴，構成強烈的比對。治《書》讀經者不禁設疑：古賢的思想是歷史的本真還是後人的杜撰，經學本體是學術體系還是政治工具，經學研究的普世價值是經書文本自身的價值體現，還是經生儒師說經的詮釋價值等等。這些都是《書》學和經學繞不開的問題。

中國不少古代經典都或多或少程度不等地存在傳世文本文獻價值認定的問題。傳統的考辨方法多採取歷史學方法和文獻學方法。歷史學方法和文獻學方法需要豐富和真實的史料，而「豐富」和「真實」正是上古史料最缺失的元素。地下的考古發現是真實的，但對於特定對象很難達到「豐富」；先秦文獻的徵引和歷代傳注是豐富的，但很難斷言「真實」。這樣，經學研究不僅需要歷史學科和文獻學科的介入，也需要語言學科的介入，研究傳世文本本身的語言特點可以成為考辨文獻文本價值的重要方法。

宋人懷疑《孔傳古文尚書》主要自文字難易始。朱熹曰：「孔壁所出

* 揚州大學文學院。

《尚書》，如〈大禹謨〉、〈五子之歌〉、〈胤征〉、〈泰誓〉、〈武成〉、〈冏命〉、〈微子之命〉、〈蔡仲之命〉、〈君牙〉等篇皆平易，伏生所傳皆難讀。如何伏生偏記得難底，至於易底全記不得，此不可曉。」[1]《尚書》傳播過程中的文本變異也主要是文字的形體變異。文本文字的形體變異有主觀原因，也有客觀原因。客觀原因主要是漢字字體變異對文本的整體改寫或摹寫，諸如，改寫古文的隸書今文本，摹寫今文的東漢蝌蚪古文本，摹寫古文的隸古定古文本，改寫隸古定本的楷書古文本。就東漢蝌蚪古文的傳承而言，根據《晉書．衛恆傳》引衛恆的《四體書勢》可知「三體石經」的蝌蚪古文亦異於魏初邯鄲淳傳寫的蝌蚪古文，而邯鄲淳傳寫的蝌蚪古文卻「彷彿」近似於汲冢遺書蝌蚪古文。主觀原因比較複雜。在《尚書》傳寫傳刻過程中，有抄書寫書趨易從簡的俗字簡體，有寫官槧工的誤寫誤刻，有隋、唐、宋、明不通上古音義妄改誤寫，也有《尚書》經典化過程中經師儒生的臆說妄改。清代大儒王引之校經時曾語於人曰：「吾用小學校經，有所改，有所不改。周以降，書體六、七變，寫官主之；寫官誤，則為改。孟蜀以降，槧工主之；槧工誤，則為改。唐、宋、明之士，或不知聲音文字而改經，以不誤為誤，是妄改也，則為改其所改。」[2]文本文字的形體變異主要是異體字，異體字是外延和內涵完全等同的字。文獻中有些字可以有多達數十個異形，但根據異體字演變的規律和構造特點，可以尋跡追溯到本字，知其本義或語境意義。文字的形體變異是顯性的，但文字按照一定的語法規則組合起來的語言結構卻是隱性的。漢字幾次大的字體的變異是顯性的，但語言結構歷時發展演變的結構變異卻是隱性的。

研究證明：運用語言學方法考辨《書》經的傳世文本，人們可以驚奇地發現今文《書》經傳世文本存在許多異於甲文、金文和別的傳世文獻的語言結構和語言特點。這些特點是不容易發現的，需要經過窮盡性地分析《書》

1 （宋）黎靖德輯：《朱子語類》，見朱傑人等主編：《朱子全書》（上海市：上海古籍出版社；合肥市：安徽教育出版社，2002年），頁2625-2626。

2 支偉成：《清代樸學大師列傳》（長沙市：嶽麓書社，1998年），頁165-166。

經的各種語言現象，需要經過分門別類共時和歷時的同類語料比對。這些特點不僅揭示了《書》經時代的語言事實，也揭示了歷代《書》經的傳播原則，自然也從語言本身證實了傳世今文《書》經文本的文獻價值。這一切對於考定中國其他古代經典的文本價值亦或具有認識論價值和方法論價值。

一　「者」、「也」是文獻語言中的高頻虛詞，今文《尚書》竟沒有一個「也」，僅有一個「者」

「者」和「也」是文獻語言中的高頻虛詞，幾乎每一部傳世文獻都有結構助詞「者」和句末語氣助詞「也」。據不完全統計，《周易》，「者」，二八五個；「也」，一〇八四個。《儀禮》，「者」，八六〇個；「也」，三六九個。《老子》，「者」，九十五個；「也」，十一個。《墨子》，「者」，一五六四個；「也」，二〇六八個。《論語》，「者」，二一八個；「也」，五三一個。然而今文《尚書》卻沒有一個「也」，「者」也僅有一個。這是一種非常特殊的語言現象。

（一）僅有的「者」或為後人轉引傳抄訛誤

今文《尚書》僅見的「者」出自〈周書‧洪範〉：「庶徵，曰雨，曰暘，曰燠，曰寒，曰風。曰時五者來備，各以時敘，庶草繁蕪。」〈洪範〉記載周武王滅殷後，向箕子詢問治國方略，箕子根據〈洛書〉闡述了「洪範九疇」。《書序》認為〈洪範〉作於西周初年。管爕初先生曾仔細統計二〇八篇文字較多的金文資料，「在西周金文中尚未出現」結構助詞「者」[3]，當然也就沒有「者」字結構。既然西周金文中沒有「者」，〈洪範〉裏「者」的可靠性也就是個問題。再說整整一部今文《尚書》僅有一個「者」，這個「者」本身也值得懷疑。顧頡剛、顧廷龍《尚書文字合編》彙集海內外各種《尚

---

[3] 管爕初：《西周金文語法研究》（北京市：商務印書館，1981年），頁203。

書》材料未見經文有「者」，剛剛公佈的清華簡〈保訓〉也沒有「者」。傳世今文《尚書》文本中的這個「者」，很有可能是後人在傳抄《尚書》時的誤寫，也有可能是引用《尚書》時有意的改寫[4]。

漢人引書有引今語改古語的傳統。黃季剛先生曾經說過：「漢之于周、秦，猶唐、宋之于漢、魏也。故凡後之引古者多改為今語以便通曉。」司馬遷寫作《史記》時由於古史資料的缺乏，上古史料主要依據《尚書》，徵引幾乎涉及《尚書》傳世本的所有篇目，有的整篇徵引，有的節引章節，有的引用一兩個句群，也有摘引一兩句話的。為了使大量的引用與全書的語體風格一致，《史記》引《書》的原則就是引今語改古語。《史記・宋微子世家》引〈洪範〉作「五者來備」，然而主要生活在劉宋時代的范曄寫作《後漢書》兩引〈洪範〉「五者來備」，〈李雲傳〉引作「五氏來備」，〈荀爽傳〉引作「五韙咸備」。「五者來備」之「者」或作「氏」，或作「韙」。范曄《後漢書》的紀傳主要根據東漢劉珍的《東觀漢記》和西晉華嶠的《後漢書》等，引《書》或有所本。范氏家族是《書》學研究傳統深厚的士族，范曄的曾祖范汪曾作《尚書大事》二十卷，祖父范寧嘗作《古文尚書舜典》一卷。《尚書注》十卷，范曄少時亦熟讀《尚書》，可能見過「永嘉之亂」前的《尚書》傳本。蔡根祥先生的碩士論文《後漢書尚書考辨》考證范曄沒有見過《孔傳古文尚書》，范氏《尚書》學出於鄭康成[5]。或許「永嘉之亂」前的《尚書》傳本是沒有「者」的，也有可能梅賾獻的《孔傳古文尚書》本來也是沒有「者」的。《史記》所引〈洪範〉的「者」可能是司馬遷以今語改古語改的，後人又根據《史記》改了《尚書》經文。這個改動可能在中唐以後。唐高宗太子李賢注《後漢書》，〈李雲傳〉「五氏來備」的注語：「《史記》曰：『庶徵：曰雨，曰暘，曰燠，曰風，曰寒。曰時五者來備，各以時敘，庶草繁

---

4 見錢宗武：〈〈洪範〉「者」字辨——兼談文言「者」的詞性〉，《古漢語研究》，1991年第4期。

5 蔡根祥：《宋代尚書學案・自序》，《古典文獻研究輯刊》三編（新北市：花木蘭文化出版社，2006年），冊11。

蕪。』『是』與『氏』古字通耳。」[6]章懷太子的注語明引《史記》原文卻不提「者」，而強調「『是』與『氏』古字通耳」，這是什麼原因？「是」又是從哪兒來的呢？或有一種可能：《尚書》原文本來就不是「者」，而是「是」。〈荀爽傳〉「五韙咸備」注云：「韙，是也。《史記》曰：『休徵：曰肅，時雨若；曰乂，時暘若；曰哲，時燠若；曰謀，時寒若；曰聖，時風若。』五是來備，各以時敘也。」[7]章懷太子的這一段注語更值得玩味。《史記・宋微子世家》記敘殷箕子向周武王陳述「洪範九疇」，九疇大法幾乎都用直接引語。「休徵：曰肅，時雨若；曰乂，時暘若；曰哲，時燠若；曰謀，時寒若；曰聖，時風若。」這一段話就是直接引語。「五是來備，各以時敘。」這一段話也是直接引語。可見李賢並不認為〈荀爽傳〉的「韙」應作「者」，而應作「是」。有一種可能李賢時見到的《尚書》就是「五是來備」，是「是」而不是「者」。「韙」與「是」形義相近容易訛誤，「是」和「氏」古音同在禪紐齊韻，可以通假。中唐前經文的文本狀態多是鈔本和寫本，形訛和音訛造成不同寫本和鈔本的文字訛誤是常見的事。因而，不同的寫本和鈔本中出現「是」、「氏」、「韙」是正常的。「者」則可能是「者」字結構和「所」字結構成為文獻語言中最常見的結構以後，後人轉引傳抄《尚書》時無意的誤寫或有意的改寫。古文字學的研究已經證明西周的書面語中是沒有「者」和「者」字結構的。「者」字大約產生於東周時期，趙誠先生就認為「產生於周代後期」，「基本上只是起結構作用，主要不是用於指代」[8]。「者」和「者」字結構出現在《左傳》中已有一定頻率，《左傳》全書凡一九六八四五字，「者」字共出現五五二次，平均每一千字二點八個「者」。《史記》時代「者」和「者」字結構的用法已趨於定型，《史記》僅第八冊就有六一二個「者」，平均每千字八點四個「者」[9]。司馬遷引《書》以今語改古語是極有可能的，因而，《尚書》僅有的一個「者」或為後人轉引傳抄訛誤。

---

[6] （宋）范曄撰、（唐）李賢等注：《後漢書》（北京市：中華書局，1965年），頁1853。

[7] 同前註，頁2054。

[8] 見趙誠：〈金文的「者」〉，《中國語文》，2001年第3期，頁267-268。

[9] 何樂士：《〈史記〉語法特點研究》（北京市：商務印書館，2005年），頁10。

今文《尚書》雖然沒有「者」，卻有類似「者」字結構的語言現象。《史記》引《書》，有的司馬遷就直接改寫成「者」字結構。

1. 形容詞、動詞或動詞性詞組置於主語或賓語的位置用如名詞或名詞性詞組，類似「者」字結構。例如：

（1）曰：「明明揚側陋。」（〈虞夏書．堯典〉）

堯曰：悉舉貴戚及疏遠隱匿者。（《史記．五帝本紀》）

「明明揚側陋」是兩個並列的動賓結構，上「明」字與「揚」互文用作動詞謂語，義為「舉薦」；下「明」字與「側陋」皆為形容詞作賓語，用如名詞，義為「明者」和「側陋者」。《尚書易解》：「上明字，動詞。下明字，賢明，指貴戚。揚，舉也。側，伏也，陋，隱也，側陋，指不居要職者。」[10]《史記．五帝本紀》把連動句改成雙賓語句，把兩個並列動賓結構的賓語「明」與「側陋」直接改寫成「者」字結構「貴戚及疏遠隱匿者」。

《史記》引用今文《尚書》還有這樣的語例，主語省略，兩個連寫名詞作判斷句的賓語時，《史記》在今文《尚書》的前一名詞後加一個「者」。〈虞夏書．堯典〉：「瞽子，父頑，母嚚，象傲，克諧。以孝烝烝，乂不格姦。」《史記．五帝本紀》引「瞽子」改寫作「盲者子」。

2.「有」、「無」構成動賓詞組作修飾語兼代中心詞，類似「者」字結構。例如：

（1）舜曰：「咨，四岳！有能奮庸熙帝之載，使宅百揆亮采，惠疇？」（〈虞夏書．堯典〉）

（2）舜謂四岳曰：「有能奮庸美堯之事者，使居官相事。」（《史記．五帝本紀》）

（3）堯崩，帝舜問四岳曰：「有能成美堯之事者，使居官。」（《史記．夏本紀》）

---

10 周秉鈞：《尚書易解》（長沙市：嶽麓書社，1984年），頁11。

奮，奮發。庸，努力。熙，廣大。載，《孔傳》：「事也。」[11]今文《尚書》「有能奮庸熙帝之載」作修飾語兼代中心詞「人」時，《史記》兩引皆用如「有能奮庸熙帝之載者」。〈五帝本紀〉作「有能奮庸美堯之事者」，〈夏本紀〉作「有能成美堯之事者」。

《史記》的〈五帝本紀〉和〈夏本紀〉兩引〈虞夏書．堯典〉的「下民其咨，有能俾乂」句，〈五帝本紀〉作「下民其憂，有能使治者」；〈夏本紀〉作「下民其憂，堯求能治水者」。「能俾乂」皆作「能俾乂者」。「能俾乂」是一個動詞短語，作動詞謂語「有」的賓語；〈五帝本紀〉改寫成被動式兼語結構，〈夏本紀〉改寫成能願動賓結構，皆作「者」的修飾語，皆與「者」構成偏正短語，作「有」的賓語。

今文《尚書》「有」、「無」構成動賓詞組作修飾語兼代中心詞多類後代文獻語言中的「者」字結構。諸如：〈虞夏書．皋陶謨〉：「天討有罪。」「有罪」作修飾語兼代中心詞「人」，用作「有罪者」。〈周書．無逸〉：「亂罰無罪，殺無辜。」「無罪」、「無辜」作修飾語兼代中心詞「人」，用作「無罪者」、「無辜者」。這些用法有些至今沿用不衰，有些已經凝固定型化為動賓式合成詞。《現代漢語詞典》「無」詞條下就有「無辜」、「無賴」等動賓式合成名詞。

3. 否定副詞與形容詞、動詞或者名詞組合成修飾語，兼代中心詞作賓語，類似「者」字結構。

（1）周公乃告二公曰：我之弗辟，我無以告我先王。（〈周書．金縢〉）

（2）周公乃告太公望、召公奭曰：我之所以弗辟而攝行政者，恐天下畔周，無以告我先王太王、王季、文王。（《史記．魯周公世家》）

---

[11] （漢）孔安國傳，（唐）孔穎達正義，黃懷信整理：《尚書正義》（上海市：上海古籍出版社，2007年），頁97。

辟，《尚書正讀》：「辟即攝政也。〈洛誥〉：『朕復子明辟。』即還政成王也。管叔言周公攝政，將不利於孺子；周公言我不攝政，將無以告我先王也。」[12]曾運乾先生認為「我之弗辟，我無以告我先王」是個表示假設關係的複句。「我之弗辟」是假設條件。〈魯周公世家〉引〈金縢〉「弗辟」作「弗辟而攝行政者」。司馬遷把這個複句改寫成因果關係複句。「我之所以弗辟而攝行政者」表示原因，這也是文獻語言中「者」字結構的普遍用法。「恐天下畔周，無以告我先王太王、王季、文王」表示結果。

《史記・五帝本紀》引〈堯典〉「試可乃已」作「試不可用而已」。錢大昕根據古人的語用習慣認為〈堯典〉「可」前本應有否定副詞「不」。錢大昕說：「古人語急，以『不可』為『可』。」「不可」省略「可」易生歧義，〈五帝本紀〉增加否定副詞「不」，意思表達更加精確完整。《史記・夏本紀》引〈堯典〉更直接改寫成「等之未有賢於鯀者」。應該說從「可」到「不可用」到「等之未有賢於鯀者」的「者」字結構語義指向漸趨明確。

今文《尚書》中還有很多否定副詞與形容詞、動詞或者名詞組合成修飾語，兼代中心詞作賓語，類似「者」字結構。例如〈盤庚中〉「乃有不吉不迪，顛越不恭，暫遇奸宄，我乃劓殄滅之」句，「不吉」、「不迪」、「不恭」作修飾語兼代中心詞，用如「不吉者」、「不迪者」、「不恭者」。

《尚書》時代人們對於形容詞、動詞或動詞性詞組用如名詞或名詞性詞組這一現象可能習以為常。然而隨著先秦兩漢長篇巨製的不斷湧現，人們必須細心琢磨才能明白這些詞或詞組的特殊詞彙意義和語法作用。《史記》引《書》大量用「者」作為這些詞或詞組的標識，在《尚書》、《左傳》、《史記》三部典籍中，「者」從無到有，漸次遞增。

12　曾運乾：《尚書正讀》（北京市：中華書局，1964年），頁143。

（二）沒有「也」，也沒有常見的「邪（耶）」、「與（歟）」，句末語氣助詞十分貧乏

漢語表達各種各樣的語氣主要借重各種各樣的句末語氣助詞，因而傳世文獻語言一般都有豐富的句末語氣助詞。馬建忠在《馬氏文通》裏特設「助詞」一類，馬建忠說：「助字者，華文所獨，所以濟夫動字不變之窮。」[13]然而，傳本今文《尚書》卻有不同於其他傳世文獻的特殊語言現象，句末語氣助詞十分貧乏。不僅沒有高頻句末語氣詞「也」，也沒有常表疑問語氣的「邪（耶）」、「與（歟）」，疑問語氣主要運用語氣副詞和疑問代詞來表示。文獻語言中另外兩個常見的句末語氣助詞「矣、乎」使用頻率也極低。「乎」作句末語氣助詞僅〈堯典〉一見。「矣」也僅有〈周書〉的〈牧誓〉一見，〈立政〉六見。

上古文獻是沒有標點符號的。金、甲文沒有「也」字，然其內容簡短，又有固定格式，沒有「也」不妨礙理解。今文《尚書》主於記言，君臣言談政令中沒有「也」，史官秉筆直書也自然不會有「也」。《詩經》開始出現「也」字，《左傳》、《國語》、《國策》以及諸子散文語言表達日漸複雜，沒有明顯的句子標識，要讀懂讀通已絕非易事。「也」的使用頻率不斷增加，其他句末語氣助詞也開始大量出現。「也」的漸趨消亡以至完全退出書面語，發生在系統的新式標點產生以後。這應該不是偶然的現象。「也」產生和消亡的歷史揭示了「也」具有句讀標識功能。

傳世文獻句末語氣詞開始大量出現，有寫書、引書時加的，例如《史記．殷本紀》引〈商書．西伯戡黎〉「我生不有命在天」句為「我生不有命在天乎」。也有抄書時加的，例如今本《老子》第十章「載營魄抱一，能無離乎」等句，每句後皆有「乎」字。清代著名學者俞樾在《古書疑義舉例．反言省「乎」字例》指出：「河上公本，此六句並無『乎』字。蓋無『乎』

---

13 馬建忠：《馬氏文通》（北京市：商務印書館，1983年），頁322。

字者，古本也，有『乎』字者，後人以意加之也。」[14]據宋代岳珂《刊正九經三傳沿革例》記載，宋代刻書才開始用句讀符號。但是，古人作文一般不標用句讀。古書中有許多同義語言材料，往往早一點的典籍不用「也」標識句末，易生歧解；晚一點的引用或譯寫則添加「也」，以明句界，用如句讀。例如《論語．顏淵》：「君子之德風小人之德草。」這是兩個並列的判斷句，意即：君子的品德好比是風，小人的品德好比是草。由於當時《論語》不施句讀，讀者容易誤解「德風」、「德草」連文，是偏正結構。《孟子．滕文公上》引用這兩句話時，「風」和「草」字後各加一個「也」。「君子之德，風也；小人之德，草也。」讀者就不會誤解「德風」、「德草」為偏正結構了。「《尚書》中無『也』字。敦煌寫本《尚書》中經文部分沒有『也』字。但敦煌寫本《尚書》中的傳文中大量使用『也』字，幾乎每卷都較今本《尚書》傳文衍出大量的『也』字，如伯2643衍『也』字一七二處；伯2533衍七十七處。」[15]且這些「也」字幾乎都是作者斷句的標誌：如伯2533中「四海會同，六府孔修」的傳文「四海之內會同京師，……萬國共貫也，……其修治政化和也」。再如，伯3169中「浮于積石，至於龍門、西河」的傳文「……，龍門山在河東之西界也」。「黑水、西河惟雍州」的傳文「……，龍門之河在冀州西也」等等。

句末語氣詞是句子語氣顯著化的標誌，從理論上講，表達各種情態的語氣需要各種形態的語氣助詞，因而句末語氣助詞也應該有多個形體，既有「也」，也有「矣、乎」。然而「也、矣、乎」出現的地域或不相同，出現的時間亦或有先後。例如今文《尚書》無「也」，卻有「乎」和「矣」。「也、矣、乎」起初的功能或許是單純的，都是句讀標識功能，可以混用。早期的典籍，「也」不僅用於判斷句，也用於陳述句、祈使句，甚或疑問句、反問句、選擇問句的句末。「矣」也不僅僅用於陳述句，「乎」也不僅僅用於

14 （清）俞樾等：《古書疑義舉例五種》（北京市：中華書局，1956年），頁73。

15 錢宗武、陳楠：〈敦煌寫本《尚書》異文研究．兼論文獻考訂的語言學方法〉，見《簡帛語言文字研究——第七屆全國古代漢語學術研討會暨簡帛文獻語言研究國際學術研討會論文集》（成都市：巴蜀書社，2006年），頁258。

問句。「也、矣、乎」古音也有聯繫。也，喻紐，模韻。乎，匣紐，模韻。矣，匣紐，咍韻。三者或聲紐相同，或韻部相同，或聲韻相近。後來，或是某詞常用於表示某種語氣的句末，或是名詞本身形音義的內在原因，其語法功能和修辭功能漸趨不同，以致約定俗成。例如，古音學家擬測「乎」在上古是平聲，「也、矣」是上聲。平聲是揚調，利於問句，有可能是「乎」用於問句句末的主要原因。「也」、「矣」上聲是抑調，發聲舒緩，則利於表達判斷和陳述語氣。各自的用法經常化定型化後，一般也就不再互換了。

二　自稱代詞用「予」不用「余」，僅見「台」；自稱代詞格數有特殊用法和語用的情感差異

今文《尚書》的自稱代詞一共有六個：「我、予、朕」和「卬、台、吾」，前者是高頻自稱代詞，後者是低頻自稱代詞。「卬、台、吾」與「我、予、朕」又可分為三組。「我、卬」一組，上古同為疑紐；「卬」是「我」的地方變體。「予、台」一組，上古同為喻紐；「台」是「予」的地方變體。「朕」自為一組。「吾」是後人改竄，古本作「魚」，或即「予」。吾、予、魚上古皆為模部的字。予，喻紐。吾、魚，疑紐。喻、疑喉牙鄰韻，例得相通。今文《尚書》的自稱代詞有許多異於同時代語言材料自稱代詞的特點。

（一）甲文金文自稱代詞用「余」，今文《尚書》卻不用「余」而用「予」

《尚書》和甲文金文差不多處於漢語史的相同發展階段，甲文金文和《尚書》的自稱代詞也基本對應。今文《尚書》的自稱代詞主要是「我、予、朕」。甲文和金文的自稱代詞主要是「我、余、朕」。二者的主要區別是今文《尚書》用「予」，甲文金文用「余」。上古漢語的語言材料有的用「予」，而有的又用「余」。《左傳》主要用「余」。何樂士先生統計《左傳》

有一六七見「余」，「予」僅僅為三見[16]。《楚辭》也主要用「余」。廖序東先生統計〈離騷〉、〈九章〉、〈九歌〉、〈天問〉九十一見「余」，「予」僅十一見[17]。而《論語》「予」二十三見，《孟子》「予」四十見，皆不見「余」。同為先秦作品何為此「余」彼「予」？段玉裁認為：「《禮經》古文用『余』，左丘明述《春秋》亦用『余』。《詩》、《書》則薈萃眾篇而成，多用『予』。《論語》、《孟子》用『予』。」「知春秋時用『予』，而左氏特為好古。」[18]王力先生認為：「這種事實證明了不同的時代或不同的作者有不同的寫法。」[19]向熹先生認為：「《左傳》用『余』不用『予』，也許是史傳體的要求；屈原賦用『余』，也許是楚方言的特點。」[20]

今文《尚書》只用「予」不用「余」，有沒有其他原因呢？可能有。漢語史的研究證明自稱代詞在歷時演變中不斷地同義類聚，又不斷地同義代替。文獻語言中常用的自稱代詞有五個：我、余、予、朕、吾。「朕」金文九十見[21]，今文《尚書》五十八見，《詩經》五見，《論語》二見，《孟子》四見[22]，「春秋以後『朕』在北方語裏已逐漸不用了，而在繼承殷文化的楚方言裏還保留著」[23]。佛經裏或作「乘」。《維摩詰經講經文》：「赴乘情成察乘懷。」蔣禮鴻先生根據浙江義烏方言，認為「乘」乃「朕」之古音假借[24]。

---

16 何樂士：〈《左傳》的人稱代詞〉，中國社會科學院語言研究所古代漢語研究室編：《古漢語研究論文集（二）》（北京市：北京出版社，1982年），頁108-138。

17 廖序東：〈論屈原賦中人稱代詞的用法〉，廖序東：《楚辭語法研究》（北京市：語文出版社，1995年），頁1-18。

18 （清）段玉裁撰，鍾敬華校點：《經韻樓集》（上海市：上海古籍出版社，2008年），頁274。

19 王力：《漢語史稿》（北京市：中華書局，1980年），冊中，頁261。

20 向熹：《簡明漢語史》（下）（北京市：高等教育出版社，1993年），頁50。

21 管燮初：《西周金文語法研究》（北京市：商務印書館，1981年），頁174。

22 周生亞：〈論上古漢語人稱代詞繁複的原因〉，《中國語文》，1980年第2期，頁132、135。

23 向熹：《簡明漢語史》（北京市：高等教育出版社，1993年），頁51。

24 蔣禮鴻：《敦煌變文字義通釋》第四次增訂本（上海市：上海古籍出版社，1988年），頁3。

「余」在今文《尚書》中已開始為「予」所替代，《論語》、《孟子》、《荀子》中已沒有「余」了。「春秋戰國時期產生了『吾』字，『余』、『予』字的活動量大為削弱」[25]。甲文、金文和《詩經》都沒有「吾」，今文《尚書》僅一見，「予」有一四六見。《論語》「予」僅二十一見，「吾」有一一三見。《孟子》「予」僅四十五見，「吾」有一二二見。（統計數字根據楊伯峻《論語譯注》和《孟子譯注》）「自東漢始，『予』、『吾』在活的口語裏又漸漸失勢。」在自稱代詞中「我」的自由度和選擇度最大。漢語同義詞的演變規律都是向自由度和選擇度最大的詞傾斜的。「我」起源最早，生命力最強，在現代漢語詞彙系統中，至今仍然是一個高頻自稱代詞。

宋代洪适著《隸釋》和《隸續》。《隸釋》卷十四載漢石經殘字，《商書．盤庚》：「今予其敷腹腎腸。」「予」作「我」。《隸續》載魏三體石經〈周書．大誥〉「予惟小子」句，「予」作「余」。可知漢魏以前的古本《尚書》「予」或作「我」，或作「余」。有可能西晉「永嘉之亂」後，梅賾獻的本子「余」皆必改定為「予」。無論是「不同的時代或不同的作者有不同的寫法」，還是不同文體有不同的要求，抑或不同方言有不同的特點，某一個詞的特殊用法都為我們考察傳世文本的文獻價值提供了一個新的視角。

（二）自稱代詞「卬」僅見於《詩》、《書》，而「台」僅見於今文《尚書》

卬，《爾雅．釋詁》：「我也。」馬瑞辰《毛詩傳箋通釋》：「卬者，姎之假借。」《說文．女部》：「姎，女人自稱我也。」甲文和金文皆未見「卬」。今文《尚書》「卬」僅見於〈周書．大誥〉，也僅僅出現二次。《詩經》雖〈風〉、〈雅〉皆見「卬」，但數量很少，僅有五見。〈邶風．匏有苦葉〉三見，〈小雅．白華〉一見，〈大雅．生民〉一見。「卬」或為岐周方言詞。

25　賈則夫：〈對「朕」、「余」（予）、「吾」、「我」的初步研究（上）〉，《陝西師範大學學報（哲學社會科學版）》，1981年第1期，頁101-108。

台，僅見於今文《尚書》的〈商書．湯誓〉「非台小子敢行稱亂」句。《爾雅．釋詁》：「台，我也。」王夫之《說文廣義》：「台，和悅也。古以為自稱之詞，夏商間方言。」今文《尚書》是記言體政史資料彙編，口語中有「卬、台」，今文《尚書》自然也就出現「卬、台」。這也可以說明為什麼先秦典籍中「台」僅見於今文《尚書》，「卬」僅見於今文《尚書》和《詩經》。

（三）自稱代詞格數有互補關係，單複數不同形，也不用增減詞綴的方法來表示，而是用不同形態的同義詞來表達

上古自稱代詞有無格的區別，尚無定論。史存直先生認為沒有格的區別[26]。基本符合今文《尚書》的語言實際。文言語法著作和各種古漢語教材基本都認為，文獻語言人稱代詞的特點之一是單複同形。這不符合語言實際。王力先生在《漢語史稿．語法的發展》中曾引述過一個假說：「有人設想，『我』字在殷代表示複數，『余』字表示單數；到了西周，主賓格第一人稱的『余』、『我』有混同的趨向，但『余』仍表示單數，而『我』兼表單複數。這種假設是有考慮的價值的。」[27]「予、我」在今文《尚書》中的運用可說明上述假說。今文《尚書》「予」用於主格幾乎皆表單數。「我」一九六見，一二二見用複數，有些則直接替代集體名詞。例如〈商書．微子〉的「我舊云刻子，王子弗出，我乃顛隮」句，「我乃顛隮」之「我」，《白話尚書》注為「指殷商」[28]。甲骨文中「我」與方國對舉，也常直接替代集體名詞。例如：武丁時期卜辭有：「丙子卜，韋貞：我受年，二告。丙子卜，韋貞：我不受其年。」[29]今文《尚書》「我」以複數為主兼表單數，反映了殷周「我」表示複數向單複數兼表發展的歷史演變。另外，「朕」在今文《尚書》中可

26 史存直：《漢語語法史綱要》（上海市：華東師範大學出版社，1986年），頁101-104。

27 王力：《漢語史稿》（北京市：中華書局，1980年），冊中，頁267。

28 周秉鈞：《白話尚書》（長沙市：嶽麓書社，1990年），頁89。

29 孟世凱：《甲骨學辭典》（上海市：上海人民出版社，2009年），頁297。

以說是全部表示單數。「台、卬」表單數，「吾」也表示單數。周法高先生也認為「吾」在古代典籍中「單數為常，複數為變」[30]。今文《尚書》自稱代詞單複數的表現形式，不是添加詞綴，而是用不同形態的同義詞來表達的。

（四）「我、予、朕」語用表達有情感差異

在今文《尚書》中，「我」多用於表自謙，「予」大致表自尊，「予」可以用於「予告汝訓汝」（〈盤庚上〉）這樣的語境，但「我」絕無此類用例。「朕」則多表現莊重語氣。以〈周書・多士〉為例。「我」，十五見。「予」，十三見。「朕」，三見。「我」的用例多表謙恭。諸如：「非我小國敢弋周命。」「我其敢求位？」「予」的用例多有使令義。諸如：「予惟時其遷居西爾。」「予惟時命有申。」「朕」的用例則多凝重莊敬。諸如：「昔朕來自奄。」「今朕作大邑于茲洛。」

語源分析和文獻中的習慣用法亦可佐證今文《尚書》自稱代詞的不同修辭色彩。我，從手，戈聲。「手」是古「垂」字。郝懿行說：「古人謙卑，凡自稱我必下垂其身，故曰『施身自謂』也。」[31]可知，「我」本來就是一個表自謙的自稱代詞。先秦文獻中「我」與表尊稱的「予」對舉時，自謙之意尤明。以《莊子》為例，〈天道〉：「子，天之合也，我，人之合也。」〈天運〉：「予年運而往矣，子將何以戒我乎？」「子」、「我」對舉，「子」表尊稱，「我」表謙稱。「朕」則是修辭色彩最為濃厚的文言自稱代詞，表現在兩方面。一方面自秦始一直是最高統治者的專用自稱，另一方面逸擇「朕」作為最高統治者自稱的標準主要是修辭標準。當時，王綰、李斯這一班大臣以為「朕」在典籍中多表現凝重莊敬的語氣，故建議秦始皇「自稱曰『朕』」[32]。

---

30 周法高：《中國古代語法・稱代篇》（北京市：中華書局，1990年），頁75。

31 （清）郝懿行：《爾雅義疏》（北京市：中國書店，1982年），〈釋詁上〉，頁49-50。

32 （西漢）司馬遷撰，（劉宋）裴駰集解，（唐）司馬貞索隱，（唐）張守節正義：《史記》（北京市：中華書局，1982年），頁236。

三　賓語前置的兩種特殊形態

賓語前置的特殊形態是相對於先秦兩漢傳世文獻賓語前置的常見形式而言的。先秦兩漢傳世文獻賓語前置的常見形式具有格式化特徵，否定句和敘述句的賓語前置多有規則可循，今文《尚書》卻有不少先秦兩漢傳世文獻中不常見的賓語前置。這些不常見的賓語前置的形式有些有規律可循，可以追根求源，有些則無規律可循。

（一）否定句的否定詞置於前置賓語之後。其句法形式為：主語＋代詞賓語＋否定詞＋動詞謂語

上古漢語否定句的代詞賓語以前置為主。馬建忠指出：「有弗辭而代字止詞不先置，與無弗辭而先置，僅見也。」[33]否定詞的位置又總是置於前置賓語之前。從學理上分析，否定句的否定詞與前置賓語有極強的黏著性。丁聲樹先生對比研究否定詞的大量語例，認為「弗」用於無賓語的否定句，「弗」相當於「不之」[34]，兼有否定詞「不」與前置賓語「之」的詞彙意義和語法作用。然而，今文《尚書》卻有否定詞置於代詞賓語之後這種異於常見句法形式的語序，凡兩例。

1　爾時罔敢易法。（〈周書・大誥〉）

《尚書易解》：「時，是也。代詞。易法，即易廢，金文『廢』多作『法』，二字古通用。易廢，又作『廢易』，《荀子・正論》：『國雖不安，不至於廢易遂亡。』是也。易廢者，怠棄之意。爾時罔敢易法，爾罔敢怠棄時也，否定句代詞賓語前置，故知此為正解。」（周秉鈞：《尚書易解》，頁

33　馬建忠：《馬氏文通》，頁158。

34　丁聲樹：〈釋否定詞「弗」、「不」〉，《慶祝蔡元培先生六十五歲論文集》（臺北市：中央研究院歷史語言研究所，1933年），頁967-996。

164）否定詞「罔」置於前置代詞賓語「時」的後面。

2 汝乃是不蘉。（〈周書・洛誥〉）

《經傳釋詞》:「乃，猶若也。」[35]蘉，勉力。段玉裁《古文尚書撰異》:「《玉篇・苜部》『蘉』字下曰:『〈周書〉云:「汝乃是弗蘉。」』『不』作『弗』。蘉，按《說文》無此字。錢氏曉徵云:『〈釋故〉云:「孟，勉也。」《爾雅》所以訓釋六經，必六經有是字而後《爾雅》有是釋。尋六經中「孟」之訓「勉」，他未有見。意「孟」之古音近「芒」，〈雒誥〉「蘉」本是「孟」字，故鄭康成、王子雝及《偽孔傳》皆訓「勉」。』玉裁謂『孟』古音如『芒』則實然，如孟諸、孟津、孟卯皆可證。謂徐邈『蘉』讀莫剛反，與『孟』古音同，則不然。『蘉』字從侵，從瞢，省聲。與『夢』字『瞢』音，省聲，同。凡『瞢』聲之字，古音在蒸登部，不在陽唐部，是以『蘉，莫崩反。』見於《五經文字・艹部》。《集韻》十七登皆本《釋文》，《釋文》古本定當作:『徐莫崩反，又武剛反。』儻如今本則莫剛、武剛音無分別，其為上『剛』誤，無疑也。《玉篇》、《廣韻》『蘉』皆音武剛者，此『蘉』之轉音。如『甍』字古音本在蒸登部，今音轉入十三耕，今江浙俗讀則如『茫』也。是則『蘉』之古音與『孟』之古音迥別，謂二字雙聲可謂二字同音，非也。且《說文》限於五百四十部，『蘉』從侵，雖難未得其解，《說文》不立《侵部》則『蘉』無所屬從。」[36]黃式三已經認識到「汝乃是不蘉」的「是」是前置賓語。《尚書啟幪》釋此句為:「汝或憚於行而不勉于是。」[37]這一特殊的賓語前置句的形式為「賓語（是）＋不＋動詞」，否定詞「不」置於前置賓語「是」的後面。

---

35 （清）王引之:《經傳釋詞》（南京市：江蘇古籍出版社，2000年），頁56。

36 （清）段玉裁:《古文尚書撰異》（上海市：上海古籍出版社，《續修四庫全書》景清乾隆道光間段氏刻《經韻樓叢》書本，2002年），冊46，頁228-229。

37 （清）黃式三:《尚書啓幪》（上海市：上海古籍出版社，《續修四庫全書》景清光緒十四年〔1888〕黃氏塾刻本，2002年），冊48，頁774。

（二）敘述句賓語和動詞謂語間不用結構助詞的賓語前置

主要有三種句法形式，即：代詞賓語＋動詞謂語，名詞賓語＋動詞謂語，惟＋名詞賓語＋動詞謂語。

1 代詞賓語＋動詞謂語

（1）予豈汝威。（〈商書．盤庚中〉）

王鳴盛已認識到「汝威」即「威汝」，「汝」為前置賓語。《尚書後案》釋「予豈汝威」為「豈以威脅汝乎」[38]。

（2）是崇是長，是信是使。（〈周書．牧誓〉）

江聲《尚書集注音疏》引注曰：「崇，尊也，崇或為宗，宗亦尊也，尊長逃亡之辠人而信使之。」[39]「是崇是長，是信是使」即「崇是長是，信是使是」，亦即「尊長逃亡之辠人而信使之」。

（3）民獻有十夫予翼。（〈周書．大誥〉）

《孔傳》以「予翼」為倒文，全句解為：「四國人賢者有十夫來翼佐我周。」[40]俞樾從《孔傳》，所異者以「民獻有十夫予翼」前之「日」下讀。《群經平議》：「『日』字屬下為義，文七年《左傳》：『日，衛不睦。』《襄二十六年傳》：『日，其過此也。』《昭七年傳》：『日，君以夫公孫段為能任其事。』《十六年傳》：『日，起請夫環。』並與此『日』字同，蓋左氏正因《尚書》有此文法而循用之耳。『日，民獻有十夫予翼』，言近日民之賢者十夫來翼佐我也。枚《傳》見『翌日』連文，適與〈金縢〉篇同，遂讀『今翌日』為句，誤矣。」[41]《尚書易解》：「予翼，佐予也，賓語前置。」（周秉鈞

---

38 （清）王鳴盛：《尚書後案》（上海市：上海古籍出版社，《續修四庫全書》景清乾隆四十五年〔1780〕禮堂刻本，2002年），冊45，頁116。

39 （清）江聲：《尚書集注音疏》（北京市：中華書局，《四部要籍注疏叢刊》，1998年），頁1594。

40 （漢）孔安國傳，（唐）孔穎達正義，黃懷信整理：《尚書正義》，頁509。

41 （清）俞樾：《群經平議》（上海市：上海古籍出版社，《續修四庫全書》景清光緒

《尚書易解》，頁159。）

2 名詞賓語＋動詞謂語

（1）天明畏。（〈周書．大誥〉）

《尚書易解》：「天明畏者，畏天命也。」（周秉鈞《尚書易解》，頁167。）

3 惟＋名詞賓語＋動詞謂語

（1）寧王惟卜用。（〈周書．大誥〉）

唐代顏師古注《漢書．翟方進傳》「惟卜用」作「故我惟用卜，吉」[42]。

（2）惟曰我民迪小子惟土物愛。（〈周書．酒誥〉）

《孔傳》：「文王化我民教道子孫，惟土地所生之物皆愛惜之，則其心善。」[43]「之」即「土地所生之物」，「愛惜之」即「愛土物」。清代的王先謙則明確指出「惟土物愛」即「惟愛土地所生之物」。《尚書孔傳參正》：「『惟土物愛厥心臧』者，土物黍稷，〈洪範〉『土爰稼穡』。〈釋詁〉：『臧，善也。』惟愛土地所生之物以善其心，謂酒以糜穀，當知愛惜也。」[44]楊遇夫先生對照甲文語例，指出〈酒誥〉的「惟土物愛」即「愛土物也。此與甲文句例同」。[45]

（3）我道惟寧王德延。（〈周書．君奭〉）

道，《經典釋文》引馬融本作「迪」，《魏石經》「道」亦作「迪」。迪，句中語氣助詞。王引之曰：「作『迪』者，原文也；作『道』者，東晉人所

二十五年〔1899〕刻《春在堂全書》本，2002年），冊178，頁76。

42 （清）孫星衍撰，陳抗、盛冬鈴點校：《尚書今古文注疏》（北京市：中華書局，1986年12月），頁348。

43 （漢）孔安國傳，（唐）孔穎達正義，黃懷信整理：《尚書正義》，頁551。

44 （清）王先謙：《尚書孔傳參正》（上海市：上海古籍出版社，《續修四庫全書》景清光緒三十年〔1904〕王氏虛受堂刻本，2002年），冊51，頁602。

45 楊樹達：《積微居甲文說》（上海市：上海古籍出版社，2006年），頁90。

改也。《尚書》『迪』字多語詞（詳見《釋詞》）。上文曰『迪惟前人光』，〈立政〉曰『迪惟有夏』，此云『我迪惟寧王德延』，『迪』字皆語詞也，後人或訓為『蹈』，或訓為『道』，皆於文義不安。此句『迪』字既誤解為『道』，遂改『迪』作『道』，以從誤解之義，顛矣！幸有馬本，猶得考見原文耳。」[46]「我道惟寧王德延」，《尚書易解》：「我惟續行文王之德。」（頁244）

今文《尚書》敘述句不用結構助詞的賓語前置句凡二十一見。「代詞賓語＋動詞謂語」式的代詞賓語主要是近指代詞「是」，凡八見，皆出現在四字句中。《詩經》也有不少這樣的「代詞賓語（是）＋動詞謂語」式。不少學者認為兩周春秋時期的代詞「是」作賓語必須前置。研究證明：這或許也是囿於句式的字數限制而省略「惟」，是「惟＋賓語＋動詞謂語」的省略形態。

「惟＋名詞賓語＋動詞謂語」式是敘述句的主要賓語前置形態，甲骨文中就已出現，「惟」寫作「叀」、「隹」，今文《尚書》出現十例，應該是這一賓語前置形態規則化的反映。後來，這一形態又發展為「惟＋名詞賓語＋是、之＋動詞謂語」式。漢魏時，又演變為「惟＋動詞謂語＋名詞賓語」的賓語後置式。賓語前置中的「惟」是一個範圍副詞，「放在前置賓語的前面，表示前置賓語的單一性、排他性」[47]，具有強烈的特指色彩。這一種賓語前置形態可能導源於口語。口語為了修辭的某種需要，強調賓語而賓語前置，這在現代口語中也是屢見不鮮的。然而書面語言缺乏口語語言表達特定的語境和諸如神色、手勢等非語言表達手段，賓語前置造成文句晦澀難明，兩周春秋時期又增加了結構助詞「之」、「是」等作為賓語前置的標誌。語言發展到賓語前置變後置，「之」、「是」等亦隨之消失。

「惟」的語用作用主要是強調其後附句子成分，先秦兩漢還有「唯（惟）、唯獨＋主語＋動詞謂語＋名詞賓語」式，和「唯（惟）＋主語＋不

---

46 （清）王引之：《經義述聞》（南京市：江蘇古籍出版社，2000年），頁99。

47 董治國：《古代漢語句型大全》（天津市：天津古籍出版社，1988年），頁238。

及物動詞謂語」式。諸如：《史記・曹相國世家》：「唯獨參擅其名。」《史記・李斯列傳》：「唯明主為能行之。」《史記・袁盎列傳》：「唯袁盎明絳侯無罪。」《左傳・莊公二十八年》：「唯二姬之子在（絳）。」這兩個句式中的「唯（惟）」、「唯獨」亦為範圍副詞，「放在句首，表示主語的單一性和排他性」[48]，起強調主語的作用。

甲骨文和金文中沒有「惟＋名詞賓語＋是、之＋動詞謂語」式，而有「惟＋賓語＋謂語」式，先秦兩漢文獻罕見「惟＋賓語＋謂語」式，而常見「惟＋名詞賓語＋是、之＋動詞謂語」式，今文《尚書》二者兼而有之，為敘述句賓語前置式的演變發展過程續接了一個重要階段，真實地反映了一種「新形式產生了，舊的形式還沒有消亡」的「過渡狀態」[49]。

今文《尚書》為何出現大量文獻語言不常見的賓語前置形式？學術界主要有兩種見解。一種見解認為原始漢語是一種SOV型語言，賓語前置是原始漢語的正常語序。章太炎先生首倡此說，他稱賓語前置名曰「倒植」。太炎先生說：「倒植者，草昧未開之世語。言必先名詞，次及動詞，又次及助動詞。譬小兒欲啖棗者，皆先言棗而後言啖。」[50]俞敏先生踵繼其後，通過對漢語和藏語的對比研究進一步指明：「原始漢語跟藏語都保留漢藏母語的特點：止詞在前，動字在後。」[51]另一種見解認為原始漢語就是現代漢語的SVO型語言，SOV型僅僅是一種特殊句型。換言之，SVO型和SOV型在上古漢語中都是正常語序，只是SVO型為主要句型，SOV型是由一些特殊的語言規律形成的輔助句型。現在一般的古漢語教科書和古漢語語法著作皆主此說。

原始漢語倘是SOV型語言，文獻語言中的賓語前置則是原始句型的遺跡，SOV型句逐漸為SVO型句取代則是漢語句型演變發展符合邏輯的結

48　董治國：《古代漢語句型大全》，頁239。

49　王力：《漢語史稿・中冊》，頁261。

50　章太炎撰，朱維錚校點：《檢論》，《章太炎全集（三）》（上海市：上海人民出版社，1984年），卷5，〈正名雜議〉，頁503。

51　俞敏：〈倒語探源〉，《語言研究》，1981年第1期。

果。倘若原始漢語是SOV型和SVO型兩種句型並存，而SOV型是一些特殊語言規律制約的句型，那麼今文《尚書》和先秦文獻中出現的大量不規則賓語前置現象則難以理解。今文《尚書》和先秦文獻中非常見形式的賓語前置現象為原始漢語的SOV式語序說提供了證據。

今文《尚書》是研究上古漢語賓語前置彌足珍貴的重要語料，同時，今文《尚書》特殊的賓語前置也為我們研究今文《尚書》的文獻價值提供了彌足珍貴的重要證據。

四　被動句多無表示被動的語法標志，形式被動句僅有「於」字句和傳世文獻非常 見的「在」字句

傳世文獻語言中的被動句一般分為兩大類。

一類是句子形式上具有表示被動語法標志的被動句，這就是通常所說的「被動句式」，我們稱之為「形式被動句」。文獻語言形式被動句的語法標志主要是「於」、「見」、「為」、「被」四個詞。「於」、「為」、「被」在句子結構中的位置處于施動者的前面，其語法作用是引進動作行為的主動者，語法學家一般以之為介詞。「見」的句法位置總在動詞前面，表示後面的動詞是個被動詞，如果要引進動作行為的主動者必須用「于」，構成「見……於……」式表示被動意義的句子，語法學家一般以「見」為副詞。

一類是句子形式上沒有表示被動語法標志的被動句，用主動句的形式表示被動的概念，主語是動作行為的受事者，有些語法學家稱這種句子為「意念被動句」，我們稱之為「語意被動句」。

文獻語言中被動句的類型特點是形式被動句多於語意被動句。先秦兩漢文獻中的形式被動句，除用「於」、「見」、「為」、「被」四個詞表示被動外，「為」字被動句又可分為四個小類，即：「為＋主動者＋動詞」、「為＋動詞」、「為＋主動者＋所＋動詞」和「為所＋動詞」；「見」字被動句可分為兩個小類，即：「見＋動詞」和「見＋動詞＋於＋主動者」；「被」字被動句也可分為兩個小類，即：「被＋動詞」和「被＋主動者＋動詞」。有學

者統計，《論語》、《孟子》、《墨子》、《莊子》、《荀子》、《韓非子》、《左傳》、《國語》、《戰國策》以及出土文字資料，形式被動句有四〇一例[52]，而這一時期的語意被動句則相對較少。

今文《尚書》的被動句的類型特點是語意被動句多於形式被動句。今文《尚書》的被動句凡六十二例，語意被動句四十六例，形式被動句十六例，兩者之間的比約為四比一。在形式被動句的十六個例句中，〈周書〉部分就有十五例，〈商書〉部分僅〈盤庚中〉一例，〈虞夏書〉部分竟沒有一例形式被動句，只有語意被動句。形式被動句在〈虞夏書〉、〈商書〉、〈周書〉之間的比例是〇比一比十五。較之甲文，今文《尚書》已出現形式被動句；較之先秦文獻，今文《尚書》僅有一種「於」字句和不常見的「在」字句。這些事實說明今文《尚書》正處於從意念被動向形態被動式的發展過渡階段。今文《尚書》中眾多的語意被動句都要憑藉上下文的語境信息來判斷，易生歧解，而語言交際明確化的要求促使形式被動式在西周以後得到充分的發展。

今文《尚書》的被動句與西周金文中的被動句相比較，大同小異。異者主要表現在語意被動句的內部關係方面。西周金文的語意被動句內部關係是一致的。管燮初先生在《西周金文語法研究》中總結這一現象時說：「並列關係的動詞謂語，幾個並列的動詞結構的語氣要求一致，都是主動語氣或者都是被動語氣，要是有一個動詞結構確定是被動語氣，其他並列成分也是被動語氣。」[53]今文《尚書》語意被動句內部關係並不一致。諸如：〈商書・高宗肜日〉：「王司敬民。」「司」，《史記》引作「嗣」。「王」是「嗣」的施動者，而「敬」的施動者是「民」，「王」又成了受事主語。〈商書・微子〉：「我其發出狂。」《史記・宋世家》「狂」作「往」，「我」是「往」的施事主語，而「發」孫詒讓讀為「廢」（廢棄），「我」又成了受事主語。先秦兩漢文獻語意被動句內部關係也不一致。例如：《左傳・成公三年》：「故不能推

---

52 易孟醇：《先秦語法》（長沙市：湖南大學出版社，2005年），頁103。

53 管燮初：《西周金文語法研究》，頁60。

車而及。」「及」，被趕上，表示被動語氣。「推」後帶賓語「車」，表示主動語氣。今文《尚書》被動句與西周金文被動句比較所反映的個性，也反映了今文《尚書》時期是漢語被動句式產生和發展的時期。

今文《尚書》的被動句與先秦兩漢文獻被動句相比較，不同點主要表現在形式被動句的語法標誌方面。今文《尚書》僅有文獻語言中常見的表示被動的語法標誌「於」和不常見的「在」，也就是說僅有常見的形式被動句中的「於」字句和不常見的「在」字句。先秦兩漢文獻中表示被動的常見語法標志「見」、「被」、「為」、「所」等字今文《尚書》裏都有。「見」，七見。「被」，四見。「為」，三十五見。「所」，九見。「見」、「被」、「為」、「所」卻沒有一例用於被動句作為表示被動的語法標志。今文《尚書》中的「在」表被動，既不見於甲文和金文，也不見於後世歷代文獻。

（一）「於」字被動句

可分為三種結構類型：

1 動詞＋於＋主動者

（1）乃命於帝庭，敷佑四方。（〈周書・金縢〉）

曾運乾先生以「於」表被動，「命」為「受命」。他認為：「本經言命於者，皆為受命。如『乃命於帝庭』，即武王受命於帝也。『即命於元龜』，即就受命於元龜也。『小子新命于三王』，即親受命于三王也。或謂『即命』為命龜詞，失之。」[54]《尚書易解》：「命於帝庭，謂見命於上帝之庭。」（頁149）「於」，介引「命」之施動者。施動者是「帝」，「帝」省略。

（2）弗惟德馨香祀，登聞於天。（〈周書・酒誥〉）

---

[54] 曾運乾：《尚書正讀》，頁141.

「於」，表被動。屈萬里先生《尚書釋義》以「祀」下屬，釋「祀登聞於天」為「言已上升於天而為天所嗅聞也」[55]。

（3）我有周佑命，將天明威，致王罰，敕殷命終於帝。（〈周書・多士〉）

曾運乾先生《尚書正讀》：「敕殷命終於帝，作一句讀。」「言天大降喪于殷，我周佑助天命，奉天明威，致王者誅伐之罰，告敕殷命之終絕於帝，皆順天命而行。」[56]《白話尚書》譯「敕殷命終於帝」為「宣告殷的國命被上天終絕了」（周秉鈞：《白話尚書》，頁169）。「於」，表被動。

2 否定副詞＋動詞＋於＋主動者

（1）后胥戚鮮，以不浮於天時。（〈商書・盤庚中〉）

《尚書正讀》解「不浮於天時」為「不為天時所罰也」（頁104）。「於」，表被動。

（2）無毖于恤，不可不成乃寧考圖功。（〈周書・大誥〉）

王鳴盛《尚書後案》：「《傳》以『恤』為『憂』，『恤』當作『卹』。《說文》卷八上〈比部〉『毖』字注引〈周書〉曰：『無毖於卹。』然則『不卭自恤』亦當作『卹』，今作『恤』者，偽孔改也。又卷五上〈血部〉『卹』字、卷十下〈心部〉『恤』字皆訓憂。《詩・唐風・羔裘序》箋、〈小雅・蓼莪〉箋、〈大雅・桑柔〉箋並云：『恤，憂也。』是『卹』、『恤』通也。」[57]王先謙以「於」表被動。無毖於恤，「謂勿因憂而過慎，遂不事征討也」[58]。《白話尚書》譯為：「不要被憂患嚇倒，不可不完成您文王所謀求的功業。」（頁114）

---

55 屈萬里：《尚書釋義》（臺北市：中國文化大學出版部，1980年），頁128。

56 曾運乾：《尚書正讀》，頁214。

57 （清）王鳴盛：《尚書後案》，頁171。

58 （清）王先謙：《尚書孔傳參正》，頁591。

（3）爾尚不忌於凶德。（〈周書．多方〉）

按：忌，通「惎」，《小爾雅》：「惎，教也。」凶德，意為「凶德者」。全句意為：「你們應當不被壞人教唆。」「於」，介引動作行為的主動者。

3　於＋動詞

這種句子結構比較特殊，在今文《尚書》中僅一例。

（1）罔非有辭於罰。（〈周書．多士〉）

《尚書正讀》：「有辭者，言有罪狀。罰，天罰也。此又言四方邦國之喪亡，皆由淫佚，為天所罰，不僅夏商二國為然也。」（頁216）「於」後省略了動作蠷為的主動者「天」，補齊省略這一句結構應為「罔非有辭於（天）罰」。今文《尚書》「於」字句中「於」介引的都是施事主語，介賓短語皆作補語。介賓短語作補語，賓語是不能省略的。「罔非有辭於罰」的介賓短語作「罰」的狀語，作狀語的介賓短語可省略賓語，故「於」亦可省略賓語。

（二）「在」字被動句

「在」字被動句皆見於〈周書〉部分，僅有一種句子結構類型：動詞＋在＋主動者。

（1）茲亦惟天若元德，永不忘在王家。（〈周書．酒誥〉）

《白話尚書》：「忘，被忘記。」（頁139）譯此句為：「這些是上帝所贊賞的大德，將永遠不會被王家忘記。」（頁134）在，介引動作行為的施動者。

（2）庶群自酒，腥聞在上。（〈周書．酒誥〉）

在今文《尚書》中「聞」凡二十八見，除用作名詞外，作動詞用在被動句中有五例，約占總詞次的五分之一。「腥聞在上」與上文「登聞於天」兩個被動句的動詞皆為「聞」。介引動作行為主動者「上」與「天」的介詞一為「於」一為「在」，「於」、「在」皆猶「被」。屈萬里先生《尚書今注今譯》譯「腥聞在上」即為：「腥氣被上天都聞到了。」（頁110）「在」，表被動。

（3）夏迪簡在王庭，有服在百僚。（〈周書．多士〉）

《尚書易解》：「迪，與『由』通用。《方言》：由，輔也。此謂輔臣。簡，擇也。」（頁229）此為殷多士怨周之言。《尚書正讀》：「殷革夏命，夏之多士迪簡在王庭，有職在百僚。周革殷命無是也。」（頁218）《尚書覈詁》亦曰：「此殷民言殷雖滅夏，而猶用其臣，以不滿于周之遷已耳。」[59]「夏迪簡在王庭」與「有服在百僚」的兩個「在」皆為介詞。前一個「在」介引「簡」之施事者「王庭」，表被動；後一個「在」介引「有服」的範圍「百僚」。

（4）迪簡在王庭，尚爾事，有服在大僚。（〈周書．多方〉）

《尚書孔傳參正》：「迪簡在王庭云云者，迪，進。簡，擇。服，事。僚，官也。言汝在位能事，將進擇在我周王之庭，嘉尚汝之勤事且有事在大官矣。」[60]這個句式與上一個句式基本相同。這是周公歸政成王之後，淮夷和奄國又發動叛亂。成王親征，召公為保，周公為師，討伐淮夷，滅了奄國。成王自奄返回鎬京，各國諸侯都來朝見，周公代替成王作的誥辭。周公勉勵各諸侯國君聽從天命，和睦相處，將會被周中央朝廷引進選用。如果被周中央朝廷引進選用後又能努力工作，還將會擔任更重要的官職。「在」介引「迪簡」的施事者，「在」猶「被」。

在今文《尚書》中，介詞「在」與介詞「於」的語法功能基本相同。「於」介引動作行為的主動者，凡十三見，除〈商書．盤庚中〉有一見外，

---

59 楊筠如著，黃懷信標校：《尚書覈詁》（西安市：陝西人民出版社，2005年），頁343。

60 （清）王先謙：《尚書孔傳參正》，頁641。

皆見於〈周書〉部分。「在」介引動作行為的主動者，凡三見，皆見於〈周書〉部分。應該說「於」、「在」介引施事者這一語法功能的時代基本相同。

在今文《尚書》中，「於」和「在」經常互文見義。〈周書．文侯之命〉：「丕顯文、武，克慎明德，昭升於上，敷聞在下。」「於」、「在」互文，皆作介詞，表示動作行為的範圍。〈周書．酒誥〉的「登聞於天」與下句「腥聞在上」的「於天」、「在上」互文，「於」即「在」，「天」即「上」。「於」、「在」亦皆作介詞，介引動作行為的主動者。

「於」、「在」皆為漢語最早的介詞。在甲文中，「於」、「在」常介引動作行為的對象或處所。在金文中，「於」仍為高頻介詞，介引動作行為的對象或處所，而「在」僅作存現動詞，且語例很少。「在」之通假字「才」則被大量用作介詞和存現動詞。這一語言現象或許可以說明「在」、「於」介詞比例懸殊的主要原因，同時也反映了文獻語言中介引對象和處所的介詞「於」逐漸替代介詞「在」介引對象處所的發展方向。在一個多自由度的複雜語言系統中，如果有一個或幾個不穩定的自由度存在，那麼這一個或幾個不穩定的自由度就要把穩定的自由度拖著走，一直拖到相對空間中某個穩定的目的點。「在」和「於」等同處一個同義語言系統中，在歷時同義類化的語言演變中，「在」逐漸失去介引對象處所的語法功能，越來越多地作存現動詞。「在」的通假字「才」由於形義分離，亦在後世文獻語言中被淘汰，既不能同音替代存現動詞「在」，也不能同音替代介引對象處所的介詞「在」。「於」在甲文時代就是一個高頻多功能介詞，在後世文獻語言中上古動詞和語助詞的用法逐漸失落，介詞的用法越來越得到強化。但是，「於」在文獻語言還不能完全替代「在」，「於」、「在」同義僅僅是某一義位的中心變體相同，各自的非中心變體是不能互相替代的，有趣的是，現代漢語「於」僅保留其介詞的文言用法，「在」又替代「於」作介詞。

今文《尚書》介引動作行為對象處所的介賓結構多作補語。表示對象的介賓短語作補語凡二一四見，作狀語五十見；表示處所的介賓短語作補語凡一九一見，作狀語僅七見。存現動詞「在」和介引動作行為對象處所的介詞語法位置非常接近，容易混同。二者共現於一個語言結構容易區別。例如：《詩經．小雅．魚藻》：「魚在在藻，依于其蒲。」前一個「在」是存現動詞，後者是介詞。二者不在同一結構中共現時就要仔細分辨前後的語法關係和語義聯繫。例如：〈周書．酒誥〉的「腥聞在上」，「在」並不表示「腥聞」存在的處所，而是介引「聞」的施動者「上」，因為緊接著的一句就是「腥聞在上」的結果「故天降喪于殷」，「腥聞在上」的「上」即「降喪于殷」的「天」。

「在」字被動句或許是今文《尚書》特有的形式被動句型，但「在」並非漢語被動句唯一特殊的語法標志。《戰國策》中就有「與」字被動句。《戰國策．秦策五》：「（夫差）遂與勾踐禽。」「與勾踐禽」即「被勾踐擒」。「與」作為被動句的語法標誌，或「由其『給與』之義引申虛化而來」[61]。近代漢語中也有用「吃」作為被動句的語法標誌。《秋胡戲妻》：「我倒吃他搶白了這一場。」張相《詩詞曲語詞匯釋》：「吃，猶『被』也。」[62]現代漢語中也有用「給」作被動句的語法標志，例如「狗給打死了」，就是「狗被打死了」。《古漢語同義虛詞類釋》認為：「『給』之訓『被』當由『與』發展而來。因『與』既有『被』義，又有『給』義。」[63]

遠古漢語在結構形式上沒有主動被動的區別，甲骨文中沒有形式被動句即為明 。周法高先生說：「被動不用記號，而憑文義來判斷，可能是較早的辦法。」[64]金兆梓先生也認為：「施動受動不分，實在是遠古語言未完備時，所不能免的現象。」[65]今文《尚書》的〈虞夏書〉部分沒有被動句式，〈商書〉部分僅有一例，餘皆見於〈周書〉部分，這一語言事實與金文中存在「於」字被動句形成互證，這或許可以證實漢語被動句式出現在商周時期，「於」字被動句是漢語最早的形式被動句。「於」是最早表示被動意義的語法標誌。漢語被動句的產生可能是陳述者為了在漢字形式上突出動作行為的主

61 余德泉：《古漢語同義虛詞類釋》（長沙市：湖南教育出版社，1993年），頁521。

62 張相：《詩詞曲語詞匯釋》（北京市：中華書局，1953年），頁644。

63 余德泉《古漢語同義虛詞類釋》（長沙市：湖南教育出版社，1993年），頁522。

64 周法高：《中國古代語法．造句篇》（北京市：中華書局，1990年），頁98。

65 金兆梓：《國文法之研究》（北京市：商務印書館，1983年），頁13。

動者，也就是說，漢語被動句產生的直接動因可能是基於修辭的需要。今文《尚書》用「動詞＋於＋主動者」表示的被動句一共有九個句子，「於」字後引出的主動者，皆為「上天」（上帝、天、上、帝、皇天）。西周金文中「於」引出的主動者除「上天」外，還有「王」、「公」、「侯」等，這些都是「天」的化身。為什麼最早的被動句式介詞介引的施動者都是「上天」及上天的化身呢？或許遠古人民生活在十分惡劣的自然環境中，當他們面對無可抗拒的自然力沒法解釋時，冥冥之中產生對天無限的恐懼和敬畏。「天」就成了自然和社會威力無比的主宰，人們的一切都屈從於天。在語言表達上就自然而然地突出「天」的力量，而「於」的出現，是為了引出「天」，在視覺上起到一種標誌作用。從而，我們也可以推知漢語形式被動句的產生是為了語言交際的明瞭準確。

五　罕見的離合句式

今文《尚書》少數單句具有顯著的特徵，分析其線性結構，句子成分的排列異於常規順序。主要有兩種結構形式。一是「賓＋謂＋賓」式，一是「定＋中＋定」／「中＋定＋中」式。這些變式句，句義是完整的，但句結構是離散的，我們稱之為離合句。孔安國早已注意到這些句子結構，在分析〈禹貢〉「厥篚玄纖縞」明確認為「玄，黑繒。縞，白繒。纖，細也。纖在中，明二物皆當細」。「纖在中，明二物皆當細」即「纖（細）」在中既修飾前之「玄」又修飾後之「縞」，「玄纖縞」是典型的「定＋中＋定」式。清代有不少學者也贊成孔說。

（一）「賓＋謂＋賓」式離合句

（1）禹錫玄圭，告厥成功。（〈虞夏書・禹貢〉）

《孔傳》：「玄，天色。禹功盡加於四海，故堯錫玄圭以彰顯之，言天功成。」[66]《孔疏》:「〈考工記〉『天謂之玄』,是『玄』為天色。禹之蒙賜,必是堯賜,故史敘其事,禹功盡加于四海,故堯賜玄圭以玄顯之。必以天色圭者,『言天功成』。〈大禹謨〉舜美禹功云『地平天成』,是天功成也。」[67]段玉裁《古文尚書撰異》:「《眾經音義・卷四》:《尚書》『禹錫元珪』字,從玉。』《太平御覽》八十二:《尚書旋璣玲》曰:『禹開龍門,導積石山。元珪出,刻曰:「延喜玉受德天錫佩。」』〈夏本紀〉:『於是帝錫禹元圭,以告成功於天下。』」[68]皮錫瑞《今文尚書考證》:「《史記》曰:於是帝錫禹玄圭,以告成功於天下。《尚書旋璣玲》曰:禹開龍門,導積石,玄珪出,刻曰:『延喜玉受德天賜佩。』鄭注:禹功既成,天出玄圭賜之。占者以德佩,禹有治水功,故天佩以玄玉。《大義》引《春秋緯・感精符》曰:帝王之興,多從符瑞。周感赤雀,故尚赤。殷致白狼,故尚白。夏錫玄珪,故尚黑。武梁祠石刻祥瑞圖曰:『玄珪,水泉疏通,四海會同,則至。』江藩說:『玄珪乃治水功成之瑞應,天所以寵錫禹者。』據此,則《史記》言帝錫玄圭,亦謂天帝,不謂堯矣。錫瑞謹案:《史記》稱帝皆二帝,非天帝,與緯書說不同。《漢書・王莽傳》張竦為陳崇草奏曰:『是以伯禹賜玄圭,周公受郊祀。』《後漢書・何敞》奏記宋由曰:『忠臣受賞,亦應有度,是以夏禹玄圭,周公束帛。』敞六世祖比干學《尚書》于晁錯,則亦傳今文者。其說與史公同。而《潛夫論・五德志》曰:『功成,賜玄珪,以告勛於天。』魏曹植〈畫贊〉曰:『天錫玄圭,奄有萬邦。』皆同緯書說。蓋三家《尚書》不同。或玄圭之出,本為瑞應,禹得之以獻堯,堯即以賜禹,故或以為天錫,或以為帝錫歟?」[69]

「禹錫玄圭」從語法關係上看,「錫」和前面的「禹」及後面的「玄圭」均是動賓關係,只是前者是間接賓語,後者是直接賓語。也有學者認為這是一個被動句或特殊的雙賓語句。

---

[66] (漢)孔安國傳,(唐)孔穎達正義,黃懷信整理:《尚書正義》,頁247。

[67] 同前註。

[68] (清)段玉裁:《古文尚書撰異》,頁130。

[69] (清)皮錫瑞撰,盛冬鈴、陳抗點校:《今文尚書考證》,頁188-189。

（2）予則孥戮汝。（〈虞夏書・甘誓〉）

《孔傳》：「孥，子也。非但止汝身，辱及汝子。言恥累也。」[70]《孔疏》：「《詩》云：『樂爾妻孥。』對『妻』別文，是『孥』為子也。非但止辱汝身，並及汝子亦殺，言以恥惡累之。」[71]蔡沈《書經集傳》：「戮，殺也。《禮》曰：天子巡狩以遷廟，主行。《左傳》：軍行，祓社釁鼓。然則天子親征，必載其遷廟之主與其社主以行，以示賞戮之不敢專也。祖左陽也，故賞于祖；社右陰也，故戮於社。孥，子也。『孥戮』與上『戮』字同義，言若不用命，不但戮及汝身，將並汝妻子而戮之。戰，危事也，不重其法則無以整肅其眾而使赴功也。或曰：戮，辱也。『孥戮』猶〈秋官・司厲〉『孥男子以為罪隸』之『孥』。古人以辱為戮，謂戮辱之以為孥耳，古者罰弗及嗣，孥戮之刑非三代之所有也。按此說固為有理，然以上句考之，不應一戮而二義。蓋罰弗及嗣者，常刑也。予則孥戮者，非常刑也。常刑則愛，克厥威；非常刑則威，克厥愛。盤庚遷都尚有『劓殄滅之，無遺育』之語，則啟之誓師豈為過哉？」[72]

（3）予則孥戮汝。（〈商書・湯誓〉）

《孔傳》：「古之用刑，父子兄弟罪不相及，今云『孥戮汝，無有所赦』，權以脅之，使勿犯。」[73]《孔疏》：「昭二十年《左傳》引〈康誥〉曰：『父子兄弟，罪不相及。』是古之用刑如是也。既刑不相及，必不殺其子。權時以迫脅之，使勿犯刑法耳。不於〈甘誓〉解之者，以夏啟承舜、禹之後，刑罰尚寬，殷、周以後，其罪或相緣坐，恐其實有孥戮，故于此解之。鄭玄云：『大罪不止其身，又孥戮其子孫。』《周禮》云：『其奴，男子入於罪隸，

---

70 （漢）孔安國傳，（唐）孔穎達正義，黃懷信整理：《尚書正義》，頁259。

71 （漢）孔安國傳，（唐）孔穎達正義，黃懷信整理：《尚書正義》，頁261。

72 （北宋）蔡沈：《書經集傳》（長春市：吉林出版集團公司，景印摛藻堂《欽定四庫全書薈要》本，2005年），卷2，頁42。

73 （漢）孔安國傳，（唐）孔穎達正義，黃懷信整理：《尚書正義》，頁285。

女子入於舂槀。』鄭意以為實戮其子，故《周禮注》云：『奴，謂從坐而沒入縣官者也。』孔以孥戮為權脅之辭，則《周禮》所云非從坐也。」[74]王鳴盛《尚書後案》：「 孥，《說文》無之。『帑』在〈巾部〉，金幣所藏，故妻子亦曰帑。《左傳》『秦人歸其帑』，《詩》『樂爾妻帑』，皆是也。張參《五經文字》中五十一〈巾部〉『帑』字注云：《說文》乃胡反。《字林》以為帑藏之帑，音儻，又作孥，為妻孥。然則此字起于《字林》也。」[75]段玉裁《古文尚書撰異》：「奴，各本作『孥』，今更正。詳〈甘誓〉。《匡謬正俗》曰：〈商書・湯誓〉云：『予則孥戮汝。』孔安國《傳》云：『古之用刑，父子、兄弟罪不相及，今云孥戮，權以脅之，使勿犯也。』案：孥戮者，或以為奴，或加刑戮，無有所赦耳。此非『孥子』之『孥』，猶〈周書・泰誓〉稱『囚孥正士』，亦謂或囚或孥也，豈得復言並子俱囚也。又班固《漢書・季布傳》贊云：『及至困厄，奴僇苟活。』蓋引〈商書〉之言以為折衷矣。玉裁按：此條除『孥子』之『孥』外，必盡正為『奴』字而後可讀。亦可以證《尚書》之本作『奴』矣。其實『孥子』之『孥』，兩『孥』字亦當正為『奴』，古子女奴婢統偁『奴』，其既也假『帑』為『奴子』字，其後又製『孥』字為之。」[76]皮錫瑞《今文尚書考證》：「今文『爾』作『女』，『無』作『毋』，『罔』作『無』。《史記》曰：『女毋不信，朕不食言。女不從誓言，予則奴僇女，無有攸赦。』今本『帑』字誤，當作『奴』，見〈甘誓〉。《中論・賞罰篇》曰：『夫賞罰者，不在乎必重而在於必行。必行，則雖不重而民肅。不行，則雖重而民怠。故先王務賞罰之必行也。《書》曰：『爾無不信，朕不食言。爾不從誓言，予則孥戮女，罔有攸赦。』『孥』字亦後人改之。」[77]

《孔傳》、《孔疏》皆認為「戮」是動詞「殺」，不但殺汝，還要殺汝子孥。「戮」與前面的「孥」和後面的「汝」字分別構成動賓關係。清人對於

74 （漢）孔安國傳，（唐）孔穎達正義，黃懷信整理：《尚書正義》，頁287。

75 （清）王鳴盛：《尚書後案》，頁107。

76 （清）段玉裁：《古文尚書撰異》，頁140-141。

77 （清）皮錫瑞撰，盛冬鈴、陳抗點校：《今文尚書考證》，頁201。

這兩句訓詁用力甚勤，對「孥」字考證甚詳，多數學者認為認為「孥」即「妻子兒女」。也有學者認為字「孥」是後用字，當為「奴」；其次他們從《周禮》及刑法的角度認為，商周時尚無連坐之刑。而今人易寧先生也從這兩者角度入手，得出了不同結論：首先，「奴」字通「帑」字，「帑」字通「孥」字，是妻、子的意思，與「帑」字訓為「子」有所不同，傳世《尚書》用「孥」字沒有問題；其次，商周時期實際上也有株連制度。所以他對這句的理解與《孔傳》、《孔疏》基本相同。[78]

（二）「定＋中＋定」/「中＋定＋中」式離合句

（1）雲土夢作乂。（〈虞夏書．禹貢〉）

《孔傳》：「雲夢之澤在江南，其中有平土丘，水去可為耕作畎畝之治。」[79]《孔傳》以「雲土夢」為「雲夢土」，「土」是中心詞，「雲夢」澤名，為「土」之定語，分別置於中心詞的前後。

歷代學者對「雲土夢」的解讀人言人殊，分歧大致在於對「雲」、「夢」的理解。或「雲夢」合而 一澤名，或「雲」、「夢」各為澤名。

劉起釪先生〈「雲土夢」辨論〉力主前者，以古本「雲土夢」作「雲夢土」，誤改時間為唐太宗時，主要依據是宋人的記載和《史記》、《漢書》的引文。劉先生認為：「〈禹貢〉荊州有『雲夢土作乂』句，通行偽孔本《尚書》作『雲土夢作乂』，出於唐代誤改，不可不正其訛誤。按《史記．夏本紀》引此句作『雲夢土為治』，《漢書．地理志》則依〈禹貢〉原句作『雲夢土作乂』。知漢《尚書》本作『雲夢土』。胡渭《禹貢錐指》『雲可該夢，夢亦可該雲』，『則南雲北夢、單稱合稱，無所不可』。」「沈括《夢溪筆談》

78 易寧：〈《尚書．甘誓》「予則孥戮汝」考釋〉，《史學史研究》，2002年第1期，頁56-58。

79 （漢）孔安國傳，（唐）孔穎達正義，黃懷信整理：《尚書正義》，頁123。

卷四云：『舊《尚書．禹貢》云「雲夢土作乂」，太宗皇帝時古本《尚書》作「雲土夢作乂」，詔改〈禹貢〉從古本。』」[80]實際上阮元早在《十三經注疏校勘記》中對上述各書中的關鍵問題已做過考證：「按《筆談》所謂太宗乃宋太宗也，胡朏明《禹貢錐指》乃以為唐太宗，殆誤矣，《疏》云經之『土』字在二字之間。開成石經亦作『雲土夢作乂』，則古本即唐世通行本耳，至宋初監本始倒『土夢』二字，蓋據《漢書．地理志》，不知《史記．夏本紀》『夢』字亦在『土』下。」[81]

蔡沈《書經集傳》為力主後者的代表，以「雲」、「夢」各為澤名，卻以「雲土」和「夢」並列結構：「雲土者，雲之地土見而已；夢作乂者，夢下地已可耕治也。蓋雲夢之澤地勢有高卑，故水落有先後，人工有早晚也。」[82]蔡說可能受《孔傳》影響，但主觀臆測的成分比較重。何謂「乂」？《說文解字．丿部》：「乂，芟草也。從丿從乀相交。刈，乂或從刀。」段《注》：「乂，芟草獲穀總謂之乂。」[83]水去草長，芟草治土而獲穀。「雲」然，「夢」亦然。「乂」的語義既指向「雲」，亦指向「夢」。所以《孔疏》曰：「經之『土』字在二字之間，蓋史文兼上下也。」[84]

歷代《書》說對這一結構論述最為簡潔明瞭的當推蘇軾。《東坡書傳》：「《春秋傳》曰：『楚子與鄭伯田于江南之夢。』又曰：『王寢於雲中。』則『雲』與『夢』二土名也。而云『雲土夢』者，古語如此，猶曰『玄纖縞』云爾。」[85]

（2）厥篚玄纖縞。（〈虞夏書．禹貢〉）

---

80 劉起釪：《尚書研究要論》（濟南市：齊魯書社，2007年），頁315-316。

81 （清）阮元：《十三經注疏（附校勘記）》（北京市：中華書局，1980年），頁154。

82 （宋）蔡沈：《書經集傳》，卷2，頁32。

83 （漢）許慎撰、（清）段玉裁注：《說文解字注》（上海市：上海古籍出版社，1981年），頁627。

84 （漢）孔安國傳，（唐）孔穎達正義，黃懷信整理：《尚書正義》，頁213。

85 （宋）蘇軾：《書傳》（上海市：上海古籍出版社，1989年《文淵閣四庫全書》景印本），冊54，頁523。

《孔傳》:「玄，黑繒。縞，白繒。纖，細也。纖在中，明二物皆當細。」[86]《孔疏》:「篚之所盛，例是衣服之用，此單言『玄』，玄必有質。玄是黑色之別名，故知玄是黑繒也。《史記》稱高祖為義帝發喪，諸侯皆縞素，是縞為白繒也。」[87]王鳴盛《尚書後案》:「鄭曰：纖，細也。祭服之材尚細。《傳》曰：元，黑繒；縞，白繒；纖，細也。纖在中，明二物皆當細。《疏》曰：元是黑色之別名。《史記》:高祖為義帝發喪，諸侯皆縞素。是縞為白色。案曰：鄭云『纖，細也』者，《說文》卷十三上〈糸部〉文也。又云『祭服之材尚細』者，《周禮・齊服》有『元端』，又有『素端』，是祭服有元、縞也。《傳》『元，黑繒；縞，白繒』者，《漢書》『灌嬰販繒』注『繒者，帛之總名』，以元、縞皆為繒。《周禮・染人》注：六入為元，其色緅、緇之間，赤而有黑色。《爾雅》:縞，皓也。故以元為黑，縞為白也。」[88]

《孔傳》、《孔疏》認為「纖」字修飾前面的「玄」字和後面的「縞」字，即修飾語在中間，中心語在前後兩邊。王鳴盛贊同孔安國及孔穎達的說法。具體方法先列鄭說，然後補徵《孔傳》、《孔疏》的書證。黃式三《尚書啟蒙》和皮錫瑞《今文尚書考證》說解同王鳴盛。

六　複句主要是意合複句和單聯形式複句，多重複句以二重並列複句為主

今文《尚文》的複句可以用一個句末號作為句界，也可以由兩個或兩個以上的分句構成。複句有些用關聯詞語作標誌，多數則不用關聯詞語，以意合為主。多重複句以二重並列複句為主，多重複句多有關聯詞語標識。

---

86 （漢）孔安國傳，（唐）孔穎達正義，黃懷信整理：《尚書正義》，頁206。

87 （漢）孔安國傳，（唐）孔穎達正義，黃懷信整理：《尚書正義》，頁206。

88 （清）王鳴盛：《尚書後案》，頁59。

（一）複句的主要句型是意合複句，語義類型亦趨完備，形式複句主要是單聯形式複句

對於今文《尚書》形式複句和意合複句的研究證明：今文《尚書》時期是意合複句向形式複句演變的過渡階段。

今文《尚書》中意合複句占複句的百分之七十以上。甲骨文中已有大量的複句，百分之九十以上都是意合複句。從信息的承載結構和承載體系來看，複句要比單句複雜得多。單句僅僅是一個獨立的信息體；而複句所形成的則是一個資訊集。社會生活日益豐富複雜，複句形式亦日益增多。初始階段的複句，分句之間要靠意會。意合法的特點是以語義體現關係。

意合式複句容易引起理解上的歧義，不利於語言交際。語言的發展對複句的表達形式提出了更高的要求，形式複句必然會應勢而生。甲骨文中已出現了表示並列、順承、假設關係的形式複句，但數量很少。西周金文除了條件複句和目的複句外，其他類型的複句皆可以有形式標記，數量亦很有限；今文《尚書》形式複句凡七十七見，表示並列、承接、遞進、假設、條件、轉折、因果、目的等各種語義關係，基本形成了後世典籍形式複句各種類型的輪廓，但仍不全面，譬如：沒有表選擇關係的形式複句，轉折形式複句中僅有轉折式而沒有讓步式，因果形式複句中僅有因果式而沒有果因式複句等，這些都體現了今文《尚書》時期意合複句向形式複句的過渡。

關聯詞語的出現是複句進一步完善表現形式的方法，它主要是表示複句中各分句之間的邏輯聯繫和語義關係。關聯詞語在形式複句中成對出現是漢語語言精密化的突出表現之一。然而關聯詞語並非一開始就成對出現，要分兩步走。第一步是單聯形式複句的產生，即複句只有一個分句有關聯詞語，另一個分句沒有關聯詞語；第二步是雙聯形式複句的產生，即各分句均有關聯詞語標識。

甲骨文中有關聯詞語十一個（組），雙聯關聯詞語二個。西周金文中關聯詞語均為單聯。今文《尚書》形式複句具有標識作用的關聯詞語有三十七個（組），其中單聯關聯詞語有三十二個，約占總數的百分之八十六點五，

雙聯關聯詞語有五組約占總數的百分之十三點五。今文《尚書》雙聯關聯詞語連接的形式複句凡十四見，占形式複句總數的百分之十八點二。楊伯峻、何樂士先生《古漢語語法及其發展》列舉後世典籍中關聯詞語凡三三三個（組），單聯關聯詞語凡二六八個，雙聯關聯詞語六十五組，占總數的百分之十九點五。通過以上數量與比例的比較可以發現，今文《尚書》形式複句亦處於由單聯向雙聯演變的重要階段。

今文《尚書》中複句雖以意合複句為主，但形式複句發展的勢頭不可小覷，複句處於進一步蛻變、完善的過程中。而今文《尚書》形式複句的單聯複句占絕對多數，不僅是意合複句向形式複句過渡合乎邏輯的結果，也證明了今文《尚書》時期是意合複句向形式複句演變的重要階段。

漢語複句成形較早，甲骨文中就已形成了一個語義關係類型較為齊備的複句系統，但除了表示並列關係、順承關係、假設關係的複句有時用關聯詞連接以外，其餘類型的複句一般都不用關聯詞連接，複句間的語法關係主要依靠意會。甲文複句中起連接作用的關聯詞語主要限於連詞和部分具有關聯作用的副詞。《甲骨文語法學》指出甲文六個連詞中只有「此、延」可用來連接假設複句。甲文中共有三十六個副詞，但只有「既」、「咸」、「先」、「延」、「乃」、「迺」等少數的幾個時間副詞可用連接複句[89]。

一方面，關聯詞語的有限性決定甲骨文形式複句尚處於不發達的狀態；另一方面，語言之初的先人思維簡單，不可能一下子產生許多邏輯縝密語義關係複雜的形式複句。

西周金文複句中除了條件複句、目的複句而外，均可用關聯詞語來連接複句之間的分句。管燮初先生統計，西周金文的連詞有二十五個，其中有十八個可用來連接分句。西周金文中副詞有七十個，其中有十六個副詞具有連接分句的功能。較之甲骨文，西周金文的形式複句和關聯詞語均有相應的發展。

今文《尚書》的形式複句的語義類型已較為完備，原因是多方面的。一

[89] 張玉金：《甲骨文語法學》（上海市：學林出版社，2001年），頁50-54。

方面，今文《尚書》已具有相對成熟的連詞和副詞系統。今文《尚書》中連詞凡四十二個，具有連接分句功能的有三十六個。今文《尚書》副詞凡一五三個，具有連接分句功能的有二十三個關聯副詞以及部分否定副詞。關聯詞語的豐富促進了形式複句的發展。另一方面，《尚書》長篇的周誥殷盤，充滿強烈的思辯色彩。語言表達的生動明確，需要大量狀容寫貌擬聲繪色的虛詞。語言表達的精確嚴密，也需要大量承上啟下關聯過渡的虛詞。這一切都待然促進形式複句的迅速發展。今文《尚書》除「矧」、「肆」、「丕」、「否則」等少數的幾個關聯詞語外，大量表示關聯的連詞和副詞一直延續至後世典籍。

今文《尚書》的形式複句凡七十七見。其中，表示承接關係的形式複句最多，凡二十六見。並列複句次之，凡十五見。假設複句又次之，凡十見。關聯詞語的數量與形式複句的數量有對應性。標識承接複句的關聯詞語最多，凡十一個；並列複句次之，凡六個（組）；假設複句又其次，凡六個（組）。這從另一個角度應證了形式複句的發展與關聯詞語的發展之間存在著相輔相成的因果關係。

（二）多重複句以二重並列複句為主，多重複句多有關聯詞語標識

今文《尚書》多重複句以二重複句為主，二重複句不僅數量多，而且語義類型完備。後世文獻語言中表示並列、承接、遞進、假設、條件、轉折、因果、目的等關係的二重複句，在今文《尚書》中都有語例。

複句句型的絕對數是語意複句最多，但多重複句中語意多重複句較之形式多重複句相對較少。今文《尚書》多重複句第一層結構關係以並列關係為主，第二層結構關係多以並列關係和假設關係為主。今文《尚書》表示並列關係和假設關係的關聯詞比較豐富。以假設義關聯詞語為例，甲骨文假設義關聯詞語只有「此」和「延」二個，西周金文亦僅僅有「乃」、「又」、「有」三個，而今文《尚書》中假設義關聯詞已有八個；乃、則、厥、其、若、所、有、如。較之甲文增加四倍，較之金文增加了二倍多。另外，多重複句

複雜的層次也需要關聯詞語標識。關聯詞語的增加幾乎和多重複句的增加處於同步狀態。

「今文《尚書》沒有『也』，僅有一個『者』」；「自稱代詞用『予』不用『余』，僅見『台』，自稱代詞格數有特殊用法和語用的情感差異」；「賓語前置多不常見形式」；「被動句多無表示被動的語法標志，形式被動句僅有『於』字句和傳世文獻非常罕見的『在』字句」；「罕見的離合句式」；「複句主要是意合複句和單聯形式複句，多重複句以二重並列複句為主」；今文《書》經傳世文本這些語言特點和語言結構，以及還有一些異於甲文金文和別的傳世文獻的其他語言結構和語言特點，都是客觀存在的語言事實。拂卻《書》經傳播過程中的歷史風塵，今文《書》經傳世文本鮮明的語言特點和獨特的語言結構證實了自身不朽的文獻價值。

七　研究本專題的幾點啓示

（一）漢語一直處於不斷的發展變化之中，不同時代的語言有不的特點。語言要素中變化最快的是辭彙，最慢的是語法。語言有表層結構和深層結構，語言表層結構由不同層級的語言單位構成。一般而言，經典傳世文本在傳抄轉寫的過程中，無論是主觀原因還是客觀原因，歷時變易的主要對象是語言單位的最低層級字或詞，語言單位的較高層級的短語結構、句結構以及高層級複句、多重複句變化較小。就《書》經而言，雖然字詞的形體變異可能構成不同版本的面目全非，但是今文《書》經傳世文本的語言特點和特殊的語言現象證實其深層結構的語義系統沒有變化或變化不大，我們可以運用語言研究的技術手段復現其深層結構的語義系統，從而證實其普世價值系統。經學研究的普世價值是經書文本自身的價值體現，而不完全是經生儒師說經的詮釋價值。

（二）在文獻學研究中，必須捨棄層層相因的慣性思維模式，不要讓已成定論的某些理論範疇和學術結論限制我們的理性思考。一切從語言實際出發，一切從經文文本出發，重現歷史的本真。「傳世文獻不如地下材料文獻價值大」、「文獻語言自稱代詞單複數同形」等等是常識範圍內的理論範疇和學術結論，但不是普遍真理。例如，比較研究今文《書》經傳世文本和敦煌寫本《書》經殘卷就可以證明：傳本今文《書》經傳世文本應該比敦煌寫本《書》經殘卷文獻價值高。

敦煌寫本《尚書》二十五個卷子中真正有關傳本《尚書》原文的僅有二十三卷。這二十三卷共涉及《尚書》篇目二十七篇，其中在敦煌寫本中僅出現一次的有十個篇目；重現的有十七個篇目。用今傳本《尚書》對敦煌寫本《尚書》分為三個層次進行比對：一是將敦煌寫本《尚書》與今傳本《尚書》進行逐字比對；二是將敦煌寫本《尚書》中重現篇章進行逐字比對；三是逐一考察敦煌寫本《尚書》中同一個字的使用情況。可以發現兩者在語言的深層結構上是基本相同的，其主要差別是敦煌寫本《尚書》大量使用通假字和俗字，特別是俗字的使用情況紛繁複雜。抄寫者為了書寫的方便，或減省筆劃，或省略偏旁，或改變偏旁。有些俗字書寫隨意，同一字在不同的卷子中有不同的寫法，甚至同一個字在同一卷中也有不同的寫法。俗字成長於民間，是「下里巴人」約定俗成的存在。《干祿字書・序》：「所謂俗者，例皆淺近，唯籍帳、文案、券契、藥方，非涉雅言，用亦無爽；倘能改革，善不可加。」[90]官定的《尚書》作為儒家的經典則不允許使用俗字。清代繕寫《四庫全書》，規定書寫格式的《四庫全書辨正通俗文字》中寫道：「俗者，承襲鄙俚……斷不可以從者也。」[91]可見俗字只能在一定的範圍內通用，斷不可在官方整理的經典中使用。敦煌寫本《尚書》雖出自藏洞，但抄寫者都不是研究者，主要是普通的僧侶、低級官員和其他勞動人民，又非一人一時所抄寫，多次傳抄，衍脫訛錯在所難免。而今文《書》經傳世文本從梅氏獻書後一直被立為官學，且抄寫者一般都是研究者或學者，因此在衛包改字前基本能較為完整地保持原樣，改字後又以石經的形式固定下來，因而今《書》

---

90 （唐）顏元孫：《干祿字書》（北京市：中華書局，1985年），頁3。

91 （清）陸費墀撰，（清）王朝梧增補：《四庫全書辨正通俗文字》（上海市：上海古籍出版社，《續修四庫全書》景清乾隆重刻本，2002年），冊239，頁531。

經傳世文本可以用來糾正敦煌寫本《尚書》的俗字、訛字、脫文、衍字等現象。

（三）經學是一個開放性的知識體系，經學研究應該是多元的多視角的，應該有多學科的介入。經學的載體是語言文字，因而經學研究特別需要語言學科的介入。語言學介入經學研究，這裏所說的語言學並不是傳統意義上的小學，而是包括普通語言學和傳統語言學的理論體系和技術手段。當然，運用傳統意義小學的理論和方法正確讀懂經典熟讀經典，是語言學介入經學研究的前提。

（四）研究經典文本的語言特點和特殊的語言現象，特別是隱性的深層語言結構，需要經過對經文文本窮盡性的定量定性的語料分析和統計，需要經過分門別類共時和歷時的同類語料比對。所有這一切都必須付出十分艱巨的努力。

周、秦《尚書．洪範》義的流播

鄧國光*

序引

諸子百家的經世理想不是無端而來的。洶湧澎湃的道義思潮，必須具備相應的思想誘發元素。誘發一種強力的時代思潮，需要主客觀條件的配合。主觀因素指思想自身的衍生與變化，客觀因素指與思想相應的時代生態，包括傳統、政治、環境、社會與民族等待。班固《漢書．藝文志》溯源三代制度，於「王官」追蹤諸子思想的元素，說明學說的基本特性和限制，屬於客觀性的說明[1]。這方法一直左右後人。胡適不同意《漢書》的說法，寫〈諸子不出王官論〉反駁[2]，評《漢書》混淆諸子之「學原」與「學術」，引起學界對「王官」的注意。鍾泰著《中國哲學史》極言諸子之出王官，學術必本《六藝》[3]。金德建肯定孔子是學術演變的軸心人物，魯定公與哀公期間開始百家之學的時代，王官保存周代學術，《漢書》謂諸子出於王官，從學術流變的角度言，並不失真[4]。朱寶昌《先秦學術風貌與秦漢學術》並持此論[5]。牟師宗三《中國哲學十九講》以「歷史」與「邏輯」兩方面解釋《漢書》的「出」義，認為胡適以「邏輯」的思路理解，所以否定《漢書》的提法；若

---

* 澳門大學人文學院中國語言文學系。

1 陳國慶：《漢書藝文志注釋彙編》（北京市：中華書局，1983 年），頁 117。

2 胡適：〈諸子不出於王官論〉，載《胡適論學文集——中國哲學史》（北京市：中華書局，1991 年），頁 593-599。

3 鍾泰：《中國哲學史》（北京市：東方出版社，2008 年），頁 9-12。

4 金德建：《先秦諸子雜考》（鄭州市：中州書畫社，1982 年），頁 1-7、頁 28-53。

5 朱寶昌：《先秦學術風貌與秦漢學術》（武昌市：武漢大學出版社，1989 年），頁 12-19。

從「歷史」的縱貫理路解釋，是可以接受的敘述。現在的研究思路歧出此兩極，而大抵用力於經濟、社會、政治等時代客觀因素處理[6]。其中社會上「身分自覺」的主體性問題論述得到較深入。儒、墨、道、法四家「士人」的身分自覺，視為學術思想勃興的重要因素[7]，是東周的士人「自由投奔」的原動力[8]，「道統」的意識由此確立[9]。

牟師宗三提出：「士階層的興起並參與政治，中國的政治才有了客觀的意義，即政治之所以為政治。」[10]士人橫議政情，為參與締造理想的政治環境而奮鬥。參與的意識表現為一股非我其誰的深層焦慮，可以是建設性的，但也可能成為鉅大的破壞力。身分轉移是生活世界的平常事，士人「身分自覺」的問題，乃須回在場歷史情景中觀察，不能主觀論定[11]。過度強調士人身分的外在特殊性與集團性，其弊端與強調階級鬥爭沒有分別。為避免思路極端偏向，正視思想活動之中的「道德」與「理想」的自覺及提昇[12]，方得以顯示思想如何與時代互動的情態[13]。從思想積極性的正面而言，士人必須堅持超越於物質享受的高層次人間關懷，則「身分自覺」便成為雖千萬人吾往矣的勇毅。否則區區於「大我」與「小我」的平面兩極[14]，根本不足以解釋先秦諸子那股非我其誰的內在願力。進一步說，西周的宗法秩序便建立在明確的身分意識上，儒門論治，先重正名，是對治宗法失序的時代問題。「身分自覺」自身不一定產生積極的參與動力，更可能是離心力的根源，因為天賦才性的差異是現實，並非跟身分正比，有德而無位的人不在少數。如果欠缺道德上的自制，令原始的格鬥性轉向，成為維護制度的積極建設意志，則必成為爭

---

6 陶希聖：《中國政治思想史》（北京市：中國大百科全書出版社，2009年）。

7 王長華：《春秋戰國士人與政治》（石家莊市：河北大學出版社，2007年），頁9。

8 周繼旨：《論中國古代社會與傳統哲學》（北京市：人民出版社，1994年），頁227。

9 余英時：《中國知識階層史論》（臺北市：聯經出版事業公司，1980年），頁4-102。

10 牟師宗三：《中國哲學十九講》（臺北市：臺灣學生書局，1983年），頁179。

11 王爾敏：《先民的智慧》（桂林市：廣西師範大學出版社，2008年），頁211-224。

12 唐君毅：《文化意識與道德理性》（桂林市：廣西師範大學出版社，2005年），頁498。

13 陳啟雲：《儒學與漢代歷史文化》（桂林市：廣西師範大學出版社，2007年），頁46。

14 陶希聖：《中國政治思想史》，頁70。

奪不已的下墜力，走向野蠻，更無從說立德立言等文明的累積。從參與的積極性來說，「道德自覺」較「身分自覺」更為關鍵。理解諸子論治所蘊含的道德自覺，自能深入體會其奮進精神，而免於隔靴搔癢。循此而進，「經世」的懷抱可得而理解。促成思想發達的因素不一，強調「道德自覺」並不否定「身分自覺」以及各種客觀因素的解釋，因為所有解讀都能夠看到問題一隅，但因道德自覺而鼓動的參與感，毫無疑問屬於更具根源性。諸子思想透過此根源性的觀照，自能顯示比較整全而活躍的勢態。

班固「王官」論是從客觀制度解釋諸子思想淵源，這觀察角度透露美化三代的意圖，明顯是兩漢之際的時代思想特徵，不能謂錯謬。問題在班固「王官」是指有特定的職能官府，官守的是專門的知識。治事知識屬工具性思考，跟諸子治道有本質上的差異，難以轉出「經世」的目的性道義。「經世」目的在平治天下，帶有強烈的理想性，而非專司的官事，集中於處理事務的技巧與細節。這不是否定「王官」，而是考慮其對應關係。學術思想始終須要思想自身對應的繁衍，不對應便無法通感。如果沒有相應的思想元素，任身分如何清晰，也不能空生經世的道義意識。因此，誘導的思想平臺極為重要。從道義意識最為直接的觸因點看，為《六藝》是平臺所在。因為東周之言《六藝》，三代統治智慧賴以承傳，為諸子的共同學術基礎，而非專屬一家之學。諸子思想深處的強烈道德感，更多的是從經年沈浸的《六藝》之中而誘出，道德的感召於潛移默化之間發育，而諸子之間的爭長，一浪比一浪厲害，更進一步強化道義的意義。兼容班固的說法，以「王官之學」代替「王官」;「王官之學」指守傳於「王官」的《六藝》及相關學問；而提出諸子出於「王官之學」，則更能把握諸子經世道義的源頭。司馬遷稱「學者載籍極博，猶考信於《六藝》」[15]。錢穆稱《六藝》乃言孔子之學[16]。此專屬《六藝》於孔子的想法，是漢以後的事情。漢之前，「王官」守傳的《六藝》是士人讀書識字的途徑，非儒家專有。《六藝》之張開諸子之學，學者

---

15 （西漢）司馬遷：《史記》（北京市：中華書局，1959年），卷61〈伯夷列傳〉，頁2121。

16 錢穆：《先秦諸子繫年》（北京市：中華書局，1985年），頁83。

早有所見。牟宗三強調《六藝》的生發「意義」與「原則」[17]。諸子思想論述的是「意義」與「原則」的目的性問題，而非技術性的細節。

具體而論，《書》學於《六藝》之中與東周道術的關係更直接。《書》學系統之中，論治道則以〈洪範〉為核心。梁啟超強調〈洪範〉是「古籍中有系統的哲理譚，此篇為最古者之一」[18]。方東美指出〈洪範〉與《周易》令先秦宗教神秘轉向理性思維的關鍵[19]，儒、墨、道俱受〈洪範〉的啟發；運用比較宗教學解讀，〈洪範〉的「皇極」為房屋的主柱，乃向望天空的端標，極之上清明一片；皇是清明耀眼的意思，是踏出巫術神秘，而邁向光明理性的重要標誌，諸子的理性時代因「皇極」而開啟。經、子皆同出人類嚮往光明理性的天賦與尋求光明的意志的精神感召，本質無別[20]。方先生通觀歷史，思路正大。〈洪範〉中殷遺民箕子提出「王道」，一本深厚興亡之感，而其中深切的為政教訓，非徒紙上談兵，實親身的經歷。《史記》敘箕子過殷，而與民皆垂涕，其崇高的忠貞情懷，成為東周士人道德感召的共源。

孔子轉化西周「王官之學」為士人經世學術。從箕子至孔子，從孔子至諸子，是一條道德自覺之路，這是先秦學術的根本氣脈。通觀思想史，《六藝》深透東周的思潮，孔子賦予道義客觀意義，毫無疑問是典範。錢穆說諸子，首論孔子。朱寶昌稱「開戰國時代百家爭鳴的發端」[21]；方東美謂孔子是先秦學術承傳的關鍵人物[22]；牟師宗三強調中國哲學必須從孔子起，孔子思想承負了三代的理想[23]。孔子以來，天下滔滔，著書極難，受制物質條件，倘非要務，不輕著述。唐端正強調：「但由於彼此對應之時世不同，或著眼之觀點各異，(……) 不能相通，道術遂為天下裂。」[24]其建立天下大法公義的

---

17 牟師宗三：《中國哲學十九講》（臺北市：臺灣學生書局，1983年），頁54。

18 梁啟超：《先秦政治思想史》（臺北市：東大圖書公司，1980年），頁66。

19 方東美：《原始儒家道家哲學》（臺北市：黎明文化事業公司，1983年），頁47。

20 方東美：《原始儒家道家哲學》，頁90-105。

21 朱寶昌：《先秦學術風貌與秦漢學術》，頁1。

22 方東美：《原始儒家道家哲學》，頁47。

23 牟師宗三：《中國哲學十九講》，頁51。

24 唐師端正：《先秦諸子論叢續編》（臺北市：東大圖書公司，1983年），頁1。

「王道」[25]，因〈洪範〉之啟示而著焉。《六藝》中國傳統學術的核心。如果視東周諸子身處所謂「軸心時代」，而自傲於中國文明之得以組成世界的共同文明，則其思想的啟發本源，從孔子而及箕子所開出的目的性思考，自應正視。其中的公道論，更是「王道」的核心[26]。諸子追求的「王道」大義，其中包涵極強烈的道德感，俱可於孔子見根源。戰國諸子與孔子之間，自具一種極深刻的德性感召。羅焌謂「子之與經，固同出而異名」，「諸子皆稱道《六經》者」，「子學與經學旨皆淑世，名異而實通」[27]。東周時代無所謂經學與子學，這是西漢司馬遷以後的觀念，經為主而子為次，乃刻意軒輊。若解讀東周學術，當分曉受制不同時代學術生態之通孔，始見本來之相。經、子分途，乃權宜說法。超越後世目錄分類的成見，瞰視東周共同的學術平臺上經與子的意義，方見出兩者精神上極深刻的關連。

一　東周初期運用〈洪範〉的考察

《尚書・洪範》從初出至東周一段長時間，其影響如何，是本文關鍵。齊思和強調西周政治思想是研治春秋、戰國以來學術思想的基礎，唯於〈洪範〉未有正視[28]。楊向奎強調〈洪範〉顯示西周的「最高智慧」[29]。劉澤華《先秦政治思想史》指出「〈洪範〉在戰國時為很多人所重視」[30]。對與〈洪範〉，學界目光多會集於兩漢及以後[31]，於先秦時期的流播，論述有限，而且不離

25　陳正焱、林其錟：《中國古代大同思想研究》（上海市：上海人民出版社，1986年）。

26　李振宏：《歷史與思想》（北京市：中華書局，2006年），頁385-525。

27　羅焌：《諸子學述》（上海市：華東師範大學出版社，2008年），頁88。

28　齊思和：〈西周之政治思想〉，《中國史探研》（北京市：中華書局，1981年），頁67-85。

29　楊向奎：《宗周社會與禮樂文明》，頁209。

30　劉澤華：《先秦政治思想史》，《中國政治思想史集》（北京市：人民出版社，2008年），頁96。

31　張兵：《洪範詮釋研究》（濟南市：齊魯書社，2007年）。

文本字詞的考察[32]，無涉於思想的流變。既斷言〈洪範〉為西周的「最高智慧」，考實追源，不為影響之論，自不能免。

考察兩周運用〈洪範〉的事實，從現存《周書》是佐證。《周書》淵源有自，乃可靠的舊籍，不容忽視。其中的〈度訓〉、〈命訓〉、〈常訓〉運用「極」的觀念，提出「四徵」、「六極」、「八政」、「九德」[33]，屬為王者立言義，思路與遣辭用語明顯出自〈洪範〉[34]的種種治天下的法則，與〈洪範〉的用意相同，讀屬同時代的共識。此外《周禮》總敘官制，談到「民極」[35]，都是為天下立制的意思，鄭玄解釋說：「極，中也。令天下之人各得其中，不失其所。」唐賈公彥的疏引〈洪範〉為證[36]。《周禮》是戰國遺典，內容淵源有自。從《周書》、《周禮》參照，可以肯定〈洪範〉中至關鍵的「極」義，於周初普遍通行，屬時代共識，而非箕子的臆造，何況箕子剛陷天崩地解之痛，於新朝之主之前，陳述全新的治理，實屬難解。

〈洪範〉之可靠性亦須說明。因疑古思潮的泛披，〈洪範〉於現代受到根本的懷疑。一九二八年劉節發表〈洪範疏證〉，考定成書於戰國後期[37]，嗣後治古學者屢有推前成書時間的商畧，著者如屈萬里的戰國初至中葉成書說[38]；孫德廣認為「不能晚於戰國初期」[39]；顧頡剛、劉起釪判定為商代傳至周代的真實文獻，於春秋前期成型[40]；徐復觀從「表現形式」和「內容」兩方面，推斷「依然保有周初所承傳的文獻的面貌」[41]；陳蒲清較論殷、周思想觀念與遣

32 馬士遠：《周秦尚書學研究》（北京市：中華書局，2008年）。

33 黃懷信：《逸周書校補注譯》（西安市：西北大學出版社，1996年），頁24。

34 龐樸：《當代學者自選文庫（龐樸卷）》（合肥市：安徽教育出版社，1999年）。

35 （清）孫詒讓：《周禮正義》（北京市：中華書局，1987年）卷1，頁15。

36 （清）孫詒讓：《周禮正義》卷1，頁15。

37 劉節：《劉節文集》（廣州市：中山大學出版社，2004年），頁1-12。

38 屈萬里：《尚書集釋》（臺北市：聯經出版事業公司，1983年），頁116。

39 孫德廣：《先秦兩漢陰陽五行說的政治思想》（臺北市：嘉新水泥公司文化基金會，1969年），頁17。

40 顧頡剛、劉起釪：《尚書校釋譯論》（北京市：中華書局，2005年），頁1218。

41 徐復觀：《中國思想史論集續編》（臺北市：時報文化出版事業公司，1982年），頁69。

辭用語，論定是「〈洪範〉是最可信的篇章」，甚至是「當時史官的現場筆錄」[42]。楊向奎認為〈洪範〉是研究西周思想的第一手材料之一[43]。李學勤從考古學的角度肯定是西周的傳本[44]。百年的論爭，復歸於原典。於是，傳統的經說現在重新賦予了生氣。唐孔穎達「義疏」強調：

> 此經文旨異於餘篇，非直問答而已。不是史官敘述，必是箕子既對武王之問，退而有撰其事，故《傳》特云箕子作之。……又朝鮮去周，路將萬里，聞其所在，然後封之。受封乃朝，必歷年矣，不得仍在十三祀也。〈宋世家〉云「既作〈洪範〉，武王乃封箕子於朝鮮」，得其實也。[45]

孔疏再三強調箕子以殷宗室遺民的身分自作，非史官纂錄之詞，指出〈洪範〉的特色在「本體與人主作法，皆據人主而說」[46]。箕子向人主陳述王者正義。《史記》嘆謂為「正言」[47]，全文迻錄於〈宋微子世家〉[48]。既「以人君為主」，談說對象意識極明確；身淪遺民的箕子，向周武王陳述治理天下的教訓，而不事奉承，自具沈痛非常之道德意識。這深厚的德性，透露了其「文旨異於餘篇」的事實。通觀文義，〈洪範〉之不同於《尚書》上訓下的典、謨、誥、誓之辭，表面上看是下誨上的身分，而其中興衰之戒，懇切陳述人主的治德，乃有鑑於商紂之滅亡。箕子眷懷故國，款款忠誠，深動周武王，

---

42 陳蒲清：〈尚書洪範寫作年代考〉，《湖南師範大學學報》，2003年第1期，頁90-96。

43 楊向奎：《宗周社會與禮樂文明》（北京市：人民出版社，1992年），頁207。

44 李學勤：《周易經傳溯源：從考古學、文獻學看《周易》》（長春市：長春出版社，1992年），頁15-27。

45 孔穎達：《尚書正義》（北京市：北京大學出版社，2000年），卷12，頁364-369。（上海市：上海古籍出版社，2007年）卷11，頁446。

46 孔穎達：《尚書正義》，卷11，頁454。

47 （西漢）司馬遷：《史記》，〈太史公自敘〉，頁3308。

48 （西漢）司馬遷：《史記》，卷38〈宋微子世家〉，頁1611-1620。

亦不敢視之為臣，令回歸故土朝鮮[49]，因「東夷」本來是殷商的發源地[50]，意在兩全。〈洪範〉之異，在其中所蘊藏的「遺民意識」，一種忠貞的情懷。遺民身分自覺的關鍵在「名教」，勉勵王者盡其德，避免覆轍，是〈洪範〉的要義。東周內外交困，深含德性意義的〈洪範〉於時艱之中更受重視，以士人得而寄寓憂世的情思，《左傳》有例可見。《左文公五年傳》載：

> 晉陽處父聘于衛，反過甯。甯嬴從之，及溫而還。其妻問之，嬴曰：「以剛。《商書》曰：「沈漸剛克，高明柔克。」（杜注：「此在〈洪範〉，今謂之《周書》。」孔疏：「箕子商人所說，故《傳》謂之《商書》。」）夫子壹之，其不沒乎？天為剛德，猶不干時，況在人乎？且華而不實，怨之所聚也；犯而聚，不可以定身。余懼不獲其利，而離其難，是以去之。」[51]

剛、柔，乃從人性取義，意謂晉陽處父性情失中。這是衛人甯嬴認識〈洪範〉剛、柔互濟的性質，預料性格偏剛的惡果。《成公六年傳》：

> 晉欒書（武子）欲救鄭。……知莊子、范文子、韓獻子諫曰……乃遂還。於是軍帥之欲戰者眾。或謂欒武子曰：「聖人與眾同欲，是以濟事，子盍從眾？子為大政，將酌於民者也。子之佐十一人，其不欲戰者，三人而已。欲戰者可謂眾矣。《商書》曰：『三人占，從二人。』（杜注：「《商書》，〈洪範〉。」）眾故也。」武子曰：「善鈞，從眾。夫善，眾之主也。三卿為主，可謂眾矣。從之，不亦可乎？」[52]

〈洪範〉義為「從眾」與「獨專」的軍國大政上提供義證。《襄公三年傳》「君子謂」：

---

49 （西漢）司馬遷：《史記》，卷38〈宋微子世家〉，頁1260。

50 丁山：《商周史料考證》（北京市：中華書局，1988年），頁170。

51 孔穎達：《春秋左傳正義》（北京市：北京大學出版社，2000年），卷19，頁583-584。

52 孔穎達：《春秋左傳正義》，卷26，頁833-834。

祁奚於是能舉善矣。稱其讎，不為諂；立其子，不為比；舉其偏（杜注：「偏，屬也。」），不為黨。《商書》曰：「無偏無黨，王道蕩蕩。」（杜注：「《商書》，〈洪範〉也。」）其祁奚之謂矣！解狐得舉，祁午得位，伯華得官，建一官而三物成，舉善也夫！唯善，故能舉其類。《詩》云：「惟其有之，是以似之。」祁奚有焉（杜注：「《詩》，〈小雅〉。言唯有德之人，能舉似己者。」）。[53]

晉大夫祁奚年老請致仕，推薦繼嗣人選，不偏愛憎，引〈洪範〉「王道」無偏無黨義，嘉許祁奚的公心。《昭公六年傳》：

叔向曰：「《書》曰『聖作則』，無寧以聖人為則，而則人之辟乎？」[54]

此杜預注謂「逸《書》」，文意強調以身作則，「聖作則」是〈洪範〉「睿作聖」的「惟皇作極」之意。對比前及叔向引用〈洪範〉的習慣，此句無疑出〈洪範〉。《左傳》引用〈洪範〉四例，借以說公平用人、從善如流、調節性情、以身作則等範圍，主要彰明為君之德，不涉及休咎五行之論。從《周書》、《周禮》、《左傳》的記載的材料看，〈洪範〉在兩周已經重臣卿相廣用，主要為陳述為治之理。處如此的時代中，諸子運用〈洪範〉以說治道，實非突兀，而是更彰顯時代話語的特徵。

二　諸子運用〈洪範〉考察

從論治的角度看，轉化工具層次的統治事務操作經驗，提昇至具體目的意義的為治之「理」，《管子》是啟導。

《管子》雖非自作，但是淵源有自，不能輕加否定。柳存仁強調先秦諸子所陳的「道」，屬於以治道為主的廣義，認為《老子》取法《管子》，《管子》主「動」而《老子》主「靜」。肯定《管子》的地位，不以為「偽

53　孔穎達：《春秋左傳正義》，卷29，頁946-947。

54　孔穎達：《春秋左傳正義》，卷43，頁1419。

書」。如果以《老子》範限「道家」，只落得「靜」。全面理解先秦道家與道術，須正視《管子》的「動」[55]。治道與政務在特定的政情環境中的互動，方才顯示動態的政理。《管子．五輔》謂：「人不可不務也，此天下之極。」[56]此陳述「公法行而私曲止」之道，備列「六興」、「七體」、「八經」、「五務」、「三度」，以為王者法，思路較《周書．常訓》更為細密，皆本〈洪範〉用賢立極之義而伸發，而更推「中正」之德於臣下：「為人君者中正而無私，為人臣者忠信而不黨。」[57]上行下效，治世須知此中正之道。中正並非靜止狀態的置中，而是於施政國程中不斷自我調整。《管子．宙合》說：「中正者，治之本也。」[58]人主務必了解身處的政情，把握統治機器之中張力之所在，《管子．法法》謂：「人主孤而無內，則人臣黨而成群。使人主孤而毋內，人臣黨而成群者，此非人臣之罪，人主之過也。」[59]《管子．法法》：

> 政者正也。正也者，所以正定萬物之命也。是故聖人精德，立中以生政，明政以治國。故正者所以止過而逮不及也。過與不及，皆非正也，非正則傷國一也。[60]

「政者正也」，《論語》亦同，本意端正人君心術，可說是申論〈洪範〉「王道正直」之義，與《管子》義相承，均可在〈洪範〉見根源。人君保持「中正」，是為了公道。公道是為政大義，《管子．君臣》強調：「布政有均，民足於產，國家豐矣。」[61]此〈洪範〉「王道平平」之義。〈君臣〉篇強調「人君不公」，是令到「國無法」的根本原因，釀成「民朋黨而下比，飾巧而成其私」的亂象。此本〈洪範〉「無有淫朋」、「無有比德」之訓，強調為政者經

---

55 柳存仁：《道家與道術——和風堂文集續編》（上海市：上海古籍出版社，1999年），頁1-28。

56 顏昌嶢：《管子校釋》，卷3，頁96。

57 顏昌嶢：《管子校釋》，頁99。

58 顏昌嶢：《管子校釋》，卷4，頁108。

59 顏昌嶢：《管子校釋》，卷6，頁140。

60 顏昌嶢：《管子校釋》，頁149。

61 顏昌嶢：《管子校釋》，卷10，頁250。

常保持公允持平的平均意識，謂之「公」。《管子》精神聚焦於「公」，〈洪範〉「王道」義已見淵源。

《晏子春秋》以「春秋」名書，則為論治之書可知。《晏子春秋》屢屢標榜「聖王」與「聖王之道」以引導齊君施行仁愛之政，〈洪範〉「王道」深透於其中。〈景公問聖王其行若何晏子對以衰世而諷第五〉謂：

> 其行公正而無邪，故讒人不得入；不阿黨，不私色，故羣徒之卒不得容。[62]

公正不偏是古代聖王的素行，符合〈洪範〉「不偏不黨」之義。〈景公問君子常行曷若晏子對以三者第十六〉說：「身行順，治事公，故國無阿黨之義。」[63]公道處理政事，「治事公」即是〈洪範〉「王道平平」之義。要達到公正無偏的地步，本公心選擇人材是極關鍵的自覺。〈景公問古之莅國者任人如何晏子對以人不同能第二十四〉載：「故明王之任人，諂諛不邇乎左右，阿黨不治乎本朝。」[64]晏子強調人君不阿黨，意在用人唯賢，與〈洪範〉「王道」義相應，德性的自確存乎其中。

「王道」的平平蕩蕩，是孔子理想的政治境界。轉化治道至關鍵的是孔子。

孔子稱讚箕子，強調「為政以德」、「政者正也」，均可從〈洪範〉「王道」義見出淵源。《論語・泰伯》載孔子語：

> 大哉！堯之為君也；巍巍乎！唯天為大，唯堯則之；蕩蕩乎！民無能名焉。[65]

「王道」之治，百姓如魚得水，各遂天性，自由舒暢，無以復加，民莫能名，皆因樂在其中，這正是平平蕩蕩的境界。《論語・顏淵》：

---

62 吳則虞：《晏子春秋集釋》（北京市：中華書局，1962年），卷3，頁180。

63 吳則虞：《晏子春秋集釋》，卷3，頁219。

64 吳則虞：《晏子春秋集釋》，頁232。

65 朱熹：《論語集注》（北京市：中華書局，1983年），頁107。

政者，正也。子帥以正，孰敢不正？[66]

前引《管子‧法法》亦言「政者正也」，皆含〈洪範〉「王道正直」義，強調人主務先樹立君德，乃先己而後人。《論語‧子路》孔子所言「其身正，不令而行；其身不正，雖令不從」[67]，乃治法的精義，孔子反覆言之，謂：「為正其身矣，於從政乎何有？」[68]自正其身，乃本道德的自覺，自樹榜樣，以道德感化天下。有心為政，必之在天下而不苟營私。《論語‧為政》孔子語：「君子周而不比，小人比而不周。」[69]孔安國注謂：「忠信為周，阿黨為比。」[70]朱熹謂：「比，偏黨也。」義取〈洪範〉「不偏不黨」，本忠信而行。忠信是德。程樹德引《論語稽》謂：「此論君子小人，兼學術、治術言之。」[71]孔子持論，向以道德為政治的根本；公道用人，是管子以來的政治智慧，是孔子德治信念的重要部分。這信念於出土文獻所透露的孔子遺說亦見一斑。馬王堆帛書〈繆和〉載孔子語謂：「君者，人之父母也；人者，君之子。」[72]用〈洪範〉「天子作民父母」義。《郭店楚簡》[73]的〈六德〉明白說：「故曰民之父母。親民易使，相親也難。」[74]此策之「民之父母」句，用〈洪範〉語，所以句至此而絕。下文「親民易」，謂人主親民不難，「使相親也難」，謂令民眾上下之間相親則不易。《郭店楚簡》的〈尊德義〉謂：「察曲

66 朱熹：《論語集注》，卷6，頁137。

67 朱熹：《論語集注》，卷7，頁143。

68 朱熹：《論語集注》，頁145。

69 朱熹：《論語集注》，卷1，頁57。

70 程樹德撰，程俊英、蔣見元點校：《論語集釋》（北京市：中華書局，1990年），卷3，頁101。

71 程樹德撰，程俊英、蔣見元點校：《論語集釋》，卷3，頁102。

72 趙達偉：《出土簡帛周易疏證》（臺北市：萬卷樓圖書公司，2000年），頁289。

73 荊門市博物館編：《郭店楚墓竹簡》（北京市：文物出版社，1998年）。李零：《郭店楚簡校讀記》（北京市：北京大學出版社，2002年）。劉釗：《郭店楚簡校釋》（福州市：福建人民出版社，2003年）。

74 荊門市博物館編：《郭店楚墓竹簡》，頁189。三種校讀均連讀「故曰民之父母親民易」。

則無僻，不黨則無怨。」[75]此〈洪範〉「無偏無黨」的大義，人主明察舉人，自正而正天下。《論語·述而》謂：「君子坦蕩蕩。」[76]朱熹《集注》謂：「坦，平也。」「坦蕩」之為平，乃意出〈洪範〉「王道平平」、「王道蕩蕩」。《論語·述而》：

> 君子有九思：視思明，聽思聰，色思溫，貌思恭，言思忠，事思敬，疑思問，忿思難，見得思義。[77]

「九思」源自〈洪範〉「貌曰恭，言曰從，視曰明，聽曰聰，思曰睿」[78]的「五事」：貌、言、視、聽、思。孔子引而申之，推列事、疑、念、見得四項為「九思」，推王者之德於君子，則君子備「王道」，而王者亦必具君子之德。《論語》所見裁化〈洪範〉義，均含深刻的德性自覺意義，轉化為治天下的大道。此大道曰「仁」。晏子也同樣標榜「仁愛」。「九思」便是仁德的自反過程。

《論語·微子》載：「微子去之，箕子為之奴，比干諫而死。孔子曰：『殷有三仁焉。』」[79]孔子以「仁」稱許箕子，乃從忠信的仁德說。孔子曾說「〈洪範〉可以觀度」，「度」之義從心中分寸來。孔子論治，首在足食足兵。足食以養民命，足兵以保民安，皆為政者首要的分寸，乃概括〈洪範〉「八政」之度。八政之首為「食」，第八為「師」，師即軍旅的兵事。足食足兵，自包含「八政」的全體。「八政」是仁民之政，出於仁民的初衷。為此「王道平平」之義，因「八政」之度而得實現。基於平平公道的「王道」原則，孔子自然強調「有國有家者，不患寡而患不均」。「均」是平的意思，

---

75 李零：《郭店楚簡校讀記》，頁140。

76 朱熹：《論語集注》，卷4，頁102。

77 朱熹：《論語集注》，卷8，頁173。

78 （清）簡朝亮：《論語集注補正述疏·季氏》中暢明此章與〈洪範〉的遞承關係。見（清）簡朝亮：《論語集注補正述疏》（臺北市：世界書局，景民國六年〔1917〕門弟子離讀校本，1961年），卷8〈季氏〉，頁110。

79 朱熹《論語集注》，卷9，頁183。

從〈洪範〉「王道」義中引出。《論語・堯曰》謂「公則說」[80]，此一公字，是「王道」義精煉的概括，《禮記・禮運》「大同」精義之所在。「說」是為喜悅，從「公道」行的效果而言，百姓樂在其中，不知所以名之。孔子德治思想固然非《尚書》所能範圍，惟於《尚書・洪範》可以溯源重要的思想資源，但以此見〈洪範〉於東周思想學術啟發深刻的一面。

《墨子》從三代王官之學的《六藝》之中衍出「道術」，竭力挽救狂欄於既倒，宣示古代的「聖王之道」，力矯當世「暴王」的苛刻殘虐，雖然視儒者為敵手，而對時代的關懷其實沒有多大的分歧。《墨子・尚賢》謂：「故古者聖王甚尊尚賢而任使能，不黨父兄，不偏富貴，不嬖顏色。」[81]此申述〈洪範〉「不偏不黨」義。〈兼愛〉謂：

> 《周詩》曰：「王道蕩蕩，不偏不黨。王道平平，不黨不偏。」（孫詒讓《閒詁》：「古《詩》、《書》亦多互稱。」）「其直若矢，其易若厎。君子之所履，小人之所視。」若吾言非語道之謂，古者文武為正，均分、賞賢、罰暴，勿有親戚弟兄之所阿。即此文武兼也。[82]

「兼」乃《墨子》要義，而義取〈洪範〉，以陳說王天下之道。〈經（上）〉謂：「平，知無欲惡也。」[83]義攝〈洪範〉「王道平平」，謂無偏於憎愛。出土的銀雀山漢簡有《守法守令十三篇》[84]，屬於戰國時代下傳的文獻，其中的簡文，謂：「不□王道□。不□不扁（偏），王道辯辯。此用眾壹。」[85]此簡近《墨子》之學，其中引〈洪範〉「無黨無偏」，今本《墨子・兼愛》所引相

---

80 朱熹：《論語集注》，卷10，頁194。

81 吳毓江著，西南師範大學漢語言文獻研究所整理點校：《墨子校注》（重慶市：西南師範大學出版社，1992年），頁64。

82 吳毓江著，西南師範大學漢語言文獻研究所整理點校：《墨子校注》，頁161。

83 吳毓江著，西南師範大學漢語言文獻研究所整理點校：《墨子校注》，頁402。

84 吳九龍《銀雀山漢簡釋文・守法守令十三篇》中判斷成書於商鞅變法之前。見吳九龍釋：《銀雀山漢簡釋文》（北京市：文物出版社，1985年），〈守法守令十三篇〉，頁18。

85 吳九龍：《銀雀山漢簡釋文》，頁112。

同。至於「辯辯」,〈洪範〉為「平平」,聲叚之字。以上例證,均涉公平無私的為政方略。實春秋以來論治的核心。

《孟子》嚴辨「義」、「利」,以「王天下」為天下倡,誘導人君推恩百姓,本天賦的惻隱、是非之心,自覺而轉化提昇為治民之道,實現為民父母的仁愛之政。王天下之道,道德的自覺與轉化提昇極為關鍵,其中必須轉化妒忌之心為欣賞接受的理性寬容,樂於分享並樂於尊賢。《孟子・梁惠王》謂:「國君進賢,如不得已。如此,然後可以為民父母。」[86]為政的首要事情不離選用人才。進賢用才,須要知人詳審識察,避免偏黨不公而致人心離散。「為民父母」出〈洪範〉「天子作民父母」。《孟子》以申論進賢之理,舉從眾的原則以克制的人君偏好,即本〈洪範〉「三人占,從二人之言」。《孟子》強調為政者的用心,以心比心,舉父母之心為論治。《孟子・滕文公》謂:

> 為民父母,使民盻盻然,將終歲勤勤,而不得以養其父母,又稱貸而益之,使老稚轉乎溝壑,惡為民父母?[87]

再而三以「為民父母」的觀念引導人主行仁政。行仁政不是空言。〈洪範〉「八政」,孔子「足食」、「足兵」之訓,已經指示了途徑。孟子承繼孔子志業,強調「養民」,如父母之養育子女,義無反顧。所論涉及「制民之產」,實落實「八政」之首的「食」。天下得其養,「制民之產」為必要,否則民心難安。孟子主均田制祿,相生相養,顯見「平平」的公道。提倡興教立學,人主身先庶民,與民共休戚,是發揮以身作則的〈洪範〉義。《孟子》為政的理想,均可以在〈洪範〉追溯淵源。《孟子・公孫丑》章稱箕子為賢人[88],則《孟子》有得於〈洪範〉非淺,而〈洪範〉「作民父母」一詞,亦因《孟子》的流通,而更廣泛深刻的流播,後世遂演為「父母官」的觀念,「王

---

86 朱熹:《孟子集注》(北京市:中華書局,1983年),卷2,頁221。

87 朱熹:《孟子集注》,卷5,頁255。

88 朱熹:《孟子集注》,卷3,頁228。

道」乃「作民父母」之道。

出土的《黃帝四經》言道術，本「正」義為說，亦淵源有自。其中的〈十六經〉之二〈觀〉謂：「力黑已布政建極，……以為天下正。」[89]明顯見〈洪範〉「建皇極」的遺意。〈十六經〉之四〈果童〉又言：「黃帝問四輔曰：『唯余一人，兼有天下，今余欲畜而正之，均而平之，為之若何？』」[90]翻出〈洪範〉均而平之義而欲求實踐之道。《黃帝四經》的〈道原〉更強調此均平的公義為「聖王」之道：

> 聖王用此，天下服，無好無惡。[91]

概括〈洪範〉「無有作好，尊王之道。無有作惡，遵王之路」，明白宣示正」天下的治法。

《莊子》極道術的表裏，正言若反，寓言諷世，「王道」大義，存乎其中。《莊子．列御寇》謂：

> 在上為烏鳶食，在下為螻蟻食，奪彼與此，何其偏也！以不平平，其平也不平；以不徵徵，其徵也不徵，[92]

此《莊子》臨終的「善言」[93]，盡概一生立言的大旨。所謂「偏」、「平」、「徵」，皆本〈洪範〉取義。「偏」、「平」之出〈洪範〉，鍾泰已觀察出來源，謂：

> 《尚書．洪範》曰「無黨無偏，王道平平」，明平與偏為對立也，故曰「以不平平，其平也不平」，言以偏而求平，其平不可得而終平也。[94]

---

89 余明光：《黃帝四經與黃老思想》（哈爾濱市：黑龍江人民出版社，1989年），頁281。

90 余明光：《黃帝四經與黃老思想》，頁291。

91 余明光：《黃帝四經與黃老思想》，頁334。

92 鍾泰：《莊子發微》（上海市：上海古籍出版社，2002年），頁752。

93 鍾泰《莊子發微》謂：「此莊子臨歿之言，所以丁寧其子弟者。」頁752。

94 鍾泰：《莊子發微》，頁752。

莊子意謂世人各執一偏之說，不能理解至道。至於「徵」字，實同出〈洪範〉「九疇」之八，是為「庶徵」，乃人主作為對應於天時變化的「休咎」。《莊子》講的「徵」，與〈洪範〉相應，謂以不能加以驗證的假象來掩飾偽善惡行。《莊子》以〈洪範〉為臨終善言之所寄，則《莊子・天下》所說的「道術」，蘊含〈洪範〉「王道」大義，意在天下的平治。

《荀子》堂廡正大，胸襟極高，用心極厚，思慮極周，不務虛曠之詞，與《莊子》異趣。申說〈洪範〉以樹政理，概括東周的政治智慧。《荀子・修身》謂：

> 君子貧窮而志廣，富貴而體恭（……）怒不過奪，喜不過予，是法勝私也。《書》曰：「無有作好，遵王之道；無有作惡，遵王之路。」（楊倞注：《書・洪範》之辭。）此言君子之能以公義勝私欲也。[95]

藉〈洪範〉標榜公義，因公義的自覺而克制私欲，認為這是為政的君子應該力所能及。公義表現於克服嫉妒的本能，從野蠻魔障之中解放出來，從而懂得欣賞其他人的長處，能夠親近仿傚，而且進賢共治。此《荀子》彰論《論語》「公則說」，說明公義的目的性。《荀子・儒效》謂：

> （周公）兼制天下，立七十一國，姬姓獨居五十三人，而天下不稱偏焉。[96]

「偏」乃〈洪範〉「無偏」之義。以周公內舉不避親，唯賢是用的歷史，說明其所以為世所頌揚，而王業所由興。王者之政，不離大公。於《荀子・王制》謂：

> 分均則不偏。（……）故制禮義以分之，使有貧、富、貴、賤之等，

95 梁啟雄：《荀子柬釋》（臺北市：臺灣商務印書館，2005年），頁20-21。

96 梁啟雄：《荀子柬釋》，頁75。

足以相兼臨者，是養天下之本也。[97]

公道是「養天下」的大理。本養為治，義取〈洪範〉。制禮義，事關王政，必須大公而不偏。《荀子・王制》又謂：「君子者，天地之參也，萬物之揔也，民之父母也。」[98]用〈洪範〉「天子作民父母」義，表明人主務養百姓，此千古不磨的真理。為政者據君德為教，則天下無不治。《荀子・王霸》說：

天下莫不平均，莫不治辨，是百王之所同也，而禮法之大分也。[99]

「禮法」指國家機器。國家機器的建立，有其意向性，目的很明確，便是實現平均的公道原則。主持機器運作的人君，必須明確存在的目的。《荀子・君道》強調：

請問為人君？曰：以禮分施，均偏而不偏。[100]

人君應該了解公平的施政原則，是為知道。這屬於道德的自覺。禮法之意義，存在於自覺之中。人君自覺此公道之義，而制定禮法，令公道之意義能夠客觀化，以客觀的成文制度保障公道，則足以為天下的法式。《荀子・禮論》謂：「立隆以為極，而天下莫之能損益也。」[101]人君尊重禮法，因為禮法是實現國家機器存在的目的，其核心不離〈洪範〉「皇建其有極」。治天下能夠立極，一切政事繞極而運作，政治自能保持安穩。此千秋萬世的偉業，從立極開始。制定禮法是第一步。《荀子》追求的是永恆的政治而非因時變異的權術，基於這絕高的境界，《荀子》據〈洪範〉義批評對手。《荀子・天論》說：

萬物為道一偏，一物為萬物一偏，愚者為一物一偏，而自以知道，無

---

97 梁啟雄：《荀子柬釋》，頁99。
98 梁啟雄：《荀子柬釋》，頁107。
99 梁啟雄：《荀子柬釋》，頁1480。
100 梁啟雄：《荀子柬釋》，頁163。
101 梁啟雄：《荀子柬釋》，頁263。

> 知也。慎子有見於後，無見於先。老子有見於詘，無見於信。墨子有見於齊，無見於畸。宋子有見於少，無見於多。（……）《書》曰：「無有作好，遵王之道。無有作惡，遵王之路。」此之謂也。[102]

《荀子》明公義，崇禮所以明公，君天下如為民父母。〈洪範〉「不偏」之義，是《荀子》言聖王之道的淵源。《荀子．臣道》頌揚箕子為「聖臣」之一[103]，則〈洪範〉的地位可見。《荀子》發揚〈洪範〉義，永恆的道術義存乎其中。

《韓非子》推明公義，更用意於統治之術，立言的重心在人主的勢位。這是戰國時代現實的問題，《韓非子》所提出的是對治人君面對的政治困境。《韓非子．主道》謂：「去好去惡，臣乃見素。」[104]本〈洪範〉「無有作好」及「無有作惡」的君德義，說明人君務必自覺去私立公的責任。《韓非子》強調〈洪範〉為過去王政的法度，是當今為政者的大原則，稱為「先王之法」。此「先王」不是箕子，箕子不曾為王。稱〈洪範〉為「先王之法」，是指周武王得其法而天下治，〈洪範〉成就了周武王的王業，足為王者法。《韓非子．有度》謂：

> 先王之法曰：「臣或作威，毋或作利，從王之指；無或作惡，從王之路。」古之世，治之民，奉公法，廢私術，專意一行，具以待任。[105]

孔子說「〈洪範〉可以觀度」，則《韓非子．有度》之度，自見淵源。度之為法，是《韓非子》所強調。《韓非子．解老》又說：「全壽、富貴之謂福。」[106]此本〈洪範〉五福「壽、富、康寧、攸好德、考終命」為說。「全壽、富貴」乃五福之首兩項。見《韓非子．解老》解詁字義之講究。《韓非

---

102 梁啟雄：《荀子柬釋》，頁235。

103 梁啟雄：《荀子柬釋》，頁182。

104 （戰國）韓非著，陳奇猷校注：《韓非子新校注》（上海市：上海古籍出版社，2000年），頁66。

105 （戰國）韓非著，陳奇猷校注：《韓非子新校注》，頁100。

106 （戰國）韓非著，陳奇猷校注：《韓非子新校注》，頁386。

子・解老》又謂：「所謂直者，義必公正，公心不偏黨也。」[107]運〈洪範〉「無偏無黨」的「王道正直」義，突出「公正」，而此「公正」乃從人主的自覺來規範，所以稱為「公心」。從心靈的自覺說公道，與《荀子》一脈相承。《韓非子・解老》謂：「體道則其智深，其智深則其會遠。其會遠，眾人莫能見其所極。」[108]會通了〈洪範〉「會其有極，歸其有極」，而《韓非子》反用其意，強調人君用心不偏，令臣民不能意測而犯奸。《韓非子》之異於《荀子》，在強調防範人臣，這是〈洪範〉以來諸家所不忍言的。

呂不韋編集《呂氏春秋》，正位尊權重之時[109]。《春秋》為「王者之事」，是戰國時代共識。呂書題取名《春秋》，表明屬王者制作，不是一般的議論。錢穆懷疑呂氏門客抬槓，欲借一家《春秋》為新王，陰謀竊柄代秦[110]。東漢高誘注其書，表出其「大出諸子之右」[111]。如果就書名取義，的確不同尋常。惟《史記》載呂不韋，實有意跨競時人，追步《荀子》，包羅一切思想，難免有爭強好勝之嫌，原非一本經世的抱負，與戰國諸子的橫議道術，動機有異。太史公無不譏諷說：「孔子之所謂聞者，其呂子乎？」[112]《呂氏春秋》雖意在較量，必全力以赴，泛擷諸家論說之精華，則剪裁選擇之間，巧為縫合，頗盡心力。雖不必屬個人原創之思想，至於諸子所自炫之「道術」，《呂氏春秋》號集東周諸子的大成，此書屬總匯。「道術」之源為〈洪範〉，公道義自然成為標誌。《呂氏春秋》標榜〈洪範〉，正顯示〈洪範〉於東周諸子的影響。《呂氏春秋・貴公》揭示謂：

107（戰國）韓非著，陳奇猷校注：《韓非子新校注》，頁390。

108（戰國）韓非著，陳奇猷校注：《韓非子新校注》，頁396。

109（西漢）司馬遷：《史記》，卷85〈呂不韋列傳〉，頁2509。葉志衡：《戰國學術文化編年》（杭州市：浙江大學出版社，2007年），頁357。

110 錢穆：《先秦諸子繫年》，頁485。

111 陳奇猷：《呂氏春秋校釋》（上海市：學林出版社，1984年），（東漢）高誘〈呂氏春秋序〉，頁2。

112 司馬遷：《史記・呂不韋列傳》裴駰《集解》謂：「《論語》曰：夫聞也者色取仁而行違，居之不疑，在邦必聞，在家必聞。馬融曰：此言佞人也。」卷85，頁2514。

> 昔先聖王之治天下也，必先公，公則天下平矣。平則得公。嘗試觀於上志，有得天下者眾矣。其得之，以公；其失之，必以偏。凡主之立也，生於公。故〈洪範〉曰：「無偏無黨，王道蕩蕩；無偏無頗，遵王之義；無或作好，遵王之道；無或作好，遵王之路。」天下非一人之天下，天下之天下也。陰陽之和，不長一類；甘露時雨，不私一物；萬民之主，不阿一人。[113]

幾囊括〈洪範〉的關鍵詞彙，而轉出「聖王」治法，總結歷史興亡。總攬治術的要義，而其基本在人主心術的運用，以顯主威。立公之道在法天，《呂氏春秋．序意》：

> 爰有大圜在上，大矩在下，汝能法之，為民父母。[114]

儒門彰顯「為民父母」的〈洪範〉，《呂氏春秋》進一步本天地自然之理說明為民父母的必然性，說明君臣秩序的有效性。《呂氏春秋．圜道》謂：「天道圜，地道方，聖王法之，所以立上下。」[115]強調「聖王」法天地，建立禮法秩序。如此，則「為民父母」本出衷懷的養民責任，遂一變為純粹實現維護已存的統治秩序。《呂氏春秋．君守》謂：

> 得道者必靜。(……) 天之大靜，既靜又寧，可以為天下正。(……)〈洪範〉曰：「惟天陰騭下民。」陰之者，所以發也。[116]

引〈洪範〉「陰騭」，原意蔭護，指天蔭護下民。《呂氏春秋》改讀為「發」，謂「覆」，指喻人主之威覆蓋天下，無所不至，猶如天之無所不覆。人君法天，非效其養民，乃法其無聲無色卻無所不覆，是為「無為」之義。效法天道的寧靜，「人主無為而民自化」。《呂氏春秋．君守》言「天無形，

---

113 陳奇猷：《呂氏春秋校釋》，卷1，頁44。

114 陳奇猷：《呂氏春秋校釋》，〈序意〉，頁646。

115 陳奇猷：《呂氏春秋校釋》，卷3，頁171。

116 陳奇猷：《呂氏春秋校釋》，卷17，頁1049。

而萬物以成」[117]。人君是《呂氏春秋》考慮的核心，一切治法都轉向保障人君的絕對地位。過去諸子強調的公道義，今轉要求於士人。《呂氏春秋・士容》:「士不偏不黨。」[118]〈洪範〉本以說人主無所偏私，此更以要求士人立身，唯主命是從。《呂氏春秋・序意》強調「人臣之節」，有必要時以死徇之[119]。這是先秦諸子所不願道，而呂不韋大書徇死，一切以君威為重；宣示君威至上的觀念，是《呂氏春秋》的中軸。

《呂氏春秋》的〈八覽〉、〈六論〉、〈十二紀〉充滿數的意味，這是刻意以數安排篇目。《呂氏春秋・序意》明確交代:「（無為而行）行也者，行其理也。行數，循其理，平其私。」[120]行數的數指八、六、十二，是一種絕對的存在，不為個人私意所能改變。運數以立論，已經預先確定永恆的法則，將此數之理全歸入公，摒絕一切私見，則公便是絕對真理。《呂氏春秋・十二紀》之首〈貴公〉謂:「人之少也愚，其長也智，故智而用私，不若愚而用公。」[121]這屬於愚民政策的統治陳方。《呂氏春秋》難以配對孔、墨、孟、荀、申、商、韓、道德、黃老等富有思想原創力的學術，後儒謂其「大出諸子之右」，顯非通論。〈序意〉強調法天地，「為民父母」[122]。儒家用〈洪範〉「天子作民父母」，表示慈惠蒼生；而呂不韋則意取支配生殺予奪，一切歸公，杜絕任何「私視」、「私聽」、「私慮」。從君權的考慮，樹立絕對的支配力量。就徇節與歸公兩極，主宰了《呂氏春秋》對諸子學說的選擇。其書假公以濟己最大之私，大失東周所張開的〈洪範〉大公之旨，而自淪於權謀的淵藪。

---

117 陳奇猷:《呂氏春秋校釋》，卷17，頁1049。

118 陳奇猷:《呂氏春秋校釋》，卷26，頁1689。

119 陳奇猷:《呂氏春秋校釋》，頁648。

120 陳奇猷:《呂氏春秋校釋》，頁648。

121 陳奇猷:《呂氏春秋校釋》，卷1〈貴公〉，頁44-45。

122 陳奇猷:《呂氏春秋校釋》，頁648。

三 〈洪範〉「王道」義的發揚

就今存文獻，考求「王道」一詞所出，始見於〈洪範〉。箕子〈洪範〉陳述「皇極」，再三運用「王道」一詞，為全文焦點，屬自覺運用。〈洪範〉「王道」立君德，備受周秦諸子重視，扶論治道，斑斑可考。唯向來論「王道」多偏《孟子》，波蕩東瀛，捨《孟子》而無他[123]。專據《孟子》申論王道，啟肇於兩宋，七百年來形成固定的學術成見，左右了學術的視野。於周、秦極豐富的「王道」理想，皆廢棄不論。《孟子》之義，堂廡固然正大，究屬一家之說[124]，時代思潮鼓吹的一員。論「王道」義的原整意義，於正視《孟子》之餘，亦應觀照諸家之論，方免偏頗失實。「王」於商、周是當國在位者的通稱[125]。商代君主稱王，至高無尚，人神一體[126]。陳直釋「王」字，從「二」為火上炎之象。火於生活至重要，比喻「王」。《說文解字》引孔子「一貫三為王」本諸《易》象六爻，減省為三，唯有王者能貫通天地人三象。如果從字義轉入〈洪範〉「王道」的德性自覺，則王道自屬永恆的火焰，明照天下，文明大開[127]。「王」之有道，組成「王道」一詞，給賦予了「道」的內涵，由此而提昇君「位」到君「德」，自然受道德與理性的範限，逆轉王、民對立的緊張狀態，甚至親切猶如作民父母。此詞此義，非比尋常。

---

[123] 藤原（王）文亮：《聖人與中日文化》（北京市：社會科學文獻出版社，1999年），頁1684。張崑將：《日本德川時代古學派之王道政治論：以伊藤仁齋、荻生徂徠為中心》（上海市：華東師範大學出版社，2008年）。

[124] 黃俊傑：《孟學思想史論》卷1（臺北市：東大圖書公司，1991年）。賀容一：《孟子之王道主義》（北京市：北京大學出版社，1993年）。王文亮：《中國聖人論》（北京市：中國社會科學出版社，1993年）等。

[125] 斯維至：《中國古代社會文化論稿》（臺北市：允晨文化實業有限公司，1997年），頁137、359。石井宏明：《東周王朝研究》（北京市：中央民族大學出版社，1999年），頁146。

[126] 劉澤華：《先秦政治思想史》，頁11。

[127] 陳直著，周曉陸、陳曉捷編：《讀金日札》（西安市：西北大學出版社，2000年），頁23。

《管子》陳述聖王治道，啟東周諸子的先聲。《管子・七法》謂：「大者時也，小者計也，王道非廢也，而天下莫敢窺者，王者之正也。」[128]以「王道」為王者治天下的大本。《管子》極重視「天下」的觀念，諸子論治的氣魄從此而來。王天下不是以武力，而是以「道」。《管子》強調：

> 王天下者，其道王之也。[129]

此道是稱「王道」。以道王天下，則非人君無限膨脹私欲，而必須抽離自我，這是極高的道德自覺，處人君之位，則天下之念為一切施政的根本考慮，所以說：「以天下為天下。」[130]〈洪範〉闡明的是管治天下的原則，《管子》稱「王道」，亦為王天下者說法，這是精神上的感召傳承。《荀子・樂論》載：「吾觀於鄉而後知王道之易易也。」[131]《荀子》反覆此句。此語復見於《禮記・鄉飲酒義》，書屬戰國時代，而明書「孔子曰」。治天下，猶反手，「易易」從人主的意願上說，這是目的意義的鼓勵。意在養民，則王道可輕易實現。孟子亦如是觀。《孟子・梁惠王》謂：

> 養生送死而無憾，王道之始也。[132]

《孟子》本養民之義，從百姓的生存狀態言「王道」，乃為民請命，與〈洪範〉不異，是儒門的根本大義。《管子》以「天下」的觀念規範「王道」，以人主為中心，視線必然落在統治機器的操作，包括土地、人口及財政的管理，跟〈洪範〉之論王者「八政」不期而合。孔子之稱讚管子，是有理由的。但身處的時代環境不同，孟子親歷戰國的暴虐，生民所受的痛苦，難免觸動其心靈，所以為民請命的焦慮亦來得強烈。

論治天下的方式，戰國異說，不限一義。同說「王道」，內容則南轅北

---

128 顏昌嶢：《管子校釋》，卷2，頁67。

129 顏昌嶢：《管子校釋》，卷10〈君臣〉，頁256。

130 顏昌嶢：《管子校釋》，卷1〈牧民〉，頁7。

131 梁啟雄：《荀子柬釋》，頁287。

132 朱熹：《孟子集注》，卷1，頁203。

轍。《商君書》便是一例。於人類觀念史說，是正常的現象。《商君書・農戰》謂：「國富而治，王之道也。故曰：王道非外，身作壹而已矣。」[133]《商君書》規範「王道」之義，「國富而治」是核心。這是極其漂亮的口號，可以運用於任何的時刻。如果無視《商君書》的「王道」，只是一味談《孟子》，顯然偏重。《商君書》儘管以浮說定義「王道」，但強調王者必須明確身負的責任，正名的意識深強烈。人君視「王道」為己份，人臣視「臣道」，百姓視「民道」，各有定分[134]。這是治理混亂局面的一種有效方式，對治戰國時代的政治生態，亦頗收功效，因為背後是一套極為嚴酷的極端專制統治[135]。但其內涵與《孟子》對極[136]，以人主的個人考慮為關懷的起點。〈洪範〉「王道」義異化與否，視乎兩種觀念張力強弱的較量。新出土銀雀山竹簡有戰國書《論政論兵》，其第四篇題〈王道〉，其中一策謂：「王道有五，一曰能知君為國之……。」[137]更具體指出五種「王道」。戰國時代對「王道」的問題，已經步步轉向工具式方向，明顯異化了〈洪範〉公道義。「王道」義異化，關鍵在「心術」。《韓非子・心術》謂：

> 能越力於地者富，能起力於敵者強，強不塞者王。故王道在所聞，在所塞，塞其姦者為王。故王術不恃外之不亂也，恃其不可亂也。[138]

「王道」的通、塞在於「王術」，「道」依賴「術」而存在，落人主制馭臣民的心術。理解東周時代思想的自由與開放的特點，則能夠理解「王道」義異化的事件。在思想自由的時代，獨尊的意識型態未建立，異化傳統，是思想交鋒的必然現象。

---

133 高亨：《商君書注釋》（北京市：中華書局，1974年），頁35。按：原作「王者作外」。高亨謂：「作字疑當作非，形似而誤。」頁35。

134 高亨：《商君書注譯》，〈開塞〉，頁73。

135 張林祥：《商君書的成書與思想研究》（北京市：人民出版社，2008年），頁209-211。

136 唐師端正：《先秦諸子論叢續編》，〈商鞅的強國之術〉，頁115-154。

137 吳九龍：《銀雀山漢簡釋文》，頁38。

138（戰國）韓非著，陳奇猷校注：《韓非子新校注》，卷20，頁1181。

戰國書《文子》論道，本黃老之道論治術，賦新意於「王道」意涵。《文子．道德》謂：

> 文子問曰：「古之王者，以道蒞天下，為之奈何？」老子曰：「執一無因，因天地，與之變化。天下，大器也，不可執也，不可為也。（……）古之王道，具於此矣。」[139]

《文子》本《老子》規定「王道」義，以無為說治道，則純粹從人力微不足道的生活體驗立說，則一切入世的關懷，於「大器」的天下都屬徒勞無功。這種潔身自愛的信念，也是東周思想的重要一脈，楊朱、列子是代表，其中自有深刻的處世智慧。孟子激烈批評這種明哲保身得思想，自有高尚的理由。但如果不偏一說，無為之旨也可給熱衷於物質與鬥爭的時代一個反省的空間。《列子．天瑞篇》言：「公公私私，天地之德。知天地之德者，孰為盜耶？孰為不盜耶？」[140]有所必為與有所不為，亦各行其道。

西漢初年，陸賈著《新語》，開啟漢代治統的意識型態方向[141]，開宗明義說「王道」：

> 於是先聖乃仰觀天文，俯察地理，圖畫乾坤，以定人道，民始開悟，知有父子之親，君臣之義，夫婦之別，長幼之序。於是百官立，王道乃生。[142]

陸賈標榜「王道」，延續先秦諸子的精神。陸賈因此也以「聖王」為說，〈輔政〉篇說小人的行為「聖王者誅」[143]，稱揚之為「帝王之道」[144]，並突出孔

---

[139] 王利器：《文子疏義》（北京市：中華書局，2000年），卷5，頁231-232。

[140] 景中：《列子譯注》（北京市：中華書局，2007年），頁28。

[141] 唐國軍：《帝制初期中國傳統政治學體系建構——以新語整體性文本解讀為基點》（北京市：中國社會科學出版社，2008年）。

[142]（漢）陸賈撰，王利器校注：《新語校注》（北京市：中華書局，1986年），〈道基〉，頁9。

[143]（漢）陸賈撰，王利器校注：《新語校注》，〈輔政〉，頁55。

[144]（漢）陸賈撰，王利器校注：《新語校注》，〈慎微〉，頁86。

子「欲匡帝王之道」的宗旨，肯定儒術是「天道之所立，大義之所行」[145]。陸賈《新語》是漢代學術的基礎，其中規範「王道」於儒術，意在扭轉秦政，但不免拐向另一極端。可見思想內部的激烈爭持，各走極端，時代政治生態鉅大的錯動，是支配的因素。諸子既意在參與政治，則難免為政治變化所剋制。

四　結論

周、秦之際諸子引申〈洪範〉，不限一家，儒、墨、道、法俱有據以立說並發揮，具顯其影響之深廣，是經世的共同話語和思想資源。

尤值得注意的是：先秦之徵引〈洪範〉，皆未涉災異休咎之論，此見學術關懷重心所在。此重心是為「王道」。

〈洪範〉傳世以來，「王道」公正義的關懷，一直流動不息。〈洪範〉與諸子書之間，此為精神紐帶。論說「王道」，必自箕子〈洪範〉始。

但思想自身的異化力量亦從之而生，「王道」的公正義亦同時扭向人君統治的心術論，至《呂氏春秋》異化為人主統治心法大成，瓦解觀念自身，而更強化獨夫政治。

---

[145] （漢）陸賈撰，王利器校注：《新語校注》，〈本行〉，頁142。

方宗誠《書傳補義》析論

蔣秋華[*]

前言

清代學者治經，重尚考據，名家名著迭出，相形之下，以義理解經的學者與著作，則顯得較為沉寂，加上近代學術研究，崇尚科學方法，與詳列證據的考據學風相合，因而研究者注視與讚賞的標的，往往集中於考據學者，使得以義理解經者，更不受重視。然而講義理學者的著作，若是無人探究，不僅其實際的學術內容與價值，無法知曉，其與考據學者間的差異，也不能察見，這對於一代學術的認識，是有缺陷的，在不完備的理解情況下，勢必無法獲取清代經學的整體風貌。因此，對於義理學者的論著，也需有人研求，庶可填充空白的部分。本文選取晚清桐城學者方宗誠（1818-1888）的《書傳補義》，以探求其釋經的方法與說解的內容，或許可以彌補清代經學史的些微空缺。

一　生平與著作

方宗誠字存之，號柏堂，安徽桐城人。生於嘉慶二十三年（1818），卒於光緒十四年（1888），享年七十一歲。

根據史傳的敘述，方宗誠生而忱恂劬學，清勤刻苦，讀書有一理之未通、一事之未踐、一過之未悟，即如痼疾在身，不敢輕忽。他論學以程、朱為宗，與其師承許鼎（1782-1842）、方東樹（1772-1851），有極大的關連。

---

* 中央研究院中國文哲研究所。

宗誠童年時即與鄉里碩儒許鼎親近，年二十，始從其修習程、朱之書。許鼎字子秀，號玉峯，生於乾隆四十七年（1782），卒於道光二十二年（1842）。此人事親極孝，立身嚴謹，拒應科舉，授徒以養，所學以宋、明理學為主，雖無專門著作[1]，卻以自身的踐履德行，感染宗誠，使其所學所思，粹然一出於正[2]。

宗誠年二十三，堂兄東樹自粵歸，又從其學。東樹字植之，號儀衛，生於乾隆三十七年（1772），卒於咸豐元年（1851）。其學博大精深，宗主程、朱，平生著述以衛道為己任，在漢學盛行的時代，因不滿江藩（1761-1831）撰作《漢學師承記》、《宋學淵源記》表彰漢學、貶抑宋學，「乃取漢學諸人之謬及其詆程、朱者，一一辨之」[3]，著《漢學商兌》一書，宗誠奉其說為指歸[4]。宗誠師事東樹十二年之久，平日篤志宋、元後儒家之書。又受古文法，其所為文，和而粹，託意高遠，用以發明程、朱義理，抒寫事情，主於修辭立誠，不矜能於字句間[5]。

咸豐三年（1853），太平軍攻陷安慶、桐城，宗誠避難，移居魯谼山中先世之享堂。堂前有半枯古柏，宗誠日坐其下，讀書痛飲，取名柏堂。當時亂氛日熾，宗誠獨授經於山中，與同里朱道文（1785-1857）、方潛（1805-1869）、趙獻、張勳諸人，相與講學，時人比為魏禧（1624-1681）之易堂[6]。

1　方宗誠謂許鼎「平日不事著述，今唯存《正志錄》一卷」，見方宗誠：《柏堂師友言行記》，《續修四庫全書》（上海市：上海古籍出版社景民國十五年〔1926〕京華印書局鉛印本，2002年），卷1，頁1下。然許鼎今日可知的傳世著作，有由其外甥劉元佐與方宗誠同輯的《許玉峰先生集》三卷。

2　參見方宗誠：〈玉峯先生行狀〉，《柏堂集前編》（臺北市：藝文印書館，《叢書菁華》景光緒間志學堂家刊《柏堂遺書》本，1971年），卷7，頁1上-6上。

3　見方宗誠：《柏堂師友言行記》，卷1，頁2下。

4　參見方宗誠：〈儀衛先生行狀〉，《柏堂集前編》，卷7，頁6上-12上。

5　參見劉聲木：《桐城文學淵源考》（臺北市：明文書局，1985年《清代傳記叢刊》本），卷8，頁1下-2上。

6　參見清國史館原編：《清史列傳》（臺北市：明文書局，1985年《清代傳記叢刊》本），卷67，頁53下-54上。魏禧，明末清初人，世居江西寧都，與兄祥、弟禮均以文名，有「寧都三魏」之稱。明亡，三人避居金精之翠微峰，與彭士望、林時益、李咸豐八年，官軍敗於三河，宗誠乃與家人入山東。布政使吳廷棟（1792-1873）聞知，延至署中，相與講習討論，並留課兩孫。經由吳廷棟的推介，倭仁（1804-1871）、曾國藩（1811-1872）亦得知方宗誠之學行。倭仁讀其書，摘錄數十則，進講於經筵[7]。曾國藩見其所論攻守方略，欲借其才，致書相招。然宗誠行至大梁，因道阻不得前往，遂為巡撫嚴樹森（1814-1876）留居幕下，為其掌司章奏，頗多贊畫。後返安慶，曾國藩延請纂著《兩江忠義錄》。曾國藩總督兩江、直隸時，屢次以人才奏薦，宗誠均以書辭。後受黃彭年（1823-1891）之規勸，才應允出任直隸棗強知縣[8]。

同治十年（1871）二月，宗誠赴任。既至縣，清理積牘，釋放滯囚，懲治姦宄，平反冤獄，展現其吏治長才。為推廣學術，建正誼講舍、敬義書院，定立學規，集諸生會講，刻《小學經正錄》、《弟子規》及先賢遺書。復採邑中有學行之儒鄭端（1639-1692）、劉琯、劉士毅，附祀董仲舒（前179-104）祠，以資觀感。每逢歲旱，禱雨輒應。若遇災年，則悉心籌賑。於貞孝寒儒，別加餽贈。凡教養之事，知無不為。繼任總督李鴻章（1823-1901）曾上疏稱：「宗誠湛深經術，留心濟世。」[9]

宗誠任棗強令十年，於光緒六年（1880），以大計卓異，將擢陞灤州，他卻以創修義倉，積穀未成，力辭不往。未久，竟引身告歸，時年六十三。退職後，買宅安慶，以講授為業，遠近從學著弟子籍者數十人[10]。於此同時，他也編次生平所著書，多達百數十卷。後以安徽學政貴恆（？-1904）奏，稱其學行，詔加五品卿銜[11]。

騰蛟、邱維屏、彭任、曾燦，同於山中講《易》，人稱「易堂九子」。

7 參見趙爾巽等：《清史稿》（臺北市：明文書局，1985年《清代傳記叢刊》本），卷486，總頁13430。

8 參見清國史館原編：《清史列傳》，卷67，頁53下-54上。

9 參見清國史館原編：《清史列傳》，卷67，頁53下-54上。

10 參見譚廷獻：〈五品卿銜前棗強縣知縣方君墓志銘〉，繆荃孫纂錄：《續碑傳集》，卷80，頁21下-22下。

11 參見譚廷獻：〈五品卿銜前棗強縣知縣方君墓志銘〉，繆荃孫纂錄：《續碑傳集》，卷80，頁21下。

方宗誠生平著述無虛日，早年讀書時，廣抄筆記，晚年教育子弟，亦勤於撰述，且速度極快，逾時越月，即有所成。綜考相關載記，可知者有：《柏堂經說》十種[12]、《讀書筆記》十三種[13]、《同治上海縣志》三十四卷（與俞樾同纂）、《棗強縣志補正》五卷、《吳竹如先生年譜》一卷、《宦遊隨筆》二卷、《南歸記》一卷、《俟命錄》十卷、《志學錄》八卷、《志學續錄》三卷、《輔仁錄》四卷、《養蒙彝訓》一卷、《教女彝訓》一卷、《柏堂集》九十四卷[14]。

二　學宗程、朱

強汝詢（1824-1894）〈方存之先生家傳〉曰：

> 初，桐城方望溪侍郎以程、朱之學，韓、歐之文倡導後進，自後海內言古文者，咸尊方氏而莫知其學，獨桐城儒者能傳之。乾隆時，有自好漢學者，專以詆訐程、朱為能事，天下風靡，獨桐城儒者猶守望溪氏之說不變。先生生於是邦，幼聞於家庭，長得於師友，無非正學，遂慨然有志於聖賢，刊除枝葉，屏棄曲說，專本程、朱之言，以進求六經、四子書，銳精研思，作氣勇進。……其論說大旨，以格物致知

12　據傳記資料知有十種、三十三卷，包括：①《讀易筆記》二卷、②《書傳補義》三卷、③《詩傳補義》三卷、④《禮記集說補義》一卷、⑤《春秋傳正誼》四卷、⑥《春秋集義》十二卷、⑦《孝經章義》一卷、⑧《讀學庸筆記》二卷、⑨《讀論孟筆記》三卷、⑩《讀論孟筆記補記》二卷。

13　傳記資料多言有十三種、三十五卷，據考有：①《論文章本原》三卷、②《讀文雜記》一卷、③《說詩章義》三卷、④《陶詩真詮》一卷、⑤《讀宋鑑論》三卷、⑥《讀史雜記》一卷、⑦《讀諸子諸儒書雜記》一卷，以上七種共十三卷，此外，尚有：⑧《周子通書講義》一卷、⑨《象山集節要》六卷、⑩《人譜補正》一卷、⑪《讀思辨錄記疑》一卷、⑫《柏堂師友言行錄》四卷、⑬《斯文正脈》一卷，以上六種共十四卷。兩者合計僅二十七卷。所謂「三十三卷」，當是「二十七卷」之訛。

14　包括《前編》十四卷、《次編》十三卷、《續編》二十二卷、《後編》二十二卷、《餘編》八卷、《補存》三卷、《外編》十二卷，共九十四卷。

> 為首務，以子臣弟友為實學，以明體達用為要歸。造次發言，不離乎是，而文足以達之。遠近傳播，信從者眾，論者謂望溪而後，先生之學卓然為桐城一大宗。[15]

此處敘述方宗誠之學養，得自鄉里及師友的薰陶，因而能秉持方苞（1668-1749）以來相傳，專以程、朱之說治學，以韓、歐之風撰文的桐城學風。他的著作也是從理學入手，講求格物致知與倫理道德，而且日常言行，無時或忘，所為文也能表達習知之道。因此，宣揚及信從其說者甚多，遂稱宗誠為方苞之後，「卓然為桐城一大宗」。如此說法，雖略嫌誇大，卻也表明宗誠的確是沿襲桐城一脈的傳統，亦即以程、朱理學為尚的學風。

史傳謂方宗誠治經論學，「於諸子百家，靡不采摭，而一衷程、朱」[16]。其〈復劉岱卿書〉曰：

> 竊以謂吾輩為學，宜急於辨人品之真偽，無急於辨學術之異同；宜急於辨吾心之理欲，無急於辨他人之是非。[17]

據此可見其論學首重德行，以理欲之明辨為先，在他心中，分辨學術之異同，實非當急之務。其〈編次許玉峯先生集敘〉曰：

> 學為之道，凡以求得其本心而已。世之學者，多昧於古人立學之意，務外遺內，逐末忘本，好名喪實，舍己為人。夫既以好名務外、為人逐末之心，從事於學，則凡聖賢所言廣博精微者，適皆足以供其好名務外之資，為人逐末之用而已。是以學彌深，心彌放，於聖賢之道，無毫髮當也。[18]

---

15 見方宗誠：《柏堂遺書》（臺北市：藝文印書館，《叢書菁華》景光緒間志學堂家刊本，1971年），卷首，頁1上-1下。

16 參見清國史館原編：《清史列傳》，卷67，頁54上。

17 見方宗誠：《柏堂集前編》，卷4，頁3上。

18 見方宗誠：《柏堂集前編》，卷2，頁1上-1下。

此處宗誠亦以為學當求正於本心，不可「好名務外，為人逐末」，否則只會利用聖賢之言，換取一己所欲，一點也不合乎聖賢之道。觀其所言，明顯是宋、明理學一脈。

方宗誠〈書顧亭林先生年譜後〉曰：

> 夫六經之書，皆載堯、舜以來聖賢德行政事、學者修己治人之理，明體達用、內聖外王之道具在於是，則謂經學即理學，誠至論也。然惟程、朱數子之經學，足以當之。若漢、唐諸儒之注疏正義，其補於經訓者固多，其穿鑿細碎而背理本者，亦殊不少，不得謂經學即理學也。程、朱由六經而洞達本原，後世儒者得其微言，而因不知上窮夫六經，誠不免墮於空疏之弊。然謂邪說禪學由是而起，則有不盡然者。禪學之病，正由不肎窮理之故，非徒在於不窮經也。[19]

他以六經所載為聖賢施政修身之事理，明體達用、內聖外王之道皆載其中，能如此體會者，方可說「經學即理學」。而他認為只有程、朱等人的經學，才真正屬於此範疇下的經學。漢、唐的訓詁之學，雖有助於經書的解讀，但附會繁瑣，違背道理者亦不少，如此則不得謂「經學即理學」。換言之，只有宋人之學才可代表真正的經學，因為程、朱等人能透過六經，而通達道理的本源。後人只知其得道之理，而不知其獲致的途徑，是由窮研六經而來。如此一來，不知探察源頭的六經，便會陷入空疏的弊病。可是顧炎武（1613-1682）卻認為禪學的混入即由此弊而來，宗誠頗不以為然。他指出禪學的病端，不僅是不窮經，更是不願窮理。〈書顧亭林先生年譜後〉又曰：

> 先生不知其為不窮理之弊，而但以為不窮經之弊，立說偏宕，於是承學之士，務明經學，而不求其理，溺於訓詁、名物、文義、小學，而凡古聖賢明體達用、內聖外王之大經大法，全然不省，以為是經學也。經學日多而理益晦，益晦而經學亦名存而實亡。蓋先生生明之

19　見方宗誠：《柏堂集續編》（臺北市：藝文印書館，《叢書菁華》景光緒間志學堂家刊《柏堂遺書》本，1971年），卷5，頁2上-2下。

> 季，但見舍經學而言理學者，邪說由此興，而烏知近世舍理學而言經學者，邪說之橫流，亦更甚哉！[20]

顧炎武看到當時學界不窮經的弊病，故提倡「經學即理學」，所為者僅是訓詁考證之學，卻導致只知明經而不知窮理，這對方宗誠而言，是不夠的，因為尚未體會「古聖賢明體達用、內聖外王之大經大法」，所以治經者雖多，反而造成理學的晦暗，連帶使經學名存實亡。因此，方宗誠認為顧炎武僅看到捨棄經學而言理學的弊病，卻不知捨理學而言經學的弊病更大。

〈跋二曲集後〉中，方宗誠曰：

> 夫學問之道，不外乎孔子「博學於文，約之以禮」一途，〈大學〉曰「致知在格物，物格而後知至」，〈中庸〉曰「明善誠身」，《孟子》曰「博學而詳說之，將以反說約也」，此論學之要旨也。蓋天下之理，具於吾心，而要不可但求之於心也，必博文格物，以窮其理之當然與其所以然，而反之於身心，以求得所安焉。然後能體用一原，顯微無閒，豁然而貫通。[21]

他認為學問之道即孔子所言「博學於文，約之以禮」，並引述〈大學〉、〈中庸〉、《孟子》的話為證，亦即天理具於人心，然不可只在心上求，而需借助博文格物的工夫，以窮究其理，再反察於個人之身心，庶可心安理得。如此修習，才可使體用一原，貫通無礙。此處宗誠指出學問有體有用，必須聯貫一致，不可分隔，所以學者需下的工夫，務必由博反約，也就是透過格物窮理，再回返於吾心，以相互印證。這樣的學習途徑，方為其認可的學問之道。

方宗誠治經，尊崇程、朱之說，採取義理解說的方式，以闡明經書大義。而其所注重的是書中聖賢的言行，認為必須予以踐履篤行，才是為學首要之道。至於漢學家過於瑣碎繁雜的文句訓詁與典制考證，雖然有助於經義

---

20 見方宗誠：《柏堂集續編》，卷5，頁3上-3下。

21 見方宗誠：《柏堂集續編》，卷5，頁4上-4下。

的理解，卻不是他看重的。

三　《書傳補義》的撰作

同治四年（1865），方宗誠撰〈詩書集傳補義敘〉，自述其著作二書之用意，曰：

> 《書經》一書，二帝、三王、皋陶、伊、傅、周、召治身治世之大法備矣，而三代治亂興亡之要，莫不令人洞悉其所以然，尤足以為有國有家者之鑒戒焉。《詩經》一書，正雅變雅，備見周世盛衰之由，其十五國正風變風，則各國治亂興亡之故，亦莫不具於斯。觀之古而後世之事變，亦莫能外也。朱子《詩集傳》、蔡氏《書集傳》，大體醇正無疵，余反覆翫味有年，閒嘗引申其義，以發二書之大綱要旨。至《集傳》中偶有所疑，坿記於後，以質世之君子。然皆必其關繫世教人心者，然後為之疏通證明，固不敢為微文碎義，以破道也。[22]

《詩》、《書》二經載有上古聖君賢臣治世之法，以及三代治亂興亡之故，觀古可以知今，後人足以為鑒戒。朱熹（1130-1200）與蔡沈（1167-1230）分別為二經所作之《集傳》，方宗誠以為大體醇正，因而他欲藉二書以闡發經義，這是他崇尚宋學理念下的抉擇。然而二人書中也有一些啟人疑慮的說解，宗誠則將其附於書末，並一一為之辨析。凡是被他摘記申述者，必然有關世教人心，雖是以己意疏釋，其目的卻是為了闡明經書的教化之理。這是他一貫的解經方式，即宗主程、朱學者，敷衍他們的說法，遇有不夠明晰處，則為之補充講明。

關於《書傳補義》的內容，倫明（1875-1944）曰：

> 《書傳補義》三卷，同治乙丑刊本。清方宗誠撰。是書卷一〈通論大義〉、卷二〈通論要義〉、卷三〈附論疑義〉。一二兩卷，言心，言

22　見方宗誠：《柏堂集續編》，卷2，頁14上-14下。

> 學，言治，論平正而實迂腐。卷三於蔡《傳》所未詳者，則引他說以補之；蔡《傳》所未盡者，則參以己意以申之；蔡《傳》之原誤者，則推經意以正之：多有當者。所引證自宋、元儒，以迄同時同邑之戴鈞衡，以戴說為尤多。[23]

觀其介紹之語，可知此書以義理解經，因而所關切的問題，是理學家重視的「言心，言學，言治」，而且對於蔡沈《書集傳》的訂補，也花費不少心力。至於倫明所謂的「論平正而實迂腐」評語，則是以後世眼光來看待古人的解經態度，未必公允。他又提到書中所引用參考的著作，自宋至清均有，而以里人戴鈞衡（1814-1855）的說法最多。戴氏《尚書》學的著作，有《書傳補商》[24]、《書傳疑纂》[25]兩種，採取的注解方式，也是以義理為主。戴鈞衡為方宗誠的好友，兩人相與論學，在彼此的書中，常徵引對方的說解，以為佐助。

倫明對《書傳補義》的批評，有褒有貶，讚賞的例子如：

---

[23] 見中國科學院圖書館整理：《續修四庫全書總目提要．經部》（北京市：中華書局，1993年），頁252。

[24] 江瀚曰：「《書傳補商》十七卷，咸豐間刻本。清戴鈞衡撰。鈞衡字存莊，號蓉洲，安徽桐城人，道光二十九年舉人。是編卷首撰述〈條例〉有曰『殷〈盤〉周〈誥〉，詰曲聱牙，歷漢迄今，義多未顯，〈微子〉、〈金縢〉、〈多士〉、〈君奭〉、〈多方〉、〈立政〉、〈顧命〉、〈康王之誥〉、〈呂刑〉諸篇，語意艱深，無殊〈盤〉、〈誥〉，窮經者不求甚解，試士者不以命題，苟無古文諸篇，則斯經幾同廢棄，特加詮釋』云云。又曰『不敢效近儒之擯絕古文，亦并異草廬之專釋今文』，實則此書所補商者，皆悉出今文也。……至謂『前儒多以天人性命、治亂興衰，發揮義蘊，洵有關於治道，亦啟迪乎人心，不徒規規然字句解釋間』，是則講學家門面之談，非治經之正軌矣。」見中國科學院圖書館整理：《續修四庫全書總目提要．經部》，頁248。

[25] 倫明曰：「《書傳疑纂》八卷，原藁本。清戴鈞衡撰。……是書無序例，於蔡《傳》及異蔡《傳》諸說，疑而未安者，則援證他說，或直抒己見，以求其是，凡以輔《補商》所未及。……鈞衡信古文而不信孔《傳》，然謂其亦有可取，故書中多主之。他所主，亦不盡宋儒之說。獨於文王稱王紀元一事，斥為妄說。至若『惟有道曾孫周王發』一語，即證為非史臣所加，乃強牽程伊川『今日天命絕，便是獨夫』為解，不思天命之絕未絕，豈有諄諄焉命之者乎？囿於迂見，不惜抹煞經傳，是治宋學者之通病矣。」見中國科學院圖書館整理：《續修四庫全書總目提要．經部》，頁248-249。

其要者，論〈胤征〉，據左襄四年、哀元年《傳》曰：「因夏民以代夏政。」又曰：「寒浞取其國家。」又曰：「浞因羿室，生澆及殪。」可證羿據夏邑而自立，及寒浞滅羿而代之，并滅相而夏統絕，后相未滅以前，太康雖廢，仲康嗣位，與羿相距，命胤侯掌六師，此〈胤征〉所為作也。然不能移征羲和之師，以加之羿者，殆勢所未可歟。若如孔《傳》以為羿廢太康而立仲康，則仲康為虛位，胤侯為羿黨，〈胤征〉之書，孔子奚取焉？按：自后相之弒，至少康中興，相隔四十年，《史記．夏本紀》略而不書，此論可謂得間。[26]

《偽孔傳》謂羿廢太康，改立仲康，並命胤侯征羲和。方宗誠反對其說，認為如此一來，仲康如同傀儡，胤侯成為羿之黨羽，則孔子何以選取〈胤征〉入《書》中？因此，方宗誠引述袁絜[27]、金履祥（1232-1303）[28]、鄒季友[29]等人的說法，指出他們依據《左傳》的記事，認為太康遭羿廢黜，夏並未即亡，而是另由仲康嗣位，以與羿抗衡。〈胤征〉所載，為胤侯奉仲康之命，討伐羲和，然因力有未逮，無法再征討羿。倫明據方宗誠引述鄒氏之語，謂《史

26 見中國科學院圖書館整理：《續修四庫全書總目提要．經部》，頁252。

27 方宗誠引述袁氏之語：「太康但失河北，至相始失河南。」見方宗誠：《書傳補義》，卷3，頁8上。

28 方宗誠引述金氏之語：「羿距太康，不能返國，城於甸服東南而居之。至是而仲康立。說者多稱羿廢太康，而立仲康。仲康既立，使胤侯為司馬。兵權有歸矣，而不討羿，是德羿也；不反太康，是紾兄也。不然，權出於羿，是仲康為虛位，而胤侯為羿黨也。若是，〈胤征〉之書，孔子奚取焉？且襄公四年《左傳》稱羿代夏政，號帝夷，羿豈立仲康而為之臣者？其不然也明矣。仲康既立於外，命胤侯掌六師，其規模舉措，或有大過人者，然迄不能移征羲和之師而加之羿，或者勢未可與。」見方宗誠：《書傳補義》，卷3，頁8上-8下。

29 方宗誠引述鄒氏之語：「夏都安邑，在河之北。太康立十九年，為羿所距，遂居河南之陽夏。二十九年，崩，弟仲康立。十四年崩，子相立。羿但據冀州河北之地，不臣於夏而已，未必執夏政柄，故〈五子之歌〉但以冀方為言也。羿好遊田，其臣寒浞弒之，而篡其位。及夏后相自河南遷河北帝邱，在位二十八年，方為寒浞之子澆所弒。夏遂中絕者四十年，而少康復興焉。《史記．夏本紀》略而不書，故解者皆未詳考也。」見方宗誠：《書傳補義》，卷3，頁8下-9上。

記・夏本紀》於后相被弒至少康中興的四十年間，略而不書，贊此論「可謂得間」，殆以為寓有史法。

倫明不同意的例子，如：

> 至論箕子陳範事，則高而不切。謂「惟箕子與武王則可，非箕子與武王則不可，以武王應天順人、伐暴救民，又大賚四海、封紂之子」云云，全不合事理。按：箕子去朝鮮，不臣於周，武王所訪者，乃治天下之道，故不妨告之。後來黃梨洲以「明夷待訪」名其書，不免識者之譏，是箕子尚不足為訓也。[30]

他對於方宗誠於〈洪範篇〉所論箕子為武王獻洪範九疇之事[31]，以為與事理不合，乃屬「高而不切」，並舉黃宗羲以《明夷待訪錄》作為書名，也受到世人的指責，遂以箕子所行未可為訓。對於箕子與武王的相處之道，世人有不同的見解，或可或否，涉及出處大節的評斷。方宗誠以為武王伐紂，針對的是獨夫一人，非以天下為己利，從其事後的種種作為，並未與殷民為仇，故箕子不應敵視之。至於箕子雖是商朝宗臣，卻有道在身，武王訪以治道，非欲以其為臣，所以陳以〈洪範〉，並無不妥。因此，武王與箕子的遇合，

---

30 見中國科學院圖書館整理：《續修四庫全書總目提要・經部》，頁252。

31 方宗誠曰：「箕子先朝宗臣，而為武王陳〈洪範〉，惟箕子與武王可也，非箕子與武王則不可。蓋聖人之心，大公無私，與天同體。武王伐紂，實出於順天命、應人心，伐暴救民，毫無利天下之意。而伐紂之後，即大賚于四海，封紂之子，以繼其先祀。是紂本得罪於天，得罪於祖宗，武王伐紂，只罪其一人，奉天伐紂，實于湯有光也。武王既非殷之讎，箕子豈得而讎之？況武王之訪箕子，只是訪治天下之大道，非欲箕子為之臣。箕子既有道在身，則起而告之，乃天理當然也。固不可私天下於一家，而視武王為讎，亦豈可私天道於一己，而不以告於可傳道之武王哉？雖然，不以為讎，可也；事之，則不可。國破家亡，仁人義士之所傷心，豈可復為人臣哉？故箕子所處，為仁至而義盡也。若後世開創之君，其心莫非利前朝之天下，縱仁暴不同，其以利天下之心，滅我國家，即吾先朝之讎也，而豈可見之哉！況我無箕子之道可傳，彼亦非可傳道之人，又非訪道於我，乃是欲以我為臣，則豈可見之哉？是不但宗臣不可，即異姓之臣亦不可，慎毋以箕子為藉口也。」見方宗誠：《書傳補義》，卷2，頁14下-15上。

方宗誠以兩相得宜視之，並許以「仁至而義盡」。但他又以後世君臣沒有二人之背景，所以不得據此為藉口。箕子以一位亡國之臣的身分，受到武王的敬重，向其詢問治國的大道。或許出於救世之心，他慷慨地向武王陳述，因而為後人留下可貴的政治經驗。二人的出處應對，方宗誠強調彼此具有的分寸，各自拿捏合宜，均做到了「仁至義盡」。倫明與方宗誠對同一歷史人物的評價，呈現相左的看法，這牽涉兩人信念的差異，屬於仁智之見，難以驟斷孰是孰非。

倫明不同意的另一例：

> 卷一（二）稱：「『人心惟危』數語，為論心精言，疑古文者以此為荀子語，荀子言『人心之危、道心之微』二語，萬不若〈虞書〉之粹，且安知非荀子襲〈禹謨〉耶？」其意似右古文。然又以今文〈益稷〉合〈皋陶謨〉為是，益、稷之事，附載典謨之中，不必別為一篇。〈堯典〉、〈舜典〉、〈皋陶謨〉皆有史臣託始之辭，而〈益稷〉無之。按：此說雖見蔡《傳》，實為攻古文者所藉口。古書分篇，本無定例，即如《齊》、《魯論》「堯曰」以下本一篇，《古論》又分〈子張〉為一篇，然則分不分，各從其便，亦何係於真偽耶？[32]

〈大禹謨〉的「人心惟危」等十六字，宋、明理學家奉為治道心法，疑古文者則以為其中二語襲自《荀子》，因而斷為偽作。方宗誠認為《荀子》之語不如〈大禹謨〉的精粹，而且也可能是《荀子》襲取〈大禹謨〉。倫明據此而謂方宗誠「似右古文」，但又指方氏以「〈堯典〉、〈舜典〉、〈皋陶謨〉皆有史臣託始之辭，而〈益稷〉無之」，贊同《今文尚書》以〈益稷〉與〈皋陶謨〉合為一篇，似乎有立場不定的嫌疑。他又舉漢代所傳之三家《論語》，同一篇或有分成二篇之例，謂古人分篇並不嚴緊，所以用篇目的分合來判斷真偽，是毫不相關的事。

從倫明的批評可以發現，方宗誠《書傳補義》的寫作，與其自身所抱持

32　見中國科學院圖書館整理：《續修四庫全書總目提要・經部》，頁252。

的信念，有極為密切的關連。換言之，他所受宋、明理學思想的教育，導致他探討事物時，拘囿在理學的氛圍內，以致所有的論述，鮮有跳脫理學的考量。因此，他對經文的解說，深染理學色彩，有時不免偏執，未必都能讓人心服。此類爭議，並非方宗誠所特有，而是大部分以義理解經者，最容易面臨的挑戰。甚至因所持立場過於固執，往往遭受臆說之譏。

四　《古文尚書》可貴

自宋人開始懷疑《古文尚書》為偽作以來，經由元、明學者相繼的努力，至清初閻若璩（1636-1704）《尚書古文疏證》始以繁多的證據，確定古文屬於後人依託的偽作。其後信從者雖多，但力圖反駁者亦所在多有。方宗誠勉強接受古文為偽的說法，卻又極力維護，有時反而又出現古文不偽的說辭，顯現其不肯輕易承認古文偽作的事實。其〈書尚書今古文注疏後〉曰：

> 陽湖孫氏星衍箸《尚書今古文注疏》，去孔壁古文，所採傳注，皆自唐以上，及我朝漢學諸人訓釋，其宋、元、明三朝儒者說經之言，一字不入，可謂篤於信古，而不精於窮理者矣。夫讀書必窮其理，果其理當乎人心，豈可斷以為偽而棄之？宋、元儒者說《書》，真有能發聖人之精義，而為漢、唐諸儒所不及者，豈必專以博古為能哉？[33]

孫星衍（1753-1818）的《尚書今古文注疏》是一部蒐羅漢人放失的舊注，予以析分今古文家說，並為之疏釋的著作，其貢獻在博稽古義，辨明家法，為清人研治《尚書》的重要典籍[34]。然而其書中採用的是漢人與清代漢學家

---

33 見方宗誠：《柏堂集續編》卷5，頁9下-10上。

34 江瀚曰：「《尚書今古文注疏》三十卷，平津館本。清孫星衍撰。……當乾隆時，治《尚書》者甚眾，若江聲，若王鳴盛，若段玉裁，各有專書。然江則篆寫經文，輒依《說文》改字，所注〈禹貢〉，只有古地名；王則主用鄭注，兼存《偽孔傳》，不載《史記》、《大傳》異說；段則僅分別今古文，且偏重古文。星衍此書出較晚，成於嘉慶二十年，意在網羅放失舊說，博稽慎擇，大致完美，實遠勝江、王、段三家之書，

的著作，宋、元、明三代學者的注解，全不採用，而且刪除今文之外的古文篇章。在方宗誠看來，三朝學者的解經，發明聖人精義，有超越漢、唐儒者的，竟未被採用，極不合理。此外，《古文尚書》遭到刪除，也讓他感到不滿。因他認為讀書當窮理，而只要理能合乎人心，怎可將其當作偽書而拋棄。所以他對於所尊敬的前輩學者姚鼐（1732-1815），竟然相信閻若璩考證《古文尚書》為偽作的說法，使他不得不予以反駁。方宗誠〈書惜抱先生文集後〉曰：

> 然於《古文尚書》必祖述百詩閻氏，力辨其偽，則愚所不敢信。夫生千載之後，其偽與否雖不敢知，而其理之精、義之確、詞氣之正大愷側、光明峻偉，可以修己治人，守之無疵，而行之無弊，即後人作之，其益人如此，聖人復起，不能廢也，而況乎後人絕不能為也。[35]

方宗誠以古書因時代久遠，真偽難辨，但是內容具有理義，詞義又光明正大，用以修身踐履，也無弊害，縱使出自後人之手，他認為也不可輕言廢棄。何況在他的心目中，具有高深義理的經典著作，是後人做不來的。〈書惜抱先生文集後〉又曰：

> 先生嘗謂學問之事有三：義理、攷證、辭章，是也。吾則以為古人之學，義理而已，攷證、文章皆所以為精義明理之助。義理者，本於天，成於性，具於人心之所同然也。今觀《古文尚書》所載謨訓誓命，不當於義理之安，而協於人心之正者，鮮矣，而必執左證以黜之，亦獨何哉？[36]

故光緒中，王懿榮請以立學，世重其書可知矣。」見中國科學院圖書館整理：《續修四庫全書總目提要．經部》，頁238。

35 見方宗誠：《柏堂集次編》（臺北市：藝文印書館，《叢書菁華》景光緒間志學堂家刊《柏堂遺書》本，1971年），卷2，頁9下-10上。

36 見方宗誠：《柏堂集次編》，卷2，頁10上。

姚鼐將學問區分為義理、考證、文章三種[37]，方宗誠認為真正的學問只有義理，因為它是「本於天，成於性，具於人心之所同然也」。至於所謂的考證、詞章，其功用僅在輔助義理，使其精深顯明。因此，方宗誠對於《古文尚書》所載的聖賢言詞，以為鮮有不合於義理人心的，所以不當將其黜落。

《古文尚書》的內容有何重要？方宗誠曰：

> 〈伊訓〉、〈太甲〉、〈咸有一德〉、〈說命〉真天下萬世人人可以法守之道，近儒必旁引曲證，以為偽書，可謂不急之辨也。[38]

此處他括舉〈商書〉的古文篇章，認為其中所言，均為世人可以遵守的道理，努力辨偽者之所為，並非最急切之事。方宗誠又曰：

> 〈旅獒〉、〈蔡仲之命〉、〈周官〉、〈君陳〉、〈君牙〉、〈冏命〉所陳，實是治天下經常之道，為君為相者，當時諷誦之以為法。攻古文者以為偽，豈知道者哉？[39]

此處他括舉〈周書〉的古文篇章，認為所述皆為治理之常道，應時時諷誦，辨偽者根本不懂其中道理。

方宗誠對古文各篇的特色，有更細密的闡釋，曰：

> 〈畢命〉：「惟公懋德，克勤小物，弼亮四世，正色率下。」此移風易俗之根本也。「旌別淑慝，表厥宅里，彰善癉惡，樹之風聲。」此移風易俗之樞機也。「惟德惟義，時乃大訓，不由古訓，于何其訓？」此移風易俗之把握也。欲化民成俗，總不出此三者之外。[40]

---

37 姚鼐曰：「鼐嘗論學問之事有三端焉，曰：義理也、考證也、文章也。是三者苟善用之，則皆足以相濟，苟不善用之，則或至於相害。」見姚鼐：《惜抱軒詩文集》（上海市：上海古籍出版社，1992年），頁61。

38 見方宗誠：《書傳補義》，卷2，頁9下。

39 見方宗誠：《書傳補義》，卷2，頁15上-15下。

40 見方宗誠：《書傳補義》，卷2，頁16下-17上。

指〈畢命篇〉中諸語，均與化民成俗相關。方宗誠又曰：

> 〈君牙〉：「弘敷五典，式和民則。」治國、平天下之大法，不過如此。「爾身克正，罔敢不正。」則歸重在修身也。「民心罔中，惟爾之中。」又歸重在正心也。古人論政，無不有本有原如此。[41]

謂篇中所言論政各語，包括治國、平天下、修身、正心等層面，是有本有原之作。這些都是強調古文內容的重要性。理學所重視的的心性之論，方宗誠也直指源自《尚書》，曰：

> 論心始於〈禹謨〉，然不單提心字，必分而言之，曰人心，曰道心。蓋必心之合乎道者，方是本心也。所謂精者，必時察其所存所發，是人是道也。所謂一者，必專守乎道，心之正也。豈如後世儒者，謂心即理也，謂吾心自有天，則其弊遂至認人心為道心乎！[42]

又曰：

> 論性始於〈湯誥〉，然不單提性字，必切而指之，曰恆性。蓋天以陰陽五行化生萬物，氣以成形，而理亦賦焉。所謂「天命之性」也，性是就賦在氣質者而言，雖不雜乎氣質，亦不離乎氣質，既不離乎氣質，則便有清有濁、有厚有薄、有純有駁、有智愚賢不肖之不同。所謂「氣質之性」也，各人不一，不得謂之恆，恆則仁義禮智之本然，初不雜乎氣質，不以智愚賢不肖而有異者，故謂之恆性也。惟恆性可以言若，若，順也，即率性之謂也。恆性，亙天地、貫古今而不變，孟子之論性善本此。若召公所云「節性」，孟子所云「忍性」，則於氣質之性，各人不同者而節之、忍之，正所以復其恆性也。荀子性惡、楊子性善惡混及韓子性有三品之說，皆認氣質之性為本性耳，豈

41 見方宗誠：《書傳補義》，卷2，頁17上-17下。

42 見方宗誠：《書傳補義》，卷2，頁8上。

知恆性之謂哉？[43]

〈大禹謨〉、〈湯誥〉這些都是與理學密切關連的篇章，是講理學者經常提及的，方宗誠也將其要旨點出，為之申釋。

對於古文內容遭受懷疑，方宗誠也是極力駁斥，如：

〈仲虺之誥〉：「兼弱攻昧，取亂侮亡。」疑古文者以為弱與昧並非大惡，何得遽兼之攻之？此春秋戰國強大諸侯之所為也，以此斷為偽書。竊思此節乃仲虺為成湯陳平天下之道，天下非一人所能理，故告以佑賢輔德、顯忠遂良，乃尊賢任能之道也。曰「兼弱攻昧，取亂侮亡」，乃錯枉黜姦之道也。亂與亡，剛惡也；弱與昧，柔惡也。如為大臣與為諸侯者，懦弱不能自立，昏暗不明治理，聽其所任之姦邪，害虐百姓而不能知，為天子者，豈可不屏黜放廢，更置賢者，以為民主耶？〈洪範〉六極，五曰惡，六曰弱，惡者自己害民，弱者聽人害民而不能救，如之何而不兼且攻也？[44]

辨偽者以小惡而遭嚴懲，非聖君所當為，應屬東周時期諸侯的作為，遂斷〈仲虺之誥〉為偽書。方宗誠謂此篇為仲虺向成湯陳述平治天下之法，欲其尊賢任能，臣子若施政不當，天子宜更置賢者。並引〈洪範〉之語詮釋，指六極中的惡與弱，都可能危害人民，天子應予懲治。他以經證經，反駁辨偽者的不當懷疑。

方宗誠又曰：

〈蔡仲之命〉辭理精密，近儒闢其為偽者，一則以羣叔流言，乃致辟云云，謂周公居東，迎歸後始伐殷，不得於流言下，即云致辟。不知此乃追述往事，何可泥說？且羣叔流言，緊承位冢宰、正百官讀，以起下罪三叔之由也。一則以霍叔未嘗從叛，《書序》所云三監，當指

43 見方宗誠：《書傳補義》，卷2，頁8上-8下。

44 見方宗誠：《書傳補義》，卷2，頁10下。

> 武庚、管、蔡，作偽古文者，因康成以管、蔡、霍為三監，竊取其誤說而附益之。夫《逸周書》、《商子》皆以管、霍並言，不得以霍叔為不在三監之列也。且果為作偽古文者竊取鄭義，則鄭謂周公踐阼稱王何不竊？而乃云位冢宰、正百官邪？竊謂此篇於周公攝政，實有關係，據位冢宰、正百官之文，可以斷踐阼稱王之誣謬。辟管囚蔡降霍，可以見聖人用法之平。蔡仲祗德，即以為卿士，可以見聖人之大公無私，義盡仁至。近漢學家必斥為偽，何也？[45]

世人以〈蔡仲之命〉為古文，又據其內容可疑，乃謂其為偽作。世人的懷疑有兩點：一是不當以羣叔流言方起，隨即致辟諸叔。方宗誠以此篇如同〈金縢〉所述的辨解，均為追述之詞，其下接「位冢宰、正百官」，據文義即可知曉，是引起置罪三叔的理由。一是以三監為武庚、管叔、蔡叔，霍叔不在三監之列，未曾從叛。作偽者取據鄭玄之說，以三監為管叔、蔡叔、霍叔。方宗誠以《逸周書》、《商君書》皆並言管叔與霍叔，故認定三監當有霍叔。周公對三叔的輕重處分，方宗誠謂極得其宜，且於有德之蔡仲，不以罪人之子而排棄，仍予進用，其心之公，誠屬「義盡仁至」。

由以上的敘述，可見方宗誠全力維護《古文尚書》的熱忱，亦即以衛道者的姿態，為聖人經典貢獻最大的心力。

五　結語

方宗誠為桐城派傳人，一生行誼，堅守程、朱理學，無論修身，或是出仕，均有為人讚賞的表現。其治學亦承襲宋學途徑，以義理為主，所有著作，專注世道人心的導正。追究方宗誠一切成就的根源，則其師許鼎和方東樹所給予的訓誨，是其關鍵，而桐城鄉邦的薰染，也是重大因素。

《尚書》是一部與政治密切相關的著作，極受古代施政者的重視，方宗誠曰：

45　見方宗誠：《書傳補義》，卷3，頁30下-31下。

> 政貴有恆，辭尚體要。凡政令須慎之於始，審思其確然當行，即一定不移，不可朝更夕改，所謂有恆也。而訓民論事之言，最忌煩瀆，故必得其要領，而反覆詳明以示之，則能動人。一部《尚書》，告君訓臣、訓民誓師之辭，無不得其體要，此可法也。[46]

他體會出政治的推行，需要持之以恆，而教導臣民，應用簡明扼要的方式，絕對不可過於煩擾，所以必須掌握訣竅，也就是要領。《尚書》的文辭，符合體要的需求，所以是值得效法的。

《書傳補義》為方宗誠詮釋《尚書》之作，採取的撰寫方式，為義理詮釋，書中呈現的，即其尊尚的理學思想，因而道德教化之語，處處可見。在他的觀念裏，《尚書》是一部有體有用之作，所記錄的一事一言，都需要認真體會其間精微的義理和至當的事理。因此，方宗誠曰：

> 《尚書》所說心性義理，即實見於政事之中，實行於家國天下。讀其書，須玩其無一事一言非仁至而義盡也。不似後世史書，所言所行，多不合乎義理，而儒者闡明義理心性之書，又但說義理、說心性，不似《尚書》即實見於政事之中。故講用者不熟玩《尚書》，則無以明義理之精微，而立其體。講體者不熟玩《尚書》，亦無以明事理之至當，而達之於用也。[47]

他認為一般史書的內容多不合乎義理，儒者闡釋義理心性的書，卻只說理論而不能見用於政事上。惟有《尚書》所談之心性義理，可以從政治的運作當中察見，並可實際施行於國家，所以在讀此書時，對於其中的記載，都要認真體會其蘊含的「仁至而義盡」道理，完成立體達用的功效。

---

46 見方宗誠：《書傳補義》，卷2，頁17上。

47 見方宗誠：《書傳補義》，卷2，頁18上-18下。

「六月棲棲」諸訓平議

李雄溪*

一

「六月棲棲」一句出自《詩經・小雅・六月》。茲錄全詩如下：

> 六月棲棲，戎車既飭。四牡騤騤，載是常服。玁狁孔熾，我是用急。王于出征，以匡王國。
>
> 比物四驪，閑之維則。維此六月，既成我服，我服既成，于三十里。王于出征，以佐天子。
>
> 四牡修廣，其大有顒。薄伐玁狁，以奏膚公。有嚴有翼，共武之服。共武之服，以定王國。
>
> 玁狁匪茹，整居焦穫。侵鎬及方，至於涇陽。織文鳥章，白旆央央。元戎十乘，以先啟行。
>
> 戎車既安，如輊如軒。四牡既佶，既佶且閑。薄伐玁狁，至于大原。文武吉甫，萬邦為憲。
>
> 吉甫燕喜，既多受祉。來歸自鎬，我行永久。飲御諸友，炰鱉膾鯉。侯誰在矣，張仲孝友。

《詩序》指出：「〈六月〉，宣王北伐也。」[1]朱熹（1130-1200）《詩集傳》曰：「成、康既沒，周室寖衰，八世而厲王胡暴虐，周人逐之，出居于彘。玁狁內侵，逼近京邑。王崩，子宣王靖即位，命尹吉甫帥師伐之，有功而歸。詩

---

* 香港嶺南大學中文系。

1 《十三經注疏》整理本（北京市：北京大學出版社，2000年），冊5，頁738。

人作歌以敘其事如此。」[2]方玉潤（1811-1883）《詩經原始》：「蓋事本北伐，而詩則作自私燕；王本親征，而將則佐以吉甫；戰本同臨，追奔則止命元戎。」[3]這首詩是寫尹吉甫佐周宣王伐玁狁，詩意十分明顯，歷來沒有多大的爭議。然而對本詩首句的「棲棲」，前人有幾種不同的訓釋，以下將引述各家說法，並作平議。

二

《毛傳》：「棲棲，簡閱貌。」[4]「簡閱」就是「檢閱軍容」之意。可以《左傳》和《公羊傳》為證，《左傳・襄公二十六年》：「簡兵蒐乘。」[5]杜預（222-284）《注》曰：「簡擇蒐閱。」[6]又《公羊傳・桓公六年》：「大閱者何？簡車徒也。」[7]何休（129-182）《注》曰：「故比年簡徒謂之蒐，三年簡車謂之大閱，五年大簡車徒謂之大蒐。」[8]足見「簡」、「蒐」、「閱」意義相近，皆有檢閱之意。《毛傳》以為「六月棲棲」即六月檢閱軍隊，為出征作好準備。單從詩本身去看，這也是可以說得通的一個講法，但問題是「棲棲」在古籍中並未作「簡閱」解。《毛傳》的訓釋，並沒有叫人信服的足夠理據。

《毛傳》釋義過簡，而孔《疏》的補充也不太具體：「毛以為，正當盛夏六月之時，王以北狄侵急，乃自而禦之，簡選閱擇，其中車馬士眾棲棲然。」[9]從《疏》的行文看，語氣甚不肯定，並沒有明確指出「棲棲」作「簡閱

---

2 （宋）朱熹：《詩集傳》（香港：中華書局，1983年），頁115。

3 （清）方玉潤：《詩經原始》（臺北市：藝文印書館，1981年），下冊，頁785。

4 《十三經注疏》整理本，冊5，頁740。

5 《十三經注疏》整理本，冊18，頁1201。

6 同上。

7 （漢）公羊壽撰，（漢）何休解詁，（唐）徐彥疏，浦衛忠整理，楊向奎審定：《春秋公羊傳注疏》，《十三經注疏》編輯委員會整理：《十三經注疏》（北京市：北京大學出版社，2000年），冊20，頁100。

8 同上。

9 《十三經注疏》整理本，冊5，頁741。

貌」解。

另一說法來自俞樾（1821-1906）的《群經平議》：「樾謹按：『棲』猶『妻』也，妻之言齊也……齊齊謂整齊之貌，棲棲與齊齊同，故訓為簡閱貌，下句『戎車既飭』，《傳》曰：『飭，正也。』與上句『六月棲棲』文義相承。〈有客篇〉『有萋有且』，《傳》曰：『萋且敬慎貌。』萋之與棲義亦通也。近解謂『棲棲』猶『遑遑』，蓋本《論語．憲問篇》《正義》，其說非是。」[10]俞樾指出「棲棲」即「齊齊」，即整齊之貌。從語音上看，「棲」字古音心紐脂部，「齊」字從紐脂部，二字旁紐疊韻，語音非常接近，有通假的條件，可是「棲棲」作「齊齊」解，同樣沒有同時期的書證。

俞樾的論據為兩點：第一、用〈有客〉「有萋有且」為書證。然「萋」在此詩中根本不宜作「齊」解，馬瑞辰（1782-1853）指出：「萋、且雙聲字，皆狀其從者之盛。」[11]這是大多數說《詩》者所接受的講法。第二、從詩本身的上下文去考核，俞氏認為「戎車既飭」句中的「飭」有整齊之意，而「棲棲」作「齊齊」，文意便互相配合。然而，上文「棲棲」如同為「整齊」之意，詩意反而顯得重複而平淡無味。事實上，詩人在本詩用了襯托的手法，先言情況緊急，後言軍容整齊，便側面寫出尹吉甫用兵能力之強。《新譯詩經讀本》有這方面的分析「詩共六章。前三章述敵之氣焰囂張，我之備戰緊張有序」[12]，就很好地點出詩意：「六月棲棲」寫備戰緊張；「戎車既飭」、「四牡騤騤」、「我服既成」寫周室備戰有序。第五章和第六章的「戎車既安」、「如輊如軒」、「四牡既佶」、「既佶且閑」也是寫周室軍容之盛。這樣理解，詩句前後對比，詩意就顯得十分突出。此外，古籍中並沒有「棲」作「齊」解的用例，俞樾的說法顯得薄弱而不足信。

另一說見高本漢（Bernhard Karlgren, 1889-1978）《高本漢詩經注釋》。

---

10 （清）俞樾：《群經平議》，《續修四庫全書》（上海市：上海古籍出版社，景清光緒25年刻《春在堂全書》本），冊178，卷10，頁153下。

11 （清）馬瑞辰：《毛詩傳箋通釋》（北京市：中華書局，1992年），冊下，頁1087。

12 滕志賢注譯、葉國良校閱：《新譯詩經讀本》（臺北市：三民書局，2001年），下冊，頁502。

高氏說：「『棲』的基本意義是『雞的棲止』（〈王風・君子于役〉），『休息』（〈陳風・衡門〉）：他的或體栖也是一樣的（〈小雅・北山〉、《莊子・至樂》）。一樣寫的字，音也一樣，同時卻又有個完全相反的意義『不安』，真是十分不可能的事。我覺得『棲』字在這裏也是用它的基本意義。六月暑熱的時候不應該有戰征，注家們也同意；本篇不過是描述激動戰征情緒而已。這句詩實在是：在六月裏的休止時期，（戰車都裝備好了。）同樣的，Legge以《論語》的『丘何為是栖栖者與』也是『你孔丘為何這麼安閑』，用譏刺的口吻說出的。」[13]高氏認為「棲」應用它的本義，即「休止」之意，但其實他並沒有提出充分的證據，只沿用他的一貫原則和治學方法，就是如董同龢（1911-1963）所說：「高氏不輕言假借，前人說某字是某字假借時，他必定用現代古音知識來看那兩個字古代確否同音（包括聲母和韻母的每一部分）。如是，再來看古書裏而有沒有同樣確實可靠的例證。然而，即使音也全同，例證也有，只要照字講還有法子講通，他仍不去相信那是假借字。」[14]這個盡量不用假借義的原則，也是不少訓詁學家的共同看法。然而，「棲棲」作「不安之貌」解，本來就有《論語》「丘何為是栖栖者與」為證據，只是高氏不願用假借義說詩，也就不同意《論語》中的「栖栖」作「不安」解罷了。

高氏的論據也是兩點：第一，「棲」的本義是「棲止」[15]，「棲」和「棲棲」的意義不可能相反；第二，引用理雅各（James Legge, 1815-1897）的看法，以為《論語》中「丘何為是栖栖者與」中的「栖栖」同樣應作「休止」解。可是這兩個觀點都有可商榷之處。

在語法上言，現代漢語中的疊詞有加強語氣的功能，而《詩經》當中，這種功能相對上沒有那麼明顯。之前已有不少學者提出這方面的觀點，羅邦

---

13 《高本漢詩經注釋》，上冊，頁461。

14 《高本漢詩經注釋》，上冊，「譯序」頁4。

15 《說文解字》卷十二上西部：「西，鳥在巢上。象形。日在西方而鳥棲，故因以為東西之西。凡西之屬皆从西。𣝗，西或从木妻。」《說文》以「棲」為「西」之或體，即二字乃同意的異體字，本義是鳥棲息之意。

柱指出「《詩經》中不管是形容詞、名詞、動詞都有重疊的，以形容詞重疊為最多，動詞次之，名詞較少」[16]，又指出「形容詞重疊一般沒有產生新義，只是程度上有所強調，可以加『很』，也可不加。如〈陳風・月出〉『勞心慘兮』，與〈小雅・正月〉『憂心慘慘』，意思完全一樣」[17]。《詩經》中的重言，有時有湊音節的作用，因此，《詩經》中單音節詞與重言意義相同者，的確不乏其例，如「嚶」和「嚶嚶」皆為鳥鳴聲，如「嚶其鳴矣」、「鳥鳴嚶嚶」（〈小雅・伐木〉），「明」可解作「明察」，如「其德克明，克明克類」（〈大雅・皇矣〉），「明明」亦作如是解，如「明明上天」（〈小雅・小明〉）；「淒」和「淒淒」同指寒冷，如「淒其以風」（〈邶風・綠衣〉）、「風雨淒淒」（〈鄭風・風雨〉）；「皎」和「皎皎」同樣指潔白明亮，如「月出皎兮」（〈陳風・月出〉）、「皎皎白駒」（〈小雅・白駒〉）；「綽」和「綽綽」同指寬裕和緩，如「寬兮綽兮」（〈衛風・淇奧〉）、「綽綽有裕」（〈小雅・角弓〉）等都是這方面的例子。然而，值得注意的是，單音節詞與重言意義相異者，在《詩經》中亦在所多見。如「敖」指傲慢，如「謔浪笑敖，中心是悼」（〈邶風・終風〉），「敖敖」指身材高大，如「碩人敖敖，說于農郊」（〈衛風・碩人〉）。「麃」指除草，如「厭厭其苗，綿綿其麃」（〈周頌・載芟〉），「麃麃」指威武貌，如「清人在消，駟介麃麃」（〈鄭風・清人〉）。「仇」指匹偶，如「公侯好仇」（〈周南・兔罝〉），「仇仇」指傲慢，如「執我仇仇」（〈小雅・正月〉）。這種情況的出現，是由於單音節詞用詞的其中一個義項，或為本義，或為假借義，或為引申義，而重言則用另一個義項，而且多為假借義。這樣，自然使單音節詞與重言意義迥異。如此看來，「一樣寫的字，音也一樣，同時卻又有個完全相反的意義『不安』，真是十分不可能的事」的講法，就可以不攻自破。事實上，「棲棲」極有可能用假借義，「棲」和「棲棲」屬於後一種的關係。

理雅各翻譯《論語・憲問篇》「丘何為是栖栖者與」的原文是：Wei-

16　羅邦柱：〈毛詩疊音詞淺說〉，《學術論壇》，1981年第3期（1981年1月），頁91。

17　同上註。

shang Mau said to Confucius, Chiu, how is it that your keep roosting about ? Is it not that you are an insinuating talker?[18]把「棲棲」譯作roosting，確有「止息」之意，但這樣理解，就與當時孔子周遊列國，席不暇暖的事實不符，而且微生畝是當時是一個隱士，從語氣上去看，是諷刺孔子的入世，堅持一己的政治理想，如把「栖栖」解作「止息」，便失卻這一層意思，更與下文「無乃為佞乎」的講法難以相合。既然理雅各的理解本來就不足為法，高氏引用他說法，自然欠缺說服力。

三

以上否定了幾種前人對「棲棲」的訓釋，而事實上，清人馬瑞辰在《毛詩傳箋通釋》中提出的另一種說法最為可信：「棲、栖古同字，義與《論語》『栖栖』同，謂行不止也。《廣雅》：『偓偓，往來也。』偓偓即棲棲，謂往來不止之貌。偓偓通作棲棲，猶瓠犀通作瓠棲，皆音近假借字耳。」[19]古音棲、偓兩字同在心紐脂部，以「棲棲」為「偓偓」之假借，謂往來不止，遑遑不安之貌，非常符合詩意，日人竹添光鴻（1841-1917）《毛詩會箋》作了有力的說明：「首章言出師之急遽也。經文兩言六月，明有非時舉事之意，故鄭《箋》云：『記六月者，盛夏出兵，明其急也。』下『我是用急』句，正承首二句而言，說者謂當以周正紀月，不知玁狁入寇嘗在秋冬，今六月入寇，故分外匆遽，不必疑為周正也。棲棲，猶云皇皇也。棲、栖古同字，與《論語》『栖栖』同，往來不止貌，因又訓為急遽也。」[20]正好道出「六月棲棲」句寫六月大暑時，仍要往來不止，皇皇不安，出兵北伐，如此方能烘托出下文「玁狁孔熾，我是急用」的境況。朱熹的《詩集傳》分析此詩曰：「今乃六月而出師者，以玁狁甚熾，其事危急，故不得已，而王命于是出征，以正

18 James Legge：*THE CHINESE CLASSICS*（Hong Kong：Hong Kong University Press，1960）. Volume 1, p.287.

19 《毛詩傳箋通釋》，中冊，頁540。

20 《毛詩會箋》，冊3，頁1075。

王國也。」亦與這一說配合。

此外，這一說法有《論語》「丘何為是栖栖者與」的用例作為輔證。邢昺（932-1010）《疏》曰：「栖栖，猶皇皇也。微生畝，隱士之姓名也。以言謂孔子曰：『丘（呼孔子名也），何為如是東西南北而栖栖皇皇者與？無乃為佞說之事於世乎？』孔子曰：『非敢為佞也，疾固也』者，孔子答言：『不敢為佞，但疾世固陋，欲行道以化之。』」[21]《論語》中「栖栖」作往來不止，遑遑不安之貌解，應該毫無疑問。

詩無達詁，字詞訓釋往往沒有不一致的意見，就「棲棲」一詞的訓釋，表面上看來，各家的說法皆言之成理，但只要我們細心推敲上下文意，便可知道「簡閱貌」只是客觀的陳述；如果「棲棲」寫軍容整齊，或寫休止之貌，都很難把詩意說得圓通。再在古籍中找尋書證，就會發覺馬瑞辰的說法最為可信。葉萌《古漢語貌詞通釋》把「棲棲」和「徲徲」列為同一組的貌詞，指出「栖栖」、「棲棲」、「徲徲」、「恓恓」、「悽悽」皆為「不得寧處貌」:「《論語．憲問》:『微生畝謂孔子曰：「丘何為是栖栖者與！無乃為佞乎！』《後漢書．徐穉傳》:『何乃棲棲，不遑寧處。』或作栖栖。《詩．小雅．六月》:『六月棲棲，戎車既飭。』《毛傳》:『棲棲，簡閱貌。』馬瑞辰《通釋》曰：『棲、栖古同字，義與《論語》栖栖同，謂行不止之貌。』按馬說是，《毛傳》或謂因簡閱而不得止息。」[22]葉氏並沒有否定《毛傳》的說法，「因簡閱而不得止息」，是對《毛傳》加以發揮說明，目的在於進一步論證「棲棲」宜作往來不止，遑遑不安解，並仍以馬說為長。

---

[21] （魏）何晏注，（宋）邢昺疏，朱漢民整理，張豈之審定：《論語注疏》，《十三經注疏》整理委員會整理：《十三經注疏》（北京市：北京大學出版社，2000年），冊23，頁225。

[22] 葉萌：《古代漢語貌詞通釋》（濟南市：山東文藝出版社，1993年），頁362。

常棣與唐棣新考

蔡崇禧*

一

《詩經》是中國古代最早的詩歌總集，其中的詩歌提到很多不同種類的動植物，故孔子（孔丘，前551-前479）認為讀《詩》可以「多識於鳥獸草木之名」[1]。但由於年代久遠，部分《詩經》載錄的動植物名稱難以清楚考究，而〈常棣〉的「常棣」與〈何彼襛矣〉的「唐棣」究是何物便一直是學者專心探尋的對象。常棣，有時亦寫作「棠棣」，《漢書》載：

> 此〈棠棣〉、〈角弓〉之詩所為作也。（按：顏師古〔581-645〕曰：「〈棠棣〉、〈角弓〉皆〈小雅〉篇名也。〈棠棣〉美燕兄弟；〈角弓〉刺不親九族也。」）[2]

蔡邕（133-192）亦曾寫下「有棠棣之華，萼韡之度」[3]，可見常棣寫作棠棣並非罕見（下文除引文外，一般均寫作「常棣」）[4]。常棣與唐棣究竟是甚麼植物

---

* 香港大學中文學院。

1 見程樹德撰，程俊英、蔣見元點校：《論語集釋》（北京市：中華書局，1990年），卷35〈陽貨下〉，頁1212。

2 見（東漢）班固（32-92）撰：《漢書》（北京市：中華書局，1962年），卷85〈杜鄴傳〉，頁3473-3474。

3 見（東漢）蔡邕撰，鄧安生編：《蔡邕集編年校注》（石家莊市：河北教育出版社，2002年），〈彭城姜伯淮碑〉，頁178。

4 （清）沈濤（1810年舉人）以古籍所見往往為棠棣而非常棣，故認為棠棣才是正確的寫法（見氏撰：《銅熨斗齋隨筆》〔北京：中華書局，1991年〕，卷1，〈常棣當作棠棣〉，頁14-15），但因他忽略了有些在宋以前的古籍亦是寫作常棣而非棠棣，所以此

呢？翻查今天研究《詩經》植物的著述，便會發現學術界的說法莫衷一是：陸文郁以常棣為青楊（Populus cathayana Rehd.）、而唐棣則為郁李（Cerasus japonica（Thunb.）Lois.）[5]；于景讓認為常棣是毛櫻桃（Cerasus tomentosa（Thunb.）Wall.）、唐棣則是榆葉梅（Amygdalus triloba（Lindl.）Ricker）[6]；高明乾等人認為常棣是郁李、唐棣則是今天植物學中稱為唐棣的 Amelanchier sinica（Schneud）Chun[7]；吳厚炎及潘富俊都以唐棣為今天植物學上的唐棣，但前者以為常棣與唐棣是同一種植物[8]，而後者則以常棣為甘棠（又名杜梨，Pyrus betulifolia Bge.），故與唐棣不同[9]。

出現如此混亂的情況，因為歷代學者對常棣及唐棣的解釋眾說紛紜，而現今學者各自承繼不同說法，遂提出了不同的見解。追源溯始，則緣於《毛傳》、《爾雅》及《說文解字》等書籍有關常棣及唐棣的說法不太清楚、甚或互相矛盾。此外，「常棣」可寫作「棠棣」，而「棠棣」又與「唐棣」讀音相同，遂使後世以為二者是同一植物。究竟常棣與唐棣是否同一植物呢？若然不是，常棣及唐棣應是甚麼植物呢？本文嘗試就現行流傳的種種說法加以考釋，希望能考得常棣與唐棣的真貌。

二

關於常棣與唐棣的資料，年代最早的是《毛傳》和《爾雅》。《毛傳》在〈常棣〉中對「常棣」所作的解釋是「常棣，棣也」[10]，而對於〈何彼襛矣〉

說並不能成立。

5 分別見陸文郁：《詩草木今釋》（天津市：天津人民出版社，1957年），頁94、13-14。

6 詳可參看于景讓：〈常棣與唐棣〉，《大陸雜誌》，第21卷第6期（1960年），頁1-5。

7 分別見高明乾、佟玉華、劉坤：《詩經植物釋詁》（西安市：三秦出版社，2002年），頁146、頁30。

8 見吳厚炎：《〈詩經〉草木匯考》（貴陽市：貴州人民出版社，1992年），頁72-76。

9 分別見潘富俊：《詩經植物圖鑒》（上海市：上海書店出版社，2003年），頁53及頁44。

10 （西漢）毛亨傳，（東漢）鄭玄箋，（唐）孔穎達疏，龔抗雲整理，蕭永明審定：《毛的「唐棣」則謂「唐棣，移也」[11]。明顯地《毛傳》未有以二者為一物，但對棣及移是甚麼則未有詳述。至於《爾雅》對二者的解釋亦與《毛傳》相類，在〈釋木〉中載：「唐棣，移。常棣，棣。」[12]它亦未有提及移與棣為何物。若單憑《毛傳》及《爾雅》，實難以確實指出常棣與唐棣是甚麼植物。雖然《論語．子罕篇》中有句云：「唐棣之華，偏其反而。豈不爾思？室是遠而。」[13]但提供的資料不多，且句子中描述唐棣花形態的「偏其反而」亦難以理解，有說是花朵先開而後合，與其他花朵先合而後開剛好相反；又有說是「偏」通「翩」，「反」通「翻」，「偏其反而」是形容花搖動的樣子[14]。它的記述實對唐棣花的考釋幫助不大。

幸而魏晉時期陸璣（活躍於西元三世紀）所著的《毛詩草木鳥獸蟲魚疏》[15]和郭璞對《爾雅》的注解，為我們提供了更多資料。《毛詩草木鳥獸蟲魚疏》對「常棣」的解釋是：

> 常棣，許慎（約58-約147）曰：「白棣樹也。」如李而小，如櫻桃，正白，今官園種之。又有赤棣樹，亦似白棣，葉如刺榆葉而微圓，子正赤如郁李而小，五月始熟，自關西天水隴西多有之。[16]

詩正義》，《十三經注疏》整理委員會整理，李學勤主編：《十三經注疏》（北京市：北京大學出版社，1999年），卷9，〈常棣〉，頁103。

11 同前註，卷第一，〈何彼襛矣〉，頁103。

12 見郭璞（276-324）注，邢昺（932-1010）疏，李傳書整理：《爾雅注疏》（北京市：北京大學出版社，2000年），卷9，頁309。

13 見程樹德撰，程俊英、蔣見元點校：《論語集釋》，卷18〈子罕下〉，頁630。

14 見王書林：《論語譯註及異文校勘》（臺北市：臺灣商務印書館，1987年），頁186。

15 有關陸璣的生平資料不多，只有《經典釋文》提及其「字元恪，吳郡人，吳太子中庶子，烏程令」（見〔唐〕陸德明〔556-627〕撰，黃坤堯、鄧仕樑編校：《新校索引經典釋文》〔臺北市：學海出版社，1988年〕，〈序錄〉，頁10）。有人以為陸璣應作陸機，詳可參看洪湛侯：《詩經學史》（北京市：中華書局，2002年），頁238-239。兩個看法各有所據又難以證實，洪氏遂因陸璣一說「流傳較久，影響較大，殆已約定俗成」（見《詩經學史》，頁239），而認為《毛詩草木鳥獸蟲魚疏》的作者為陸璣。本文亦隨其說。

16 見（三國）陸璣撰，趙雲鮮整理：《毛詩草木鳥獸蟲魚疏》，見首都師範大學文獻它對唐棣則謂：

> 唐棣，奧李也，一名雀梅，亦曰車下李，所在山中皆有。其花或白或赤，六月中成實，大如李子，可食。[17]

郭璞注解「常棣」時謂「今關西有棣樹，子如櫻桃可食」[18]，而注解「唐棣」則是「似白楊，江東呼夫移」[19]。

陸氏與郭氏對「常棣」的解釋頗為一致，二者均認為「常棣」的果實如櫻桃。賈思勰（活躍於西元六世紀）的《齊民要術》亦有相類記載：

> 《詩》曰：「棠棣之華，萼不韡韡。」《詩義疏》云：「承花者曰萼。其實似櫻桃、薁；麥時熟，食，美。北方呼之『相思』也。」《說文》曰：「棠棣，如李而小，子如櫻桃。」[20]

可以相信「常棣」即是櫻桃之類的植物，其中更指出「常棣」的果實於麥時成熟，亦即大約於夏季成熟。清（1644-1911）人郝懿行（1757-1825）的《爾雅義疏》謂：

> 今按赤棣棲霞山中尤多，白棣殊少，人俱呼為山櫻桃，小於櫻桃而多毛，味酢不美。〈閒居賦〉云：「梅杏郁棣之屬。」李善注：「棣，山櫻桃也。」[21]

他不單道出了時人稱「棣」為山櫻桃，更以古籍引證「棣」即山櫻桃。顏師

研究所編著：《四庫家藏》（濟南市：山東畫報出版社，2004年），冊87，卷上，頁281。

17 同前註，頁284。

18 見《爾雅注疏》，卷9，頁309。

19 同前註。

20 見（後魏）賈思勰撰，繆啟愉、繆桂龍譯注：《齊民要術譯注》（上海市：上海古籍出版社，2006年），卷10，〈棠棣〉，頁830。

21 見（清）郝懿行：《爾雅義疏》（上海市：上海古籍出版社，1983年），〈釋木第十四〉，頁24下。

古的《急就篇》亦謂：「棣，常棣也。其子熟時正赤色，可啗。俗呼為山櫻桃，隴西人謂之棣子。」[22]這再一次證實「棣」即山櫻桃。郝懿行認為其帶酸而不好吃，相反地，《齊民要術》則稱其美味，但好吃與否實屬見仁見智。近人于景讓按著郝氏以「常棣」為山櫻桃的說法，並與周漢藩的《河北習見樹木圖說》比對，指出「常棣」即毛櫻桃[23]。《中國植物志》載毛櫻桃為灌木，通常高零點三公尺至一公尺，果球形，於六至九月成實，味道微酸甜，可食及釀酒[24]，與上述的果期及味道配合。陸璣又稱「赤棣」的樹葉似刺榆的樹葉而較圓，《中國植物志》載刺榆（Hemiptelea davidii（Hance）Planch.）的葉為橢圓形，先端急尖或鈍圓，邊緣有整齊的粗鋸齒[25]，而毛櫻桃的葉亦有鋸齒，呈卵狀橢圓形或倒卵狀橢圓形[26]，似亦與陸說吻合。毛櫻桃的果實直徑為零點五厘米至一點二厘米[27]，與今天所見的郁李大小相類[28]。毛櫻桃的顏色一般為紅色，亦有黃色甚至是白色[29]。此亦與郝氏所說相符。紅色的應該就是陸璣所說的赤棣，而黃色或白色的則是白棣。此外，毛櫻桃的產地為黑龍江、吉林、遼寧、內蒙古、河北、山西、陝西、甘肅、寧夏、青海、山東、四川、雲南及西藏[30]，亦與陸璣所謂的「自關西天水隴西多有之」吻合。

---

[22] 見（西漢）史游（活躍於前40年前後）撰，（唐）顏師古注：《急就篇》（長沙市：嶽麓書社，1989年），卷2，頁140。

[23] 見〈常棣與唐棣〉，頁207-208。

[24] 見中國科學院中國植物志編輯委員會編：《中國植物志（第38卷）》（北京市：科學出版社，1986年），頁87。

[25] 見中國科學院中國植物志編輯委員會編：《中國植物志（第22卷）》（北京市：科學出版社，1998年），頁378。

[26] 同註24。

[27] 同前註。

[28] 見中國科學院中國植物志編輯委員編：《中國植物志（第38卷）》，頁87。

[29]《中國花經》提到毛櫻桃的果實球形，為深紅色或黃色。見陳俊愉、程緒珂主編：《中國花經》（上海市：上海文化出版社，1990年），頁325。至於白色的毛櫻桃，郝懿行已提及「白棣殊少」，近人田虎元在毛櫻桃的砧木苗中曾發現白色果實（見氏著：〈酷似珍珠的白櫻桃〉，《中國果樹》，2003年第6期〔2003年11月〕，頁40），可見實有白色毛櫻桃，但較罕有。

[30] 同註24。

至於「唐棣」，陸璣與郭璞的說法有很大分歧。前者以「唐棣」為奧李、車下李、雀梅，後者則以「唐棣」為夫移，其形狀似白楊。清人段玉裁（1735-1815）指出：

> 郭注唐棣云：「似白楊，江東呼夫移。」白楊，大樹也。《古今注》云：「移楊，亦曰移柳，亦曰蒲移。圓葉弱蒂，微風善搖。」此正今之白楊樹，安得有韡韡偏反之華耶？因一移字混合之。[31]

清楚地指出郭璞將扶移與移楊混淆了，遂以為唐棣似白楊。再者〈何彼襛矣〉一詩三節，首兩節均以「何彼襛矣」為開首，下舉「唐棣之華」及「華如桃李」，近人于景讓指出：

> 凡是白楊屬植物，其花皆不若桃李，故以唐棣解作白楊屬植物，與詩意不能符合。

故可以相信郭璞對唐棣的理解有誤。唐代陳藏器（活躍於七三九年前後）撰寫的《本草拾遺》謂：「扶移木生於江南山谷，樹大十圍，無風葉動，花反而後合。」[32]相信亦是誤將扶移看作楊樹。

陸璣以「唐棣」為奧李、車下李、雀梅，而《藝文類聚》引述《禮記疏》謂：「夫移，一名薁李，一名鬱梅，一名車下李，一名鬱。」[33]奧李應即是薁李，但是否鬱則有細考之必要。《詩經》中的〈七月〉篇謂「六月食鬱及薁」[34]，《毛傳》對鬱的解釋是「棣屬」[35]，陸璣指出：「鬱，其樹高五六尺，

---

31 見（東漢）許慎撰，（清）段玉裁注：《說文解字注》（上海市：上海古籍出版社，1981年），六篇上，頁15下。

32 見陳藏器撰，尚志鈞輯釋：《〈本草拾遺〉輯釋》（合肥市：安徽科學技術出版社，2002年），木部卷第四，頁173。

33 見（唐）歐陽詢（557-641）撰：《藝文類聚》（上海市：上海古籍出版社，1982年），卷89，〈夫移〉，頁1546。

34 見（西漢）毛亨傳，（東漢）鄭玄箋，（唐）孔穎達疏，龔抗雲整理，蕭永明審定：《毛詩正義》，卷8，〈七月〉，頁503。

35 同前註。

其實大如李，色赤，食之甘。」[36]描述與前面所提及的赤棣相類，這應是《毛傳》謂鬱是棣屬的原因。《史記．司馬相如傳》有「隱夫鬱棣」之句[37]，鬱棣並列，可見鬱並不是棣。但從二者並列，可見它們應為相似之物。《廣雅》也曾提及鬱，曰：「山李，爵某，爵李，鬱也。」[38]按吳普（曹魏〔220-266〕時人）所說：「郁李，一名雀李，一名車下李，一名棣。」[39]雀李即爵李，因此一般均以為鬱即郁李，而此更指出棣就是郁李，又因著「常棣，棣也」，於是提出常棣就是郁李。除了前述高明乾等人外，鄭樵（1104-1162）、李時珍（1518-1593）等均持此說[40]。然而郁李並不是棣，陸璣解釋赤棣時說「子正赤如郁李而小」，可見陸氏未有視棣及郁李為相同的植物。鬱也不是郁李，因陸璣在常棣條中提及郁李，但在解釋鬱時則隻字不提郁李，故兩者應非一物。另外，因「薁、郁古同聲」[41]，加上薁李及郁李均可稱作車下李，遂有以為薁李即郁李者，甚至得出「唐棣」即郁李的結論，朱熹（1130-1200）、吳其濬（1789-1847）等即認為「唐棣」就是郁李[42]。然而陸璣謂「唐

---

36 見（三國）陸璣撰，趙雲鮮整理：《毛詩草木鳥獸蟲魚疏》，卷上，頁283。

37 見（西漢）司馬遷（約前145-90）：《史記》（北京市：中華書局，1959年），卷117〈司馬相如傳〉，頁3028。

38 見（清）王念孫：《廣雅疏證》（南京市：江蘇古籍出版社，1984年），卷10上，頁91下。

39 見（魏）吳普等述，（清）孫星衍（1753-1818）等輯：《神農本草經》（北京市：科學技術文獻出版社，1996年），頁108。

40 （南宋）鄭樵在《通志》指出：「郁李曰爵李，曰車下李，曰棣。《爾雅》云：『常棣，棣。』《詩》云：『常棣之華，鄂不韡韡。』」（見氏撰，王樹民點校：《通志二十略》〔北京市：中華書局，2000年〕，〈昆蟲草木略第二〉，頁2019）另外，他亦在《爾雅註》中註常棣云：「郁李也。」而以唐棣為移楊、扶移及白楊（見氏撰：《爾雅註》〔載《景印文淵閣四庫全書》（臺北市：臺灣商務印書館景國立故宮博物院藏本，1986年3月），第221冊〕，卷下，頁10上）。而李時珍則在《本草綱目》指出郁李亦即薁李、車下李、爵李、雀梅及常棣（見氏著：《本草綱目》〔北京市：人民衛生出版社，1982年〕，木部第三十六卷，頁2097）。

41 見（清）王念孫：《廣雅疏證》，卷10上，頁92上。

42 分別見（南宋）朱熹撰：《論語集注》，見朱傑人、嚴佐之、劉永翔主編：《朱子全書》（上海市：上海古籍出版社、合肥市：安徽教育出版社，2002年），第6冊，卷

棣」是奧李，卻沒有指「唐棣」是郁李，相信薁李與郁李亦為二物。因此郁李既非鬱，鬱非奧李，奧李亦與郁李不同。換句話說，奧李、鬱與郁李是三種不同的植物。那麼為何《禮記疏》將奧李、鬱梅、車下李、鬱視為一物呢？相信是因三物相似、相類，正如陸璣將車下李與奧李看作等同。但據〈晉宮閣銘〉載：「華林園中有車下李三百一十四株，薁李一株。」[43]可見薁李與車下李是兩種不同的植物，但陸氏列在一起，應是因為兩者分別不大而名稱互通。另外，《齊民要術》中〈鬱〉條載：

> 《豳詩義疏》曰：「其樹高五六尺。實大如李，正赤色，食之甜。《廣雅》曰：『一名雀李，又名車下李，又名郁李，亦名棣，亦名薁李。』《毛詩·七月》：『食鬱及薁。』」[44]

開首部分與陸疏相同，至於中段的文字並未見於今本《廣雅》，應是《詩義疏》誤題書名。陸璣稱「常棣」是如郁李而小，「唐棣」則是奧李，但此段文字卻將雀李、車下李、郁李、棣及薁李視作一物，相信也是因為薁李、雀李、棣及車下李諸物相類。

據《蜀本草》對郁李的描述是：「樹高五六尺，葉、花及樹並似大李，惟子小若櫻桃，甘酸。」[45]《救荒本草》則說：「木高四五尺，枝條花葉皆似李，惟子小，其花或白或赤，結實似櫻桃，赤色。……其實味甘酸。」[46]此與《中國植物志》描述的郁李亦相類。該書載郁李樹高一至一點五米，葉片卵形或卵狀披針形，邊有缺刻狀尖銳重鋸齒，核果近球形，深紅色，直徑約

5，頁147；（清）吳其濬撰，張瑞賢、王家葵、張衛校注：《植物名實圖考校釋》（北京市：中醫古籍出版社，2008年），卷33，頁568。

43 見（西漢）毛亨傳，（東漢）鄭玄箋，（唐）孔穎達疏，龔抗雲整理，蕭永明審定：《毛詩正義》，卷8，〈七月〉，頁504。

44 見《齊民要術譯注》，卷10，〈鬱〉，頁732。

45 見（後蜀）韓保昇（934-965時人）撰，尚志鈞輯：《蜀本草》（合肥市：安徽科學技術出版社，2005年），卷14，頁437。

46 （明）朱橚（卒於1425）：《救荒本草》，《景印文淵閣四庫全書》（臺北市：臺灣商務印書館，景國立故宮博物院藏本），冊730，卷7，頁30下。

一厘米[47]。若奧李、鬱及郁李三者相類，甚至被視為一物，則鬱及奧李應與郁李相似。翻查《中國植物志》，郁李所屬的櫻桃科中有不少植物均與郁李相似，但果實一般較細小，與陸璣對鬱及奧李所述的「實大如李」不符。果實體積較大、枝葉花果又與郁李相似者只有歐李（Cerasus humilis（Bge.）Sok.）及麥李（Cerasus glandulosa（Thunb.）Lois.）兩類。歐李為灌木，高零點四至一點五米，葉片有單鋸齒，倒卵狀橢圓形或倒卵狀披針形，花瓣白色或粉紅色，果實近球形，紅色或紫紅色，直徑一點五至一點八厘米，果期為六至十月[48]。另有一種與歐李極相似的植物，稱為毛葉歐李（Cerasus dictyoneura（Diels）Yü），毛葉歐李與歐李不同的地方是葉片下、小枝、葉柄、花梗及萼筒密被短柔毛[49]。至於亦為灌木的麥李，高零點五至一點五米，葉片亦為長圓披針形或橢圓披針形，邊有細鈍重鋸齒，花瓣白色或粉紅色，核果紅色或紫紅色，近球形，直徑為一至一點三厘米[50]。歐李、毛葉歐李與麥李均為灌木，木、葉、花、果與上述大抵相符，只是果實並未如李般大。然而《齊民要術》對唐棣的記載是「實大如小李」[51]，可見陸氏所謂之李應為小李，其次古籍上曾載有如櫻桃般大小的御李[52]，實大如李不一定指奧李、鬱的果實大如今天所見的李子。再者鬱、棣、郁李及奧李（唐棣）有名稱互通的情況，若赤棣只如郁李般大，則其他幾類的果實體積亦不可能會太大，故可相信陸璣提及的李應是體積較小的李子。那麼何者是奧李、何者是鬱呢？若從植物產地及《詩經》的地域分析，則可以找到答案。鬱出於〈豳風〉的〈七月〉

47 見中國科學院中國植物志編輯委員會編：《中國植物志（第38卷）》，頁85-86。

48 同前註，頁83。

49 同前註，頁82-83。

50 同前註，頁85。

51（後魏）賈思勰撰，繆啟倫、繆桂龍譯注：見《齊民要術譯注》，卷10，〈夫移〉，頁848。

52《廣群芳譜》提到一種名為御李的李子，其「大如櫻桃，紅黃色，先諸李熟」（見清聖祖〔（清）愛新覺羅玄燁，1654-1722，1662-1722在位〕御定，〔清〕汪灝〔1703年進士〕等撰，張虎剛點校：《廣群芳譜》〔石家莊市：河北人民出版社，1989年〕，卷55，頁1281）。

一詩，〈豳風〉產生於周人興國的故地，即今陝西省邠縣、栒邑一帶[53]；奧李（唐棣）則出於〈召南〉的〈何彼襛矣〉，另外〈秦風〉中的〈晨風〉有句云「山有苞棣」[54]，《毛傳》解釋「棣」為唐棣[55]，故奧李（唐棣）與〈召南〉及〈秦風〉產生的地域有關，〈召南〉產生的地理位置西至今陝西省南部，南達湖北省東北部[56]，〈秦風〉則在今甘肅天水及西北一帶[57]。據《中國植物志》，歐李產黑龍江、吉林、遼寧、內蒙古、河北、山東及河南[58]；麥李產陝西、河南、山東、江蘇、安徽、浙江、福建、廣東、廣西、湖南、湖北、四川、貴州及雲南[59]；毛葉歐李產河北、山西、陝西、河南、甘肅及寧夏[60]。比對之下，雖然麥李較能配合陸璣謂奧李（唐棣）「所在山中皆有」的特點，但因奧李（唐棣）涉及甘肅一帶，因此還是毛葉歐李較為配合，而麥李則與鬱配合，於此大抵可以斷言奧李（唐棣）應為毛葉歐李、鬱則是麥李。

三

上述所論，可見「常棣」是棣，即今天的毛櫻桃；「唐棣」是移，乃今天的毛葉歐李，然而若細察《毛傳》對其他詩篇的解釋，便會產生新一輪的疑問。上文提到《詩經．晨風》中有句云「山有苞棣」，《毛傳》對「棣」的解釋為：「棣，唐棣也。」[61]此言簡意賅的句子與前述的解釋實有不清之

---

53 見夏傳才：《詩經講座》（桂林市：廣西師範大學出版社，2007年），頁69。

54 見（西漢）毛亨傳，（東漢）鄭玄箋，（唐）孔穎達疏，龔抗雲整理，蕭永明審定：《毛詩正義》，卷6，〈晨風〉，頁430。

55 同前註。

56 見夏傳才：《詩經講座》，頁57。

57 同前註，頁68。

58 見中國科學院中國植物志編輯委員會編：《中國植物志（第38卷）》，頁83。

59 同前註，頁85。

60 同前註，頁83。

61 見（西漢）毛亨傳，（東漢）鄭玄箋，（唐）孔穎達疏，龔抗雲整理，蕭永明審定：《毛詩正義》，卷6，〈晨風〉，頁430。

處：既然以「常棣」為「棣」，為何在〈晨風〉中解釋「棣」時卻稱「棣，唐棣」，而不作「棣，常棣」呢？至於對〈采薇〉一詩中「維常之華」的「常」，《毛傳》解釋為：「常，常棣也。」[62]既然如此，為何在〈常棣〉一篇中不作「常棣，常也」，而稱「常棣，棣也」？《毛傳》在〈常棣〉以「棣」為「常棣」，但在解釋〈山有苞棣〉的「棣」時則解棣為「唐棣」。究竟常棣與唐棣是否都可稱作棣？若均可稱作棣，則二者是否同一種植物呢？若比對許慎的《說文解字》，情況將會叫人更感混亂，因許氏的解釋是：「移，棠棣也。棣，白棣也。」[63]棠棣即常棣，許慎此說與《毛傳》可謂剛好相反。加上常棣可寫作棠棣，而棠與唐二字發音相同，亦啟後人以二者為同一植物的想法。宋人歐陽德隆（一二三〇年進士）便指出：「《詩》棠棣即唐棣。」[64]另外，宋祁（998-1061）在其《宋景文筆記》曾記述：

> 莒公（按：即宋庠，966-1066）言：「《詩》有棠棣之華，逸詩有唐棣之華。世人多誤以棠棣為唐棣，於兄弟用之，因唐誤棠。且棠棣，棣也；唐棣，移也。移開而反合者也。此兩物不相親。」[65]

由此可知宋人多以常棣為唐棣，而宋庠則以《毛詩》及《論語》的記載加以反駁。此外古代植物學書籍《全芳備祖》、《二如亭群芳譜》更將常棣、唐棣、夫移、棣棠（Kerria japonica（Linn.）DC.）混為一談[66]。

---

62 同上書，卷第九，〈采薇〉，頁592。

63 見（東漢）許慎：《說文解字》（臺北市：世界書局，1960年），卷6上，頁183。

64 見（宋）歐陽德隆：《增修校正押韻釋疑》，《景印文淵閣四庫全書》（臺北市：臺灣商務印書館，景國立故宮博物院藏本，1986年），冊237，卷2，頁27上。

65 見（宋）宋祁：《宋景文筆記》，《景印文淵閣四庫全書》（臺北市：臺灣商務印書館，景國立故宮博物院藏本，1986年），冊862，卷中，頁2上-2下。

66 《全芳備祖》有關常棣的記述非常混亂，其條目題「棣棠」，但在碎錄及紀要部分均稱為棠棣。而在碎錄中稱：「棠棣，移也。注：『似白楊，江東呼為夫移。』棠棣即夫移也。一名奧李，一名爵梅。」又在紀要中稱：「棠棣，燕兄弟也。閔管、蔡之失道，故作棠棣焉。……然又云棠棣花反而復合。」見（宋）陳景沂（活躍於一二五三年前後）：《全芳備祖》（北京市：農業出版社，1982年），卷10，〈棣棠〉，頁332-333。由此可見作者將唐棣與常棣混在一起，並通稱為「棠棣」。《二如亭群芳譜》的記述段玉裁嘗試針對《毛傳》、陸《疏》、郭《注》及《說文解字》中的矛盾之處，在《說文解字注》中指出：

> 〈釋木〉曰：「唐棣，栘。常棣，棣。」唐與常音同。蓋謂其花赤者為唐棣，花白者為棣，一類而錯與。故許云：「栘，棠棣也；棣，白棣也。」改唐為棠，改常為白，以棠對白，則棠為赤可知。皆即今郁李之類，有子可食者。〈小雅〉「常棣」、《論語》逸詩「唐棣」，實一物也。[67]

他從文獻的比對解釋常棣、棠棣與唐棣，指出常棣與唐棣實同一植物，是郁李之類，二者寫法不同只是因為顏色的不同。段氏還指出：

> 〈小雅〉《傳》曰：「常棣，棣也。」〈秦風〉《傳》曰：「棣，唐棣也。」常與唐同字可證矣。渾言之則白棣亦呼唐棣也。〈豳風〉《傳》云：「鬱，棣屬。」[68]

他嘗試以常與唐同字、白棣亦可稱為唐棣，來解釋《毛傳》在〈何彼襛矣〉、〈常棣〉及〈晨風〉之間的不同說法。但其以棠棣開紅花、常棣開白花，則忽略了《詩經》的不同傳本間將常棣寫作棠棣的情形，直將常棣與棠棣分作兩種截然不同的植物，再者以常棣及唐棣為郁李，亦與陸璣「似郁李而小」的說法不合。近人吳厚炎也認為唐棣與常棣為同一植物，主要是以《毛傳》在〈常棣〉的解釋為「常棣，棣也」及〈晨風〉的解釋「棣，唐棣也」[69]。至於《毛傳》訓釋《詩經》時分別謂常棣及唐棣為棣及栘，若常棣和唐棣為同一植物，明顯與《毛傳》的意思不符。吳氏於此解釋這是由

大抵受其影響，亦將常棣、唐棣、棣棠的記述放在一起，詳見（明）王象晉（1604年進士）撰：《二如亭群芳譜》，見故宮博物館編：《故宮珍本叢刊》（海口市：海南出版社，2001年），第471-472冊，卷1，頁37下-38下。

67 見（東漢）許慎撰，（清）段玉裁注：《說文解字注》，六篇上，頁15下。

68 同前註。

69 見吳厚炎：《〈詩經〉草木匯考》，頁76。

於「『風』詩與『雅』詩，『地方』詩與『王畿』詩稱謂之別」，所以「稱謂雖別而其實一」[70]，常棣、唐棣為一物，並指出唐棣即今天植物學上的唐棣（Amelanchier sinica（Schneud）Chun）[71]。雖然吳氏從地域角度來解決問題有其合理之處，但他無疑是忽略了陸璣對常棣及唐棣的描述頗有不同。再者，今天稱為唐棣的Amelanchier sinica，其果實雖小如櫻桃，但顏色為紫黑色[72]，與陸《疏》及《齊民要術》所述有異。

既然常棣不同於唐棣，為何《毛詩》、《爾雅》及《說文解字》會有上述矛盾。唐人歐陽詢主編的《藝文類聚》提供了解開問題的切入點。該書嘗試列寫歷代有關夫移的說法，載曰：

> 《爾雅》曰：「唐棣，移，似白楊，江東呼夫移。」
> 《詩》曰：「何彼襛矣，唐棣之華。」
> 又：「山有苞棣。」
> 「六月食鬱及薁。」薁，夫移也，音郁。
> 〈夫移〉，燕兄弟也，閔管、蔡之失道。夫移之華，鄂不煒煒。凡今之人，莫如兄弟。
> 《禮記疏》曰：「夫移，一名薁李，一名鬱梅，一名車下李，一名鬱。」[73]

當中將「常棣之華，鄂不韡韡」寫作「夫移之華，鄂不煒煒」，亦即將常棣與夫移等同起來。換句話說，在唐或以前常棣的解釋應否是柣移？「常棣，棣也」是否也應作「常棣，棣也」呢？陸德明在其《經典釋文》中，對「常棣，棣也」一句也作如下補充：

70　同前註。

71　同前註。

72　見中國科學院中國植物志編輯委員會編：《中國植物志（第36卷）》（北京市：科學出版社，1974年），頁403。

73　見（唐）歐陽詢：《藝文類聚》，卷89，〈夫移〉，頁1546。

> 本或作「常棣，移」。音以支反，又是兮反。案《爾雅》云：「唐棣，移；常棣，棣。」作「移」者非。[74]

清人王引之（1766-1834）對《經典釋文》、《藝文類聚》等文獻加以分析，謂：

> 然常棣《釋文》云：「常棣，棣。」本或作「常棣，移」。《論語．子罕篇》注：「唐棣，棣也。」（今本作「唐棣，移也」，此後人據郭本《爾雅》改之。皇侃疏云：「唐棣，棣樹也。」《釋文》不出移字之音，則舊本作唐棣，棣也可知。）則與郭本殊。蓋所見《爾雅》舊本作：「常棣，移；唐棣，棣也。」今案〈小雅．常棣之華〉，《藝文類聚》木部下引三家《詩》作「夫移之華」（唐時《韓詩》自存，所引蓋《韓詩》也），則名移者，乃常棣而非唐棣甚明。常棣，《傳》「常棣，棣也」，當依或本作「常棣，移也」。〈何彼襛矣〉，《傳》「唐棣，移也」，及《箋》內之「移」字，俱當作「棣」。後人據郭本《爾雅》改之也，陸機《詩疏》釋唐棣曰：「奧李也，一名雀梅，亦曰車下李。」《太平御覽》果部十引《吳氏本草》曰：「郁李，一名雀李，一名車下李，一名棣。」然則唐棣即奧李也，一名棣也。以三家《詩》及《毛傳》、陸《疏》、《本草》考之，似作「常棣，移；唐棣，棣」者為長。（《玉篇》唐作榶，云「棣也」，與〈晨風〉《毛傳》、《論言》何《注》合。）因常、唐聲相近，遂致相亂耳。[75]

透過文獻比對，王引之指出《毛傳》解釋〈常棣〉應是「常棣，移也」而非「常棣，棣也」，且唐棣即棣，亦即郁李。至於流傳的《爾雅》及《毛傳》寫作「常棣，棣也」及「唐棣，移也」，則是受郭璞注《爾雅》所影響。雖然

---

74 見（唐）陸德明撰，黃坤堯，鄧仕樑編校：《新校索引經典釋文》，頁75。

75 見（清）王引之：《經義述聞》，《續修四庫全書》（上海市：上海古籍出版社，景清道光七年〔1827〕王氏刻本，2002年），冊175，卷28，〈唐棣移常棣棣〉，頁13下-14上。

他因唐棣是棣而以為唐棣即是郁李，明顯與陸《疏》所說的「似郁李而小」不合，又未有指出移即是甚麼植物，而他提出後人受郭璞注《爾雅》影響而將唐棣是棣、常棣是移改為唐棣是移、常棣是棣，理據亦有所不足，但他的說法無疑是解決了《毛傳》在不同篇章的矛盾。

不少清人亦透過文獻比勘，指出常棣不是棣而是移，如陳奐（1786-1863）的《詩毛氏傳疏》及王先謙（1842-1917）的《詩三家義集疏》。陳氏除了舉出《經典釋文》及《藝文類聚》為證，尚指出：

> 《說文》：「移，棠棣也。」棠乃常字之誤。許治毛詩，則《毛傳》之「常棣，移」亦其明證矣。[76]

解決了《毛傳》及《說文解字》說法的不同。王先謙則補充了《文選・甘泉賦》注「棠棣，移」作佐證[77]，又謂：

> 《論語》「唐棣之華」，何晏《集解》云：「唐棣，移也。」然據《春秋繁露・竹林篇》引《論語》，作「棠棣之華」，《文選・廣絕交論》李注引同，則知《論語》本亦作「棠棣」，故何訓為「移」也。[78]

他指出何晏注《論語》時所見為「棠棣之華」，故寫作「移」，而非因他以唐棣為移。若從清人的考據結果，即將「常棣，棣也」、「唐棣，移也」改為「常棣，移也」、「唐棣，棣也」，則可以明白為何《毛傳》在「山有苞棣」一句說棣為唐棣，亦可理解許慎為何釋移為常棣。那麼上文以常棣為毛櫻桃、唐棣為毛葉歐李的結論也應被推翻。

既然常棣為棣、唐棣為移，上文所引用的證據似已無效，但若仔細審視，不難發現上文的主要論據——陸璣的《毛詩草木鳥獸蟲魚疏》在解釋常棣為何物時是從「棣」出發，從他引《說文解字》謂「常棣，白棣樹也」即

---

76 見（清）陳奐：《詩毛氏傳疏》（北京市：中國書店，1987年），卷16，頁11下。

77 見（清）王先謙撰，吳格點校：《詩三家義疏》（上海市：上海古籍出版社，1987年），卷14，頁563。

78 同前註。

可見之。因為在《說文解字》中白棣是對棣的解釋，若他是從「常棣」出發，則其引文應是「移」而非「白棣」。同樣地，不難發現郭璞注解《爾雅》的常棣及唐棣，亦是從「棣」與「移」出發。因此，陸《疏》與郭《注》的解釋可視為時人以「棣」及「移」為何物。再者，上述有關奧李及郁李二者非一物的考證並沒有受到影響。至於上文的其他證據，其焦點亦多放在棣或奧李上，故仍可供我們作考證之用。由此重新作考慮，正確的結論應改為唐棣是毛櫻桃。毛櫻桃產於陝西、甘肅，亦與〈秦風〉及〈召南〉吻合。至於常棣，因上述奧李及欝的考訂主要從〈晨風〉及〈何彼襛矣〉的地域來衡量，因此需重新考量地域要素，而不可簡單地視常棣為毛葉歐李。常棣出自〈小雅〉的〈常棣〉及〈采薇〉，欝則出自〈豳風〉，〈小雅〉產生於鎬京（今西安）、洛邑（今洛陽）及都城附近地區，即今天的陝西省、河南省一帶；〈豳風〉即產生於今天的陝西省。今天陝西省、河南省地區均有出產麥李及毛葉歐李，故兩者都與欝及奧李吻合，但考慮到陸璣謂奧李「所在山中皆有」，似與麥李較相近，所以奧李應為麥李，亦即常棣為麥李，至於欝則應為毛葉歐李。

四

文獻記載的不足與矛盾，令後世對常棣、唐棣為何物產生有多個不同的看法。因為陸璣以唐棣即奧李，而後世又認為奧李是郁李，故提出唐棣即是郁李。又有以欝為郁李，而《毛傳》稱「欝，棣屬」，加上吳普的《本草經》載：「郁李，一名雀李，一名車下李，一名棣。」遂指出常棣即郁李。從陸璣的《毛詩草木鳥獸蟲魚疏》可知奧李非郁李、郁李亦非欝。另有因為常棣及唐棣在《毛傳》及《說文解字》中呈現矛盾的記載，及常棣、棠棣及唐棣三個容易混淆的名稱，提出常棣即唐棣，但從《毛傳》、《爾雅》及陸璣與郭璞的注疏，都可見此常棣與唐棣並非同一植物。

面對著常棣與唐棣在《毛傳》中混亂的說法，清人透過比對文獻，提出常棣是移非棣、唐棣是棣非移的說法。此考據成果實能解決《毛傳》中及其與《說文解字》間的矛盾，但近人除了陸文郁外，一般均未措意於此。然而他儘管能由此出發，但其結論是以常棣是青楊，則顯然是受到郭注的誤導。另外他以唐棣為郁李，並將奧李、鬱、棣、郁李視為唐棣之別名，則又與陸璣的說法矛盾了。至於晚近的《中國植物志》及《中國花經》所描述的唐棣是：高三至五米、葉片卵形或長橢圓形且有細銳鋸齒、花瓣白色、果實藍黑色、果期為九至十月，又載其別名是枎栘[79]。此與陸璣謂唐棣果實為紅色、花瓣或白或赤、果期為六月的說法不符，可謂完全偏離陸璣的說法了。《四庫全書總目》談及陸璣之書，稱：

> 蟲魚草木，今昔異名，年代迢遙，傳疑彌甚。璣去古未遠，所言猶不甚失真，《詩正義》全用其說；陳啟源作《毛詩稽古編》，其駁正諸家，亦多以璣說為據。講多識之學者，固當以此為最古焉。[80]

因此，陸璣的說法實為今天考據《詩經》名物的重要依據，實不能置諸不理。本文根據陸璣的說法，並綜合其他文獻及吸取清人的考據成果，提出常棣即麥李、唐棣即山櫻桃。此二種植物在地理上亦能符合〈小雅〉、〈豳風〉及〈召南〉的地域，相信能有助此二物的考証。

最後需補充的一點，近當代學者有不以常棣和唐棣為植物者，如聞一多謂：「〈采薇篇〉之「維常」即〈氓篇〉、〈列女傳〉之帷裳。」[81]帷裳是車子的帷幔，倒言之為裳帷，而「古音唐棣與裳帷相近。唐棣一作常棣，常即衣裳本字。」[82]故此他提出「本篇（按：即〈何彼襛矣〉）及〈逸詩〉之「唐

---

79 分別見中國科學院中國植物志編輯委員會編：《中國植物志（第36卷）》，頁403及陳俊愉、程緒珂主編：《中國花經》，頁313。

80 見（清）永瑢等：《四庫全書總目》（北京市：中華書局，1995年），〈毛詩草木鳥獸蟲魚疏二卷〉，頁11。

81 見聞一多：《詩經通議》，見李定凱編校：《聞一多學術文鈔》（成都市：巴蜀書社，2002年），頁202。

82 同前註，頁201。

棣」，并即「裳帷」也。」[83]此說為黃誠典《詩經通譯新詮》所繼承。[84]然而聞一多的論點亦有不足之處，其唐棣通常棣、常棣通裳棣、裳棣通裳帷的論證，忽略了唐棣即常棣的說法出現，是基於常棣可寫作棠棣，而棠與唐因聲同而通用。古書多以棠棣代常棣，但鮮有以常棣代唐棣，或以唐棣代常棣，更未見寫作裳棣者。其次，其認為帷、棣相通，因隹、聿音同，但其列舉亦未見將帷、棣二字互換的例子。另外，他以維常與帷裳相通，即認為維常應作帷裳解，既否定了《毛傳》對〈常棣〉及〈何彼襛矣〉的解釋，又採用《毛傳》對〈氓〉的解釋，其準則是什麼呢？若背後也只是「漸車帷裳」中的帷裳一詞見於《列女傳》，為何同樣見諸漢代的《說文解字》及更早的《爾雅》俱不可信呢？因此筆者相信常棣和唐棣仍應作植物解。

---

83 同前註，頁202。

84 見黃誠典：《詩經通譯新詮》（上海市：華東師範大學出版社，1992年），頁26、頁198。

《詩．周頌．維天之命》「假以溢我」與金文新證

鄧佩玲*

一

《詩．周頌．維天之命》云：

> 維天之命，於穆不已。於乎不顯，文王之德之純！**假以溢我**，我其收之。駿惠我文王，曾孫篤之。[1]

《詩序》：「〈維天之命〉，太平告文王也。」[2] 此詩乃祭祀周文王之樂歌。詩開端言天降命於文王，歌頌其莊嚴肅穆，嘉揚其德行；及詩末復又頌讚文王，並叮囑子孫篤守其行。惟詩中段之「假以溢我，我其收之」一語較為費解，所謂「我其收之」，《毛傳》：「收，聚也。」[3]「收」具收聚、聚斂意，然對於「假以溢我」一辭，古注疏家訓釋則往往有所異議，綜其所論，主要可歸納為二說：

---

* 香港教育學院中國語言學系。

1 見（西漢）毛亨傳，（東漢）鄭玄箋，（唐）孔穎達疏，龔抗雲整理，蕭永明等審定：《毛詩正義》，見《十三經注疏》委員會整理，李學勤主編：《十三經注疏》（標點本）（北京市：北京大學出版社，1999年），頁1283-1286。

2 見（西漢）毛亨傳，（東漢）鄭玄箋，（唐）孔穎達疏，龔抗雲整理，蕭永明等審定：《毛詩正義》，頁1283。

3 見（西漢）毛亨傳，（東漢）鄭玄箋，（唐）孔穎達疏，龔抗雲整理，蕭永明等審定：《毛詩正義》，頁1285。

（一）「假」訓為「嘉」，具嘉美義；「溢」，一解為「慎」，一解作「盈溢之言」。

《毛傳》：「假，嘉。溢，慎。」[4]毛氏之所以訓「溢」為「慎」，可參見孔穎達《正義》引「舍人」及「某氏」之言，其云：「舍人曰：『溢行之慎』。某氏曰：『《詩》云：假以溢我慎也。』」[5]清阮元《校勘記》引陸德明《釋文》指出「慎」或本作「順」[6]，「假以溢我」即「嘉以順我」，「順」具和順、安順意。又陳奐本諸毛、孔二氏訓釋，謂「假以溢我」乃「以嘉美之道戒慎於我也」[7]。

至於鄭《箋》訓「假」與《毛傳》同，乃「嘉美之道」，然「溢」則以「盈溢之言」作解：

> 溢，盈溢之言也。於乎不光明與，文王之施德教之無倦已，美其與天同功也。以嘉美之道，饒衍與我，我其聚斂之，以制法度，以大順我文王之意，謂為《周禮》六官之職也。[8]

鄭氏訓「假以溢我」一語為「以嘉美之道，饒衍與我」，「饒」、「衍」者，多、厚也[9]，「饒衍與我」即謂厚賜予我，此語乃言文王厚賜我美善之道也。

---

4 同上註。

5 同上註。

6 阮元云：「阮校：案《釋文》云：『溢，慎也，或本作順。案《爾雅》毖、神、謐，慎也，王肅及崔、申、毛皆作順解也。』《正義》本是『慎』字。」（《毛詩正義》，頁1285。）

7 陳奐《傳疏》：「《傳》訓假為嘉，與假、樂、雝同。溢，慎。……『假以溢我』，言以嘉美之道戒慎於我也。」見（清）陳奐：《詩毛氏傳疏》，《續修四庫全書》（上海市：上海古籍出版社，景清道光二十七年〔1847〕陳氏掃葉山莊刻本，2002年），卷26，頁6。

8 （西漢）毛亨傳，（東漢）鄭玄箋，（唐）孔穎達疏，龔抗雲整理，蕭永明等審定：《毛詩正義》，1285。

9 《廣雅．釋詁三》：「饒，多也。」（〔魏〕張揖撰，（清）王念孫疏：《廣雅疏證》〔臺北市：中華書局，景家刻本，1983年〕，頁94上）。又《詩．小雅．伐木》：「釃酒有

（二）以「假以溢我」與《春秋傳》「何以恤我」相印證，或讀為「誐以謐我」。

《左傳．襄公二十七年》引君子曰「何以恤我，我其收之」[10]，朱子《集傳》以之為據，認為「假以溢我」與「何以恤我」乃聲轉字訛：「何之為假，聲之轉也。恤之為溢，字之訛也。……言文王之神將何以恤我乎。有則我當受之，以大順文王之道，後王又當篤厚之而不忘也。」[11]故「假以溢我」與「何以恤我」係同辭異字，皆對文王提問之語，其意大概為「以何體恤我乎」。

下迄清代，馬瑞辰《通釋》、王先謙《集疏》皆因循《集傳》，又援《春秋傳》所見文例作比觀發明，復以《韓詩》及《說文》異文作為輔證，以為「假以溢我」、「何以恤我」及「誐以謐我」三辭互通，其中，「假」、「何」、「誐」及「溢」、「恤」、「謐」乃借字之屬，其意即謂「善以綏我」、「善以安我」。如馬瑞辰云：

> 《說文》：「誐，嘉善也。」引《詩》「誐以謐我」。誐與假雙聲，謐與溢字異而音義同。《左氏》襄二十七年《傳》「君子曰：何以恤我」，何者誐之聲借，恤與謐亦同部字也。此詩溢、謐、恤三字通用，……慎與靜古亦同義，詩言「溢我」即慎我也，慎我即靜我也，靜我即安我，猶《詩》言「綏我眉壽」，綏亦安也。「假以溢我」正謂善以綏我。[12]

衍」，（南宋）朱熹《集傳》：「衍，多也。」（《詩集傳》〔北京市：中華書局，1958年〕，頁104。）

10 《春秋左傳注疏》，見《十三經注疏》（標點本）（北京市：北京大學出版社，1999年），頁1066。

11 （宋）朱熹：《詩集傳》，頁224。

12 （清）馬瑞辰撰，陳金生點校：《毛詩傳箋通釋》（北京市：中華書局，1989年），頁1044-1045。

王先謙亦以為《詩》所見之「假以溢我」即謂「善以安我」：

> 「善以安我」，即是言天下太平。「我其收之」，言我更收聚善道以制法道。[13]

綜上所述，先賢多訓「假」為美、善，至於「溢」字，當中有以「慎」、「順」作解，又或採用聲轉說作輾轉訓釋。檢諸先秦典籍，「假」具嘉美、嘉善之意者不乏其例，如《詩．大雅．假樂》「假樂君子」，《毛傳》：「假，嘉也。」[14]又〈鄘風．載馳〉「既不我嘉」，鄭《箋》：「假，善也。」[15]然訓「溢」為「慎」或「順」則甚為鮮見[16]。此外，《左傳．襄公二十七年》引《詩》所言「何以恤我，我其收之」雖可作為重要參證，惟清代學者以《韓詩》作為張本，將「誐以謐我」、「何以恤我」及「假以溢我」三語作相互訓釋，附之以聲轉說，認為諸字俱屬音近之借字，有關申說實在失諸迂迴，難以盡饜人意。

---

13 （清）王先謙撰，吳格點校：《詩三家義集疏》（北京市：中華書局，1987年），頁1002-1003。此外，惠棟嘗釋《左傳．襄公二十七年》「何以恤我」云：「〈頌〉云『假以溢我』，《說文》及《廣韻》引《詩》云『誐以謐我』，『誐』與『何』音相近。伏生《尚書》『維刑之謐哉』，古文作『恤』。恤，慎也，故《毛傳》亦訓溢為慎。今《傳》作『恤』，與《毛傳》意合。古『溢』、『謐』字通。鄭氏訓為盈溢，失之。杜氏訓恤為憂，尤誤。《說文》云：『誐，嘉善也。』《毛傳》訓假為嘉，義亦同。」（清）惠棟：《春秋左傳補注》，見《四庫全書》（上海市：上海古籍出版社，1987年），冊181，卷4，頁12。

14 （西漢）毛亨傳，（東漢）鄭玄箋，（唐）孔穎達疏，龔抗雲整理，蕭永明審定：《毛詩正義》，頁1106。

15 （西漢）毛亨傳，（東漢）鄭玄箋，（唐）孔穎達疏，龔抗雲整理，蕭永明審定：《毛詩正義》，頁212。

16 《爾雅．釋詁》云：「毖、神、溢，慎也。」（《爾雅注疏》，見《十三經注疏》（標點本）〔北京市：北京大學出版社，1999年〕，頁50。）惟該書所見訓釋又多與《毛傳》同，有論者以為兩書之編纂該有若干之承傳之關係，如（唐）孔穎達《毛詩正義》云：「『詁訓傳』者，注解之別名。毛以《爾雅》之作多為釋《詩》，而篇有〈釋詁〉、〈釋訓〉，故依《爾雅》訓而為《詩》立《傳》。」（《毛詩正義》，頁1-2。）因此，《爾雅》之解釋實在不足為據。

二

《說文・水部》云：「溢，器滿也。从水，益聲。」[17]「益」乃「溢」之初文，契文作「」、「」、「」及「」諸形，从水於皿中，象水滿溢之狀；下逮兩周金文，「益」上部所从之水省變，書作「」（〈休盤〉）、「」（〈永盂〉）、「」（〈畢鮮簋〉）等。「益」於卜辭中主要用為用牲法、地名[18]，金文則多用為人名，又或通「鎰」，作為重量單位[19]；然於西周彝銘中，「益」又有較為特殊之用法，「益」或可讀為金文習見之「易」，通今之「賜」字，用例主要見於西周早期「德」鑄諸器，如〈德鼎〉及〈德簋〉皆云：

> 王 **（賜）** 德貝廿朋，用乍（作）寶障（尊）彝。（《集成》2405、3733）

又〈叔德簋〉：

> 王 **（賜）** 弔（叔）德臣嬗十人、貝十朋、羊百，用乍（作）寶障（尊）彝。（《集成》3942）

此外，新見〈䂓簋〉又為西周早期「益」與「易」通用之說復添一證，其銘云：

> 隹八月公般年，公益 **（賜）** 䂓貝十朋，乃令䂓𤔲（嗣）三族，為䂓室。[20]

「德」鑄諸器所見「益」字，其形作「」（〈德鼎〉）、「」（〈德簋〉）及

---

17 （東漢）許慎撰，（北宋）徐鉉校定：《說文解字》（附檢字）（北京市：中華書局，1963年），頁236下。

18 參徐中舒主編：《甲骨文字典》（成都市：四川辭書出版社，1988年），頁536-537。

19 參陳初生編纂，曾憲通審校：《金文常用字典》（西安市：陝西人民出版社，2004年），頁547。

20 張光裕：〈䂓簋銘文與西周史事新證〉，《文物》，2009年第2期，頁53。

「[illegible]」(〈叔德簋〉),故有學者因「易」、「益」字形相近,以為「易」乃「益」之簡化,如郭沫若云:

> 易([illegible])字作益([illegible]),可以看出易字是益字的簡化。但易字在殷墟卜辭及殷彝銘中已通用,結構甚奇簡,當為象意字,迄不知所象何意。[21]

郭氏又認為「益」所具之「易(賜)」義乃自「增益」義所引申:

> 益乃溢之初文,象杯中盛水滿出之形,故引申增益之益。益字既失其本義,後人乃另創溢字以代之,這是漢字由簡而繁的一種過程。
> 益既引申為增益,故再引申為錫予,錫予即是使無者有之,有者多之。[22]

陳夢家然其說云:

> 由于三器的「益」字實際上是保存了古式的未簡化的「易」字,可知「易」字原象皿中水之溢出或傾出,故有增益、賜予之義。[23]

不過,學者亦有對「簡化」說提出非議者,如嚴一萍認為「益」、「易」僅屬音近之通假:

> 倘[illegible]之朔誼果如此,實無於卜辭之[illegible]日更與郭氏釋[illegible]為天象「日覆雲暫見」之說,大相背馳矣。德鼎之用「益」為「錫」,當是音同相借,為偶發現象。絕非字形演變之簡化。故其他銘文所見,益自益,[illegible]自[illegible],而益皆从[illegible]未有絲毫混同之跡象可尋。且金文之[illegible],更有作

---

21 郭沫若:〈由周初四德器的考釋談到殷代已在進行文字簡化〉,《文物》,1959年第7期,頁1。

22 同上注。

23 陳夢家:〈西周銅器斷代(二)〉,見王夢旦編:《金文論文選》第一輯(香港:諸大書店),頁93。

> 者，明其右羊从日，正象雲開而見日出，左半之彡，象陽光之下射也。[24]

又如張師光裕云：

> 但金文的（易）是否就是（益）字的省形，卻還是值得懷疑的。因為甲骨文中、二字顯然顯然有著不同的用法，而且金文的「益」字除叔德簋等三器外，其餘皆从形，沒有和「易」形相近的例子，同時易字的三小點都是朝下，其方向也與　字小點寫法是相反的。因此我們暫時只能相信「益」、「易」的通假只是古音同部的關係而已。[25]

事實上，卜辭「易」書作「」、「」、「」諸形，金文則作「」（〈保卣〉）、「」（〈庚嬴卣〉）、「」（〈師虎簋〉）等，與德器所見从皿之「」於字形上顯然有別，可知「簡化」之說甚是可疑。稽查上古音，「易」、「益」皆屬錫部，韻同[26]，正如嚴一萍所論，銘文之以「益」作「易」，僅乃音近之通假用法而已。

三

今〈維天之命〉云「假以溢我，何以收之」，注疏家之訓釋雖然不儘相同，惟「溢」既為「益」之初文，與金文材料作相互參證，西周「德」鑄諸器又有讀「益」為「易（賜）」者，故疑〈維天之命〉所見「溢」字亦當讀「賜」。「賜」，《說文·貝部》釋曰「予也」[27]，乃是一種自上而下之給

---

24 嚴一萍：〈釋〉，《中國文字》，第40（臺北市：臺灣大學文學院古文字學研究室，1972年），頁3。

25 張光裕：《先秦泉幣文字辨疑》（臺北市：國立臺灣大學文學院，1970年），頁96。

26 「益」上古音屬影母錫部，「易」屬余母錫部（見郭錫良：《漢字古音手冊》〔北京市：北京大學出版社，1986年〕，頁65）。

27 （東漢）許慎撰，（北宋）徐鉉校定《說文解字》（附檢字），頁130下。

予、授予。〈維天之命〉見於〈周頌〉，《詩大序》云「頌者，美盛德之形容，以其成功告於神明者也」[28]，又《毛傳》析其詩旨云：「〈維天之命〉，太平告文王也。」可知〈維天之命〉乃宗廟祭祀之樂歌。因此，詩中多有頌讚文王之辭，如「於穆不已」、「於乎不顯」、「文王之德之純」、「駿惠我文王」，而今之「假以溢我，我其收之」，固亦可視為祭祀者向文王神靈祈匄之祝嘏語。「假以溢我」之續句云「我其收之」，「收」者，斂也，取也[29]，「收」具收斂、收取義，引申而言，可解作接受，如朱子《集傳》訓〈維天之命〉「我其收之」云：「收，受。……有則我當受之，以大順文王之道，後王又當篤厚之而不忘也。」[30]而詩中之「收」既與「溢」對言，有「賜」始得「受」，復與金文「益」、「賜」通假例參照，可推知「溢」當讀為「賜」。

古注疏雖未有洞悉「溢」該讀為「賜」者，然審諸其文字詁訓，給予、授予之義已隱見於注釋中。如鄭《箋》釋「假以溢我」句云「以嘉美之道，饒衍與我」，「饒衍」者，多貌，「與」即「予」，具給予、授予之意[31]，其謂文王給予我眾多嘉美之道[32]。至於馬瑞辰《通釋》以為「溢我」即「安我」，其用有如〈周頌・雝〉及〈商頌・烈祖〉「綏我眉壽」所見之「綏」，具安撫、安定之義。文獻中「妥」、「綏」二字古同，如《漢書・燕刺王劉旦傳》「北州以妥」之「妥」，顏師古注引孟康曰：「古綏字也。」[33]又《儀禮・士相見

---

28 （西漢）毛亨傳，（東漢）鄭玄箋，（唐）孔穎達疏，龔抗雲整理，蕭永明審定：《毛詩正義》，頁18。

29 《書・君奭》「收罔勖不及」，江聲《集注音疏》：「收，斂也。」（清）江聲：《尚書集注音疏》（上海市：上海古籍出版社，景清乾隆五十八年〔1793〕近市居刻本，2002年），卷8，頁25。又《左傳・襄公二十七年》「我其收之」，杜預注：「恤，憂也。收，取也。」（《春秋左傳注疏》，頁1066。）

30 （南宋）朱熹：《詩集傳》，頁224。

31 《周禮・春官・大卜》「三曰與」，鄭玄注引鄭司農云：「與謂予人物也，……」《周禮注疏》，見《十三經注疏》整理委員會整理，李學勤主編：《十三經注疏》（標點本）（北京市：北京大學出版社，1999年），頁639。

32 觀乎鄭氏之解釋，既以「盈溢之言」訓「溢」，而「饒衍與我」之「與」義則無從得之，有失增字為訓之嫌，其箋釋實可商榷。

33 （漢）班固撰、（唐）顏師古注：《漢書》（北京市：中華書局，1962年），頁2750-2751。

禮》「妥而後傳言」，鄭玄曰：「古文妥為綏。」[34]而兩周金文亦見有「妥」用為祝嘏動詞之例，與「綏」同具安撫、安定之意，如：

〈蔡姞簋〉：「蔡姞乍（作）皇兄尹弔（叔）障鸞彝，尹弔（叔）用**妥（綏）**多福于皇考德尹惠姬，用旂匄眉壽綽綰，永令彌乎生，霝冬。」（《集成》，頁4198）

〈戠者鼎〉：「戠者乍（作）旅鼎，用匄偁魯福，用**妥（綏）**眉彔（祿），用乍（作）文考宮白（伯）寶彝。」（《集成》，頁2662）

凡祝嘏動詞者，如「易」、「降」、「受」等，其具體詞義雖異，然皆蘊涵祝賜之意思，而「妥」、「綏」既可解作「安」，受上天神靈所賜始能「安」之，就此角度言之，可知「綏」訓「溢」亦隱含祝賜之意。

尤值得注意者，近人楊伯峻於《左傳．襄公二十七年》「何以恤我」一語之解說獨具識見，其訓釋雖未有援金文為證，然則兼採韓詩異文，輔以通假之說，認為「恤」、「謐」、「溢」乃聲近相通，皆「賜」之假字，《春秋左傳注》嘗云：

恤，《說文》、《廣韻》引作「謐」，《詩》作「溢」，皆聲近相通，實皆為「賜」之假字。詩意謂何以賜與我，我將接收之。[35]

今〈維天之命〉與《左傳．襄公二十七年》用辭雖異，惟「溢」、「恤」二字既然上古音近[36]，「益」、「溢」古同字，西周金文「益」、「賜」又可互通，因此，出土金文材料確可為楊伯峻「恤」及「賜」乃「假字」之說資以重要證據，說明「溢」、「恤」二字皆當讀「賜」，「溢」、「恤」、「賜」具通假之關係。

---

34 《儀禮注疏》，見《十三經注疏》（標點本）（北京市：北京大學出版社，1999年），頁119。

35 楊伯峻：《春秋左傳注》（北京市：中華書局，1990年），頁1136。

36 「益」上古屬影母錫部字，「恤」為心母質部字，王力指出質（ek）、錫（et）二韻部通轉。王力：《同源字典》（北京市：商務印書館，1982年），頁16。

四

「假以溢我」之「溢」當讀「賜」，至於「假」，由於其用法較為靈活，通假之例甚多，再附諸《春秋傳》異文，該字之確實意義難以肯定，其解釋亦不一而足。要之，句中之「假」可有以下數解：

（一）「假」讀「嘉」

毛、鄭二氏皆以「嘉」讀「假」，「嘉」具美好意，「假以溢我」即賜我以嘉美之事（道）。

（二）「假」讀「嘏」

「假」、「嘏」上古音俱屬見母魚部[37]，《詩・商頌・那》「湯孫奏假」，王先謙《三家義集疏》：「魯『假』一作『嘏』。」[38]「嘏」者，祜福也，如〈小雅・賓之初筵〉「錫爾純嘏」，朱熹《集傳》：「嘏，福。」[39]〈大雅・卷阿〉「純嘏爾常矣」，馬瑞辰《傳箋通釋》：「嘏與祜音義並同，嘏亦為大福。」[40]「假以溢我」乃謂以大福賜我。

（三）「假」讀「誐」

「假」，《韓詩》作「誐」，《說文・言部》云：「誐，嘉善也。从言，我聲。《詩》曰：誐以溢我。」[41]「誐」即「善」意，與「假」通假，故「假以溢

37 郭錫良：《漢字古音手冊》，頁8。

38 （清）王先謙撰，吳格點校：《詩三家義集疏》，頁1097。

39 （南宋）朱熹：《詩集傳》，頁164。

40 （清）馬瑞辰撰，陳金生點校：《毛詩傳箋通釋》，頁916。

41 （東漢）許慎撰，（北宋）徐鉉校定：《說文解字》（附檢字），頁53。

我」即言賜我以善[42]。

（四）「假」讀「何」

楊伯峻云：「假即遐之假借字，何也。遐之訓何，例見《詞詮》。」[43]「假」上古屬見母魚部，「遐」屬匣母魚部，韻同，古籍時見有「假」、「遐」通假之例，如《列子・黃帝》「而帝登假」，張湛注：「假，當作遐。」[44]〈大雅・下武〉「三后在天」，鄭《箋》：「此三后既沒登假。」[45]《釋文》釋「假」云：「假音『遐』，已也，本或作『遐』。」[46]又《爾雅・釋詁下》「假，陞也」，郝懿行《義疏》：「假、遐古音同。」[47]「遐」雖可解作「何」，如〈大雅・棫樸〉「遐不作人」，朱子《集傳》：「遐、何通。」[48]然檢諸古籍，以「何」訓「遐」之例甚鮮，而「何」上古既屬匣母歌部[49]，與「假」聲紐相同，「假」之韻魚與「何」之韻歌又屬通轉[50]，二字宜辨析為通假。「假」既與「遐」通，「遐」又用作「何」，三字音近，故「假」可讀如《左傳》之「何」。「何」，疑問代詞，「何以溢之」即謂以何物賜予我，故「假以溢我，我其收之」可以解釋為「何以賜與我，我將接收之」[51]。

---

42 首三項解釋意義相近，「嘉」與「誐」皆善、美之謂也，至於「嘏」即「福」，亦美好事物之屬。

43《春秋左傳注》，頁1136。

44 舊題（周）列禦寇：《列子》（臺北市：臺灣商務印書館，影國立故宮博物院藏本，1986年），冊1055，卷2，頁3。

45 見閩本、明監本、毛本。（參〔西漢〕毛亨傳，〔東漢〕鄭玄箋，〔唐〕孔穎達疏，龔抗雲整理，蕭永明等審定：《毛詩正義》，頁1046。）

46 同上注。

47（清）郝懿行：《爾雅郭注義疏》，《續修四庫全書》（上海市：上海古籍出版社，景同治五年〔1866〕郝氏家刻本，2002年），冊187，卷上，頁43。

48（南宋）朱熹：《詩集傳》，頁111。

49 郭錫良：《漢字古音手冊》，頁17。

50 王力：《同源字典》，頁16。

51《春秋左傳注》，頁1136。

《孔子詩論》應定名為「孔門詩傳」論

虞萬里*

中國古代文體體式繁多，早已形成專門之學。古代注疏體式亦極為複雜，學者已有所探究。古人既有恪守體式，尊重傳統的一面，也有創新、含混以致模糊界限的事例。先秦時期，文體與注釋體雖已形成規模，尚處在初始階段，各種體式之界限也有脈絡可尋。西漢末向、歆父子敘次典籍，皆循秦漢間文體、注釋體而條分類列。

上海博物館所藏一千多支戰國竹簡中有二十九支關於《詩經》的文字，前輩馬承源先生整理後定名為「孔子詩論」，於二〇〇一年出版。自後研究文章目不暇接，據不完全統計，論文和專著乃至涉及此篇之文不下五百篇，幾皆承襲《上海博物館藏楚竹書》所定之名，稱為「孔子詩論」或「詩論」，唯個別學者曾提出可以改稱「古詩序」或「詩說」[1]，或認為可比附《詩大小序》[2]，但應者寥寥。儘管如此，對出土文獻的正確定名，仍然是一個很嚴肅的事情，它不能從眾從俗，而應該還它一個內容與形式統一的歷史面目。筆者細讀竹簡內容，聯繫先秦文體之形式及其發展而認為，此類文字應稱「孔門詩傳」或「詩傳」，方使其內容與形式名實相符。將《詩》簡稱謂「詩傳」者，最早有林志鵬，但林氏信從張杓之說，分傳為「訓詁之傳」和

---

* 上海社會科學院歷史研究所。

1 參見姜廣輝：〈《孔子詩論》宜稱「古《詩序》」〉，http：//www.bamboosilk.org（2001年12月26日），江林昌：〈由上博簡《詩說》的體例論其定名與作者〉，見謝維揚、朱淵清主編：《新出土文獻與古代文明研究》（上海市：上海大學出版社，2004年）。

2 黃人二：〈孔子詩論第一簡之含義與本篇性質概論〉，見氏著：《上海博物館藏戰國楚竹書（一）研究》（臺中市：高文出版社，2002年），第二章，頁71-72。

「載記之傳」，以《詩》簡不記事，遂判為「訓詁之傳」，復因《詩》簡無訓詁，乃又謂「所謂『訓詁之傳』主於釋經，非謂（或不僅是）字析句解，而是就其文字義理作適當的申述與闡發，即所謂旁推曲證、闡微揚奧」[3]。緣此認識，林氏將〈孔子詩論〉、〈魯邦大旱〉、〈子羔〉三篇「視為同卷之《詩傳》，〈孔子詩論〉屬於『訓詁之傳』（發揮《詩》旨）；〈魯邦大旱〉、〈子羔〉屬於『載記之傳』（記錄故事）」[4]。此殆未能深明傳體與訓詁體式之旨意，遂滋游移恍惚之說。故不殫繁辭，展示先秦「論」、「傳」兩種文體和注釋體之形式，分析《詩》簡內容，校覈異同，以證余說。

一　古代「論」體與以「論」命名之書

在先秦典經典中，《書》以典、謨、誥、誓分體，《詩》以風、雅、頌分類，《禮》以內容分篇，皆無「論」之一名，早期諸子中如《管子》、《墨子》、《老子》等也沒有一篇以「論」名篇的。這一方面可以說是內容決定形式，形式確定篇名。另一方面也說明西周時期學在官府，從上至下的教育制度，只需學生接受即可；諸子興起之初，也是步趨、闡述、傳授師說而已。至《莊子》有〈齊物論〉一篇，公孫龍子所著六篇皆以「論」名，《荀子》有〈天論〉、〈正論〉、〈禮論〉、〈樂論〉四篇，《呂氏春秋》有「論威」、「行論」二節，由此可知，「論」體到戰國中晚期方始出現。在分析諸家論體之前，先檢視「論」字的訓詁意義。

《說文．言部》：「論，議也。从言，侖聲。」徐鍇在《繫傳．通論下》說：「應和難詰首尾以終其事曰論。論，倫也。同歸而殊塗，一致而百慮。語各有倫，而同歸於理也。倫，理也。」承培元校勘記謂：「應知難詰當作

3　林志鵬：〈戰國楚竹書〈子羔〉篇復原芻議〉，見上海大學古代文明研究中心、清華大學思想文化研究所編：《上博館藏戰國楚竹書研究續編》（上海市：上海書店，2004年），頁63頁。

4　林志鵬：〈戰國楚竹書〈子羔〉篇復原芻議〉，見上海大學古代文明研究中心、清華大學思想文化研究所編：《上博館藏戰國楚竹書研究續編》，頁68。

『應詰難揭』。」[5]段玉裁注云：「論以侖會意。〈亼部〉曰：『侖，思也。』〈龠部〉曰：『侖，理也。』此非兩義。……凡言語循其理得其宜謂之論，故孔門師弟子之言謂之『論語』。皇侃依俗分去聲平聲，異其解，不知古無異義，亦無平去之別也。〈王制〉『凡制五刑，必即天論』，《周易》『君子以經論』，〈中庸〉『經論天下之大經』，皆謂之有侖有脊者。許云論者議也，議者語也，似未盡。」段氏以「論」為會意兼形聲，故又云：「當云从言、侖，侖亦聲。」

從字形分析，侖从字亼，从冊，無思義。王國維云：「案，冊下云：笧古文冊。此從之。然金文冊字或作[古文字]，師虎敦。或作[古文字]，刺鼎。乃象簡之或刊其本，非从竹也。」[6]戴家祥亦云：「从亼从冊不當有思義。《集韻》訓『敘也。亼冊而卷之侖如也』，較接近侖之初義。」[7]侖為編集之簡冊，似是本義。加「言」為「論」，有匯集簡冊言語之意，故許氏解為「議」。許解「議」為「語」，解「語」為「論」，三字互訓，其義近同。《詩．大雅．公劉》：「于時言言，于時語語。」《毛傳》：「直言曰言，論難曰語。」孔《疏》：「直言曰言，謂一人自言；答難曰語，謂二人相對。」不管〈公劉〉詩原意如何，至少在戰國秦漢之際，《毛傳》之理解與《說文》議、語、論三字之義相一致，即有二人或兩種意見以上匯集在一起，其觀點或意見並不一致，有爭議或須選擇。這種字義在文獻中處處可見。

《呂氏春秋．應言》：「不可不熟論。」高誘注：「論，辯也。」《荀子．解蔽》「道盡論矣」，楊倞注：「論，辨說也。」《文選．司馬相如上林賦》：「且二君之論，不務明君臣之義。」 呂延濟注：「論，辯論也。」辯論、辨說，必須有兩種意見以上方可與辯。《呂氏春秋．尊師》「說義必稱師以論道」，又〈適音〉「以論其教」，高誘注：「論，明。」經過辯論，纔能明

5　參見丁福保：《說文解字詁林》（北京市：中華書局），冊4，頁979（2931）。

6　王國維：《史籀篇疏證》，《王國維遺書》（上海市：上海書店，1983年景印本），第六冊6，第18頁a。

7　轉引自李圃主編：《古文字詁林》（上海市：上海教育出版社，2002年），冊5，頁387。

白，故引申為明。《淮南子．說山》：「以近論遠。」高誘注：「論，知也。」《經義述聞．周易下》「彌論天地之道」條：「《易》與天地準，故能彌綸天地之道。京房注曰：彌，徧也。綸，知也。引之謹案：綸讀曰論。《大戴禮．保傅》篇『不論先聖王之德，不知君國畜民之道』，論亦知也。」[8]經辨別纔能知曉，故引申為知。《呂氏春秋．直諫》「所以不可不論也」，高誘注：「論猶知也。」即不可不知。有兩種或兩種以上正反、異同的觀點、意見，經辨別選擇，而後纔能明瞭、知曉。將這種形式的言語轉化為文章，就是論體。陸機〈文賦〉云：「論精微而朗暢。」李善《文選注》：「論以評議臧否，以當為宗。」有當與不當，則必須有兩種以上觀點可供選擇，所以說是「評議臧否」。評與議也都是有兩種以上觀點、意見方可產生[9]。劉知幾將這種文體特點描述得更明白，《史通．論贊》云：「夫論者，所以辯疑惑，釋凝滯。」有疑惑、凝滯而進行辨別，才稱之為「論」。劉勰《文心雕龍．論說》云：

> 聖哲彝訓曰經，述經敘理曰論。論者，倫也。倫理無爽，則聖意不墜。昔仲尼微言，門人追記，故仰其經目，稱為《論語》。蓋群論立名，始於茲矣。自《論語》已前，經無論字。《六韜》二論，後人追題乎？詳觀論體，條流多品，陳政則與議說合契，釋經則與傳注參體，辨史則與贊評齊行，銓文則與敘引共紀。

彥和以《論語》為「論」名之始，這是他自己的理解。《論語》一名之涵義，歷來解說紛繁，莫衷一是。而筆者認為班固之解釋仍有不可搖撼的權威性。〈藝文志〉曰：「《論語》者，孔子應答弟子、時人及弟子相與言而接聞於夫子之語也。當時弟子各有所記，夫子既卒，門人相與輯而論篹，故謂之《論語》。」上句釋「語」字，下句釋「論」字為「輯而論篹」，師古注：「輯

8　（清）王引之：《經義述聞》（南京市：江蘇古籍出版社，1985年，景清道光七年〔1827〕本），〈周易下〉，頁55上。

9　《論語．憲問》：「世叔討論之。」皇侃疏：「論者，評也。」是知評與議、論義近。

與集同，篹與撰同。」論篹即編輯，將夫子各種對答之語篹輯在一起。篹輯必須有一定的量，這與「侖」的本義集眾多的簡冊相關；篹輯又必須有所選擇，這與「論」的選擇、辨別本義相關。章太炎曰：「論者，古但作侖。比竹成冊，各就次第，是之謂侖。籥亦比竹為之，故龠字從侖。……《論語》為師弟問答，乃亦略記舊聞，散為各條，編次成帙，斯曰『論語』。是故繩線聯貫謂之經，簿書記事謂之專，比竹成冊謂之侖，各從其質以為之名。亦猶古言方策，漢言尺牘，今言札記矣。」[10]這是班固說的詳細注腳。《論語》即從篹輯簡冊之語而得名，則與論說、辯論之義異轍。篹輯簡冊為侖，是一種過程，是動詞。但比竹成冊之後，條理帙然不紊，故「侖」有「理」義。加「言」為「論」，故有辯論、辨別之義，其目的就是為一「理」，要使條理帙然。劉勰說：「論也者，彌綸群言而研精一理者也。」經辯論、辨別而一旦達到條理帙然，則主客皆明白曉然，故引申為明白、知曉之義。略辨「論」的本義和引申義之後，再反觀先秦「論」體單篇。

《莊子．齊物論》一篇，開篇就是南郭子綦與弟子顏成子游關於「自我」與「喪我」的一段非一般的對話。這段問答中包含著正反、是非的論辯與抉擇。接著幾段也都是從正反、是非、可否的概念中作出自己的取捨、抉擇。最後二段又設堯與舜、齧缺與王倪、瞿鵲子與長梧子、罔兩與景的問答，所對答的命題大多是正反而須抉擇者。其中可引起關注者，如「以指喻指之非指，不若以非指喻指之非指也；以馬喻馬之非馬，不若以非馬喻馬之非馬也。天地一指也，萬物一馬也」一段，已經涉及「白馬非馬」的命題。讓人探知時當在莊子後成書的《公孫龍子》中的著名命題，在莊周之前已經流行[11]。

---

10 章太炎撰，龐俊、郭誠永疏證：《國故論衡疏證》（北京市：中華書局，2008年），〈文學總略〉，頁267-268。

11 《莊子》一書中涉及《公孫龍子》的內容甚多。〈齊物論〉之外，如〈胠篋〉篇「上誠好知而無道，則天下大亂矣」一節、〈天地〉篇「辯者有言曰：離堅白若懸寓」一節、〈秋水〉篇「公孫龍子問于魏牟曰」一節、〈天下〉篇「惠施多方，其書五車」一節都有〈公孫龍子〉辨說的影子。雖然《莊子》中某些篇章成書於《公孫龍子》之

《公孫龍子》一書，《漢志》著錄為十四篇，今存僅六篇。其卷首〈跡府〉一篇，非其手筆。關於他的年代，論者頗多異說，但筆者也認為是係其門弟子輯錄其生平事蹟，如戰國諸子成書的程序性文字。其他五篇名〈白馬論〉、〈指物論〉、〈通變論〉、〈堅白論〉、〈名實論〉。一律以「論」名篇，前所未有。此「論」是後人所加，抑或當時所有？按〈跡府〉云：「龍曰：『先生之言悖。龍之所以為名者，乃以白馬之論爾！』」是其與孔穿等論辯時已以「論」名。《初學記》卷七引劉向《別錄》：「公孫龍持白馬之論以度關。」至少劉向校書以前就以「論」馳名學界。今觀「白馬」等四論，皆設主客對話以論。〈白馬論〉曰：

> 「白馬非馬」，可乎？
>
> 曰：可。
>
> 曰：何哉？
>
> 曰：馬者，所以命形也；白者，所以命色也。命色者非名形也。故曰：「白馬非馬。」
>
> 曰：有白馬不可謂無馬也。不可謂無馬者，非馬也？有白馬，為有白馬之非馬，何也？」
>
> 曰：求馬，黃、黑馬皆可致；求白馬，黃、黑馬不可致。使白馬乃馬也，是所求一也。所求一者，白者不異馬也，所求不異，如黃、黑馬有可有不可，何也？可與不可，其相非明。故黃、黑馬一也，而可以應有馬，而不可以應有白馬，是白馬之非馬，審矣！

〈堅白論〉、〈通變論〉、〈指物論〉形式與〈白馬論〉相同。〈名實論〉非對話形式，但短短二百五十字，正反推理，極具論辯性。《公孫龍子》之後，《荀子》中有四篇「論」——〈天論〉、〈正論〉、〈禮論〉、〈樂論〉。觀其所以稱「論」，在一定形式上說，與《公孫龍子》的設對問答有相似性。梁啓

後，但〈齊物論〉內的文字應在其前。

超評〈天論〉云：「本篇批駁先天前定之說，主張以人力征服天行。」[12]其行文形式，也是正反比較，引據論證，最後亮出自己的主張。如：

> 治亂天耶？曰：日月星辰瑞曆，是禹、桀之所同也。禹以治，桀以亂，治亂非天也。時耶？曰：繁啟蕃長於春夏，畜積收藏於秋冬，是又禹、桀之所同也，禹以治，桀以亂，治亂非時也。地耶？曰：得地則生，失地則死，是又禹、桀之所同也，禹以治，桀以亂，治亂非地也。

以上自設問自答。後文「星隊木鳴」、「雩而雨何也」等節，皆是如此。楊倞評〈正論〉云：「此一篇皆論世俗之乖謬，荀卿以正論辨之。」物雙松云：「此篇皆正世之謬論，故名。」[13]其篇章結構是先直接提出「世俗之為說曰『主道利周』」、「世俗之為說者曰『桀、紂有天下，湯、武簒而奪之』」、「世俗之為說者曰『湯、武不能禁令，是何也？曰：楚、越不受制』」，隨即否定說「是不然」，然後提出自己見解，展開論證。最後幾段先量出子宋子的觀點，而後用「應之曰」來駁斥，整篇文章論辯的特點極為明顯。〈禮論〉與《大戴禮記．禮三本》、《禮記．三年問》等篇頗多吻合，其名為「論」之原由，暫且不論。〈禮論〉文雖多與《禮記．樂記》相重，但其開篇幾段先引一則論樂文字，結句以「而墨子非之，奈何」，其後始暢論其說。中間也有小變其形式者，如先引「且樂者」云云，而後曰：「而墨子非之。故曰：墨子之於道也，猶瞽之於白黑也，猶聾之於清濁也，猶欲之楚而北求之也。」最後再陳述自己的觀點看法。或引述墨子之說，隨即否定，而後闡述君子其實也就是自己的看法。如：

> 墨子曰：「樂者，聖王之所非也，而儒者為之，過矣。」

---

12 梁啓超《要籍解題及其讀法》，《飲冰室專集》之七十二（北京市：中華書局，1988年景印本），頁46。

13 物雙松：〈讀荀子〉，見（戰國）荀況著，王天海校釋：《荀子校釋》（上海市：上海古籍出版社，2005年），頁703。

> 君子以為不然。樂者，聖人之所樂也。而可以善民心，其感人深，其移風易俗，故先王導之以禮樂而民和睦。夫民有好惡之情，而無喜怒之應則亂。先王惡其亂也，故脩其行，正其樂，而天下順焉。故齊衰之服，哭泣之聲，使人之心悲；帶甲嬰胄，歌於行伍，使人之心傷；姚冶之容，鄭衛之音，使人之心淫；紳端章甫，舞韶歌武，使人之心莊。故君子耳不聽淫聲，目不視女色，口不出惡言。此三者，君子慎之。

就所引證，駁論意味亦極為濃重。《荀子》四篇論體文字中即使無明顯的對話形式，也充滿著邏輯的推理和廣博的引證。

與荀卿相先後的有《呂氏春秋》的六論，即〈開春論〉、〈慎行論〉、〈貴直論〉、〈不苟論〉、〈似順論〉、〈士容論〉。每篇又細分六節，如〈貴直論〉分〈貴直〉、〈直諫〉、〈知化〉、〈過理〉、〈壅塞〉、〈原亂〉等。其行文形式，都是開篇先總述觀點主意，而後用一至四個不等的歷史故事作為論據，以證實前面的觀點。如〈貴直論·直諫〉一節云：

> 二曰：言極則怒，怒則說者危，非賢者孰肯犯危？而非賢者也，將以要利矣。要利之人，犯危何益？故不肖主無賢者。無賢則不聞極言，不聞極言則姦人比周、百邪悉起，若此則無以存矣。凡國之存也，主之安也，必有以也。不知所以，雖存必亡，雖安必危，所以不可不論也。
>
> 齊桓公、管仲、鮑叔、寧戚相與飲。酒酣，桓公謂鮑叔曰：「何不起為壽？」鮑叔奉杯而進曰：「使公毋忘出奔在於莒也，使管仲毋忘束縛而在於魯也，使甯戚毋忘其飯牛而居於車下。」桓公避席再拜曰：「寡人與大夫能皆毋忘夫子之言，則齊國之社稷幸於不殆矣。」當此時也，桓公可與言極言矣，可與言極言，故可與為霸。

下又引「荊文王得茹黃之狗」一則，茲略。儘管《呂覽》其他八紀十二覽中亦不乏如此行文形式，但這種先論點，後論據的方式，也是先秦論體的一種。

論體文章從觀點相對的對話形式，發展而為一人筆下有對話、有傾嚮主義，且旁引博證、夾敘夾議、亦論亦駁的邏輯推理論文，是在戰國諸子爭鳴的特定形勢下迅速催化、成熟起來的。劉勰說：「論也者，彌綸群言而研精一理者也。」[14]所謂「彌論群言」，必須纂輯多種傾嚮主義不同的言論，所謂「研精一理」，則必須折衷於自己認為正確的道理。劉說確是對論體文字的一個很恰當的總括。以上一些大宗的論體之外，《漢志》所載而今已佚的《黃帝諸子論陰陽》二十五卷、《諸王子論陰陽》二十五卷，此類論體，從書名的「諸子」、「諸王子」上已可看出並非一人所論，而是幾人共論，亦即後世所謂討論，以漢代學術論著比附之，就是諸賢良、文學討論鹽鐵事而由桓寬所記 《鹽鐵論》。事涉漢代，姑皆從略。

二　「孔子詩論」內容與形式之檢討

正確的定名，應有完整的內容作為前提。上博簡此篇共二十九支簡，計一〇〇六字。完簡或接近完簡者僅五支，其他皆殘損，使人莫能合理地連綴，從而使文句閱讀和文義理解都受到一定影響。即便如此，還是有個別斷續的文字提供了信息，可供探討。如殘簡文字六次提到「孔子曰」，原文如下：

> 孔子曰：「詩亡隱志，樂亡隱情，文亡隱言。」（簡一）
> 孔子曰：「唯能夫……」（簡三）
> 孔子曰：「此命也夫。文王雖裕也，得乎？此命也。」（簡七）
> 孔子曰：「吾以〈葛覃〉得氏初之詩，民性固然……」（簡十六）
> 孔子曰：「〈宛丘〉吾善之，〈猗嗟〉吾憙之，〈鳲鳩〉吾信之，〈文王〉吾美之，〈清〔廟〕〉□□之……」（簡二一）

14 （南梁）劉勰著，詹鍈義證：《文心雕龍義證》（上海市：上海古籍出版社，1989年），冊中，〈論說〉，頁674。

> 孔子曰：「〈蟋蟀〉知難，〈仲氏〉君子，〈北風〉不絕人之怨，〈子立〉……」（簡二七）

祖述孔子評詩文字，其為孔子後學固無可議，這是確定《詩》簡為孔門《詩傳》性質的準星。不僅如此，經眾多學者對《詩》簡多方拼合、重新排列，有些分章連綴已有一定的共識，從中可以進一步看出其奧蘊。下面迻錄相關章節進行討論。

（一）簡十、十四、十二、十三、十五、十一、十六（上半段）連綴，李學勤、廖名春、姜廣輝、李銳、曹峰等皆同。文字如下：

> 「〈關雎〉之改，〈梂木〉之時，〈漢廣〉之智，〈鵲巢〉之歸，〈甘棠〉之保（報），〈綠衣〉之思，〈鸗鸗〉之情」曷？曰：童而皆賢於亓（其）初者也。〈關雎〉以色喻於禮……10兩矣，亓（其）四章則喻矣。以琴瑟之悅，擬好色之願；以鐘鼓之樂14……好，反內於禮，不亦能改乎？〈梂木〉福斯在君子，不……12……可得，不攻不可能，不亦知恒乎？〈鵲巢〉出以百兩，不亦有離乎？〈甘〔棠〕〉13……及其人，敬愛其樹，其褒厚矣。〈甘棠〉之愛，以召公……15……情愛也。〈關雎〉之改，則其思益也；〈梂木〉之時，則以其祿也；〈漢廣〉之智，則智不可得也；〈鵲巢〉之歸，則離者11……召公也；〈綠衣〉之憂，思古人也；〈燕燕〉之情，以其獨也。16上半

以上七簡文字，首先要解釋的是一個「曷」字。此字諸家多獨立作為問句。「曷」即「何」，疑問詞，此漢魏經師異口同聲，無須置疑。如《書・五子之歌》「嗚呼曷歸」、〈盤庚〉「汝曷弗告朕」，孔《傳》皆曰「何也」。鄭箋《毛詩》，亦屢云「何也」、「曷之言何也」。不煩縷舉。「曷（何）」作為疑

問詞用在句末，將前面整句變成疑問句，或用在句首。將後面文字變為疑問句，這在《公羊傳》中表現得最為集中。《春秋・隱公元年》「元年春王正月」傳：

> 元年者何？君之始年也。春者何？歲之始也。曷為先言王而後言正月？王正月也。何言乎王正月？大一統也。公何以不言即位？成公意也。何成乎公之意？公將平國而反之桓。曷為反之桓？桓幼而貴，隱長而卑。

又〈桓公元年〉「鄭伯以璧假許田」傳云：

> 其言以璧假之何？易之也。易之，則其言假之何？為恭也。曷為為恭？有天子存，則諸侯不得專地也。許田者何？魯朝宿之邑也。諸侯時朝乎天子。天子之郊，諸侯皆有朝宿之邑焉。此魯朝宿之邑也。則曷為謂之許田？諱取周田也。諱取周田，則曷為謂之許田？繫之許也。曷為繫之許？近許也。此邑也，其稱田何？田多邑少稱田，邑多田少稱邑。

就徵引可知：《公羊傳》「曷」多用在句首，「何」則句首句末皆用之。經文一句，而傳文則一而再，再而三，不厭其煩地申述、推闡。就中可以推見師弟子在傳授過程中的問答情形。

依《公羊傳》句式推論簡牘文字，前面「〈關雎〉之改」七句，一定不是作者的言語，而是轉述前人原語。李學勤認為這很可能是孔子之言，筆者頗為贊同。如此則「曷」字應緊接「之情」，將前七句總括一起作為問句，然後提起下文的回答。「童而皆賢於丌（其）初者也」一句，用一「皆」字包容之。然後分說：「〈關雎〉以色喻於禮」、「〈樛木〉福斯在君子」、「〈鵲巢〉出以百兩，不亦有離乎」等，其中雖有殘缺，文勢不斷，可以推知。所可注意者，後文又出現「〈關雎〉之改，則其思益也；〈樛木〉之時，則以其祿也；〈漢廣〉之智，則智不可得也；〈鵲巢〉之歸，則離者11……召公也；〈綠衣〉之憂，思古人也；〈燕燕〉之情，以其獨也」一段。馬承源將簡十一接第十簡，使文義形成「〈關雎〉之改……」「〈關雎〉之 ，則其思益也」的句式。也是一種讀法。但兩種不管是哪一種連綴，都無法抹殺整段文義有三層意思，即：

第一層：〈關雎〉之改……（孔子語）

第二層：〈關雎〉以色喻於禮……10兩矣，丌（其）四章則喻矣。以琴瑟之悅，擬好色之願；以鐘鼓之樂（弟子語）

第三層：〈關雎〉之改，則其思益也……（弟子語或再傳弟子語）

仔細體味七篇第二、第三層言語，角度有所不同，無法拼合在一起，絕非同一時間所完成。如果將第二、第三層互換，語者身分可以變換，整段文勢與層次則不會改變，亦即評說的人仍然是不同的，或者說同一人在不同的時候所說（這種可能很小，見下文）。這顯示出一個重要的信息，就是對〈關雎〉七篇的評說，是七十子後學引述夫子之言，予以推闡、引申，而後又是這位弟子後學的弟子或後學在老師的基礎上又對七篇發揮己見，予以補充。這種師弟子輾轉傳授，層累增益、逐漸完善一家學說的形式，是標準的先秦諸子特別是儒家的著書方式。它明白地顯示出這篇文字是孔門關於《詩經》的傳。

（二）簡二十一（下半段）、二十二、六連綴，李學勤、李零、姜廣輝等皆同。

孔子曰：〈宛丘〉吾善之，〈猗嗟〉吾憙之，〈鳲鳩〉吾信之，〈文王〉吾美之，〈清〔廟〕〉吾敬之，〈烈文〉吾悅21之，〈昊天有成命〉吾□之。〈宛丘〉曰「洵有情」，「而亡望」，吾善之；〈猗嗟〉曰「四矢反」，「以御亂」，吾憙之；〈鳲鳩〉曰「其儀一兮」，「心如結也」，吾信之；「文王在上，於昭於天」，吾美之；22〔〈清廟〉曰「肅雍顯相，濟濟多士，秉文之悳」，吾敬之。〈烈文〉曰「乍競維人」，「丕顯維悳」，「於乎前王不忘」，吾悅之。「昊天有成命，二后受之」，貴

且顯矣，訟……6（所補文字參考李學勤文）

先引夫子評語，而後摘出原詩詩句以證實夫子之說。摘引夫子之評語和詩句者當是同一人，他是弟子抑或再傳弟子，這並不重要。弟子固然可以闡發老師觀點、學說，但從另一角度看，這位弟子也在回答弟子之問。弟子問老師孔子之語的涵義，於是老師揭出詩句，以證孔子讀該詩有感而發的話。由此又可以看出師弟子之間傳授的活生生的形態。

（三）簡十六、二十四、二十連綴，李學勤、李銳等同。

孔子曰：吾以〈葛覃〉得氏初之詩。民性固然，見丌美必欲反丌本。夫〈葛〉之見歌也，則16以祬（？）菽（？）之古也。后稷之見貴也，則以文武之悳也。吾以〈甘棠〉得宗廟之敬。民性固然，甚貴丌人，必敬丌位；悅丌人，必好丌所為，惡丌人者亦然。〔吾以〕24□□〔得〕幣帛之不可去也。民性固然，丌有隱志必有以俞〔抒〕也。丌言有所載而後內，或前之而後交，人不可觸也。吾以〈杕杜〉得雀〔服〕20

從三個「民性固然」，可知十六、二十四、二十三簡一定前後相連綴，將它們分之各處都有可議處。這樣排列，又重複出現一句闡發〈甘棠〉詩旨語句。同理，簡五文字有：

〈清廟〉，王悳也，至矣！敬宗廟之禮，以為丌本；「秉文之悳」，以為丌業；「肅雍〔顯相〕」……5……行此者丌有不王乎？

此簡亦重複出現一句闡發〈清廟〉詩旨語句。〈清廟〉一詩在整篇文字中提及三次分在二處（補出一次依文義推之是可以肯定的），〈甘棠〉提及四次分在二處。從文勢考慮，這兩處無論如何不可能合併在一起；從文義著眼，揭示其詩旨為「敬宗廟之禮」，和「得宗廟之敬」又相同無異。試想在書於竹帛極為不易的年代裏，作者撰著一篇論說，似無必要將闡發同一詩篇詩旨的文字分置前後不同之處。

（四）簡七、二連綴，李學勤、李零、廖名春、姜廣輝、范毓周、李銳、曹峰等皆同。

> ……〔「帝胃文王，予〕褱尔明悳」害（曷）？誠胃之也；「有命自天，命此文王」，誠命之也，信矣。孔子曰：此命也夫！文王雖谷也，得乎？此命也……7……寺也，文王受命矣。

「予懷明德」二句，〈皇矣〉文。竹簡多一「尓」字。考《墨子・天志下》引作「帝謂文王，予懷而明德」，與簡文同，唯「尓」作「而」。「有命」二句，〈文王〉文。二詩皆美文王，故並舉之。後引孔子語，亦評述文王之詞。先闡述自己觀點，後引孔子語以證實己說，亦孔門弟子常用手法。細讀孔子之語，似應與〈文王〉一詩有關。但〈皇矣〉確實是美周文王之詩。是否這位弟子深得〈皇矣〉詩旨，於是也一並舉引。至少此段可以說明七十子後學在不斷闡發詩旨，推衍師說。

筆者籀讀再三，《詩》簡一千餘字從措詞行文到詩旨闡發，沒有提出正反論點、兩種見解而後擇取一種以排斥或駁斥另一種的語句與傾向，即沒有論體所具備的內涵，與先秦論體文字異轍，所以它決不能稱之為「論」。相反，從上述第一點三個層次，第二點兩個層次中，複沓環回，層層遞進式地闡發詩旨，可以悟出這是孔門弟子或二傳三傳後學在不斷傳授過程中對《詩》旨不斷增益的「傳」體文字。第三點，既可以否定其是一篇論說，同時也有理由懷疑它不是同時同人所撰。第四點引孔子說為佐證，是春秋戰國以後儒家乃至諸子百家的慣用手法。由前三點，都表明整篇文字有一個層累的過程，而非一氣呵成的文章，即使它有殘缺乃至脫簡，也改變不了這個事實。

筆者認為這是一篇孔門師弟子之間傳授《詩》旨的「傳」。下面約略引證先秦傳體文字的實例來與之印證，並闡述其來龍去脈。

三　古代「傳」體與春秋戰國經「傳」尋蹤

《說文》：「傳，遽也。从人、專聲。」又：「遽，傳也。」二字互訓，為郵傳之義。李孝定曰：「傳、轉亦以專得義，匪唯以之為聲也。專為紡專為陶鈞，皆運轉不息者，乘轉傳者亦類之也。」[15]唐蘭曰：「余謂此器為乘傳及宿止傳舍者所用，當即名為傳。傳者，專也。《說文》：『專，六寸簿也。』嚴可均《說文校議》云：『《後漢書．方技傳》序有挺專之術，《離騷經》作筳篿，即筭籌。〈竹部〉筭，長六寸，計歷數者是也。』此器正與筭籌相近，可為嚴說佐證。然則傳車之所以稱傳，正緣使者之持專或傳也。」[16]由六寸之專為郵傳止宿所用，轉而比喻書籍經典之世世代代轉讀相傳，其思維關聯的兩重性是：一、六寸之簿亦可以用於書寫，因為郵傳之專上本亦應有文字符號，以為契驗；二、書寫在專上的文字可以像郵傳之專一樣輾轉相傳。《管子．宙合》：「是故聖人著之簡筴，傳以告後進曰：奮盛苓落也，盛而不落者，未之有也。」又云：「故著之簡筴，傳以告後世人曰：其為怨也深，是以威盡焉。」簡冊有長短，短者如專，書之於上，可傳告後人。春秋前中期，齊桓公在堂上讀聖人之言時，輪扁指為「古人之糟粕」[17]。《老子》說「六經，先王之陳跡也」，異詞同義，桓公所讀可能即相傳先王之經典。〈宙合〉所引二句是出於經典還是出於解釋經典的「傳」，頗難質指。先秦作為注釋性的「傳」體起源於什麼時候，也無確切的材料可以徵實。《論語》「傳不

15　李孝定編：《甲骨文字集釋》（臺北市：中央研究院歷史語言研究所，1965年），第8，頁2655。

16　唐蘭〈王命傳考〉，唐蘭著，故宮博物院編：《唐蘭先生金文論集》（北京市：紫禁城出版社，1995年），頁57。

17　《莊子．天道》：「桓公讀書於堂上，輪扁斲輪於堂下，釋椎鑿而上問桓公曰：『敢問公之所讀為何言邪？』公曰：『聖人之言也。』曰：『聖人在乎？』公曰：『已死矣。』曰：『然則君之所讀者，古人之糟粕已。』」

習乎」，雖可說是指老師所傳授之知識，也不能排斥是溫習傳聖賢之書的注解。真正可以確定為注釋性傳體文字者，出於《墨子》。〈尚賢中〉有云：

> 且以尚賢為政之本者，亦豈獨子墨子之言哉，此聖王之道，先王之書〈豎年〉之言也。《傳》曰：「求聖君哲人，以裨輔而身。」〈湯誓〉曰：「聿求元聖，與之戮力同心，以治天下。」則此言聖之不失以尚賢使能為政也。

〈豎年〉是否為古書書篇名可討論[18]。「求聖」十字已標明是傳體文字。〈伊訓〉：「敷求哲人，俾輔于爾後嗣。」孔《傳》：「布求賢智，使師輔於爾嗣王，言仁及後世。」以孔《傳》推之，〈尚賢〉所引也應是一種已佚的注釋性傳文。又〈兼愛中〉曰：

> 昔者武王將事泰山隧。傳曰：「泰山有道，曾孫周王有事，大事既獲，仁人尚作，以祗商夏，蠻夷醜貉。雖有周親，不若仁人。萬方有罪，維予一人。」此言武王之事，吾今行兼矣。

《書·武成》云：「予小子既獲仁人，敢祇承上帝，以遏亂略，華夏蠻貊，罔不率俾。」〈泰誓中〉：「雖有周親，不如仁人……百姓有過，在予一人。」雖然〈武成〉、〈泰誓中〉列在古文，但此亦必前有所承。《墨子》所引二條應與此有關，或是先秦《尚書》一種已佚失的傳文。《孟子·滕文公下》：「周霄問曰：『古之君子仕乎？』孟子曰：『仕。傳曰：「孔子三月無君，則皇皇如也。出疆必載質。」』」傳孔子之事，必七十子後學所為，則此不是先王之經典可知。《荀子·修身》：「傳曰：君子役物，小人役於物。此之謂也。」楊倞注：「言傳曰，皆舊所傳聞之言也。」安積信則認為：「傳，去聲，謂古書也。」[19]《荀子》一書徵引「傳」文達二十處，很足以說明「傳」

---

[18] 按〈尚賢下〉亦有「則以尚賢及之於先王之書豎年之言然，曰：『晞夫聖武知人，以屏輔而身。』此言先王之治天下也，必選擇賢者，以為其羣屬輔佐」，兩處同時出現「豎年」，似當為書篇名。前後所引，文字雖有異，語意一致。

[19] （戰國）荀況著，王天海校釋：《荀子校釋》（上海市：上海古籍出版社，2005年），頁59。

體的性質，羅列於下：

〈不苟〉:「傳曰：君子兩進，小人兩廢。此之謂也。」

〈非相〉:「傳曰：唯君子為能貴其所貴。此之謂也。」

〈王制〉:「傳曰：治生乎君子，亂生乎小人。此之謂也。」(〈臣道〉篇引同。) 又:「傳曰：君者，舟也。庶人者，水也。水則載舟，水則覆舟。此之謂也。」

〈王霸〉:「傳曰：農分田而耕，賈分貨而販，百工分事而勸，士大夫分職而聽，建國諸侯之君分土而守，三公摠方而議，則天子共己而已矣。」

〈臣道〉:「傳曰：從道不從君。此之謂也。」又:「傳曰：斬而齊，枉而順，不同而壹。《詩》曰：『受小球大球，為下國綴旒。』此之謂也。」

〈議兵〉:「傳曰：威厲而不試，刑措而不用。此之謂也。」

〈天論〉:「傳曰：萬物之怪書不說，無用之辯、不急之察棄而不治，若夫君臣之義、父子之親、夫婦之別，則日切磋而不舍也。」

〈正論〉:「傳曰：惡之者眾則危。《書》曰：克明明德。《詩》曰：明明在下。故先王明之，豈特玄之耳哉。」又:「傳曰：危人而自安，害人而自利。此之謂也。」

〈解蔽〉:「傳曰：知賢之謂明，輔賢之謂彊。勉之彊之，其福必長。此之謂也。此不蔽之福也。」又:「傳曰：天下有二，非察是，是察非，謂合王制與不合王制也。」又:「傳曰：析辭而為察，言物以為辯，君子賤之。博聞彊志，不合王制，君子賤之。此之謂也。」

〈性惡〉:「傳曰：不知其子視其友，不知其君視其左右。靡而已矣，靡而已矣。」

〈君子〉:「傳曰：一人有慶，兆民賴之。此之謂也。」

〈大略〉:「傳曰：盈其欲而不愆其止，其誠可比於金石，其聲可內於宗廟。」

〈子道〉:「傳曰:從道不從君,從義不從父。此之謂也。」(同篇前引不出「傳曰」。)

《荀子》集儒家之大成,其書所引之「傳」有幾點值得注意:一、《荀子》一書引《詩》七十餘條,引《書》十多條,後面皆綴以「此之謂也」,形成一種將《詩》、《書》作為故訓以證實自己觀點、說法的程式。其引「傳曰」二十條,有十四條也綴以「此之謂也」,可見他將「傳」之功用視同《詩》、《書》。二、〈王制〉「君者舟也」條,〈哀公問〉篇重見,作「丘聞之」,又見《家語・五儀》哀公、孔子問對,可見確是夫子之語。〈議兵〉「威厲而不試」一條,見《禮記・緇衣》篇子曰之文,亦當是夫子之語。〈君子〉「一人有慶」一條,見《尚書・呂刑》,這種故訓,孔子完全可能複述過多次。三、傳曰之語大多凝練精闢,類同格言。四、〈臣道〉「從道不從君」一條,〈子道〉篇引多「從義不從父」半句,而且重複出現,一曰「傳曰」,一直接用同行文。由此推知,全書用「傳」語而未標明「傳曰」者當還有不少。

以上四條可引出如下思考:《荀子》之「傳」大多為七十子後學接聞於夫子,退而識之的傳記文字。其中有些是夫子原語,有些是弟子記錄時經過整飭的言語,故一般都精簡扼要。由於儒家和孔子的地位不斷升高,這些格言式的「傳」語也逐漸接近於《詩》、《書》的地位。其數量遠比《漢志》所載二百多篇要多,其中部分已被戰國、秦漢諸子抹其名而運用到自己的著作中去,或者換用了另一種名稱。

作為六經之首的《易》,有所謂《十翼》,亦稱《易傳》,即〈彖〉上下篇、〈象〉上下篇、〈文言〉、〈繫辭〉上下篇、〈說卦〉、〈序卦〉、〈雜卦〉。《易傳》之作者,《史記》、《漢書》都認為是孔子,金景芳贊同此說。近高亨考定前七篇作於戰國,且非出於一人之手,進而猜測〈彖傳〉是楚人馯臂子弓所作,〈象傳〉則矯疵所作[20]。金德建則謂〈文言〉、〈繫辭〉也都是

20 高亨:《周易大傳今注》(濟南市:齊魯書社,1998年),卷首,〈周易大傳通說〉,頁6。

馯臂子弓所作，且在子思子以前就已形成[21]。確切的作者可暫且不論，他們是孔門弟子則確然無疑。今觀《易傳》中多引孔子之語，如：〈乾・文言〉：

> 初九曰「潛龍勿用」，何謂也？子曰：「龍，德而隱者也。不易乎世，不成乎名，遯世无悶，不見是而无悶，樂則行之，憂則違之，確乎其不可拔，潛龍也。」

〈乾〉卦六爻下皆引孔子之語，內容都是發掘卦爻之幽隱，表彰君子之德、位、言、行。〈繫辭〉兩篇，上篇引孔子語十四次，下篇引十一次，如上篇引：

> 子曰：「君子之道，或出或處，或默或語。二人同心，其利斷金。同心之言，其臭如蘭。」

又「不出戶庭，无咎」下引：

> 子曰：「亂之所生也，則言語以為階。君不密則失臣，臣不密則失身，幾事不密則害成。是以君子慎密而不出也。」

下篇於「《易》曰『憧憧往來，朋從爾思』」下引：

> 子曰：「天下何思何慮？天下同歸而殊途，一致而百慮。天下何思何慮？」

在不長的篇幅中二十多次引述孔子之語，其中既有對整個《易》之奧義的闡發，也有對各個卦爻的詮釋。而且這些言辭都非常精煉，許多已成為後世的成語典故。參稽馬王堆數篇《易傳》中某些內容，更可以清楚領悟到《十翼》之稱為「易傳」的含義，而「易傳」既有引述孔子對《易》的精闢見解，也有弟子及後學在遞相傳授中，發揮孔子見解和另行詮釋《易》義等各

21　金德建：《先秦諸子雜考》（鄭州市：中州書畫社，1982年），〈中庸思想和易理關係〉，頁174。

種增益的文字。

次論《書傳》。《孔叢子·論書第二》：

> 子夏問《書》大義。子曰：「吾于〈帝典〉見堯、舜之聖焉。于〈大禹〉、〈皋陶謨〉、〈益稷〉見禹、稷、皋陶之忠勤功勳焉。于〈洛誥〉見周公之德焉。故〈帝典〉可以觀美，〈大禹謨〉、〈禹貢〉可以觀事，〈皋陶謨〉、〈益稷〉可以觀政，〈洪範〉可以觀度，〈泰誓〉可以觀義，〈五誥〉可以觀仁，〈甫刑〉可以觀誡。通斯七者，則《書》之大義舉矣。」

這是孔子對九篇典謨誥誓篇旨的高度概括。《太平御覽》卷四一九引《尚書大傳》云：「六誓可以觀義，〈五誥〉可以觀仁，〈甫刑〉可以觀誡，〈洪範〉可以觀度。」[22]伏勝援孔子之語入《大傳》，亦足以窺覘戰國中晚期儒家傳記形式之一斑。〈論書〉又云：

> 孔子曰：「《書》之于事也，遠而不闊，近而不迫，志盡而不怨，辭順而不諂。吾于〈高宗肜日〉見德有報之疾也，苟由其道，致其仁，則遠方歸志而致其敬焉。吾于〈洪範〉見君子之不忍言人之惡，而質人之美也。發乎中而見乎外，以成文者，其唯〈洪範〉乎。」

「吾於某篇見某義」，這是孔子闡述經典義旨常用的句式，下文還要提及。在約略展示儒門「傳體」形式之後，再將漢唐經師對「傳體」的定義引證、歸納，以與實際的傳體印證。

如前所說，傳本來是一種符契，其用途是用來傳送信息。劉熙《釋名·釋書契》云：「傳，轉也，轉移所在執以為信也。」因傳送需要車馬，故亦轉指傳車驛馬。《爾雅·釋言》：「馹、遽，傳也。」郭璞注：「皆轉車驛馬之

---

22 （宋）李昉等：《太平御覽》（北京市：中華書局，景宋本，1960年），冊2，頁1931上）及四庫本《御覽》皆無「六」字，劉恕《通鑑外紀》卷就引有「六」字。陳壽祺《尚書大傳》定本有輯校案語，可參閱。

名。」因為師弟子傳授知識學問形式猶如書契、驛馬之輾轉遞傳，故借以為名。《釋名．釋典藝》：「傳，傳也，以傳示後人也。」劉知幾《史通．六家》云：「蓋傳者，轉也，轉受經旨，以授後人。或曰：傳者，傳也，所以傳示來世。」孔穎達在《禮記．曲禮上》題下疏云：「傳謂傳述為義。或親承聖旨，或師儒相傳，故云傳。」親承聖旨，畢竟少數，師儒相傳，乃是常態。因為親承與遠傳的區別，所以又有「聖人制作曰經，賢者著述曰傳」之說[23]。以聖賢分稱經傳，就有作者為聖為賢的分別。古文經學以周公為聖人，制作六經，所以有將孔子所作的《春秋》、《十翼》乃至《論語》、《孝經》等都稱為「傳」。今文經學尊孔子為聖人，作《春秋》，三傳解《春秋》，所以又有「仲尼所修謂之經，穀梁所修謂之傳」之說[24]。但不管聖賢經傳述作之別，傳的命意、形態、內容已經很清楚，它是以闡發經義、揭櫫旨意為目的一種注釋體，由於先秦時期經、傳各自分行，故也可稱為一種文體。

四　戰國《詩傳》：孔門《詩傳》與上博《詩》簡比較

西周之時，學在官府，《詩》、《書》之教，職在師氏。當時學校施行樂德、樂語、樂舞之教，其中樂語以興、道、諷、誦、言、語為內容。在六語的施教過程中，大司樂、樂師、師氏、保氏等教師對整部《詩》必然有詳細的解釋。這些「教課書」雖然無法流傳下來，但教學的某些內容會通過各種途徑留存一二。《左傳》、《國語》等對《詩》字詞的訓詁和詩旨的詮釋，尚使後人約略可窺當時解詩的遠影。春秋以還，諸子興起，「孔子閔王

---

23 張華《博物志》「文籍考」（范寧：《博物志校證》〔北京市：中華書局，1980年〕，卷6，頁72）。按，《論衡．書解》云：「聖人作其經，賢者造其傳。述作者之意，採聖人之志，故經須傳也。」又〈正說〉云：「聖人作經，賢者作書。義窮理竟，文辭備足，則 篇矣。」聖賢經傳之異稱，肇端與漢代。張華從語言上予以定格。

24 楊士勛《春秋穀梁傳．隱公第一》疏云：「仲尼所修謂之經。經者，常也。聖人大典可常遵用，故謂之經。穀梁所修謂之傳，不敢與聖人同稱，直取傳示於人而已，故謂之傳。」

路廢而邪道興，於是論次《詩》、《書》，修起《禮》、樂。適齊聞〈韶〉，三月不知肉味；自衛返魯，然後樂正，〈雅〉、〈頌〉各得其所」，孔子以周文化道統自居，毅然肩負起《詩》、《書》、《禮》、樂教學重任。以《詩》、《書》、《禮》、樂教，則必有許多相關的闡述。《禮》的教學，多體現在人事實踐中，《禮記》一書記載較多。七十子後學論次輯纂《論語》，很少關於《詩》、《書》內容、旨意的文字，很可能這些專書有專門的傳授輯纂，因為傳抄艱難，年久時遠，加之水火書厄，散失殆盡。先秦諸子所引「傳」語，或出於對《詩》、《書》的詮釋，或出於日常修治齊平的問答，現在也無法確指何者為《詩》傳之語。唯《說苑》中尚保留幾則《詩》傳資料。如〈貴德〉第一章云：

> ……《詩》曰：蔽芾甘棠，勿翦勿伐，召伯所茇。《傳》曰：自陝以東者，周公主之；自陝以西者，召公主之。……夫詩，思然後積，積然後滿，滿然後發，發由其道而致其位焉，百姓歎其美而致其敬，甘棠之不伐也，政教惡乎不行。孔子曰：吾於〈甘棠〉見宗廟之敬也甚，尊其人必敬其位，順安萬物，古聖之道幾哉！

文中之《傳》，見於《公羊傳．隱公五年》，兩「以」字並作「而」，《史記．燕召公世家》作「以」。以此，此傳當然可以說是指《公羊傳》。但《說苑》一書是劉向根據《說苑雜事》及臣向書、民間書參校而成。劉向的工作是「除去與《新序》複重者」，「以類相從，一一條其篇目」，其中雖然增入一些「造新事」[25]，似乎沒有說到為每篇文字作增刪、修飾、補充。如果這樣，本章所引之傳是先秦時原文。《公羊傳》到漢代才書於簡牘，先秦雖然可以據傳聞之辭引入，但更有可能是一種已佚的《詩傳》，也同時為《公羊傳》所取。

---

[25] 左松超〈說苑集證前言〉舉出《說苑》有秦始皇事四章，漢代事十二章。關於該書其他一些問題，〈前言〉中也有考證說明，可參考。左松超：《說苑集證》（臺北市：國立編譯館，2001年）。

〈修文〉第三章云：

> ……《詩》曰：左之左之，君子宜之；右之右之，君子有之。《傳》曰：君子者，無所不宜也。是故韠冕厲戒，立于廟堂之上，有司執事無不敬者；斬衰裳，苴絰杖，立于喪次，賓客弔唁，無不哀者；被甲纓冑，立于桴鼓之間，士卒莫不勇者。故仁足以懷百姓，勇足以安危國，信足以結諸侯，強足以拒患難，威足以率三軍。故曰：為左亦宜，為右亦宜，為君子無不宜者，此之謂也。[26]

此章「是故」下一段文字，都是為結尾「為君子無不宜者，此之謂也」一語作鋪墊，也都是為證實前文「《傳》曰」之理。由此知「傳」文並非劉向所加，當然也確證了它是先秦的一種《詩傳》。

〈反質〉第三章云：

> ……《詩》云：尸鳩在桑，其子七兮，淑人君子，其儀一兮。《傳》曰：尸鳩之所以養七子者，一心也；君子之所以理萬物者，一儀也。以一儀理物，天心也。五者不離，合而為一，謂之天心。在我能因自深結其意於一，故一心可以事百君，百心不可以事一君。是故誠不也。夫誠者一也，一者質也。君子雖有外文，必不離內質矣。[27]

〈鳲鳩〉一詩引者眾多，但本章之傳文則為秦漢其他文獻所無，且傳文緊扣〈曹風．鳲鳩〉本詩，也非〈鳲鳩〉以外之傳文可以移置於此。所以，由本章之傳，更可以推知〈貴德〉、〈修文〉二章所引《詩傳》之存在。如果擴而大之，從孔子談《詩》的文字上去追尋，更可找到一些麟爪。《孔叢子．記義第三》載：

> 孔子讀《詩》及〈小雅〉，喟然而嘆曰：吾于〈周南〉、〈召南〉見周道之所以盛也，于〈栢舟〉見匹夫執志之不可易也，于〈淇澳〉見學

---

26 左松超：《說苑集證》，頁1204。

27 左松超：《說苑集證》，頁1289。

> 之可以為君子也，于〈考槃〉見遁世之士而不悶也，于〈木瓜〉見苞苴之禮行也，于〈緇衣〉見好賢之心至也，于〈雞鳴〉見古之君子不忘其敬也，于〈伐檀〉見賢者之先事後食也，于〈蟋蟀〉見陶唐儉德之大也，于〈下泉〉見亂世之思明君也，于〈七月〉見豳公之所造周也，于〈東山〉見周公之先公而後私也，于〈狼跋〉見周公之遠志所以為聖也，于〈鹿鳴〉見君臣之有禮也，于〈彤弓〉見有功之必報也，于〈羔羊〉見善政之有應也，于〈節南山〉見忠臣之憂世也，于〈蓼莪〉見孝子之思養也，于〈四月〉見孝子之思祭也，于〈裳裳者華〉見古之賢者世保其 也，于〈采菽〉見古之明王所以敬諸侯也。

整段文字涉及二十篇詩，從〈柏舟〉至〈采菽〉，次序與《毛詩》排列而下，唯〈羔羊〉在〈召南〉而置於〈彤弓〉下[28]。「吾于」某某篇「見」某義，為一恆定句式。此與前引《孔叢子》子夏問《書》大義，孔子曰「吾于〈帝典〉見堯、舜之聖焉」出自一轍，他如《說苑．貴德》:「孔子曰：吾于〈甘棠〉見宗廟之敬也。甚尊其人，必敬其位，順安萬物，古聖之道幾哉。」《鹽鐵論．執務》:「孔子曰：吾于〈河廣〉，知德之至也。」從不同的文獻抄錄出同一種句式，都明標為孔子之語，似不應對《孔叢子》的記載有所懷疑，而可以認為都是從同一系脈的先秦文獻中轉 下來的孔子傳授《詩》、《書》的常用語。這種句式和內容在先秦的《詩》簡中又一次得到了確證。

從形式而言，上博《詩》簡十六、二十四、二十有：「孔子曰：吾以〈葛覃〉得氏初之詩。民性固然，見丌美必欲反丌本。夫〈葛〉之見歌也，則16以葉萋之古也。后稷之見貴也，則以文武之悳也。吾以〈甘棠〉得宗廟之敬。民性固然，甚貴丌人，必敬丌位；悅丌人，必好丌所為，惡丌人

---

28 楊朝明〈《孔叢子》「孔子詩論」與上博《詩論》〉，見楊朝明：《儒家文獻與早期儒學研究》（濟南市：齊魯書社，2002年）、李存山〈《孔叢子》中的「孔子詩論」〉（《孔子研究》，2003年第3期），都懷疑〈羔羊〉為〈無羊〉之誤，〈無羊〉在〈節南山〉之前。《欽定詩經傳說彙纂》卷首下〈綱領〉載范處義《詩補傳》引《孔叢子》作「無羊」，而《詩補傳》卷三十〈篇目〉仍作「羔羊」。依前後次序觀之，整篇都與秦漢《詩》文本一致，「羔」、「無」字形又相近，容有譌誤。

者亦然。〔吾以〕24 □□〔得〕幣帛之不可去也。民性固然，丌有隱志必有以俞〔抒〕也。丌言有所載而後內，或前之而後交，人不可觸也。吾以〈杕杜〉得雀〔服〕20……」三個「吾以」，「以」猶「于」，句式與《孔叢子》、《說苑》、《鹽鐵論》全同。

就內容而言，有數條也可互相印證。一、《家語．好生》：「孔子曰：吾於〈甘棠〉見宗廟之敬也甚矣，思其人必愛其樹，尊其人必敬其位，道也。」〈貴德〉：「吾于〈甘棠〉見宗廟之敬也甚[29]，尊其人必敬其位，順安萬物，古聖之道幾哉。」上博簡：「吾以〈甘棠〉得宗廟之敬。民性固然，甚貴丌人，必敬丌位；悅丌人，必好丌所為，惡丌人者亦然。」前半句內涵相同。〈貴德〉「順安萬物，古聖之道幾哉」十字是否為《說苑雜事》作者之語，抑或弟子傳授中改寫，可置一疑。簡文「㝵」字清晰無訛，而《家語》、《說苑》等傳世文獻皆作「見」，義雖兩通，因字形相近，或有一誤。二、《孔叢子．記義》「于〈木瓜〉見苞苴之禮行焉」，〈木瓜〉毛傳引孔子說同。上博《詩》簡也有對〈木瓜〉詩旨的闡發。曹峰將簡二十、十九、十八三支前後銜接，結合三禮經籍所載禮義來解釋，最為合理[30]。簡文「幣帛之不可去」，與「苞苴之禮行焉」正是從正反兩方面說同一個道理。唯《詩》簡後文的闡發比《毛傳》、《孔叢子》所引更為深刻透徹。這三支連接，又見一段像〈關雎〉七篇一樣對《詩》旨作複沓環回地闡發[31]，從而也增加一重師弟子輾轉傳授的「傳」體形式。三、簡文「蟋蟀之難」，〈記義〉則云：「于〈蟋蟀〉見陶唐儉德之大也。」兩者無涉。《毛序》云：「〈蟋蟀〉，刺晉僖公也。儉不中禮，故作是詩以閔之，欲其及時以禮自虞樂也。此晉也而謂之唐，本其風俗憂深思遠，儉而用禮，乃有堯之遺風焉。」不儉不侈，樂

---

29 此處標點據《家語》「甚矣」二字而點于此，以為此處可能脫一「矣」字。如果不計，連下讀作「甚尊其人」，於文義亦通。

30 曹峰：〈試析上博楚簡〈孔子詩論〉中有關「木苽」的幾支簡〉，見謝維揚、朱淵清主編：《新出土文獻與古代文明研究》（上海市：上海大學出版社，2004年），頁56-62。

31 依曹峰說將簡二十、十九、十八三支連接，則簡十九之前必有脫簡，筆者另有說。

而中禮，是僖公之難。而「堯之遺風」正《詩》簡「陶唐儉德之大」之謂。四、〈記義〉謂「〈蓼莪〉見孝子之思養也」，簡文則云「〈蓼莪〉有孝志」，旨亦相合。從不同角度可以綰合〈記義〉和《詩》簡之《詩》旨者不止以上四條，從略不贅[32]。

從〈貴德〉引「吾于〈甘棠〉見宗廟之敬」稱「傳」，知〈好生〉所引及《詩》簡亦皆可歸為「傳」體。輾轉連類，〈記義〉所輯錄也可能是孔子傳《詩》之殘文斷篇。《詩傳》中引孔子語，不僅〈貴德〉和《詩》簡，《毛傳》也引。上文所舉〈木瓜〉之外，〈小弁〉《毛傳》引孔子曰「舜其至孝矣，五十而慕」，〈巷伯〉《毛傳》引孔子曰「欲學柳下惠者，未有似於是也」。前者又見《孟子‧告子章句下》，後者又見《家語‧好生》。就前者而言，可以認為《毛傳》從《孟子》轉引，而《家語》清儒指為王肅偽撰固非事實，從其形式觀之，其輯集時間當在《毛傳》之後。戰國秦漢之際，儒門支裔傳孔子言行者何止八派，合理而最為可能的解釋是，《毛傳》承襲孔門支裔的《詩傳》一類的文獻採擷孔子之言，至少「吾于〈甘棠〉見宗廟之敬」一語必是取之於《詩》簡一類的孔門《詩傳》。

上博二十九支《詩傳》簡並非對三百十一篇《詩》一一評述闡發，而僅是或詳或略地涉及、評述了五十八篇詩旨。從其不依《詩》之序次，前後重複而言，他不是「詩序」一類的體式；從其僅評述五分之一《詩》的篇幅而言，也不是一種完整的孔門《詩》傳。比勘《家語》、《孔叢子》等文獻所保存殘缺的孔子《詩》傳資料，推知七十子後學在纂輯《論語》同時，可能並沒有完整的有關孔子傳《詩》的文本，而是各本「聞之於」夫子的言論予以記錄，故多少隨所記，長短亦不一，旨意相同而語言亦有異。隨後輾轉相傳，不斷發揮增益，漸滋傳聞異說，傳抄譌謬，故異態紛呈。

---

32 李存山〈《孔叢子》中的「孔子詩論」〉將《孔叢子》與《孔子詩論》二者做過詳細比較，可參閱。見李存山：〈《孔叢子》中的「孔子詩論」〉，《孔子研究》，2003年第3期。

五　餘論

通過論體、傳體以及文獻中《詩傳》的展示、比較與論證，《詩》簡的文體性質基本清晰。在總結本文之前，還有必要對稱《詩》簡為「詩序」和「詩說」的觀點略作辨正。「詩序」之說首先由姜廣輝提出，儘管他擬稱為「詩序」，仍然說不出與《毛詩序》有什麼傳承關係[33]。江林昌曾亦「建議將竹簡《詩論》改稱為『竹簡子夏《詩》序』」[34]。彭林對此觀點作了有力的辨正，他認為《詩論》「主旨是論述《詩》義，」「而《詩》序是題解類的文字。因此，斷斷不能將《孔子詩論》名之為『《詩》序』或者『古《詩》序』。」[35]彭氏的批駁完全符合古代文體。朱淵清在〈從孔子論〈甘棠〉看孔門〈詩〉傳〉一文中數次提及《詩》簡「反映孔子《詩》說之體」，「《孔子詩論》不涉字詞訓詁而通說《詩》旨，當即是孔子《詩》說」，「《孔子詩論》確是孔子《詩》說無疑」，並特作一長注說明理由，兼駁姜廣輝稱為「古《詩》序」之非[36]。江林昌後來採納裘錫圭、朱淵清觀點，改變看法，著文強調「《孔子詩論》宜更名為《詩》說」[37]。朱、江兩文對古代傳、說、論也有討論，但多昧於時代，含混不清。就江文所舉《韓非子．內儲說》、〈外儲說〉包括經、說二部分，經概括指出所要說的事理，說則一般都是歷史故事，即用故事來佐證理論。與《詩》簡專事闡發《詩》旨不同。筆者近

33　姜廣輝：〈關於古《詩序》的編連、釋讀與定位諸問題研究〉，《中國哲學》，第24輯（瀋陽市：遼寧教育出版社，2002年4月），頁143-171。附〈古《詩序》復原方案〉，同上，172-182頁。姜氏又有數篇論《詩》簡者皆稱「詩序」，不俱列。

34　江林昌：〈上博竹簡《詩論》的作者及其與今傳本《毛詩》序的關係〉，http://www.bamboosilk.org 02/06/10。

35　彭林：〈「詩序」「詩論」辨〉，見朱淵清、廖名春主編：《上博館藏戰國楚竹書研究》（上海市：上海書店出版社，2002年），頁97。

36　朱淵清：〈從孔子論〈甘棠〉看孔門《詩》傳〉，見朱淵清、廖名春主編：《上博館藏戰國楚竹書研究》，頁118-139。

37　江林昌：〈由上博簡〈詩說〉的體例論其定名與作者〉，見謝維揚、朱淵清主編：《新出土文獻與古代文明研究》（上海市：上海書店出版社，2004年），頁56-62。

年從事於古代注疏學之研究，對先秦的傳、說、解、喻以及兩漢由傳體經章句而過渡到注體，都有微觀的論述，無法在此展開，只能簡捷地指出稱為「詩說」之不當。

上博《詩》簡引孔子評《詩》言語闡發詩旨，進而補充、發揮孔子言說和思想，展示出先秦儒家在傳授《詩》之過程中的一種實錄形態，契合師弟子輾轉相傳、逐漸增益的傳體形式，應正名為「孔門詩傳」或「詩傳」。如比式於先秦諸子題開宗者之名，亦可稱為「孔子詩傳」。因《詩》簡文字不涉及論辯，故不宜稱「孔子詩論」或「詩論」。《詩傳》極可寶貴，但它畢竟只是孔門《詩》傳體系下的一個片斷。

清崔述《讀風偶識》探索

李家樹*

一

「詩經學」延續至清代，在繼承前代累積下來的學術成果的基礎上，呈現出流派迭出、著述如林的異常活躍的現象[1]。清代研究《詩經》的學者，差不多都捲入了派系家法的紛爭，只有姚際恆（1647-1715？）《詩經通論》、崔述（1740-1816）《讀風偶識》及方玉潤（1811-1883）《詩經原始》，試圖逾越漢、宋學的藩籬，努力原文索意，以詩論詩[2]。崔述的《讀風偶識》，寫成於嘉慶年間（1796-1820），嘗試打破漢、宋門戶之見，就詩求義；然而，有論者以為崔氏沒有對整部《詩經》作出探究，有時更隨意泛論天下興亡、國家治亂之理和風俗民心、人情世事等問題，其書在體例方面不夠完整統一，確實如書題所標帶有「偶識」的特徵[3]。崔述自己也說：「信乎，古人之善於說《詩》，觸類可以旁通，而非後世為章句訓詁者之所能及也。」[4]因此，

---

* 香港大學中文學院。

1 參胡念貽：〈論漢代和宋代的「詩經」研究及其在清代的繼承和發展〉，《文學評論》，1981年第6期，頁58-72、141。

2 夏傳才以「獨立思考派」來統稱姚、崔、方三人：「其中超出各派鬥爭的潮流，不帶宗派門户偏見，能夠獨立思考，自由研究，探求各篇本義，並且有顯著成績的學者，有姚際恆、崔述、方玉潤。」見夏傳才：《詩經研究史概要》（鄭州市：中州書畫社，1982年），頁188。今稱之為「立異派」，乃據“anti-establishmentarians”一詞而來，以別於傳統的漢學與宋學、古文學與今文學等學派。

3 趙沛霖編著：《詩經研究反思》（天津市：天津教育出版社，1989年），頁367。

4 （清）崔述：《讀風偶識》，（清）崔述撰，顧頡剛編訂：《崔東壁遺書》（上海市：上海古籍出版社，1983年），卷之一，頁538。《讀風偶識》共四卷，為崔述晚年作品，非成於一時；據作者自言，大致始於嘉慶乙丑（1805），經不斷補綴，至嘉慶庚

談到清代真正跳出傳統「詩經學」牢籠的代表人物，多以姚際恆、方玉潤二人為主[5]。

可是，崔述是清代著名史學家，獨立的思考和求實的精神使他敢於打破傳統成見；他的一些散見於《讀風偶識》的有關《詩經》研究的見解，還是很值得注意和探索的。本文以《讀風偶識》為基礎，討論崔述的「詩說」內容，並藉以為他在「詩經學」上的歷史地位作一公平的定讞。

二

崔述《讀風偶識》的體例，確有體例不夠完整統一之處，茲舉兩例如下：

〈周南〉、〈召南〉何為皆先言婦人之事？（指〈周南〉〈關雎〉、〈葛覃〉、〈卷耳〉及〈召南〉〈鵲巢〉、〈采蘩〉、〈采蘋〉）曰：此先王慮

午（1810）作〈七月篇解〉及〈東山詩解〉等而成。他說：「余之為《考信錄》，凡《詩》、《書》之文有關於帝王之事者既已逐時逐事而辨之矣，顧〈二南〉既不詳其時世，而〈邶〉以下十二國風其事多在東遷以後，是以有罕及者。然亦往往於暇日就其所見，筆而記之。《考信錄》既成，乃復綴輯而增廣之，以拾其遺而補其缺。」（卷之一，頁524）「〈七月〉非周公作，〈鴟鴞〉非東征時作，〈東山〉、〈破斧〉非大夫美周公，亦非周公勞歸士而歸士答勞之詩，皆已詳於《豐鎬考信錄》中矣。然〈七月〉一詩義蘊精深，尚未及詳申其說，故復補而解之如左。」（卷之四，頁568-569）由此可見《讀風偶識》的寫作緣起及其與《豐鎬考信錄》的關係。《讀風偶識》流通的單行本載上海古籍出版社編《續修四庫全書》（「經部」「詩類」，第64冊，1995年），係據道光四年（1824）陳履和《崔東壁遺書》刻本景印。陳履和（1761-1825）為崔述門人。

5 參李家樹：《詩經的歷史公案》（臺北市：大安出版社，1990年）六〈清代傳統「詩經學」的反動〉，頁125-173，亦載林慶彰、蔣秋華編：《姚際恆研究論集》（臺北市：中央研究院中國文哲研究所籌備處，1996年），冊中，頁479-538；李家樹〈從經學到文學——方玉潤《詩經原始》讀後〉，John C.Y. Wang ed., *Chinese Literary Criticism of the Ching Period*（1644-1911）（Hong Kong: Hong Kong University Press, 1993), pp.147-169，亦載李家樹：《詩經專題研究》（西安市：太白文藝出版社，2001年），頁1-30。

天下之遠也。蓋天下之平必由於國治，國之治必由於家齊。故太任思齊，太姒嗣音而周以興；牝雞司晨而商以亡；褒姒寵、申后廢而周亦以東遷。毋以婦人為輕，婦人之所關於興亡者正不小也！故〈二南〉之始即教之以此，所以正其本而柔其心，使不至於敗國而亡家也。後世不達此意，惟務徇婦人之情，而婦人亦惟欲徇己之志。是以西漢有呂氏之禍，王氏之篡，東漢尤以母后專政為常，其所親則貴寵之，非其所親則疏遠之，若天下為己之故物者，而不復顧宗廟之隕，豈非此義之不明哉！馴至唐之武、韋而禍益烈，蔑以加矣。[6]

蓋此二篇（指〈召南〉〈行露〉、〈羔羊〉）皆周道漸衰，穆王以後所作，故皆次於〈甘棠〉之後。無故而速訟獄，百姓固已不得其平矣。為大夫者夙興夜寐，扶弱抑強，猶恐有覆盆之未照，乃皆退食委蛇，優遊自適，若無所事事者，百姓將何望焉。文王之民可謂安矣，然猶「視民如傷」，「自朝至於日中昃不遑暇食」，大夫安得自暇逸乎！合觀二詩，明係太平日久，諸事廢弛之象，正如《金史》所云「宰相皆緩語低聲，以為養相度，以致萬事不理」然者，豈得以為文王至治之時詩乎。且余嘗見今之為州縣者矣，或早起晏眠，勤於職業，則百姓皆得自安於畎畝；若從容暇豫而不事事，則吏胥作奸，強凌弱，眾暴寡，四境之內莫不嗟怨。[7]

據崔氏解說，〈關雎〉是欲求淑女以配君子，〈葛覃〉是絺綌既成女將歸寧，〈卷耳〉是婦人念其君子，〈鵲巢〉是教女子使不自私，〈采蘩〉、〈采蘋〉是教女子使重宗廟祭治，卻拉扯到齊家、治國、平天下之事，由「婦人之所關於興亡者正不小」而推及歷代治亂興衰，家齊則興、家不齊則禍患頻生；〈行露〉、〈羔羊〉是穆王以後，「太平日久，諸事廢弛」，卻拉扯到當代州縣管治，為官者勤則百姓安居樂業、墮怠則吏治不振，民不聊生。

又：

---

6 同註4，卷之二，頁538-539。

7 同註4，卷之二，頁540。

以篇次論詩而不惟其詞，是特世俗勢利之見耳。京師鬻貨諸肆以字號為高下。其有改業及歸里者，則鬻其字號於人，多者至數百金。買貨者惟其字號不易則買之，其貨之良楛不問也。磁州產煙草，楊氏之肆最著名，魏人皆往販其貨。偶貨不能給，則取他肆之貨印以楊氏之字號而與之，販者不惜價，食者無異言也。夫以篇次論詩者，亦若是而已矣！余生平無他長，惟以文論文，就事論事，未嘗有人之見存焉。奈何說《詩》而但以篇次為高下乎！[8]

〈四牡〉之行役，〈出車〉、〈采薇〉之伐戎，何異於〈六月〉、〈采芑〉之詩，乃在〈菁莪〉以後則以為其人所自作，在〈魚麗〉以前則以為君上代敘其勞苦憂傷之情以勞之者。詞同說異，何以稱焉？今試取〈六月〉、〈采芑〉而以勞詩釋之，何處見其不可者？然則是論《詩》者不惟其詩而惟其正變也。嗟夫，天下事之不求其實而但徇其名者，豈可勝道哉！有生員以試五等降青衣，每歲試，提學者以其青也，輒置之四等。一日入試，自改試卷上青為增，遂得二等。則是試之優劣在增與青，不在文也。然此猶在場屋也。茅坤以知文名，於舉業最重唐荊川順之，或取徐渭作偽稱順之以示坤，坤即書其尾云：「非荊川不能為此文。」既而知為渭作，乃取覆觀而更書云：「固是傑搆，惜後半稍弱耳。」然則以人論文，雖名士亦為之矣。然此猶論舉業也。漢董仲舒疏論災異，武帝下群臣議，仲舒弟子呂步舒不知其師書，以為大愚，由是下仲舒吏。然則漢儒之所尊信與所詆諆，但視其為師所為與非師所為，初亦未嘗有真是真非矣。然此猶論當時之書也。不意名儒之釋《六經》亦復如是。然後知徇名定論乃世之通情，無古今，無智愚賢不肖，皆若是而已矣！士之處貧賤而文不見重於世，復何怪焉！今世之士每稱人之諛富貴而毀貧賤者為勢利。然勢利之情豈獨在富貴貧賤間哉！苟不察其實而但以名輕重之，與世俗雖有清濁之分，而其為勢利則一也！……今欲讀《詩》，必取三百篇之次紊亂之，了

8　同註4，卷之一，頁528。

> 無成見，然後可以得詩人之旨。故余之論《詩》，惟其詩，不惟其正與變。[9]

提出說詩應「以文論文」，反對「以篇次論詩而不惟其詞」，即拉扯到京師鬻貨以字號為高下，乃世俗勢利之見；提出讀《詩》「必取三百篇之次紊亂之，了無成見」，反對「不惟其詩而惟其正變」，又長篇大論拉扯到「場屋」、「舉業」、「論書」等事，以證世之通情，多循名而定論。所言都與風俗民心、人情世事有關，雖可藉此印證或發明作者的「詩說」，卻足見其書體例不夠完整統一。

有時，更藉詩而抒發自己的人生觀，與所論詩之旨無涉：

> 抑吾於此詩（指〈衛風．伯兮〉）有感焉。古之婦女，「膏沐」而已。膏沐，以為夫容而已。秦、漢以來，始有脂粉；唐人尤以為重。宋、元之際，加以纏足，而天真幾不復存矣。余幼時見婦女妝束尚近渾樸；近則惟務趨時，妖淫怪妄，愈出愈奇，見之令人作惡，而其人以為非是不足以逢時，至有其夫禁之而不聽者，吾不知其「誰適為容」也。故誦此詩有三益焉：一則為人上者知夫婦離別之苦，而兵非不得已而不用；一則為丈夫者念閨中有甘心首疾之人，而路柳牆花不以介意；一則為婦人者知膏沐本為夫容，而不可學時世梳妝以悅觀者之目。則庶乎其為不徒誦此詩也已！[10]

原討論〈伯兮〉說的非《春秋》桓公五年衛人從王伐鄭之事，卻由「自伯之東，首如飛蓬；豈無膏沐，誰為適容」（「為王前驅」的伯，自從往東作戰，頭上像亂飛的蓬草，難道他沒有頭膏髮油，只是不知打扮來討好誰人，其實是忙於戰事，沒時間打扮了），扯到婦女膏沐本為丈夫打扮，不該學時世般濃妝艷抹以取悅旁觀者；丈夫當念家有賢妻為己操勞，而不去尋花問柳；更扯到為人上者，應知征役引致夫妻離散，而不會隨便興兵。

---

9 同註4，卷之一，頁531。

10 同註4，卷之二，頁550。

三

「立異派」代表人物姚際恆、崔述、方玉潤的「詩說」，大同小異，而姚、方二人比較接近。清代的學風，一般而言，是漢學對宋學的反動，在《詩經》方面，即根據《毛傳》、鄭《箋》來反對朱熹（1130-1200）的《詩集傳》；但是，姚、方倒朱，也同時倒毛、鄭。他們這種創新精神，無非想跳出舊學範疇，把以往加諸《詩經》上面的層層雲霧一一撥開。《詩經》的面目埋沒久了，經師們都只在傳統裏翻筋斗，所以《詩經通論》和《詩經原始》，對清代傳統「詩經學」來說，根本就是一種反動[11]。姚氏《詩經通論．自序》說「予謂漢人之失在于固，宋人之失在于妄；……又見明人說《詩》之失在于鑿」[12]；方氏《詩經原始》卷首上〈凡例〉又說「又況說《詩》諸儒，非考據即講學兩家，而兩家性情與《詩》絕不相近，故往往穿鑿附會，膠柱鼓瑟，不失之固，即失之妄，又安能望其能得詩人言外意哉」[13]，這些論斷是對漢、宋、明三代《詩經》研究的評價，雖不是全面的，也指出了其中的缺點。所謂「固」、「妄」、「鑿」，不外就是以詩說教、穿鑿附會和無根地妄下判斷。前人在詩旨方面，往往想入非非地作些奇怪的說解，而姚、方對這類說解都從頭研究，並提出新見。《詩經通論》和《詩經原始》可說不僅是清代傳統「詩經學」的反動，同時也是歷代「詩經學」的反動[14]。對於歷代「詩說」，崔述同樣提出不客氣的批評，並有這樣的感嘆：「嗟夫，後之人寧叛聖人之經而不肯少異於漢儒之傳，寧使文理不通而必欲曲全夫相沿之說，真可為長太息者矣」[15]；「大抵漢以降之言《詩》者多揣度而為之說，其初本無的據，而遞相沿襲，遞相祖述，遂成牢不可破之解，無復有人肯考其首尾而正其失者。迨有宋諸儒，甚且以後漢人所作之《序》命為周太史之所題。古

---

11 同註5。

12 （清）姚際恆：《詩經通論》（香港：中華書局，1963年），頁2

13 （清）方玉潤：《詩經原始》（臺北市：藝文印書館，1969年），上冊，頁24。

14 同註5。

15 同註4，卷之二，頁542。

人已往，一任後人之加之於伊誰，良可慨也」[16]。

姚、方二人，對《毛詩序》絕無好感。《詩經通論・自序》說：

> 自東漢衛宏始出《詩序》，首惟一語，本之師傳，大抵以簡略示古，以渾淪見該，雖不無一二宛合，而固滯、膠結、寬泛、填湊，諸弊叢集。其下宏所自撰，尤極踳駁，皆不待識者而知其非古矣。[17]

《詩經原始》卷首下〈詩旨〉更明快地說：

> 至《小序》則純乎偽託。[18]

而他們攻擊《毛詩序》，原因之一是由《詩集傳》引發的。《詩經通論・自序》說：

> 而朱仲晦亦承焉，作為《辨說》，力詆《序》之妄，由是自為《集傳》，得以肆然行其說；而時復陽違《序》而陰從之，而且違其所是，從其所非焉。武斷自用，尤足惑世。因嘆前之遵《序》者，《集傳》出而盡反之，以遵《集傳》；後之駁《集傳》者，又盡反之而仍遵《序》：更端相循，靡有止極。窮經之士將安適從哉？[19]

又《詩經通論》卷前〈詩經論旨〉說：

> 況其從《序》者十之五，又有外示不從而陰合之者，又有意實不然之而終不能出範圍者，十之二三。故愚謂遵《序》者莫若《集傳》，蓋深刺其隱也。且其所從者偏取其非，而所違者偏遺其是，更不可解。……夫兩書角立，互有得失，則可並存；今如此，則《詩序》固

---

[16] 同註4，卷二之一，頁543。

[17] 同註12，頁2。

[18] 同註13，上冊，頁106。

[19] 同註12，頁2。

當存，《集傳》直可廢也。[20]

他們不但要推翻《毛詩序》，而且要推翻反《毛詩序》的《詩集傳》，因為朱熹所謂攻《序》很表面化，其實卻力主調和，因此要把它打倒。

崔述與姚、方一樣，基本反對《毛詩》古學。《讀風偶識》卷之一說：

《詩》，在漢初有魯申公、齊轅固生各以《詩》傳其弟子，其先蓋皆本之於七十子；雖不能無傳流之誤，要大概為近古。其後燕韓嬰亦傳《詩》，然其源流未必能逮齊、魯之醇。最後《毛詩》始出，衛宏為之作《序》，多傅會於《春秋傳》文以欺當世，否亦強為之說而實以人與事。學者不加細考，以為真有所傳，遂謂其書優於三家，從而註之箋之。由是《毛詩》盛行，三家漸微。逮於晉、魏，齊、魯之《詩》遂亡，《韓詩》亦不復行於世，學者所見惟有《毛詩》，童而習之，不復知有他說，雖淹博好古之士，皆以為《經》之本旨固然，而《詩》之旨亦晦矣。[21]

其後經學益重，諸家林立，務期相勝，傳其學者亦不能無傅會以逢時者，然大要為近古。《韓詩》後起，已非齊、魯之比。《毛詩》之顯，又在其後。書出既晚，則師弟子私相授受，雖多增其舊說，傅以己意，世亦無從辨之。況嬰，燕人，萇，趙人，亦不能逮齊、魯間聞見之真也。[22]

《毛詩》之初亦必有所傳，故〈柏舟〉、〈淇澳〉皆深得詩人之旨。但以其書晚出，其徒之附會者過多，雖無所傳者亦必揣度而為之說，或強取傳記以實之，而有所傳者亦必增飾其說，別出新意，以蘄勝於三家，是以其說乖謬特甚。不知漢、晉諸儒何以盡棄三家而獨取《毛詩》也？[23]

---

[20] 同註12，頁4。

[21] 同註4，頁523。

[22] 同註4，頁526。

[23] 同註4，頁526。

據崔氏所言，《毛詩》晚出，為與三家競勝，無所傳者，多附會傳記為說；有所傳者，亦必增益其說，因此，乖誤舛謬之處屢見。

尤其反對《詩序》的「強不知以為知」、「以詩為刺時刺其君者」、「取《左傳》之事附會之」及「拘泥於篇次之先後」。《讀風偶識》卷之一說：

> 《詩序》好強不知以為知。孔子之修《春秋》也，特二百年前事耳，史冊尚在，然已不能盡知，往往闕其所疑。三百篇之《詩》，經秦火以後，豈能一一悉其本末！故《史記》稱「申公教無傳疑，疑者則缺不傳」。是當楚、漢之際，居於魯而得孔子之真傳者，已不能盡知也。今毛公乃趙人，作《序》者在後漢之初，乃能篇篇皆悉其為某公之時，某人之事，其將誰欺！然其失經意在此，其能使諸儒信之不疑者亦在此。何者？彼以為教無傳疑者必有所不知，此言之歷歷者必其無所不知者也。[24]
>
> 《詩序》好以詩為刺時刺其君者，無論其詞何如，務委曲而歸其故於所刺者。夫詩生於情，情生於境，境有安危亨困之殊，情有喜怒哀樂之異，豈刺時刺君之外遂無可言之情乎！且即衰世亦何嘗無賢君賢士大夫在。堯、舜之世，亦有四凶；殷商之末，尚有三仁。乃見有稱述頌美之語，必以為「陳古刺今」。然則文、武、成、康以後更無一人可免於刺者矣！況〈邶風〉之〈雄雉〉，〈王風〉之〈君子于役〉，皆其夫行役於外而其妻念之之詩，初未嘗有怨君之意，而以為刺平王、宣公，抑何其鍛鍊也！尤無理者，鄭昭公忽雖非英主，亦無失道，而連篇累牘皆指以為刺忽之詩，其關於名教者豈淺哉！[25]
>
> 《詩序》好取《左傳》之事附會之。蓋三家之《詩》其出也早，《左傳》尚未甚行，但本其師所傳為說。《毛詩》之出也晚，《左傳》已行於世，故得以取而牽合之。然考《傳》所記及《詩》所言往往有毫不相涉者。伐鄭之役，五日而還，而強屬之「居、處、喪馬」之章。

---

24 同註4，頁527。

25 同註4，頁527。

> 宋襄之立，衛在楚邱，而猶欲以「刀葦杭河」而渡。言「仲」則必為「祭仲」，言「叔」則必為「共叔」。亦有采而失其意者。以「寘周行」為「官人」，斷章取義也，而誤以為「閔使臣之勞」。以〈碩人篇〉證莊姜，證其「美」也，而誤以為「閔無子」之意。蓋緣漢時風氣最好附會，重黎也而以為義和，太皞也而以為包義，炎帝也而以為神農，以彼為此，比比皆然，不之怪也。……漢末魏、晉諸儒不加細核，輒以為其說有據，遂篤信而不疑。是《詩序》之失在附會，而其所以能使人信者亦在於附會也。[26]
>
> 《詩序》好拘泥於篇次之先後：篇在前者，不問其詞何如，必以為盛世之音；篇在後者，亦不問其詞何如，必以為衰世之音。不知詩篇傳流日久，豈能一一悉仍其原次。即如〈國風．定之方中〉在〈載馳〉之前，〈我送舅氏〉在〈黃鳥〉之後，其顯然可見者。安得篇次在前者以為美，在後者皆以為刺詩乎！如此說《詩》，古人之受誣者多矣。[27]

另外，更指出《詩序》「所舉人名不可信」。《讀風偶識》卷之二說：

> 〈邶〉、〈鄘〉、〈衛風〉三十九篇，直指為某君者十有七。〈王風〉十篇，直指為某王者五。〈鄭〉則二十一篇而直指者十有一。〈齊〉則十一篇而直指者六。〈唐〉則十二篇而直指者九。〈陳〉則十篇而直指者七。乃至〈秦〉止十篇而得九，〈曹〉止四篇而得三。惟其事與君無涉則已耳，苟事涉於其君，不舉其諡則稱其名與字（如秦仲、衛州吁之類），徒稱君者百不得三四焉。可謂言之鑿鑿也已！而獨〈魏風〉七篇，〈檜風〉四篇則無一篇直指為某君者。言及其君，但云「其君儉嗇褊急」，「其君儉以能勤」，「君不用道」，「憂其君」，「疾其君」而已，未嘗一舉其諡若字。此何以說焉？既果真有所傳，何以

26　同註4，頁527-528。

27　同註4，頁528。

> 此二國獨不知其為某公？況檜亡於魯惠之世，魏亡於魯閔之世，且在齊哀、陳幽之後二百餘年，何以遠者知之歷歷，而近者反皆不之知乎？蓋周、齊、秦、晉、鄭、衛、陳、曹之君之謚，皆載於《春秋傳》及《史記》〈世家〉、〈年表〉，故得以採而附會之；此二國者，《春秋》、《史記》之所不載，故無從憑空而撰為某君矣。然則彼八國者亦非果有所傳，而但就詩詞揣度言之，因取《春秋傳》之事附會之也彰彰明矣。[28]

與姚、方相同，崔述也不滿朱熹《詩集傳》反《詩序》不徹底。《讀風偶識》卷之一說：

> 余獨以為朱《傳》誠有可議，然其可議不在於駁《序》說之多，而在於從《序》說者之尚不少。何則？世所以信《序》者，以其近古耳。《齊》、《魯》、《韓》、《毛》均出於漢，且三家俱在前，何以此獨可信而彼皆可疑？三家之書雖亡，然見於漢人之所引述，尚往往有之，其說率與今之《詩序》互異。如謂近古者皆可信，則四家之說不應相悖。相悖，則必有不足信者矣。豈非後世學者但見《毛詩》之《序》而遂不知其可疑耶？朱子既以《序》為揣度附會矣，自當盡本經文以正其失，何以尚多依違於其舊說？此余之為朱子惜者也。[29]

《讀風偶識》卷之三說：

> 余曰：「余於朱子《詩傳》亦有憾焉，……非憾朱子之不從《序》，正憾朱子之猶未免於信《序》也。即如〈叔于田〉二篇，『叔』者男子之字，周人尚叔，鄭之以叔稱者當不下十之五，使余為《詩傳》，必不敢謂此叔之為共叔也。」共叔，國君之介弟也，詩人果稱美之，當舉卿士大夫以為擬；乃僅曰「巷無居人」、「巷無服馬」，彼共叔者

---

[28] 同註4，頁544。

[29] 同註4，頁524。

> 豈但與里巷之人較優劣者乎！共叔之在鄭也，如二君矣；收二鄙為己邑，其目中豈復有莊公者，而《詩》曰：「襢裼暴虎，獻於公所。」彼共叔者豈尚肯獲禽而獻於莊公者乎！子封之伐京也，京叛共叔，祭仲、子封之諫也，莊公若不為意者，蓋莊公已早策共叔之庸愚不能撫卹其眾，而下皆有叛心，而《序》乃云「國人悅而歸之」，朱《傳》亦云「鄭人愛之」，段不能結京人之心，而況能得鄭國之人之愛且說乎！且共叔之在京也，撫大都，收二鄙，繕甲兵，具卒乘，愛共叔者何不述其都邑之雄富，車甲之強盛，而惟田獵之是言乎？取二篇之詩逐文而求其義，未見有一言之合於共叔者，然則其非共叔明矣。[30]

但是，未如姚、方般深痛惡絕。跟漢人比較，朱熹同樣是以《詩》說教，他攻擊《毛詩序》說教，不外是五十步笑百步而已[31]。他提出「淫詩」之說，而「淫詩」問題以及由此帶來的廢經、刪詩，正是姚、方對《詩集傳》深痛惡絕的原因。《詩經通論》卷前〈詩經論旨〉說：

> 《集傳》使世人群加指摘者，自無過淫詩一節。其謂淫詩，今亦無事多辨。夫子曰「鄭聲淫」。聲者，音調之謂，迥不相合。……且春秋諸大夫燕享，賦詩贈答，多《集傳》所目為淫詩者，受者善之，不聞不樂，豈其甘居于淫佚也！季札觀樂，于鄭、衛皆曰「美哉」，無一淫字。此皆足證人亦盡知。然予謂第莫若證以夫子之言曰「《詩》三百，一言以蔽之，曰『思無邪』」。如謂淫詩，則思之邪甚矣，曷為以此一言蔽之耶？蓋其時間有淫風，詩人舉其事與其言以為刺，此正「思無邪」之確證。何也？淫者，邪也；惡而刺之，思無邪矣。今尚以為淫詩，得無大背聖人之訓乎？[32]

《詩經通論．自序》說：

---

30 同註4，頁555。

31 參《詩經的歷史公案》三〈漢宋詩說異同比較〉，頁39-82。

32 同註12，頁3-4。

> 《集傳》紕繆不少，其大者尤在誤讀夫子「鄭聲淫」一語，妄以〈鄭詩〉為淫，且及于衛，且及于他國。是使《三百篇》為訓淫之書，吾夫子為導淫之人，此舉世之所切齒而歎恨者。予謂若止目為淫詩，亦已耳，其流之弊，必將併《詩》而廢之。王柏之言曰：「今世三百五篇豈盡定于夫子之手！所刪之詩，容或存于閭巷游蕩之口，漢儒取以補亡耳。」于是以為失次，多所移易；復黜〈召南．野有死麕〉及〈鄭〉、〈衛風〉《集傳》所目為淫奔者。其說儼載於《宋史．儒林傳》。明程敏政、王守仁、茅坤從而和之。嗟乎，以遵《集傳》之故而至于廢經，《集傳》本以釋經而使人至于廢經，其始念亦不及此，為禍之烈何致若是！[33]

《詩經原始．自序》說：

> 然而朱雖駁《序》，朱亦未能出《序》範圍也。唯誤讀「鄭聲淫」一語，遂謂〈鄭詩〉皆淫，而盡反之，大肆其說以玷葩經，則其失又有甚於《序》之偽託而無當者，於是說《詩》門户紛然爭起，以為《傳》固常獲咎風人也，不如反而遵《序》，故前之宗朱以攻《序》者，今盡背朱而從《序》，輾轉相循，何時能已，窮經之士，莫所適從。[34]

朱熹「淫詩」之說，雖指出《詩經》裏有原始戀愛詩歌，可惜他本身是理學家，抛掉不了道學的包袱，始終沒有把《詩經》從教化範圍分解開來，反而說這些戀歌是淫奔的作品[35]。說《毛詩序》以《詩》說教，朱熹何嘗不是墮入

---

33 同註12，頁2-3。

34 同註13，上冊，頁5。

35 漢、宋的一些經師，都說孔子整理音樂的時候，因為詩歌要合樂的關係，把古詩三千餘篇刪成三百五篇。又根據《論語．為政》，（曹魏）何晏等注，（北宋）邢昺疏：《論語注疏》，《十三經注疏》（臺北市：藝文印書館，2006年，景嘉慶二十年〔1815〕江西南昌府學刊本），冊8，卷2〈為政〉，頁191。孔子所謂「《詩》三百，一言以蔽之，曰『思無邪』」，以為《詩》三百五篇經聖人手澤以後，全都是雅正的詩歌，即

說教的窠臼？何況，古詩雖離不開聲或譜調，聲或譜調卻可以離開詩，孔子口中的「鄭聲淫」並不等於「〈鄭風〉淫」，朱熹「淫詩」說的立論基礎，是不穩固的[36]。由「淫詩」問題帶來的後遺症，更加深了姚、方二人對《詩集傳》的惡感。原來在《詩集傳》裏，朱熹定為男女淫奔之作的，有二十四篇，到了他的三傳弟子王柏（1197-1274）著《詩疑》二卷，以為「夫子已刪去之詩容有存於閭巷浮薄者之口」，於是提出把《詩》裏的三十二首淫詩刪去，以「一洗千古之蕪穢」[37]。「淫詩」問題使《詩經》地位急劇下降，所以姚、方深感不滿，常說「淫詩」「玷經」[38]、「玷葩經」[39]，以為此後的《詩經》學者重新遵《序》，是由於怨憤《詩集傳》所致。

不過，崔述對朱《傳》還是比較客氣，留有餘地的。《讀風偶識》卷之一說：

> 竊謂經傳既遠，時事難考，寧可缺所不知，無害於義。故余於論

鄭、衛二〈風〉，也可與〈雅〉、〈頌〉相配。間有涉及穢亂，也是因為詩人用無邪之思來鋪陳淫邪之事，所以聖人選錄他們的詩歌，是為了宣揚教化，利用這些「淫詩」作為諷勸的反面教材。這個拘執於道德諷勸，以《詩》說教的觀點，當然在《毛詩序》裏發揮得最透徹，卻又似乎把詩人的原始戀歌改變成諷刺淫邪的作品了。朱熹很不滿意如此看詩，遂自拔於陳說，不以戀歌為諱，提出「淫詩」之說。他是這樣解釋孔子「思無邪」一語的：「今必曰彼以無邪之思鋪陳淫亂之事而閔惜懲創之意自見於言外，則曷曰彼雖以有邪之思作之，而我以無邪之思讀之，則彼之自狀其醜者，乃所以為吾驚懼懲創之資邪？」（朱鑑〔朱熹之孫〕《詩傳遺說》卷二引〈文集讀呂氏詩記桑中篇〉，〔南宋〕朱鑑：《詩傳遺說》，《通志堂經解》〔臺北市：大通書局，1963年，景清康熙十九年（1680）刻本〕，冊17，頁9986。）他完全推翻《毛詩序》美刺說的背景和基礎。舊說認為「思無邪」指詩歌本身或它的作者來說，他卻以為是說詩本身或它的作者有邪、正，讀詩之人就應存着無邪之念，不要給「淫詩」影響。

36 參李家樹：《詩經的歷史公案》四〈宋代「淫詩公案」初探〉，頁83-112。

37 （南宋）王質：《詩疑》，《通志堂經解》（臺北市：大通書局，1969年，景清康熙十九年〔1680〕刻本），冊17，頁9956-9957。又參李家樹：〈王柏「詩說」溯源與迴響〉，宣讀於浙江師範大學、浙江古籍出版社等舉辦的「宋元明浙東國際學術研討會」（2008年3月21至3月25日，浙江金華）。

38 （清）姚際恆：《詩經通論》，〈自序〉，頁2。

39 （清）方玉潤：《詩經原始》，〈自序〉，上冊，頁5。

> 《詩》，但主於體會經文，不敢以前人附會之說為必然。雖不盡合朱子之言，然實本於朱子之意。朱子復起，未必遂以余言為妄也。[40]

又說：

> 以故余於〈國風〉，惟知體會經文，即詞以求其意，如讀唐、宋人詩然者，了然絕無新舊漢、宋之念於胸中，惟合於詩意者則從之，不合者則違之。但朱《傳》之合者，《衛序》之合者少耳。[41]

茲舉〈周南〉的〈關雎〉、〈卷耳〉篇為例，說明崔述有時頗接納朱《傳》的說解：

> 此篇（指〈關雎〉）毛、鄭以為后妃之德，欲求「淑女」與共職事。然首章明言淑女為君子之「好逑」，若以妾媵當之，則稱名不正，不可以為訓。朱子以為欲求淑女以配君子而成內治，但以「寤寐求之」、「琴瑟友之」者為宮人，則語意尚未合。細玩此篇，乃君子自求良配而他人代寫其哀樂之情耳。蓋先儒誤以夫婦之情為私，是以曲為之解。不知情之所發，五倫為最，五倫始於夫婦，故十五〈國風〉中男女夫婦之言尤多：其好德者則為貞，好色者則為淫者，非夫婦之情即為淫也。魏文侯曰：「家貧則思良妻，國亂則思良相。」上承宗廟，下啟子孫，如之何其可以苟，如之何其可不慎重以求之也！知好色之非義，遂以夫婦之請為諱，並德亦不敢好，過矣。[42]
>
> 此篇（指〈卷耳〉）據毛、鄭說，以為求賢審官：「寘周行」為寘賢人於列位；「馬虺隤」為閔使臣之勤勞。然以夫人而「我」其臣，言太親狎，非別男女，遠嫌疑之道。況「牝雞之晨，維家之索」，人君之職而夫人侵之如是，豈可為訓哉！……朱子以為婦人念其君子者，

---

[40] 同註4，頁524。

[41] 同註4，頁524。

[42] 同註4，卷之一，頁532。

得之。但以「我」為自我其身，則登高飲酒，殊非婦德幽貞之道。即以為託言而語亦不雅。竊謂此六「我」字仍當指行人而言，但非我其臣，乃我其夫耳。我其臣則不可，我其夫則可，尊之也，親之也。《春秋經傳》於本國皆我之，「齊師伐我」，「我張吾三軍而被吾甲兵」是也。「寘彼周行」即指所懷之人，猶〈大東〉之言「佻佻公子，行彼周行」也。「陟彼崔嵬，我馬虺隤」，念道途之險阻，行役之艱難也。「我姑酌彼金罍，惟以不永懷」，愛之至，故欲其自寬，而不忍以燕好之情損其身也。如是，則於文為順，而於義亦為長。無錦衾角枕之思，而但有夙夜風霜之慮，是其情發乎正而不流於昵，可以為訓於後世矣。[43]

有關「淫詩」之說，他亦折衷於朱熹與姚、方之間。《讀風偶識》卷之三說：

《詩序》之謬，〈鄭風〉為甚。〈遵路〉以後十有餘篇，《序》多以為刺時事者；即有以男女之事為言者，亦必紆曲宛轉以為刺亂。至朱子《集傳》始駁其失，自〈雞鳴〉、〈東門〉外概以為淫奔之詩，《詩序辨說》言之詳矣。顧自朱子以後說者猶多從《序》而非朱子，無他，以為《詩》皆孔子所刪，不容存此淫靡之作耳。余按：〈風雨〉之「見君子」，擬諸〈草蟲〉、〈隰桑〉之詩，初無大異；即〈揚之水〉、〈東門之墠〉，施諸朋友之間，亦無不可；不以淫詞目之，可也。至於〈同車〉、〈扶蘇〉、〈狡童〉、〈褰裳〉、〈蔓草〉、〈溱洧〉之屬，明明男女媟洽之詞，豈得復別為說以曲解之！若不問其詞，不問其意，而但橫一必無淫詩之念於其胸中，其於說《詩》豈有當哉！[44]

《讀風偶識》卷之四說：

---

43 同註4，卷之一，頁533-534。

44 同註4，頁558。

> 近世說者動謂《詩》不當存淫詩，不知政事得失，風俗盛衰，皆於《詩》中驗之，豈容刪而不存。[45]

並嘗試調解，指出《詩》中有「男女媟洽之詞」，也有「假事而寓情」者，不必都說成是淫者自作：

> 世儒聞為孔子所刪而遂謂其無淫詩者，何以異是！由是言之，朱子目為淫奔之詩，未可謂之過也。然其詩亦未必皆淫者所自作。蓋其中實有男女相悅而以詩贈遺者，亦有故為男女相悅之詞，如楚人之〈高唐〉、〈神女〉，唐人之〈無題〉、〈香奩〉者。又或君臣朋友之間有所感觸，而託之於男女之際，如後世之「冉冉孤生竹」、「上山采蘼蕪」、「君嫌鄰女醜」之類，蓋亦有之。子太叔賦〈褰裳〉，子柳賦〈籜兮〉，子齹賦〈野有蔓草〉，賦之者既可以斷章而取義，作之者獨不可以假事而寓情乎！不然，何以女贈男者甚多，男贈女者殊少？豈鄭之能詩者皆淫女乎？[46]

尚可一談者，乃崔述亦頗接納三家。前曾引述其說，《毛詩》晚於三家，弟子私相授受，多增益其說；而三家早出，很難附會：

> 《齊詩》、《魯詩》皆自漢初即著於世。魯固孔子所居，齊亦魯之毘鄰，蓋皆傳自七十子者。書出既早，則人見之者多，而傳會較難。且當漢初，朝廷尚未敦崇經術，則其說本於師傳者為多。[47]

以為《毛詩》不及三家：

> 三家之《詩》雖不傳，然見於漢人所引者尚多。如以〈關雎〉為康王時詩，以〈采薇〉為懿王時詩，以〈騶虞〉為主鳥獸之官，班氏以南

---

[45] 同註4，頁568。

[46] 同註4，卷之三，頁558。

[47] 同註4，卷之一，頁526。

仲為宣王時人，馬氏以〈出車〉為宣王時事，玩其詞意，考其時勢，皆得之。則知齊、魯之詩決有所傳，非憑空妄撰者。即〈賓之初筵〉以為衛武公飲酒悔過之詩（《韓詩》云：「〈賓之初筵〉，衛武公飲酒悔過也。」），亦未見其不如刺幽王之說也（《毛詩序》云「〈賓之初筵〉，衛武公刺時也：幽王荒廢」云云，「武公既入而作是詩也」）。[48]

四

「立異派」既嘗試打破歷代門戶之見，當然是以詩論詩，循詩求義。據前引述，崔述於此說得清楚：「惟知體會經文，即詞以求其意，如讀唐、宋人詩然者，了然絕無新舊漢、宋之念於胸中，惟合於詩意者則從之，不合者則違之」；「故余於論《詩》，但主於體會經文，不敢以前人附會之說為必然」。以下舉二例說明：

此篇（指〈周南．桃夭〉）語意平平無奇；然細思之，殊覺古初風俗之美。何者？婚娶之事，流俗之所豔稱。為壻黨者多以婦之族姓顏色為貴而誇示之，〈碩人〉之詩是也。為婦黨者多以壻之富盛安樂為美而矜言之，〈韓奕〉之詩是也。俗情類然，蓋雖賢者有不免焉。今此詩都無所道，衹欲其「宜家室」、「宜家人」，其意以為婦能順於夫，孝於舅姑，和於妯娌，即為至貴至美，此外都可不論，是以無一言及於紛華靡麗者。非風俗之美，安能如是！第謂其婚姻以時，猶恐未盡此詩之旨也。[49]

此篇（指〈周南．汝墳〉）《序》云：「文王之化行乎汝墳之國，婦人能閔其君子，猶勉之以正也。」朱《傳》云：「汝墳之人以文王之命供紂之役，其家人見其勤苦而勞之。『王室』，指紂所都也。『父

---

48 同註4，卷之一，頁526。

49 同註4，卷之一，頁534-535。

> 母』，指文王也。余按：『伐枚』、『伐肄』皆非婦人之事，而『惄如調飢』、『不我遐棄』之語亦不類妻之施於夫者。〈車鄰〉之『見君子』，《傳》以為君矣，〈菁莪〉之『見君子』，《傳》以為賓客矣，何所見此『見君子』之必為其夫而非他人者？況久別重逢，方深忻慰，易妻薄俗，寧至關懷，亦不應以不遐棄為幸也。〈湯誓〉曰：「夏罪其如台，夏王率遏眾力，率割夏邑。」〈牧誓〉曰：「俾暴虐於百姓，以姦宄於商邑。」則是桀、紂之暴原不行於畿外，詩人何必代為之憂？而汝之距豐千有餘里，亦無緣謂之「孔邇」也。且前兩章方言其夫，末章忽置其夫不言而言文王與紂，前後語意毫不相貫，古人寧有此文法乎！……細玩此詩詞意，與《序》、《傳》所言了不相似。竊意此乃東遷後詩，「王室如燬」指即驪山亂亡之事，「父母孔邇」即承上章「君子」而言。汝水之源在周東都畿內，蓋畿內之大夫有惠於其民者，其民愛而慕之，以其仕於王朝，故未得見；周室既東，大夫避亂而歸其邑，而後民得見之，故傷王室之如燬而轉幸父母之孔邇也。如此，似於文義較順，而章法亦相貫。[50]

《詩序》、朱《傳》皆以為〈桃夭〉是男女以正，婚姻以時之詩，崔氏說詩中並無此意，與〈碩人〉、〈韓奕〉比較，〈桃夭〉語意平和，只是美婦人能「宜其室家」、「宜其家人」而已。至於〈汝墳〉，亦非如《詩序》、朱《傳》所言，乃婦人閔其君子從役，就詩而言，是民為愛慕畿內有惠於己的大夫而作。他的說法，值得參考。

〈桃夭〉之詩，姚際恆與方玉潤的看法相近。姚說「此指王之公族之女而言，詩人于其始嫁而歎美之，謂其將來必能盡婦道也」[51]；方說「此亦詠新昏詩，與〈關雎〉同為房中樂，如後世催妝生筵等詞，特〈關雎〉從男求女一面說，此從女歸男一面說，互相掩映，同為美俗，……雖不知其所咏何

---

[50] 同註4，卷之一，頁536。

[51] 同註12，卷一，頁24。

人，然亦非公侯世族賢淑名媛不足以當」[52]。

〈汝墳〉卻顯示崔述比姚、方二人更是循詩求義。姚說「何玄子（指明何楷，所著為《詩經世本古義》）曰：『時蓋文王以修職貢之故，往來于商，汝墳之人得見而喜之。』雖想像為說，然亦可存」[53]；方說「愚謂商辛無道，王室久如焚燬，天下臣民皇皇無定，莫不欲得明主而事之矣。及聞西伯發政施仁，視民如傷，莫不引領延佇，若大旱之望雲霓，所謂『惄如調飢』是也。汝旁諸國去周尤近，故首先嚮化，歸心愈亟，唯恐其棄予如遺耳，一旦得晤君侯，見其闊達大度，愛民若子，實能容眾而不我棄，乃知帝王自有真也，不覺欣欣然有喜色而群相慰勞曰：『父老苦商久矣，王室其如燬乎！嗟我勞人，賴如魴尾，然亦將有所歸也。何也？以西伯近在咫尺，不啻如赤子之依父母耳。』……然而商政雖虐，大命未改，詩人不敢顯言，故託為婦人喜見其夫之詞，曰『王室』、曰『父母』，則又情不自禁，其詞且躍然紙上矣」[54]，以為是汝墳之人，苦於商政，既得見文王，遂互相慰勞，並託為婦人喜見其夫之詞。崔述指出，此詩應作於周室東遷以後：原畿內的大夫有惠於民，人民非常愛慕他，卻因大夫在王朝任事而沒法相見；周室後來東遷，大夫避難，汝墳之民才能見到他，都感傷王室如燬而慶幸父母仍可就近供養。他的論據是，第一、「『伐枚』、『伐肆』皆非婦人之事，而『惄如調飢』、『不我遐棄』之語亦不類妻之施於夫者」，〈汝墳〉不是婦人喜見其夫之詞；第二、「桀、紂之暴原不行於畿外，詩人何必代為之憂？而汝之距豐千有餘里，亦無緣謂之『孔邇』也。且前兩章方言其夫，末章忽置其夫不言而言文王與紂，前後語意毫不相貫，古人寧有此文法乎」，是東遷以後，汝墳之民為愛慕原畿內有惠於己的大夫而作，詩四章所言皆以此大夫為主，憫其勤苦而慶幸自己可以就近供養父母。

崔述深深知道，前人說《詩》多附會之弊，「以期求勝於人，而不肯缺

---

52 同註13，卷之一，上冊，頁186-187。

53 同註12，卷一，頁29。

54 同註13，卷之一，上冊，頁199-201。

所不知」[55]，何況，「說經者能傅會以他經傳，則人驚其淹博，服其論議，以為其說有據」[56]。因此，他與姚、方二人同樣從詩的上下文追求原義。《讀風偶識》卷之二於此有個提說很有啟發性：

> 夫詩之體雖婉，要必其言微露此意，乃可從而暢之。若詩絕不言，而吾必謂其有此意，天下尚有不可附會者乎！近世有不喜李白詩者，取杜甫〈春日懷李白〉詩釋之，謂甫素輕白，云：「白也之詩號為無敵，然不過飄然思不群而已。其清新不過如庾開府，其俊逸不過如鮑參軍，何嘗果無敵乎！何時重與白聚，細論詩律以發其蒙也？」[57]

《詩》多附會之說，是詩無此意而必謂其有此意所致，〈桃夭〉一詩可據。崔氏舉杜甫懷念李白詩來證明詩是可以如何附會的，使人忍俊不已，因為經時人胡亂解釋，就把杜甫讚賞李白詩作變為輕蔑李白的才情了。當然，以詩論詩，循詩求義，須輔以仔細分析，才能更見成效，上引〈汝墳〉，就是其例。他大聲疾呼：「竊謂年遠事湮，《詩》說失傳者多，寧可謂我不知，不可使古人受誣於千載之上。」[58]

附會之病，其實是無中生有，尤有甚者，詩文雖明顯易曉，仍多方張羅牽合，以為另有旨意。崔述於《讀風偶識》卷之二明快指出：

> 天下有詞明意顯，無待於解，而說者患其易知，必欲紆曲牽合，以為別有意在。此釋《經》者之通病也，而於說《詩》尤甚。[59]

他舉〈衛風〉〈有狐〉、〈木瓜〉說明：

> 〈有狐〉、〈木瓜〉二詩豈非顯明易解者乎！狐在淇梁，寒將至矣；

---

[55] 同註4，卷之二，頁545。

[56] 同註4，卷之二，頁545。

[57] 同註4，頁549。

[58] 同註4，卷之二，頁545。

[59] 同註4，頁550。

> 衣裳未具，何以禦冬？其為丈夫行役，婦人憂念之詩顯然。而《箋》云：「婦人喪其妃耦，欲與人為室家。」夫他人無裳，與己何涉，婦人如此之無恥乎？且何所見「之子」之必為他人而非其夫也？木瓜之施輕，瓊琚之報重，猶以為不足報而但以為永好，其為尋常贈答之詩無疑。而《序》云：「美齊桓也。衛處于漕，齊桓救而封之，遺之車馬器服。衛人欲厚報之而作是詩。」夫齊桓存衛，其德厚矣，何以通篇無一語及之，而但言木瓜之投？漢周亞夫之子為父治葬具，買甲楯五百被。廷尉責曰：「君侯欲反邪？」亞夫曰：「臣所買器，乃葬器也，何謂反！」吏曰：「君侯縱不反地上，即欲反地下耳。」世之說《詩》者何以異此！蓋漢時風氣最尚鍛鍊，無論治《經》治獄皆然，故曰「漢庭鍛鍊之獄」。獄之鍛鍊，含冤當日者已不可勝數矣，《經》之鍛鍊，後人何為而皆信之？朱子最不信《序》，然於〈有狐〉亦謂「寡婦見鰥夫而欲嫁之」，是朱子亦不以鍛鍊為非矣。古人之冤其遂將終古不白邪？唯於〈木瓜〉不用《序》說，但疑以為男女贈答之詞，尚未敢必其然。「投桃」、「報李」，《詩》有之矣。「木瓜」、「瓊琚」施於朋友饋遺之事未嘗不可，非若「子嗟」、「子國」、「狡童」、「狂且」之屬，必蕩子與游女而後有此語也。即以尋常贈答視之可也。[60]

〈有狐〉是婦人掛念丈夫行役之詩，鄭《箋》附會為寡婦欲與人為室家，朱《傳》說是寡婦欲嫁鰥夫；〈木瓜〉是尋常贈答之詩，《詩序》附會為衛人欲厚報齊桓救衛，朱《傳》雖不從《序》說，卻說成是男女贈答。漢時治獄，鍛鍊羅織風行；鍛鍊羅織，即是委曲牽合，崔述不勝感歎，認為後人治《詩》，猶如治獄，多附會通病，實在不足為法。

可是，後世治《詩》者對附會之說多設法維護。崔述以〈衛風．河廣〉為例證明：

> 〈河廣序〉：「宋襄公母歸於衛，思而不止，故作是詩也。」朱子《集

60 同註4，卷之二，頁550-551。

> 傳》因之，云：「衛在河北，宋在河南。宋桓公夫人生襄公而出歸於衛。襄公即位，夫人思之而義不可往，故作此詩。」余按《春秋》閔公二年，狄滅衛，衛人渡河而廬於曹。僖公九年，宋桓公乃卒。則襄公之世衛已在河南，不待杭河而後度（應作「渡」）也，詩安得作如是言乎！孔氏穎達、嚴氏粲固已覺其不合，顧不肯變易舊說，乃復曲為之解。孔氏以為假有渡者之詞，非喻夫人之嚮宋渡河也。然則三百篇中何語不可謂之假設，亦何所取義於河而假之乎？嚴氏以為作於衛未遷之前，桓公猶在。然則夫人非義不可往，乃勢不能往，其作此詩，一何無恥也！蓋《序》與《傳》之為此說，不過一時失於檢點，而忘襄公之立在衛渡河以後。學者不肯直抉先儒之誤，已非直道而行之正，況欲委曲迴護以誣古人而惑後世乎！是所謂「豈徒順之，又從而為之辭」也。且宋桓，賢君也，其夫人思子而能止乎禮，則亦賢夫人也，以賢夫人而遇賢君，何以得出？夫婦之義重矣，苟非得罪宗廟，不至於出。夫人而賢也，必無可出之罪；無罪而出之，又豈賢君之所為乎！余玩此篇詞意，似宋女嫁于衛，思歸宗國，而以義自閑之詩。學者以是為說亦可矣，何必誣古人而後足以垂世立教哉！朱子最不取《序》，然其本《序》意以說《詩》者一何多也？[61]

此詩《詩序》附會為宋襄公母歸於衛，苦思宋襄之作，而朱《傳》因襲其說。兩者是一時失察，忘記宋襄立於渡衛河以後。孔穎達、嚴粲已知不合，仍迂曲迴護，或以為是詩假設有人渡河，不是說夫人嚮宋渡河，或以為詩作於衛未遷之前，時襄公父桓公猶在。不糾正舊說之失，結果厚誣古人而迷惑後世，使詩意掩蓋，不能顯露出來。崔述於此也有感嘆：「嗟夫，但欲曲護前人之失，遂不顧其說之不通，古人之詩其晦於後人之說詩者豈可勝道哉！」[62]

61　同註4，卷之二，頁549-550。

62　同註4，卷之二，頁546。

五

崔述循詩求義，常見的口頭禪是「詳其詞意」[63]、「余玩此篇詞意」[64]、「今玩其詞」[65]、「細玩此詩詞意」[66]、「細玩詩詞」[67]、「細玩此詩」[68]等。

怎樣以詩論詩，循詩求義？再舉〈王風・揚之水〉為例以證。

〈揚之水〉，《詩序》說：「刺平王也。不撫其民而遠屯戍于母家，周人怨思焉。」[69]《詩集傳》卷四說：「申侯與犬戎攻宗周而弒幽王，則申侯者，王法必誅，不赦之賊，而平王與其臣庶不共戴天之讎也。今平王知有母而不知有父，知其立己為有德，而不知其弒父為可怨，至使復讎討賊之師，反為報施酬恩之舉，則其忘親逆理，而得罪於天已甚矣。」[70]

崔述先提論據推翻《詩序》平王以舅故而遠戍於申，以及朱《傳》不報父仇反為申屯戍之說：

> 申與甫、許皆楚北出之衝，而申倚山據險，尤為要地。楚不得申，則不能以憑陵中原，侵擾畿甸。是以城濮還師，楚子入居于申；鄢陵救鄭，子反帥師過申。申之於楚，猶函谷之於秦也。宣王之世，荊楚漸強，故封申伯於申以塞其衝。平王之世，楚益強而申漸弱，不能自固，故發王師以戍之耳，非以申為舅故而私之也。[71]
>
> 申侯與弒幽王，其事本之《史記》，而《史記》采之《國語》史蘇、史伯之言，然經傳固無此事也。《詩》、《書》或多缺略，《左傳》往

---

63 同註4，卷之二，頁545。

64 同註4，卷之二，頁550。

65 同註4，卷之三，頁551。

66 同註4，卷之三，頁551。

67 同註4，卷之三，頁553。

68 同註4，卷之三，頁557。

69 見孔穎達（574-648）：《毛詩正義》（香港：中華書局，1964年），卷四之一，第2冊，頁364。

70 朱熹：《詩集傳》（香港：中華書局，1961年），頁44。

71 同註4，卷之三，頁552。

> 往及東遷時事而不言此，乃至〈周語〉事記周事而無之。此非常之大變，周轍之所由東，何以經傳皆無一言及之，而但旁見於〈晉〉、〈鄭〉之語，史伯逆料之言，史蘇追述之事？烏在其可信為實也！且所載二人之言，荒繆者亦多矣。伊尹，聖人也，而以為與妹喜比而亡夏；膠鬲，賢人也，而以為與妲己比而亡殷，誣矣！褒君也而化龍，龍漦也而化黿，童妾也而生女，而孕至數十年，又妄矣！如謂申侯之事必實，二子之言可信，將伊尹、膠鬲亦果與妹喜、妲己比者乎？以此為平王罪，吾恐古人之受誣也！[72]

然後吟詠其詩，把詩意說出來，所言實在是合情合理的：

> 細玩詩詞，但為傷王室之微弱，初無刺王之意，故以「揚水」喻王室，以「束薪之不流」喻諸侯之不肯敵王所愾。蓋因荊楚日強，漸有蠶食中原，窺伺畿甸之勢，故戍三國以遏其鋒。以為私其母家，固已失之；因《序》此言遂謂之忘讎報施，則更冤矣。[73]

倘進一步與其他詩比較，相輔相成，詩意更易推論出來，前舉〈桃夭〉之詩即是其例。與〈衛風．碩人〉、〈大雅．韓奕〉比較，可見〈桃夭〉語意平和，只是美婦人能「宜其室家」、「宜其家人」而已。再舉〈王風．黍離〉、〈鄭風．女曰雞鳴〉、〈魏風．碩鼠〉以證：

> 〈黍離〉一篇，……《毛詩序》則以為「周大夫行役至於宗周，過故宗廟宮室，盡為禾黍，閔周室之顛覆而作是詩」，……然玩「心憂」、「何求」之語，乃憂未來之患，亦不以傷已往之事者也。……細玩此詩詞意，頗與〈魏風．園桃〉相類。「黍離」、「稷苗」，猶所謂「園桃」、「園棘」也。「行邁靡靡」，猶所謂「聊以行國」也。「不知我者，謂我何求」，猶所謂「謂我士也罔極」，「心之憂矣，其誰知

[72] 同註4，卷之三，頁552-553。

[73] 同註4，卷之三，頁553。

> 之」也。然則此詩乃未亂而預憂之，非已亂而追傷之者也。蓋凡常人之情狃於安樂，雖值國家將危之會，賢者知之，愚者不之覺也，是以「不知者」謂之「何求」。〈黍離〉憂周室之將隕，亦猶〈園桃〉憂魏國之將亡耳。若待故宮已為禾黍而後憂之，不亦無及於事矣乎？[74]
>
> 〈女曰雞鳴〉一篇，《序》以為「陳古義以刺今不說德而好色」。鄭《箋》以為「夫婦相警戒以夙興，言不留色也」。朱子《詩傳》不取陳古刺今之意，而但以為賢夫婦相警戒之詞。余按：夫婦果賢，則當男務耕耘，女勤紡織，如〈葛覃〉之「刈、濩」，〈七月〉之「于耜」、「舉趾」矣；果相警戒，則當如〈蟋蟀〉之「無已大康」，〈小宛〉之「無忝所生」矣。今也，雞鳴而起，所為者弋鳧雁耳，飲酒耳，好交遊耳；所謂賢者固如是乎？所謂警戒者如是而已乎？……若但以不留色為賢，則天下之男子豈必皆日日御婦人者哉！蓋鄭俗浮薄，不知勤於職業，男女相悅者不必論矣，即夫婦居室，不為冶蕩，而亦不過弋遊醉飽之是好，初無唐、魏勤儉之風，秦人雄勇之俗也。君子是以知其國勢之不振。以此為賢而相警戒，誤矣。以為陳古刺今，則尤大誤。豈古之人亦惟弋獵飲酒之是好哉！[75]
>
> 〈碩鼠〉，《序》以為「刺其君之重斂」，朱子以為「刺其有司」。然細玩其詞，「莫我肯顧」，「莫我肯德」，與〈小雅・黃鳥〉篇筆意相類，非惟不類刺君，亦不似專指有司者。蓋由有司不肖，惟務朘剝小民以自逸樂，而不復理民事，以致豪強輿隸皆得肆行吞噬而無所忌，故民不堪其擾而思去也。大抵生民困於有司之誅求者其害猶小，困於眾人之魚肉者其害最鉅。惟有司不以素餐為恥，訟焉而不為逮，逮焉而不為理，則姦民益肆，里巷之間皆不能安其生。[76]

與〈園有桃〉比較，可證〈黍離〉是周大夫預憂國家將顛覆之詩；與〈周

[74] 同註4，卷之三，頁551。

[75] 同註4，卷之三，頁556。

[76] 同註4，卷之三，頁561。

南・葛覃〉、〈豳風・七月〉、〈唐風・蟋蟀〉、〈小雅・小苑〉詩文比較，〈女曰雞鳴〉非賢夫婦相警戒、亦非陳古刺今之詞；與〈黃鳥〉比較，〈碩鼠〉不類刺君，亦不似專指有司者。

六

據崔述自言，他是從「政事」角度看《詩經》，「詩」與「政」不分的：

> 漢初諸家解經，雖不盡合經意，尚多推之政事。自《毛詩》以附會為事，鄭氏箋之，遂變為章句之學，學者讀之，不過以為詩賦之資，舉業之用而已。故今初學之童子莫不誦《詩》者，及其為政，雖舉人進士毫無所展布；吏胥作奸，百姓失所，皆視以為固然。無他，《詩》自《詩》，政自政，彼其讀《詩》之時固不知其為政也。嗟夫，嗟夫，政與《詩》之分，其來固已久矣。[77]
>
> 嗟夫，十五〈國風〉人讀之皆詩也，余讀之皆政也。雖然，此難為世之專事舉業者言之也！[78]

由詩意引發，進以論及國家治亂、世事人情，隨時借題發揮，是《讀風偶識》「詩說」的特色。單以《詩經》研究著眼，如前指出是有體例不夠完整統一之處。但是，作者講述政事，採取實事求是的態度，沒有如漢、宋經師般穿鑿附會。他說：

> 孔子曰：「誦《詩》三百，授之以政不達，使於四方不能專對，雖多亦奚以為！」……聖人於誦《詩》者而望其達於政，其亦猶此意乎？惜乎世之誦《詩》者皆為《詩序》所誤，強以事附會之，失詩人之本意，遂至與政不相涉也！[79]

---

77 同註4，卷之三，頁561。

78 同註4，卷之四，頁566。

79 同註4，卷之四，頁577。

其實，這借題發揮的特色，無損崔述《讀風偶識》於「詩經學」上的貢獻，它在「立異派」中的地位，足與姚際恆的《詩經通論》、方玉潤的《詩經原始》相提並論，不能因其書名「偶識」而等閒視之。

綜合前述，崔述也是清代傳統「詩經學」反動的健將，如姚、方二人，不但要推翻《毛詩序》，而且要推翻反《毛詩序》的《詩集傳》。他基本反對《毛詩》古學，頗接納三家。他不滿朱熹《詩集傳》反《詩序》不徹底，不過，對朱《傳》還是比較客氣，留有餘地的；有關「淫詩」之說，他亦折衷於朱熹與姚、方之間，並嘗試調解。對於歷代「詩說」，雖同樣提出不客氣的批評，語氣卻沒有姚、方那麼激烈。崔述秉承「立異派」的一貫宗旨，以詩論詩，循詩求義，反對穿鑿附會。他說《詩》具存疑精神，嘗言「吾願說《詩》者皆缺其所疑，勿強不知以為知也」[80]，可以借鑒：

> 〈還序〉云「刺荒也。哀公好田獵，從禽獸而無厭」云云。〈著序〉云：「刺時也。時不親迎也。」〈東方之日（缺「序」字）〉云：「刺衰也。君臣失道，男女淫奔，不能以禮化也。」後之說《詩》者因此，遂謂作此詩者其意主於刺也。余按〈還〉云：「揖我謂我儇兮。」〈著〉云：「俟我於著乎而。」〈東方之日〉云：「在我室兮，履我即兮。」皆以其事歸之於己。夫天下之刺人者，必以其人為不肖也；乃反以其事加於己身，曰我如是，我如是，天下有如是之自污者乎！〈南山〉，刺襄公也，則其〈序〉云：「大夫遇是惡，作詩而去之。」而此三詩但云「哀公好田獵」，云「時不親迎」，云「男女淫奔」，並無一言及於刺者，與〈南山〉之〈序〉迥不類。疑作《序》者之意但以錄此詩為刺之，非以作此詩為刺之，不必附會而為之說也。又按：「俟著」、「俟庭」，施之朋友亦可，施之男女私會亦可，未見其必為婚娶者。而「彼姝者子」，以〈干旄〉例之，亦可施之男子，亦未見其必為淫奔者。竊謂遇此等詩但當缺其所疑，不必強命之以事也。[81]

80 同註4，卷之四，頁568。

81 同註4，卷之三，頁559-560。

中國學術文化研究的現代化進程，先要處理好傳統學術文化的傳承問題。《詩經》研究發展至今，不單要向前探索，還得往後回顧、檢討。路向之一，是把漢以來現存的《詩經》專著，逐一或有選擇地重新整理，探討這些專著的內容和在兩千年來「詩經學」史上的地位，並作個總結。此篇論文，用意大致如是。

論王先謙《詩三家義集疏》訓詁方法的經學意義

張錦少*

一　前言

以訓詁通經是清儒治經的矩矱[1]，而在清人眾多經疏中，《詩經》類注疏與傳統小學的關係最密切，誠如胡樸安《詩經學・清代詩經學》所言：「《詩經》一書，其文字聲音訓詁名物，較他經所含為多，使不由文字聲音訓詁名物研究入手，即不能得詩意之所在。」[2]胡承珙（1776-1832）《毛詩後

* 香港中文大學中國語言及文學系。

1 清代是中國訓詁研究最鼎盛的時代，人才輩出，名著湧現。就訓詁專著言，戴震《方言疏證》、段玉裁《說文解字注》、王念孫《廣雅疏證》、邵晉涵《爾雅正義》、郝懿行《爾雅義疏》、畢沅《釋名釋證》、王先謙《釋名疏證補》等皆其犖犖大者。清儒的訓詁成就除了體現在字書、辭書研究上，也淹貫在群籍注疏中。周大璞主編的《訓詁學初稿》總結了清代訓詁學復興的五個表現，居首者即為「注釋書大量湧現」（詳見周大璞主編：《訓詁學初稿》〔武昌市：武漢大學出版社，2003年〕，頁316-318）。四部之學，各有專門，然清儒治學方法則大抵根本小學，「訓詁以通經」更是清代治經者的共識，戴震〈題惠定宇先生授經圖〉云：「訓詁明則古經明，古經明則賢人聖人之理義明，而我心之所同然者乃因之而明。」（清）戴震撰，張岱年主編：《戴震全書》（合肥市：黃山書社，1995年），冊6，頁505。所謂地有南北，時有古今，語言隔閡，必須藉著辨明形、音、義三者的關係，始能貫通典籍，破其扞格，這就是「訓詁明則古經明」的意思。清人由治經進而治理群籍，都相當重視文字訓詁之學，所以清人群經、群籍注疏雖非專為訓詁而作，卻是訓詁方法的具體實踐，也由於清人重視由字以通詞，由詞以通經的治經方法，造就清代經學裏訓詁研究成果特別突出的現象。

2 胡樸安：《詩經學》，載雪克編校：《胡樸安學術論著》（杭州市：浙江人民出版社，

箋》、陳奐（1786-1863）《詩毛氏傳疏》、馬瑞辰（1777-1853）《毛詩傳箋通釋》既為清代《毛詩》學殿堂之作，亦是清代訓詁學的名著，而王先謙（1842-1918）的《詩三家義集疏》則是清代三家《詩》學裏，唯一的經疏著作。《詩三家義集疏》（以下簡稱「《集疏》」）二十八卷，始撰於王氏江蘇學政任上（光緒十一年至十四年，1885-1888），初名《三家詩義通繹》[3]，至民國四年（1915）春夏之間成書，前後綿歷近三十年，可謂王氏晚年的經學代表作。王先謙生當清季，前有乾嘉戴、段、二王以來在文字、聲韻、訓詁研究的豐碩成果，王氏本人又根柢漢學，《集疏》理固當然遵循「訓詁以通經」的方法疏理三家《詩》經文經詁。然而在傳統小學仍然是經學附庸的學術環境下，訓詁方法每因學者解經立場不同而互異。本文之撰，旨在以《集疏》為例，探論王氏如何利用訓詁方法達至其揚三家貶《毛詩》的經學立場，並以墨守《毛詩》、《毛傳》，否定三家的陳奐為參照，說明釋經對象不同如何影響二人抉擇詁訓，訓解經文，詮釋經詁。

1998年），頁189。

[3] 王先謙在〈《詩三家義集疏》序〉裏並沒有清楚交代《集疏》成書的年代及經過。王氏《葵園自定年譜．癸丑（民國二年）．七十二歲》云：「早歲為《詩三家義集疏》，至〈衛風．碩人〉而輟業。自至平江，賡續為之，漸有告成之望。」（〔清〕王先謙著，梅季標點：《葵園自定年譜》，見〔清〕王先謙：《葵園四種》〔長沙市：嶽麓書社，1986年〕，頁826）考繆荃孫《藝風堂友朋書札》收王先謙致繆荃孫的書札七十二通，其一云：「昨枉顧暢譚為快。拙撰《三家詩義通繹》，鈔得〈衛風〉數篇呈上，務望詳加糾正，勿稍客氣。」又云：「《江左制義輯存》刊成，並呈一部。」（顧廷龍校閱：《藝風堂友朋書札》〔上海市：上海古籍出版社，1980年〕，上冊，頁23-24。）此函下款無日期。據《葵園自定年譜》所記，《江左制義輯存》於光緒十四年（1888）年六月刊刻（《葵園自定年譜》，頁735），則此函必定寫於光緒十四年之後。根據繆氏《藝風老人日記．戊子九月廿六日》記云：「謁長沙師。」〈戊子九月廿七日〉記云：「長沙師贈《江左人制藝輯存》（引案：「人」字疑衍），又見眎自注三家《詩》，名曰《三家詩義通繹》，〈衛風〉一卷。」（〔清〕繆荃孫：《藝風老人日記》〔北京市：北京大學出版社，1986年〕，頁70。準此，王氏此函寫在光緒十四年（1888）九月廿七日，王氏始撰《集疏》又肯定在此以前，即在江蘇學政任上。

二　論《詩三家義集疏》的經學立場

解經立場不同往往影響解經者詮釋文本的態度、方法和結論。陳奐《詩毛氏傳疏》對《毛序》、《毛傳》推崇備至，他認為三家可廢而《毛詩》不可廢。陳氏在〈序〉中說：

> 三家雖自出於七十子之徒，然而孔子既沒，微言已絕，大道多歧，異端共作，又或借以諷動時君，以正詩為刺詩，違詩人之本志，故齊、魯、韓可廢，毛不可廢。齊、魯、韓不得與毛抗衡，況其下者乎？[4]

陳氏篤信《毛詩》，又以三家多採雜說，有違詩人本志。這種看法與以通貫三家《詩》舊義經指為己任的王先謙，可謂南轅北轍。《集疏．序》云：

> 《詩》則魯、齊、韓三家立學官，獨毛以古文鳴，獻王以其為河間博士也，頗左右之。劉子駿名好古文，嘗欲兼立《毛詩》，然其〈移太常書〉，僅《左氏春秋》、《古文尚書》、《逸禮》三事而已。……蓋毛之詁訓，非無可取，而當大同之世，敢立異說，疑誤後來，自謂子夏所傳，以掩其不合之迹，而據為獨得之奇，故終漢世少尊信者。[5]

王氏以為《毛詩》不可尊信，原因有二：其一，《毛詩》雖號為古文經，但非在魯恭王壞孔子宅時所得古文經書之列，即便偏好古文如劉歆者，亦不敢於譴責太常博士固殘守缺的〈移讓太常博士書〉裏提及《毛詩》。其二，《毛詩》來歷不明，託名子夏。王氏在《集疏．例》中引而申之曰：

> 《毛詩》則詭名子夏，而傳授茫昧，姓名參錯，其大恉與三家歧異者

4　（清）陳奐：《詩毛氏傳疏》，國立政治大學中文研究所主編：《國學要籍叢刊》（臺北市：臺灣學生書局，1986年，景清道光二十七年〔1847〕文瑞樓藏版鴻章書局石印本），冊上，總頁3。

5　（清）王先謙著，吳格點校：《詩三家義集疏》（北京市：中華書局，1987年），上冊，「序例」，頁1。

凡數十，即與古書不合者亦多，徒以古文之故，為鄭偏好。[6]

又云：

秦漢之際，經亦殘亡，《毛傳》乘隙奮筆，無敢以為非者，古文勃興，永為宗主。幸三家遺說猶在，不可謂非聖經一線之延也。[7]

言下之意，《毛詩》之所以為鄭玄（127-200）青睞，為之作《箋》，只是「以古文之故」，而鄭玄之好古文，又是受「古文勃興」的時代風尚影響。幸而三家《詩》遺說尚能考辨，否則聖人經說便因《毛傳》乘虛而入而湮沒無聞。綜覽《集疏》，王先謙一方面極力突出三家經義經詁的價值，一方面貶抑《毛詩》，其中以攻擊《毛詩序》最為用力。可以說王氏治《詩》之所以重三家而抑《毛詩》，其中一個主要原因是他不相信《詩序》。王氏認為《毛詩》最不為人尊信的地方是「敢立異說，疑誤後來」，什麼是「異說」呢？《集疏・例》云：「攷毛之不為人信者，以《序》獨異故。」又云：「《毛傳》巨謬，在偽造周、召二〈南〉新說。」[8]我們看他在〈顧竹侯所著書序〉裏也有類似的說法：

不以周南、召南為地名，而強釋數語，廁之卜氏之《序》，致上下文義不通，用心至為謬妄。〈桑中序〉誤解《禮記》，〈碩人序〉誤讀《左傳》，則影附古文，而實不明古文。[9]

王氏的意思是說《毛詩・桑中・序》、〈碩人・序〉雖欲比附屬古文經的《禮記》、《左傳》，實則誤讀了《禮記》、《左傳》。考〈鄘風・桑中・序〉：「刺奔也。衛之公室淫亂，男女相奔，至於世族在位，相竊妻妾，期於幽遠，政散民流而不可止。」《集疏》引《禮記・樂記》「鄭、衛之音，亂世之

---

6 （清）王先謙著，吳格點校：《詩三家義集疏》，上冊，「序例」，頁5。

7 （清）王先謙著，吳格點校：《詩三家義集疏》，上冊，「序例」，頁17。

8 （清）王先謙著，吳格點校：《詩三家義集疏》，上冊，頁16-17。

9 （清）王先謙：《虛受堂文集》，見氏著：《葵園四種》，頁103。

音也，比於慢矣。桑閒、濮上之音，亡國之音也，其正散，其民流，誣上行私而不可止也」，並謂：「數語《毛序》所本，……至政散民流而不可止，《記》意明指桑、濮，無關鄭、衛，而毛用其文，混『桑閒之音』於〈衛詩〉，斯為謬耳。」[10]又考〈衛風・碩人・序〉：「閔莊姜也。莊公惑於嬖妾，使驕上僭。莊姜賢而不答，終以無子，國人閔而憂之。」是《毛序》以〈碩人〉為衛人憂莊姜無子之詩。《集疏》引《列女傳・齊女傅母》，指出《魯詩》以〈碩人〉是莊姜傅母因見莊姜始往衛，「操行衰惰，有冶容之行，淫佚之心」，欲以「砥厲女之心以高節」而作，是魯說以為〈碩人〉作於莊姜始至衛國之時，與《毛詩序》異。王氏案曰：

> 案：《左・隱三年傳》：「衛莊公娶於齊東宮得臣之妹，曰莊姜，美而無子，衛人所為賦〈碩人〉也。」此《序》義所本，但「衛人」云云，謂當日曾為莊姜賦詩，非謂詠其無子，此自左氏行文之法如是，與「高克奔陳，鄭人為之賦〈清人〉」句例略同，不得執此為「閔憂無子」之證，毛似誤會《左》意。……詩但言莊姜族戚之貴，容儀之美，車服之備，媵從之盛，其為初嫁時甚明。何楷云：「詩作於莊姜始至之時，當以《列女傳》為正。」[11]

王氏駁斥《序》說，以魯說為正，「此《序》義所本」指〈碩人・序〉本諸《左傳》。王氏舉這兩個例子，在於說明：第一，《毛詩序》為了影附古文，剽取古文經傳如《左傳》者，卻又誤解經傳。第二，既是剽取經傳，則非傳自子夏明矣，「自謂子夏所傳」之諷更見深刻。

值得注意的是，王先謙對鄭《箋》的看法比較正面。考鄭玄注三《禮》在箋《詩》之前，故鄭注《詩》說主三家。這一點認識，王先謙在《集疏》裏一共提了七次：

---

[10] （清）王先謙著，吳格點校：《詩三家義集疏》，上冊，頁231。

[11] （清）王先謙著，吳格點校：《詩三家義集疏》，上冊，頁277。

> 鄭注〈昏禮〉，在未見《毛詩》前。[12]
>
> 鄭注《周禮》時，以副為若今步搖，與編、次為三物，並於《禮記》注引「副笄六珈」以明之，是用三家義之明證。[13]
>
> 鄭注《禮》時書三家《詩》。[14]
>
> 鄭注《禮》在箋《詩》前，此蓋據《齊詩》為說。[15]
>
> 鄭先通《韓詩》，注《禮》則用《齊詩》。[16]
>
> 鄭注《禮》時未見《毛詩》。[17]
>
> 鄭注《禮》時未見《毛詩》。[18]

我們認為王氏如此強調鄭《注》用三家的原因，在於揭示鄭《箋》並非完全是《毛詩》說，當中有異於毛而同於三家的地方。例如〈周南・關雎〉「君子好逑」句下，王氏云：

> 《箋》云「言后妃之德和諧，則幽閒處深宮。貞專之善女，能為君子和好眾妾之怨者，言皆化后妃之德，不嫉妒」，係用魯說改毛。[19]

〈召南・鵲巢〉「百兩成之」句下，王氏云：

> 案：「之」者夫人，則「成之」是成夫人，非謂能成百兩之禮。《箋》意與《易林》合，知鄭參用《齊詩》義也。[20]

〈鄘風・相鼠〉「相鼠有體」句下，王氏云：

---

[12] （清）王先謙著，吳格點校：《詩三家義集疏》，上冊，頁69。
[13] （清）王先謙著，吳格點校：《詩三家義集疏》，上冊，頁223。
[14] （清）王先謙著，吳格點校：《詩三家義集疏》，上冊，頁291。
[15] （清）王先謙著，吳格點校：《詩三家義集疏》，上冊，頁489。
[16] （清）王先謙著，吳格點校：《詩三家義集疏》，下冊，頁902。
[17] （清）王先謙著，吳格點校：《詩三家義集疏》，下冊，頁911。
[18] （清）王先謙著，吳格點校：《詩三家義集疏》，下冊，頁942。
[19] （清）王先謙著，吳格點校：《詩三家義集疏》，上冊，頁11。
[20] （清）王先謙著，吳格點校：《詩三家義集疏》，上冊，頁69。

愚案：《毛傳》「體，支體」，鄭以體為身體，謂全體也，蓋本三家，與毛訓異。[21]

由於鄭《箋》有不少同於三家而異於《毛傳》的地方，王先謙對《箋》說可謂另眼相看，例如：〈召南．采蘩〉「被之僮僮，夙夜在公。被之祁祁，薄言還歸」句下引《傳》、《箋》云：

《傳》：「被，首飾也。僮僮，竦敬也。夙，早也。祁祁，舒遲也，去事有儀也。」《箋》：「公，事也。早夜在事，謂視濯溉饎爨之事。《禮記》：『主婦髲髢。』言，我也。祭事畢，夫人釋祭服而去髲髢，其威儀祁祁然而安舒，無罷倦之失。我還歸者，自廟反其燕寢。」

王氏案曰：

〈君子偕老〉《傳》云：「副者，后夫人之首飾，編髮為之。」此毛誤也，「副」若止是編髮，不得即謂是盛飾，與褘之盛服相稱，理至易曉。……「副」、「編」溷為一事，其誤自《毛傳》啟之，非鄭君據時制一一剖析，《詩》、《禮》古義並就湮廢矣。[22]

這裏已經不是解釋「被之僮僮」的意思了，而是從《毛傳》「被，首飾也」旁及〈君子偕老〉「副笄六珈」中「副」字的的意思。王先謙在「副笄六珈」下說：

鄭云「卷髮」者，明髮得笄則卷而不墜也。鄭又云：「編，編列髮為之，其遺象若今假紒矣。」「次，次第，髮長短為之，所謂髲髢。」案：即〈采蘩〉之「被」也。[23]

他認為「副」、「編」、「次」（即被）三種首飾並不相同，《毛傳》誤以「編

21（清）王先謙著，吳格點校：《詩三家義集疏》，上冊，頁249。

22（清）王先謙著，吳格點校：《詩三家義集疏》，上冊，頁73。

23（清）王先謙著，吳格點校：《詩三家義集疏》，上冊，頁222。

髮」來解釋「副」，溷「副」、「編」為一事，幸好有鄭《注》和鄭《箋》，《詩》、《禮》古義才不致湮廢。不過鄭《箋》一旦與三家經詁比較的話，王氏始終認為三家義較優勝，例如〈周南・葛覃〉首章「葛之覃兮，施于中谷，維葉萋萋」，《毛傳》云：「覃，延也。葛，所以為絺綌，女功之事煩辱者。」鄭《箋》云：「葛延蔓於谷中，喻女在父母之家，形體浸浸日長大也。」王先謙案曰：

> 葛生延蔓，猶在谷中，鄭說較勝。但黃鳥翔集和鳴，見雎雄情意之至，陽春融和，草木暢茂，時鳥音變，淑女有懷，天機所流，有觸斯感。魯說以為恐婚姻之失時，義優於毛、鄭也。[24]

《箋》說較《傳》說為優，但如果跟三家相比的話，《箋》說當然稍遜一籌了。

綜言之，《集疏》以三家《詩》為研究對象，明顯有揚三家抑《毛詩》的傾向，但王先謙最反對《毛詩序》，以為是後人託名子夏，向壁虛造，但同時認為《毛傳》詁訓也有可取之處，而對於析合今古，間取三家的鄭《箋》，更是另眼相看，屢稱鄭玄以三家說《詩》。下文我們將集中分析王先謙如何在訓詁以通經的學術規範下，因應訓釋的對象——三家《詩》——取捨書證以及選取不同的訓詁方法來訓解經文，詮釋經詁，達至其揚三家抑《毛詩》的經學立場。而在清人《詩經》著作中，陳奐《詩毛氏傳疏》主《毛詩》貶三家的解經立場正好與王氏《集疏》相異，且《傳疏》又為《毛詩》訓詁學的名著，以此做參照，更能凸顯王先謙的三家《詩》訓詁學的特色。

三　論《詩三家義集疏》的三家《詩》訓詁學

「三家《詩》訓詁學」指的是在揚三家抑《毛詩》的前提下，王先謙在

---

24 （清）王先謙著，吳格點校：《詩三家義集疏》，上冊，頁18。

訓釋三家《詩》經文經詁上的特色。這種具經學意義的訓詁學特色在《集疏》裏有兩個突出的表現：一為王先謙充分利用三家《詩》經文用字多與《說文》相合的事實，強調三家多「正字」。二為王氏將《爾雅》歸入《魯詩》之學，充實《魯詩》遺說，並將《毛傳》與《爾雅》訓釋相合的現象解釋為《毛傳》擷取《魯詩》經詁。

（一）強調三家《詩》經文多用正字

清人尊崇漢學，推崇漢人的經傳箋注，以其去古未遠。清初顧炎武（1613-1682）提出讀經始於考文的主張[25]，後經乾嘉學者嚴厲實踐[26]，逐漸形成清人治經的共識，而許慎的《說文解字》也因此特別受重視。江沅（1767-1838）《說文解字注‧後敘》說：「經史百家，字多假借，許書以說解名，不得不專言本義者也。本義明而後餘義明，引申之義亦明，假借之義亦明。形以經之，聲以緯之。」[27]《說文》本屬文字之學，清人卻以之為解經的訓詁依據，並賴之以讀破經籍中的假借，以《說文》為本字、本義之津梁，段玉裁（1735-1815）在其《說文解字注》中即反覆強調《說文》用本字[28]。

---

25 顧炎武在給李因篤的一通信中，具體提出讀經的途徑：「愚以為讀九經自考文始，考文自知音始，以至諸子百家之書，亦莫不然。」（〔清〕顧炎武：《亭林文集》，《續修四庫全書》〔上海市：上海古籍出版社，2002年，景清刻本〕，冊1402，卷4，〈答李子德書〉，頁6a。）又〈與人書四〉中說：「經學自有源流，自漢而六朝，而唐而宋，必一一考究，而後及於近儒之所著，然後可以知其異同離合之指。如論字必本於《說文》，未有據隸楷而論古文者也。」（〔清〕顧炎武：《亭林文集》，〈與人書四〉，卷4，頁17a。）

26 如戴震〈與是仲明論學書〉中云：「經之至者道也，所以明道者其詞也，所以成詞者字也。由字以通其詞，由詞以通其道，必有漸。求所謂字，考諸篆書，得許氏《說文解字》，三年知其節目，漸睹古聖人制本之始。」（〔清〕戴震撰，張岱年主編：《戴震全書》，冊6，頁370。）案是鏡，字仲明，生卒年不詳。

27 （清）江沅：《說文解字注‧後敘》，收入段玉裁：《說文解字注》（上海市：上海古籍出版社，1997年），頁1b，總頁788下b。

28 段氏《說文》學其中一個特點是以為《說文解字》必用本字，例如《說文‧大部》

詩句異文是《毛詩》與三家《詩》分別比較明顯的地方，《毛詩》經字多假借，故《毛傳》釋《詩》，先通假借，而陳奐替《毛詩》、《毛傳》作《疏》，首要的工作也在於闡明《毛傳》通假借之例，並一一指出經文所借之本字為何。例如〈周南・采蘋〉「于以湘之」，《毛傳》:「湘，亨也。」陳氏《傳疏》云：

> 「湘」讀為「鬺」，假借字也。………《韓詩》「于以鬺之」，《史記・封禪書》字亦作「鬺」。《說文》:「鬺，煑也。」不錄「鬺」，「鬺」即「鬺」也。「亨」與「煑」同義。[29]

《毛詩》用假借字「湘」，《韓詩》用本字「鬺」，「鬺」與《說文》「鬺」同。《毛傳》以「亨」釋「湘」，是以本字的字義訓釋假借字。又例如〈周南・兔罝〉「公侯干城」，《毛傳》:「干，扞也。」《傳疏》云：「『干城』即『扞城』，『干』，古文假借字。」[30]《毛傳》以本字訓釋假借字。相對《毛詩》來說，三家《詩》經文多用本字，王先謙在《集疏》裏需要讀通假借的地方也較少，而《集疏》裏強調三家多用本字的案語則俯拾皆是。在訓詁學術語裏，跟「假借字」、「借字」相對的概念是「本字」，但「本字」在《集疏》裏則多稱做「正字」，且多以《說文》為據。

1 強調《說文》引《詩》三家為多

《說文》固然是用以分析漢字形音義的著作，但清人大都認為號稱「五經無雙」的許慎在《說文》裏也貫注了他的經學思想，段玉裁在《說文解字

「夸，奢也」下，《段注》云：「漢人作《傳》、《注》，不外轉注、假借二者，必得其本字而後可說其假借，欲得其本字，非許書莫由也。」(《說文解字注》，卷10下，頁5b。）又如《說文・𨸏部》「陟，登也」下，《段注》云：「許此作『登』，不作『升』者，許書說解不用假借字也。漢人用同音字代本字，乃不知有本字。」(《說文解字注》，卷14下，頁4a。）

[29] (清) 陳奐：《詩毛氏傳疏》，上冊，卷2，頁5a。

[30] (清) 陳奐：《詩毛氏傳疏》，上冊，卷2，頁11a。

注》「久」字注下說得很清楚：

> 許所偁作久，與《禮》經用字正同。許蓋因經義以推造字之意，因造字之意以推經義，無不合也。[31]

這是說許慎在《說文》裏將經學與小學結合起來，而段氏注釋《說文》的方法也是這樣，即所謂「以字考經，以經考字」[32]。清人也特別重視《說文》與經學的關係，據以說經。《說文．前敘》云：「其偁《易》孟氏、《書》孔氏、《詩》毛氏，《禮》、《周官》、《春秋》、《左氏》、《論語》、《孝經》，皆古文也。」段玉裁於「《詩》毛氏」下注云：「毛氏者，許書學之宗也。」[33]意即《說文》宗《毛詩》之學。治今文《詩》學的學者對此則有不同的看法，魏源《詩古微．齊魯韓毛異同論上》云：

> 許君〈說文敘〉自言《詩》稱毛氏，皆古文家言，而《說文》引《詩》，什九皆三家。[34]

皮錫瑞《經學通論》引魏說並案曰：「三家亡，《毛傳》孤行，多信毛而疑三家。魏氏辨駁分明，一掃俗儒之陋。」[35]王先謙《集疏．例》也引魏說並云：「魏說明快，足破近儒墨守之陋習。」[36]王氏釋〈豳風．東山〉「零雨其濛」一句，據《說文》「霝」下引《詩》作「霝雨其濛」，得出「『霝』正字」的結論，復引陳喬樅「許所偁《詩》，蓋毛氏也。今毛作『零雨』，非

---

31 （清）段玉裁：《說文解字注》，卷5上，頁45a。

32 筆者案：陳奐《說文解字注．跋》云：「煥聞諸先生曰：『昔東原師之作，僕之學不外以字攷經，以經攷字。余之注《說文解字》也，蓋竊取此二語而已。』」《說文解字注》，跋，頁2b，總頁789上b。

33 （清）段玉裁：《說文解字注》，卷15上，頁24a。

34 （清）魏源著，何慎怡校點：《詩古微》，見（清）魏源著，魏源全集編輯委員會編校：《魏源全集》（長沙市：嶽麓書社，1989年），頁160-161。

35 《經學通論》，卷2，「論三家亡而《毛傳》孤行，人多信毛疑三家。魏源駁辨明快，可謂定論」，頁18。

36 （清）王先謙著，吳格點校：《詩三家義集疏》，上冊，「序例」，頁16。

舊文」之說，並加案語曰：

> 愚案：《說文》引《詩》，三家為多，偶引古文，特崇時尚，陳說非也。

又云：

> 《說文》之「需」，蓋齊、韓所載矣。[37]

王氏以《說文》引《詩》分屬三家的例子還見於：

1.〈召南·甘棠〉「召伯所茇」，《說文》引作「召伯所废」，王先謙云：

> 據《說文》、《法言》、《白虎通》、〈韋玄成傳〉、《韓詩外傳》所引，明魯、韓用借字作「茇」，與毛同。許引作「废」者，《齊詩》文也。[38]

2.〈邶風·新臺〉「新臺有泚」，《說文》引作「新臺有玼」，王氏云：

> 許引三家，正字，毛借字。[39]

3.〈衛風·淇奧〉「綠竹猗猗」，《說文》引作「菉竹猗猗」，王氏云：

> 許引作「菉」，亦《魯詩》文。[40]

4.〈衛風·淇奧〉「會弁如星」，《說文》引作「 弁如星」，王氏云：

> 許引作「髗」者，《韓詩》。[41]

5.〈魯頌·泮水〉「鸞聲噦噦」，《說文》引作「鑾聲鐬鐬」，王氏云：

---

[37] （清）王先謙著，吳格點校：《詩三家義集疏》，上冊，頁533。

[38] （清）王先謙著，吳格點校：《詩三家義集疏》，上冊，頁88。

[39] （清）王先謙著，吳格點校：《詩三家義集疏》，上冊，頁210。

[40] （清）王先謙著，吳格點校：《詩三家義集疏》，上冊，頁266。

[41] （清）王先謙著，吳格點校：《詩三家義集疏》，上冊，頁271。

「鑾」既「鸞」省，是「鑾」正字，「鸞」借字。許引《詩》亦作「鑾」，明三家皆作「鑾」。[42]

王先謙採信魏源的看法，認為「《說文》引《詩》，三家為多」，因此凡《說文》引《詩》文字與《毛詩》相異者，他都歸入三家《詩》。在他看來，許慎引《詩》多屬三家，而《說文》稱引《毛詩》，只是受東漢古文經學勃興的風氣影響，所以《說文》與三家《詩》的關係較《毛詩》的密切。有了這一個認識，王先謙以《說文》收錄的漢字為據，證明三家《詩》經字多正字便顯得順理成章。

2 據《說文》強調三家《詩》多用正字

王先謙以《說文》為據，強調三家《詩》經文多正字，例如：

6.〈周南・桃夭〉「桃之夭夭」，魯、韓「夭」作「枖」，王氏云：

《說文》：「枖，木少盛貌。从木，夭聲。《詩》曰：『桃之枖枖。』」……《九經字樣・木部》出「枖」、「夭」二字，《注》云：「音妖，木盛貌。《詩》云：『桃之枖枖。』上《說文》，下經典，相承隸省。」據此，「枖」正字，「夭」消字。[43]

7.〈召南・殷其靁〉「莫或遑處」，《韓詩》「遑」作「皇」，王氏云：

「韓遑作皇」者，《眾經音義》六引《詩》曰「莫或皇處」，「遑」作「皇」。陳喬樅云玄應用《韓詩》者，據《韓詩》推此上二章，「遑」亦當為「皇」。

案「莫或遑處」見〈殷其靁〉末章，首章云「莫敢或遑」，次章云「莫敢遑息」，王氏引陳喬樅說以末章《韓詩》「遑」作「皇」，推論《韓詩》三章皆作「皇」。而王氏於首章「莫敢或遑」下云：

---

[42] （清）王先謙著，吳格點校：《詩三家義集疏》，下冊，頁1071。

[43] （清）王先謙著，吳格點校：《詩三家義集疏》，上冊，頁41。

《說文》無「遑」、「徨」、「偟」三字，當正作「皇」。[44]

則《韓詩》作「皇」是用正字。

8.〈邶風・柏舟〉「覯閔既多」，魯、齊「閔」作「愍」，王氏云：

《說文》:「愍，痛也。」「閔，弔者在門也。」魯、齊正字，毛借字。言遇傷痛之事既多，受人之輕侮亦不少。[45]

9.〈邶風・匏有苦葉〉「卬須我友」，《魯詩》「須」作「頷」，王氏云：

《說文》:「須，面毛也。」「頷，待也。」魯正字，毛借字。人皆涉，我獨不然，所以如此者，我待我友而後涉耳。[46]

10.〈鄘風・牆有茨〉「牆有茨」，齊、韓「茨」作「薺」，王氏云：

《說文》:「薺，蒺藜也。从艸，齊聲。《詩》曰：『牆有薺。』」蓋齊、韓本如此。「茨」、「薺」古通，故《禮・玉藻》鄭《注》引《詩》「楚楚者茨」作「楚薺」。《毛傳》、郭《注》不以茨為蓋屋之茅，而訓為蒺藜，與《說文》「薺」注合，明「薺」正字，「茨」借字。[47]

有時候《毛詩》和三家《詩》異文同見於《說文》，王先謙多以三家為正字，例如：

11.〈邶風・柏舟〉「覯閔既多」，魯、齊「閔」作「愍」，王氏云：

《說文》:「愍，痛也。」「閔，弔者在門也。」魯、齊正字，毛借字。[48]

---

[44] （清）王先謙著，吳格點校：《詩三家義集疏》，上冊，頁100。

[45] （清）王先謙著，吳格點校：《詩三家義集疏》，上冊，頁132。

[46] （清）王先謙著，吳格點校：《詩三家義集疏》，上冊，頁168。

[47] （清）王先謙著，吳格點校：《詩三家義集疏》，上冊，頁220。

[48] （清）王先謙著，吳格點校：《詩三家義集疏》，上冊，頁132。

12.〈鄘風・君子偕老〉「是紲袢也」，三家「紲」作「褻」，王氏云：

> 《說文》「褻」下云：「私服。《詩》曰：『是褻袢也。』」「袢」下云：「《詩》曰：『是紲袢也。』」作「紲」者用《毛詩》，則「褻」是三家文。「褻」正字，「紲」借字。褻，謂親身之衣也。[49]

13.〈衛風・河廣〉「跂予望之」，魯、齊「跂」作「企」，王氏云：

> 《說文》「企」下云：「舉踵也。」「跂」下云：「足多指也。」魯、齊正字，毛同音假借字。[50]

14.〈鄭風・風雨〉「雞鳴膠膠」，三家「膠」作「嘐」，王氏云：

> 《說文》云：「啁，嘐也。」是三家作「嘐」，「嘐」正字。《毛詩》作「膠」，「膠」借字。[51]

3 以《說文》證明《毛詩》多假借字

王先謙以《說文》為據，強調三家多用正字，同時以《說文》為準，替《毛詩》經字找出正字，從側面說明三家較《毛詩》多正字，例如：

15.〈召南・采蘋〉「南澗之濱」，三家經文未聞。王氏云：

> 《說文》無「濱」，「瀕」下云：「瀕，水厓，人所賓附。頻蹙不前而止。从頁，从涉。」據此，「瀕」正字，「濱」俗字。[52]

16.〈秦風・終南〉「有條有梅」，三家經文未聞。王氏云：

> 《說文》「梅」下云：「枏也。」「某」下云：「酸果也。」蓋酸果之

49 （清）王先謙著，吳格點校：《詩三家義集疏》，上冊，頁229。
50 （清）王先謙著，吳格點校：《詩三家義集疏》，上冊，頁305。
51 （清）王先謙著，吳格點校：《詩三家義集疏》，上冊，頁363。
52 （清）王先謙著，吳格點校：《詩三家義集疏》，上冊，頁78。

稱，以「某」為正字，作「梅」者借字耳。[53]

17.〈豳風．七月〉「四之日其蚤」，三家經文未聞。王氏云：

《說文》：「早，晨也。从日，在甲上。」「早」正字，「蚤」借字。[54]

18.〈大雅．泂酌〉「可以濯溉」，三家經文未聞。王氏云：

愚案：本詩《釋文》「溉」無作「摡」之說。〈匪風〉「溉之釜鬵」，《釋文》：「溉，本又作摡。」亦毛「或作」本。惟據《說文》，則「摡」為正字。[55]

19.〈大雅．召旻〉「不云自頻」，王氏云：

《說文》：「瀕，人所賓附，瀕[56]蹙不前而止。从頁，从涉。」正字當作「瀕」。[57]

4 據《說文》強調三家《詩》經文多用正字的經學意義

上揭諸例足證王先謙明辨《毛詩》和三家《詩》中的正字和借字，而王氏辨明假借，讀以本字的依據主要來自《說文》。用字假借在經籍中是常見的現象，注釋者在解釋詞義之際，辨明假借，讀以本字，完全符合訓詁學上的要求。王氏在《集疏》裏如此強調三家《詩》經文多用正字，究竟是純粹交代客觀事實，還是另有原因呢？這裏我們不妨再以陳奐的看法作對照。陳氏在《傳疏》中具體交代了《毛詩》經文裏哪些是假借字，以及其假借的本字，在他看來，《毛詩》是古文，其經字類多假借，這只不過反映了「古人

53 （清）王先謙著，吳格點校：《詩三家義集疏》，上冊，頁451。

54 （清）王先謙著，吳格點校：《詩三家義集疏》，上冊，頁523。

55 （清）王先謙著，吳格點校：《詩三家義集疏》，下冊，頁905。

56 案《說文》作「頻」，王氏引作「瀕」（家刻本、標點本同），當為手民之誤。

57 （清）王先謙著，吳格點校：《詩三家義集疏》，下冊，頁997。

字少，義通乎音」的事實[58]，至於三家《詩》多本字的現象，陳氏另有見解。考王引之（1766-1834）《王文簡公文集》中收錄了一通王氏致陳奐的覆函：

> 尊說又言三家《詩》多用本字，疑以己意讀經，不必盡是師傳，本子不同，如司馬遷以訓詁字代經之比。[59]

從王引之的覆函看來，陳奐曾經懷疑三家《詩》多用本字的現象，可能是經師在傳三家《詩》的過程中，「以己意讀經」的結果，情況就好像司馬遷撰寫《史記》時，以訓詁字翻譯難懂的經籍文字一樣。在陳氏眼中，《毛詩》多用假借毋庸置疑，但三家《詩》裏那些異於《毛詩》的所謂本字的來源則大可商榷。陳奐如果能夠論證三家《詩》經文本字是經師改經之字，非三家《詩》經文原貌，那麼三家《詩》經字與《說文》本字的關係便不見得如此密切。如果三家《詩》多本字是傳經者「以己意讀經」，易字訓釋的結果，那麼三家《詩》經文的價值便很成疑問。陳奐這個看法是在清人尊崇《說文》的學術背景下，為了維護《毛詩》、《毛傳》的經學立場而提出來的。清人以《說文》為本字本義之淵藪，學者治經、治小學，都重視從《說文》裏推求經文本字、本義，而經文多本字的三家《詩》較諸經文多借字的《毛詩》，明顯更容易與《說文》收錄的本字本義互相發明，陳氏既然無法改變《毛詩》多借字的事實，那麼只能懷疑與《說文》本字本義互相發明的三家《詩》經文是否本來如此。我們有了這一點認識，再來看王先謙在《集疏》裏強調三家多正字的做法，便知道王氏此舉除了交代三家《詩》經字多用本字這個事實外，還有其經學上的目的——突出三家《詩》的價值。因為在

---

58 案《傳疏》刻成後，同年陳氏有《毛詩說》一卷成書，分十七例，是陳奐為《傳》作《疏》後，為了供「學者省覽」而整理歸納出來的心得，其中「假借說」指出：「凡字必有本義，古人字少，義通乎音。」（（清）陳奐：《毛詩說》，《續修四庫全書》（上海市：上海古籍出版社，2002年，景清道光二十七年〔1847〕武林愛日軒刻本），冊70，頁11a。）

59 （清）王引之：《王文簡公文集》，載《高郵王氏遺書》（南京市：江蘇古籍出版社，2000年），卷4，頁5a-b。

好求本字、正字的清代學術環境下，《毛詩》不如三家《詩》多用正字的事實，成了王先謙用以突出三家《詩》較《毛詩》優勝的證據。

（二）將《爾雅》歸入《魯詩》之學

《爾雅》是中國最早一部匯編故訓的專書。《爾雅》十九篇「較全面地分類編纂了先秦至西漢的大量的訓詁資料」[60]。郭璞（276-324）《爾雅注》云：

> 夫《爾雅》者，所以通詁訓之指歸，敘詩人之興詠，摠絕代之離詞，辨同實而殊號者也。[61]

邢昺（932-1010）《疏》云：

> 案《爾雅》所釋，徧解六經，而獨云「敘詩人之興詠」者，以《爾雅》之作多為釋《詩》。[62]

現在學者大致同意《爾雅》除了訓釋《五經》外，還旁及其他先秦古籍，如《楚辭》、《莊子》、《管子》、《呂氏春秋》、《尸子》等，邢昺所說的「徧解六經」並不盡然，卻是古代學者普遍的認識。《爾雅》十九篇中有不少專門訓釋《詩》的材料，這些材料與《毛傳》往往相合，陳啟源論《爾雅》與《毛傳》之關係曰：

> 《爾雅》與《詁訓傳》皆《詩》說之最古者也。《爾雅》始於周公，而子夏之徒述而成之；《詁訓傳》作於大毛公，而淵源實出於子夏，故此二書之釋《詩》往往相合，然其中亦不無小異。[63]

---

60 胡奇光、方環海：《爾雅譯注》（上海市：上海古籍出版社，1999年），〈前言〉，頁3。

61 （晉）郭璞注，（宋）邢昺疏：《爾雅注疏》（北京市：北京大學出版社，2000年），頁2。

62 《爾雅注疏》，頁2。

63 （清）陳啟源：《毛詩稽古編》，見夏傳才、董治安主編：《詩經要籍集成》（北京市：

他認為《爾雅》和《毛傳》皆源於子夏，但「傳《爾雅》之學者，雖稍增益其文，而未必取資於《詩傳》。毛公之傳《詩》，亦自述其師說，著之於書而未嘗規摹於《爾雅》。是其同者，由於所出同而非因襲」[64]。換言之，《爾雅》、《毛傳》詁訓材料往往相合是因為源同而非因襲。陳奐對此卻有不同的看法，他在《傳疏．條例》裏說：

> 凡《傳》、《注》，唯《毛詩》最為近古，義又簡括，其訓詁與《爾雅》詳略異同，相為表裏。[65]

「相為表裏」指《爾雅》、《毛傳》的訓釋相輔相成，互為一體。《傳疏》列舉《毛傳》訓釋本諸《爾雅》之例多不勝數，如〈周南．汝墳〉「遵彼汝墳」，《毛傳》：「遵，循也。」《傳疏》云：「『遵，循』，《爾雅．釋詁》文。」[66]又〈鄘風．桑中〉「爰采唐矣」，《毛傳》：「爰，於也。」《傳疏》云：「『爰，於』，《爾雅．釋詁》文。」[67]又〈王風．葛藟〉「在河之涘」，《毛傳》：「涘，厓也。」《傳疏》云：「〈釋丘〉：『厓岸涘為 。』《傳》所本也。」[68]《爾雅》、《說文》這兩部小學典籍在清人眼中與經學關係最為密切。戴震說：「儒者治經，宜自《爾雅》開始。」[69]又云：「自《爾雅》外，惟《方言》、《說文》切於治經。」[70]陳奐既然無法改變《毛詩》經文多與《說文》不合的事實，那麼他便轉為利用《毛傳》訓釋與《爾雅》相合者眾的優勢，強調

學苑出版社，2002年，景清道光九年〔1829〕廣東學海堂刊《皇清經解》，冊23），卷85，頁1a-b。

64 （清）陳啟源：《毛詩稽古編》，見夏傳才、董治安主編：《詩經要籍集成》，冊23，卷85，頁1a-b。

65 （清）陳奐：《詩毛氏傳疏》，上冊，「條例」，頁1b。

66 （清）陳奐：《詩毛氏傳疏》，上冊，卷1，頁15a。

67 （清）陳奐：《詩毛氏傳疏》，上冊，卷4，頁5a。

68 （清）陳奐：《詩毛氏傳疏》，上冊，卷6，頁7b。

69 （清）戴震：〈《爾雅》文字考序〉，（清）戴震撰，張岱年主編：《戴震全書》，冊6，頁275。

70 《戴東原先生震年譜》，頁15。

《毛傳》因襲《爾雅》，二者相為表裏的關係，藉以凸顯《毛傳》的價值。《毛詩說．毛傳爾雅訓異義同說》說：

> 張稚讓說《爾雅》之為書也，文約而義固，其噭道也，精研而無誤，真七經之檢度，學問之階路，儒林之楷素。《毛傳》之為書也，亦若是焉已矣。[71]

陳氏以《毛傳》比《爾雅》，其欲提高《毛傳》地位之意昭然若揭，體現了陳氏推崇《毛傳》的經學立場。至於王先謙處理《爾雅》與三家《詩》關係的方法則是將《爾雅》歸入《魯詩》之學。

1　強調《爾雅》為《魯詩》之學

以《爾雅》所釋《詩》義為《魯詩》說者始於臧庸（1767-1811），陳喬樅在《魯詩遺說攷．自序》中說：

> 《爾雅》亦《魯詩》之學。漢儒謂《爾雅》為叔孫通所傳，叔孫通，魯人也。臧鏞堂《拜經日記》以《爾雅》所釋《詩》字訓義為《魯詩》，允而有徵。[72]

清人論《爾雅》與《魯詩》關係者，大抵相沿臧說，而王先謙於《集疏》亦屢言「《爾雅》，《魯詩》之學」，他在《集疏》裏把他認為《爾雅》釋義與《詩》句相關的材料，一律視為《魯詩》的經文或訓釋，例如〈衛風．淇奧〉「綠竹猗猗」，《集疏》引《爾雅．釋草》「菉，王芻」，王氏云：「《爾雅》，《魯詩》之學，明魯正字，毛借字。」[73]是王氏以為《魯詩》作「菉竹猗猗」，並訓「菉」為「王芻」。〈衛風．考槃〉「考槃在澗」，《集疏》引《爾雅．釋詁》「盤，樂也」，王氏云：「《爾雅》，《魯詩》之學，知魯作『盤』也。」[74]

---

71 （清）陳奐：《毛詩說》，《續修四庫全書》，冊70，頁15b。

72 《三家詩遺說攷》，總頁2329上b。

73 （清）王先謙著，吳格點校：《詩三家義集疏》，上冊，頁266。

74 （清）王先謙著，吳格點校：《詩三家義集疏》，上冊，頁275。

〈衛風・碩人〉「膚如凝脂」,《集疏》引《爾雅・釋器》「冰,脂也」,王氏云:「《爾雅》,《魯詩》之學,蓋魯『凝』作『冰』。」[75]〈檜風・隰有萇楚〉「樂子之無知」下,王氏云:「魯說曰:『知,匹也。』……『知,匹也』者,〈釋詁〉文。」[76]是王氏以為《魯詩》訓「知」為「匹」。〈大雅・皇矣〉「作之屏之,其菑其翳」下,王氏云:「〈釋木〉:『木自斃柛,立死菑,蔽者翳。』……《爾雅》,《魯詩》之學,魯義當如此。」[77]諸如此類的例子在《集疏》裏比比皆是。經此繫聯,《魯詩》經文詁訓材料數量可謂相當可觀。

2 以不同方法處理《毛傳》與《爾雅》訓釋相合的材料

陳奐以為《毛傳》因襲《爾雅》,王先謙將《爾雅》定為《魯詩》之學,處理同一部訓詁專著,二人根據不同的需要,得出兩種截然不同的結論。那麼王先謙如何處理陳奐據以證明《毛傳》的《爾雅》材料呢?我們對比了相關資料後,發現王氏對《毛傳》和《爾雅》訓釋相合的材料有以下的處理方法:

其一,魯毛同訓、魯毛同義,例如:

20.〈周南・兔罝〉「肅肅兔罝」,《傳》:「肅肅,敬也。」《傳疏》云:「『肅肅,敬』,《爾雅・釋訓》文。」[78]《集疏》云:「〈釋訓〉:『肅肅,敬也。』魯、毛義同。」[79]

21.〈鄘風・牆有茨〉「不可襄也」,《傳》:「襄,除也。」《傳疏》云:「『襄,除』,〈釋言〉文。」[80]《集疏》云:「〈釋言〉:『襄,除也。』郭注曰:『不可襄也。』魯、毛同訓。」[81]

---

75 (清)王先謙著,吳格點校:《詩三家義集疏》,上冊,頁281。

76 (清)王先謙著,吳格點校:《詩三家義集疏》,上冊,頁489。

77 (清)王先謙著,吳格點校:《詩三家義集疏》,下冊,頁853。

78 (清)陳奐:《詩毛氏傳疏》,上冊,卷1,頁11a。

79 (清)王先謙著,吳格點校:《詩三家義集疏》,上冊,頁44。

80 (清)王先謙著,吳格點校:《詩毛氏傳疏》,上冊,卷4,頁2b。

81 (清)王先謙著,吳格點校:《詩三家義集疏》,上冊,頁221。

22.〈衛風．芄蘭〉「能不我甲」，《傳》：「甲，狎也。」《傳疏》云：「『甲，狎』，《爾雅．釋言》文。」[82]《集疏》云：「『甲，狎也』者，〈釋言〉文。是魯、毛義同。」[83]

23.〈大雅．卷阿〉「藹藹王多吉人」，《傳》：「藹藹，猶濟濟也。」《傳疏》云：「此云『猶濟濟』者，亦承《序》之意。《爾雅》：『藹藹、濟濟，止也。』郭注云：『皆賢士盛多之容止。』」[84]《集疏》：「魯說曰：藹藹，止也。……〈釋訓〉文，與『濟濟』同訓，郭注：『皆賢士盛多之容止。』據《傳》文，魯、毛義同。」[85]

24.〈魯頌．駉〉「有騅有駓」，《傳》：「蒼白襍毛曰騅。」《傳疏》：「『蒼白襍毛曰騅』，〈釋畜〉文。」[86]《集疏》：「愚案：〈釋馬〉（筆者案：當作〈釋畜〉或〈釋畜．馬屬〉）：『蒼白雜毛曰騅，黃白雜毛曰駓。』明魯、毛同訓。」[87]

25.〈魯頌．駉〉「有驒有駱」，《傳》：「白馬黑鬣曰駱。」《傳疏》未引《爾雅》，《集疏》云：「〈釋畜〉：『白馬黑鬣駱。』明魯、毛同訓。」[88]

26.〈魯頌．駉〉「有駰有騢」，《傳》：「陰白襍毛曰駰，彤白襍毛曰騢。」《傳疏》：「『陰白襍毛曰駰』……『彤白襍毛曰騢』，〈釋畜〉文。」[89]《集疏》云：「〈釋畜〉：『陰白雜毛駰，彤白雜毛騢。』明魯、毛同訓。」[90]

27.〈魯頌．有駜〉「駜彼乘駽」，《傳》：「青驪曰駽。」《傳疏》：「『青驪曰駽』，《爾雅．釋畜》文。」[91]《集疏》云：「〈釋畜〉：『青驪駽。』明

---

[82] （清）陳奐：《詩毛氏傳疏》，上冊，卷5，頁11a。

[83] （清）王先謙著，吳格點校：《詩三家義集疏》，上冊，頁304。

[84] （清）陳奐：《詩毛氏傳疏》，下冊，卷24，頁19b。

[85] （清）王先謙著，吳格點校：《詩三家義集疏》，下冊，頁907。

[86] （清）陳奐：《詩毛氏傳疏》，下冊，卷29，頁2b。

[87] （清）王先謙著，吳格點校：《詩三家義集疏》，下冊，頁1065。

[88] （清）王先謙著，吳格點校：《詩三家義集疏》，下冊，頁1066。

[89] （清）陳奐：《詩毛氏傳疏》，下冊，卷29，頁3a。

[90] （清）王先謙著，吳格點校：《詩三家義集疏》，下冊，頁1067。

[91] （清）陳奐：《詩毛氏傳疏》，下冊，卷29，頁4a。

魯、毛同訓。」[92]

《集疏》裏「魯、毛同訓」僅五例，「魯、毛同義」僅三例，俱見前揭，也就是說王氏明白承認魯、毛訓同的例子只有八個，而且是《毛》訓同於《魯》訓，更多的情況是王氏引錄了《爾雅》的文字，然後指出相關文字是《魯詩》訓釋，卻隻字未提《爾雅》與《毛傳》訓釋相合，有時候甚至沒有徵引跟《毛傳》訓釋相同的《爾雅》文字，或者徵引跟《毛傳》訓釋相異的《爾雅》文字。

其二，徵引《爾雅》文字但略而不提《爾雅》與《毛傳》訓釋相合：

28.〈周南．卷耳〉「采采卷耳」，《傳》:「卷耳，苓耳也。」《傳疏》云：「『卷耳，苓耳』，《爾雅．釋草》文。」[93]今本《爾雅》「卷」作「菤」，《集疏》云：「〈釋草〉:『菤耳，苓耳。』《釋文》:『菤謝作卷，《詩》『卷耳』是也。』……案：《爾雅》『菤』字，魯家異文。」[94]

29.〈召南．羔羊〉「素絲五緎」，《傳》:「緎，縫也。」《傳疏》云：「《爾雅．釋訓》云：『緎，羔裘之縫也。』《傳》詁『緎』為『縫』，正本《爾雅》作訓。」[95]《集疏》云：「魯說曰：緎，羔羊之縫也。……〈釋訓〉文。」[96]

30.〈邶風．谷風〉「習習谷風」，《傳》:「東風謂之谷風。」《傳疏》云：「『東風謂之谷風』，《爾雅．釋天》文。」[97]《集疏》云：「『東風謂之谷風』者，〈釋天〉文。魯說也。」[98]

其三，沒有徵引跟《毛傳》訓釋相同的《爾雅》文字：

31.〈召南．采蘩〉「于澗之中」，《傳》:「山夾水曰澗。」《傳疏》云：

92 （清）王先謙著，吳格點校：《詩三家義集疏》，下冊，頁1068。

93 （清）陳奐：《詩毛氏傳疏》，上冊，卷1，頁7a。

94 （清）王先謙著，吳格點校：《詩三家義集疏》，上冊，頁24。

95 （清）陳奐：《詩毛氏傳疏》，上冊，卷2，頁9a。

96 （清）王先謙著，吳格點校：《詩三家義集疏》，上冊，頁97。

97 （清）陳奐：《詩毛氏傳疏》，上冊，卷三，頁13a。

98 （清）王先謙著，吳格點校：《詩三家義集疏》，上冊，頁169。

「《爾雅・釋山》『山夾水澗』，《傳》所本也。」[99]《集疏》未引。

32.〈邶風・柏舟〉「不可以茹」，《傳》：「茹，度也。」《傳疏》云：「『茹，度』，《爾雅・釋詁》文。」[100]《集疏》未引。

33.〈齊風・東方未明〉「自公令之」，《傳》：「令，告也。」《傳疏》云：「『令，告』，《爾雅・釋詁》文。」[101]《集疏》未引。

其四，徵引跟《毛傳》訓釋相異的《爾雅》文字：

34.〈邶風・式微〉「式微式微」，《傳》：「式，用也。」《傳疏》云：「『式，用』，《爾雅・釋詁》文。」[102]《集疏》：「魯說：式微式微者，微乎微者也。……〈釋訓〉文。……以『式』為發聲。」[103]王氏以為「式」無義。

35.〈邶風・簡兮〉「簡兮簡兮」，《傳》云：「簡，大也。」《傳疏》云：「『簡，大』，《爾雅・釋詁》文。」[104]《集疏》云：「魯說曰：簡，擇也。……《箋》：『簡，擇。』……〈釋詁〉：『柬，擇也。』郭注：『見《詩》。』邢《疏》引此詩云：『簡、柬同。』據此，知鄭用魯說改毛。」[105]王氏以為「簡」字當訓「擇」而非訓「大」。

36.〈小雅・采芑〉「蠢爾荊蠻」，《傳》：「蠢，動也。」《傳疏》云：「『蠢，動』，《爾雅・釋詁》文。」[106]《集疏》云：「魯說曰：蠢，不遜也。……〈釋訓〉文。郭注：『蠢動為惡，不謙遜也。』即魯家此詩之訓。」[107]

---

[99] （清）陳奐：《詩毛氏傳疏》，上冊，卷2，頁2a。

[100] （清）陳奐：《詩毛氏傳疏》，上冊，卷3，頁2a。

[101] （清）陳奐：《詩毛氏傳疏》，上冊，卷8，頁5a。

[102] （清）陳奐：《詩毛氏傳疏》，上冊，卷3，頁15b。

[103] （清）王先謙著，吳格點校：《詩三家義集疏》，上冊，頁181。

[104] （清）陳奐：《詩毛氏傳疏》，上冊，卷3，頁17a。

[105] （清）王先謙著，吳格點校：《詩三家義集疏》，上冊，頁185。

[106] （清）陳奐：《詩毛氏傳疏》，上冊，卷17，頁13b。

[107] （清）王先謙著，吳格點校：《詩三家義集疏》，下冊，頁621。

3 將《爾雅》歸入《魯詩》之學的經學意義

陳奐利用《毛傳》訓釋與《爾雅》相合者眾的優勢，強調《毛傳》因襲《爾雅》，二者相為表裏的關係，藉以凸顯《毛傳》的價值，但陳氏並沒有說《爾雅》是《毛詩》之學。王先謙則乾脆將《爾雅》定為《魯詩》之學，換言之，《爾雅》中與《詩》相關的訓釋，他都認為屬《魯詩》一家之說，突出了三家《詩》中《魯詩》與《爾雅》的關係，這在學者推崇《爾雅》為治經要籍的清代學術裏，無疑是直接凸顯《魯詩》價值的方法。王氏一方面可以將《爾雅》裏大量跟《詩》相關的材料，歸入《魯詩》說，大大充實《魯詩》遺說，另一方面將《毛傳》與《爾雅》訓釋多相合的現象解釋為《毛傳》擷取《魯詩》說。陳奐為《毛傳》作《疏》，每每將他認為《毛傳》所本的《爾雅》文字列出來，我們將《傳疏》這些材料跟《集疏》比較，發現王先謙雖然都徵引了跟《毛傳》訓釋相合的《爾雅》文字，但緊接《爾雅》文字後的多是「魯說也」三字，隻字未提《毛傳》。我們認為這種方法同樣達到了說明《毛傳》擷取《魯詩》說的目的。某條《爾雅》文字既然屬《魯詩》說，《毛傳》與之相合，那麼自然是《毛傳》擷取魯說。此外，我們還發現有時候《集疏》並未徵引跟《毛傳》訓釋相同的《爾雅》文字，倒是徵引跟《毛傳》訓釋相異的《爾雅》文字，即被釋詞相同，但訓釋詞不同的那些材料。這是甚麼原因呢？這明顯是王先謙不同意《毛傳》的訓釋，改用其他詁訓依據，而《毛傳》既多採信《爾雅》，那麼王氏也就以《爾雅》其他材料，指出《毛傳》有誤，有時候還會指出鄭《箋》「用魯說改毛」，「魯說」即指《爾雅》。在這一點上，我們發現陳奐和王先謙處理《毛傳》訓詁材料的態度不同，陳奐墨守《毛傳》，疏釋之時拘於疏不破注的原則，一一替《毛傳》找出詁訓的依據。王先謙則不然，凡遇有他認為《毛傳》訓釋有誤之處，自然毫不猶疑一一指出。總而言之，王先謙將《爾雅》歸入《魯詩》之學的經學意義在於凸顯三家中《魯詩》的價值。《漢志》如此評價漢興言《詩》三家為《詩》所作的訓釋：

> 魯申公為《詩》訓故，而齊轅固、燕韓生皆為之傳。或取《春秋》，採雜說，咸非其本義。與不得已，魯最為近之。[108]

考王先謙《漢書補注》云：

> 此謂齊、韓二《傳》推演之詞皆非本義，不得其真耳，非併《魯詩》言之。「魯最為近」者，言齊、韓訓故亦各有取，惟魯最優。顏（引注：顏師古）謂三家皆不得，謬矣。既不得其真，何言最近乎？[109]

王氏在《集疏》裏不斷強調三家一致，將《爾雅》歸入《魯詩》之學，從而確立了《魯詩》在《詩經》訓詁上的價值，自然有助支持他三家優於《毛詩》的經學觀點。

綜言之，本節以陳奐《詩毛氏傳疏》作參照，探論王先謙《詩三家義集疏》的三家《詩》訓詁學，即王先謙在《集疏》裏如何因應訓釋的對象——三家《詩》——取捨書證以及選取不同的訓詁方法來訓解經文，詮釋經詁。我們在清人推崇《爾雅》、《說文》的學術背景下，分析王氏的解經立場如何體現在他據《說文》強調三家《詩》多用正字以及將《爾雅》釋《詩》歸入《魯詩》之學這兩方面的訓詁實踐上，從而達到其揚三家抑《毛詩》的經學目的。

四　總結

本文的意義在於從研究方法上提供另一個分析《集疏》訓詁學的角度，即從經學而非訓詁學角度看王先謙在訓詁研究上的特色。在小學仍屬經學附庸的清代，王先謙以訓詁方法疏通三家《詩》經文經詁的目的在於通經，而通經的目的也無可避免影響到王氏對訓詁材料的運用，這包括對故訓的取

108《漢書》，頁1708。

109（清）王先謙：《漢書補注》，《二十四史考訂叢書專輯》（北京市：書目文獻出版社，1995年，景光緒二十六年〔1900〕王氏虛受堂刻本），冊上，卷30，頁10a。

捨、判斷、詮釋等。這種具經學意義的訓詁學特色不但在《詩三家義集疏》中體現，也見諸陳奐的《詩毛氏傳疏》。推而及之，在訓詁以通經的學術規範下，其他清人的經疏著作也很可能有這種特色。當然《集疏》這種受制於訓釋對象的訓詁學特色明顯有其不足之處。

首先，《毛傳》是否因襲《爾雅》，抑或兩者來源相同，學者尚無定論，陳奐以《爾雅》與《毛傳》「相為表裏」的看法即使無法確證，他至少指出《毛傳》與《爾雅》訓釋相合者眾這一個事實。王先謙將《爾雅》歸入《魯詩》之學的做法在方法學上則犯了循環論證的毛病。王先謙把《爾雅》和《魯詩》的關係看作是，先有《魯詩》，後有《爾雅》，《爾雅》釋《詩》即本《魯詩》。今《魯詩》詁訓不見存，於是《爾雅》順理成章成為窺探《魯詩》之學的典籍。然而《爾雅》初稿成書於戰國末、秦初這一段時間，且代有增益。雖然《魯詩》、《韓詩》、《毛詩》之學皆源於荀子，但兩漢四家《詩》學，是在漢興以後才有，在《爾雅》最初成稿之際，尚無魯、齊、韓、毛《詩》學之分，則《爾雅》釋《詩》不可能專據某家《詩》。再者，《爾雅》既非成於一時一人之手，則《爾雅》自亦非一家之言。即使成於一人之手，也不見得專主一家。如雅學要籍《廣雅》，是魏博士張揖仿《爾雅》體例，廣《爾雅》所未備而作，其中《廣雅》釋《詩》，雖有與《毛詩》相同之例，然異於《毛傳》、鄭《箋》者亦復不少。陳雄根取《廣雅》釋《詩》與毛、鄭異義之例，詳加考釋，指出：「《廣雅》之訓異於毛、鄭者，或據三家《詩》以正其失。」[110]又謂：「《廣雅》釋《詩》或與《韓詩》同。」[111]可見成於一人之手的《廣雅》亦不見得專主一家。王氏謂《爾雅》專釋《魯詩》並不可信，如果《魯詩》訓詁同於《爾雅》，當是治《魯詩》學者採用《爾雅》，而非《爾雅》因襲《魯》說，把《爾雅》歸入《魯詩》並不恰當。

其次，王先謙較陳奐有更強烈的正字觀，更多據《說文》言正字。識別

---

[110] 陳雄根：〈《廣雅》釋《詩》與毛、鄭異義考〉，《華學》，第10輯（上海市：上海世紀出版公司、上海古籍出版社，2008年），頁1903。

[111] 陳雄根：〈《廣雅》釋《詩》與毛、鄭異義考〉，頁12。

古籍中的通假現象時，區別本字和借字是必要的，但求本字不應侷限於《說文》一書，王氏這種好言「正字」，且膠執於《說文》的本字本義上的做法，並不符合漢字發展的事實。不同的版本以不同的漢字代表同一個詞，漢字與漢字之間便形成了異文的關係。就《詩》而言，「同音假借」是形成《詩經》異文的主要原因，黃宏信以《毛詩》比對阜陽漢簡《詩經》所見的異文，發現在與《毛詩》的異文中，通假字佔的比重最大，且多是同音或音近通假[112]。我們比較過郭店楚簡和馬王堆漢墓帛書〈五行〉篇裏的通假字，發現楚簡〈五行〉經部有十九組通假字，漢帛書〈五行〉經部有十四組通假字。〈五行〉篇引用了大量《詩經》的句子，而所引的文字跟今本《毛詩》或《集疏》所見的三家《詩》佚文都不同，例如楚簡第四十一號簡和帛書本第二〇五～二〇六行引〈商頌·長發〉「不競不絿，不剛不柔」一句，楚簡本寫作「不勮不梂」，借「梂」為「絿」；帛書本則寫作「不勮不救」，借「救」為「絿」。楚簡第十號簡和帛書第一七九行，皆引〈召南·草蟲〉「亦既見止，亦既覯止」一句，但楚簡本借「訽」為「覯」，帛書本則借「鉤」為「覯」[113]。楚簡本所見的通假字較帛書本為多，是漢字發展過程中一個很正常的現象。春秋戰國時候各地「言語異聲，文字異形」，抄寫的人很可能根據自己方言的讀音，或由於倉卒忘其字，故借用音同音近的字代替，所以這些手抄的典籍有大量通假字。《毛詩》和三家《詩》經字異文的數量正好反映了這種文字發展的過程。王先謙站在維護三家《詩》的經學立場，強調《毛詩》多借字，三家《詩》多正字，且據之以貶抑《毛詩》，完全忽視了漢字發展的規律。我們認為正是由於《毛詩》多借字，倒能證明《毛詩》詩文更接近《詩經》的原貌。陳奐解釋《毛詩》經字多借字是由於「古人字少，義通乎音」，較諸王先謙強執正字的做法更為切實。

王先謙膠執《說文》，但對時人研究《說文》的成果不見得都有注意。

---

[112] 黃宏信：〈阜陽漢簡《詩經》異文研究〉，《江漢考古》，1989年第1期，頁89。

[113] 以上諸例詳參拙著：〈郭店楚簡、漢帛書《五行》篇通假字比較研究〉，《問學三集》（香港：香港中文大學中國語言及文學系，2003年），頁4-8。

〈衛風・河廣〉「曾不容刀」，王氏案曰：

> 愚案：《釋名》：「三百斛曰舠。舠，貂也。貂，短也。江南所謂短而廣安不傾危者也。」刀、貂古通用。《管子》「豎刀」，即《左傳》之「寺人貂」也。《說文》無「舠」，或唐人所見異本。「舠」本俗字，仍當作「刀」。[114]

王氏謂《說文》無「舠」字，惟考段玉裁於《說文・舟部》已補「舠」字，注云：

> 各本無此字。〈衛風〉「曾不容刀」，《釋文》曰：「《說文》作『舠』，小船也。」《正義》曰：「《說文》作『舠』，小船也。」合據補於末。[115]

〈河廣〉「曾不容刀」，「刀」當作船解，《說文・刀部》「刀」下云：「兵也。象形。」兵器之屬，則「刀」明顯是假借字，王先謙以《說文》無「舠」為由，得出「仍當作『刀』」的結論，捨正字而取借字，倒未能貫徹他在《集疏》的正字觀，自相矛盾。

---

[114]（清）王先謙著，吳格點校：《詩三家義集疏》，上冊，頁305-306。

[115]（清）段玉裁：《說文解字注》，卷8下，頁6b。

鄭司農注《周禮》所用「讀為」術語考辨

——兼評段玉裁對「讀為」術語的界定

楊天宇*

一　引言

鄭眾，東漢河南開封人，官大司農，撰有《周官解詁》。其書久佚，《隋》、《唐書》不著錄。然其說鄭玄《周禮注》多所徵引。清馬國翰《玉函山房》輯有鄭司農《解詁》六卷，亦盡從鄭玄《周禮注》裒輯。故今亦唯據鄭玄《周禮注》所引，以探究鄭司農的《周禮》之學。篇幅所限，本文僅就鄭司農《解詁》中「讀為」術語的運用，略作考辨。

段玉裁說：「凡傳注言『讀為』者，皆易其字也。……『讀為』亦言『讀曰』。」[1]又說：「漢人作注，於字發疑正讀，其例有三：一曰『讀如』、『讀若』，二曰『讀為』、『讀曰』，三曰『當為』。『讀如』、『讀若』者，擬其音也。……『讀為』、『讀曰』者，易其字也，易之以音相近之字，故為變化之詞。……變化主乎異，字異而義憭然也。」[2]可見，所謂「讀為」、「讀曰」，就是用本字來解釋通假字，亦即古代經師所謂「破讀」。但若就鄭司

* 鄭州大學歷史學院。

1 （東漢）許慎撰，（清）段玉裁注《說文解字注》「桑」字下注，見（東漢）許慎撰，（清）段玉裁注：《說文解字注》（上海市：上海古籍出版社，1981年）。按以下凡引《說文》段注皆據此本，不復注。

2 （清）段玉裁：〈周禮漢讀考序〉，《周禮漢讀考》，《清經解》（上海市：上海書店出版社，1988年）。

農《周官解詁》而言，情況又怎樣呢？鄭司農《解詁》中未見「讀曰」，唯用「讀為」。今遍索鄭玄《周禮注》中所引鄭司農「讀為」例，得一一九例[3]，一一加以考辨，考辨的結果發現，其中只有四十二例是用本字來解釋通假字的，另外七十七例，則情況甚複雜，茲一一考辨之如下。說明一點：本文所引《周禮》及其注疏之文，皆據中華書局一九八〇年景印阮校《十三經注疏》本，《注疏》本偶有訛誤，則加以校正。

二　考辨

（一）以本字讀通假字（四十二例）

1　〈天官・典婦功〉：「凡授嬪婦功，及秋獻功，辨其苦良。」鄭司農云：「苦讀為盬，謂分別其縑帛與布紵之麤細。」

苦本為草名，因其味特苦，故名大苦，故《說文》曰：「苦，大苦。」引申為勞苦。盬，《說文》訓「河東鹽池」。引申為凡未經湅治的鹽。〈天官・鹽人〉「苦鹽」下杜子春云：「苦讀為盬，謂出鹽直用不湅治。」《史記・貨殖列傳》「猗頓用盬鹽起」，司馬貞《索隱》亦云：「盬，謂出鹽直用不煉也。」然鹽湅治則精，不湅則粗，故又引申為粗細字。段玉裁云：「凡鹽之粗牣者為盬，因以為凡物粗牣者之名也。」[4]苦、盬古音疊韻，皆屬魚部；苦是溪母，盬是見母，見溪旁紐，故苦盬音近可通。朱駿聲《說文通訓定聲》曰：「苦，假借為盬。」[5]並舉此經為例。是鄭司農讀苦為盬者，以本字讀通假字也。

3　這裏說明一點：如同一字例而重複出現，只算作一例，我們通過「同例還見於」的提示語，將重出之字例列之於所考字例之下。

4　（清）段玉裁：《周禮漢讀考》，《清經解》，冊4，頁191。

5　（清）朱駿聲：《說文通訓定聲》（武漢市：武漢古籍書店景印臨嘯閣藏本，1983年），頁411。按以下凡引朱氏《定聲》皆據此本，不復注。

2 〈地官・牧人〉：「陰祀，用黝牲毛之。」鄭司農云：「黝讀為幽。幽，黑也。」

按據段玉裁校，此經及鄭司農注之「黝」、「幽」二字互訛，經文「黝牲」當為「幽牲」，注亦當為：「幽讀為黝，黝，黑也。」[6]其說甚是，今據之。《說文》：「幽，隱也。」又曰：「黝，微青黑色。」段注：「微青之黑也。」按幽、黝古音雙聲疊韻，二字可通。王力說：「幽，通黝，黑也。《詩・小雅・隰桑》：『隰桑有阿，其葉有幽。』《毛傳》：『幽，黑色也。』《禮記・玉藻》：『一命緼韍幽衡，再命赤韍幽衡。』」[7]《說文》段注亦曰：「黝，古多假幽為之。」是鄭司農幽讀為黝者，以本字讀通假字也。同例還見於：

〈春官・守祧〉：「其廟則有司脩除之，其祧則守祧黝堊之。」按此經黝亦當為幽。鄭司農云：「黝讀為幽。」按此司農注亦當為「幽讀為黝」。

3 〈地官・載師〉：「以廛里任國中之地。」鄭注：「故書廛或作壇。」鄭司農云：「壇讀為廛。廛，市中空地未有肆，城中空地未有宅者。」

此經鄭司農是據故書以為注[8]。《說文》：「壇，祭場也。」又曰：「廛，二畝半也，一家之 。」（此據段注本）壇、廛二字古音同，皆定母元部，聲調亦同，故壇可通廛。朱駿聲云：「壇，假借為廛。」[9]是鄭司農壇讀為廛者，以本字讀通假字也。

---

6 （清）段玉裁：《周禮漢讀考》，《清經解》，冊4，頁194。

7 王力主編：《王力古漢語字典》（北京市：中華書局，2000年），頁272。

8 凡鄭司農據故書之字以出校（詳下文），皆是據故書之本以為注，以下不再說明。按鄭司農時《周禮》蓋已有故書的概念，這由〈考工記・輪人〉「取諸圜也」下鄭玄注引鄭司農說可證，曰：「鄭司農云：『故書圜或作員。當為圜。』」

9 （清）朱駿聲：《說文通訓定聲》，頁739。

4 〈地官・師氏〉：「使其屬帥四夷之隸。」鄭玄注：「故書隸或作肆。」鄭司農云：「讀為隸。」

按隸的本義為奴隸。《說文》：「隸，附著也，從隸，柰聲。」凡奴隸皆附屬於主人，無獨立之人格，故《說文》以「附著」釋之。肆的本義為陳。《說文》肆作𨽸，云：「極陳也，從長，隶聲。」邵瑛曰：「今經典作肆，變隶為聿，非聲矣。始於隸石經《尚書》殘碑『肆上』，〈曹全碑〉『市肆列陳』如此作。後遂因之。」[10]據《說文》，隸從柰聲，肆（𨽸）從隶聲，柰、隶古音疊韻，皆屬月部；柰是泥母，隶是定母，泥定旁紐，故肆（𨽸）可通隸。是鄭司農肆讀為隸者，以本字讀通假字也。

5 〈地官・遂師〉：「賓客，則巡其道脩，庀其委積。」鄭玄注：「故書庀為比。」鄭司農云：「比讀為庀。庀，具也。」

《說文》無庀字，鄭司農訓庀為具。《左傳》襄公五年「宰庀家器為葬備」，杜注：「庀，具也。」又《玉篇・广部》：「庀，具也。」[11]蓋庀之本義為具。《王力古漢語字典》亦以「具備」作為庀字的第一義項。此經「庀其委積」即用庀之本義。故書庀為比者，比字無具義。庀、比疊韻，古音皆屬脂部；庀是滂母，比是幫母，滂幫鄰紐，故故書假比為庀。是鄭司農比讀為庀者，以本字讀通假字也。同例還見於：

〈地官・遂師〉：「軍旅、田獵，平野民，掌其禁令，比敘其事而賞罰。」鄭司農云：「比讀為庀。」

〈春官・世婦〉：「世婦掌女宮之宿戒，及祭祀，比其具。」鄭司農云：「比讀為庀，庀，具也。」

---

10 （清）邵瑛：《說文解字群經正字》，《續修四庫全書》（上海市：上海古籍出版社2002年，景民國六年〔1917〕邵啟賢景印清嘉慶二十一年〔1816〕桂隱書屋刻本），冊211，頁251。

11 此據《宋本玉篇》（北京市：中國書店，1983年），頁409。按以下凡引《玉篇》皆據此本，不復注。

6 〈春官・鬯人〉：「禜門用瓢齎。」鄭玄注：「故書瓢作剽。鄭司農讀剽為瓢。」

此經鄭司農是據故書以為注。瓢的本義為瓠瓢，以一瓠剖為二而成。《說文》：「瓢，蠡也。」按蠡、瓢在此義同。段注云：「蠡之言，劙也，如刀之劙物。」王力說：「蠡有分解的意思，故以一瓠蠡為二曰瓢，亦曰蠡。」[12]剽的本義《說文》訓「砭刺」，「一曰劫也」。瓢、剽二字古音疊韻，皆屬宵部；瓢是並母，剽是滂母，並滂旁紐，二字音近可通。瓢是本字，剽是通假字。段玉裁云：「故書作剽，假借字也。」[13]是鄭司農讀剽為瓢者，以本字讀通假字也。

7 〈春官・鬯人〉：「大喪之大渳，設斗，共其釁鬯。」鄭司農云：「釁讀為徽。」

《說文》：「釁，血祭也。」又曰：「徽， 幅也。」段注以為許氏此訓「未見所出」，而引〈釋詁〉云：「徽，善也，止也。〈大雅〉《箋》云：『美也。』」王力亦逕以美為徽之本義，《王力古漢語字典》說：「徽，美，善。《書・舜典》：『愼徽五典。』偽《孔傳》：『徽，美也，善也。』《詩・大雅・思齊》：『大姒嗣徽音。』鄭《箋》：『徽，美也。』」釁、徽雙聲，都是曉母；釁屬文部，徽屬微部，文徽對轉，是釁、徽音近可通，徽是本字，釁是通假字。鄭司農蓋謂大渳以鬯，為使之香美，故讀釁為徽，是以本字讀通假字也。同例還見於：

〈春官・雞人〉：「凡祭祀，面禳，釁，共其雞牲。」鄭司農云：「釁讀為徽。」

〈春官・天府〉：「上春，釁寶鎮及寶器。」鄭司農云：「釁讀為徽。」

12　王力：《王力古漢語字典》，頁730。

13　（清）段玉裁：《周禮漢讀考》，《清經解》，冊4，頁199。

8 〈春官‧司尊彝〉：「凡六彝、六尊之酌，郁齊獻酌，醴齊縮酌。」鄭司農云：「獻讀為儀。儀酌，有威儀多也。」

獻字古音曉母元部，儀字疑母歌部，曉疑旁紐，元歌對轉，二字音近可通。段玉裁云：「司農讀獻為儀，如〈周書‧大誥〉『民獻有十夫』，《尚書大傳》作『民儀有十夫』，王莽〈大誥〉作『民儀九萬夫』，亦其證也。」[14] 孫詒讓云，鄭司農以「賓祭行祼時，升降洗酌及拜送諸威儀多，故云儀酌也」[15]。儀是本字，獻是通假字。鄭司農獻讀為儀者，以本字讀通假字也。

9 〈春官‧司尊彝〉：「凡六彝、六尊之酌，鬱齊獻酌，醴齊縮酌，盎齊 酌，凡酒脩酌。」鄭玄注：「故書齊為齍。」鄭司農云：「齍讀皆為齊和之齊。」

按〈酒正〉「辨五齊之名」，鄭玄注云：「齊者，每有祭祀，以度量節作之。」是齊謂多少之齊，故當從鄭司農讀齍為齊和之齊為是，謂斟酌多少之量以調和之。按甲骨文、金文齊字皆象禾麥吐穗參差之形，然遠看則齊而平。故《說文》曰：「齊，禾麥吐穗上平也，象形。」引申之則有調配、調和之義。齍，金文作器中盛糧之形。《說文》：「齍，黍稷器，所以祀者。」齊、齍疊韻，皆屬脂部；齊是從母，齍是精母，從精旁紐，二字可通，齊是本字，齍是通假字。鄭司農齍讀為齊和之齊者，以本字讀通假字也。

10 〈春官‧司几筵〉：「王位設黼依，依前南鄉設莞筵紛純。」鄭司農云：「紛讀為和粉之粉，謂白繡也。」

《說文》：「紛，馬尾韜也。」又曰：「粉，所以傅面者也。」段注：「引申為凡細末之稱。」段玉裁又云：「粉色白，如《尚書》粉米，取其絜也。」[16] 又，孫詒讓《周禮正義》引丁晏云：「《尚書》鄭注：『粉米，白米

[14] （清）段玉裁：《周禮漢讀考》，《清經解》，冊4，頁200。

[15] （清）孫詒讓：《周禮正義》（北京市：中華書局，1987年），冊6，頁1536。

[16] （清）段玉裁：《周禮漢讀考》，《清經解》，冊4，頁200。

也。』故注謂白繡。」按紛、粉皆從分聲，音近可通，粉是本字，紛是通假字。鄭司農謂紛讀為和粉之粉者，是以本字讀通假字也。

11 〈春官·司几筵〉：「凡吉事變几，凶事仍几。」鄭玄注：「故書仍為乃。」鄭司農云：「乃讀為仍。仍，因也，因其質，謂無飾也。」

按仍的本義為因。《說文》：「仍，因也。」因即因襲、不改之義。乃字甲骨文、金文作㇋，是象形字，其所象之形不明，或曰象婦女乳房之側面形[17]，或曰象繩索形[18]。然古人實皆假借用之，或借作汝，或借作是，或借作副詞，或借作語氣詞，而其本義則廢。此經故書則假借為仍。朱駿聲曰：「乃，假借為仍。」[19]並舉此經故書為例。乃字古音屬泥母之部，仍字日母蒸部，泥日準雙聲，之蒸對轉，是乃、仍音近可通。鄭司農乃讀為仍者，是以本字讀通假字也。

12 〈春官·天府〉：「凡國之玉鎮、大寶器藏焉。」鄭玄注：「故書鎮作瑱。」鄭司農云：「瑱讀為鎮。」

賈疏：「此云玉鎮，即〈大宗伯〉『以玉作六瑞』，鎮圭之屬即此寶鎮也。彼又云『以玉作六器』，蒼璧禮天之屬即此寶器也。」是玉鎮指六瑞（按謂鎮圭、桓圭、信圭、躬圭、穀璧、蒲璧六者），大寶器指六器（按謂蒼璧、黃琮、青圭、赤璋、白琥、玄璜六者，皆見〈大宗伯〉）。美其名，則稱六瑞為玉鎮，六器為大寶器。故此經鄭玄注云「玉鎮、大寶器，玉瑞、玉器之美者」。按鎮字《說文》訓「博壓」，段注：「引申之，為重也，安也，壓也。」六瑞稱「玉鎮」，即取其鎮國、安國之義，故為美稱。而瑱字《說文》訓「以玉充耳」，此經故書作瑱者，假借用之也。鎮、瑱皆從真聲，二

---

17 見徐中舒主編：《甲骨文字典》（成都市：四川辭書出版社，1988年），頁500。

18 參見何琳儀著：《戰國古文字典·戰國文字聲系》（北京市：中華書局，1998年），頁399。

19 （清）朱駿聲：《說文通訓定聲》，頁70。

字古音同，故得相通假。鄭司農瑱讀為鎮者，是以本字讀通假字也。〈春官〉之鎮圭，〈秋官・小行人〉作瑱圭，曰「王用瑱圭」，亦通假之例。同例還見於：

〈春官・典瑞〉:「王晉大圭，執鎮圭。」鄭玄注:「故書鎮作瑱。」鄭司農云:「瑱讀為鎮。」

13 〈春官・典瑞〉：「王晉大圭，執鎮圭，繅藉五采五就，以朝日。」鄭司農云：「晉讀為搢紳之搢，謂插之於紳帶之間，若帶劍也。」

《說文》:「晉，進也。」又曰:「搢，插也。」晉、搢古同音。王力說:「晉，通搢。」並舉此經為例[20]。是鄭司農讀晉為搢者，以本字讀通假字也。

14 〈春官・典瑞〉：「四圭有邸以祀天，旅上帝。」鄭司農云：「或說四圭有邸，有四角也。邸讀為抵欺之抵。」

《說文》:「邸，屬國舍也。」邸通抵。朱駿聲云:「邸，假借為抵。〈風賦〉:『邸華葉而振象。』」[21]《文選・風賦》李善注云:「邸與抵古字通。」[22]段玉裁云:「謂四圭有芒角，故讀為抵欺之抵。抵欺，漢人語。……有芒角，如抵拒也。」[23]是鄭司農讀邸為抵欺之抵者，以本字讀通假字也。

15 〈春官・司服〉：「大喪，共其……廞衣服。」鄭玄注：「故書廞為淫。」鄭司農云：「淫讀為廞，廞，陳也。」

廞，陳也。《說文》:「廞，陳輿服於庭也。」《說文》又曰:「淫，侵淫隨理也。」與廞字義異。然廞、淫古同音，皆屬喻母侵部，故可通。朱駿聲

---

20 王力：《王力古漢語字典》，頁432。

21 （清）朱駿聲：《說文通訓定聲》，頁577。

22 （梁）蕭統：《文選》（北京市：中華書局，1977年），上冊，頁191。

23 （清）段玉裁：《周禮漢讀考》，《清經解》，冊4，頁201。

曰：「淫，假借為廞。」[24]是鄭司農淫讀為廞者，以本字讀通假字也。同例還見於：

〈夏官・司兵〉：「大喪，廞五兵。」鄭玄注：「故書廞為淫。」鄭司農云：「淫，陳也。淫讀為廞。」

〈考工記・匠人〉：「善溝者水漱之，善防者水淫之。」鄭司農云：「淫讀為廞，謂水淤泥土，留著助之為厚。」

16 〈春官・守祧〉：「守祧掌先王、先公之廟祧，其遺衣服藏焉。」鄭玄注云：「故書祧作濯。」鄭司農云：「濯讀為祧。」

《說文新附》：「祧，遷廟也。」濯的本義為洗滌。《說文》：「濯，澣也。」祧字古音屬透母宵部，濯字屬定母沃部，透定旁紐，宵沃對轉，二字音近可通。《尚書・顧命》「王乃洮頮」，鄭玄讀洮為濯[25]，是其例。此經鄭司農云「濯讀為祧」，亦是以濯為祧的借字。又《爾雅・釋魚》「蜃小者珧」，《釋文》：「眾家本皆作濯。」《爾雅・釋訓》「佻佻、契契，愈遐急也」，《文選・魏都賦》「或明發而嬥歌」下李善注引「佻佻」作「嬥嬥」[26]。《淮南子・原道訓》「上游於霄雿」，高誘注：「雿讀翟氏之翟。」[27]亦其證。蓋古兆傍與翟傍字多相通。祧是本字，濯是通假借字，鄭司農濯讀為祧者，以本字讀通假字也。

---

[24] （清）朱駿聲：《說文通訓定聲》，頁89。

[25] 見（清）孫星衍撰，陳抗、盛冬鈴點校：《尚書今古文注疏》（北京市：中華書局，1986年），冊下，頁480。

[26] （梁）蕭統：《文選》，上冊，頁109。

[27] （漢）劉安著，（漢）高誘注：《淮南子》，《諸子集成》（上海市：上海書店，1986年），冊7，〈原道訓〉，頁3。

17 〈春官・巾車〉：「安車，彫面，鷖總。」鄭玄注：「故書鷖或作緊。」鄭司農云：「鷖讀為鳧鷖之鷖。鷖總者，青黑色，以繒為之，總著馬勒直兩耳與兩鑣。」

「鷖讀為鳧鷖之鷖」，段玉裁《漢讀考》引鄭司農此注上「鷖」作「緊」，云：「今本作『鷖讀為』，誤也。」[28]段說是也。按鷖本鳥名，《說文》釋之曰「鳧屬」，引《詩》「鳧鷖在梁」。段玉裁云：「鷖，鳧屬，青黑色，繒色似之。」[29]與鄭司農說同。而緊字《說文》訓「括衣也」，與此經義無涉。鷖、緊古音同，皆屬影母脂部，聲調亦同，故徐養原云：「鷖、緊同音相借。」[30]此經鷖是本字，緊是通假字。鄭司農緊讀為鳧鷖之鷖者，以本字讀通假字也。

18 〈夏官・敘官〉：「槀人。」鄭司農云：「槀讀為芻稾之稾，箭幹謂之稾。此官主弓弩箭矢，故謂之槀人。」

按槀為枯槁字。《說文》：「槀，木枯也。」芻稾字則當作稾，下從禾而不從木，故《說文》曰：「稾，稈也。從禾，高聲。」是鄭司農注「芻槀之槀」，二「槀」字皆當作「稾」。段玉裁云：「箭榦謂之稾，芻稾字之引申也。稾，稈也。稈，禾莖也。司農云『讀為』，蓋經作枯槀字，從木，同於《地官》，而司農易為稾，從禾也。」[31]是此經槀是本字，稾則通假字，鄭司農是以本字讀通假字也。

---

28 （清）段玉裁：《周禮漢讀考》，《清經解》，冊4，頁207。

29 （清）段玉裁：《周禮漢讀考》，《清經解》，冊4，頁207。

30 （清）徐養原：《周官故書考》，《清經解續編》（上海市：上海書店出版社，1988年），冊2，頁1224。

31 （清）段玉裁：《周禮漢讀考》，《清經解》，冊4，頁208。

19 〈夏官・大司馬〉：「有司表貉。」鄭司農云：「貉讀為禡。禡謂師祭也。書亦或為禡。」

禡是師祭名。《說文》：「禡，師行所止，恐有慢其神，下而祀之曰禡。《周禮》，禡於所征之地。」《說文》又曰：「貉，北方貉，豸種也，從豸，各聲。孔子曰：『貉之為言貉貉惡也。』」（此據段注本）禡、貉古同音，皆明母魚部，聲調亦同，故可通。《周禮》凡禡祭皆用貉（見〈春官〉之〈肆師〉、〈甸祝〉及此經），是其例。是鄭司農貉讀為禡者，以本字讀通假字也。

20 〈夏官・馬質〉：「綱惡馬。」鄭司農云：「綱讀為以亢其讎之亢，書亦或為亢。亢，御也，禁也，禁去惡馬不畜也。」

《說文》：「綱，維紘繩也。」又曰：「亢，人頸也。」鄭司農曰「亢，御也，禁也」，是其引申義。孫詒讓云：「亢御即禁止之義。」[32]綱、亢古音疊韻，都屬陽部；綱是見母，亢是溪母，見、溪旁紐，是二字音近可通。鄭司農讀綱為亢，是以本字讀通假字也。

21 〈夏官・羊人〉：「凡沈、辜、侯禳、釁、積，共其羊牲。」鄭玄注：「積，故書為眥。」鄭司農云：「眥讀為漬，謂釁國寶、漬軍器也。」

《說文》：「漬，漚也。」段注云：「謂浸漬也。」《說文》又云：「眥，目匡也。」漬、眥古音雙聲，都是從母；漬屬錫部，眥屬支部，錫支對轉，是二字音近可通。孫詒讓云：「先鄭意漬即是釁。〈鐘氏〉注云『漬猶染也』，謂以牲血塗染之也。」是此經漬是本字，眥是通假字。鄭司農此注，是以本字讀通假字也。

---

32 （清）孫詒讓：《周禮正義》，冊9，頁2374。

22 〈秋官・士司〉：「七曰為邦朋。」鄭玄注：「故書朋作傰。」鄭司農云：「傰讀為朋友之朋。」

按鄭司農云「傰讀為朋友之朋」，「讀為」之「為」《注疏》本原誤作「如」，據段玉裁校改[33]。朋字甲骨文、金文皆象連貝為一系之形。〈小雅・菁菁者莪〉：「既見君子，錫我百朋。」鄭《箋》：「古者貨幣，五貝為朋。」《廣韻・登韻》：「五貝曰朋。《書》云：『武王悅箕子之對，賜十朋也。』」[34]是朋為古代的貨幣單位。以朋乃繫貝為之，象人之多朋友，亦象人之朋比為黨，故引申作朋友字，或朋黨字，且為人所習用。《說文》以朋為鳳字重文，實誤。傰，同倗。孫詒讓云：「傰即倗之俗。故書當作倗，傳寫誤作傰。」[35]倗字甲骨文、金文皆「象人以貝為飾之形」，而《說文》訓倗為輔，「輔義蓋由頸飾引申」[36]。倗從朋聲，故倗（傰）可通朋。是鄭司農傰讀為朋友之朋者，以本字讀通假字也。

23 〈秋官・士司〉：「若邦凶荒，則以荒辯之法治之。」鄭司農云：「辯讀為風別之別。救荒之政十有二，而士師別受其數條，是為荒別之法。」

鄭司農辯讀為風別之別者，段玉裁云：「辯與別古多通用。司農以別字義親，易辯為別。」孫詒讓曰：「風別，未詳。後『傅別』先鄭讀同，似取分別之義。」[37]按鄭司農云：「救荒之政十有二，而士師別受其數條，是為荒別之法。」是此經別是本字，辯是通假字，鄭司農此注，是以本字讀通假字。同例還見於：

〈秋官・士司〉：「凡以財獄訟者，正之以傅別、約劑。」鄭玄注：「故書

---

33 （清）段玉裁：《周禮漢讀考》，《清經解》，冊4，頁213。

34 此據余迺永：《新校互註宋本廣韻》（上海市：上海辭書出版社，2000年），頁201。

35 （清）孫詒讓：《周禮正義》，冊11，頁2789。

36 徐中舒主編：《甲骨文字典》，頁500。

37 （清）孫詒讓：《周禮正義》，冊11，頁2790。

別為辯。」鄭司農云：「辯讀為風別之別，若今時市買，為券書以別之，各得其一，訟則案券以正之。」

24 〈秋官．犬人〉：「凡幾珥、沈、辜，用駹可也。」鄭司農云：「幾讀為庪。《爾雅》曰：『祭山曰庪縣，祭川曰浮沈。』」

《說文》：「幾，危也，殆也。」又《說文新附》曰：「庪，祭山曰庪縣。」與《爾雅》說同。幾、庪二字雙聲，都是見母，故幾可通庪。段玉裁云：「幾與庪雙聲，故（鄭司農）讀幾為庪。《管子》『祈羊沈玉』，祈亦讀庪。《釋文》庪作祣 ，從示支聲。」[38]是此經鄭司農幾讀為庪者，以本字讀通假字也。

25 〈秋官．犬人〉：「凡幾珥、沈、辜，用駹可也。」玄注：「故書駹作龍。」鄭司農云：「龍讀為駹，謂不純色也。」

按駹是尨的區別字，本原字為尨[39]。尨字是象形字，甲骨文尨字即象腹上長有長毛之犬形，《說文》訓尨為「犬之多毛者」。毛多則色雜而難純。後又加馬旁而造駹字，義為馬毛雜色。《說文》：「駹，馬面顙皆白也。」段注：「面顙白，其他非白也，故從尨。」又《玉篇．馬部》：「駹，馬黑，面白也。」是謂馬毛黑白相雜也。引申之為凡雜色之稱。此經則謂犬毛雜色。龍字亦象形字，甲骨文、金文龍字雖頗多異形，但大體皆象古人想像中的龍形，《說文》釋龍為「鱗之長」。駹、龍二字古音疊韻，皆屬東部；駹是明母屬鼻音，龍是來母屬邊音，鼻音與邊音為鄰紐，故龍可通駹。〈春官．巾車〉「革路，龍勒」，鄭玄注：「龍，駹也。」是其例。此經鄭司農龍讀為駹者，以本字讀通假字也。

---

38 （清）段玉裁：《周禮漢讀考》，《清經解》，冊4，頁214。

39 區別字是與本原字相對舉的概念，這是蔣紹愚先生提出來的，茲用之。見蔣紹愚：《古漢語辭彙綱要》（北京市：北京大學出版社，1989年），頁207-208。

26 〈考工記・輪人〉：「參分其輻之長而殺其一，則雖有深泥，亦弗之溓也。」鄭司農云：「溓讀為黏，謂泥不黏著輻也。」

《說文》：「溓，薄冰也。一曰中絕小水。」無黏著義。然溓、黏疊韻，皆屬談部；溓是來母，黏是泥母，來泥旁紐，故二字音近可通。段玉裁云：「黏與溓聲類同也。鄭君注《易》『為其慊于陽也』，慊讀為『群公溓』之溓。溓，襍也。襍之訓與黏相近。『群公溓』，《公羊》何氏本作『群公廩』。」[40]是此經黏本字，溓通假字。鄭司農此注，是以本字讀通假字也。

27 〈考工記・輈人〉：「必緧其牛後。」鄭玄注：「故書緧作鰌。」鄭司農云：「鰌讀為緧，關東謂紂為緧。鰌，魚字。」

緧是兜在牛馬臀部的革帶。《說文》：「緧，馬紂也。」故書緧作鰌者，《說文》、《玉篇》皆無鰌字。據鄭司農說「鰌，魚字」，即謂鰌是魚名。賈疏云：「『鰌，魚字』者，破故書為鰌也。字猶名也，既鰌是魚名，明不從故書也。」然緧、鰌音近，段玉裁云：「鰌、緧古音同在第三部。」[41]即謂二字皆屬幽部，故鰌可借為緧。是鄭司農鰌讀為緧者，以本字讀通假字也。

28 〈考工記・鮑人〉：「欲其柔滑而腥脂之，則耎。」鄭注：「故書耎作而 。」鄭司農云：「㓹讀為柔耎之耎，謂厚脂之韋革柔耎。」

此經鄭司農是據故書以為注。按此經及注之耎字，《注疏》本原皆誤作需，㓹字則誤作劃，據段玉裁校改。段玉裁云：「耎，各本作需。㓹，各本作㓹。按《釋文》：『耎，人兗反；㓹，而髓反，又人兗反。』蓋作《音義》時，字未誤也。古音耎聲必在第十四元寒桓部，需聲必在第四侯部。陸氏在

40 （清）段玉裁：《周禮漢讀考》，《清經解》，冊4，頁218。
41 （清）段玉裁：《周禮漢讀考》，《清經解》，冊4，頁219。

唐初尚未誤，自後乃耎需互訛，延及經傳。〈大祝〉『擩祭』，〈輈人〉『契耎』，及此，皆是也。唐初契耎已誤為需，故陸有須音。擩祭及此經未誤，故反以而泉、人兗，此皆確然不易者，故皆更正。」[42]徐養原說亦同，云：「需、耎之辨，段說最為明確。」[43]孫詒讓亦謂「段、徐說是也。……據《釋文》，則陸時經注字已誤，而音讀相傳未誤，當據正。」[44]《說文》：「耎，稍前大也。」引申為軟弱。《王力古漢語字典》「耎」字下說：「秦漢時稍指漸，漸漸，即前面的逐漸大。結果末大於本，則軟弱矣。」《廣雅・釋詁》：「耎，弱也。」[45]故書耎作䏍者，䏍字《說文》不載，《玉篇・刀部》云：「䏍，刺也。」與此經義無涉。然耎、䏍二字古音雙聲疊韻，皆屬日母元部，故故書借 為耎。是鄭司農䏍讀為耎者，以本字讀通假字也。

29 〈考工記・鮑人〉：「若苟自急者先裂，則是以博為帴也。」鄭司農云：「帴讀為翦，謂以廣為狹也。」

帴義為狹，故司農注云：「謂以廣為狹也」。《王力古漢語字典》「帴」字注亦以狹窄為帴的第一義項，且舉此經、注為例。翦字則無狹義。然帴、翦古同音，皆屬精母元部，聲調亦同，故可通假。帴是本字，翦是通假字。孫詒讓云：「鄭司農云帴讀為翦者，帴、翦聲近叚借字。〈既夕禮〉『緇翦』，注云：『今文翦作淺。』賈疏云：『翦亦是狹小之意。』」[46]是鄭司農此注，以本字讀通假字也。

---

42 （清）段玉裁：《周禮漢讀考》，《清經解》，冊4，頁220。

43 （清）徐養原：《周官故書考》，《清經解續編》，冊2，頁1231。

44 （清）孫詒讓：《周禮正義》，冊13，頁3293。

45 此據（清）王念孫：《廣雅疏證》（北京市：中華書局，1983年），頁43。

46 （清）孫詒讓：《周禮正義》，冊13，頁3294。

30 〈考工記・鮑人〉：「察其線而藏，則雖敝不甐。」鄭玄注：「甐，故書或作鄰。」鄭司農云：「鄰讀為『磨而不磷』之磷。謂韋革縫縷沒藏於韋革中，則雖敝，縷不傷也。」

此經鄭司農是據故書以為注。甐字《說文》不載，鄭玄釋其義為敝。〈考工記・輪人〉：「是故輪雖敝，不甐於鑿。」鄭玄注：「玄謂甐亦敝也。」段玉裁云：「甐與磷同，瓦石皆磨甐之物也。鄰者，古文假借字。」[47]按鄰，《說文》訓「五家為鄰」。鄰、甐古音雙聲疊韻，皆來母真部，故故書借鄰為甐。是鄭司農讀鄰為磷者，以本字讀通假字也。

31 〈考工記・旊人〉：「凡陶、旊之事，髻、墾、薜、暴不入市。」鄭司農云：「髻讀為刮。」

《說文》：「髻，絜發也。」段玉裁云：「髻訓絜髮也，故大鄭易為刮，謂器似刮刷然也。」[48]按髻、刮二字雙聲疊韻，皆屬見母月部，故可通。朱駿聲云：「髻，假借為刮。」[49]故鄭司農髻讀為刮，是以本字讀通假字也。

32 〈考工記・梓人〉：「銳喙，決吻，數目，顧脰，小體，騫腹，若是者謂之羽屬。」鄭玄注：「故書顧或作牼。」鄭司農云：「牼讀為鬜頭無髮之鬜。」

《說文》：「牼，牛膝下骨也。」鄭司農讀牼為「鬜頭無髮之鬜」者，是以牼為鬜的通假字。《說文》：「鬜，鬢禿也。」牼、鬜雙聲，都是溪母；牼屬耕部， 屬元部，耕、元韻尾皆鼻音，可通轉，是牼、鬜二字音近可通。朱駿聲云：「牼，假借為鬜。」[50]是鄭司農讀牼為鬜者，以本字讀通假字也。

---

[47] （清）段玉裁：《周禮漢讀考》，《清經解》，冊4，頁220。

[48] （清）段玉裁：《周禮漢讀考》，《清經解》，冊4，頁221。

[49] （清）朱駿聲：《說文通訓定聲》，頁688。

[50] （清）朱駿聲：《說文通訓定聲》，頁873。

33 〈考工記．梓人〉：「於眡必撥爾而怒。」鄭玄注：「故書撥作廢。」鄭司農云：「廢讀為撥。」

《說文》：「撥，治也。」引申為分開，撥動。故王昭禹釋「撥爾而怒」曰：「撥動其體而怒焉。」[51]《說文》又曰：「廢，屋頓也。」撥、廢二字古音雙聲疊韻，皆幫母月部，故故書借廢為撥。段玉裁云：「撥、發同部，……以聲類易字也。」[52]是鄭司農廢讀為撥者，以本字易通假字也。

34 〈考工記．廬人〉：「凡兵，句兵欲無彈。」鄭玄注：「故書彈或作但。」鄭司農云：「但讀為彈丸之彈，彈謂掉也。」

《說文》：「彈，行丸也。」甲骨文彈字即象於弓弦上著丸待發之形。段玉裁云：「彈丸者，傾側而轉者也，掉之義取此。」[53]是彈字引申而有掉義，故鄭司農訓彈為掉。故書彈或作但者，《說文》：「但，裼也。」但、彈古同音，皆屬定母元部，故但可借為彈。朱駿聲云：「但，假借為彈。」[54]並舉此記為例。是鄭司農但讀為彈丸之彈者，以本字讀通假字也。

35 〈考工記．廬人〉：「凡兵，句兵欲無彈，刺兵欲無蜎。」鄭玄注：「故書蜎或作絹。」鄭司農云：「絹讀為悁邑之悁，悁謂橈也。」

絹是絲織物名。《說文》：「絹，繒如麥 色。」鄭司農讀絹為悁邑之悁者，是以絹為悁的通假字，而訓悁為橈。絹、悁皆從肙聲，故可通。段玉裁云：「大鄭本作絹，易為悁。悁邑者，悒悒也，鬱抑之皃，橈之義取此。」[55]

---

51 （宋）王昭禹：《周禮詳解》，《景印文淵閣四庫全書》（臺北市：臺灣商務印書館，1986年，景國立故宮博物院藏本），冊19，〈經部〉，〈禮類一〉，卷38。

52 （清）段玉裁：《周禮漢讀考》，《清經解》，冊4，頁222。

53 （清）段玉裁：《周禮漢讀考》，《清經解》，冊4，頁222。

54 （清）朱駿聲：《說文通訓定聲》，頁738。

55 （清）段玉裁：《周禮漢讀考》，《清經解》，冊4，頁222。

是鄭司農此注，以本字讀通假字也。

36　〈考工記・匠人〉：「凡行奠水，磬折以參伍。」鄭司農云：「奠讀為亭，謂行停水。」

按鄭司農注「奠讀為亭」之「亭」，《注疏》本原作「停」，據阮校改。又段玉裁云：「亭、停正俗字。古本作亭。易奠為亭，猶易奠為定也。」[56]朱駿聲云：「奠，假借為停。」並舉此鄭司農注為例，又曰：「停者，俗亭字。」[57]是鄭司農奠讀為亭者，以本字讀通假字也。

37　〈考工記・車人〉：「牝服二柯有參分柯之二。」鄭司農云：「牝服，謂連箱。服讀為負。」

孫詒讓云：「服讀為負者，明與服牛、服馬義異也。服、負聲近假借字。《釋名・釋車》云：『負，在背上之言也。』此讀服為負，蓋亦取背負之義，箱在輿版上，若負之然。」[58]是鄭司農此注，以本字讀通假字也。

38　〈考工記・弓人〉：「老牛之角紾而昔。」鄭司農云：「昔讀為交錯之錯，謂牛角觕理錯也。」

段玉裁云：「昔易為交錯者，謂角麤理不順。」[59]《說文》：「昔，乾肉也。」錯從昔聲，故此經以昔通錯。朱駿聲云：「昔，假借為錯。」[60]并舉此記為例。是鄭司農昔讀為交錯之錯者，以本字讀通假字也。

---

56 （清）段玉裁：《周禮漢讀考》，《清經解》，冊4，頁223。
57 （清）朱駿聲：《說文通訓定聲》，頁843。
58 （清）孫詒讓：《周禮正義》，冊14，頁3523。
59 （清）段玉裁：《周禮漢讀考》，《清經解》，冊4，頁223。
60 （清）朱駿聲：《說文通訓定聲》，頁463。

39 〈考工記・弓人〉：「凡相筋，欲小簡而長。」鄭司農云：「簡讀為撊然登陴之撊。」

《左傳》昭十八年：「今執事撊然授兵登陴。」杜注：「撊然，勁忿貌。」司農義本此。《說文》：「簡，牒也。」無勁忿義。段玉裁云：「大鄭讀為《春秋傳》之撊然者，易其字，謂筋休於氣，狀撊然也。」[61]即謂鄭司農以本字易通假字也。簡、撊皆從閒聲，故此記以簡通撊。

40 〈考工記・弓人〉：「斵目必荼。」鄭司農云：「荼讀為舒。舒，徐也。」

《說文》：「荼，苦荼也。」又曰：「舒，伸也。一曰：舒，緩也。」司農訓舒為徐，與《說文》「一曰」義同。荼、舒疊韻，皆屬魚部；荼是定母，舒是書母，定書準旁紐，故二字音近可通。段玉裁云：「此（荼）古文假借字。」[62]故鄭司農此注，是以本字讀通假字也。同例還見於：

〈考工記・弓人〉：「豐肉而短，寬緩以荼。」鄭司農云：「荼讀為舒。」

41 〈考工記・弓人〉：「恆角而短，是謂逆橈，引之則縱，釋之則不校。」鄭司農云：「恆讀為裻絙之絙。」

《說文》：「恆，常也。」又曰：「絙，竟也。」二字義異。然恆、絙古音疊韻，皆屬蒸部；恆是匣母，絙是見母，見匣旁紐，是二字音近可通。段玉裁云：「此皆易字也。」按此經之恆角義為竟角，故賈疏曰：「竟角而短，施角竟滿兩畔而上下短於限者也。」是此經絙為本字，恆為通假字，鄭司農此注，是以本字讀通假字也。

---

[61] （清）段玉裁：《周禮漢讀考》，《清經解》，冊4，第223頁。

[62] （清）段玉裁：《周禮漢讀考》，《清經解》，冊4，第223頁。

42 〈考工記・弓人〉：「凡為弓，方其峻而高其柎，長其畏而薄其敝，宛之無已，應。」鄭司農云：「敝讀為蔽塞之蔽，謂弓人所握持者。」

《說文》：「敝，帗也。一曰敗衣。」又曰：「蔽，蔽蔽，小草也。」引申為遮蔽。屈原〈九歌・國殤〉：「旌蔽日兮敵若雲。」王逸注：「言兵士竟路，旌旗蔽天。」[63]王力云：「敝，通蔽。」[64]並舉此經、注為例。段玉裁亦云：「此易其字。」是鄭司農此注，以本字讀通假字也。

（二）以通假字讀通假字（三例）

1 〈春官・小史〉：「大祭祀，讀禮灋，史以書敘昭穆之俎簋。」鄭玄注：「故書簋或為几。」鄭司農云：「几讀為軌，書亦或為簋，古文也。」

按甲骨文、金文皆有簋字，字形亦同，皆右旁象一圓形食器，左旁象手持匕柶扱取食物之形。《說文》：「簋，黍稷方器也。」以簋為盛黍稷器，甚合簋字本義，然謂簋為方器，則誤。鄭玄注云：「故書簋或為几。」段玉裁、徐養原、孫詒讓等皆以為几乃九字之誤。段玉裁云：「案簋字古音同九……今本注九訛几，非其聲類。」[65]徐養原云：「几字古文在脂微韻，簋、九並在尤韻，其音不同，注文似有訛舛。」[66]孫詒讓以為「段、徐校是也」[67]。按甲骨文、金文至戰國文字，九均用為數字，以其古音與簋同，皆屬見母幽部，故假借為簋。又鄭司農云「書亦或為簋」者，段玉裁以為此簋當作軌[68]。

---

63 （東漢）王逸：《楚辭章句》（臺北市：臺灣商務印書館，1986年），冊1062，卷2。

64 王力主編：《王力古漢語字典》「敝」下注，頁411。

65 （清）段玉裁：《周禮漢讀考》，《清經解》，冊4，頁206-207。

66 （清）徐養原：《周官故書考》，《清經解續編》，冊2，頁1224。

67 （清）孫詒讓：《周禮正義》，冊8，頁2101。

68 （清）段玉裁：《周禮漢讀考》，《清經解》，冊4，頁206-207。

孫詒讓曰：「凡注云『書亦或為』者，皆或作之字正與所讀同，故云『亦』以證成其說。鄭司農既不讀九為簋，則不當云『書亦或為簋』明矣。鄭司農本經文蓋亦從簋，故下注直云俎簋。而又兼從作軌之本者，以其與〈公食禮〉古文合也。……故改讀為軌，而又釋之云『簋古文』，明簋固是正字，而軌亦古文假借。」[69]按據段玉裁《漢讀考》及以上諸氏說，則此經「俎簋」當作「俎軌」，鄭玄注當云「故書軌或為九」，鄭司農注則當云：「九讀為軌，書亦或為軌，簋古文也。」軌的本義，《說文》訓「車轍」。軌字亦屬見母幽部，與簋同音，故可借為簋。《儀禮．公食大夫禮》「宰夫設黍稷六簋」，鄭注云：「古文簋皆為軌。」朱駿聲亦曰：「軌，假借為簋。《易．損》范長生本『二軌可用享』。」[70]是簋為本字，九、軌皆通假字。然假九為簋，除此經外，經典未見字例，是其用絕罕見，而假軌為簋，則每有所見，故鄭司農云「九讀為軌」者，是以較常見之通假字讀罕僻之通假字，亦為使人易曉也。

2 〈秋官．蜡氏〉：「蜡氏掌除骴。」鄭玄注：「故書骴作脊。」鄭司農云：「脊讀為漬，為死人骨也。」

《說文》：「骴，鳥獸殘骨曰骴，骴可惡也。」即此經骴字所取義。《說文》又曰：「脊，背吕也。」脊字古音屬精母錫部，骴屬從母支部，精從旁紐，支錫對轉，故故書假脊為骴。《說文》：「漬，漚也。」是漬亦骴之借字。鄭司農據故書作脊之本，而曰脊讀為漬者，是又通假字之通假。段玉裁云：「骴、胔、漬、殨、脊，五字同音，在古音十六部。《公羊傳》『大脊』，《禮記》注引作『大漬』。《漢志》『國亡捐瘠』，孟康曰：『肉腐為瘠。』瘠即故書之脊也。」[71]是鄭司農脊讀為漬者，以通假字讀通假字也。

---

[69] （清）孫詒讓：《周禮正義》，冊8，頁2102。

[70] （清）朱駿聲：《說文通訓定聲》，頁246。

[71] （清）段玉裁：《周禮漢讀考》，《清經解》，冊4，頁214。

3 〈輪人〉：「萬之以眡其匡也。」鄭玄注：「故書萬作禹。」鄭司農云：「禹讀為萬，書或作矩。」

按萬，又名萬蔞，是一種可用以測輪牙是否匡剌的工具。《說文》：「萬，艸也，從艸，禹聲。」此經借作萬蔞字。故書作禹者，亦借字。然鄭司農必讀禹為萬者，蓋萬蔞字習借萬字故也。又鄭司農云「書或作矩」者，矩則別一物，與萬蔞無涉，故鄭司農於注中疊之而不從。徐養原云：「按：《說文・艸部》：『萬，艸也，從艸，禹聲。』萬蔞本無正字，或借用萬，或借用禹，惟矩字雖亦與萬同音，自為規矩字，若與萬通用，則異物同名，易致相溷，恐非所宜。」[72]是鄭司農禹讀為萬，是以習用之通假字讀通假字也。

（三）以通假字讀通假字之通假字（三例）

1 〈天官・縫人〉：「衣翣柳之材。」鄭玄注：「故書翣柳作接橮。」鄭司農云：「接讀為歰，橮讀為柳，皆棺飾。〈檀弓〉曰：『周人牆置歰。』《春秋傳》曰：『四歰不蹕。』」

《說文》：「翣，棺羽飾也。」又曰：「歰，不滑也。」又曰：「接，交也。」翣是棺羽飾的本字，歰、接皆通假字。歰與翣古音同為山母，歰屬緝部，翣屬葉部，緝葉旁轉，故歰、翣音近可通。又接字屬精母葉部，是與翣字同部，精母則與翣字之山母為準旁紐，故接、翣亦可通。可見，歰、接都是翣的通假字。鄭司農接讀為歰，是以通假字讀通假字。然之所以易接為歰者，以歰較接習用故也，這由鄭司農所引〈檀弓〉、《春秋傳》可證。然除《周禮》故書，尚不見假接字之文例。

---

72 （清）徐養原：《周官故書考》，《清經解續編》，冊2，頁1129-1130。

2 〈考工記·梓人〉：「苟撥爾而怒，則於玄任重宜，且其匪色，必似鳴矣。」鄭注：「匪，采貌也。故書匪作飛。」鄭司農云：『飛讀為匪。』」

按匪是斐的通假字。《說文》：「斐，分別文也。」段注：「謂分別之文曰斐。〈衛風〉『有匪君子』，《傳》曰：『匪，文章皃。』〈小雅〉『萋兮斐兮』，《傳》曰：『萋斐，文章相錯也。』〈考工記〉注曰：『匪，采皃也。』皆不言分別。許云分別者，渾言之則為文，析言之則為分別之文。」段玉裁又云：「鄭君云『匪，文貌』（按鄭注原文作采貌），則匪者，斐之假借，與〈淇奧〉詩同。」[73]《說文》又曰：「飛，鳥翥也。」飛、匪古音近，皆幫母微部，是飛可通匪。鄭司農云「飛讀為匪」者，是以飛為匪的通假字，是又通假字之通假字也。然鄭司農必易飛為匪者，以假匪為斐，經典較習見故也。

3 〈考工記·弓人〉：「凡為弓，冬析幹而春液角。」鄭司農云：「液讀為醳。」

《說文》：「液，𦚱也。」與此經義無涉。醳，《六書故·工事四》：「醳，亦與釋通。《史記·張儀傳》曰：『掠笞數百不服，醳之。』」[74]釋，《說文》：「解也。」《釋文》：「液音亦。醳音亦，劉、沈音釋。」[75]是此經液是醳的通假字，醳又是釋的通假字。故朱駿聲云：「液，叚借為醳，實為釋。〈考工·弓人〉『冬析幹而春液角』，按解也。」[76]故鄭司農此注，是以通假字讀通假字之通假字。

---

[73] （清）段玉裁：《周禮漢讀考》，《清經解》，冊4，頁222。

[74] （宋）戴侗：《六書故》，《景印文淵閣四庫全書》（臺北市：臺灣商務印書館，1986年，影國立故宮博物院藏本），〈工事四〉。

[75] （唐）陸德明：《經典釋文》（北京市：中華書局，1983年），〈周禮音義下〉，頁141。

[76] （清）朱駿聲：《說文通訓定聲》，頁468。

（四）以區別字讀本原字（三例）

1 〈地官・鄉師〉：「及窆，執斧以涖匠師。」鄭玄注：「故書蒞作立。」鄭司農云：「立讀為涖，涖謂臨視也。」

按立的本義為站立，甲骨文、金文立字即象人正面站立之形。人之所立，即人之所臨也，故引申而有涖臨、臨視之義。甲骨文中有「立史」連文者，徐中舒曰：「疑當讀為蒞事。」[77]金文中亦有「立事」之文（如〈國差𦉜〉、〈陳章壺〉等）[78]，亦當讀為涖事。戰國古文則每見「立事歲」之文，何琳儀《戰國古文字典》所舉就有十三例之多[79]，蓋皆當讀為「涖事歲」。後乃造竦字，以為涖臨義的專字。《說文》：「竦，臨也。」或又假位字（按位亦立的區別字），如《春秋》僖三年「公子季友如齊蒞盟」（按蒞、涖字同，見下），《穀梁傳》云：「蒞，位也。」《易・需卦・彖傳》「位乎天位」，《周易音義》釋上「位」字引鄭注曰：「音涖。」[80]後又於位旁加水，或於位上加艸，而造涖、莅二字，且為人所習用，而前此所造之竦字反廢。段玉裁《說文》「竦」下注云：「《道德經》《釋文》云：『古無莅字，《說文》作竦。』按莅行而竦廢矣。」是故書作立者，用本原字也。今書作涖者，區別字也。鄭司農、鄭玄皆從區別字而不從本原字，為其於經義尤切，且習用易曉故也。同例還見於：

〈春官・大宗伯〉：「凡祀大神，享大鬼，祭大示，……涖玉鬯。」鄭注：「故書涖作立。鄭司農讀為涖。涖，視也。」

〈春官・小宗伯〉：「小宗伯之職，掌建國之神位：右社稷，左宗廟。」鄭玄注：「故書位作立。」鄭司農云：「立讀為位，古者立、位同字。古文

---

77 徐中舒主編：《甲骨文字典》，頁1180。

78 見容庚編著，孫振林、馬國權摹補：《金文編》（北京市：中華書局，1985年），頁710。

79 何琳儀：《戰國古文字典》（北京市：中華書局，1998年），冊下，頁1382。

80 陸德明：《經典釋文》，頁20。

《春秋經》『公即位』作『公即立』。」

2 〈春官・肆師〉：「凡師不功，則助牽主車。」鄭玄注：「故書功為工。鄭司農工讀為功。古者工與功同字。」

按古工與功同字者，即只作工，甲骨文、金文至戰國古文功皆不從力。其字形自甲骨文以降，亦大體相同，蓋象規矩之形。規矩為工具，引申而有工作、事功、功業等義。如〈中山王鼎〉「庸其工」，〈中山王壺〉「休又成工」[81]，〈中山王圓壺〉「先王之工剌」[82]，工皆讀為功。後乃加力旁而造功字，用為功業字，且為典籍所習用，《說文》所謂「功，以勞定國」是也。工是本原字，功是區別字。鄭司農工讀為功者，是以區別字讀本原字也。而段玉裁謂「此（故書）古文假借字」[83]，則非也。

3 〈春官・肆師〉：「凡國之大事，治其禮儀。」鄭玄注：「故書儀為義。鄭司農義讀為儀。古者書儀但為義，今時所謂義為誼。」

按儀、義本一字，甲骨文、金文儀字皆不從人。《說文》：「義，己之威義也。」（此據段注本）段注曰：「古者威儀字作義。」王引之亦曰：「古禮儀字本作義也。」[84]後乃加亻旁而造儀字，且習用為禮儀字，而其本原字則用作情義字或仁義字。按儀的本義為禮儀，《說文》訓儀為度，乃其引申義。學者或有據許氏之訓而以儀為假借字者，如孫詒讓曰「凡威儀字，古正作義，漢以後假借儀度之儀為之」[85]，則非也。儀非義之假借字，而是其區別字。同例還見於：

---

81 容庚編著，孫振林、馬國權摹補：《金文編》，冊上，第312頁。

82 何琳儀：《戰國古文字典：戰國文字聲系》，冊上，頁411。

83 （清）段玉裁：《周禮漢讀考》，《清經解》，冊4，頁199，

84 （清）王引之：《經義述聞》，《清經解》，冊6，〈禮記中〉，「別之以禮義」條，頁893。

85 （清）孫詒讓：《周禮正義》，冊3，頁710。

《春官・典命》:「典命掌諸侯之五儀，諸臣之五等之命。」鄭玄注:「故書儀作義。鄭司農義讀為儀。」

（五）以本原字讀區別字（一例）

1.〈地官・鄉師〉:「以歲時巡國及野，而賙萬民之囏阨。」鄭司農云:「賙讀為周急之周。」

《說文》:「周，密也。」引申而有周濟、救濟之義。〈大雅・雲漢〉:「靡人不周。」《毛傳》:「周，救也。」《論語・雍也》:「周急不繼富。」邢昺疏云:「周救人之窮急。」此義後來寫作賙[86]，可見賙是周的區別字。故鄭司農賙讀為周急之周，是以本原字讀區別字。按漢人蓋罕用賙字，這由《史記》、《漢書》中皆不見賙字，而《說文》中亦不收賙字可證，而「周急」之周則為人所習用，故鄭司農仍以本原字讀之，亦為使人明白易曉也。

（六）以今字或時人習用之字讀古字（八例）

1　〈天官・大宰〉:「三曰官聯。」鄭司農云:「聯讀為連，古書連作聯。聯謂連事通職，相佐助也。」

《說文》:「聯，連也。」段玉裁曰:「周人用聯字，漢人用連字，古今字也。」[87]按聯、連在此音義同[88]，據段玉裁說，鄭司農聯讀為連者，是以漢時通用字讀古字。至於聯、連二字是否如鄭、段二氏說為古今字，茲姑不論。

86　王力主編:《王力古漢語字典》，頁113。

87　(清)段玉裁:《說文解字注》「聯」字下注，頁591。

88　據《說文》，連字的本義為負連，而引申為連屬字，見(清)段玉裁《說文解字注》，頁73。

2　〈地官‧敘官〉：「稾人。」鄭司農云：「稾讀為犒師之犒。主冗食者，故謂之犒。」

《說文》：「稾，木枯也。」段注：「凡潤其枯稾曰稾，猶慰其勞苦曰勞。」是稾引申而有犒勞義。《玉篇》：「犒，餉軍。」然犒餉義古只作稾，犒是後起字。〈秋官‧小行人〉：「若國師役，則令槁禬之。」鄭玄注云：「故書槁為稾。鄭司農云：『稾當為槁，謂槁師也。』」段玉裁云：「稾，或作槁，同。」又云：「犒師字古衹作槁耳。漢人作犒。何休注《公羊》曰『牛酒曰犒』。高誘注《淮南》曰『酒肉曰餉，牛羊曰犒。』漢〈斥彰長碑〉則從酒省作醅。然則先鄭舉時語時字以說古經，不必改犒為槁也。」[89]《說文》「稾」下段注亦曰：「蓋漢時盛行犒字，故大鄭以今字易古字，此漢人釋經之法也。」而《左傳》、《國語》中的犒字，段注以為皆本作稾，為漢人所改。是鄭司農讀稾為犒，是以習用之今字讀古字也。

3　〈地官‧鄉師〉：「大軍旅、會同，正治其徒役，與其輦輦。」鄭玄注：「故書輦作連。」鄭司農云：「連讀為輦。」

《說文》：「連，負車也。」（此據段注本）段注：「連即古文輦也。」《說文》又曰：「輦，輓車也。」段玉裁云：「連、輦古今字。……〈巾車職〉及《管子》書輦字皆作連。」[90]是鄭司農連讀為輦者，以今字讀古字也。

4　〈地官‧里宰〉：「以歲時合耦於耡。」鄭司農云：「耡讀為藉。」

《說文》：「耡，殷人七十而耡。耡，耤，稅也。」又曰：「耤，帝耤也。古者使民如借，故謂之藉。」王力說：「耤，後作藉。」又說：「耤，同藉。《漢書‧郭解傳》：『以軀耤友報仇。』顏師古注：『古藉字也。藉謂借

89 （清）段玉裁：《周禮漢讀考》，《清經解》，冊4，頁192。
90 （清）段玉裁：《周禮漢讀考》，《清經解》，冊4，頁193。

助。』」[91]是耡、籍二字在此義同，義皆為借助。然借助字漢人罕用耡而多用藉，這由《史記》、《漢書》借助字皆用藉（偶用耤）而不用耡可證，故鄭司農耡讀為藉者，是以時人習用字讀生僻字也。

5 〈春官．司几筵〉：「王位設黼依，依前南鄉設莞筵紛純，加繅席畫純。」鄭司農云：「繅讀為藻率之藻。」

《周禮．弁師》「諸侯之繅斿九就」下鄭司農云：「繅當為藻，繅古字也，藻今字也，同物同音。」可見，鄭司農以繅、藻為古今字。然司農必讀繅為藻者，段玉裁云：「司農恐人不識，易為藻字。藻謂畫水藻文也。」是鄭司農繅讀為藻率之藻者，以今字易古字也。然〈弁師〉司農注作「當為」者，非謂繅是誤字，蓋以為當易為通行之今字，以使人易曉也。同例還見於：

〈春官．典瑞〉：「王晉大圭，執鎮圭，繅藉五采五就，以朝日。」鄭司農云：「繅讀為藻率之藻。」

6 〈春官．典瑞〉：「駔圭、璋、璧、琮、璜之渠眉，疏璧、琮以斂尸。」鄭司農云：「疏讀為沙。謂圭、璋、璧、琮、琥、璜，皆為開渠為眉瑑，沙除以斂尸，令汁得流去也。」

《說文》：「疏，通也。」引申而有清除、排除義。孫綽〈遊天台山賦〉：「過靈溪而一濯，疏煩想於心胸。」李善注引賈逵《國語注》云：「疏，除也。」[92]《說文》又曰：「沙，水散石也。」引申而有沙汰、淘汰義。《廣韻．麻韻》：「沙，沙汰。」[93]按疏、沙二字古音雙聲，都是山母；疏屬魚部，沙屬歌部，魚歌通轉，是二字音近；沙汰義與疏除義亦相近。然漢人蓋習用沙汰字，故段玉裁云：「沙除者，猶後代人云『沙汰』，令去之言也。於渠眉間

---

91 王力主編：《王力古漢語字典》，頁978。

92 （梁）蕭統：《文選》，冊上，頁165。

93 余迺永：《新校互註宋本廣韻》，頁167。

沙除尸汁。」[94]故鄭司農讀疏為沙，是以漢人習用之字讀之，以使人易曉。

7 〈春官·樂師〉：「凡舞，有帗舞，有羽舞，有皇舞。」鄭玄注：「故書皇作𦏠。」鄭司農云：「 讀為皇，書亦或為皇。」

按金文皇字形體多變，皇字的本義說亦紛紜，愚意以為李國正及秦建明說近是。李、秦二氏雖於皇字字形的解說略異，但都以為皇字是孔雀（或古人理想中的鳳凰）羽毛的象形，故持皇而舞，謂之皇舞[95]。《說文》訓皇為「大也」，實為引申義。𦏠字則是皇的區別字，用作皇舞的專字。《說文》：「𦏠，樂舞，從羽，王聲。」按皇字上半的白，乃金文皇字上半之隸變，本是孔雀尾翎的象形，用作皇字的意符，下半的王則為聲符（參見李國正說），𦏠字從羽，即源於皇字之從白。然𦏠字雖出，典籍仍習用皇為皇舞字，故鄭司農𦏠讀為皇，實以本原字讀區別字，為本原字已習用故也。

8 〈秋官·敘官〉：「硩蔟氏。」鄭司農云：「硩讀為擿。」鄭玄注：「硩，古字，從石，折聲。」

段玉裁云：「鄭君謂『硩，古字』者，此因大鄭義申之，謂硩、擿古今字，非有二字也。」[96]按硩、擿是否為古今字，茲姑不論。然鄭玄既以硩為擿的古字，蓋鄭司農意本如此，故段氏如是說。是鄭司農硩讀為擿者，以今字讀古字，亦為使人易曉也。然學者亦有以硩為擿之通假字者[97]，說亦可參。

---

94 （清）段玉裁：《周禮漢讀考》，《清經解》，冊4，頁201。

95 李國正、秦建明說，見《古文字詁林》（上海市：上海教育出版社，1999年），冊1，頁233、頁236。

96 （清）段玉裁：《周禮漢讀考》，《清經解》，冊4，頁213。

97 如馬敘倫即持此說，詳《說文解字六書疏證》（北京市：科學出版社，1957年），卷18、卷23。

（七）以正體字讀異體字（三例）

1 〈夏官．敘官〉：「司勳。」鄭玄注：「故書勳作勛。」鄭司農云：「勛讀為勳。勳，功也。」

《說文》勛是勳的重文，曰：「勳，能成王功也。勛，古文也。」按勳在金文中作勛，勳是後起異體字。《說文》以勛為勳的古文，甚是。然勳雖晚出而為經典所習用，《三禮》之《周禮》、《禮記》中皆用勳字可證（《儀禮》中無勳勛字）。故《說文》遂以勳為字之正體，反以勛為異體重文。段玉裁云：「案《說文．力部》曰：『勳，能成王功也。勛，古文也。』是勳，古文；勛，小篆：實一字。司農當云『勛、勳古今字』，而云『讀為』者，時無勛字，不敢定為即勳，寧從易字之例也。」[98]按段玉裁此處蓋以古今人用字之不同為古今字，故云「司農當云『勛、勳古今字』」。然勛、勳實為異體字，非古今字[99]。是鄭司農「勛讀為勳」者，以習用之正體字讀其異體字也。

2 〈陶人〉：「鬲實五觳。」鄭司農云：「觳讀為斛。觳受三斗。〈聘禮．記〉有斛。」

《說文》：「觳，……讀若斛。」又曰：「斛，十斗也。」按作為量器，觳、斛異名而同實。孫詒讓說司農之注曰：「此疊異文，非改讀其字也。」[100]王力說：「觳、斛同音，實乃一詞。《說文》：『斛，十斗也。』度量衡因時因地不同，秦漢以後，斛為十斗，後來改為五斗，與《說文》『斗二升曰觳』有異。」[101]而鄭司農說則「觳受三斗」。司農所舉〈聘禮．記〉曰：「十斗曰斛。」鄭玄注又曰「豆實三而成觳，則觳受斗二升。」是皆如王力先生所說

98 （清）段玉裁：《周禮漢讀考》，《清經解》，冊4，頁208。

99 參看洪成玉：《古今字》（北京市：語文出版社，1995年），〈清人論古今字〉，〈段玉裁〉。

100 （清）孫詒讓：《周禮正義》，冊14，頁3368。

101 王力主編：《王力古漢語字典》，頁1258。

「因時因地不同」也。蓋作量名，漢人習用斛字而罕用㲄，由《史記》、《漢書》量名皆用斛可證。蓋作量名，以斛為正體，鄭司農讀㲄為斛，是以習用之正體字讀異體字。按段玉裁疑此司農注「似轉寫之誤，『讀為斛』本當是『或為斛』」[102]，則疑所不當疑也。

3 〈秋官．敘官〉：「翨氏。」鄭玄注：「翨，鳥翮也。」鄭司農云：「翨讀為翅翼之翅。」

翨同翅，《字彙．羽部》：「翨，與翅同。」[103]王力亦云：「翨，同翅。」[104]翨是翅的異體。鄭司農翨讀為翅翼之翅者，是以正體讀字之異體且兼釋其義也。

（八）以異體字讀正體字（二例）

1 〈夏官．小子〉：「而掌珥於社稷，祈於五祀。」鄭玄注：「故書祀作禩。」鄭司農云：「禩讀為祀，書亦或為祀。」

鄭司農所謂「或為祀」，謂今書。按祀的正體作異。甲骨文異字作雙手舉子之形，徐中舒說，所舉之子，「即祭祀中象徵神主之小兒，即所謂尸，舉尸即會意為祀。」後來在書寫中漸訛變為異，「為《說文》禩（祀別體）字所本，即祀之初文」[105]。甲骨文亦有祀字，從示從巳，巳即祭祀時「象徵神主之小兒」，實為異字之省（異上之田，乃子形之訛變；異下之共，象雙手有所舉持之形，巳即異字省去下半的共）[106]。是異乃祀字之正體，後又加示旁作禩。禩字除見於《說文》，還見於中山王器、碧落碑、《汗簡》及《古文

---

[102]（清）段玉裁：《周禮漢讀考》，《清經解》，冊4，第221頁。

[103]（明）梅膺祚：《字彙 》，《續修四庫全書》（上海市：上海古籍出版社，2002年，景明萬曆四十三年〔1615〕刻本），冊233，頁176。

[104] 王力主編：《王力古漢語字典》，頁969-970。

[105] 徐中舒主編：《甲骨文字典》，頁253。

[106] 徐中舒主編：《甲骨文字典》，頁19。

四聲韻》等[107]。然後世習用祀而罕用禩，以致許慎亦以禩為祀之或體。唯段玉裁於《說文》「祀」下注云：「《周禮．大宗伯》、〈小祝〉注皆云『故書祀為禩』。按禩字見於故書，是古文也。篆隸有祀無禩，是以漢儒杜子春、鄭司農不識，但云『當為祀』、『讀為祀』，而不敢直言古文祀，蓋其慎也。至許乃定為一字。」段氏以禩為祀的古文，可謂卓見。然因其不見甲骨文，亦不識禩（異）為祀的本字、正體。是鄭司農禩讀為祀者，以異體字讀字之正體也，以異體字習用故也。

2 〈秋官．敘官〉：「蟈氏。」鄭司農云：「蟈讀為蜮，蜮，蝦蟇也。」

《說文》蟈是蜮的或體，曰：「蜮又從國。」徐鉉注曰：「今俗作古獲切，以為蝦蟇之別名。」是蟈為蜮的異體，鄭司農此注是以異體字讀正體字而兼釋其義也。

（九）以習用字讀罕見之異體字（一例）

1 〈天官．縫人〉：「衣翣柳之材。」鄭玄注：「故書翣柳作接橮。」鄭司農云：「接讀為歰，橮讀為柳，皆棺飾。」

鄭司農橮讀為柳者，鄭玄注云：「柳之言聚，諸飾所聚。《書》曰：『分命和仲，度西曰柳穀。』」是鄭玄釋柳為聚，又引《書》以證其義。柳聚之訓，蓋據齊人語。鄭玄注《尚書大傳》「秋祀柳穀」曰：「柳，聚也，齊人語。」[108]是齊人語讀聚音如柳，遂借柳為聚，且為人所習用。如《儀禮》及《禮記》中凡翣柳字皆作柳，鄭玄注亦一概作柳，是其證。故書柳作橮者，字書無橮字，橮字本義不可知。吳任臣曰：「橮，與柳車之柳同。」[109]是以橮

[107] 此用朱德熙先生說，見朱德熙：〈中山王器的祀字〉，《文物》，1987年第11期。

[108]（清）轉引自惠棟：《九經古義．尚書上》，《清經解》，冊2，頁749。

[109]（清）吳任臣：《字彙補》，《續修四庫全書》（上海市：上海古籍出版社，2002年，景

為柳的異體字。然櫍字生僻罕見，人所難識，故鄭司農云櫍讀為柳，是以習用之字讀罕見之異體字也。

（十）以符合上下文例之字讀之（一例）

1 〈秋官．朝士〉：「凡有責者，有判書以治則聽。」鄭玄注：「判，半分而合者。故書判為辨。」鄭司農云：「辨讀為別，謂別券也。」

《說文》：「判，分也。」又曰：「辨，判也。」又曰：「𠁹（別），分解也。」是辨、判、別三字義同。鄭司農必從故書作辨之本，而讀辨為別者，蓋以〈小宰〉云「聽稱責以傅別」，與此經之義正相應故也。孫詒讓云：「（司農）云『辨讀為別』者，〈士師〉『傅別』注『故書別為辯』，引鄭司農云『辯讀為風別之別』，此讀與彼同。〈小宰〉『傅別』故書亦作『傅辨』，鄭大夫、杜子春並讀為別。鄭司農以此經云『凡有責者，有判書以治則聽』，與〈小宰〉『聽稱責以傅別』文正相應，故從故書作辨，而依鄭大夫、杜子春讀為別。」[110]是此經鄭司農辨讀為別者，以符合上下文例而義同之字讀之也。

（十一）以音同義近之字讀之（三例）

1 〈天官．大宰〉：「八曰匪頒之式。」鄭司農云：「頒讀為班布之班，謂班賜也。」

按班、頒二字雙聲疊韻，音義皆近，是同源字。《王力古漢語字典》「班」字下說：「《說文》：『班，分瑞玉。』《廣雅．釋詁三》：『班，布也。』

清康熙五年彙賢齋刻本），冊233，頁551，〈木部〉「櫍」字下。

[110]（清）孫詒讓：《周禮正義》，冊11，頁2827。

《說文》:『攽,分也。』朱駿聲《說文通訓定聲・屯部》『攽』字云:『按,經傳皆以頒以班為之。』在分布、頒布等意義上,班、攽(頒)實同一詞。《說文》:『頒,大頭也。』段玉裁『攽』字注:『馬注《尚書》:「頒猶分也。」云『猶』者,頒訓大,大則必分。』」[111]是鄭司農頒讀為班布之班,是以音同義近字讀之也。又段玉裁云:「頒讀為班布之班,謂班賜也,此假頒為班也。」[112]按段氏以頒為班的通假字,不確。同例還見於:

〈春官・大史〉:「頒告朔於邦國。」鄭司農云:「頒讀為班。班,布也。」

2 〈秋官・大行人〉:「王禮,再祼而酢。」鄭玄注:「故書祼作果。」鄭司農云:「祼讀為灌。再灌,再飲公也。」

《說文》:「祼,灌祭也。」又據《說文》,灌本水名,段注云:「今字以為灌注、灌溉之字。」按祼、灌二字音同義近,是同源字,故經典每通用。如《論語・八佾》:「自既灌而往者,吾不欲觀之矣。」《禮記・禮器》及〈郊特牲〉皆云:「灌用鬱鬯。」是皆以灌為祼祭字。而祼祭即以酒灌地以示祭。鄭玄於〈天官・小宰〉「祼將之事」及〈考工記・玉人〉「祼圭尺有二寸」皆注云:「祼之言灌也。」明祼、灌二字音義皆近,鄭司農祼讀為灌,是以音同義近字讀之,蓋以灌字於灌地之義猶顯而易曉也。

3 〈考工記・總敘〉:「刮磨之工五。」鄭玄注:「故書刮作捖。」鄭司農云:「捖摩之工謂玉工也。捖讀為刮,其事亦是也。」

《說文》:「刮,掊把也。」王筠《說文句讀》云:「此刮蓋與搜刮之刮相似,此把則與爬羅抉剔之爬同。……則所謂掊把者,摟而聚之也。」引申為刮摩。《玉篇・刀部》:「刮,摩也。」故書作捖者,《說文》無捖字,《玉

---

[111] 王力主編:《王力古漢語字典》,頁714。

[112] (清)段玉裁:《說文解字注》「頒」字下注,頁417。

篇・手部》釋之曰：「摶圜也。《周禮》注云：『捖摩之工，謂玉工也。』」又《集韻・鎋韻》：「刮，摩切，或作捖。」[113]是刮、捖二字義同。刮古音屬見母月部，捖屬匣母元部，見匣旁紐，月元對轉，是二字音亦相近。可見此經刮、捖二字皆可用。然刮摩義經典習用刮字，而捖字則甚罕見，故鄭司農讀為刮。

（十二）注明字的讀音（三十四例）

1 〈地官・司門〉：「司門掌管鍵，以啟閉國門。」鄭司農云：「鍵讀為蹇。」

鍵、蹇古音近，鄭司農鍵讀為蹇者，擬其音也。段玉裁曰：「『鍵讀為蹇』，此不可通，非『讀如』之訛，則經文本作『蹇』，注文作『蹇讀為鍵』之訛也。」[114]段氏此說實以鄭司農「鍵讀為蹇」為擬音，故疑此注之「讀為」為「讀如」之訛，否則就是經文和注文的鍵、蹇二字互訛。按段氏以此「讀為」為擬音，甚是。然疑「讀為」當作「讀如」，或徑疑經、注之鍵、蹇二字互訛則非，此實拘於其對「讀為」術語的界定所致，甚不可取。鄭玄注《周禮》即每以「讀為」擬音[115]，鄭司農亦不例外。

2 〈春官・司尊彝〉：「祼用虎彝、蜼彝。」鄭司農云：「蜼讀為蛇虺之虺，或讀為公用射隼之隼。」

《說文》：「蜼，如母猴，卬鼻長尾。」段注：「母猴、獮猴、沐猴，一聲之轉。……張揖注〈上林〉曰：『蜼似母猴，卬鼻而長尾。郭注《爾雅》、《山海經》皆曰似獮猴。」是蜼彝蓋畫飾有獮猴之形，故名。然鄭司農蜼讀

113 此據《小學名著六種・集韻》（北京市：中華書局，1998年），頁160。

114（清）段玉裁：《周禮漢讀考》，《清經解》，冊4，頁196。

115 參見拙著：《鄭玄三禮注研究》（北京市：中國社會科學出版社，2008年），頁548-552。

為蛇虺之虺者，《爾雅・釋魚》:「蝮虺，博三寸，首大如擘。」是虺為蛇，與蜼不類。又曰或讀為公用射隼之隼者，《說文》:「隼，鷙鳥也。」是亦與蜼不類。然蜼、虺、隼三字古音近。虺、蜼疊韻，皆屬微部；隼屬文部，與微部可以對轉。故鄭司農蜼讀為虺，或讀為隼，皆擬其音也。

3 〈春官・典瑞〉:「駔圭、璋、璧、琮、璜之渠眉。」鄭司農云:「駔，外有捷盧也。駔讀為駔疾之駔。」

賈疏云:「先鄭讀駔為駔牙之駔，故云『外有捷盧』。捷盧若鋸牙然。云『駔讀為駔疾之駔』，此蓋當時有駔疾之語，故言焉。」段玉裁云:「此疏『駔牙之駔』，當作『鉏牙之鉏』。〈玉人〉注『牙璋有鉏牙之飾』，鉏牙即《說文・金部》之鉏鎁，一作鉏鋙，〈齒部〉作齟齬，《左氏》作鉏吾。……駔疾亦疊字，敏捷之意，疏說恐非。」[116]孫詒讓亦云:「駔疾，蓋謂馬行疾也。但駔疾與外有捷盧之義無會，竊疑『讀為』當作『讀如』，此擬其音，非釋其義也。」[117]據段、孫二氏說，鄭司農駔讀為駔疾之駔者，實為駔字注音。按駔字在漢代義與讀音非一，故鄭司農特注明駔字在此當讀為駔疾之駔也，以免讀者誤讀其音而誤會其義。然孫詒讓疑「讀為」當為「讀如」，亦非也。

4 〈春官・車僕〉:「大射，共三乏。」鄭司農云:「乏讀為匱乏之乏。」

按乏，又名容，亦名防，是獲者唱獲時借以防矢之物，其形似屏風。故《儀禮・鄉射禮》鄭玄注云:「容謂之乏，所以為獲者禦矢也。」鄭司農云乏讀為匱乏之乏者，擬其音也。蓋乏在漢代讀音非一，故司農特注明之。

116（清）段玉裁:《周禮漢讀考》,《清經解》，冊4，頁201。

117（清）孫詒讓:《周禮正義》，冊6，頁1598。

5 〈夏官・服不氏〉：「賓客之事，則抗皮。」鄭司農云：「謂賓客來朝聘，布皮帛者，服不氏主舉藏之。抗讀為亢其讎之亢。」

此經抗義為舉。《說文》：「抗，扞也。」段注云：「引申之義為高抗。〈既夕〉注曰：『抗，舉也。』」此經鄭玄注亦曰：「抗者，若〈聘禮〉曰『有司二人舉皮以東』。」《說文》又曰：「亢，人頸也。」段注云：「引申為高也，舉也，當也。」是此經抗、亢二字皆可用。而鄭司農抗讀為亢其讎之亢者，擬其音也。按亢与抗古同音，皆溪母陽部，聲調亦同，故鄭司農讀從其音。司農必云抗讀為亢其讎之亢者，蓋因「亢其讎」之語雖出《左傳》，而已為漢人所習知，故用以為抗字注音。鄭司農注〈夏官・馬質〉「綱惡馬」亦云：「綱讀為『以亢其讎』之亢。」

6 〈夏官・射鳥氏〉：「射則取矢。矢在侯高，則以並夾取之。」鄭司農云：「並夾，鍼箭具。夾讀為甲，故〈司弓矢職〉曰『大射、燕射共弓矢、並夾』。」

鄭司農夾讀為甲者，此亦擬音也。段玉裁亦云：「此擬其音。」[118]然段氏因此而改「讀為」為「讀如」，則非也。

7 〈夏官・羅氏〉：「蜡，則作羅襦。」鄭司農云：「襦，細密之羅。襦讀為繻有衣袽之繻。」

鄭司農云襦讀為繻有衣袽之繻者，此亦擬音也。孫詒讓曰：「段玉裁云：『讀為疑當作讀如。』按段說是也。凡擬其音，例當云『讀如』。」[119]按段、孫二氏皆疑所不當疑也。

118（清）段玉裁：《周禮漢讀考》，《清經解》，冊4，頁210。

119（清）孫詒讓：《周禮正義》，冊9，頁2449。

8 〈夏官・司弓矢〉：「恒矢、庳矢用諸散射。」鄭司農云：「庳矢，讀為人罷短之罷。」

段玉裁云：「人罷短之罷，見〈典同〉。……司農易庳為罷，謂其矢短也。」[120]《說文》：「庳，中伏舍。……一曰屋卑。」（此據段注本）段注曰：「《左傳》曰：『宮室卑庳。』引申之，凡卑皆曰庳。《周禮》：『其民豐肉而庳。』」是庳、罷在此義同，義皆為短。鄭司農讀庳為人罷短之罷者，擬其音也。段玉裁云：「庳從广，卑聲，在古音十六部，與罷在十七部聲類最近。」[121]

9 〈夏官・廋人〉：「散馬耳。」鄭司農云：「散讀為中散大夫之散，謂聒馬耳，令毋善驚也。」鄭玄注：「散馬耳，以竹括押其耳，頭動搖則括中物，後遂串習，不復驚。」

按鄭司農注以為「散馬耳」意即「聒馬耳，令毋善驚」。鄭玄注又申成其意云：「散馬耳，以竹括押其耳，頭動搖則括中物，後遂串習，不復驚。」而此散馬耳的散字的讀音，則同於中散大夫之散，是亦擬音也。蓋散字在漢代讀音非一，故鄭司農特注明之。

10 〈秋官・敘官〉：「冥氏。」鄭司農云：「冥讀為《冥氏春秋》之冥。」

阮校云：「此擬其音，非改其義。」

11 〈秋官・敘官〉：「柞氏。」鄭司農云：「柞讀為音聲唶唶之唶，屋笮之笮。」

此擬音也。段玉裁云：「謂讀如此二音也。」然段氏又云「今各本作

120（清）段玉裁：《周禮漢讀考》，《清經解》，冊4，頁211。

121（清）段玉裁：《周禮漢讀考》，《清經解》，冊4，頁211。

『讀為』，誤」[122]，則非也。

12 〈秋官．敘官〉：「壺涿氏。」鄭玄注：「故書涿為獨。」鄭司農云：「獨讀為濁其源之濁，音與涿相近，書亦或為濁。」

按鄭司農云書亦或為濁的「濁」字，段玉裁《周禮漢讀考》校改為「涿」，徐養原以為改之「是也」[123]。涿，《說文》訓「流下滴也」，即以涿為象聲詞，象水流滴擊之聲。段注云：「《周禮．壺涿氏》注：『壺，瓦鼓也。涿，擊之也。』按擊瓦鼓之聲如滴然，故曰壺涿。今俗謂一滴曰一涿，音如篤，即此字也。」故書涿為獨者，獨、涿疊韻，古音皆屬屋部；獨是定母，涿是端母，定端旁紐，是二字音近，故故書借獨為象聲詞。是今書之涿，故書之獨，在此義同，皆用作象聲詞，以象水流滴擊之聲。然則鄭司農讀獨為濁其源之濁者，濁與獨古音雙聲疊韻，與涿字音亦相近，是司農此注，擬音也，義則不異，故司農又云「書亦或為濁（涿）」。

13 〈秋官．司儀〉：「皆旅擯。」鄭司農云：「旅讀為旅於太山之旅，謂九人傳辭，相授於上下竟，問賓從末上行，介還受，上傳之。」

旅是祭名。〈天官．掌次〉：「大旅上帝，祭天於圜丘。國有故而祭曰旅。」《論語．八佾》：「季氏旅於泰山。」鄭司農注即本此。然此經之旅義為傳，謂交擯傳辭，與旅祭義無涉。是鄭司農旅讀為旅於太山之旅，擬音也。

122（清）段玉裁：《周禮漢讀考》，《清經解》，冊4，頁212。

123（清）徐養原：《周官故書考》，《清經解續編》，冊2，頁1227。

14 〈考工記．總敘〉：「六尺有六寸之輪，軹崇三尺有三寸也，加軫與轐焉四尺也。」鄭司農云：「轐讀為旃僕之僕，謂伏兔也。」

據鄭司農說，轐即伏兔，而轐的讀音則為旃僕之僕。旃僕何物？段玉裁曰「未聞」；而以為司農此注之「讀為」亦當為「讀如」[124]，則不可取。

15 〈考工記．輪人〉：「眡其綆，欲其蚤之正也。」鄭司農云：「綆讀為關東言餅之餅，謂輪箄也。」

鄭司農綆讀為關東言餅之餅者，擬音也。故段玉裁改此「讀為」為「讀如」，曰：「綆讀如關東言餅，擬其音也。今本作『讀為』，誤。必如關東言餅，則他處言餅非其讀也。」按段氏說司農此注是「擬其音」，甚是，然以「讀為」為誤，則非也。

16 〈考工記．輪人〉：「陽也者稹理而堅。」鄭司農云：「稹讀為奠祭之奠。」

稹古音照母真部，奠定母耕部，照定準旁紐，真耕二部通轉，故二字音近。是鄭司農此注，亦擬音也。段玉裁改「讀為」為「讀如」，云：「讀如奠者，擬其音。今本作『讀為』，非也。」[125]

17 〈考工記．輪人〉：「以其圍之阞捎其藪。」鄭玄注：「捎，除也。」鄭司農云：「捎讀為蟏蛸之蛸。」

此經捎義為除，故鄭玄訓除。《說文》：「捎，自關以西，凡取物之上者為撟捎。」孫詒讓云：「捎除蓋其引申之義。」[126]《說文》又云：「蛸，蟲蛸，堂蜋子。」段注云：「名其子則云蟏蛸。」是鄭司農捎讀為蟏蛸之蛸者，擬其

---

[124] （清）段玉裁：《周禮漢讀考》，《清經解》，冊4，頁217。

[125] （清）段玉裁：《周禮漢讀考》，《清經解》，冊4，頁218。

[126] （清）孫詒讓：《周禮正義》，冊13，頁3155。

音也。故段玉裁又改此注之「讀為」為「讀如」[127]。

18 〈考工記・輈人〉：「是故輈欲頎典。」鄭司農云：「頎讀為懇，典讀為殄。馴馬之輈，率尺所一縛，懇典似謂此也。」

此經鄭司農之二「讀為」皆擬音也。段玉裁云：「頎典二字疊韻，……其云讀為懇，讀為殄者，皆當作『讀如』，擬其音耳，故下文仍云頎典，不云懇殄也。」[128]段說是也，然不當擅改此「讀為」為「讀如」。

19 〈考工記・輈人〉：「良輈環灂，自伏兔不至軓七寸，軓中有灂，謂之國輈。」鄭司農云：「灂讀為『灂酒』之灂。環灂，謂漆沂鄂如環。」

賈疏云：「先鄭讀『灂酒』之灂者，讀從〈士冠禮〉『若不醴（按《注疏》本醴原誤作體），灂用酒』之灂。」按今《注疏》本〈士冠禮〉「灂」作「醮」。《說文》：「醮，冠娶禮祭。」又曰：「灂，水小聲。」醮字古音精母宵部，灂字牀母覺部，精牀準旁紐，宵覺旁對轉，是二字音近，可相通假。司農及賈疏所引，是用通假字之本。然此經鄭司農注則為擬音，故段玉裁又云：「讀為當作讀如，謂其音同也。」[129]

20 〈考工記・冶氏〉：「重三鋝。」鄭司農云：「鋝，量名也。讀為刷。」

鄭玄注云：「許叔重《說文解字》云：『鋝，鍰也。』……鍰、鋝似同矣。」此經鄭司農鋝讀為刷者，擬音也。段玉裁改「讀為」為「讀如」，曰：「〈呂刑〉『罰百鍰』，《今文尚書》作率，亦作選。應劭曰：『選音刷。』

127（清）段玉裁：《周禮漢讀考》，《清經解》，冊4，頁218。

128（清）段玉裁：《周禮漢讀考》，《清經解》，冊4，頁219。

129（清）段玉裁：《周禮漢讀考》，《清經解》，冊4，頁219。

與此『讀如刷』一也。今本注作『讀為』，誤。」按《說文》:「刷，刮也。」與量名之鋝義無涉，是鄭司農讀為刷者，顯為擬音。段玉裁改「讀為」為「讀如」，亦非。

21 〈考工記．函人〉：「凡察革之道：眡其鑽空，欲其窓也。」鄭司農云：「窓，小孔貌。窓讀為宛彼北林之宛。」

《說文》窓是宛的或體，曰：「窓，宛或從心。」段注云：「〈函人〉『為甲， 其鑽孔，欲其窓也。』鄭司農云：『小孔皃。窓讀為宛彼北林之宛。』按『讀為』當作『讀如』。先鄭不云宛窓同字，許乃一之。」段氏《漢讀考》又云：「此擬其音也。今本作『讀為』，誤。」[130]

22 〈考工記．韗人〉：「穹者三之一。」鄭司農云：「穹讀為志無空邪之空，謂鼓木腹穹隆者居鼓三之一也。」

此擬音也。段玉裁云：「『志無空邪』，今《管子．弟子職》篇作『志無虛邪』。古穹、空多通用。如《毛詩》『在彼空谷』，《韓詩》作『穹谷』。是司農云『腹穹隆』，則上文穹讀如空而已，非易為空字。今本作『讀為』，誤也。」段說是也，然以「讀為」為誤，亦非。

23 〈考工記．梓人〉：「梓人為筍虡。」鄭司農云：「筍讀為竹筍之筍。」

此擬音也。段玉裁《漢讀考》改「讀為」為「讀如」，云：「『讀如』，各本作『讀為』，誤也。此與〈典庸器〉注皆擬其音耳。」[131]

130（清）段玉裁：《周禮漢讀考》，《清經解》，冊4，頁220。

131（清）段玉裁：《周禮漢讀考》，《清經解》，冊4，頁221。

24 〈考工記・梓人〉：「其聲大而宏。」鄭司農云：「宏讀為紘綖之紘，謂聲音大也。」

賈疏云：「讀從《左傳》桓二年，臧哀伯曰『衡紞纮綖』，取其音同耳。」段玉裁亦云：「凡外圍弇，其內深廣曰宏，似不假易為纮也。」[132]是司農此注，亦擬音也。

25 〈考工記・梓人〉：「上綱與下綱出舌尋，縜寸焉。」鄭司農云：「縜，籠綱也。縜讀為竹中皮之縜。」

段玉裁云：「案『讀為竹中皮之縜』者，當作『讀如竹青皮筠之筠』，擬其音也。筠，於貧反，今之筠字，〈顧命〉、〈禮器〉、〈聘義〉注字皆作筠。」段說是也，然改「讀為」為「讀如」則非。

26 〈考工記・廬人〉：「是故句兵椑。」鄭司農云：「椑讀為鼓鼙之鼙。」

此擬音也。故段玉裁亦以為此「讀為」當作「讀如」[133]。

27 〈考工記・匠人〉：「梢溝三十里而廣倍。」鄭司農云：「梢讀為桑螵蛸之蛸。蛸謂水漱齧之溝。故三十里而廣倍。」

《說文》：「蛸，蟲蛸，堂蜋子。」與「水漱齧之溝」義無涉。故段玉裁又改此「讀為」為「讀如」，云：「讀如桑螵蛸，前注已兩見之，皆擬其音耳。」

---

[132] （清）段玉裁：《周禮漢讀考》，《清經解》，冊4，頁222。

[133] （清）段玉裁：《周禮漢讀考》，《清經解》，冊4，頁222。

28　〈考工記・車人〉：「車人為耒，庛長尺有一寸。」鄭司農云：「庛讀為其顙有疵之疵，謂耒下岐。」

此「讀為」亦擬音也。段玉裁改為「讀如」，云：「讀如顙疵，此擬其音耳。」[134]

29　〈考工記・弓人〉：「凡取幹之道七：柘為上，檍次之……」鄭司農云：「檍讀為億萬之億。」

段玉裁云：「此擬其音耳。」又改「讀為」為「讀如」[135]。

30　〈考工記・弓人〉：「漆欲測，」鄭司農云：「測讀為惻隱之惻。」

段玉裁云：「易為惻隱之惻者，猶今人云可憐也。」[136]是其義與此經無涉。故孫詒讓曰：「先鄭此讀，未詳其義。」[137]按司農此讀，蓋亦為擬音也。

31　〈考工記・弓人〉：「夫筋之所由幨，恆由此作。」鄭司農云：「幨讀為車幨之幨。」

段玉裁云：「此『讀為』乃『讀如』之誤。謂音同，不取其義也。」[138]

32　〈考工記・弓人〉：「厚其帤則木堅，薄其帤則需。」鄭司農云：「帤讀為襦有衣絮之絮。帤謂弓中裨。」

按段玉裁改此經之「需」為「耎」，改司農注之「絮」為「絜」，是也。段氏又云：「此『讀為』乃『讀如』之誤。帤、絜皆非弓裨正字，其音

[134]（清）段玉裁：《周禮漢讀考》，《清經解》，冊4，頁223。
[135]（清）段玉裁：《周禮漢讀考》，《清經解》，冊4，頁223。
[136]（清）段玉裁：《周禮漢讀考》，《清經解》，冊4，頁223。
[137]（清）孫詒讓：《周禮正義》，冊14，頁3542。
[138]（清）段玉裁：《周禮漢讀考》，《清經解》，冊4，頁224。

義相同耳。注不言綮謂弓中裨，則知非易字也。」[139]「非易字」，即謂帑、綮二字非通假關係。段說是也，唯不當以「讀為」為誤。

33 〈考工記・弓人〉：「今夫茭解中有變焉，故校。」鄭司農云：「茭讀為激發之激。」

段玉裁云：「讀為激，當作讀如激。此擬其音，非易其字。」[140]激、茭雙聲，都是見母；激屬沃部，茭屬宵部，沃宵對轉，是二字音近，故鄭司農讀茭音為激也。

34 〈考工記・弓人〉：「於挺臂中有柎焉，故剽。」鄭玄注：「剽亦疾也。」鄭司農云：「剽讀為湖漂絮之漂。」

據鄭玄注，此經剽義為疾。段玉裁云：「此『讀為』當作『讀如』，擬其音也。……韓信釣於城下，諸母漂是也。湖漂絮者，湖中漂絮時有此語。」是漂與剽疾義無涉，司農讀剽為漂，顯擬音也[141]。

（十三）注音兼釋義（十四例）

1 〈春官・司尊彝〉：「冬烝，祼用斝彝、黃彝。」鄭司農云：「斝讀為稼。稼彝，畫禾稼也。」

據鄭司農說，冬烝所用之斝彝，因畫飾以禾稼，故名之稼彝。《禮記・明堂位》：「爵，……，殷以斝。」鄭玄注亦曰：「斝，画禾稼也。」斝、稼古音雙聲疊韻，聲調亦同，故鄭司農斝讀為稼者，注音兼釋義也。孫詒讓曰：「斝、稼音相近，義亦通也。〈量人〉『舉斝』，先鄭注云：『斝讀如嫁娶之嫁。』嫁、稼聲亦同。彼唯擬其音，故云讀如嫁；此兼通其義故云讀為稼

---

[139]（清）段玉裁：《周禮漢讀考》，《清經解》，冊4，頁224。

[140]（清）段玉裁：《周禮漢讀考》，《清經解》，冊4，頁224。

[141]（清）段玉裁：《周禮漢讀考》，《清經解》，冊4，頁224。

也。」[142]

2 〈春官．大師〉：「下管播樂器，令奏鼓𣫔。」鄭司農云：「𣫔，小鼓也。先擊小鼓，乃擊大鼓。小鼓為大鼓先引，故曰𣫔。𣫔讀為道引之引。」

《說文》：「𣫔，小鼓。引，樂聲也。」與鄭司農說同。按𣫔、引古音同，皆喻母真部。鄭司農𣫔讀為道引之引者，擬音兼釋義也。

3 〈秋官．敘官〉：「硩蔟氏。」鄭司農云：「蔟讀為爵蔟之蔟，謂巢也。」

《說文》：「蔟，行蠶蓐。」引申為巢。《玉篇．艸部》：「蔟，巢也。」鄭司農云：「蔟讀為爵蔟之蔟，謂巢也。」按爵通雀，爵蔟即雀巢也，故曰「謂巢也」。〈硩蔟氏〉曰：「硩蔟氏掌覆夭鳥之巢。」故司農以「爵蔟之蔟」讀之，是擬音兼釋義也。

4 〈秋官．敘官〉：「掌訝。」鄭玄注：「訝，迎也。賓客來，主迎之。」鄭司農云：「訝讀為跛者訝跛者之訝。」

《說文》：「訝，相迎也。」與鄭玄訓同。鄭司農釋訝字義亦不異，而云訝讀為跛者訝跛者之訝者，亦擬音兼釋義也。

5 〈考工記．輪人〉：「望其輻，欲其掣爾而纖也。」鄭司農云：「掣讀為紛容掣參之掣。」

段玉裁云：「《史記》司馬相如〈上林賦〉說樹木云『紛容蕭蔘』，《漢書》、《文選》皆作『紛溶萷蔘』。案萷蔘與橚槮同蕭森二音。郭璞曰：『紛蓉萷蔘，枝竦擢也。』鄭司農所偁作掣參，音義與郭同。謂輻之纖長略如竦

---

[142] （清）孫詒讓：《周禮正義》，冊6，頁1528。

擢，故曰讀為，言音義皆同也。」[143]是鄭司農此讀，擬音兼釋義也。

6 〈考工記．輪人〉：「轂小而長則柞。」鄭司農云：「柞讀為迫唶之唶，謂輻間柞狹也。」

《爾雅．釋鳥》：「行扈唶唶。」鄭司農注即本此。邢疏引李巡云：「唶唶，鳥聲貌也。」[144]《釋文》：「唶，音即。」[145]鄭司農此注則是借此鳥之鳴聲以喻「輻間柞狹」，是擬音兼釋義也。按段玉裁云：「古無窄字，多以笮、筰字為窄。」[146]此經則是借柞為窄字。

7 〈考工記．輪人〉：「以其圍之阞捎其藪。」鄭司農云：「藪讀為蜂藪之藪，謂轂空壺中也。」

賈疏：「讀為蜂藪之藪，此亦依俗讀之，以蜂窠有孔藪然。」是鄭司農所謂藪讀為蜂藪之藪者，擬音兼釋義也。

8 〈考工記．輈人〉：「行數千里，馬不契需。」鄭司農云：「契讀為爰契我龜之契。」

〈大雅．綿〉：「爰始爰謀，爰契我龜。」司農注即本此。《毛傳》：「契，開也。」段玉裁云：「讀為契龜之契者，用其義也。毛公曰：『契，開也。』故以傷蹄言之。」按契之音義非一，故司農特注以明此經契字之音義。

9 〈考工記．輈人〉：「行數千里，馬不契需。」鄭司農云：「需讀為畏需之需，謂不傷蹄，不需道里。」

段玉裁引此經改「需」為「耎」，云：「疏引《易．需卦》．《釋文》云：『需音須，又乃亂反。』今案：云乃亂反，則當是耎字。《說文．大部》

---

143 （清）段玉裁：《周禮漢讀考》，《清經解》，冊4，頁214。

144 （清）王念孫：《廣雅疏證》（北京市：中華書局，1983年），卷6上〈釋訓〉，頁187。

145 《十三經注疏》，下冊，頁2649。

146 （清）段玉裁：《周禮漢讀考》，《清經解》，冊4，頁219。

曰：『耎，稍前大也，讀若畏偄。』〈人部〉曰：『偄，弱也。』司農云『畏耎』者，與許『畏偄』同。不耎道里者，不怯偄道里悠遠也。」[147]段校是也。孫詒讓亦云：「凡經、注之耎 字，多訛為需及從需之字。」[148]是據段校，此經及司農注之需，皆當作耎，而義為畏耎。是鄭司農此注，亦擬音兼釋義也。

10 〈考工記．鮑人〉：「卷而摶之。」鄭司農云：「卷讀為『可卷而懷之』之卷。」

按此經「摶」，《注疏》本原誤作「搏」，據阮校改。《論語．衛靈公》：「邦無道則可卷而懷之。」此經卷字與之義同。故段玉裁云：「卷讀與《論語》卷懷義同。」[149]是鄭司農此注，擬音兼釋義也。

11 〈考工記．鮑人〉：「卷而摶之。」鄭司農云：「摶讀為『縳一如瑱』之縳，謂卷縳韋革也。」

按經、注之「摶」原皆誤作「搏」，據阮校改。「縳一如瑱」，文出《左傳》昭公二十六年，杜注云：「瑱，充耳。縳，卷也。急卷使如充耳，易懷藏。」是此縳義為急卷，故鄭司農曰：「謂卷縳韋革也。」《說文》：「摶，以手圜之也。」（此據段注本）是與縳卷字義近。摶、縳皆從專聲，音亦相近，是鄭司農此注，擬音兼釋義也。

12 〈考工記．總敘〉：「戈柲六尺有六寸，既建而迆，崇於軫四尺。」鄭司農云：「迆讀為倚移從風之移，謂著戈於車邪倚也。」

鄭司農讀迆為移，而訓為邪倚。按迆同迤，《正字通．辵部》：「迆、迤

147（清）段玉裁：《周禮漢讀考》，《清經解》，冊4，頁219。

148（清）孫詒讓：《周禮漢讀考》，冊13，頁3229。

149（清）段玉裁：《周禮漢讀考》，《清經解》，冊4，頁220。

通。周伯溫曰：『俗作迤。』」[150]段玉裁《周禮漢讀考》、孫詒讓《周禮正義》引此經皆作池。《集韻・紙韻》：「池，《說文》：『衺行也。』」[151]與鄭司農訓義近。「倚移從風」賈疏謂出司馬相如〈上林賦〉。段玉裁云：「《史記》〈上林賦〉作『旖旎』，《說文》於禾曰『倚移』，於旗曰『旖施』，於木曰『檹施』，皆謂阿那也。」阿那，柔弱貌。《文選・張衡〈南都賦〉》：「阿那蓊茸，風靡雲披。」李善注：「阿那，柔弱之貌。」阿那則隨風而邪倚，故鄭司農謂「著戈於車邪倚」。是鄭司農迤讀為倚移從風之移者，擬音兼釋義也。同例還見於：

〈考工記・鮑人〉：「卷而摶之，欲其無迆也。」鄭司農云：「迆讀為『既建而迆之』之迆。無迆謂革不韢。」按孫詒讓說，疑韢即虧之俗。又云：「不虧蓋謂革不縮而減損，則卷之無迆邪不正之患。」[152]

13 〈考工記・廬人〉：「斆兵同強，舉圍欲細，細則校。」鄭司農云：「校讀為絞而婉之絞。」

校、絞雙聲疊韻，皆見母宵部。賈疏云：「昭元年《左傳》子羽謂子皮曰：『叔孫絞而婉。』注云：『絞，切也。』故讀從之，取切疾之義也。」段玉裁云：「蓋絞有疾義，與剿、魑字同。〈弓人〉注亦兩言校疾。」[153]是鄭司農校讀為絞者，擬音兼釋義也。

14 〈考工記・弓人〉：「老牛之角紾而昔。」鄭司農云：「紾讀為抮縛之抮。」

《說文》：「紾，轉也。」《說文》無抮字。《淮南子・說林》：「抮和

---

[150] （明）張自烈撰，（清）廖文英續：《正字通》，《續修四庫全書》（上海市：上海古籍出版社，2002年，景清康熙二十四年〔1685〕清畏堂刻本），冊235，頁577。

[151] 《小學名著六種・集韻》，頁73。

[152] （清）孫詒讓：《周禮正義》，冊13，頁3292。

[153] （清）段玉裁：《周禮漢讀考》，《清經解》，冊4，頁222。

切適，舉坐而善。」高誘注：「抮，轉也。」[154]是紾、紾義同。孫詒讓云：「紾、抮、軫、轉，並聲近義通。」又引孔廣森云：「揚子《太玄·更》次二曰：『時七時九，軫轉其道。』抮縛疑即軫轉字，軫轉又即輾轉之音變也。』」[155]是鄭司農紾讀為抮縛之抮者，亦擬音兼釋義也。

（十四）糾正誤字（一例）

1 〈春官·司尊彝〉：「其朝踐用兩獻尊。」鄭司農云：「獻讀為犧。犧尊，飾以翡翠。」

孫詒讓曰：「云『獻讀為犧者』，據〈明堂位〉、〈禮器〉及《詩·魯頌》、《左傳》並作犧也，《國語·周語》亦同。〈明堂位〉疏引《鄭志》答張逸云：『犧尊或有作『獻』字者，齊人聲誤耳。」[156]按犧、獻二字古音雙聲，都是曉母；犧屬歌部，獻屬元部，歌元對轉，是二字音近，而齊人方音蓋更近，故誤犧為獻。是鄭司農「獻讀為犧」者，糾字音近之誤也。

結語

以上我們對鄭司農注《周禮》所用一一九條「讀為」例一一作了考辨。通過考辨我們發現，以本字讀通假字固為其「讀為」之一義，然並非如段玉裁所說，凡「讀為」都是以本字讀通假字，即段氏所謂「易之以音相近之字」。確屬以本字讀通假字的，僅四十二例，只佔全部「讀為」例的百分之三十五。其他七十七例，則情況甚複雜，其中尤以擬音、包括擬音兼釋義的情況為夥，達四十八例之多，佔了全部字例的百分之四十強。據段玉裁說，

154（漢）劉安著，（漢）高誘注：《淮南子》，《諸子集成》（上海市：上海書店出版社，1986年），冊7，頁303，。

155（清）孫詒讓：《周禮正義》，冊14，頁3536。

156（清）孫詒讓：《周禮正義》，冊6，頁1526。

擬音當用「讀如」或「讀若」二術語，即所謂「『讀如』、『讀若』者，擬其音也」。然驗之以鄭司農注，情況並非如此，鄭司農就大量地運用「讀為」來擬音。奇怪地是，段玉裁並非以此來檢驗自己對於「讀為」術語的界定是否正確，反以自己對「讀為」的界定為標準，來判斷鄭司農注的是非，即凡遇鄭司農用「讀為」來擬音，即以為是「讀如」之誤，而在其《周禮漢讀考》中擅自將鄭司農的這種「讀為」改作「讀如」。如果說鄭司農對「讀為」的運用，確有偶誤者，或後世傳抄偶有誤抄者，還是可信的，但絕不可能凡用以擬音的「讀為」都錯了，以至錯誤率竟達百分之四十以上！

這裡，我們再看看鄭司農所用「讀如」、「讀若」例。鄭司農對這兩個術語運用得並不太多，粗略統計，用「讀如」者二十三例，而用「讀若」僅一例。依段玉裁說，這兩個術語是用來擬音的。然而鄭司農對於這兩個術語的運用，情況也較複雜，並非如段玉裁所說都是用以擬音的，也有用以將通假字「讀如」本字的（關於這個問題當另著文考辨之），而當出現這種情況時，段玉裁則又將其改為「讀為」。如〈夏官・諸子〉「掌國子之倅」，故書倅為卒，鄭司農云「卒讀如物有副倅之倅」，即以為卒是倅的通假字，段玉裁即將此「讀如」改為「讀為」，並說：「今本作讀如，非。」[157]可見，段玉裁純粹是根據自己的主觀界定，來判斷鄭司農訓詁術語運用的是非。

鄭司農所用「讀為」術語，除上述兩種情況（即以本字讀通假字和用以擬音）外，呈現出更為複雜的情況，如：有以通假字讀通假字的（例43-45），有以通假字讀通假字之通假字的（例46-48），有以區別字讀本原字的（例49-51），有以本原字讀區別字的（例52），有以今字或時人習用之字讀古字的（例53-60），有以正體字讀異體字的（例61-63），有以異體字讀正體字的（例64-65），有以習用字讀罕見之異體字的（例66），有以符合上下文例之字讀之的（例67），有以音同義近之字讀之的（例68-70），還有糾正誤字的（例119），等等。這些複雜情況說明什麼問題呢？說明在鄭司農那個時代，即東漢初年，訓詁術語的創制和運用尚屬初步，還相當不成熟，

157（清）段玉裁：《周禮漢讀考》，《清經解》，冊4，頁210。

運用者的隨意性很大。隨著傳統訓詁學的發展，大約到東漢後期，才漸趨規範。我曾研究過鄭玄《三禮注》中「讀為」、「讀曰」術語的運用情況，撰成《鄭玄注〈三禮〉之「讀為」、「讀曰」例考辨》一文，[158]該文考辨了鄭玄《三禮》注中運用的一一〇條「讀為」例，發現其中除十三例當屬段玉裁所謂「讀如」或「讀若」，即用之於擬音外，其餘九十七例皆屬「就其音以易其字」，即大體都可以說是以本字讀通假字的。這種情況就說明，隨著訓詁學的發展，到了東漢末年，「讀為」術語的運用就準確得多了。當然，以上看法，都是在文字學、訓詁學發展到今天，且是在有了豐富的古文字材料的情況下得出的，決不可苛求於古人。然而像段玉裁那樣，不從漢人全部訓詁材料的實際出發，去對漢人訓詁術語的運用加以研究並作出界定，反而以後世的眼光去衡量古人，這樣做不僅是不科學的，對古人也是不公平的。因此，段玉裁對漢人訓詁術語的界定，我們今天絕不可盲目信從，而當審慎地分析鑒別之才是。

---

158 發表於北京大學二〇〇五年十二月出版的《國學研究》卷16，後收入拙作《鄭玄三禮注研究》一書中，見拙著：《鄭玄三禮注研究》（北京市：中國社會科學出版社，2008年）。

《禮記》與《孔子家語》互見文例研究

陳雄根*

《禮記》乃儒家闡釋禮學之論著，多記孔子及門弟子之言行。是書與先秦兩漢典籍每多互見文例，於《孔子家語》互見之例尤多。今本《家語》，清及以前學者論定為偽書，不予重視。一九七三年，河北定縣八角廊漢墓竹書《儒家者言》出土，是書所記內容，以孔子及其弟子言行為主，體例與《家語》同，《儒家者言》當是《家語》之雛形[1]。一九七七年，安徽阜陽雙古堆木牘出土，學者認為木牘內容廣泛見於《家語》，乃《家語》材料之來源[2]。嗣後，學者對《家語》重新評價，以為其文雖經增刪，究其實確有所本[3]。本文承前人研究之緒，比對二書互見文例，發現可資校勘者甚多，今取其要，分三方面言之[4]。

---

* 香港中文大學中國語言及文學系。

1 參李學勤：〈竹簡《家語》與漢魏孔氏家學〉，李學勤：《簡帛佚籍與學術史》（臺北市：時報出版公司，1994年），頁395-403。

2 見楊朝明主編：《孔子家語通解》（臺北市：萬卷樓圖書公司，2005年），頁606-610。

3 參陳劍、黃海烈：〈論《禮記》與《孔子家語》的關係〉，《古籍整理研究學刊》，2005年第4期，頁59-64。

4 本文引書，除特別說明外，悉以香港中文大學中國文化研究所《先秦兩漢古籍逐字索引叢刊》（香港商務印書館版）為據。文中所列《禮記》與《孔子家語》互見文例，按《禮記》篇次排序，分類分條說明。又諸經注疏，以北京大學出版社《十三經注疏》整理本為底本，隨文注出。至於諸經正文句讀，或參《十三經注疏》酌予修訂，不另說明。

一　以《家語》校《禮記》

〈檀弓上〉

1. 子路有姊之喪，可以除之矣，而弗除也。孔子曰：「何弗除也？」子路曰：「吾寡兄弟而弗忍也。」孔子曰：「先王制禮，行道之人皆弗忍也。」子路聞之，遂除之。（3.25/13/15）

鄭注：「行道，猶行仁義。」[5]孔子引「先王制禮」，僅言「行道之人皆弗忍」，意謂實行仁義之人皆不忍除喪服，既如此，則子路無緣解除喪服。疑「孔子曰」下有訛脫。《孔子家語・曲禮子貢問》：「孔子曰：『道之人皆不忍。先王制禮，過之者俯而就之，不至者企而望之。』子路聞之，遂除之。」（42.28/84/24）

「過之者俯而就之，不至者企而望之」乃先制禮精神所在，或可據以校補。

〈檀弓下〉

2. 子路曰：「傷哉貧也，生無以為養，死無以為禮也。」孔子曰：「啜菽飲水，盡其歡，斯之謂孝；斂手足形，還葬而無槨，稱其財，斯之謂禮。」（4.35/26/13）

〈檀弓下〉「斯之謂禮」，《孔子家語・曲禮子貢問》作「斯謂之禮」，下接「貧何傷乎」句（42.24/84/1），以回應子路「傷哉貧也」之嘆，語義完足。《禮記》此條或脫此四字，可據補。

3. 戰于郎，公叔禺人遇負杖入保者息，……與其鄰重汪踦往，皆死焉。

5　《禮記正義》，《十三經注疏》整理本（北京市：北京大學出社，2000年），冊12，頁225。

（4.41/27/1）

按：「重」為「童」之誤[6]，《孔子家語．曲禮子貢問》正作「童」（42.15/83/3）

〈曾子問〉

4. 子游問曰：「喪慈母如母，禮與？」孔子曰：「非禮也。……昔者，魯昭公少喪其母，有慈母良，及其死也，公弗忍也，欲喪之。……喪慈母自魯昭公始也。」（7.18/53/13）

魯昭公，《孔子家語．子貢問》作「魯孝公」（43.12/87/13）。鄭《注》：「昭公年三十，乃喪歸齊，猶無戚容，是不少，又安能不忍於慈母？此非昭公明矣，未知何公也。」[7]孔《疏》：「按《家語》云：『孝公有慈母良。』今鄭云『未知何公』者，鄭不見《家語》故也。或《家語》王肅所足，故鄭不見也。」[8]據鄭《注》，《禮記》載魯昭公喪慈母固非，孔《疏》以《家語》作孝公乃出於王肅所補，誠或有之，然焉知《家語》所載非別有所本耶？姑存此異文以待考。

〈曾子問〉「喪慈母自魯昭公始也」一句，「慈母」後疑脫「如母」二字，蓋上文子游問：「喪慈母如母，禮與？」下文孔子當以「喪慈母如母自魯昭（孝）公始也」回應之[9]。《孔子家語．子貢問》作「喪慈母如母」，可證。

5. 子夏問曰：「三年之喪卒哭，金革之事無辟也者，禮與？初有司與？」孔子曰：「夏后氏三年之喪，既殯而致事，殷人既喪而致事。

---

6 孫希旦：《禮記集解》（北京市：中華書局，2007年，頁283）：「重，皆當作『童』。童，未冠者之稱。」

7 《禮記正義》，《十三經注疏》整理本，冊13，頁689。

8 《禮記正義》，《十三經注疏》整理本，冊13，頁690。

9 參王夢鷗：《禮記校證》（臺北市：藝文印書館，1976年），頁118。

《記》曰：『君子不奪人之親，亦不可奪親也。』此之謂乎？」子夏曰：「金革之事無辟也者，非與？」孔子曰：「吾聞諸老聃曰：『昔者魯公伯禽有為為之也，今以三年之喪從其利者，吾弗知也。』」（7.37/56/8）

按：〈曾子問〉「殷人既喪而致事」下當有脫文。孔穎達《疏》解「子夏曰：『金革之事無辟也者，非與？』」句云：「孔子既前荅周人卒哭而致事，則無從金革之理。」[10]據孔《疏》，則正文當有「周人卒哭而致事」句。《孔子家語．子貢問》於「殷人既喪而致事」後接「周人既卒哭而致事」（43.2/85/18），足以證之。

〈文王世子〉

6. 故世子齒於學，國人觀之，曰：「將君我而與我齒讓，何也？」曰：「有父在，則禮然。」然而眾知父子之道矣。其二曰：「將君我而與我齒讓，何也？」曰：「有君在，則禮然。」然而眾著於君臣之義也。其三曰：「將君我而與我齒讓，何也？」曰：「長長也。」然而眾知長幼之節矣（8.8/57/28）。

〈文王世子〉云「有父在，則禮然」、「有君在，則禮然」，則「長長也」後亦宜有「則禮然」之語，《孔子家語．子貢問》正作「長長也，則禮然」。（43.3/86/2）

〈禮運〉

7. 故人者，其天地之德，陰陽之交，鬼神之會，五行之秀氣也。（9.24/62/15）

〈禮運〉「五行之秀氣」，《孔子家語．禮運》作「五行之秀」（32/57/18），無「氣」字。《文心雕龍．原道》：「為五行之秀，實天地之

10 《禮記正義》，《十三經注疏》整理本，冊13，頁724。

心。」[11]二句並出《禮記．禮運》[12]，「五行之秀」後亦無「氣」字。況《禮記．禮運》「天地之德」、「陰陽之交」、「鬼神之會」皆四字為句，獨「五行之秀氣」以五字為句，疑「氣」字乃衍文[13]。

〈樂記〉

8.《武》坐，致右憲左，何也？（19.26/103/18）

鄭《注》：「憲讀為軒，聲之誤也。」[14]孔《疏》：「『《武》坐，致右憲左，何也』者，此亦孔子問詞。坐，跪也。致，至也。軒，起也。問武人何忽有時而跪，以右膝至地，而左足仰起，何故也？」鄭玄以「憲」為「軒」之聲誤，是。《孔子家語．辯樂解》亦作「軒」（35.3/61/11）。

〈祭義〉

9. 子曰：「立愛自親始，教民睦也。立教自長始，教民順也。」（25.16/125/16）

「立教自長始」之「教」，《孔子家語．哀公問政》作「敬」。（17.1/35/7）按：孔《疏》曰：「此一節明愛敬之道。」引皇侃《疏》云：「因上荅子貢之問，別愛敬，語更端，故別言『子曰』。」[15]《禮記．祭義》「立教自長始」，孔《疏》作「立敬自長始」，云：「『立敬自長始』者，言起敬於天下，從長為始，言先自敬長。」[16]因知皇侃、孔穎達所本《禮記》，「教」原作「敬」，與《家語》同。

---

11 范文瀾：《文心雕龍註》（香港：商務印書館，1969年），頁1。

12 《文心雕龍．原道》「實天地之心」出《禮記．禮運》：「夫人者，天地之心也，五行之端也。」（9.26/62/22）

13 參王夢鷗：《禮記校證》，頁159。

14 《禮記正義》，《十三經注疏》整理本，冊14，頁1317。

15 《禮記正義》，《十三經注疏》整理本，冊15，頁1541。

16 同上註。

〈哀公問〉

10. 公曰：「敢問何謂為政？」孔子對曰：「政者，正也。君為正，則百姓從政矣。君之所為，百姓之所從也。君所不為，百姓何從？」公曰：「敢問為政如之何？」孔子對曰：「夫婦別，父子親，君臣嚴。三者正，則庶物從之矣。」公曰：「寡人雖無似也，願聞所以行三言之道，可得聞乎？」（28.2/135/15）

按：《孔子家語・大昏解》亦載〈哀公問〉此節。〈哀公問〉「君為正，則百姓從政矣」，君正何由得令百姓從政，語頗費解，《家語》作「君為正，則百姓從而正矣」（26/4/4），於義為切。又〈哀公問〉「君所不為，百姓何從」，「君所不為」者為何，句意不清，《家語》作「君不為正，百姓何所從乎」，則語意明晰，或可據以校改。又〈哀公問〉「三言之道」，「三言」當為「三者」之誤，指上文「夫婦別，父子親，君臣嚴」三事，《家語》亦作「三者」（4/5/1），可證。

11. 公曰：「敢問何謂敬身？」孔子對曰：「君子過言則民作辭，……能敬其身，則能成其親矣。」公曰：「敢問何謂成親？」孔子對曰：「君子也者，人之成名也。……不能樂天，不能成其身。公曰：「敢問何謂成身？」孔子對曰：「不過乎物。」公曰：「敢問君子何貴乎天道也？」孔子對曰：「貴其不已，…… 是天道也。」（28.3/136/1）

哀公「敢問何謂成親」一問，乃承孔子所言「則能成其親矣」而發；又哀公「敢問何謂成身」一問，乃承孔子所言「不能樂天，不能成其身」而發，唯「敢問君子何貴乎天道也」一問上無所承，則此問上有脫文可知。《孔子家語・大昏解》：「公曰：『敢問何謂能成身？』孔子對曰：『夫其行己不過乎物，謂之成身。不過乎物，合天道也。』」（4/5/20）據此，〈哀公問〉「不過乎物」後可補「謂之成身。不過乎物，合天道也」一節。

〈仲尼燕居〉

12. 仲尼燕居，子張、子貢、言游侍，縱言至於禮。子曰：「居！女三人者，吾語女禮，使女以禮周流，無不徧也。」子貢越席而對曰：「敢問何如？」子曰：……。子貢退，言游進曰：「敢問禮也者，領惡而全好者與？」子曰：「然。」……子曰：「明乎郊社之義，嘗禘之禮，治國其如指諸掌而已乎！……鬼神得其饗，喪紀得其哀，辨說得其黨，官得其體，政事得其施，加於身而錯於前，凡眾之動得其宜。」子曰：「禮者何也？即事之治也。……如此，則無以祖洽於眾也。」（29.1/136/22）

〈仲尼燕居〉中子曰「鬼神得其饗，喪紀得其哀，辯說得其黨，官得其體，政事得其施」一節，以排偶句出之，句式為「ＸＸ得其Ｘ」，唯「官得其體」句獨異，疑有脫字。《孔子家語．論禮》此句作「百官得其體」（27/51/5），當據以補「百」字。

又〈仲尼燕居〉此段載孔子與弟子三人論禮，然僅記子貢、言游接問夫子之語，獨缺子張之問，疑當有脫文，而「子曰」之下亦不當以「禮者何也」領起。《孔子家語．論禮》於子曰「凡眾之動，得其宜也」下接云：「言游退，子張進曰：『敢問禮何謂也？』子曰：『禮者，即事之始也。……』」（27/51/5）宜據以校改。

〈中庸〉

13. 子曰：「好學近乎知，力行近乎仁，知恥近乎勇。知斯三者，則知所以修身；知所以修身，則知所以治人；知所以治人，則知所以治天下國家矣。」凡為天下國家有九經，……懷諸侯則天下畏之。（32.15/145/1）

按：〈中庸〉多記孔子答哀公問政之論，然〈中庸〉編者每略去哀公之問，《孔子家語．哀公問政》於「孔子曰：『好學近乎智……則能成天下國家者矣』」(17.1/34/20)前記哀公語曰:「子之言,美矣至矣!寡人實固不足以成之也。」又〈中庸〉「凡為天下國家者有九經,……懷諸侯則天下畏之」一節,乃孔子應答哀公之問。《孔子家語・哀公問政》於「知所以治人,則能成天下國家者矣」(17/34/23)下接云:「公曰:『政其盡此而已乎?』孔子曰:『凡為天下國家者有九經,……懷諸侯則天下畏之。』」今觀《家語》,可知〈中庸〉略去之文,而《家語》存之。

〈儒行〉

14. 言必先信,行必中正。(42.1/163/6)

按:《孔子家語・儒行解》作:「言必誠信,行必中正。」(5/6/9)疑「先信」為「誠信」之誤。「誠信」與「中正」相對為文,同屬並列結構(「先信」為狀中結構),義較「先信」為長。

15. 舉賢而容眾。(42.6/163/28)

按:《孔子家語・儒行解》作「慕賢而容眾」(5/6/23)。「舉賢」與「慕賢」,義皆可通,孰正孰誤,不易判斷。孔《疏》此句作「慕賢而容眾」[17],知今本《禮記》此句「舉」為誤字。

二　以《禮記》校《家語》

〈文王世子〉

1. 成王幼,不能涖阼,周公相,踐阼而治。抗世子法於伯禽,欲令成王之知父子、君臣、長幼之道也。(8.1/56/23)

按:《孔子家語・曲禮子貢問》引孔子曰:「昔者成王嗣立,幼未能莅

---

17 《禮記正義》,《十三經注疏》整理本,冊15,頁1851。

阼。周公攝政而治，抗世子之法於伯禽，欲王之知父子、君臣之道。……是故抗世子法伯禽，使成王知父子、君臣、長幼之義焉。」（43.3/85/23）比對二篇異文，知《家語》「欲王之知父子、君臣之道」句，「君臣」後當脫「長幼」二字，《家語》下文出「使成王知父子、君臣、長幼之義」句，益證上文脫「長幼」二字。

〈禮器〉

2. 孔子曰：「禮不可不省也！禮不同，不豐，不殺。」（10.16/66/2）

孔《疏》：「『禮不同』者，此是可省之事也，不同謂或高下、大小、文素之異也。『不豐』者，應少不可多，是不豐也。『不殺』者，應多不可少也，是不殺也。」[18]〈禮器〉「禮不同，不豐，不殺」，《孔子家語．子貢問》作「禮不同不異，不豐不殺」（46.3/86/19）。按：「不異」義無所取，蓋或衍文。《禮記．禮運》：「故禮之不同也，不豐也，不殺也，所以持情而合危也。」（9.36/64/7）《孔子家語．禮運》亦作「不同」、「不豐」、「不殺」（32/58/23），並無「不異」一詞[19]。

〈大傳〉

3. 上治祖禰，尊尊；下治子孫，親親也。（16.2/91/20）

鄭《注》：「治，猶正也。」[20]《孔子家語．曲禮子貢問》：「夫上祖禰，以尊尊之；下治子孫，以親親之。」（42.30/85/2）〈大傳〉「上治祖禰」與「下治子孫」對文，《家語》亦見「下治子孫」句，推知《家語》「祖禰」前當脫「治」字，今據《禮記》補。

---

18 《禮記正義》，《十三經注疏》整理本，冊13，頁855。

19 參王夢鷗：《禮記校證》，頁165-166。

20 《禮記正義》，《十三經注疏》整理本，冊14，頁1165。

〈雜記下〉

4. 君子有三患：……既學之，患弗能行也。君子有五恥：居其位，無其言，君子恥之。……眾寡均而倍焉，君子恥之。（21.39/113/5）

《孔子家語．好生》：「君子有三患，……既得學之，患弗能行。有其德而無其言，君子恥之；……眾寡均而人功倍己焉，君子恥之。」（10.15/18/24）按：《孔子家語．好生》言「三患」之名目，先以「君子有三患」領起；然道「五恥」之名目時，卻不以「君子有五恥」領起，「君子有五恥」五字當缺，今據《禮記》補正。

〈祭義〉

5. 子曰：「濟濟者，容也，遠也；漆漆者，容也，自反也。容以遠，若容以自反也，夫何神明之及交？」（25.8/123/17）

此則《孔子家語．公西赤問》所記略異：「孔子曰：『濟濟漆漆者，容也，遠也；漆漆者，以自反（也）。容以遠，若容以自反（也），夫何神明之及交？』」（44.9/90/19）比對二書異文，知「容以遠」乃釋「濟濟」之義，指儀容疏遠；「容以自反」乃釋「漆漆」之義，指儀容自我矜持。由此可以推斷《家語》「濟濟漆漆者，容也，遠也」句，「漆漆」二字當為衍文[21]。又《家語》「漆漆者，以自反（也）」當校作「漆漆者，容也，自反也」。

〈哀公問〉

6. 非禮無以辨君臣、上下、長幼之位也，非禮無以別男女、父子、兄弟之親，昏姻、疏數之交也。……設其豕腊，脩其宗廟，歲時以敬祭

21 陳士珂：《孔子家語疏證》（臺北市：文海出版社，1968年），頁945。亦作「濟濟者，容也，遠也」，無「漆漆」二字。

祀。（28.1/135/5）

此則文字，《大戴禮記．哀公問於孔子》所記全同（1.3/5/7）。《孔子家語．問禮》：「非禮則無以辯君臣、上下、長幼之位焉；非禮則無以別男女、父子、兄弟、婚姻、親族、疏數之交焉。……設其豕腊，脩其歲時，以敬祭祀。」（6.1/7/12）所記與《禮記》頗有出入，其中《家語》「非禮則無以別男女、父子、兄弟、婚姻、親族、疏數之交焉」一節，「父子」、「兄弟」不能與「之交」搭配，故《家語》於「父子、兄弟」後宜據《禮記》補入「之親」二字。又《家語》「脩其歲時」句，亦宜在「歲時」前據《禮記》補入「宗廟」二字，以足其義。如此，《家語》此句句讀當為「脩其宗廟，歲時以敬祭祀。」

7. 孔子遂言曰：「昔三代明王之政，必敬其妻子也，有道（焉）。妻也者，親之主也，敢不敬與？子也者，親之後也，敢不敬與？君子無不（敬）。敬也（者），敬身為大。身也者，親之枝也，敢不敬與？」（28.2/135/27）

按：此則記孔子答哀公以問政之事，遂言三代明王為政之道，敬其妻子及敬其身，並分別於解釋敬妻、敬子、敬身後強調「敢不敬與」，以申其敬。《孔子家語．大昏解》亦載此事，云：「孔子遂言曰：『（昔）三代明王必敬妻子也，蓋有道焉。妻也者，親之主也；子也者，親之後也，敢不敬與？是故君子無不敬。敬也者，敬身為大；身也者，親之支也，敢不敬與？』」（4/5/10）《家語》於言敬子、敬身後補上「敢不敬與」句，以申其敬，唯於敬妻後獨缺此句，今據《禮記》及《家語》句例，於《家語》「親之主也」後補「敢不敬與」四字。

8. 公曰：「敢問何謂敬身？」孔子對曰：「君子過言，則民作辭；過動，則民作則。君子言不過辭，動不過則，百姓不命而敬恭。」

（28.3/136/1）

此則《大戴禮記．哀公問於孔子》所記全同（1.3/6/26）。〈哀公問〉「過動，則民作則」，《孔子家語．大昏解》作「過行，則民作則」（4/5/15），易「動」為「行」，義本無別，然〈大昏解〉接云「動不過則，百姓恭敬以從命」（4/5/16），乃承前文而推論，上文言「行」，下文言「動」，並不對應，故《家語》「過行」之「行」，宜改作「動」。

三　以《禮記》、《家語》互校

《禮記》與《家語》可資互校者，共有六例，茲以《禮記》篇目為次，列述如下：

1.《禮記．檀弓上》與《孔子家語．終記解》

《禮記》：孔子蚤　作，負手曳杖，消搖於門，歌曰：「泰山其頹乎！梁
《家語》：孔子蚤晨作，負手曳杖，逍遙於門而歌曰：「泰山其頹乎！梁

木其壞乎！哲人其萎乎！」既歌而入，當戶而坐。子貢聞之，曰：「泰
木其壞乎！哲人其萎乎！」既歌而入，當戶而坐。子貢聞之，曰：「泰

山其頹，則吾將安仰？梁木其壞，　　　　　　哲人其萎，則吾將安放？
山其頹，則吾將安仰？梁木其壞，則吾將安杖？哲人其萎，吾將安放？

夫子殆將病也。」（3.44/15/13）
夫子殆將病也。」（40/73/18）

二篇文字，互有出入，值得注意者，厥在《禮記》於「梁木其壞」下，當有缺文，今據《家語》補入「則吾將安杖」，則通篇結構完整，怡然理

順。前人以《家語》為偽書[22]，而不取之以校《禮記》，誠有所蔽。另《家語》「吾將安放」前當補「則」字，以與上下文「則吾將安仰」、「則吾將安杖」二句對應。

2.《禮記・禮運》與《孔子家語・禮運》

《禮記》：　　　　昔者仲尼與於蜡賓，事畢，　出遊於觀之上，喟然而嘆。
《家語》：孔子為魯司寇，與於蜡。　既賓，乃出遊於觀之上，喟然而嘆。

仲尼之嘆，蓋嘆魯也。言偃在側，曰：「君子何嘆？」孔子曰：「　大道
　　　　　　　　　　言偃侍，曰：「夫子何嘆也？」孔子曰：「昔大道

之行也，　　與三代之英，丘未之逮也，而有志焉。大道之行也，　天下
之行（也），與三代之英，吾未之逮，而有記焉。大道之行（也），天下

為公。選賢與能，講信脩睦，故人不獨親其親，不獨子其子，使老有所
為公，選賢與能，講信脩睦，故人不獨親其親，不獨子其子，　老有所

終，壯有所用，幼有所長，　　矜寡孤獨廢疾者，皆有所養。男有分，
終，壯有所用，（幼有所長），矜寡孤　　疾　　皆有所養。

女有歸。貨惡其棄於地也，　　　　　不必　藏於己；力惡其不出於身
　　　　貨惡其棄於地（也），（必不）（不必）藏於己；力惡其不出於身

22 （清）王引之：《經義述聞》（南京市：江蘇古籍出版社，1985年，景清道光七年〔1827〕本）以為《禮記・檀弓上》「哲人其萎」乃後人據《家語》增入，非《禮記》原文。見該書頁323。孫希旦以《禮記・檀弓上》「則吾將安放」五字為後人所增，見《禮記集解》，頁196。

也， 不必為己。是故 謀閉而不興，盜竊亂賊而不作，故外戶而不閉，
（也），不必為人。是以姦謀閉而弗興，盜竊亂賊 不作，故外戶而不閉，

是謂大同。今大道既隱，天下為家，各親其親，各子其子，貨力為己，
謂之大同。今大道既隱，天下為家，各親其親，各子其子，貨則為己，

大人世及以為禮，城郭溝池以為固，禮義以為紀；以正君臣，
力則為人。大人世及以為常，城郭溝池以為固，

以篤父子，以睦兄弟，以和夫婦，以設制度，以立田里，以賢勇知，以

功為己。故謀用是作，而兵由此起。禹、湯、文、武、成王、周公，由
禹、湯、文、武、成王、周公，由

此其選也。此六君子者，未有不謹於禮者也。以著其義，以考其信，著
此而選， 未有不謹於禮（者也）。禮之所興，與天地

有過，刑仁講讓，示民有常。如有不由此者，在埶者去，眾以為殃，是
竝。 如有不由禮而 在位者， 則以為殃。

謂小康。（9.1/59/22）
（32/56/9）

二篇異文可供互校者有以下各點：

1.《禮記．禮運》有「仲尼之嘆，蓋嘆魯也」八字而《家語》不載，疑非原文所有，蓋仲尼之嘆，言偃在側尚不知其為何，若既知其嘆魯，則言偃

無由問夫子何嘆[23]。

2.《禮記．禮運》「君子何嘆」一句，按言偃為孔子弟子，所問當為「夫子何嘆」，方切師生身分。〈禮運〉後文記言偃復問曰：「夫子之極言禮也，可得而聞與？」亦以「夫子」敬稱孔子。孔《疏》云：「不云『夫子』而云『君子』者，以《論語》云『君子坦蕩蕩』，不應有嘆也，故云『君子何嘆』。」[24]說甚牽強。〈禮運〉「君子何嘆」，《家語》作「夫子何嘆也」，〈禮運〉「君子」當為「夫子」之誤。

3.《孔子家語．禮運》「矜寡孤疾皆有所養」句下接「貨惡其棄於地（也）」，疑「矜寡」句下脫「男有分、女有歸」句，今據《禮記．禮運》補。

4.《孔子家語．禮運》「盜竊亂賊不作」，「不作」前當加上「而」字，今據《禮記．禮運》補。

5.《孔子家語．禮運》「城郭溝池以為固」句下接「禹、湯、武、成王、周公，……」，疑「城郭」句後或脫「禮義以為紀；以正君臣，以篤父子，以睦兄弟，以和夫婦，以設制度，以立田里，以賢勇知，以功為己。故謀用是作，而兵由此起」一節。

6.《禮記．禮運》「如有不由此者，在埶者去，眾以為殃」下有「是謂小康」句，知《孔子家語．禮運》於「如有不由禮而在位者，則以為殃」下當有缺文。按《家語》上文於「故外戶而不閉」後接「謂之大同」，以此推之，「則以為殃」下當補「謂之小康」。

3.《禮記．禮運》與《孔子家語．禮運》

《禮記》：故禮之不同也，　　不豐也，　　不殺也，　　所以持情而合危

《家語》：夫禮之不同（也），不豐（也），不殺（也），所以持情而合危

---

23 參王夢鷗撰：《禮記校證》，頁146-147。

24 《禮記正義》，《十三經注疏》整理本，冊13，頁768。

也。故聖王所以順，山者不使居川，不使渚者居中原。（9.36/64/7）
也。　　　　　　山者不使居川，渚者不使居　原。（32/58/23）

按：《家語》「山者不使居川」前宜據《禮記》補上「故聖王所以順」句以足其意。而《禮記》「不使渚者居中原」與上句「山者不使居川」並不協調，當按《家語》改為「渚者不使居原」，以成對句。

4.《禮記．郊特牲》與《孔子家語．本命解》

《禮記》：婦人，從人者也。　　　　　　　　幼從父兄，　嫁從夫，夫死
《家語》：是故無專制之義，而有三從之道；幼從父兄，既嫁從夫，　死

從子。（11.25/72/12）
從子。（26.1/50/1）

《禮記》「嫁從夫」前脫「既」字，《家語》「死從子」前脫「夫」字，今據二書互補。[25]

5.《禮記．中庸》與《孔子家語．哀公問政》

《禮記》：哀公問政。　　　　　　子曰：「文武之政，布在方策。其人存，
《家語》：哀公問政於孔子，孔子對曰：「文武之政，布在方策。其人存，

則其政舉。其人亡，則其政息。　　　　人道敏政，地道敏樹。夫政
則其政舉；其人亡，則其政息。天道敏生，人道敏政，地道敏樹。夫政

也者，蒲盧也。　　　　　　故為政在　　人，取人以身，脩身以
（也）者，猶蒲盧也，待化以成。故為政在於得人，取人以身，

[25]《白虎通．爵》：「是以有三從之義：未嫁從父，既嫁從夫，夫死從子。」（1/3/4）可為此則校語之資。

道，脩道以仁。仁者，人也，親親為大。義者，宜也，尊賢為大。親親
　　脩道以仁。仁者，人也，親親為大。義者，宜也，尊賢為大。親親

之殺，尊賢之等，禮所　生也。在下位不獲乎上，民不可得而治矣。
之教，尊賢之等，禮所以生也。

故君子不可以不脩身。（32.14/144/24）
禮者、政之本也。是以君子不可以不脩身。（17.1/34/13）

比對二篇，可供互校者有以下諸端：

⑴〈中庸〉言「人道」、「地道」而不言「天道」，當有脫文[26]。〈中庸〉屢言「天道」，如第二十章言「誠者，天之道也」[27]，二十六章兩言「天地之道」。又〈中庸〉云：「質諸鬼神而無疑，知天也。」孔《疏》：「謂己所行之行，正諸鬼神不有疑惑，是識知天道也。」[28]今據《家語》異文，以證〈中庸〉「人道敏政」前缺「天道敏生」句。

⑵〈中庸〉：「夫政也者，蒲盧也。」下無說明，疑有脫文。鄭《注》：「蒲盧，蜾蠃，謂土蜂也。《詩》曰：『螟蛉有子，蜾蠃負之。』螟蛉，桑蟲也。蒲盧取桑蟲之子，去而變化之，以成為己子。政之於百姓，若蒲盧之於 桑蟲然。」[29]意謂善為政者，化養他民以為己民，若蒲盧然也。《家語》於

26 「天道」、「地道」、「人道」出《周易》。《易·繫辭下》：「《易》之為書也，廣大悉備。有天道焉，有人道焉，有地道焉。」（66/84/21）〈中庸〉之道，每與《易》理契合，如〈中庸〉重「誠」，《易·乾文言》亦言「脩辭立其誠」（1/2/13）。又《禮記·禮運》記孔子曰：「夫禮，先王以承天之道。」（見《禮記正義》，《十三經注疏》整理本，冊13，頁773。）〈哀公問〉亦記孔子論「天道」事（見《禮記正義》，《十三經注疏》整理本，冊15，頁1611。）。

27 本文〈中庸〉分章，據朱熹：《四書章句集注》（北京市：中華書局，2005年）。

28 《禮記正義》，《十三經注疏》整理本，冊15，頁1703。

29 同上注。

「猶蒲盧也」下有「待化而成」句，或可據以補。

⑶《家語》「取人以身，脩道以仁」二句，中當有脫文，今據〈中庸〉補「脩身以道」足成之。

⑷《禮記》「親親之殺」，孔《疏》云：「五服之節，降殺不同，是親親之衰殺。」[30]說頗迂曲。按：「殺」乃「教」之形誤，當據《家語》校改。

⑸《家語》「禮所以生也」下或脫「在下位不獲乎上，民不可得而治矣」，今據《禮記》補。

⑹《禮記》「民不可得而治矣」句下或脫「禮者、政之本也」，今據《家語》補。

四　結語

從以上《禮記》及《孔子家語》互見文例，有數點值得注意者：

一、《禮記》與《家語》異文，詳略互見，如二書〈禮運〉篇所記「仲尼與於蜡賓」一節（第三節，例2），內容相同，文字互有出入，顯是就同一事例，各有所記，而非《家語》因襲《禮記》。兩相參校，可互補不足（詳見上文）。

二、《家語》語料，或有存古作用。如《禮記·祭義》「立教自長始」，「教」，皇侃《禮記義疏》及孔《疏》作「敬」，《家語》亦作「敬」，知今本《禮記》作「教」為誤（第一節，例9）。又《禮記·儒行》「舉賢而容眾」，「舉」，孔《疏》作「慕」，《家語》亦作「慕」，知今本《禮記》作「舉」為誤（第一節，例15）。以上二例，足見《家語》所載語料，來源可靠。

三、《禮記》多排偶句，或可參此句式以為校勘。如《禮記·禮運》「天地之德，陰陽之交，鬼神之會，五行之秀氣」，前三句成「XX之X」之排偶句式，可知「五行之秀氣」句或有衍文。校之《家語》，則知「氣」為衍文（第一節，例7）。又如《禮記·仲尼燕居》「鬼神得其饗，喪紀得其

30 《禮記正義》，《十三經注疏》整理本，冊15，頁1684。

哀，辨說得其黨，官得其體」，前三句均五字成句，句式為「XX得其X」，唯「官得其體」為四字句，疑有脫文，校之《家語》，知原句當為「百官得其體」（第一節，例12）。

四、二書互見文例，詳略或異，不能隨意以一書之詳，校他書之略，或需參考上下文理以作論定。如《禮記．文王世子》「欲令成王之知父子、君臣、長幼之道也」句，《孔子家語．曲禮子貢問》無「長幼」一詞，然《家語》下文有「使成王知父子、君臣、長幼之義焉」句，知《家語》前文當缺「長幼」二字（第二節，例1）。如此之例，上文屢見，不另舉。

五、《禮記．中庸》與《孔子家語．哀公問政》所記哀公問政部分，《家語》詳記哀公所問與孔子應答之詞，〈中庸〉則多略去哀公提問內容。如〈中庸〉第二十章記孔所言「好學近乎知，……則知所以治天下國家矣」一節，乃應哀公之問而答，〈中庸〉則略去哀公之問。又〈中庸〉「則知所以治天下國家矣」下接「凡為天下國家有九經，……懷諸侯則天下畏之」一節，亦為孔子應哀公所問答語，然〈中庸〉於此又略去哀公之問，後之學者或誤以「凡為天下國家有九經，……懷諸侯則天下畏之」一節為〈中庸〉作者之語[31]。今據《家語》，得知〈中庸〉略去之文。比照而觀，當有助理解〈中庸〉哀公問政一章之文理（第一節，例13）。

至於二書用字，細審之，《禮記》文多古字、借字，《家語》則多今字及後起本字，因附記之。如「往返」之「返」，《禮記》作「反」，《家語》作「返」；「先後」之「後」，《禮記》作「后」，《家語》作「後」；「悅樂」之「悅」，《禮記》作「說」，《家語》作「悅」；「孝悌」之「悌」，《禮記》作「弟」，《家語》作「悌」；「婚姻」之「婚」，《禮記》作「昏」，《家語》作「婚」；「天倫」之「倫」，《禮記》作「論」，《家語》作「倫」；「衍尤」之「尤」，《禮記》作「郵」，《家語》作「尤」；「齋戒」之「齋」，《禮

---

31 北京中華書局編輯部點校朱熹《四書章句集注》（2005年）以「好學近乎知，……則知所以治天下國家矣」為孔子之言，加上引號，而「凡為天下國家有九經，……懷諸侯則天下畏之」一節，則不加引號，似以此節為〈中庸〉作者之言，而非孔子答語。

記》作「齊」，《家語》作「齋」；「車軾」之「軾」，《禮記》作「式」，《家語》作「軾」；「汝曹」之「汝」，《禮記》作「女」，《家語》作「汝」；「謙遜」之「遜」，《禮記》作「孫」，《家語》作「遜」；「統率」之「率」，《禮記》作「帥」，《家語》作「率」；「下墜」之「墜」，《禮記》作「隊」，《家語》作「墜」等，不一而足。凡此，可知今本所見《家語》，其編成年代，或晚於《禮記》也。

《左傳》疑義新證

（宣公篇）

趙生群*

近年應陝西人民出版社之約，為《左傳》作一新注，因參考各家之說，商榷疑義，以求折中。間或有一得之見，未敢敝帚自珍，願公諸同好以請益。此文所列，為宣公時期部分條目。

1 囚華元

宣公二年：「二月壬子，戰于大棘，宋師敗績。囚華元，獲樂呂。」

杜預曰：「獲，生死通名。《經》言『獲華元』，故《傳》特護之曰『囚』，以明其生獲。」[1]

按：囚，俘也，獲也。成公二年《傳》：「頃公之嬖人盧蒲就魁門焉，龍人囚之。」「囚之」，謂俘獲盧蒲就魁。成公九年《傳》：「莒人囚楚公子平。楚人曰：『勿殺，吾歸而俘。』」襄公二十六年《傳》：「穿封戌囚皇頡。」又曰：「誰獲子？」「囚」與「俘」、「獲」相對。

《三國志．吳志．周瑜傳》：「梟其渠帥，囚俘萬餘口。」「囚俘」乃同義

* 南京師範大學文學院。

1 杜預：《春秋左傳集解》（北京市：中華書局，1980年，景印阮元校刻本《十三經注疏》），頁1866。

連文。

《左傳》「囚」字，作「俘獲」之義者甚多，注《傳》者或誤以「囚禁」之義解之。

2　人之無良

> 宣公二年：「《詩》所謂『人之無良』者，其羊斟之謂乎！殘民以逞。」

杜預曰：「義取不良之人，相怨以亡。」[2]竹添光鴻曰：「《詩・鄘風・鶉之奔奔》篇：宣姜鶉鵲之不若。故『人之無良』，猶曰人而非人。」[3]

按：《說文》：「良，善也。」「無良」，猶言「不善」。《會箋》以「非人」解之，似求之過深。

《詩・鄘風・鶉之奔奔》：「人之無良，我以為兄。」《毛傳》：「良，善也。」鄭《箋》：「人之行無一善者，我君反以為兄。」昭公二十年《傳》引《詩》曰：「毋從詭隨，以謹無良。」謂約束不善之人也。

3　既合而來奔

> 宣公二年：「宋人以兵車百乘、文馬百駟，以贖華元于鄭。半入，華元逃歸，立于門外，告而入。見叔牂，曰：『子之馬然也？』對曰：『非馬也，其人也。』既合而來奔。」

杜預曰：「合猶荅也。」[4]孔穎達《疏》引賈逵曰：「言宋人贖我之事既和合，而我即來奔耳。」又引鄭眾曰：「叔牂既與華元合語而即來奔魯。」且曰：「合是聚合言語，故云『合，猶荅也』。」[5]

---

[2] 《春秋左傳集解》，頁1866。

[3] 竹添光鴻：《左傳會箋》（臺北市：天工書局，1998年），頁687。

[4] 《春秋左傳集解》，頁1866。

[5] 孔穎達：《春秋左傳正義》（北京市：中華書局，1980年，景印阮元校刻本《十三經

按：合，對也。《傳》文上言「對」，下言「合」，其義相同，皆為「對答」之義。

《說文》：「合，合口也。」甲文合字或像兩口相對，表示對答之意。《爾雅・釋詁上》：「仇、偶、妃、匹、會，合也。」郭璞《注》：「皆謂對合也。」又曰：「妃、合、會，對也。」郭《注》：「皆相當對。」「合」有「對合」、「當對」之義，亦有「應對」、「對答」之義。

凡「應對」、「對答」之義，傳世文獻多用「對」，出土簡牘帛書則多作「合」。如：

《新序・雜事一》：「趙文子問於叔向曰：『晉六將軍，孰先亡乎？』對曰：『其中行氏乎！』」又〈雜事四〉：「晉平公問於叔向曰：『昔者齊桓公九合諸侯，一匡天下，不識其君之力乎？其臣之力乎？』叔向對曰：『管仲善制割。』」又〈雜事五〉：「齊侯問於晏子曰：『忠臣之事君也何若？』對曰：『有難不死，出亡不送。』」《說苑・善說》：「晉平公問叔向曰：『歲飢民疫，翟人攻我，我將若何？』對曰：『歲飢，來年而反矣。』」又曰：「晉平公問於師曠曰：『咎犯與趙衰孰賢？』對曰：『陽處父欲臣文公，因咎犯，三年不達，因趙衰，三日而達。』」又〈權謀〉：「（桓公）曰：『仲父若棄寡人，豎刁可使從政乎？』對曰：『不可。』」

上述引文中之「對曰」，阜陽西漢汝陰侯墓二號竹白皆作「合曰」。

銀雀山出土《孫臏兵法・威王問》：「齊威王問用兵孫子。……孫子合曰：『以輕卒嘗之，賤而勇者將之。』」「合」亦「答」也。

阜陽漢墓竹簡〈魏文侯出遊見路人反裘而負芻章〉稱「對曰臣愛」云云，見於《新序・雜事二》，乃簡牘「對」與「合」並用之證。

《爾雅・釋言》：「畣，然也。」郭璞《注》：「畣者，應也。」陸德明《釋文》：「畣，古荅字。一本作荅。」《上海博物館藏戰國楚竹書・競公瘧》、〈莊王既成〉、〈平王問鄭壽〉、〈申公臣靈王〉、〈平王與王子木〉諸篇多用「倉」，當為「畣」之形變。

注疏》)，頁1866。

4 攻靈公

宣公二年：「乙丑，趙穿攻靈公於桃園。宣子未出山而復。」

《釋文》曰：「『攻』，如字。本或作『弒』。」[6]王引之曰：「案：『攻』，本作『殺』。『殺』字隸或作『煞』，上半與攻相佀，又因上文『伏甲將攻之』而誤為攻耳。趙穿殺靈公，故大史書曰『趙盾弒其君』，若但攻之而已，則殺與否尚未可知，大史何由而書弒乎？」[7]李富孫曰：「案：義當作『弒』。襲殺是據事言之。」[8]

按：《傳》作「攻」不誤。《左傳》行文，多蒙經文而省略。如：

桓公十八年《經》載：「丁酉，公之喪至自齊。」又載：「冬十有二月己丑，葬我君桓公。」《左傳》對此均隻字未提。單看《傳》文，竟似桓公被戕於齊而未獲歸葬！

宣公八年《經》：「冬十月己丑，葬我小君敬嬴。雨，不克葬。庚寅，日中而克葬。」《傳》曰：「冬，葬敬嬴。……雨，不克葬，禮也。」定公十五年《經》：「（九月）丁巳，葬我君定公，雨，不克葬。戊午，日下昃，乃克葬。」《傳》曰：「葬定公。雨，不克襄事，禮也。」此二例，《左傳》省略敬嬴、定公「克葬」之結果，須參《經》文始明。

莊公二十三年《經》：「夏，公如齊觀社。」《傳》曰：「二十三年夏，公如齊觀社，非禮也。曹劌諫曰：『不可。夫禮，所以整民也。故會以訓上下之則，制財用之節，朝以正班爵之義，帥長幼之序，征伐以討其不然。諸侯有王，王有巡守，以大習之。非是，君不舉矣。君舉必書。書而不法，後嗣何觀？』」《傳》載曹劌諫言甚詳，而獨不載莊公如齊之結果，亦蒙《經》

---

6 陸德明：《經典釋文》（北京市：中華書局，1980年，景印阮元校刻本《十三經注疏》），頁1867。

7 王引之：《經義述聞》（南京市：江蘇古籍出版社，1985年，景清道光七年〔1827〕本），頁422。

8 李富孫：《春秋左傳異文釋》（南京市：鳳凰出版社，2005年，景印本《清經解續編》），頁2873。

文省略。

成公八年《經》：「晉殺其大夫趙同、趙括。」《傳》曰：「晉趙莊姬為趙嬰之亡故，譖之于晉侯曰：『原、屏將為亂。』欒、郤為徵。六月，晉討趙同、趙括。」《傳》文蒙《經》文省略結果，與前同例。

《左傳》敘事，亦有不必斥言，觀上下文而自明者。如：

桓公十八年《經》「夏四月丙子，公薨于齊。」《傳》曰：「十八年春，公將有行，遂與姜氏如齊。……公會齊侯于濼，遂及文姜如齊。齊侯通焉。公讁之。以告。夏四月丙子，享公。使公子彭生乘公，公薨于車。」

宣公二年《經》書「秋九月乙丑，晉趙盾弒其君夷皋」。《傳》載「乙丑，趙穿攻靈公於桃園」，又載立公子黑臀事，則趙穿攻靈公而殺之可知。《國語．晉語五》：「靈公將殺趙盾，不克。趙穿攻公於桃園，逆公子黑臀而立之，實為成公。」《國語》敘此事，亦僅言攻而不言殺，文與《左傳》相類。楊伯峻、竹添光鴻據王引之說改「攻」為「殺」、「煞」，似誤。

5 使民知神姦

> 宣公三年：「昔夏之方有德也，遠方圖物，貢金九牧，鑄鼎象物，百物而為之備，使民知神姦。」

杜預曰：「圖鬼神百物之形，使民逆備之。」[9]林堯叟曰：「使民盡知鬼神奸邪之情狀。」[10]

按：「神姦」指精怪惡物，即下文「魑魅罔兩」之類。

《管子．形勢解》：「蛟龍，水蟲之神者也。乘於水則神立，失於水則神廢。」

《周禮．秋官．壺涿氏》：「掌除水蟲，以炮土之鼓敺之，以焚石投之。

---

9 《春秋左傳集解》，頁1868。

10 （宋）林堯叟：《音注全文春秋括例始末左傳句讀直解》，《續修四庫全書》（上海市：上海古籍出版社，2003年，景元刻明修本），冊118，頁529。

若欲殺其神，則以牡橭午貫象齒而沈之，則其神死。」鄭玄《注》：「神，謂水神龍、罔象。」

《國語・魯語下》：「丘聞之：『木石之怪曰夔、蝄蜽，水之怪曰龍、罔象，土之怪曰羵羊。』」韋昭《注》：「蝄蜽，山精，傚人聲而迷惑人也。」

《說文》：「蛧，蛧蜽。山川之精物也。」古書或稱「神」，或稱「精」，或稱「怪」，或稱「精物」，皆為精怪之別稱。

《淮南子・氾論訓》：「山出嚊陽，水生罔象，木生畢方，井生墳羊，人怪之，聞見鮮而識物淺也。」

罔象等物，人所罕見，故鑄於鼎，使民知其形而為之備。故下文曰：「故民入川澤山林，不逢不若。螭魅罔兩，莫能逢之。」

6 不逢不若

> 宣公三年：「故民入川澤、山林，不逢不若。螭魅罔兩，莫能逢之。」

杜預曰：「若，順也。」[11]林堯叟曰：「不遇妖怪不順之物。」[12]

按：若，善也。「不若」，謂不善之物，即螭魅罔兩之屬。《爾雅・釋詁上》：「若，……善也。」郭璞《注》：「《左傳》曰：『禁禦不若。』」《後漢書・明帝紀》曰：「昔禹收九牧之金，鑄鼎以象物，使人知神姦，不逢惡氣。」李賢《注》：「惡氣謂罔兩之類。事見《左傳》。」《論衡・儒增》：「故入山澤，不逢惡物，用辟神姦。」

宣公三年：「成王定鼎于郟鄏。」杜預《注》：「郟鄏，今河南也。武王遷之，成王定之。」

按：《史記・楚世家》：「昔成王定鼎于郟鄏。」《集解》：「杜預曰：『郟鄏，今河南也。河南縣西有郟鄏陌。武王遷之，成王定之。』」《後漢書・逸民傳・野王二老》：「武王亦即紂於牧野，而大城於郟鄏。」李賢《注》：

---

11 《春秋左傳集解》，頁1868。

12 《左傳句讀直解》，頁529。

「杜預注《左傳》曰：『今河南也。河南縣西有郏鄏陌。』」疑《十三經注疏》「武王遷之」前脫「河南縣西有郏鄏陌」一句。

7 天使

宣公三年：「初，鄭文公有賤妾曰燕姞，夢天使與己蘭。」

王叔岷曰：「《史記・鄭世家》天下無使字。《潛夫論・志氏姓篇》『天使』作神。」[13]

按：《傳》言「天使」，《史記》言「天」，《潛夫論》言「神」，其義一也。俞正燮曰：「『天使』者，使讀去聲，世人汎言神道也。」[14]成公五年《傳》：「嬰夢天使謂己：『祭余，余福女。』」亦同義。

昭公元年《傳》：「當武王邑姜方震大叔，夢帝謂己：『余命而子曰虞。』」《史記・晉世家》「夢帝」作「夢天」，曰「帝」，曰「天」，亦皆泛言神道。

8 服媚

宣公三年：「初，鄭文公有賤妾曰燕姞，夢天使與己蘭，曰：『余為伯儵。余，而祖也，以是為而子。以蘭有國香，人服媚之如是。』」

杜預曰：「媚，愛也。欲令人愛之如蘭。」[15]楊伯峻曰：「《淮南子・說山訓》『君子服之』，高誘《注》云：『服，佩也。』杜《注》云：『媚，愛也。』『服媚之』者，佩而愛之也。章炳麟《讀》謂『服字若訓佩，則與媚字不相貫』，因云：『服當讀為婦，婦有美好之義。婦為美好，亦為愛好，是則服媚二字同義也。』其說雖若可通，但舉證殊嫌穿鑿牽強，難以信

---

13 王叔岷：《左傳考校》（臺北市：中央研究院文哲研究所，2001年），頁109。

14 （清）俞正燮：《癸巳類稿》，見（清）俞正燮著，于石等校點：《俞正燮全集》（合肥市：黃山書社，2005年），頁76。

15 《春秋左傳集解》，頁1868。

從。」[16]

按：服、媚同義，皆「愛悅」之意。

《爾雅・釋詁上》：「悅、懌、愉、釋、賓、協，服也。」郭璞《注》：「皆謂喜而服從。」《荀子・大略》：「被文學，服禮義。」「服」亦「悅樂」之義。《詩・大雅・板》：「我言維服，勿以為笑。」陳奐《傳疏》：「服亦為說。」《大戴禮記・誥志》：「禹治以移衆，衆服以立天下。」王聘珍《解詁》：「服，悅服也。」

《說文》：「媚，說也。」段玉裁《注》：「說，今悅字也。」《國語・周語上》：「若是，乃能媚於神而和於民矣。」韋昭《注》：「媚，說也。」《詩・大雅・下武》：「媚茲一人，應侯順德。」鄭《箋》：「媚，愛。」《詩・大雅・卷阿》：「藹藹王多吉士，維君子使，媚于天子。……藹藹王多吉人，維君子命，媚于庶人。」「媚」亦愛悅之意。

「服」、「媚」同義，皆訓「說」，有「喜悅」、「喜愛」之義。襄公四年《傳》曰：「浞行媚于內，而施賂于外，愚弄其民，而虞羿于田。樹之詐慝，以取其國家，外內咸服。」上言「媚」，意為取悅，下言「服」，為悅樂之義。

《荀子・議兵》：「民之親我，歡若父母，其好我，芬若椒蘭。」此曰「好」，《傳》曰「服媚」，其義正同。

9　及食大夫黿

> 宣公四年：「楚人獻黿於鄭靈公。公子宋與子家將見，子公之食指動，以示子家，曰：『他日我如此，必嘗異味。』及入，宰夫將解黿，相視而笑。公問之，子家以告。及食大夫黿，召子公而弗與也。子公怒，染指於鼎，嘗之而出。」

王引之曰：「家大人曰：『黿下當有羹字。謂為黿羹以食大夫也。下文

---

[16] 楊伯峻編著：《春秋左傳注》（北京市：中華書局，1990年），頁673。

染指於鼎，嘗之而出，所嘗者羹也。則上文原有羹字可知。自唐石經脫羹字，而各本遂沿其誤。《太平御覽・人事部十一・指篇》、〈飲食部十九・羹篇〉、〈鱗介部四・黿篇〉引此皆無羹字。』案：《御覽》載此事於〈羹篇〉，則所引當有羹字，今本無者，後人依俗本《左傳》刪之，因並刪〈指篇〉、〈黿篇〉兩羹字耳。鈔本《北堂書鈔・酒食部三・羹篇》出黿羹二字，《注》引《左傳》食大夫黿羹（陳禹謨本刪《注》文羹字，而正文黿羹二字尚存），《初學記・服食部・羹篇》引同，《白帖十六・羹篇》出黿羹二字，《注》所引亦同（今本《注》內無羹字，亦後人所刪）。高注《呂氏春秋・季夏篇》及《淮南・時則篇》竝云黿可為羹，引《左傳》鄭靈公不與公子宋黿羹（《呂氏春秋・諭大篇》注引同），則《傳》文原有羹字甚明。《史記・鄭世家》敘此事亦云『及入見靈公，進黿羹』，又云『靈公召之，獨弗與羹』；《韓子・難四》云『食黿之羹，鄭君怒而不誅』；《易林・蒙之萃》云『黿羹芬芳，染指弗嘗』。黿羹之文，皆本於《左傳》。」[17]

按：「食大夫黿」，與「殺羊食士」之事相類。王氏之說，尚有可商者。

其一，各本皆無「羹」字，可證原本不誤。

其二，染指於鼎，嘗之而出，所嘗者為羹，不足以證明大夫所食者為羹。

其三，《說苑・復恩》曰：「楚人獻黿於鄭靈公。公子家見公子宋之食指動，謂公子家曰：『我如是，必嘗異味。』及食大夫黿，召公子宋而不與。公子宋怒，染指於鼎，嘗之而出。公怒，欲殺之。公子宋與公子家謀先，遂殺靈公。子夏曰：『《春秋》者，記君不君、臣不臣、父不父、子不子者也。此非一日之事也，有漸以至焉。』」《說苑》之文，亦無「羹」字，與《左傳》同。《述聞》謂「自唐石經脫羹字，而各本遂沿其誤」，似失之武斷。《太平御覽》三引此皆無羹字，可證原文如此。

其四，《史記・鄭世家》曰「及入見靈公，進黿羹」，又曰「靈公召之，獨弗與羹」，「羹」字凡兩見。《太平御覽》載此事於〈羹篇〉，當據

[17] （清）王引之：《經義述聞》，頁423。

《史記》之文立目，而《左傳》為事典之所出，故並列之。若《左傳》原有羹字，《御覽》豈有刪削之理？王氏謂「後人依俗本《左傳》刪之，因並刪〈指篇〉、〈黿篇〉兩羹字」，亦乏佐證。鈔本《北堂書鈔》、《初學記》、《白帖》之〈羹篇〉注引《左傳》稱「黿羹」者，因其類目為「羹」，故誤增「羹」字，本或無「羹」字，非後人所刪，乃原本如此也。《呂氏春秋．季夏》、〈論大〉二篇及《淮南子．時則訓》高誘《注》並稱「傳曰」，或所見之本有誤。

其五，《左傳》言「黿」，《史記》言「黿羹」，其義實同。《說文》：「黿，大鱉也。」黿體形巨大，可至數百斤，其卵如鴨子（今謂蛋）而圓，故烹一黿而可君臣同食。

《爾雅．釋器》：「肉謂之羹。」《新序．雜事四》：「臣請譬之以五味：管仲善斷割之，隰朋善煎熬之，賓須無善齊和之，羹以熟矣，奉而進之，而君不入，誰能彊之？」「羹」指肉，故需「斷割」，又經「煎熬」而後「熟」。

隱公元年《傳》：「潁考叔為潁谷封人，聞之，有獻於公。公賜之食。食舍肉。公問之，對曰：『小人有母，皆嘗小人之食矣，未嘗君之羹，請以遺之。』」「肉」與「羹」同義。

宣公二年《傳》：「華元殺羊食士，其御羊斟不與。及戰，曰：『疇昔之羊，子為政；今日之事，我為政。』與入鄭師，故敗。」《說苑．貴德》述其事曰：「鄭伐宋，宋人將與戰，華元殺羊食士，其御羊斟不與焉。及戰，曰：『疇昔之羊羹，子為政；今日之事，我為政。』與華元馳入鄭師，宋人敗績。」《左傳》曰「羊」，《說苑》謂之「羊羹」，其實一也。

10　衷其衵服以戲于朝

宣公九年：「陳靈公與孔寧、儀行父通於夏姬，皆衷其衵服，以戲于朝。洩冶諫曰：『公卿宣淫，民無效焉，且聞不令，君其納之！』」

杜預曰：「衷，懷也。衵服，近身衣。」[18]竹添光鴻曰：「衷如『衷甲』之衷，謂著之內也。」[19]楊伯峻曰：「衷，《說文》云『裏褻衣』。此作動詞用，猶襄二十七年《傳》『衷甲』之『衷』，謂著于內，故杜《注》云『懷也』。」[20]

按：杜《注》釋「衷」為「懷」，似為「懷藏」之義，而非「穿著」義。《潛夫論・述赦》：「先帝制法，論衷刺刀者。何則？以其懷姦惡之心，有殺害之意也。」「衷」亦「懷藏」之意。

《傳》云陳靈公與孔寧、儀行父「皆衷其衵服，以戲於朝」，謂出其衵服以相戲也，下文曰「君其納之」，杜預曰「納藏衵服」，是也。

11 分財用

> 宣公十一年：「量功命日，分財用，平板榦，稱畚築，程土物，議遠邇，略基趾，具餱糧，度有司。」

杜預曰：「財用，築作具。」[21]竹添光鴻曰：「財、材通。」[22]楊伯峻曰：「『財』通『材』。用，用具也。」[23]

按：用與財同義，謂財貨。「分財用」，謂分擔資財。

《論語・學而》：「節用而愛人。」劉寶楠《正義》：「用謂財用也。」《國語・周語中》：「以備百姓兆民之用。」韋昭《注》：「用，財用也。」

「財用」連文，古書習見。如：莊公二十三年《傳》：「故會以訓上下之則，制財用之節。」襄公二十七年《傳》：「兵，民之殘也，財用之蠹，小國之大蓄也。」《國語・周語上》：「財用不乏，民用和同。」《周禮・天官・冢

---

18 （晉）杜預：《春秋左傳集解》，頁1874。

19 竹添光鴻：《左傳會箋》，頁723。

20 楊伯峻編著：《春秋左傳注》，頁702。

21 （晉）杜預：《春秋左傳集解》，頁1875。

22 竹添光鴻：《左傳會箋》，頁731。

23 楊伯峻編著：《春秋左傳注》，頁712。

宰》：「會內宮之財用。」鄭玄《注》：「計夫人以下所用財。」

12　諸侯縣公皆慶寡人 女獨不慶寡人

> 宣公十一年：「夏征舒為不道，弒其君，寡人以諸侯討而戮之，諸侯、縣公皆慶寡人，女獨不慶寡人，何故？」

按：《說文・心部》：「慶，行賀人也。」又《貝部》曰：「賀，以禮相奉慶也。」「慶」、「賀」為同義轉注。《史記・陳杞世家》、〈楚世家〉「慶」皆作「賀」。《國語・魯語下》：「夫義人者，固慶其喜而弔其憂。」韋昭《注》：「慶，猶賀也。」

《周禮・春官・大宗伯》：「以賀慶之禮親異姓之國。」《周禮・秋官・大行人》：「賀慶以贊諸侯之喜。」「賀慶」與後世之「慶賀」皆為同義複詞。（存目）

13　勦民

> 宣公十二年：「夏六月，晉師救鄭。……及河，聞鄭既及楚平，桓子欲還，曰：『無及於鄭而勦民，焉用之？楚歸而動，不後。』」

杜預曰：「勦，勞也。」[24]《會箋》、楊《注》同。

按：勦，劋也，絕也。《說文・刀部》：「劋（劋之古字），絕也。……〈周書〉曰：『天用劋絕其命。』」與楚戰必傷民，故曰「勦民」，此與「殘民」義近，而與昭公九年《傳》之「勦民」義別。

《尚書・甘誓》：「有扈氏威侮五行，怠棄三正，天用勦絕其命。」孔《傳》：「勦，截也；截絕，謂滅之。」

《漢書・王莽傳下》：「如黠賊不解散，將遣大司空將百萬之師征伐劋絕之矣！」《宋書・恩倖傳》：「帝弟宗王，相繼屠劋。」

---

24 （晉）杜預：《春秋左傳集解》，頁1879。

14　貴有常尊，賤有等威

宣公十二年：「君子小人，物有服章，貴有常尊，賤有等威。」

杜預曰：「威儀有等差。」[25]馬宗璉曰：「如『僚臣僕，僕臣臺』之類。」[26]竹添光鴻曰：「等威但就賤者而言，威、畏通。言貴者有常之可尊，而不可苟居卑；賤者有等之可畏，而不苟犯尊也。」[27]楊伯峻曰：「昭七年《傳》云：『士臣皁，皁臣輿，輿臣隸，隸臣僚，僚臣僕，僕臣臺。』是雖所謂賤者，亦各有其臣屬，是所謂等威也。」[28]

按：杜注「等威」，謂「威儀有等差」，甚確，惜不為後人所取。「貴有常尊，賤有等威」，二句互文見義，謂貴賤尊卑，威儀（禮儀之細節）各有等差。

文公十五年《傳》：「日有食之，天子不舉，伐鼓于社；諸侯用幣于社，伐鼓于朝，以昭事神、訓民、事君，示有等威，古之道也。」《後漢書・楊秉傳》：「降亂尊卑，等威無序。」又〈東平憲王蒼傳〉：「蒼以受恩過禮，情不自寧，上疏辭曰：『臣聞貴有常尊，賤有等威，卑高列序，上下以理。陛下至德廣施，慈愛骨肉，既賜奉朝請，咫尺天儀，而親屈至尊，降禮下臣，每賜讌見，則興席改容，中宮親拜，事過典故。』」《潛夫論・班祿》：「是以先聖籍田有制，供神有度，奉己有節，禮賢有數，上下大小，貴賤親疏，皆有等威，階級衰殺，各足祿其爵位，公私達其等級，禮行德義。」

15　耆昧

宣公十二年：「兼弱攻昧，武之善經也。……〈汋〉曰：『於鑠王師，

---

[25]（晉）杜預：《春秋左傳集解》，頁1879。

[26]（清）馬宗璉：《春秋左傳補注》（南京市：鳳凰出版社，2005年，景《清經解》本），頁9970。

[27] 竹添光鴻：《左傳會箋》，頁742。

[28] 楊伯峻編著：《春秋左傳注》，頁725。

遵養時晦。』耆昧也。」

杜預曰：「耆，致也。致討於昧。」[29] 俞樾曰：「（耆）讀為『耆老』之耆。耆者，養也。」[30] 孔《疏》、《會箋》取杜說。

陳奐曰：「耆昧即攻昧。」[31] 楊《注》同。

按：陳《疏》得之。《墨子・節葬下》：「凡大國之所以不攻小國者，積委多，城郭修，上下調和，是故大國不耆攻之；無積委，城郭不修，上下不調和，是故大國耆攻之。」《墨子》上言「攻」，下言「耆攻」其義一也。

16 撫弱

宣公十二年：「撫弱耆昧，以務烈所，可也。」

杜預曰：「言當務從武王之功業，撫而取之。」[32] 孔穎達曰：「士會言不須敵楚，兼撫餘諸侯弱者，致討諸侯昧者，以務武王烈業之所，可也。」[33]

按：《廣雅・釋詁一》：「撫，有也。」「有」有「親有」之義，亦有「佔有」、「擁有」之義，二義可以相通。王引之曰：「撫為相親有之有，……又為奄有之有。」[34]

上文曰：「兼弱攻昧，武之善經也。子姑整軍而經武乎，猶有弱而昧者，何必楚？仲虺有言曰：『取亂侮亡。』兼弱也。〈汋〉曰：『於鑠王師，遵養時晦。』耆昧也。」曰「兼弱攻昧」、曰「兼弱」、曰「耆昧」，皆謂攻取弱者、昧者，「撫弱耆昧」，其義正同。《尚書・仲虺之誥》：「兼弱攻昧，

---

[29] （晉）杜預：《春秋左傳集解》，頁1879。

[30] （清）俞樾：《群經平議》（南京市：鳳凰出版社，2005年，景《清經解續編》本），頁6954。

[31] （清）陳奐：《詩毛氏傳疏》（南京市：鳳凰出版社，2005年，景《清經解續編》本），頁4131。

[32] （晉）杜預：《春秋左傳集解》，頁1879。

[33] （唐）孔穎達：《春秋左傳正義》，頁1879。

[34] （清）王念孫：《廣雅疏證》（南京市：江蘇古籍出版社，1984年），頁6。

取亂侮亡。」

成公十一年《傳》:「昔周克商,使諸侯撫封。」杜預《注》:「各撫有其封內之地。」《禮記・文王世子》:「武王曰:『西方有九國焉,君王其終撫諸?』」鄭玄《注》:「撫,猶有也。」《尚書・周官》:「惟周王撫萬邦,巡侯甸,四征弗庭,綏厥兆民。」

17 箴之曰民生在勤、勤則不匱

> 宣公十二年:「楚自克庸以來,其君無日不討國人而訓之于民生之不易、禍至之無日、戒懼之不可以怠;在軍,無日不討軍實而申儆之于勝之不可保、紂之百克而卒無後;訓之以若敖、蚡冒篳路藍縷以啟山林;箴之曰民生在勤、勤則不匱。」

「箴之曰」以下,《會箋》、楊《注》諸家皆斷為三句,且以「民生在勤,勤則不匱」為直接引語。《左傳譯文》謂:「告誡說:『百姓的生計在於勤勞,勤勞就沒有匱乏。』」[35]

按:「曰」與上文「于」、「以」同義。

上文曰「其君無日不討國人而訓之于民生之不易、禍至之無日、戒懼之不可以怠」,劉淇曰:「訓之于民生之不易,猶云訓之以民生之不易。」[36]楊樹達曰:「於亦以也。」[37]竹添光鴻曰:「于,於也,猶以也。『其君』至『以怠』二十九字,一氣連下,作一句讀。」[38]

劉氏《辨略》等釋「于」為「以」,合於《傳》意。昭公十七年《傳》:「秋,郯子來朝。公與之宴。昭子問焉,曰:『少皞氏鳥名官,何故也?』郯子曰:『吾祖也,我知之。昔者黃帝氏以雲紀,故為雲師而雲名。炎帝氏以火紀,故為火師而火名。共工氏以水紀,故為水師而水名。大皞氏以龍紀,

---

[35] 沈玉成:《左傳譯文》(北京市:中華書局,1981年),頁186。

[36] (清)劉淇著,章錫深校注:《助字辨略》(北京市:中華書局,2004年),頁39。

[37] 楊樹達:《讀左傳》(上海市:上海古籍出版社,2006年),頁42。

[38] 竹添光鴻:《左傳會箋》,頁747。

故為龍師而龍名。我高祖少皞摯之立也，鳳鳥適至，故紀於鳥，為鳥師而鳥名。……自顓頊以來，不能紀遠，乃紀於近。為民師而命以民事，則不能故也。」文中五用「以」字，二用「於」字，其義同。《韓非子．解老》：「慈，於戰則勝，以守則固。」於、以相對成文。《商君書．說民》：「故治之於其治則治，治之於其亂則亂。」「於」亦訓「以」。

「曰」字亦當作「以」解。《說文》：「曰，詞也。」段玉裁《注》：「《釋詁》：『粵、于、爰，曰也。』此謂《詩》、《書》古文多有以『曰』為『爰』者，故粵、于、爰、曰四字可互相訓，以雙聲疊韻相假借也。」「于」同「於」。「於」有「以」義，故「曰」亦可訓「以」。「箴之曰民生在勤、勤則不匱」二句，乃述其意而非稱引其言，與前數句同出一例。哀公十五年《傳》：「以禮防民，猶或踰之，今大夫曰死而棄之，是棄禮也，其何以為諸侯主？」「曰死而棄之」，謂以其死而棄之。

俞樾曰：「《爾雅．釋詁》：『粵、于、爰，曰也。』而爰、粵、于三字，又訓『於』，是『曰』、『於』義同。《禮記．禮運篇》：『其降曰命，其官於天也』，言其降於教命者，皆其法於天者也。上句用『曰』字，下句用『於』字，亦虛字變換之例。」[39]《左傳》「于」、「以」、「曰」三字互換，可為俞氏之說添一例證。

---

39 （清）俞樾：《古書疑義舉例》（北京市：中華書局，1983年，《古書疑義舉例五種》），頁72。

「于敘事中寓論斷」與藉事明義

——以《左傳》解經為討論核心

張高評*

一　《左傳》以歷史敘事解傳《春秋》

《左傳》以史傳經，與《公羊》、《穀梁》以義傳經不同。晚清《公羊》學家劉逢祿撰《左氏春秋考證》，遂以為《左氏》不傳《春秋》。章太炎著《春秋左傳讀敘錄》批駁其說，據《嚴氏春秋》，以為丘明與孔子同乘觀周，經傳共為表裏；謂「《左氏》自釋《春秋》，不在其名《傳》與否也。」諸經傳體既不齊一，「《左氏》與《公羊》寧能同體」[1]？蓋《左氏》與《春秋》，必須相持成書，事義始備，猶後世修史，列傳與本紀彼此參會，乃能相得益彰。元趙汸《春秋師說》謂：「學《春秋》，以考據《左傳》國史事實為主，然後可求書法。能考據事實而不得書法者，亦尚有之；未有不考據事實，而能得書法者也。」[2]《四庫全書總目》因之，亦謂：「刪除事跡，何由知其是非？無案而斷，是《春秋》為射覆矣！」[3]《左傳》以歷史敘事方式解釋

---

* 成功大學中國文學系。

1 張高評：〈章太炎《春秋左傳讀敘錄》述評——論劉逢祿「《左氏》不傳《春秋》」說〉，見國立高雄師範大學經學研究所編：《經學研究集刊》第6期（高雄市：國立高雄師範大學經學研究所，2009年5月），頁1-22。

2 （元）趙汸：《春秋師說》（臺北市：大通書局，1970年，景《通志堂經解》本），冊25，卷下，頁4。

3 （清）紀昀等編纂：《四庫全書總目》（臺北市：藝文印書館，1974年，景武英殿本），卷26，《經部．春秋類》，〈總序〉，頁536。

《春秋》經，自有其解經之價值。

《史記·十二諸侯年表》稱「弟子人人異端，各安其意」，於是《左傳》、《公羊傳》、《穀梁傳》各自表述，多以闡釋發明《春秋》經義為依歸。東漢今古文之爭，為利祿之途；晚清劉逢祿等《公羊》學者，為派系主張，質疑《左傳》與《春秋》經之關係。以為「傳」為解經之書，凡所闡釋，皆當「據經發義」，如後世之注疏正義者然，不可有所出入。然《左傳》敘事一代事跡，或經闕傳存，或經有傳無，遂引為口實。夷考其實，《左傳》敘事，的確存在許多「經所不及者，獨詳志之」的材料，除俞樾所謂「因杜預割《傳》以附年」，顧棟高以為「私書闕誤，理之所有」外，「經闕傳存」，此正《左傳》所以為《春秋》之傳之故。晉杜預《春秋經傳集解·序》稱：《左傳》之為書，「或先經以始事，或後經以終義，或依經以辯理，或錯經以合異，隨義而發」。又，往往著明《春秋》「不書」、「不言」、「不稱」，以見麟經之微言大義。劉師培《春秋左氏傳古例詮微·明傳》所謂：「《傳》詳《經》簡，所以抒行事而闡褒譏；《傳》有《經》無，所以明刊削而昭簡擇。」[4]章太炎《春秋左傳讀敘錄》則強調：「詳《經》所不及者，或窮其源委，或言有可采，事有可觀，無非為經義之旁證。」同時指出：「《經》無而《傳》有者，悉皆《經》之微言。」[5]諸家發明「經闕傳存」之故，多持之有故，言之成理，值得信據。桓譚《新論·正經》云：「《左氏傳》于《經》，猶衣之表裏，相待而成。《經》而無《傳》，使聖人閉門思之十年，不能知也。」此《左氏》以歷史敘事解釋《春秋》，與《公羊》、《穀梁》不同，正有不可取代之價值。皮錫瑞《經學通論·春秋》稱「借事明義，是一部《春秋》大旨」；若稍易其詞，成「藉事明義」，移為《左傳》以史傳經之貢獻，將更洽適。由此觀之，劉逢祿《左氏春秋考證》以為「《經》

4　劉師培：《劉申叔先生遺書》（臺北市：華世出版社，1975年），頁389-390、415-420《春秋左氏傳古例詮微》，〈明傳篇第三〉，其《春秋左氏傳例略》舉證以明傳有經無之故。

5　章太炎：《春秋左傳讀敘錄》，《章太炎全集》本（臺北市：學海出版社，1984年），頁826、845。

本不待事而發」[6]，此言乖異，不合常理。章太炎所謂：「《左氏》具論本事以為之傳，若檃括之正曲木，平地之須水準。」（頁864）斯言得之。

若持《經》有《傳》無，以質疑「《左氏》不傳《春秋》」，亦是不合事實。劉逢祿《左氏春秋考證》曾持「據經發義」，質疑《左傳》於《春秋》之出入與疏離。若持同一標準以檢視《公羊傳》與《穀梁傳》，二傳之出入與乖離，將遠勝過《左傳》。依趙生群教授統計：《春秋》二百四十二年間，《左傳》明顯解經條目約一三〇〇條，與經文有間接關係者達一〇〇條以上；與解經無直接相關者，大約只有三〇〇條。易言之，《左傳》闡發《經》文之條目，約有一三〇〇條以上。以《春秋》經文總數為一八七〇條計，《左傳》「據《經》發義」者，高達五分之四以上，如此而可謂「《左氏》不傳《春秋》」乎？《經》有《傳》無者，《左傳》才五五〇條[7]，其作用即章太炎所謂「詳《經》所不及」、「發揮《經》之微言」、「為《經》義之旁證」。《公羊傳》全書「據《經》發義」者，共五七〇條；《經》有《傳》無者，高達一三〇〇條以上；《穀梁傳》依《經》作《傳》者，共七五〇條；《經》有《傳》無者，亦在一一〇〇條以上[8]。由此觀之，「據《經》發義」者，《左傳》約一三〇〇條，佔《經》文總條目一八七〇的百分之八十；《公羊傳》共五七〇條，只佔《經》文條目百分之三十；《穀梁傳》共七五〇條，亦只佔《經》文條目總數的百分之四十。因此，就「據《經》發義」，依《經》作《傳》而言，數其傳《經》之功勞與貢獻，當以《左傳》為第一，《穀梁》、《公羊》瞠乎其後。

《左傳》以歷史敘事方式解釋孔子《春秋》經，一則發揚「據事直書」

---

6 同上注，頁851引。

7 《經》無《傳》有者，章太炎以為「《經》有丘明所作者矣」，如：「魏賜繁纓、晉鑄刑書、鄭獻陳捷、紇郤齊田、婼戮豎牛、肸數鬻獄、僑存鄉校諸事皆是。」章太炎：《檢論》，見氏撰：《章氏叢書》（臺北市：世界書局，1958年），卷2，〈春秋故言〉，頁532。

8 趙生群：《春秋經傳研究》（上海市：上海古籍出版社，2000年）第五章〈《左傳》有經無傳辨〉，頁175。

之史官傳統，再則秉持孔子「述而不作」之表達理念[9]，三則紹述「屬辭比事」之《春秋》教示，四則體現《春秋》「推見以至隱」之特色，於是《左傳》敘事傳人號稱信史，能如實呈現春秋時代之人物與事件，還歷史本來之面目，讓歷史自己說話，此之謂「以史傳經」[10]。對於人物或事件褒貶或評價，「只讓讀者通過事實來體認，而作者並不輕易下斷語」[11]。筆者以為，《左傳》以史傳經之敘事藝術，符合古《春秋》記事成法[12]；顧炎武《日知錄》評《史記》，以為多「于序事中寓論斷」；皮錫瑞《經學通論》稱「借事明義，是一部《春秋》大旨」；要之，多有相通相融之處。《春秋繁露．玉杯》引孔子云：「載之空言，不如見之行事之深切著明也。」《左氏》「以史傳經」，即是「藉事明義」；雖與《公》、《穀》解《經》之「借事明義」異趣，自是「據《經》發義」之一大關鍵，而今文學家往往不以為然。

二　《左傳》「于序事中寓論斷」與借事明義

唐劉知幾《史通．敘事》，十分推重《左傳》之敘事，以為「古今卓絕，著述罕聞」。其中論及敘事之體，其別有四：有直紀其才性者，有唯書其事跡者，有因言語而可知者，有假論贊而自見者[13]。《史通》論《左傳》之敘事，以為「言事相兼，煩省合理」，上述四者，要皆《左傳》「藉事明義」，以史傳經之體類，徐復觀所謂「讓歷史自己說話」，吳小如所謂「讓

[9] 周遠斌：《儒家倫理與《春秋》敘事》，第三章第一節〈述而不作與《春秋》的敘事動機〉，稱孔子「述而不作」，即遵循、繼承、發揚先王之事業，而不改創非王道之業。見周遠斌：《儒家倫理與《春秋》敘事》（濟南市：齊魯書社，2008年），頁68。

[10] 徐復觀：《兩漢思想史》卷三，〈原史——由宗教通向人文的史學的成立〉，「左氏以史傳經的重大意義與成就」，見徐復觀：《兩漢思想史》（臺北市：臺灣學生書局，1979年），頁270-275。

[11] 吳小如：《古文精讀舉隅》（天津市：天津古籍出版社，2002年），頁34。

[12] 劉師培：《劉申叔先生遺書》，《左盦集》，卷2，〈古春秋記事成法考〉，頁1445。

[13] （唐）劉知幾撰，（清）浦起龍釋：《史通通釋》（臺北市：里仁書局，1980年），卷6，〈敘事〉，頁174。

讀者通過事實來體認」，宋明理學家喜言「事外無理，理在事中」；顧炎武所謂「于敘事中寓論斷」，皆可以避免作者干擾，此《左氏》「以史傳經」之優勝處，顧與《公》、《穀》之「以義傳經」不同。

皮錫瑞論「借事明義」之《春秋》大旨，以為「止是借當時之事，做一樣子。其事之合與不合，備與不備，本所不計。」於是舉例說明之：

> 如魯隱非真能讓國也，而《春秋》借魯隱之事，以明讓國之義。祭仲非真能知權也，而《春秋》借祭仲之事，以明知權之義。齊襄非真能復讎也，而《春秋》借齊襄之事，以明復讎之義。宋襄非真能仁義行師也，而《春秋》借宋襄之事，以明仁義行師之義。所謂「見之行事，深切著明」，孔子之意，蓋是如此。故其所託之義，與其本事不必盡合，孔子特借之以明其作《春秋》之義，使後之讀《春秋》者，曉然知其大義所存，較之徒託空言而未能徵實者，不益深切而著明乎？[14]

皮錫瑞治《春秋》，受晚清思潮影響，宗尚《公羊》學，討論解經問題，往往立異以為高，並不全然切合實情。如引文所言「借事明義」諸例，考諸《左傳》之以史傳經，誠如杜預《春秋經傳集解．序》所謂：「或先經以始事，或後經以終義，或依經以辯理，或錯經以合異，隨義而發。」又，劉知幾《史通．敘事》所謂或直紀其才行，或唯書其事跡，或因言語而可知，或假論贊而自見，此非孔子所謂「見之行事，深切著明」者乎？如魯隱公讓國事，《左氏》前傳〈惠公元妃孟子〉章，已明言「隱公立而奉之」；隱元《左傳》亦明點「不書即位，攝也」。魯隱讓國與否，徵諸《左傳》敘事，不亦深切著明乎[15]？皮錫瑞舉證，再三言「非真能」云云，模稜揣測如此，

---

[14] （清）皮錫瑞：《經學通論》（北京市：中華書局，1995年），〈春秋〉，頁21-22。

[15] （唐）孔穎達：《春秋左傳正義》卷二云：「隱既繼室之子，於第應立，而尋父娶仲子之意，委位以讓桓。天子既已定之，諸侯既已正之，國人既已君之，而隱終有讓國授桓之心，所以不行即位之禮也。……隱公讓位賢君，故為《春秋》之首。」《十三經注疏》整理本（北京市：北京大學出版社，2000年），頁55-56。

是不考信《左傳》之事跡也。即如祭仲知權一事，備載於《左傳》莊公十一年，《公羊傳》詳說「行權有道」，論斷多於敘事，不若《左傳》敘事之簡要微婉。齊襄復讎事，《公羊傳》莊公四年論說甚詳，然多無案而斷，雖曰據經發義，難免疏離事實。既無事實佐證，卻以之申明知權之義、復讎之義，此即「借當時之事，做一樣子」，皮氏所謂「《春秋》借事明義之旨」。至於宋襄公仁義行師，其事跡，備載於《左傳》僖公二十二年〈泓之戰〉，不但書其事跡，紀其才性，因言語而可知；且二十三年夏五月，特書：「宋襄公卒，傷於泓之故也。」[16]是亦「假論贊而自見」矣，顧炎武所謂「于敘事中寓論斷」，《左傳》有之。《公羊傳》敘次宋楚泓之戰，委曲詳盡不如《左傳》，繪聲繪影亦不如，唯由此闡發義旨，所謂：「臨大事而不忘大禮，有君而無臣。以為雖文王之戰，亦不過此也。」[17]此即皮氏所謂：「仁義行師。」《穀梁傳》載宋襄公敗於泓之戰，三分之一敘事，案斷佔三分之二[18]。《左傳》長於敘事，《公》、《穀》長於論斷，就「見之行事，深切著明」而言，《左傳》當然優於《公羊》與《穀梁》，此固無可疑者。

《左傳》之敘事多方，不一而足。為闡發《左傳》解經之法，乃選擇《左傳》「據經發義」——敘事文字中能發明《春秋》經旨者，以見理事圓融無礙，敘事中自寓論斷。顧炎武《日知錄》卷二十六稱：「古人作史，有不待論斷而于序事之中即見其指者，惟太史公能之。」[19]其實，左丘明《左傳》亦擅長之，筆者名之為「藉事明義」，與皮錫瑞以「借事明義」推崇《公羊春秋》之大旨，相似而實不同。以下所選案例十三，多為春秋時代知名之事件，或為《春秋》書法爭議之公案，頗具代表性，可以舉一概餘，以此類

---

16 《左傳》，〈泓之戰〉，同上注，頁462-464、467。

17 （唐）徐彥：《春秋公羊傳注疏》，卷12，〈僖公二十二年〉，《十三經注疏》整理本（北京市：北京大學出版社，2000年），頁287-288。

18 （唐）楊士勛：《春秋穀梁傳注疏》，卷9，〈僖公二十二年〉，《十三經注疏》整理本（北京市：北京大學出版社，2000年），頁163-164。

19 （清）顧炎武著，黃汝成集釋，欒保群、呂宗力校點：《日知錄集釋》（全校本）（上海市：上海古籍出版社，2006年），卷26，〈史記於序事中寓論斷〉，頁1429。

推。

其事類凡九，曰弒、曰滅、曰亡、曰卒、曰災、曰觀、曰狩、曰奔、曰立，或因宗法倫理尊尊、親親、賢賢之訓，或為正名制名而諱言諱書，或緣經權稱謂而進退褒貶，往往以敘為議，於敘事中寓論斷。據此闡釋《左傳》以史傳經，「于敘事中寓論斷」，作用在藉事明義，特色則在「據經發義」。分弒君之例、滅亡卒災之例、觀狩之例，以及奔立之例。考察《春秋》書法如何體現，是其一；《左傳》如何運用「以史傳經」，藉事明義？此其二；《左傳》如何「于敘事中寓論斷」，完成「據經發義」？此其三；據事直書、屬辭比事、諱言諱書、筆削褒貶諸《春秋》書法，《左傳》敘事又如何安排？此其四。論證如下，以見《左傳》解經法之一斑。

（一）弒君之例

《史記・太史公自序》稱「《春秋》弒君三十六，亡國五十二」，《左傳》所載，當不止此數。今選擇《左傳》弒君之案例五，情況各有不同，如何因事命篇，隨物賦形？可以考見《左傳》之敘事藝術。《春秋》為明大義之書，故凡事之無關於大義者，皆削而不書。苟書之，皆所以示褒貶，供資鑑。《公羊》家說：《春秋》之於君臣，苟非其君大無道，而已為民請命，則《春秋》皆以弒君應之，所以嚴君臣之分，防亂臣賊子者至嚴也[20]。《左傳・宣公四年》君子曰：「凡弒君，稱君，君無道也：稱臣，臣之罪也。」宣公十八年：「凡自內虐其君曰弒，自外曰戕。」弒，專指臣民殺死君王而言。其中涉及宗法倫理、稱謂修辭，試分別舉例說明：

> 《春秋》桓公二年：春，王正月，戊申，宋督弒其君與夷，及其大夫孔父。
>
> 《左傳》桓公元年：宋華父督見孔父之妻于路，目逆而送之，曰：「美而豔。」二年，春，宋督攻孔氏，殺孔父而取其妻。公怒，督懼，遂

---

20 陳柱：《公羊家哲學》（臺北市：臺灣中華書局，1980年），〈倫理說〉，頁79。

弒殤公。君子以督為有無君之心，而後動於惡，故先書弒其君。

《公羊傳》桓公二年：及者何？累也。弒君多矣，舍此無累者乎？曰：有，仇牧，荀息，皆累也。舍仇牧、荀息，無累者乎？曰：有。有則此何以書？賢也。何賢乎孔父？孔父可謂義形於色矣。其義形於色奈何？督將弒殤公，孔父生而存，則殤公不可得而弒也，故於是先攻孔父之家。殤公知孔父死，己必死，趨而救之，皆死焉。孔父正色而立於朝，則人莫敢過而致難於其君者，孔父可謂義形於色矣。

《穀梁傳》桓公二年：桓無王，其曰王何也？正與夷之卒也。及其大夫孔父。孔父先死，其曰及何也？書尊及卑，《春秋》之義也。孔父之先死何也？督欲弒君而恐不立，於是乎先殺孔父，孔父閑也。何以知其先殺孔父也？曰子既死，父不忍稱其名，臣既死，君不忍稱其名。以是知君之累之也。孔，氏，父，字謚也。或曰其不稱名，蓋為祖諱也，孔子故宋也。

宋華父督弒君之緣起本末，《左傳》以史傳經，敘事傳人括之以四十字，而不遺不漏，如見其人，如歷其境。或記其才性，或書其事跡，或聞見聲色。「君子以為」云云，揭示「誅心」之書法，所謂假論贊而見褒貶者。孔子所謂「見之行事，深切著明」，《左傳》「于敘事中寓論斷」有之。《公羊》以賢與孔父，《穀梁》以尊卑言書法，皆以義解經，多空言無據。故三傳釋經，以《左傳》之「藉事明義」為勝。又如：

《春秋》莊公八年：冬，十有一月，癸未，齊無知弒其君諸兒。

《左傳》莊公八年：齊侯使連稱、管至父戍葵丘，瓜時而往，曰「及瓜而代」。期戍，公問不至。請代，弗許，故謀作亂。僖公之母弟曰夷仲年，生公孫無知，有寵於僖公，衣服禮秩如適。襄公絀之，二人因之以作亂。連稱有從妹在公宮，無寵，使間公。曰：「捷，吾以女為夫人。」

冬，十二月，齊侯游于姑棼，遂田于貝丘。見大豕，從者曰：「公子彭生也！」公怒曰：「彭生敢見！」射之，豕人立而啼。公懼，隊于車。傷足，喪屨。反，誅屨於徒人費。弗得，鞭之見血。走出，遇賊于門。劫而束之，費曰：「我奚御哉！」袒而示之背，信之。費請先入，伏公而出鬥，死于門中。石之紛如死于階下，遂入。殺孟陽于床，曰：「非君也，不類。」見公之足于戶下，遂弒之，而立無知。初，襄公立無常，鮑叔牙曰：「君使民慢，亂將作矣！」奉公子小白出奔莒。亂作，管夷吾、召忽奉公子糾來奔。

《公羊傳》莊公八年：(無)

《穀梁傳》莊公八年：大夫弒其君以國氏者，嫌也，弒而代之也。

齊襄公被弒，緣於背信、失德、無常、無道，《左傳》運用縮筆省筆，以二二五字道盡一樁謀殺叛亂事件，可謂簡而詳，約而明。襄公之失德無常，前後藉連稱、管至父、公子彭生、徒人費、石之紛如、孟陽諸人烘托出，眾叛親離如此，正不勞褒貶，藉事足以明義，葉落可以知秋。《公羊傳》釋經從缺，《穀梁傳》以義解經，徒託空言而已，無徵難信從。又如：

《春秋》宣公二年：秋，九月，乙丑，晉趙盾弒其君夷臯。

《左傳》宣公二年：晉靈公不君，厚斂以彫牆，從臺上彈人，而觀其辟丸也。宰夫胹熊蹯不熟，殺之。寘諸畚，使婦人載以過朝。趙盾，士季，見其手，問其故，而患之。將諫，士季曰：「諫而不入，則莫之繼也。會請先，不入，則子繼之。」三進及溜，而後視之，曰：「吾知所過矣，將改之。」稽首而對曰：「人誰無過，過而能改，善莫大焉。《詩》曰：『靡不有初，鮮克有終。』夫如是，則能補過者鮮矣。君能有終，則社稷之固也，豈惟群臣賴之。又曰：『袞職有闕，惟仲山甫補之。』能補過也。君能補過，袞不廢矣。」猶不改。宣子驟諫，公患之，使鉏麑賊之。晨往，寢門闢矣，盛服將朝，尚早，坐而假寐。麑退，歎而言曰：「不忘恭敬，民之主也。賊民之主，不忠；棄君之命，不信。有一於此，不如死也。」觸槐而死。

秋，九月，晉侯飲趙盾酒，伏甲將攻之，其右提彌明知之，趨登曰：「臣侍君宴，過三爵，非禮也。」遂扶以下，公嗾夫獒焉，明搏而殺之。盾曰：「棄人用犬，雖猛何為？」鬥且出，提彌明死之。初，宣子田於首山，舍于翳桑，見靈輒餓。問其病，曰：「不食三日矣！」食之，舍其半。問之，曰：「宦三年矣，未知母之存否？今近焉，請以遺之。」使盡之，而為之簞食與肉，寘諸橐以與之。既而與為公介，倒戟以禦公徒，而免之，問何故，對曰：「翳桑之餓人也。」問其名居，不告而退，遂自亡也。乙丑，趙穿攻靈公於桃園，宣子未出山而復，大史書曰「趙盾弒其君」，以示於朝，宣子曰：「不然！」對曰：「子為正卿，亡不越竟，反不討賊，非子而誰？」宣子曰：「嗚呼，『我之懷矣，自詒伊慼』，其我之謂矣。」孔子曰：「董狐，古之良史也，書法不隱。趙宣子，古之良大夫也，為法受惡。惜也，越竟乃免。」宣子使趙穿逆公子黑臀于周，而立之。壬申，朝于武宮。

《公羊傳》宣公二年：（無）

《穀梁傳》宣公二年：穿弒也，盾不弒，而曰盾弒，何也？以罪盾也。其以罪盾何也？曰靈公朝諸大夫，而暴彈之，觀其辟丸也。趙盾入諫，不聽，出亡，至於郊。趙穿弒公而後反趙盾，史狐書賊，曰：「趙盾弒公。」盾曰：「天乎天乎！予無罪。孰為盾而忍弒其君者乎？」史狐曰：「子為正卿，入諫不聽，出亡不遠。君弒，反不討賊則志同，志同則書重，非子而誰？」故書之曰：晉趙盾弒其君夷皋者，過在下也。曰：「於盾也，見忠臣之至，於許世子止，見孝子之至。」

「趙盾弒其君」，原為晉太史董狐所書，孔子修《春秋》本之，推崇為「書法不隱」；又稱揚董狐，以為「古之良史」。《左傳》以史傳經，破題論贊「晉靈公不君」，言語道斷弒君公案之緣起，其後接敘勸諫、驟諫，鉏麑觸槐，多藉言記事，所謂「因言語而可知」，敘事傳人有聲有色。再敘以提彌明搏殺夫獒，靈輒倒戟禦盾，皆為點染晉靈公之不君。終幅方敘「趙穿攻靈公於桃園」，方見弒君之案情與消息。宣子趙盾「不弒而弒」之隱微，經由董狐書法表出，孔子論贊道出。再驗以「屬辭比事」之《春秋》書法，文末結以

「宣子使趙穿逆公子黑臀于周，而立之」。於是菩薩相幻化為羅剎相，踢倒當場傀儡，劈開另地乾坤，歷史真相昭然若揭。至於趙穿「弒而非弒」之玄機，藉《左傳》敘事之前後相形，而是非虛實昭然若揭，微言大義亦呼之欲出，此屬辭比事敘事藝術之妙者。要之，趙盾實為弒君案之主謀，策劃人，太史董狐對宣子問，所謂：「子為正卿，亡不越竟，反不討賊，非子而誰？」已坐實弒君元凶為趙盾。觀此，《左傳》敘事兼長「因言語」、「假論贊」二者，自有助於「藉事明義」之解經。《公羊傳》解經闕如，《穀梁傳》敘事極略，只敘暴彈避丸，入諫不聽而已，既未直記才行，又略寫其事跡，唯記董狐問對：「子為正卿，入諫不聽，出亡不遠。君弒，反不討賊則志同，志同則書重，非子而誰？」藉言記事，畫龍點睛，此劉知幾《史通．敘事》所謂「因言語而可知」之敘事書法也。又如：

> 《春秋》宣公四年：夏，六月，乙酉，鄭公子歸生弒其君夷。
>
> 《左傳》宣公四年：楚人獻黿於鄭靈公。公子宋，與子家將見。子公之食指動，以示子家，曰：「他日我如此，必嘗異味！」及入，宰夫將解黿，相視而笑。公問之，子家以告。及食大夫黿，召子公而弗與也。子公怒，染指於鼎，嘗之而出。公怒，欲殺子公。子公與子家謀先，子家曰：「畜老猶憚殺之，而況君乎？」反譖子家，子家懼而從之。夏，弒靈公。書曰「鄭公子歸生弒其君夷」，權不足也。君子曰：「仁而不武，無能達也。凡弒君，稱君，君無道也。稱臣，臣之罪也。」
>
> 《公羊傳》宣公四年：（無）
>
> 《穀梁傳》宣公四年：（無）

《左傳》以史傳經，往往詳《經》所不及，發揮《經》之微言，可作為《經》義之旁證，如上敘「鄭公子歸生弒其君夷」事，真能藉事明義，發揚《春秋》「推見至隱」之精神。此一弒君事件，《三傳》中唯《左傳》「具論本事以為之傳」，劉逢祿《左氏春秋考證》質疑《左傳》當「據《經》發義」，此釋經之文可見。依《左傳》敘事，弒君之元兇當是子公；子公初因食黿未果而動殺機，繼與子家謀先而又反譖之，終則「子家懼而從之」。由此看來，公子歸生（子家）不過是從犯幫兇而已，何以《春秋》書曰「鄭公子歸生弒其君夷」？《左傳》以「權不足也」四字作論斷。杜預注：「子家權不足以禦亂，懼譖而從弒君，故書以首惡。」子家（歸生）本無弒君之心，《春秋》之義卻書同大罪，蓋戒君子慎其所以立[21]。《左傳》敘事之外有論斷，再出以「君子曰」作解讀，謂子家「仁而不武，無能達也」。杜注：「初稱畜老，仁也。不討子公，是不武也。故不能自通於仁道而陷君之罪。」《左傳》篇末出以案斷，解讀《春秋》書法，可謂「據《經》發義」。若無前幅「具論本事以為之傳」，則篇末案斷不免空言無據。有前幅之敘次本事，呼應後幅之論贊釋經，此即章太炎《春秋左傳讀敘錄》所謂：「若檃括之正曲木，平地之須水準。」由此觀之，《左氏》以史傳經，其貢獻往往在傳經之上。又如：

> 《春秋》昭公十九年：夏，五月，戊辰，許世子止弒其君買。冬，葬許悼公。
>
> 《左傳》昭公十九年：夏，許悼公瘧。五月，戊辰，飲大子止之藥，卒。大子奔晉。書曰「弒其君」。君子曰：「盡心力以事君，舍藥物可也。」
>
> 《公羊傳》昭公十九年：冬，葬許悼公。賊未討，何以書葬？不成于弒也。曷為不成于弒？止進藥而藥殺也。止進藥而藥殺，則曷為加弒焉爾？譏子道之不盡也。其譏子道之不盡奈何？曰：「樂正子春之視疾也，復加一飯，則脫然愈；復損一飯，則脫然愈；復加一衣，則脫然愈；復損一衣，則脫然愈。」止進藥而藥殺，是以君子加弒焉爾。曰許世子弒其君買，是君子之聽止也。葬許悼公，是君子之赦止也。赦止者，免止之罪辭也。
>
> 《穀梁傳》昭公十九年：日弒，正卒也。正卒，則止不弒也。不弒而曰弒，責止也。止曰：「我與夫弒者。」不立乎其位，以與其弟虺。

[21] （唐）孔穎達：《春秋左傳正義》，《春秋左傳注疏》，卷21，頁698。

哭泣，歠飦粥，嗌不容粒，未踰年而死，故君子即止自責而責之也。

案：《春秋》書「世子弒其君」者三，此其一。胡安國《春秋傳》以為：「書世子弒君，使天下後世察於人倫，知所以為君臣父子之道，而免於首惡之名，誅死之罪也。」亦杜漸防微之意。關於許世子弒君事，《三傳》釋經，各有說解。至明末「紅丸案」，歷史重演，明清《春秋》學討論尤其熱絡[22]。此一弒君案，唯《左氏》「具論本事以為之傳」，雖敘事簡要，而不失明白。蓋瘧疾之為病，縱服藥未癒，尚不致人於死。《左傳》載：許悼公瘧，太子進藥而卒，衡情度理，太子難脫弒君之嫌疑，因而「大子奔晉」，蓋畏罪逃亡。《春秋》乃書曰：「許世子止弒其君買。」唐孔穎達《左傳正義》於此，頗有發明：「醫不三世，不服其藥，古之慎戒也。人子之孝，當盡心嘗禱而已，藥物之劑，非所習也。許止身為國嗣，國非無醫，而輕果進藥，故罪同於弒。雖原其本心，而《春秋》不赦，蓋為教之遠防也。」[23]胡安國《春秋傳》亦云：「止不擇醫而輕用其藥，藥不先嘗而誤進於君，是有忽君父之心而不慎矣。書許世子止弒君，乃除惡於微之意也。」[24]《正義》與《胡傳》之論斷，蓋據《左傳》所敘太子行事推衍，此劉師培所謂「《傳》詳《經》簡，所以抒行事而闡褒譏」者也。

除《左傳》敘明本事外，《三傳》又皆「據《經》發義」。《左傳》出以「君子曰」，謂：「盡心力以事君，舍藥物可也。」暗示世子自配藥劑，致

---

22 此所謂「紅丸案」，指萬曆四十八年，神宗卒，光宗即位，鄭貴妃進美女四人，光宗患病，內醫進瀉藥，李可灼連進二紅丸診治，光宗隨之去世事。當時中外洶洶，咸以為中有情弊；但首輔方從哲卻擬旨賞賜可灼銀五十兩。於是議論蜂起，指責方從哲曲庇，崔文昇殺君，且語涉鄭貴妃。高攀龍：《高子遺書‧與王東里黃門》對此案之曲直有所論述。見（明）高攀龍：《高子遺書》，《景印文淵閣四庫全書》（臺北市：臺灣商務印書館，1983年，景國立故宮博物院藏本），冊1292，卷8下，〈與王東里黃門〉，頁515。

23 （唐）孔穎達：《春秋左傳正義》，《春秋左傳注疏》，卷21，〈鄭公子歸生弒其君夷〉，「正義曰」，頁699。

24 （宋）胡安國：《春秋傳》（成都市：巴蜀書社，景怡府藏板，1987年），卷25，〈昭公十九年〉，頁15。

出命案。《公羊傳》解經，連結「冬，葬許悼公」之文，運用屬辭比事，以見《春秋》既書葬，是孔子赦免世子無心之失。不過，道義親情，許世子過失致父死亡，故《春秋》書弒其君。《公羊傳》引申發揮一段孝子之道，有勵世勸俗作用。《穀梁傳》解經，好用日月例，以此推論許悼公正常死亡，暗示世子並未弒君。「不弒而曰弒」，是責備太子進藥而未曾嚐藥，致藥殺父王。世子為此深深自責，讓位於其弟，哭泣傷心，「嗌不容粒，未踰年而死」。此一敘事情節諸傳所無，可以補足世子「不弒」之形象。可見，敘事之窮其原委，可以闡發《春秋》所不及，而理在事中，敘事中自含論斷。《穀梁》、《公羊》偶有敘事文字，與以義解經相輔相成，多有助於《春秋》之義的深切著明。

（二）滅亡卒災之例

國之遭滅，國之淪亡，君之卒死，宗廟之火災，此皆家國之不幸，《春秋》書之以為大事。《春秋》與《三傳》，如何書寫變異，寄寓勸懲？此中可見。史書之記功司過，如何能得失一朝，榮辱千載？此固有賴史乘敘事之啟示，更有待《春秋》三傳釋經之發明。如：

> 《春秋》莊公四年：紀侯大去其國。
>
> 《左傳》莊公四年：紀侯不能下齊，以與紀季。夏，紀侯大去其國，違齊難也。
>
> 《公羊傳》：大去者何？滅也。孰滅之？齊滅之。曷為不言齊滅之？為襄公諱也。《春秋》為賢諱。何賢乎襄公？復讎也。何讎爾？遠祖也。哀公亨乎周，紀侯譖之。以襄公之為於此焉者，事祖禰之心盡矣。盡者何？襄公將復讎乎紀，卜之曰：「師喪分焉。寡人死之，不為不吉也。」遠祖者，幾世乎？九世矣。九世猶可以復讎乎？雖百世可也。家亦可乎？曰：不可。國何以可？國君一體也；先君之恥猶今君之恥也，今君之恥猶先君之恥也。國君何以為一體？國君以國為

體，諸侯世，故國君為一體也。今紀無罪，此非怒與？曰：非也。古者有明天子，則紀侯必誅，必無紀者。紀侯之不誅，至今有紀者，猶無明天子也。古者諸侯必有會聚之事、相朝聘之道，號辭必稱先君以相接，然則齊、紀無說焉，不可以并立乎天下。故將去紀侯者，不得不去紀也。有明天子，則襄公得為若行乎？曰：不得也。不得則襄公曷為為之？上無天子，下無方伯，緣恩疾者可也。

《穀梁傳》莊公四年：大去者，不遺一人之辭也。言民之從者，四年而後畢也。紀侯賢而齊侯滅之，不言滅而曰大去其國者，不使小人加乎君子。

齊既滅紀，紀侯淪為亡國之君，只得「大去其國」。此《春秋》書法中之替代修辭，以結果替代原因，自然容易還原補充過程。此釋惠洪《冷齋夜話》所謂：「若《華嚴經》，舉果知因；又如蓮花，方其吐花，而果具蘂中。」[25]不逕言齊滅紀，為賢者諱，遂書「紀侯大去其國」，此避諱修辭，富含「推見至隱」之《春秋》書法。猶僖公十七年《經》：「夏，滅項。」胡安國《春秋傳》曰：「毀其宗廟社稷曰滅。取國而書滅，奪人土地，使不得有其民人。毀其宗廟，使不得有其社稷。非至不仁者，莫之忍為。凡書滅者，不待貶絕而惡已見。」《春秋》書法如此，故《公羊傳》謂「不言齊滅之，為桓公諱也」，齊桓有繼絕存亡之功，故《春秋》為賢者諱如此也。《公羊》、《穀梁》解《經》，多據《經》發義，徒託空言，與《左傳》之徵諸行事，誠不可同日而語。若無《左傳》之序次本末，則《春秋》為射覆矣。又如：

《春秋》僖公十九年：冬，梁亡。

《左傳》僖公十九年：梁亡，不書其主，自取之也，初，梁伯好土功，亟城而弗處，民罷而弗堪，則曰：「某寇將至。」乃溝公宮，曰：「秦將襲我。」民懼而潰，秦遂取梁。

---

25 釋惠洪《冷齋夜話》卷5、彭乘《墨客揮犀》卷8、魏慶之《詩人玉屑》（臺北市：世界書局，1971年），卷6，〈造語．句中眼〉，頁137-138。

《公羊傳》僖公十九年：梁亡。此未有伐者，其言梁亡何？自亡也。其自亡奈何？魚爛而亡也。

《穀梁傳》僖公十九年：梁亡。自亡也，湎於酒，淫於色，心昏耳目塞，上無正長之治，大臣背叛，民為寇盜。梁亡，自亡也。如加力役焉，湎不足道也。梁亡，鄭棄其師，我無加損焉，正名而已矣。梁亡，出惡正也。鄭棄其師，惡其長也。

《春秋》書「梁亡」，不書主滅之國，《左傳》釋《經》，以為「自取滅亡」。《左傳》為明《春秋》書法，先斷後敘，復以追敘法完足事件本末，所謂「見之行事，深切著明」者。敘「梁伯好土功」，是「梁亡」之原因；「民懼而潰」，是「梁亡」之結果。中間「某寇將至」，「秦將襲我」，是危言聳聽，弄巧成拙，千載之下猶能彷彿梁伯之聲情惡政。勞民懼民如此，遂貽秦有「取梁」之機。「自作孽，不可活」，此之謂也。《左傳》敘次梁亡本末，以史傳經，藉事明義，因以求義，有功於《春秋》。《公羊》解經，但據《經》發義，徒託空言。唯書「魚爛」為喻，點醒「自亡」，亦頗傳神。《穀梁傳》亦以義解經，亦強調「梁亡，自亡也」。唯敘寫梁亡之故，除「加力役」外，又增「湎於酒，淫於色」，以致「心昏耳目塞」諸缺失，於是「大臣背叛，民為寇盜」，梁亡也固宜。《穀梁》所敘，或出於想當然耳，不知何所據而言然？相較之下，《公》、《穀》之「據《經》發義」，往往向壁虛造，捕風捉影，遠不如《左傳》「據本事而作傳，因以求義，經文可知」。胡安國《春秋傳》乃會通三傳以釋經，謂：「梁本侯國，魚爛而亡，何哉？……凡有國家者，……不能自強於政治，則日危月削，如人消膏，以至滅亡而莫覺也。而況好土功、輕民力，湎於酒，淫於色，心昏而出惡政者乎？其亡可立而待矣。」[26]胡《傳》解經，會通三傳，大抵類此。又如：

《春秋》成公十年：丙午，晉侯獳卒。

《左傳》成公十年：晉侯夢大厲，被髮及地，搏膺而踊，曰：「殺余

26 （宋）胡安國：《春秋傳》，卷12，頁13。

孫不義。余得請於帝矣。」壞大門及寢門而入。公懼，入于室，又壞戶。公覺，召桑田巫，巫言如夢。公曰：「何如？」曰：「不食新矣！」公疾病，求醫于秦，秦伯使醫緩為之。未至，公夢疾為二豎子，曰：「彼，良醫也，懼傷我，焉逃之。」其一曰：「居肓之上，膏之下，若我何？」醫至，曰：「疾不可為也，在肓之上，膏之下。攻之不可，達之不及，藥不至焉，不可為也。」公曰：「良醫也！」厚為之禮而歸之。六月，丙午，晉侯欲麥，使甸人獻麥，饋人為之。召桑田巫，示而殺之。將食，張，如廁，陷而卒。小臣有晨夢負公以登天，及日中，負晉侯出諸廁，遂以為殉。秋，公如晉。晉人止之，使送葬。冬，葬晉景公。公送葬，諸侯莫在。魯人辱之，故不書，諱之也。

《公羊傳》成公十年：（無）

《穀梁傳》成公十年：（無）

《春秋》書「晉侯獳卒」，《公羊》、《穀梁》未有釋經文字，唯《左氏》以史傳經，於序事中寓論斷，藉事明義，經旨可知。晉厲公濫殺忠良，疑心生暗鬼，於是夢中厲鬼索命，因夢而生疾病，因病而求醫，醫言：「疾不可為也！」食麥而腹脹，如廁而陷卒。敘事見本末，借鬼神以闡明《春秋》懲惡勸善之資鑑，不逾於徒託空言之深切著明？此韓愈〈進學解〉所謂「《左氏》浮誇」也，而明勸懲、著善惡，為小人之深戒，有輔於教化多矣。《春秋》書外諸侯「卒」，凡一百二十六。論者稱：「外諸侯卒，國史承告而後書，聖人皆存而弗削，其交鄰國待諸侯之義見矣。諸侯曰薨，何以書卒？不與其為諸侯也。」[27] 晉景公身為諸侯，死亡不書薨而書卒，一則國史承告，再則聖人認同，史筆書法皆「不與其為諸侯」。觀《左傳》是年冬，敘「公送葬，魯人辱之」云云，從可見諱言不書之筆法也。又如：

---

[27] （明）石光霽：《春秋書法鉤元》（臺北市：藝文印書館，1976年），卷4，〈凶禮〉，頁103。

《春秋》哀公三年：五月，辛卯，桓宮、僖宮災。

《左傳》哀公三年：夏，五月，辛卯，司鐸火。火踰公宮，桓、僖災。救火者皆曰顧府。南宮敬叔至，命周人出御書，俟於宮曰：「庀女，而不在死！」子服景伯至，命宰人出禮書，以待命。命不共，有常刑。校人乘馬，巾車脂轄，百官官備，府庫慎守，官人肅給，濟濡帷幕，鬱攸從之。蒙葺公屋，自大廟始，外內以悛，助所不給。有不用命，則有常刑，無赦。公父文伯至，命校人駕乘車。季桓子至，御公立于象魏之外。命救火者，傷人則止，財可為也。命藏象魏，曰：「舊章不可亡也。」富父槐至，曰：「無備而官辦者，猶拾瀋也。」於是乎去表之稿，道還公宮。孔子在陳，聞火，曰：「其桓、僖乎！」

《公羊傳》哀公三年：此皆毀廟也，其言災何？復立也。曷為不言其復立？《春秋》見者不復見也。何以不言及？敵也。何以書？記災也。

《穀梁傳》哀公三年：言及，則祖有尊卑，由我言之，則一也。

《春秋》書「桓宮、僖宮災」，杜預注「天火曰災」，此則最可見天人之際。史公稱孔子作《春秋》，「定哀之際則微」，《春秋》推見至隱之書法，懲勸資鑑之史觀，於此可窺一斑。天火詭異之甚，竟然翻踰哀公之宮，而直焚桓宮、僖宮之宗廟。《左氏》以史傳經，將天火之幻、之猛、之速、之不可救治，烘托示現，堪稱寫火之極筆。文末綴以孔子在陳聞火，曰：「其桓、僖乎！」看似幸災樂禍之言，實則藉言記事，有微言大義存焉。杜注：「言桓、僖親盡而廟不毀，宜為天所災。」此以宗法倫理規範君王，司馬遷所謂「究天人之際」，《左氏》往往以災異、鬼神、志怪體現天人之際，此其一。《正義》曰：「禮：諸侯親廟四焉，高祖之父，即當毀廟。計桓之於哀，八世祖也；僖，六世祖也，親盡而廟不毀，言其宜為天所灾也。」《正義》持宗廟之遷祧為說，坐實天灾所宜，宗廟「親盡當毀」，桓廟、僖廟當毀而不毀，故藉天火毀廟，以誅責哀公所為不合禮制，所謂藉事明義，「于敘事中寓論斷」也。《公羊傳》、《穀梁傳》釋文，據《經》發義，空言無據，遠不如《左傳》「具論本事以為之傳」。

（三）觀狩之例

春秋自天王至諸侯，朝聘會盟外，皆有蒐狩巡視之禮制，屬軍事與政治之活動。巡狩視察，雖禮之所宜，然「尊不親小事」，狩「不越國而取諸人」，違是，則《春秋》非之。《三傳》釋經，違凡變例，改正舊史，為尊者諱，為賢者諱處，書法往往寓焉。如：

> 《春秋》隱公五年：春，公矢魚于棠。
>
> 《左傳》隱公五年：春，公將如棠觀魚者，臧僖伯諫曰：「凡物不足以講大事，其材不足以備器用，則君不舉焉。君將納民於軌物者也，故講事以度軌量謂之軌，取材以章物采謂之物，不軌不物，謂之亂政，亂政亟行，所以敗也。故春蒐，夏苗，秋獮，冬狩，皆於農隙以講事也。三年而治兵，入而振旅，歸而飲至，以數軍實昭文章，明貴賤，辨等列，順少長，習威儀也。鳥獸之肉，不登於俎，皮革，齒牙，骨角，毛羽，不登於器，則公不射，古之制也。若夫山林川澤之實，器用之資，皁隸之事，官司之守，非君所及也。」公曰：「吾將略地焉。」遂往，陳魚而觀之。僖伯稱疾不從。書曰「公矢魚于棠」，非禮也，且言遠地也。
>
> 《公羊傳》隱公五年：春，公觀魚于棠。何以書？譏。何譏爾？遠也。公曷為遠而觀魚？登來之也。百金之魚公張之，登來之者何？美大之之辭也。棠者何？濟上之邑也。
>
> 《穀梁傳》隱公五年：春，公觀魚於棠。《傳》曰：常事曰視，非常曰觀。禮，尊不親小事，卑不尸大功。魚，卑者之事也，公觀之，非正也。

《左傳》載《春秋》書「公矢魚于棠」；《公羊傳》、《穀梁傳》經文皆云：「公觀魚于棠。」《左傳》傳文亦稱「觀魚」、「陳魚而觀之」。其實，觀魚、矢魚相通，皆指藉簡視漁獵為手段，而以示威略地為目的，所進行之政治和軍事活動[28]。因為隱公簡視漁獵，無助於治兵征伐，只是縱欲逸遊而已。明石光霽《春秋書法鉤元》卷三，按語稱：「公觀魚于棠之類，則公之私欲也，故書公。」所論有助發明經旨。臧僖伯勸諫隱公，側重詳寫「蒐狩」，而略寫主意「漁獵」；主文譎諫，側筆烘托，聞者足戒。而隱公一意孤行，僖伯只好「稱疾不從」。文末引《春秋》斷案，強調矢魚、觀魚非禮，棠乃他境遠地，則是非曲直自見。《公羊傳》據《經》發義，徒託空言，所釋不出《左氏》。《穀梁傳》亦以義傳經，凸出「非常曰觀」，恐是望文生訓，他處未必通達。不過，因之而論禮之尊卑小大，亦有益於解經，惟據《經》發義，空言無徵，與《公羊》等。又如：

> 《春秋》僖公二十八年：冬，公會晉侯、齊侯、宋公、蔡侯、鄭伯、陳子、莒子、邾婁子、秦人于溫。天王狩于河陽。
>
> 《左傳》僖公二十八年：是會也，晉侯召王，以諸侯見，且使王狩，仲尼曰：「以臣召君，不可以訓。」故書曰「天王狩于河陽」，言非其地也，且明德也。
>
> 《公羊傳》僖公二十八年：天王狩于河陽。狩不書，此何以書？不與再致天子也。魯子曰：「溫近而踐土遠也。」
>
> 《穀梁傳》僖公二十八年：天王狩於河陽。全天王之行也。為若將守而遇諸侯之朝也，為天王諱也。水北為陽，山南為陽。溫，河陽也。

《春秋》書：「公會晉侯……于溫。」屬辭比事接書「天王狩于河陽」，於是晉文之召王、「譎而不正」，多見於文字之外，此即「《春秋》推見以至隱」之書法。《左傳》釋經，敘事明白，而論斷嚴峻。曰：「是會也，晉侯召王，以諸侯見，且使王狩。」脅天子以令諸侯，是開惡例。且企圖瞞天過海，一手遮天，晉文之「譎而不正」，《左氏》不惟借「仲尼曰」口誅之，

---

28 楊希枚：〈春秋隱公射魚於棠說駁議〉，見氏著：《先秦文化史論集》（北京市：中國社會科學出版社，1995年），頁501-534。

且於敘事中寓論斷而筆伐之。文末再引「書曰」，據《經》發義作論斷，稱河陽「非其地也」；杜預《春秋釋例》：「天子諸侯田獵，皆於其封內，不越國而取諸人。河陽實以屬晉，非王狩所，故言非其地。」而文末結以「且明德也」，《釋例》以為「義在隱其召君之闕」，《正義》釋之曰：「晉侯所以召王，志在尊崇天子。故改舊史，隱其召君之闕，以明晉侯（尊事天子）之功德。」[29]為尊者諱，為賢者諱，以尊王替代德闕，以功德文飾過失，諱書諱言而書法出焉。《公羊傳》解《經》，徒託空言，未有發明。《穀梁傳》據經發義，申說「天王狩于河陽」書法之微言大義，稱所以然者，為「全天王之行也。為若將守而遇諸侯之朝也，為天王諱也」。將天王之志行，作合情合理之開脫與粉飾，《公》、《穀》多諱言諱書[30]，其中自有《春秋》之書法。

（四）奔立之例

得位或失位，守國或失國，除大臣之輔佐、民心之歸向外，繫於政治權利之轉移與消長，攸關興亡得失之教訓，勸懲資鑑之意義，故《春秋》多重之載之，以為後世之龜鑑。如《春秋》書「衛人立晉」，即其顯例：

> 《春秋》隱公四年：冬，十有二月，衛人立晉。
>
> 《左傳》隱公四年：衛人逆公子晉于邢。冬十二月，宣公即位。書曰：衛人立晉。眾也。
>
> 《公羊傳》隱公四年：冬，十有二月，衛人立晉。晉者何？公子晉也。立者何？立者不宜立也。其稱人何？眾立之之辭也。然則孰立之？石碏立之。石碏立之，則其稱人何？眾之所欲立也。眾雖欲立之，其立之非也。
>
> 《穀梁傳》隱公四年：冬，十有二月，衛人立晉。衛人者，眾辭也。

---

29 （唐）孔穎達：《春秋左傳正義》，《春秋左傳注疏》，卷16，頁526。

30 段熙仲：《春秋公羊學講疏》（南京市：南京師範大學出版社，2002年），章5，第3，〈避諱〉，為尊者諱、為親者諱、為賢者諱二十餘例，頁364-369。

立者，不宜立者也。晉之名，惡也。其稱人以立之，何也？得眾也。得眾則是賢也。賢則其曰不宜立，何也？《春秋》之義，諸侯與正而不與賢也。

《春秋》書「衛人立晉」，《左傳》用屬辭比事之法，敘次「衛人逆公子」、「宣公即位」、「衛人立晉」，作為依本事而作傳之三部曲，以此敘事本末以釋經，不亦言簡意賅，深切著明乎？結尾引「書曰」，而以「眾也」二字斷案，據《經》發義，簡要明白。蓋本案論斷，已隱寓於敘事中，藉事明義，不過即器求道而已！《公羊傳》、《穀梁傳》釋《經》則不然，據《經》發義，借事明義，往往空言無徵，無徵令人難信從。以「衛人立晉」經文而言，《穀梁傳》所釋，凸出「《春秋》之義，諸侯與正而不與賢」。而所謂「不宜立」者，方有準繩與著落。否則，如《公羊》所云「眾之所欲立」，民心歸向既已如此，何以其立仍「非」，令人費解，邏輯推衍終有疏失。《穀梁》釋《經》，既云得眾，復稱賢能，為何仍「不宜立」？《穀梁》示以《春秋》「與正不與賢」之義，宗法之倫理制度如此，公子晉之「不宜立」，方稱順理成章[31]。又如：

《春秋》昭公三十年：冬，黑肱以濫來奔。

《左傳》昭公三十年：冬，邾黑肱以濫來奔，賤而書名，重地故也。君子曰：「名之不可不慎也如是夫！有所有名，而不如其已。以地叛，雖賤必書。地以名其人，終為不義，弗可滅已。是故君子動則思禮，行則思義，不為利回，不為義疚。或求名而不得，或欲蓋而名章，懲不義也。齊豹為衛司寇，守嗣大夫，作而不義，其書為盜。邾庶其，莒牟夷，邾黑肱，以土地出，求食而已，不求其名，賤而必書。此二物者，所以懲肆而去貪也。若艱難其身，以險危大人，而

31 （明）石光霽《春秋書法鉤元》卷一申之曰：「晉雖諸侯之子，內不承國於先君，上不稟命於天子，眾謂宜立而遂立焉，可乎？故《春秋》於衛人特書曰立，以著其擅置其君之罪。」（頁22）

有名章徹，攻難之士，將奔走之。若竊邑叛君，以徼大利，而無名，貪冒之民，將寘力焉。是以《春秋》書齊豹曰『盜』，三叛人名，以懲不義，數惡無禮，其善志也。故曰：《春秋》之稱，微而顯，婉而辨，上之人能使昭明，善人勸焉，淫人懼焉，是以君子貴之。」

《春秋》書「黑肱以濫來奔」，《三傳》皆以歷史哲學解釋《春秋》經，據《經》發義，借事明義，是其所同。杜預《集解》「不書邾，史闕文」；《正義》：「《左氏》無傳，明是闕文。」[32]《公》、《穀》見，《左傳》闕文，於是「以濫為邾邑」，且解經文無邾之意，並是臆詞。《左傳》出以「君子曰」之長篇大論，論斷《春秋》「黑肱以濫來奔」之微言大義，特提「慎名」之稱謂修辭，涉及書「盜」書名之《春秋》書法。邾庶其、莒牟夷、邾黑肱三人，本是小國之大夫，「以地叛，雖賤必書名」，此《春秋》「借事明義」之顯例。見於《春秋》者，叛者極多，《左傳》「君子曰」唯取來奔魯國者三人；守嗣大夫，作而不義，當不止齊豹一人，而書為「盜」；皆所以懲不義，數惡無禮。皮錫瑞《經學通論．春秋》所謂：「借當時之事，以明褒貶之義，以為後來之法。」「止是借當時之事，做一樣子」；「孔子是為萬世作經，而立法以垂教」；「或大事而不載，或細事而詳書」，皆《春秋》借事明義之例[33]。《左傳》「君子曰」之假論贊以自見，可與《公羊傳》之借事明義相發明。《左傳》「君子曰」更揭示「《春秋》之稱」，揭示「微而顯，婉而辨」之《春秋》書法；「善勸淫懼」之《春秋》功用，試與成公十四年《左傳》「君子曰」所提「微而顯，志而晦，婉而成章，盡而不汙，懲惡而勸善」之《春秋》五例對觀，可有相得益彰之效。至於《公羊傳》解經，乃跳脫以義說經，而改用以敘事說《春秋》，如：

《公羊傳》昭公三十年：冬，黑肱以濫來奔。文何以無邾婁？通濫也。曷為通濫？賢者子孫宜有地也。賢者孰謂？謂叔術也。何賢乎叔

---

32 （唐）孔穎達：《春秋左傳正義》，《春秋左傳注疏》，卷53，頁1748。

33 （清）皮錫瑞：《經學通論》，〈論春秋借事明義之旨〉，頁21-22。

術？讓國也。其讓國奈何？當邾婁顏之時，邾婁女有為魯夫人者，則未知其為武公與？懿公與？孝公幼，顏淫九公子于宮中，因以納賊，則未知其為魯公子與？邾婁公子與？臧氏之母，養公者也。君幼則宜有養者，大夫之妾，士之妻，則未知臧氏之母者曷為者也？養公者必以其子入養。臧氏之母聞有賊，以其子易公，抱公以逃。賊至，湊公寢而弒之。臣有鮑廣父與梁買子者，聞有賊，趨而至。臧氏之母曰：「公不死也，在是，吾以吾子易公矣。」於是負孝公之周訴天子，天子為之誅顏而立叔術，反孝公于魯。顏夫人者，嫗盈女也，國色也，其言曰：「有能為我殺殺顏者，吾為其妻。」叔術為之殺殺顏者，而以為妻，有子焉，謂之盱。夏父者，其所為有於顏者也。盱幼而皆愛之，食必坐二子於其側而食之，有珍怪之食，盱必先取足焉。夏父曰：「以來，人未足而盱有餘。」叔術覺焉，曰：「嘻！此誠爾國也夫！」起而致國于夏父，夏父受而中分之，叔術曰：「不可！」三分之，叔術曰：「不可！」四分之，叔術曰：「不可！」五分之，然後受之。公扈子者，邾婁之父兄也，習乎邾婁之故，其言曰：「惡有言人之國賢若此者乎！」誅顏之時，天子死，叔術起而致國于夏父。當此之時，邾婁人常被兵于周，曰：「何故死吾天子？」通濫則文何以無邾婁？天下未有濫也。天下未有濫，則其言以濫來奔何？叔術者，賢大夫也，絕之則為叔術不欲絕，不絕則世大夫也。大夫之義不得世，故於是推而通之也。

《穀梁傳》昭公三十年：其不言邾黑肱何也？別乎邾也。其不言濫子何也？非天子所封也。來奔，內不言叛也。

《公羊傳》釋經，有見於史闕文，不書邾（邾婁），於是敘說一段叔術讓國之故事，在在欲論證「賢者子孫宜有其地」之《公羊春秋》義旨而已。天下實未有濫之國，而《春秋》所以如此書者，何休《解詁》以為「《春秋》新通之爾，故口繫于邾婁」，為權宜通變，故不言「濫黑肱來奔」，要在褒揚叔術之為賢代夫，不欲自絕於國，所以「追有功，顯有德」[34]。《公羊》此傳，實為特例，採以史傳經，「于敘事中寓論斷」，與《公羊傳》主體「以義解經」不同，而藉事明義，與《左氏傳》無異。《公羊傳》隱公元年、桓公元年、哀公十四年，有所謂「所見異辭，所聞異辭，所傳聞異辭」者，昭、定、哀為所見之世，故《公羊》與《左傳》見聞詳略不同，要皆有助於解經。《公羊》此傳以十分之九篇幅敘事，餘則以義解經，兩相對照，與藉事明義可以相發明。《公羊傳》以敘事解經者尚有之，其他如莊公元年：「三月，夫人孫于齊。」《公羊》以敘事解經，敘公子彭生殺桓公處，詳於《左傳》。莊公十二年：「秋，八月，甲午，宋萬弒其君接及其大夫仇牧。」敘宋萬弒君始末，亦詳於《左氏》。同年，「冬，公會齊侯盟於柯」，敘曹子要盟，劫魯莊；僖公二年：「夏，虞師、晉師滅夏陽」，詳敘荀息之策；僖公十年：「晉里克弒其君卓子，及其大夫荀息」，敘荀息立奚齊事；僖公二十二年：「冬，十有一月，己巳朔，宋公及楚人戰于泓，宋師敗績」。敘宋襄戰敗始末；僖公三十二年：「夏，四月辛巳，晉人及姜戎敗秦于殽。」敘百里與蹇叔諫秦穆事；宣公六年，敘趙盾弒其君事極詳；十二年，敘晉楚邲之戰事；十五年，「五月，宋人及楚人平」；成公二年秋七月，晉齊鞌之戰，齊國佐有辭；襄公二十七年，夏，「衛殺其大夫寧喜」；二十九年，「吳子使札來聘」；昭公二十五年，「齊侯唁公于野井」；定公四年「冬，十有一月庚午，蔡侯以吳子及楚人戰于伯莒，楚師敗績」。定公八年，「盜竊寶玉大弓」；哀公六年，「齊陳乞弒其君舍」等。《公羊傳》全書近二十例，就全書體制而言，可謂相對特例。與《公羊傳》以義解經為主而言，多可作為經義之旁證，「因以求異，經文可知」。黑肱以濫來奔，是「以地叛」，《左傳》「君子曰」明言：「《春秋》書齊豹曰盜，三叛人名，以懲不義，數惡無禮，其善志也！」《公羊傳》標榜賢者讓國，子孫宜有其地，此《公羊傳》「新通之義」，權宜之計，可見其《春秋》書法之一斑。《穀梁傳》釋經，亦就史闕文發義，其以義解經，亦與《公羊》有出入，與《左傳》亦殊科。

---

34 （唐）徐彥：《春秋公羊傳注疏》，卷24，〈昭公三十一年〉，頁622。

三　結語

元人黃澤說《春秋》，力主「當詳考事實，以求聖人筆削之旨」；「學《春秋》，以考據《左傳》國史事實為主，然後可求書法」。《公羊》、《穀梁》「不見國史」，「不見事實，而往往以意臆度」。《左氏》以史傳經，「事實而理訛，後之人猶有所依據，以求經旨，是經本無所損也」。《公》、《穀》以義傳經，「事訛而義理間有可觀，則雖說得大公至正，於經實少所益，是經雖存而實亡也。況未必大公至正乎」[35]？筆者以為：說解《春秋》，當據《左氏》事實，兼采《公》、《穀》大義，則思過半矣！

《孟子．離婁下》稱述孔子作《春秋》：「其事，則齊桓、晉文；其文，則史；孔子曰：其義，則丘竊取之矣。」《左傳》以史傳經，見敘事之美，史筆之妙；《公羊》、《穀梁》以義傳經，見微言大義之所在，聖經竊取之哲學。皮錫瑞《經學通論．春秋》稱：「借事明義，是一部《春秋》大旨。《三傳》惟《公羊》家能明此旨。」其實，《左傳》據事直書，秉孔子「述而不作」之志，承《春秋》「屬辭比事」之教，發揚《春秋》「推見至隱」之精神；因宗法倫理尊尊、親親、賢賢之訓，為正名制名而諱言諱書，緣經權稱謂而進退褒貶，往往藉言記事、直書見義。孔子所謂「載之空言，不如見之行事之深切著明」，自是《左傳》以史傳經之常法。唐啖助稱《左氏》：「因本事而作傳，因以求義，經文可知。」清顧炎武《日知錄》稱《史記》特色之一，為「于序事中寓論斷」；《左氏》傳經，藉事明義，亦多發用。於是援引《左傳》釋經「于敘事中寓論斷」之例，計「弒」例五案，其他狩、觀、滅、亡、卒、災、奔、立，亦各有事例。《三傳》相較，論深切著明，《左傳》「見之行事」遠勝《公》、《穀》之「載之空言」。要之，《左傳》之「藉事明義」，與《公》、《穀》之「借事明義」不同，而可以相發明。

---

[35] （元）趙汸：《春秋師說》，卷上，頁9、21。參考張高評：《春秋書法與左傳學史》（臺北市：五南圖書公司，2002年），〈黃澤論《春秋》書法——《春秋師說》初探〉，頁166-169。

關於弒、滅、亡、卒、災、觀、狩、奔、立之《春秋》書法，《左傳》、《公羊》、《穀梁》三傳釋經，互有異同。為論證《左傳》以史傳經，與《公羊》、《穀梁》以義解經之殊科，「藉事明義」與「借事明義」之差別，本文臚列《春秋》經文，與《三傳》解經文字，考察其間之呼應與詮釋，凡十三案例，以《左傳》敘事之解經方式為討論核心，《二傳》順帶略及，初步獲得下列觀點：

（一）杜預《集解・序》稱《左傳》釋經，或先經、或後經、或依經、或錯經，《左傳》敘事亦多用此法。劉知幾《史通・敘事》論敘事之體，或紀其才行，或書其事跡，或因言語而可知，或假論贊而自見，移為《左傳》以史傳經，亦信有此妙。

（二）弒君之例，如宋華父督弒其君夷、齊無知弒其君諸兒、晉趙盾弒其君夷皋、鄭公子歸生弒其君夷、許世子止弒其君買五則，《左傳》釋經，多「具論本事以為之傳」，以史傳經，徵諸事實，往往詳《經》所不及，發揮《春秋》之微言，為經義之旁證，因以求義，經旨可知，于敘事中寓論斷故也。《公羊》、《穀梁》重據《經》發義，多臆度推衍之說，流於虛辭浮談。故治《春秋》，當據《左氏》事實，以求聖人旨意之所歸。

（三）關於《春秋》經旨之詮解，《左傳》釋經之功，誠如檃括之正曲木，平地之須水準。《春秋》書滅、亡、卒、災，諸般不幸與變異，敘事見本末，多富資鑑意義。如「紀侯大去其國」，《左傳》敘事，或以果代因，以見《春秋》為賢者諱。《春秋》書「梁亡」，《左傳》敘次梁伯所以自取滅亡之原委，敘事中自寓論斷；《公羊傳》稱其魚爛而亡，形象警醒，亦足資鑑戒。《春秋》書「晉侯獳卒」，敘事浮誇，志怪警世，合於《春秋》勸懲之義。《春秋》書「桓宮、僖宮災」，天人之際，自見褒貶，體現《春秋》推見至隱之書法。《二傳》相較於《左傳》，多止據《經》發義，空言無徵；而借事明義處，義理每多發明。

（四）《左傳》敘觀、狩、奔、立，往往能「詳《經》所不及」，「發揮《經》之微言」，甚至能「為經義之旁證」。如《春秋》書「公觀魚于棠」，《左傳》載臧僖伯諫隱公，藉言以記事，主文而譎諫，簡視漁獵無助於征伐，觀魚矢魚之非禮可知。《春秋》書「天王狩于河陽」，據事直書，是非自見，何況口誅筆伐？《春秋》書「黑肱以濫來奔」，史闕文，《左傳》敘事亦從闕。唯《公羊》由闕文而附會叔術讓國，創發賢者子孫宜有其地之說，案之經義並牴牾難通。《春秋》書「衛人立晉」，《左傳》敘事見本末，因以求義，經文可知。《穀梁》據《經》發義，以宗法倫理為說，視《公羊》為合宜可信。

論《漢書》之成書以及前漢《春秋》學之命運

汪春泓*

按趙翼《陔餘叢考》卷五〈班書、顏注皆有所本〉說：「葛洪云：家有劉子駿《漢書》百餘卷，歆欲撰《漢書》，編錄漢事，未得成而亡，故書無宗本，但雜記而已。試以考校班固所作，殆是全取劉書，其所不取者，二萬餘言而已。王鏊因推論之，謂班書實史才，然其他文如《文選》中所載多不稱，何其長於史而短于文？及觀葛洪所云，乃知《漢書》全取於歆也。」[1]這段話發人深省，對此應作出認真的回應。

縱觀中國史學史，任何一部影響深遠的史書均非一人一時之作，譬如《後漢書》，除了范曄之外，尚有《八家後漢書》殘片流傳至今，足證范曄撰寫《後漢書》，亦曾漁獵前人，且博採眾長；沈約修《宋書》，之所以能在將近一年的時間內告竣，其原因在於，時有何承天、徐爰等人的成果瞻彼在前。故而，若推之以常理，班彪、班固分屬西漢末和東漢初的人物，若無憑藉，絕不能憑空杜撰，一部《漢書》，意味著承襲《太史公書》所敘漢朝開國迄武帝太初年間之舊事，再續接太初以來直至王莽的人和事，而試問何者能擁有《太史公書》及武帝朝之後的史料文獻[2]？思考班氏家學淵源及交

---

* 香港嶺南大學中文系。

1 （清）趙翼：《陔餘叢考》（北京市：中華書局，2006年）。

2 《漢書．宣元六王傳》說：「（東平王）後來朝，上疏求諸子及《太史公書》，上以問大將軍王鳳，對曰：『臣聞諸侯朝聘，考文章，正法度，非禮不言。今東平王幸得來朝，不思制節謹度，以防危失，而求諸書，非朝聘之義也。諸子書或反經術，非聖人，或明鬼神，信物怪；《太史公書》有戰國縱橫權譎之謀，漢興之初謀臣奇策，

遊，似乎都指向了劉向、劉歆二人，劉氏父子當在其間發揮著關鍵的作用，並且印證著趙翼所言，符合事實，絕非空穴來風。

西漢末期，以劉向、劉歆、揚雄、桓譚和班嗣、班彪以至王充等，形成了一個文士、學者集團。《漢書‧敘傳》說：「斿博學有俊材，左將軍史丹舉賢良方正，以對策為議郎，遷諫大夫、右曹中郎將，與劉向校秘書。每奏事，斿以選受詔進讀群書。上器其能，賜以秘書之副。時書不布，自東平思王以叔父求《太史公》、諸子書，大將軍白不許。語在〈東平王傳〉。斿亦早卒，有子曰嗣，顯名當世。」班斿是班彪的伯父，他曾經「與劉向校秘書」，意指劉向所能見到的書籍，班斿也同樣可以閱讀，而且他還得到當時朝廷許多秘笈，所謂「賜以秘書之副」，接著言「時書不布」及東平王求《太史公書》事，暗指《太史公書》等書籍屬於「秘書之副」範疇之內，這些文獻資料在當時屬於機密，僅極少數人可以觸及，而劉向與班斿恰屬於有幸能夠閱讀到這些文獻的人；《漢書‧敘傳》又說：「穉生彪。彪字叔皮，幼與從兄嗣共遊學，家有賜書，內足於財，好古之士自遠方至，父黨揚子雲以下莫不造門。」班彪自幼與班斿之子班嗣共硯席，故也頗有機會見到班斿所收藏的文獻資料，而此文獻庫大致是集合了劉向、劉歆及班斿之所藏。因此，以劉、班為中心，散佈開去，這些文獻也成為其交遊者的共用資源。

王充是班彪的門人，徐復觀《兩漢思想史》卷二有〈王充論考〉專章，基本否定了王充與班彪之間存在著師承關係，關於王充曾「師事班彪」，徐先生認為此不過是一個淪落底層的讀書人的矜誇而已[3]。實際上，對王充所徵引文獻之情形，徐先生頗欠考慮，使其持論陷於武斷。《論衡》一書密集地引用了《太史公書》以及西漢末年以來不易知見的種種文獻，設若一個身處會稽上虞的獨學無友者，王充如何能夠辦到？此亦最有力地證明王充曾有機會一窺班氏所藏書籍和文獻。

天官災異，地形阸塞：皆不宜在諸侯王。不可予。』」這說明在西漢後期，若想一觀《太史公書》並非易事。

3 徐復觀：《兩漢思想史》（臺北市：臺灣學生書局，1993年），卷2，頁566-569。

王充《論衡‧謝短》篇說：「夫儒生所短，不徒以不曉簿書；文吏所劣，不徒以不通大道也，反以閉闇不覽古今，不能各自知其所業之事未具足也。二家各短，不能自知也；世之論者，而亦不能訓之，如何？夫儒生之業，五經也。南面為師，旦夕講授章句，滑習義理，究備五經，可也。五經之後，秦、漢之事，無不能知者，短也。（劉先生曰：「無」字疑衍。）夫知古不知今，謂之陸沉，然則儒生，所謂陸沉者也。五經之前，至於天地始開，帝王初立者，主名為誰，儒生又不知也。夫知今不知古，謂之盲瞽。五經比於上古，猶為今也。徒能說經，不曉上古，然則儒生，所謂盲瞽者也。」[4]王充在《論衡》許多篇中多談及古與今的問題，上述文字透露這樣的資訊，當時的學風，由於現、當代史文獻具有保密性，所以經生知識結構重乎經學，而對於史學，尤其是秦、漢近現代史，則茫然不曉；這樣的學風屬於「知古不知今，謂之陸沉」，經生雖知五經之微言大義，卻不了解本朝所發生的大事，胸中探究著遙遠的《春秋》是非，而對身邊的政治現實卻十分隔膜。而王充因在班氏那裏接觸到《太史公書》和其他關於前漢的文獻史料，所以他強調士人應該「知今」，其實正體現了他在班氏那裏改變和完善了知識結構的自負，《論衡‧效力》篇說：「秦、漢之事，儒生不見，力劣不能覽也。」《論衡‧謝短》篇說：「五經之後，秦、漢之事，不能知者，短也。」顯然，兼通古、今，令他自覺拔出於一般的讀書人。

此亦反映出當時「知今」一派，侷限於一個較小的文士圈子中。《論衡‧定賢》說：「若典官文書，若太史公及劉子政之徒，有主領書記之職，則有博覽通達之名矣。」《論衡‧超奇》說：「或抽列古今，紀著行事，若司馬子長、劉子政之徒，累積篇第，文以萬數，其過子雲、子高遠矣。然而因成紀前，無胸中之造。」所謂「抽列古今，紀著行事」，主要指結撰歷史，王充唯獨推許司馬遷和劉向，他深知二者對於前漢史等方面的熟悉和貢獻，堪稱無與倫比且居功至偉！《論衡‧超奇》說：「夫通覽者，世間比有；著文者，歷世希然。近世劉子政父子、揚子雲、桓君山，其猶文、武、周公

4　黃暉：《論衡校釋》（附劉盼遂集解）（北京市：中華書局，2006年）。

並出一時也；其餘直有，往往而然，譬珠玉不可多得，以其珍也。」對於劉向、劉歆以及揚雄、桓譚，比喻為文、武、周公並出一時，此實質上是本諸班彪、班固的觀點。《漢書．敘傳》載永平中，班固「感東方朔、揚雄目諭以不遭蘇、張、范、蔡之時，曾不折之以正道，明君子之所守，故聊復為應焉。其辭曰：……近者陸子優繇，《新語》以興；董生下帷，發藻儒林；劉向司籍，辨章舊聞；揚雄覃思，《法言》、《太玄》：皆及昔君之門闈，究先聖之壼奧，婆娑虖術藝之場，休息虖篇籍之囿，以全其質而發其文，用納虖聖聽，列炳于後人，斯非其亞與」！兩者所見幾乎是一致的。

前漢終結於莽新篡政，莽新覆滅以後，降至後漢，若要為前朝修史，遇到了嚴重的禁忌和障礙，班固私撰《漢書》，以致被捕入獄，也折射出在東漢明、章帝朝，對編撰前朝歷史，尚嚴格控制；無法像東漢崩潰之後，史家撰寫《後漢書》，呈現出一種無拘無束的狀態，各家競修，參差並存；後漢時期修撰國史，顯得頗為微妙，它一定要被納入到國家行為中去，這造成一種特殊的局面，當天降大任於班固時，其前期準備和師承，則對其撰寫工作必然產生了殊為嚴重的影響，而這種影響也與他所撰《漢書》的成就高下，關係甚密！

如何研究這種影響和關係？由於可以確信《論衡》的文獻材料大多出自班彪，而班門的文獻資料庫則與劉向、劉歆之所藏，具有高度的同質性或一致性，譬如《史記．孝景本紀》，按劉歆《西京雜記》記載司馬遷「作〈景帝本紀〉，極言其短及武帝之過，帝怒而削去之」[5]。而觀《論衡》幾乎不曾涉及景帝政事，此印證了王充所徵引之《太史公書》，與此書曾被刪削的情形完全吻合。因此，可以把《論衡》所涉及的前漢人物、事件，權且作為史料來對待，這種理解與以往僅把王充《論衡》視作思想史的材料，有很大的不同，會使《論衡》本身所具有的史料價值彰顯出來。下邊製一圖表，將《論衡》與劉向的作品《說苑》、《新序》、劉歆的作品《西京雜記》以及揚雄之

[5] （西漢）劉歆撰，（西晉）葛洪集，向新陽、劉克任校注：《西京雜記校注》（上海市：上海古籍出版社，1991年）。

《法言》並列，一併與署名班固《漢書》的各個部分作對照，借此來尋求班固《漢書》的繼承性及其重心之所在，從而揭示出一部《漢書》是如何寫成的，並由此而發覆一些歷史的迷案。

一　圍繞劉、班資料中心的文士集團之考訂

《漢書・楚元王傳》記載劉向「乃使其外親上變事」，其實是出自自家手筆，其文曰「仲舒為世儒宗」！《漢書・五行志》說：「漢興，承秦滅學之後，景、武之世，董仲舒治《公羊春秋》，始推陰陽，為儒者宗。」前輩董氏無疑是他們的精神偶像，統計《論衡》論及董仲舒者約有三十處之多，劉歆《西京雜記》大段文字引述董氏之論，而揚雄《法言》也有述及；作為前漢早期人物，陸賈也備受尊崇，《論衡》談及者不下十三處，這或許與王充借陸賈為南人張目的潛意識有關，劉向《說苑》、《新序》與劉歆《西京雜記》及揚雄《法言》也都敘述陸賈故事；至於劉向和劉歆父子，《論衡》則提及十九次；劉向是揚雄的前輩，大約年長二十六歲，故對於自己的晚輩，劉向或許與揚雄並無交遊，故其《說苑》和《新序》都不曾語涉揚雄；揚雄與劉歆年歲相若或稍長，而班彪比揚雄晚生五十六年，所以自劉向去世，揚雄則成為這一文士圈中的精神領袖，影響貫穿兩漢之際，因此，《論衡》稱美揚雄計有二十一處，而劉歆的《西京雜記》則也有三處敘及揚子雲。

按《漢書・楚元王傳》說：「贊曰：仲尼稱『材難不其然與』！自孔子後，綴文之士眾矣，唯孟軻、孫況、董仲舒、司馬遷、劉向、揚雄。此數公者，皆博物洽聞，通達古今，其言有補於世。傳曰『聖人不出，其間必有命世者焉』，豈近是乎？劉氏《洪範論》發明《大傳》，著天人之應；《七略》剖判藝文，總百家之緒；《三統曆譜》考步日月五星之度。有意其推本之也。嗚虖！向言山陵之戒，於今察之，哀哉！指明梓柱以推廢興，昭矣！豈非直諒多聞古今之益友與！」標舉孔子以後，儒家承傳的關鍵人物，前漢之董仲舒、司馬遷、劉向、揚雄堪稱最傑出的代表，已經隱約凸顯儒家道統在前漢的格局。署名班固所撰《漢書》，特為楚元王家族，尤其是劉向、劉

歆立傳，並為董仲舒、司馬遷和揚雄單獨立傳，其實正表明了劉氏、班氏和揚雄、桓譚等人所組成的文士集團的精神譜系。《漢書・景十三王傳》說：「贊曰：……夫唯大雅，卓爾不群，河間獻王近之矣。」劉向《說苑》和劉歆《西京雜記》均記述了河間獻王的嘉言懿行；體察《說苑》之〈君道〉和〈臣道〉篇[6]，都表明劉向雖身為宗正，但是其學術和思想立場卻偏向孔儒本位，且能摒棄刑名法家之殘酷，這也與漢初以來，尤其到景、武時大儒董仲舒等所持的反秦立場相一致的。因此，相較於董氏《春秋公羊學》，劉向、劉歆即使有《穀梁》和《左氏》之不同，但立身朝廷，俱借助於天象、祥瑞和災異以譏諷、干預政治的方法，卻與董氏如出一轍。

大約以漢武帝去世為分界，自武帝一朝上溯至漢初立國，其間人與事，署名班固之《漢書》基本上因襲《太史公書》，歷代研究「班馬異同論」者，都感覺班氏在引用《太史公書》時，其實是大段地抄錄，幾乎雷同，此是符合古書通例的[7]。《漢書・敘傳》說：「太初以後，闕而不錄，故探纂前記，綴輯所聞，以述《漢書》，起元高祖，終於孝平王莽之誅，十有二世，二百三十年……」其所謂「探纂前記，綴輯所聞」，就是處理、編輯和潤飾公私所藏的諸如《太史公書》、劉向、劉歆雜著等[8]。《論衡・須頌》說：「高祖以來，著書非不講論漢。司馬長卿為《封禪書》，文約不具。司馬子長紀黃帝以至孝武，揚子雲錄宣帝以至哀、平。」揚雄位卑，他撰史的工作，想必也是從劉氏、班氏那裏獲取史料，或與劉、班相切磋，以成其事。《後漢書・班彪傳》說：「司馬遷著《史記》，自太初以後闕而不錄，後好事者頗或綴集時事。」李賢注曰：「好事者，謂揚雄、劉歆、陽城衡、褚少孫、史

---

6 （漢）劉向撰，向宗魯校證：《說苑校證》（北京市：中華書局，2000年）。

7 參見余嘉錫：《目錄學發微》（含《古書通例》）（北京市：中國人民大學出版社，2004年）。

8 《漢志》所列之《春秋》家中，包含陸賈所記《楚漢春秋》九篇、《太史公》百三十篇、馮商所續《太史公》七篇、《太古以來紀》二篇、《漢著記》百九十卷、《漢大年紀》五篇；在儒家中，則敘錄了更多的前漢資料，譬如桓寬《鹽鐵論》六十篇、劉向所序六十七篇（《新序》、《說苑》、《世說》、《列女傳頌圖》也）、揚雄所序三十八篇（《太玄》十九、《法言》十三、《樂》四、《箴》二）。

孝山之徒也。」如今對署名班固《漢書》做知識考古學的研究，探索班氏與前人和同時代人的複雜關係，大致就可以分為；首先，明顯的直接引用，譬如對《太史公書》，或者對向、歆雜著等等，班氏《漢書》幾乎就是不加掩飾地移植到自己文中；其次，比較隱秘的借鑒關係，譬如班氏《漢書》對於傳主的遴選，這是至關緊要的，班氏《漢書》在這個問題上，屬於自出機杼，還是受他人之影響，這亦有待辨析，此關係到一部《漢書》是否客觀公正全面地反映了武帝身後到王莽覆滅時期的歷史面貌；再次，在思想和學術上，班氏與當時思想界譬如揚雄等人的關係，也影響到史學家的史學觀及人生觀，自然也主宰著一部《漢書》所能達到的歷史高度。

二　署名班固《漢書》中的劉向、劉歆之影子

《梁書．蕭琛傳》說：「始琛在宣城，有北僧南渡，惟賚一葫蘆，中有《漢書序傳》[9]。僧曰：『三輔舊老相傳，以為班固真本。』琛固求得之，其書多有異今者，而紙墨亦古，文字多如龍舉之例，非隸非篆，琛甚秘之。及是行也，以書饟鄱陽王範，範乃獻於東宮。」[10]《梁書．劉之遴傳》說：「時鄱陽嗣王範得班固所上《漢書》真本，獻之東宮，皇太子令之遴與張纘、到溉、陸襄等參校異同。之遴具異狀十事，其大略曰：『案古本《漢書》稱『永平十六年五月二十一日己酉，郎班固上』，而今本無上書年月日字。又案古本〈敘傳〉號為中篇，今本稱為〈敘傳〉。又今本〈敘傳〉載班彪事行，而古本

---

9 有學者以為應做《漢書》、《序傳》，此與僧人「惟賚一葫蘆」相牴牾，還是應理解為「《漢書序傳》」。然後，蕭琛「固求得之」者，才是《漢書》。

10 《梁書》本傳記載，蕭琛於天監元年出為宣城太守，但是很快就「徵為衛尉卿，俄遷員外散騎常侍」，所以蕭琛獲得古本《漢書序傳》似應在天監元年或稍後。而按本傳記載，鄱陽王蕭恢與蕭琛在荊州有交往，蕭恢於梁武帝普通七年卒於荊州，世子蕭範嗣於本年。按《南史》記述，蕭範「雖無學術，而以籌略自命。愛奇玩古，招集文才，率意題章，亦時有奇致」，他「行至荊州而忠烈王薨，因停自解。武帝不許，詔權監荊州」，故蕭琛當於此時，投其所好，將古籍贈予蕭範，蕭範隨後再進獻於東宮，東宮多罕見之書籍。

云『稚生彪，自有傳』。又今本紀及表、志、列傳不相合為次，而古本相合為次，總成三十八卷。又今本〈外戚〉在〈西域〉後，古本〈外戚〉次〈帝紀〉下。又今本〈高五子〉、〈文三王〉、〈景十三王〉、〈武五子〉、〈宣元六王〉雜在諸傳秩中，古本諸王悉次〈外戚〉下，在〈陳項傳〉前。又今本〈韓彭英盧吳〉述云『信惟餓隸，布實黥徒，越亦狗盜，芮尹江湖，雲起龍驤，化為侯王』，古本述云『淮陰毅毅，杖劍周章，邦之傑子，實惟彭、英，化為侯王，雲起龍驤』。又古本第三十七卷，解音釋義，以助雅詁，而今本無此卷。』」按劉之遴所敘「班固所上《漢書》真本」，其體例更加接近司馬遷《史記》，此體現出班氏的寫作意圖十分明確，班氏目的就是要續寫《太史公書》。

然而身為宗正，成帝朝，「詔向領校中五經秘書」；而其少子劉歆，「河平中，受詔與父向領校秘書，講六藝傳記、諸子、詩賦、數術、方技，無所不究。向死後，歆復為中壘校尉。哀帝初即位，大司馬王莽舉歆宗室有材行，為侍中太中大夫，遷騎都尉、奉車光祿大夫，貴幸。復領五經，卒父前業。歆乃集六藝群書，種別為《七略》。語在〈藝文志〉」。劉氏父子是當時的文獻大師，堪稱百科全書式的人物，他們有無撰寫《漢書》的意願？按劉向撰《新序》，其卷第十〈善謀下〉，就已略顯按照編年體例來敘述漢代開國史的意向[11]。然而，強烈的當代意識，加之以深重的《春秋》經學慣性，因此，劉向好借事以諷喻，令其所有作品，均呈現出濃烈的經學氣質，這在一定程度上，也干擾了作為史學家所應具備的客觀敘事的態度，然而，其所關於前漢的豐富知識，對於人物的評價尺度和史料的編纂，卻無疑大大沾溉了班氏之修史。

最為明顯的，譬如《漢書》諸表，在《漢書．諸侯王表》中，首列「楚元王交」，他也正是劉向一系在漢朝的先祖，此啟發我們，若按照劉之遴所具古、今《漢書》之異狀，若把今本〈外戚〉、〈高五子〉、〈文三王〉、〈景

---

[11] （漢）劉向編著，石光瑛校釋，陳新整理：《新序校釋》（北京市：中華書局，2001年）。

十三王〉、〈武五子〉、〈宣元六王〉還原到古本原來的位置，可以推知今本卷三十六〈楚元王傳〉，可能在古本《漢書》內是緊接著〈宣元六王〉之後的，換言之，〈楚元王傳〉在全書中的位置，本體現出與外戚、各朝王子〈傳〉並列的編撰者意向，這恰好可與《漢書．諸侯王表》相對應[12]。而此種位置安排，出自劉向高自位置的可能性為最大。

《漢書》之〈異姓諸侯王表〉、〈諸侯王表〉、〈王子侯表〉、〈高惠高後文功臣表〉、〈景武昭宣元成功臣表〉、〈外戚恩澤侯表〉、〈百官公卿表〉和〈古今人表〉，此八表（〈古今人表〉稍有例外）作為皇室內部秘檔，按下表，劉向《新序》、《說苑》與劉歆《西京雜記》和王充《論衡》都無涉及，可以推測，當時劉氏雜著，若流布在外者，即使他們掌握八表的內容，也不便洩密，所以雜著當中均告闕如。然而，《漢書．百官公卿表》說：「宗正，秦官，掌親屬，有丞。」劉向身為宗正，他比班氏更有資格閱讀和掌握這些檔案材料，所以此八表出自劉向或劉歆的可能性極高。

而且由於「宗正」這一特殊的身分與戰國末期楚國屈原相似，按宋王應麟《困學紀聞》卷十一〈考史〉說：「王逸〈注楚辭自序〉云：『屈原為三閭大夫。三閭之職，掌王族三姓，曰昭、屈、景。屈原序其譜屬，率其賢良，以厲國士。』」[13]宗正與楚國三閭大夫的職責基本相同，因此，劉向意識中常常以屈原自況，在《漢志》中載錄劉向祖父宗正劉辟彊賦八篇、劉向父親陽成（成，似應作「城」——筆者按）侯劉德賦九篇，而劉向賦計有三十三篇之多，他們都站在宗正的立場上，模仿屈原，以抒發對於政治的批評，觀劉向〈九歎〉說：「伊伯庸之末胄兮，諒皇直之屈原，云余肇祖于高陽

---

12 按今本《史記》，其卷四十九〈外戚世家〉第十九，緊接其後者，恰是其卷五十〈楚元王世家〉第二十。而此〈楚元王世家〉寫得極其簡括，甚至零落，大致上僅僅敘述了《漢書．諸侯王表》中所列「楚元王交」一系的概況，此極有可能是經劉向整理《太史公書》時，將《漢書．楚元王傳》所記述的劉德之前部分，經他有意竄改而羼入。

13 （南宋）王應麟撰，（清）翁元圻等注，欒保群、田松青、呂宗力校點：《困學紀聞》（上海市：上海古籍出版社，2008年）。

兮。惟楚懷之嬋連，原生受命於貞節兮，鴻永路有嘉名。齊名字於天地兮，並光明於列星。吸精粹而吐氛濁兮，橫邪世而不取容。行叩誠而不阿兮，遂見排而逢讒。」〈逢紛〉說：「撫招搖以質正，立師曠俾端詞兮。命咎繇使並聽，兆出名曰正則兮，卦發字曰靈均。余幼既有此鴻節兮，長愈固而彌純。」從中可見劉向願意像屈原一樣，激濁揚清，他身負著強烈的社稷責任感，而此種天降大任式的社稷責任感，刺激著劉氏竭盡全力，以拓展其政治影響力，而劉氏所使用的方式，主要是發憤著述。

體現於《漢書》者，《漢書》之十志部分，顯而易見，像〈五行志〉和〈藝文志〉主要出於劉向、劉歆之撰述。按《漢書・律曆志》說：「至孝成世，劉向總六曆，列是非，作《五紀論》。向子歆究其微眇，作《三統曆》及《譜》以說《春秋》，推法密要，故述焉。」《漢書・禮樂志》記述：至成帝時，劉向說上：「宜興辟雍，設庠序，陳禮樂⋯⋯」篇末總結說：「今大漢繼周，久曠大儀，未有立禮成樂，此賈誼、仲舒、王吉、劉向之徒所為發憤而增歎也。」《漢書・郊祀志》備述宣帝祥瑞。劉向曰：「家人尚不欲絕種祠，況于國之神寶舊時。」「贊曰：⋯⋯劉向父子以為帝出於〈震〉，故包羲氏始受木德，其後以母傳子，終而復始，自神農、皇帝下歷三代而漢得火焉。故高祖始起，神母夜號，著赤帝之符，旗章遂赤，自得天統矣。昔共工氏以水德間於木火，與秦同運，非其次序，故皆不永。由是言之，祖宗之制蓋有自然之應，順時宜矣。究觀方士祠官之變，谷永之言，不亦正乎！不亦正乎！」按《漢書・匡衡傳》說：「初，元帝時，中書令石顯用事，自前相韋玄成及衡皆畏顯，不敢失其意。」即使至成帝初年，匡衡對石顯順勢反擊，但是他依違於權勢的品格已昭然若揭，在成帝朝，他與之前的貢禹、韋玄成一樣，建議「罷諸淫祀」，尤其「罷郡國廟」，此舉淡化甚至割斷了當朝皇帝和劉姓祖先、宗族的關係，一朝天子僅與外戚共天下，然則在皇帝處理如何平衡先祖宗親與外戚關係時，其重心傾斜到了宗親一邊，作為宗親的劉向家族在權力結構中，勢必被拋離中心地位，因此，劉向堅決抵制[14]；《漢書．五行志上》說：「漢興，承秦滅學之後，景、武之世，董仲舒治《公羊春秋》，始推陰陽，為儒者宗。宣、元之後，劉向治《穀梁春秋》，數其禍福，傳以〈洪範〉，與仲舒錯。至向子歆治《左氏傳》，其《春秋》意亦已乖矣；言《五行傳》，又頗不同。是以擥仲舒，別向、歆，傳載眭孟、夏侯勝、京房、谷永、李尋之徒所陳行事，迄于王莽，舉十二世，以傅《春秋》，著於篇。」《漢書．地理志下》說：「漢承百王之末，國土變改，民人遷徙，成帝時劉向略言其地分，丞相張禹使屬潁川朱贛條其風俗，猶未宣究，故輯而論之，終其本末，著於篇。」此在最低限度而言，《漢書》十志，劉向、劉歆乃其撰述時的主要參照，至於祖述或因襲的程度究竟有多高，尚有待於進一步發覆。

《漢書》中關於淮南王一案，尤見劉氏之筆墨痕跡。淮南王劉安謀反事，純屬前漢的一大冤獄。景帝削藩，至武帝實行推恩令，諸侯藩國更加勢單力薄，而元狩元年十一月，朝廷指淮南王劉安、衡山王劉賜謀反，均被誅。箇中緣由，不難窺見。《漢書．武帝紀》元狩元年夏四月丁卯詔曰：「日者淮南、衡山修文學，流貨賂，兩國接壤，怵於邪說，而造篡弒，此朕之不德。」淮南王招集門客，編撰《淮南子》等著作，還反對武帝的蠻夷政策，此在思想領域觸怒了武帝，因此必須加以無情的整肅，《論衡．書解》說：「淮南王作道書，禍至滅族。」自武帝朝以降，知其事者無不為之鳴冤。而在整治劉姓諸侯內部時，按照朝廷慣例，當由宗正主持治理，《漢書．楚元王傳》記載：「高后時，以元王子郢客為宗正，封上邳侯。」自此而下，楚元王子孫後代官居宗正職位者，代不乏人，劉向祖父辟彊、父親劉德以及劉德長孫劉慶忌都身列宗正之位，在前漢，楚元王一系幾乎是宗正世家。按《漢書．百官公卿表》記錄，元狩元年，宗正恰由劉受擔任，而按

14 《漢書．五行傳上》說：「元帝永光五年夏及秋，大水。潁川、汝南、淮陽、廬江雨，壞鄉聚民舍，及水流殺人。先是一年有司奏罷郡國廟，是歲又定迭毀，罷太上皇、孝惠帝寢廟，皆無複修，通儒以為違古制。刑臣石顯用事。」此段話顯然出於劉向之筆。而所謂「迭毀禮」，見《漢書．翼奉傳》說：「其後，貢禹亦言當定迭毀禮，上遂從之。及匡衡為丞相，奏徙南北郊，其議皆自奉發之。」

《漢書・王子侯表上》所述，他是楚元王兒子沈猷夷侯劉歲的兒子，劉歲是劉向曾祖父劉富的弟弟。

《漢書・淮南王傳》說：「上使宗正以符節治王。」此宗正當然非劉受莫屬，而《漢書・淮南王傳》中卻故意隱去其名字，此頗有「為親者諱」的意思[15]。原因是此案株連甚廣，數千人為之喪命，震動天下。故《漢書・百官公卿表》記錄劉受的結局，說：「沈猷侯劉受為宗正，二年坐聽不具宗室論。」語焉不詳，《漢書・王子侯表上》顏師古注曰：「受為宗正，人有私請求者，受聽許之，故於宗室之中事有不具，而受獲罪。」依然不明其獲罪的細節。其實，劉受在主持辦理淮南王案過程中，必然受命於武帝，濫殺無辜，血債累累。譬如《漢書・王子侯表上》說：「有利侯釘，城陽共王子，元狩元年，坐遺淮南王書稱臣棄市。」劉受所知道的秘密太多，劉受手上所沾的鮮血亦太多，因此，武帝在借刀殺人之後，就馬上把他棄置甚或殺之滅口了。

楚元王家族與此冤獄本難脫干係，因此，在《漢書》中如何敘述淮南王事蹟，並且竭力淡化楚元王後人在此冤獄中的責任，此在今本《漢書》內，依然可以看出向、歆父子巧妙的處理手法。《漢書・楚元王傳》描繪劉向父親劉德，突出他「修黃老術，有智略」、「德寬厚，好施生」，相對於殘酷的淮南王案，若以劉德此種個性，似乎與此血腥屠殺無涉；只是在敘述劉德兒子劉更生（向）時，才語涉「更生父德武帝時治淮南獄得其書（《枕中鴻寶苑秘書》）」，此一則把劉德曾參與治淮南王冤獄事輕描淡寫地一筆帶過，似乎他僅是一局外人而已；二則亦透露劉德其人既參與其事，必深知其中原委，為揭示淮南王一案的冤情，身為宗正，理當具有史家的良心，劉氏敘述此案，則正體現當事者和見證人的可信性。由於淮南王冤獄實在經不起歷史的檢驗，因此，《漢書》本傳文字對在武帝指使下，直接鑄成此一冤案的

15　由於楚元王後人遭際不同，故《漢書・楚元王傳》在敘述元王得以封侯五子時，僅重點記述休侯劉富一系，至於其他四子之生平事蹟則省略了；而關於劉富之子辟彊等四人，也僅凸顯劉辟彊一脈，而不及其他，其間可能頗有避諱的考慮。此種所謂為親者諱的史學理念其實將史家之道德良心大打折扣。

劉受、劉德並不敘述其具體作為，而是說在元朔六年，「故辟陽侯孫審卿善丞相公孫弘，怨淮南厲王殺其大父，陰求淮南事而搆之於弘。弘乃疑淮南有畔逆計，深探其獄」。遂將肇始淮南冤獄的罪惡，歸之於故辟陽侯孫和公孫弘，實際上，此二人豈敢如此大開殺戒！於是就幫武帝和身為宗正的劉受及共參與此案的劉德均開脫了罪責！

然而如何保持史家的正義感，除了在《漢書．淮南王傳》中使用特殊的筆法，展示在武帝威權之下，當時所證成淮南王謀反者，全是莫須有的編造之詞，真所謂欲加之罪何患無辭！並且為了進一步暗示淮南王一案純屬冤獄，《漢書》在〈淮南王傳〉後，緊接著就是〈蒯伍江息夫傳〉，此傳中蒯通之與韓信、伍被之與淮南王、江充之與戾太子、息夫躬之與東平王，蒯、伍、江、息夫四者皆仲尼所謂「惡利口之覆邦家」者，四人均是利慾薰心膽大包天之險士，其生平都與前漢一樁人神共泣的冤案相聯繫，而此傳不置於韓信、戾太子及東平王傳後，唯獨列於〈淮南王傳〉後，其意指太明確不過了。顯然，史家的安排在於說明淮南王一案與韓信、戾太子等一樣，同屬遭致陷害的千古奇冤。

而細察此種史家的筆法和佈置，既消除了作為宗正的劉氏家族在此案中的罪責，又保留了淮南王案真相的資訊，草蛇灰線，陳倉暗渡，堪稱一舉兩得的史家手段。而這樣處心積慮的筆法考量，若出自於當事者家人的劉向之手筆，那就十分容易理解；相反，若認為是班氏的煞費苦心，則缺乏為劉氏遮蔽某些真相的用意及理據，故將〈楚元王傳〉、〈淮南王傳〉及〈伍被傳〉三者聯繫起來看，無疑是出自劉氏精心的謀篇佈局。

劉向《說苑》、《新序》和劉歆《西京雜記》都已出現記述前漢中後期人物的文字，它們自然早於《漢書》，可以視為《漢書》汲取了劉氏父子的勞績，再踵事增華，以成今本《漢書》各傳的面貌。此按照下表，也是一目了然的。譬如《漢書》之〈楊王孫傳〉、《漢書．胡建傳》、《漢書．于定國傳》、〈路溫舒傳〉、〈枚乘傳〉、〈河間獻王傳〉、〈主父偃傳〉、〈吾丘壽王傳〉、〈丙吉傳〉、〈夏侯勝傳〉和《說苑》的記敘相對照；《漢書》之〈韓安國傳〉、〈主父偃傳〉、〈蘇武傳〉與《新序》相對照；劉歆在文獻上的功夫相較於劉向有過之而無不及，《論衡・亂龍》說：「子駿，漢朝智襄，筆墨淵海。」《漢書》之〈昭帝紀〉、〈宣帝紀〉、〈元帝紀〉、〈成帝紀〉、〈梁孝王傳〉、〈枚皋傳〉、〈景十三王傳〉、〈司馬相如傳〉、〈公孫弘傳〉、〈司馬遷傳〉、〈武五子傳〉、〈朱買臣傳〉、〈東方朔傳〉、〈朱雲傳〉、〈楊王孫傳〉、〈霍光妻傳〉、〈傅介子傳〉、〈趙廣漢傳〉、〈匡衡傳〉、〈杜鄴傳〉、〈何武傳〉、〈王嘉傳〉、〈揚雄傳〉、〈五鹿充宗傳〉、〈遊俠傳〉、〈外戚傳〉、〈佞幸傳〉、〈兩粵傳〉等與《西京雜記》相對照，必然會發現，原來《漢書》的紀傳各篇，均或多或少地取材于劉向、劉歆的著述，劉氏父子已經為《漢書》相關人物的編寫提供了藍本。《西京雜記》第三〈辨《爾雅》〉說：「家君以為：『〈外戚傳〉稱「史佚教其子以《爾雅》」，《爾雅》，小學也。』」此〈外戚傳〉今人已不明其原貌，但是也可能已有記述前漢外戚事蹟的單篇文字存世，其屬性也應歸諸於皇室內部秘檔，劉氏父子可以見到，亦或許為後之史家所採納。

《漢書・趙尹韓張兩王傳》說：「贊曰：自孝武置左馮翊、右扶風、京兆尹，而吏民為之語曰：『前有趙、張，後又三王。』然劉向獨序趙廣漢、尹翁歸、韓延壽，馮商傳王尊，揚雄亦如之。」此透露出，將趙廣漢、尹翁歸、韓延壽同傳，應是劉向的安排；《西京雜記》第三〈何武葬北邙〉說：「何武葬北邙山薄龍阪，王嘉塚東北一里。」按《漢書》中，何武和王嘉同傳，《西京雜記》已經體現出此二者緊密的關係；《漢書・景十三王傳》說：「贊曰：昔魯哀公有言：『寡人生於深宮之中，長於婦人之手，未嘗知憂，未嘗知懼。』信哉斯言也！雖欲不危亡，不可得已。是故古人以晏安為鴆毒，亡德而富貴，謂之不幸。漢興，至於孝平，諸侯王以百數，率多驕淫失道。何則？沈溺放恣之中，居勢使然也。自凡人猶繫於習俗，而況哀公之倫乎！夫唯大雅，卓爾不群，河間獻王近之矣。」這對照《說苑》，在景帝諸子中，劉向獨表河間獻王一人，可知《漢書》完全秉承了劉向的觀點。《漢書・李廣蘇建傳》說：「贊曰：……孔子稱『志士仁人，有殺身以成仁，無求生以害仁』，『使于四方，不辱君命』，蘇武有之矣。」而按劉向《新序》卷第七〈節士〉更早表彰了蘇武作為使者的節義精神，《漢書》本傳顯然與此有承襲的關係，並且對劉向在《新序》中的蘇武事蹟加以精心改造，成為其《漢書》中十分重要的〈蘇武傳〉；《漢書．董仲舒傳》說：「贊曰：劉向稱『董仲舒有王佐之材，雖伊、呂亡以加，筦、晏之屬，伯者之佐，殆不及也。』至向子歆以為『伊、呂乃聖人之耦，王者不得則不興。故顏淵死，孔子曰「噫！天喪余。」唯此一人為能當之，自宰我、子贛、子游、子夏不與焉。仲舒遭漢承秦滅學之後，《六經》離析，下帷發憤，潛心大業，令後學者有所統壹，為群儒首。然考其師友淵源所漸，猶未及乎游、夏，而曰筦晏弗及，伊呂不加，過矣』。至向曾孫龔，篤論君子也，以歆之言為然。」《漢書．賈誼傳》說：「贊曰：劉向稱『賈誼言三代與秦治亂之意，其論甚美，通達國體，雖古之伊、管未能遠過也。使時見用，功化必盛。為庸臣所害，甚可悼痛。』」與讚美董仲舒相似，因賈誼也屬於其精神譜系中人物，所以亦稱他「雖古之伊、管未能遠過也」；《漢書．司馬遷傳》說「贊曰：……故司馬遷據《左氏》、《國語》，采《世本》、《戰國策》，述《楚漢春秋》，接其後事，訖於天漢。其言秦漢，詳矣。至於采經摭傳，分散數家之事，甚多疏略，或有牴牾。亦其涉獵者廣博，貫穿經傳，馳騁古今，上下數千載間，斯已勤矣。又其是非頗繆于聖人，論大道而先黃、老而後六經，序游俠則退處士而進奸雄，述貨殖則崇勢利而羞賤貧，此其所蔽也。然自劉向、揚雄博極群書，皆稱遷有良史之材，服其善序事理，辨而不華，質而不俚，其文直，其事核，不虛美，不隱惡，故謂之實錄。」《漢書．韋賢傳》說：「韋賢字長孺，魯國鄒人也。其先韋孟，家本彭城，為楚元王傅，傅子夷王及孫王戊。」內有劉歆讚美武帝，鼓吹向外擴張的言論。文末贊曰「司徒掾班彪曰：漢承亡秦絕學之後，祖宗之制因時施宜。自元、成後學者蕃滋，貢禹毀宗廟，匡衡改郊兆，何武定三公，後皆數復，故紛紜不定。何者？禮文缺微，古今義異制，各為一家，未易可偏定也。考觀諸儒之議，劉歆博而篤矣。」劉氏父子的觀點多為《漢書》敘述確定基調，具有指導的意義。

張湯，在《史記．酷吏列傳》中，寄託了司馬遷無比的痛恨！但是其子張安世輔佐昭、宣，在武帝死後，對於安定漢朝功勳卓著，作為同僚的劉向亦感其功德，這決定了對張湯的功過判斷，勢必出現不同於司馬遷的聲音。

所以，《論衡．程才》說：「張湯、趙禹，漢之惠吏，太史公序累，置於酷部而致土崩。」《論衡．定賢》說：「蓋世優者，莫過張湯，張湯文深，在漢之朝，不稱為賢。太史公《序累》以湯為酷，酷非賢者之行。」此都表明，在司馬遷之後，由於劉向的評價與司馬遷不同，導致《論衡》遠紹劉說，對張湯亦褒多貶少，而體現在《漢書．張湯傳》裏，關於張湯部分，基本上抄襲《史記》本傳，而關於其子孫，則基本給予正面的評價。其贊曰：「馮商稱張湯之先于留侯同祖，而司馬遷不言，故闕焉。漢興以來，侯者百數，保國持寵，未有若富平者也。湯雖酷烈，及身蒙咎，其推賢揚善，固宜有後。安世履道，滿而不溢。賀之陰德，亦有助云。」所以《漢書》特為張湯設專章以列傳，尤其指出「其推賢揚善，固宜有後」，顯別於《史記》，此亦明顯為劉向使然。《漢書．東方朔傳》說：「贊曰：劉向言少時數問長老賢人通于事及朔時者，皆曰朔口諧倡辯，不能持論，喜為庸人誦說，故令後世多傳聞者。」為東方朔立傳，亦與劉向等人對其重視有關。

因此，劉向、劉歆在《漢書》中明顯的印跡，是不勝枚舉的，班固在撰寫《漢書》中，確實如葛洪所言，對於劉氏父子頗有借鑒，劉氏父子為班氏父子的著述其實提供了撰史的基礎。

三　署名班固《漢書》中重要傳主的遴選與劉氏父子的關係

署名班固撰《漢書》存在的最嚴重的問題，並不在於上述明顯的因襲現象，而是此《漢書》傳主的遴選，大受劉向、劉歆的影響，而劉氏在決定誰入傳、誰不入傳的問題時，太注重人物與自己和家族的關係，這些人物或利益攸關，或不共戴天，於是敵、友入傳，或歌功頌德，或貶斥洩憤。而這種多以劉氏家族為中心來遴選傳主的方式，到前漢末和後漢初，離前漢漸遠，班氏已缺乏清醒的判斷力，所以仍以劉氏馬首是瞻，並不敢越其雷池半步，使其所撰寫的《漢書》在客觀全面和公正性上均存有疑慮。

讀《漢書》，當以〈楚元王傳〉為綱，劉向活躍於宣、元、成帝三朝政壇，他與他的父親劉德一生所經歷的大事件，包括有：第一、在霍光立昭帝後，霍光與上官桀、桑弘羊等人的聯盟破裂，身為宗正的劉德幫助霍光治上官氏、蓋主一案。表明劉德當時站到了霍光一邊；第二、參與立宣帝，《漢書・霍光傳》說：「光遣宗正劉德至曾孫家尚冠里，洗沐賜御衣，太僕以軨獵車迎曾孫就齋宗正府，入未央宮見皇太后，封為陽武侯。」這是劉氏家族在前漢走向顯赫的起點[16]；第三、劉德反戈一擊，協助宣帝在霍光身後剷除霍氏餘勢，按《漢書・外戚恩澤侯表》記述，宣帝地節四年乙卯三月，封劉德為陽城侯，而至本年七月，宣帝就以霍氏謀反為藉口，誅滅霍氏，可見劉德在其間所發揮的作用；第四、元帝朝，劉向與蕭望之、周堪等一道，和代表許、史外戚勢力的中書宦官弘恭、石顯展開殊死的鬥爭；第五、成帝朝，外戚王氏秉政，劉向特撰《洪範五行傳論》以表譏諷；由於「而趙、衛之屬起微賤，逾禮制」，且「政由王氏出」，所以劉向憂心忡忡，遂上封事極諫曰：「事勢不兩大，王氏與劉氏亦且不並立。」第六、成帝朝，營造皇陵，奢侈無度，劉向上諫反對厚葬。這些事件雖然可以稱得上是前漢武帝身後的重大政治鬥爭，然而，必須看到，劉德、劉向和劉歆亦並非是完全從儒家道統出發，來為民請命、仗義執言的，《漢書》本傳說：「向每召見，數言公族者國之枝葉，枝葉落則本根無所庇蔭；方今同姓疏遠，母黨專政，祿去公室，權在外家，非所以彊漢宗，卑私門，保守社稷，安固後嗣也。」他代表的是劉氏宗親一系的政治和經濟利益，所以劉氏不遺餘力地與外戚分庭抗禮，從某種程度上看，實際上是劉氏諸侯和皇帝外戚的利益較量。《漢書・楚元王傳》記載劉向「乃使其外親上變事」說：「竊聞故前將軍蕭望之等，皆忠正無私，欲致大治，忤于貴戚尚書。」此言將自己和蕭望之等人與「貴戚尚書」對立的局面揭示無遺；而弘恭、石顯查明此書為劉向所為，「劾更

---

16 《漢書・楚元王傳》說：「昭帝即位，或說大將軍霍光曰：『將軍不見諸呂之事乎？處伊尹、周公之位，攝政擅權，而背宗室，不與共職，是以天下不信，卒至於滅亡。今將軍當盛位，帝富春秋，宜納宗室，又多與大臣共事，反諸呂道，如是則可以免患。』光然之，乃擇宗室可用者。」劉辟彊和劉德父子因此受到重用，尤其在助立宣帝之後，「宗家以（劉）德得官宿衛者二十餘人」，宗室頓成一股重要的政治力量。

生前為九卿，坐與望之、堪謀排車騎將軍高、許、史氏侍中者，毀離親戚，欲退去之，而獨專權」。此所言之「親戚」乃外戚之謂也，劉向一生堪稱劉氏宗親利益的代言人，當然更是自家利益的捍衛者，其言行無不與此種身分立場相關聯。

作為崛起於霍光執政時期的家族，就必須維護昭帝和霍光本人的合法性，否則，揭示真相，假如昭帝所出之本身就極為可疑，那麼，前漢國祚難道斷絕於武帝之死？然則作為聯手結盟者的劉氏，其所作所為，也就屬於亂臣賊子、大逆不道了。所以宗正劉氏就必須為之證明，昭帝之立，乃出自武帝的心意，毋庸置疑！而且，昭帝身後，昌邑王始立終廢，也是天經地義的；甚至於霍光死後，家族覆滅，更是咎由自取、勢所必然。於是從下表可以看到，《論衡．別通》說：「孝武皇帝時，燕王旦在明光宮，欲入所臥，戶三盡閉，使侍者二十人開戶，戶不開，其後旦坐謀反自殺。夫戶閉，燕王旦死之狀也。死者，凶事也，故以閉塞為占。」《西京雜記》第三〈廣陵死力〉說：「廣陵王胥有勇力，常於別囿學格熊。後遂能空手搏之，莫不絕脰。後為獸所傷，陷腦而死。」對照《漢書．天文志》說：「孝昭始元中……後熒惑出東方，守太白，兵當起，主人不勝。後流星下燕萬載宮極，東去，法曰『國恐，有誅』。其後左將軍桀、驃騎將軍安與長公主、燕剌王謀亂，咸伏其辜。」《漢書．五行志上》說：「昭帝元鳳元年，燕城南門災。劉向以為時燕王使邪臣通於漢，為讒賊，謀逆亂。南門者，通漢道也。天戒若曰，邪臣往來，為奸讒於漢，絕亡之道也。燕王不寤，卒伏其辜。」《漢書．五行志中之下》說：「昭帝元鳳元年，有鳥與鵲鬥燕王宮中池上，鳥墮池死，近黑祥也。時燕王旦謀為亂，遂不改寤，伏辜而死。」意指武帝有成年的五子，他們即使在年齡上比僅八歲的昭帝更具繼位的資格，也更合乎武帝選擇繼承人的邏輯性，但是上述種種災異預示著他們都不得善終，而帝位自然唯昭帝者莫屬也！

如何處置昌邑王，是霍光面對的一個難題，怎樣在輿論上加以解決？莫若以昌邑王自身流露的種種惡德敗相來解釋，最具說服力。亦從下表可以看到，《論衡．遭虎》說：「昌邑王時，夷鴣鳥集宮殿下，王射殺之，以問郎中令龔遂，龔遂對曰：『夷鴣野鳥，入宮，亡之應也。』其後昌邑王竟亡。」《論衡．商蟲》說：「昌邑王夢西階下有積蠅矢，明旦召問郎中龔遂，遂對曰：『蠅者，讒人之象也。夫矢積於階下，王將用讒臣之言也。』」《漢書．天文志》說：「（元平元年）二月……占曰：『太白散為天狗，為卒起。卒起見，禍無時，臣運柄。牂雲為亂君。』到其四月，昌邑王賀行淫辟，立二十七日，大將軍霍光白皇太后廢賀……」《漢書．五行志中之上》說：「昭帝時，昌邑王賀遣中大夫之長安，多治仄注冠，以賜大臣，又以冠奴。劉向以為近服妖也。」王充和班固不可能捏造這些記載，此出自當時與霍光命運利益共同體的劉向可能性最大。按《論衡》對前漢各帝的記述，除了漢高祖之外，看得出其重心落在了宣帝身上[17]，所謂「漢宣中興」與劉氏家族的命運休戚相關。由於劉氏家族對宣帝感恩戴德，所以《論衡》之「宣漢」，是把後漢的明帝朝與前漢的宣帝朝並列的，而對前漢宣帝時期種種祥瑞的渲染，其實出自劉氏，這是顯而易見的，而要為宣帝的天授神與之合法性大張旗鼓，然則樹立昭帝，貶斥昌邑王，自然屬於題中應有之義了。

前漢末年，揚雄〈解嘲〉說：「非蕭、曹、子房、平、勃、樊、霍則不能安。」對於霍光的功績，曾經作為霍光的同盟者，劉德、劉向等自然並不完全否認，但一旦霍光勢大，甚至一手遮天，其權勢淩駕於皇權之上，劉氏宗室的權益也被邊緣化，此時與皇室沾親帶故的劉德、劉向絕對不能容忍。《漢書．王商傳》記載在元帝時，蜀郡張匡之對曰：「自漢興幾遭呂、霍之患。」此說明霍光家族專權，到元帝時，其危害性竟然被渲染到與呂氏相彷彿的地步。而此前當霍光死去，順勢推倒霍氏家族，掃清權力的障礙，剿滅霍家，亦成為劉氏家族與宣帝共同的願望。《漢書．五行志上》說：「元鳳四年五月丁醜，孝文廟正殿災。劉向以為孝文，太宗之君，與成周宣榭火同

---

17 《論衡．指瑞》說：「孝宣皇帝之時，鳳皇五至，騏驎一至，神雀、黃龍，甘露、醴泉，莫不畢見，故有五鳳、神雀、甘露、黃龍之紀。使鳳、驎審為聖王見，則孝宣皇帝聖人也；如孝宣帝非聖，則鳳、驎為賢來也。為賢來，則儒者稱鳳皇、騏驎，失其實也。鳳皇、騏驎為堯、舜來，亦為宣帝來矣。夫如是，為聖且賢也。儒者說聖太隆，則論鳳驎亦過其實。」

義……是歲正月，上加元服……光亡周公之德，秉政九年，久于周公，上既已冠而不歸政，將為國害。故正月加元服，五月而災見。」霍光大權獨攬，劉向早已不能容忍；再從下表參考，《論衡．變動》說：「霍光家且敗，第牆自壞。誰哭於秦宮，泣於霍光家者？然而門崩牆壞，秦、霍敗亡之徵也。」《說苑．權謀》說：「孝宣皇帝時，霍氏奢靡。茂陵徐先生曰：『霍氏必亡！夫在人之右而奢，亡之道也。孔子曰：「奢則不遜。」夫不遜者必侮上，侮上者，逆之道也。出人之右，人必害之。今霍氏秉權，天下之人，疾害之者多矣。夫天下害之，而又以逆道行之，不亡何待？』乃上書言：『霍氏奢靡，陛下即愛之，宜以時抑制，無使至於亡。』書三上，輒報聞。其後霍氏果滅。董忠等以其功封。」[18]而《西京雜記》第一〈霍顯為淳於衍起第贈金〉說：霍光妻遺淳于衍奢侈品無數，衍猶怨曰：「吾為爾成何功，而報我若是哉！」指淳于衍幫助霍光妻害死宣帝皇后之事。這些文字意在為剷除霍家勢力營造聲勢，作出鋪墊，並且向社會作出解釋，便把血淋淋的朝廷鬥爭歸於天命，即使再慘烈也令世人覺得霍氏命該如此，甚至罪該萬死。聯繫《漢書．天文志》說：「（宣帝地節元年）其丙寅，又有客星見貫索東北，南行，至七月癸酉夜入天市，芒炎東南指，其色白。占曰：『有戮卿。』一曰：『有戮王。』期皆一年，遠二年。是時，楚王延壽謀逆自殺。四年，故大將軍霍光夫人顯、將軍霍禹、范明友、奉車霍山及諸昆弟賓婚為侍中、諸曹、九卿、郡守皆謀反，咸伏其辜。」《漢書．五行志中之上》說：「宣帝時，大司馬霍禹所居第門自壞。時禹內不順，外不敬，見戒不改，卒受滅亡之誅。」《漢書．五行志下之下》說：「宣帝地節元年正月，有星孛於西方，去太白二丈所。劉向以為太白為大將，彗孛加之，掃滅象也。明年，大將軍霍光薨，後二年家夷滅。」這些記述桴鼓相應，其實是把霍光一生及其家族的盛衰作了一個了結。

但是對此凶險的鬥爭，卻大致上出於此中的既得利益者劉氏的敘述，其片面甚至虛假都是不可避免的，可以想像，當時許多歷史的真相都沒湮滅於

---

18 （漢）劉向撰，向宗魯校證：《說苑校證》。

其敘述之中了，真令人有「盡信書，不如無書」之歎！逕跨昭、宣、元、成四朝，其歷史難道僅僅是這些利益紛爭嗎？歷史本身遠比這些人、事要豐富和複雜，但是在劉氏視野中，所謂歷史也就是其家族的興亡成敗史，甚至一切歷史都是個人史，其史學眼光未能超越其家族的遭際，廁身於當時利益糾葛之中，劉向亦不難免俗，這令他局囿其中而不能超拔，這對於一個史家而言，正是極大的缺陷。

於是如何遴選人物入史傳，就必然地帶有劉氏父子的主觀性。《漢書．霍光傳》記載霍光借太后之名義，廢黜昌邑王，他與群臣連名上奏曰：「丞相臣敞、大司馬大將軍臣光、車騎將軍臣安世、度遼將軍臣明友、前將軍臣增、後將軍臣充國、御史大夫臣誼、宜春侯臣譚、當塗侯臣聖、隨桃侯臣昌樂、杜侯臣屠耆堂、太僕臣延年、太常臣昌、大司農臣延年、宗正臣德、少府臣樂成、廷尉臣光、執金吾臣延壽、大鴻臚臣賢、左馮翊臣廣明、右扶風臣德、長信少府臣嘉、典屬國臣武、京輔都尉臣廣漢、司隸校尉臣辟兵、諸吏文學光祿大臣遷、臣畸、臣吉、臣賜、臣管、臣勝、臣梁、臣長幸、臣夏侯勝、太中大夫臣德、臣卬昧死言皇太后陛下……」這是廢黜昌邑王時，霍光聯手或要脅的同盟者名單，以此反觀劉向《新序》，其中寫到的最晚近的當代人物是蘇武。前已述及，劉向《新序》卷第十〈善謀下〉大致上是一部簡明的前漢開國史，它寫到武帝朝就戛然而止。而蘇武是在昭帝即位後，於始元六年春至京師，在劉向《新序》中，他出現於卷第七〈節士〉之二十九則〈蘇武章〉，除《新序》卷第十〈善謀下〉之外，蘇武是《新序》全書中唯一出現的前漢人物，故頗具特殊性。《漢書．蘇武傳》說：「數年，昭帝崩，武以故二千石與計謀立宣帝，賜爵關內侯，食邑三百戶。久之，衛將軍張安世薦武明習故事，奉使不辱命，先帝以為遺言。宣帝即時召武待詔宦者署，數進見，復為右曹典屬國。以武著節老臣，令朝朔望，號稱祭酒，甚優寵之……甘露三年，單于入朝。上思股肱之美，乃圖畫其人于麒麟閣，法其形貌，署其官爵姓名。唯霍光不名，曰大司馬大將軍博陸侯姓霍氏，次曰衛將軍富平侯張安世，次曰車騎將軍龍額侯韓增，次曰後將軍營平侯趙充國，次曰丞相高平侯魏相，次曰丞相博陽侯丙吉，次曰御史大夫建平侯杜延年，次曰宗正陽城侯劉德，次曰少府梁丘賀，次曰太子太府蕭望之，次曰典屬國蘇武。皆有功德，知名當世，是以表而揚之，明著中興輔佐，列于方叔、召虎、仲山甫焉。凡十一人，皆有傳。自丞相黃霸、廷尉于定國、大司農朱邑、京兆尹張敞、右扶風尹歸翁及儒者夏侯勝等，皆以善終，著名宣帝之世，然不得列於名臣之圖，以此知其選矣。贊曰：……孔子稱『志士仁人，有殺身以成仁，無求生以害仁』，『使于四方，不辱君命』，蘇武有之矣！」[19]

兩段文字相對照，廢黜昌邑王，與立宣帝，這在劉向心目中是前漢極其重大的政治事件，署名班固《漢書》的重心也被這種觀點左右了。上述前後兩份名冊相比較，發現政局又變，霍光倒臺，但是其中大多數人物審時度勢，經受住風浪的顛簸，成為捍衛皇室的功臣。按《漢書．張湯傳》附〈張安世傳〉敘述皇曾孫幼孤，張安世兄張賀「所以視養拊循，恩甚密焉」，在宣帝心中，張安世遠比霍光親近；車騎將軍龍頟侯韓增即共同署名廢黜昌邑王之「前將軍臣增」也；按《漢書．趙充國傳》說：「與大將軍霍光定冊尊立宣帝，封營平侯。」據《漢書．魏相傳》敘述，可知魏相有助於宣帝親政；而從《漢書．丙吉傳》中可以看到，丙吉曾經保護和撫養衛太子孫也就是後來的漢宣帝，後又參預了尊立皇曾孫之事，功不可沒，以致宣帝為報恩，封之為丞相[20]；《漢書．杜延年傳》說：「延年知曾孫德美，勸光、安世立焉。」《漢書．劉德傳》說劉德「與立宣帝」；《漢書．儒林傳》說梁丘賀從太中大夫京房受《易》，他是宣帝十分相信的「風水師」；《漢書．蕭望之傳》記錄蕭望之上疏，鼓動宣帝在霍光身後，消除霍氏餘勢。上述人物之事功，其重點不在國而在君，此輩在宣帝落難時挺身保護、在宣帝繼位前參與謀立，並且在宣帝與霍氏鬥爭中給予堅定的支持，故而有資格圖畫於麒麟閣且在署名班固的《漢書》中亦是重點人物，備受關注。而宗正陽城侯劉德列名其間，這是劉氏家族的巔峰時刻，堪稱銘心刻骨！在麒麟閣畫圖人物中，蘇武雖

19 《論衡．須頌》說：「宣帝之時，畫圖漢列士，或不在於畫上者，子孫恥之。何則？父祖不賢，故不畫圖也。」按《漢書》所謂的「凡十一人」，是否包含圖畫于麒麟閣的全部人物，十分可疑，其所選取的十一人，標準太過單一了。

20 《漢書．外戚傳》對此另有敘述，然而，「丙吉」卻作「邴吉」，亦不一致。

忝陪末座，但意義深遠[21]。同時，上文所謂「自丞相黃霸、廷尉于定國、大司農朱邑、京兆尹張敞、右扶風尹歸翁及儒者夏侯勝等，皆以善終，著名宣帝之世，然不得列於名臣之圖，以此知其選矣」。意指關於圖畫麒麟閣的標準，作者於宣帝尚存在著些許不同的看法，他認為像黃霸、于定國、朱邑、張敞、尹歸翁及夏侯勝等六人，不能躋身於麒麟閣，實屬憾事。發表這樣的意見，絕非是班固之觀點，而是出自向、歆之私見，原因就是這些人物與劉氏比較接近，且有利益之攸關。讀《漢書・魏相丙吉傳》說：「贊曰：……近觀漢相，高祖開基，蕭、曹為冠，孝宣中興，丙、魏有聲。」認為魏相、丙吉可與蕭、曹相比肩，其實比較二者之功績，真所謂天壤之別，而之所以要作這樣的比附，原因在於把輔佐宣帝的功勳誇大了，而之所以誇大這種功勳，原因就在於其始作俑者之本人或家族在宣帝一朝獲益良多，而持這樣立場的史學家，則非劉氏者莫屬也。

而在《漢書・蘇武傳》中，圖畫於麒麟閣之十一人，再加上劉氏讚賞的六人，總共十七人之所以成為重要的傳主，當屬劉向的規劃。而另外，劉向將自已與中書宦官弘恭、石顯等鬥爭的意義誇大了，於是以此為準衡，劃出了堅決參與鬥爭者，宣、元時期有蕭望之和周堪一系，成帝朝的翟方進、谷永等，蕭、周是劉向志同道合者，《漢書・蕭望之傳》說：「初，宣帝不甚從儒術，任用法律，而中書宦官用事。」中書宦官弘恭、石顯代表著許、史外戚的勢力，而外戚勢大，則會令劉氏宗親權益受損，作為劉氏權益代表者的劉向與之鬥爭，甚或放言無忌，元帝要平衡劉氏和外戚二者的力量，大多時候都能包容劉向的言論，劉向言行與捍衛公平正義不可等量齊觀；而後之翟方進，按《漢書》本記載：「方進雖受《穀梁》，然好《左氏傳》、天文星曆，其《左氏》則國師劉歆，星曆則長安令田終術師也。」顏注：「如淳曰：『劉歆及田終術二人皆受學于方進。』」按《論衡・案書》說：「《春秋左氏傳》者，蓋出孔子壁中。孝武皇帝時，魯共王壞孔子教授堂以為宮，得佚《春秋》三十篇，《左氏傳》也。公羊高、穀梁寘、胡母氏皆傳《春

21 參見拙作：〈關於《漢書・蘇武傳》成篇問題之研究〉，《文學遺產》，2009年第1期。

秋》，各門異戶，獨《左氏傳》為近得實。何以驗之？《禮記》造於孔子之堂，太史公，漢之通人也，左氏之言與二書合，公羊高、穀梁寘、胡毋氏不相合。又諸家去孔子遠，遠不如近，聞不如見。劉子政玩弄《左氏》，童僕妻子皆呻吟之。」此說明劉氏父子的學術和翟方進相近，而且翟方進身為劉歆的老師，雖然日後翟方進的兒子翟義挺身而出反抗王莽執政，劉歆卻依附於莽新政權，兩家最終分道揚鑣，但是，《漢書．翟方進傳》對於翟氏內心如此精微的把握，顯然不是班氏可以辦到的，其出自曾經親近翟氏的劉歆所敘述的可能性則更大。蕭、翟在《漢書》中特被專章敘錄，且與依違朝廷兩股勢力之間首鼠兩端的匡衡、張禹等一系，還有其對立面，像弘恭、石顯，都在《漢書》中佔據了太過重要的篇幅，甚至連《法言．先知》說：「或問曰：『載使子草律。』曰：『吾不如弘恭。』『草奏。』曰：『吾不如陳湯。』曰：『何為？』曰：『必也律不犯，奏不剡。』」[22]揚雄不過拾人牙慧而已。《漢書．匡張孔馬傳》說：「贊曰：自孝武興學，公孫弘以儒相，其後蔡義、韋賢、玄成、匡衡、張禹、翟方進、孔光、平當、馬宮及當子晏咸以儒宗居宰相位，服儒衣冠，傳先王語，其醞藉可也，然皆持祿保位，被阿諛之譏。彼以古人之跡見繩，烏能勝其任乎！」班固看清楚他們自私自利的本質，將這些在前漢以儒宗居宰相位者，一併加以撻伐，但是他卻忽視了劉氏對這些人物尚有親疏之別，譬如匡衡和張禹有時故意討好外戚，劉氏雖然肯定其經學造詣，但是對其言行卻至為不滿，因為他們危及和損害劉氏宗親的利益，在劉氏意識中，蕭望之、翟方進與匡衡、張禹等，尚不可同日而語，班固上述所謂「贊曰」，顯然違背劉氏初衷，但是《漢書》依然一仍劉氏所定之體例和人物，於是產生了明顯的矛盾；而成帝朝，谷永亦上疏諫厚葬，谷永與杜鄴都有抵制外戚的言論，此二者參與到朝中各種勢力的傾軋之中，本身雖具有投機的品格，由於劉向、劉歆視之為同道，也被《漢書》納入同傳，並大書特書，這就簡直把國史當作家傳來書寫了[23]。無怪乎《漢書》本傳

---

22 汪寶榮撰，陳仲夫點校：《法言義疏》（北京市：中華書局，1987年）。

23 《論衡．超奇》說：「觀谷永之陳說，唐林之宜言，劉向之切議，以知為本，筆墨之

之「贊曰：孝成之世，委政外家，諸舅持權，重于丁、傅在孝哀時。故杜鄴敢譏丁、傅，而欽、永不敢言王氏，其勢然也……可謂諒不足而談有餘者。孔子稱『友多聞』，三人近之矣」。而這樣的鑽營者竟然也在《漢書》中佔有一席之地，不能不認為是劉氏的選擇和安排。成帝朝，由於趙飛燕姊弟受成帝專寵，劉氏和班氏都是受害者，《西京雜記》第二〈趙后淫亂〉說：「慶安世年十五，為成帝侍郎，善鼓琴，能為〈雙鳳〉、〈離鸞〉之曲。趙后悅之，白上，得出入御內，絕見愛幸。常著輕絲履，招風扇，紫綈裘，與后同居處。欲有子，而終無胤嗣。趙后自以無子，常托以祈禱，別開一室，自左右侍婢以外，莫得至者，上亦不得至焉。以軿車載輕薄少年，為女子服，入後宮者日以十數，與之淫通，無時休息。有疲怠者，輒差代之，而卒無子。」劉、班對趙氏姐妹恨之入骨，於是趙氏就被刻劃成一個飛揚跋扈的女子，尤其傳中借解光之口，揭露其累累罪行，並且誇大了她確立定陶王為成帝繼承者的作用。這是劉、班聯手的傑作，幾乎把前漢走向王莽篡權的罪責之很大一部分都推給了趙飛燕，暗合女寵禍水之窠臼。

考察劉向家族的境遇，在宣帝朝由於特殊的風雲際會，劉德受寵，楚元王一系的家族至為得勢，而到元帝和成帝時期，因為二帝倚重外戚，劉向等劉氏宗親被冷落了，且明顯有所失勢，而作為既得利益者，向、歆父子是絕不會甘心的，他們必然會作出抗爭。因此觀《漢書．楚元王傳》，劉向的一系列撰述，均意在攻擊外戚，元帝朝，劉向與外戚勢力作殊死的較量，自身仕途也因此而跌宕沉浮，但他還是奮不顧身地上封事諫曰「臣前幸得以骨肉備九卿」、「臣幸得托肺附」，他自恃「散騎宗正給事中」的身分，所以敢於放言無忌。然而所借重於《春秋》經傳者，矛頭所指，目標明確，惟在外戚。《漢書．五行志中之上》說：「（元帝）永光中，有獻雄雞生角者。京房《易傳》曰：『雞知時，知時者當死。』房以為己知時，恐當之。劉向以為房失雞占。雞雖小畜，主司時，起居人，小臣執事為政之象也。言小臣將

文，將而送之，豈徒雕文飾辭，苟為華葉之言哉？」將谷永和劉向並列，其實承襲了劉向推崇谷永的觀點。

秉君威，以害正事，猶石顯也。竟甯元年，石顯伏辜，此其效也。一曰，石顯何足以當此？……」劉向以自然界事物比附政治，由於自己陷入鬥爭漩渦至深，所以含沙射影，幾乎草木皆兵，並不避忌指鹿為馬，竟把一切怪異現象都比附於政敵，此令他人亦感詫異，一隻生角的雄雞與石顯其人怎麼會有關係？但是此人把此雞與「王氏之權自鳳起」聯繫起來了，似乎更上綱上限到整個政治亂象，亦足見當時抗衡外戚專權的呼聲，代表著當時社會較廣大階層的心願，此乃由漢代政治結構所鑄成的矛盾紛爭，此種鬥爭是不可避免的。劉向不屈不撓地抗拒外戚勢力，也與此普遍心願相呼應，獲得了一種道德上的正當性，由此激發他對外戚作出更決絕的抨擊。而分別作為宗親及外戚、佞幸兩股勢力的代表人物，無論妍媸，不計是非，皆緣於劉向心目中太在意此種角力，而被過度地凸顯和放大，劉向此種激烈的反外戚勢力的情結反映到《漢書》之中，必然會影響到《漢書》的史學成就。

譬如《史記．外戚世家》所敘述者起於呂后，大體上止於李夫人，後者則為褚先生所添補。計太史公所敘述者，篇幅較小。而相對於《漢書．外戚傳》，一則由於時跨整個前漢各朝，二則由於外戚與劉、班均有切身的關係，所以《漢書．外戚傳》的規模就大大地拓展了，《漢書．楚元王傳》和《漢書．外戚傳》相對照，一經一緯，一正一反，所傳之人物，其實正是在劉氏宗室和外戚鬥爭的線索上凸顯出來，沿波討源，沿根討葉，幾乎所有傳中人物都和這條線索有著密切的關係。《漢書．外戚傳上》述及武帝末巫蠱事起，衛太子等皆遭害，「史皇孫有一男，號皇曾孫，時生數月，猶坐太子系獄，積五歲乃遭赦。治獄使者邴吉憐皇曾孫無所歸，載以付史恭。恭母貞君年老，見孫孤，甚哀之，自養視焉。後曾孫收養於掖庭，遂登至尊位，是為宣帝。而貞君及恭已死，恭三子皆以舊恩封。長子高為樂陵侯，曾為將陵侯，玄為平臺侯，及高子丹以功德封武陽侯，侯者凡四人。高至大司馬車騎將軍，丹左將軍，自有傳。」同傳又說：「史皇孫王夫人，宣帝母也。」故史，是宣帝祖母家之姓也；同傳又說：「孝宣許皇后，元帝母也。」故許，乃元帝母家之姓也。尚在危難之中，皇曾孫也即後之漢宣帝娶許廣漢女為妻，《漢書．宣帝紀》稱「曾孫因依倚廣漢兄弟及祖母家史氏」，此均為宣帝即位以後，史高及許、史氏侍中者恃寵弄權埋下隱患。前述弘恭、石顯「劾更生前為九卿，坐與望之、堪謀排車騎將軍高、許、史氏侍中者，毀離親戚，欲退去之，而獨專權」。此說明宣、元二帝情繫外家，宣帝與之曾經共處患難之間，雖然亦須平衡劉氏宗親和外戚的關係，然而孰輕孰重，宣、元二帝心中的天平自然會傾斜到外戚一邊，劉氏宗親則往往被疏遠了。到元帝繼位後，一仍此種政治格局，且變本加厲，此導致劉向嚴重的不滿，他要代表劉氏宗親以維護權力分配之均勢，於是以劉姓諸侯自居，與新貴之許、史及王氏展開博弈。《漢書》在〈外戚傳〉之外，專列〈元后傳〉，孝元皇后，王莽之姑也，而王鳳、王崇與她是同母兄弟，異母兄弟則有王商、王譚、王根等。元帝末年，王鳳與皇后及侍中史丹等一起「擁右太子」，元帝崩，太子立，是為漢成帝。此時，「王氏之興自鳳始」，〈元后傳〉記述一事以顯示王鳳權威，其傳曰：「大將軍鳳用事，上遂謙讓無所顓。左右常薦光祿大夫劉向少子歆通達有異材。上召見歆，誦讀詩賦，甚說之，欲以為中常侍，召取衣冠。臨當拜，左右皆曰：『未曉大將軍。』上曰：『此小事，何須關大將軍？』左右叩頭爭之。上於是語鳳，鳳以為不可，乃止。其見憚如此。」此必然加劇劉氏宗親一系對王氏專權的憤恨，兩者形同水火，勢不兩立。按下表，劉歆《西京雜記》多有記錄佞幸、外戚醜聞者，確是有感而發。而此間，由於元后享年八十四歲，「歷漢四世為天下母，饗國六十餘載」，她偏袒王鳳等，以致王家「群弟世權，更持國柄，五將十侯，卒成新都」，最終助成王莽篡漢，其咎難辭。對於與外戚專權相關聯的政治人物，按《漢書·王商史丹傅喜傳》所記錄的三位人物的生平，亦可折射出外戚政治的某些實際情形。王商與王鳳屬異母兄弟，同為外戚，然而二者之間也發生權利的紛爭，其內訌最後以王商敗北而告終。《漢書·王商史丹傅喜傳》說：「贊曰：自宣、元、成、哀外戚興者，許、史、三王、丁、傅之家，皆重侯累將，窮貴極富，見其位矣，未見其人也。陽平之王多有材能，好事慕名，其勢尤盛，曠貴最久。然至於莽，亦以覆國。王商有剛毅節，廢黜以憂死，非其罪也。史丹父子相繼，高以重厚，位至三公。丹之輔導副主，掩惡揚美，傅會善意，雖宿儒達士無以加焉。及其歷房闥，入臥內，推至誠，犯顏色，動寤萬乘，轉移大謀，卒成太子，安母后之位。『無言不讎』，終獲忠貞之報。傅喜守節不傾，亦蒙後凋之賞。哀、平際會，禍福速哉！」既指出「見其位矣，未見其人也」，意謂此輩皆利慾薰心之徒，豈止乏善可陳，甚或禍國殃民，然則引之入傳，其歷史價值本身就令人疑惑。但是王商敢於制衡王鳳，所以在劉向、劉歆心目中，就具有了正面的光輝；而史高、史丹在劉向看來，史氏父子屬於政敵一方，他「謀排車騎將軍高、許、史氏侍中者」，兩者敵友分野是明晰的。即使史丹「卒成太子，安母后之位」，然而其用心無非出自私利，而且所擁立的成帝根本算不上什麼出色的皇帝，劉向、劉歆若為史丹立傳，定當貶多褒少；而班固則由於班婕妤的緣故，班氏在成帝朝一顯風光，因此班氏肯定了其定立成帝的功績；傅喜亦同樣因身為外戚，而知所進退，節制外戚權力欲望之膨脹，而成為外戚之中全身遠禍之士。反觀其人入選《漢書》，無非是緣於他們與外戚勢力存在著千絲萬縷的關係，班氏其實對此已不甚了解，而劉向、劉歆則明察秋毫，所以其出現於《漢書》中，當亦屬於向、歆父子的安排，但是在本傳具體的寫作中，班氏亦摻入了其主觀的評價；按《漢書．蓋諸葛劉鄭孫毋將何傳》，所記述的蓋寬饒、諸葛豐、劉輔、鄭崇、孫寶、毋將隆和何並，其人大多不畏外戚得勢者，危言直行，這便是此輩留名青史的緣故；再按《漢書．杜周傳》，杜周本為一兇殘的酷吏，但是其少子杜延年卻在昭、宣二朝，輔助霍光秉政，並且在霍氏覆滅之後，尚能不為牽連。杜延年的兒子中杜欽最具政治天賦，善於平衡王鳳和其他政治勢力，《漢書》本傳稱他「當世善政，多出於欽者」，可見其手腕之圓熟；杜延年另一子杜緩是杜欽的兄長，他有一子杜業，在哀帝朝，上書言：「王氏世權日久，朝無骨鯁之臣，宗室諸侯微弱，與系囚無異。」此當深得向、歆父子之心；《漢書》本傳說：「贊曰：張湯、杜周並起文墨小吏，致位三公，列于酷吏。而俱有良子，德器自過，爵位尊顯，繼世立朝，相與提衡……及欽浮沈當世，好謀而成，以建始之初深陳女戒，終如其言，庶幾乎〈關雎〉之見微，非夫浮華博習之徒所能規也。」對照劉向於成帝朝，編輯《列女傳》，以戒天子，兩者用心一致。因此杜氏四代入《漢書》傳中，主要是因為杜業等反外戚的傾向，向、歆引以為同道，班氏則因循劉氏的初衷而已。

蘇洵〈廣士〉說：「昔者漢有天下，平津侯、樂安侯輩皆號為儒宗，而卒不能為漢立不世大功；而其卓絕雋偉，震耀四海者，乃其賢人之出於吏胥中者耳。夫趙廣漢，河間之郡吏也；尹翁歸，河東之獄吏也；張敞，太守之卒史也；王尊，涿郡之書佐也。是皆雄雋明博，出之可以為將，而內之可以為相者也。」[24]其實一部史書，為帝王將相立傳，這倒並無怪異之處，而為某些名不見經傳且乏善可陳者刮垢磨光樹碑立傳，其間確有可深思的地方。這些人物難道有什麼豐功偉烈值得載入史冊嗎？其實，說穿了，他們不過因為與劉氏發生因緣，使得他們有幸成為《漢書》中的人物，班氏撰寫《漢書》，若在人物遴選上未能另起爐灶，其史學成就，終歸大打折扣。

依照上述推論，是否要貶低班氏在《漢書》中的勞績呢？按王充《論衡．對作》說：「五經之興，可謂作矣。太史公《書》、劉子政《序》、班叔皮《傳》，可謂述矣。」認為司馬遷、劉向和班彪三者具有一致之處，都屬於「述」的範疇。然而，《論衡．超奇》說：「班叔皮續《太史公書》百篇以上，記事詳悉，義淺理備。觀讀之者以為甲，而太史公乙。子男孟堅為尚書郎，文比叔皮，非徒五百里也，乃夫周、召、魯、衛之謂也。苟可高古，而班氏父子不足紀也。」他作為見證人，還是看到了班氏的貢獻，班彪所作，似乎是把劉向、劉歆所留存的文獻材料更加完備化，使得傳主事蹟敘述具備了起承轉合的層次感，也即范曄在《後漢書．班彪傳》中所謂「固文贍而事詳」，其敘事更加條理分明，具體生動[25]；而《漢書．蘇武傳》對於劉向《新序》中蘇武事蹟的加工改造，就是典型的例子。而班固的功勞，則是在班彪的基礎上，進一步加以修訂潤飾，使人物事蹟的敘述，更加具有起承轉

---

24 （北宋）蘇洵著，曾棗莊、金成禮箋注：《嘉祐集箋注》（上海市：上海古籍出版社，2001年），卷4，《衡論》，頁105-106。

25 《郡齋讀書志》卷第五「《前漢書》一百卷」說：「然識者以固書皆因司馬遷、王商、揚雄、歆、向舊文潤色之，故其文章首尾皆善，而中間頗多冗瑣，良由固之才視數子微劣耳。固之自敘稱述者，豈亦謂有所本歟？」（宋）晁公武撰，孫猛校證：《郡齋讀書志校證》（上海市：上海古籍出版社，2006年）。

合的藝術性和完整性。像南朝末年顏之推《顏氏家訓．文章》所謂「班固盜竊父史」，其實是無稽之談，其原因在於，班氏父子共同依照劉向、劉歆藍本來結撰《漢書》，其中緣由遠比「盜竊父史」來得複雜！

四　從政治的實際態勢看《春秋》之學的命運趨勢

既然《漢書》成書，其間多有劉向、劉歆父子的因素，因此對於《漢書》中所記載《春秋》學的情勢，亦當重新審視。首先，觀司馬遷《史記》，對於武帝朝治《春秋公羊傳》者，唯有丞相平津侯公孫弘單獨列傳，而治公羊學的大師，董仲舒和胡毋生僅在《史記．儒林列傳》中有簡略的生平敘述。司馬遷受學於董氏，他一生大致與武帝相始終，所以他比較真切地了解《春秋公羊傳》等經學在當時的實際影響力，故有關經學敘述中，在分寸感的把握上，試問何者最能反映當時實際情形？當然非司馬遷莫屬，後人也須更加重視司馬遷的「實錄」精神。

而在前漢，按司馬遷的記述，董仲舒最精於學，是當時無與倫比的大儒，但是其位不過江都相，而且因言災異，險遭被殺的厄運；而在《史記．平津侯主父列傳》中，司馬遷特意點出：「公孫弘年四十餘，乃學《春秋》雜說。」而且其學術特點是「習文法吏事，而又緣飾以儒術」，典型的儒表法裏，竟然大獲武帝賞識，以致身居丞相高位。無怪乎司馬遷感慨「公孫弘治《春秋》不如董仲舒，而弘希世用事，位至公卿。董仲舒以弘為從諛」。司馬遷有意將董氏與公孫弘對照著寫，其實正揭示了武帝一朝，儒家經學所處的尷尬窘境。

然而，到前漢後期，前已述及，以劉向、劉歆、揚雄、桓譚和班嗣、班彪以至王充等，結成了一個團體。其中向、歆父子作為文獻學的集大成者，關於儒學的理解和闡發，灌注於今本《漢書》中，自然會一定程度上左右了後人對前漢《春秋》學的看法。劉向、劉歆作為宗親，他們繼承和發揮了劉氏諸侯中崇儒一派的學術，此在遠離權力核心、並且缺乏各種實力資源的形勢下，儒家軟實力便是楚元王後代人物的必然選擇，捨此，則無以憑藉作出抗爭，亦無以自立。故前已述及，按下表，劉向《說苑》和劉歆《西京雜記》均獨表《漢書・景十三王傳》中的河間獻王劉德，以致《漢書・景十三王傳》說：「贊曰：……夫唯大雅，卓爾不群，河間獻王近之矣。」此也表明了劉氏父子想借助隱約的儒家道統來抗拒外戚勢力的政治謀略。《漢書・楚元王傳》記載劉向上變事，其文曰「仲舒為世儒宗」！《漢書・五行志》說：「漢興，承秦滅學之後，景、武之世，董仲舒治《公羊春秋》，始推陰陽，為儒者宗。」而前已述及，按下表，王充《論衡》密集地涉及董仲舒其人，劉歆《西京雜記》亦遠紹董氏之論，可見此一團體中人物對董氏的重視，此自然會影響到《漢書》的寫作，以致董氏在《漢書》中單列一章，相較於在《漢書》中，公孫弘和卜式兒寬同傳，董氏在《漢書》中地位，顯然比在《史記》中顯得更加突出，這與劉向、劉歆等有意拔高有著直接的關係。

但是在實際政治運作中，真儒學如同屠龍術，若想在現實層面上奏刀騞然，則純屬幻想，儒家道統很難嵌入現實政治之間，在大多數時空條件下，發揮不了什麼切實的作用。考察《漢書》，武帝對於《春秋公羊》學最有會心之處，在於鞏固其大一統政權，按《漢書・嚴助傳》記載武帝賜書嚴助曰：「……具以《春秋》對，無以蘇秦縱橫。」嚴助心領神會地說：「……臣事君，猶子事父母也，臣助當伏誅。」嚴助所謂「臣事君，猶子事父母也」這樣的話，道出了武帝崇儒的本意；而王吉在宣帝時上疏曰：「《春秋》所以大一統者，六合同風，九州共貫也。」此亦甚合「頗修武帝故事」的宣帝的心意，有助於凸顯王權的聲勢。然而，雖大一統在武帝和董氏兩邊有交集點，但是《論語・八佾》說：「子曰：『人而不仁，如禮何？人而不仁，如樂何？』」即使「六合同風，九州共貫」，天下同貫於儒家的禮樂，孔子認為禮樂還僅僅是表象的東西，還必須推究其背後的始點，若禮和樂失去了「仁」的精神，儒家的禮樂也徒具軀殼而已。因此，一統於專制還是民本？正是武帝和董氏分歧之關鍵。嚴助與董仲舒《春秋公羊》學意在借天以節制君權的初衷完全相悖了，此在當時具有普遍性，這是中國歷史上常見的儒家道統遭遇王權政統而發生變異的現象，由於經生人格往往不完全可靠，人格的軟弱會導致學術的扭曲，在王權的高壓下，若堅持「正學以言」，並非易事[26]。

故王充《論衡・別通》篇說：「董仲舒雖無鼎足之位，知在公卿之上。」其所謂「知在公卿之上」，恰是針對《史記・儒林列傳》中公孫弘「位至公卿」而言的，反言之，即使董氏「知在公卿之上」，但他「無鼎足之位」，其現實的影響力也就十分有限，所以劉氏所謂董氏屬「儒者宗」，也僅僅局囿於儒家道統之內而言的。前漢政治的運行，按照《史記・絳侯周勃世家》所記載竇太后的名言：「人主各以時行耳。」《漢書・杜周傳》說：「客有謂周曰：『君為天下決平，不循三尺法，專以人主意指為獄，獄者固如是乎？』周曰：『三尺安出哉？前主所是著為律，後主所是疏為令；當時為是，何古之法乎！』」政治的真諦就是勢與力的競爭，須隨機應變、隨機說法。《漢書・元帝紀》中宣帝一言以蔽之曰：「漢家自有制度，本以霸王道雜之，奈何純任德教，用周政乎！且俗儒不達時宜，好是非古今，使人眩於名實，不知所守，何足委任！」這是君臣史上最懂得實際政治者的肺腑之言。儒家經學「好是非古今」，認為人世社會理應有公道正義來裁判是非善惡，所謂萬世法則，就是善善惡惡，辨析正邪，衡量是非。誠然，此種孔子所開創的對於人性光輝的終極關懷，是提升中華民族良知的高懸明燈，為人類指出向上一路，沒有這種終極的追溯，中華民族會淪於禽獸而萬劫不復。然而在政治運作中，決定成敗者在於實力，即在於得勢或者失勢，也即所謂成王敗寇，至於正邪是非一端，絕不可以當作現實政治的規範和原則，亂臣賊子所畏懼的是權利的喪失，而絕非《春秋》大義的譴責，於是儒家經生想以「王道」去規範漢劉的「霸道」，即以儒家道統來駕馭王權政統，亦猶《史記・孟子荀卿列傳》所謂「迂遠而闊於事情」，指儒家的政治理想和現實政治之間，有不可逾越的鴻溝，「持方枘欲內圜鑿，其能入乎」？在實際的政治遊戲中，古人早就明白，一切理論或學說都是十分蒼白無力的。

---

[26] 《史記・儒林列傳》記載轅固生對公孫弘說：「公孫子，務正學以言，無曲學以阿世！」

司馬遷深諳其中因由，所以即使尊敬自己的老師董仲舒，但是對董氏也不作過度的誇飾，他敘述了在景帝、武帝二朝，董氏基本上處於一種「窮則獨善其身」的人生狀態，這是恰如其分的。然而在劉向和劉歆看來，身為「儒者宗」，董氏作為前漢儒家道統的象徵，他們有賴假借於董氏的資源，最主要的是董氏的言說方式，而此種言說方式的體式特徵，就呈現在《漢書．董仲舒傳》所載錄的董氏天人三策中，對此天人三策，《史記》沒有收入，而在《漢書》本傳中則全文抄錄，其目的在於顯示董氏「為儒者宗」的典範意義。關於董氏的三統循環論及其改正朔、易服色等學說，向、歆父子其實均興趣不大，他們所在意者，主要是董氏借陰陽以說災異的部分，觀下表，劉歆《西京雜記》大篇幅地摘錄了董氏此方面的理論，而他們之所以如此借重董氏此種理論，按董仲舒對策曰：「臣謹案《春秋》之中，視前世已行之事，以觀天人相與之際，甚可畏也。國家將有失道之敗，而天乃先出災害以譴告之。不知自省，又出怪異以警懼之，尚不知變，而傷敗乃至。」《漢書．楚元王傳》中，元帝朝，劉向上封事諫曰：「……初元以來，六年矣！案《春秋》六年之中，災異未有稠如今者也。夫有《春秋》之異，無孔子之救，猶不能解紛，況甚於《春秋》乎？」兩者言事的策略何其相似乃爾！劉氏要表達在元、成二朝自己失勢的不滿，此種情緒難以直接指陳，必須以諷諫的方式，婉轉地渲染在外戚勢力的控制下，天下已亂象叢生，陰陽失調，國將不國，從而表示出唯有消滅甚或剷除外戚獨大的政治勢力，那才是挽救天下、消弭災異的不二門徑。因此，借《春秋》，說陰陽，以災異祥瑞來表達對於政治的觀感，亦藉以一抒對政治人物的愛憎好惡，這樣的言說方式，其實有點類似於《詩》之比興手法，此是王權政治下，士大夫參政議政的無奈之舉。

閱讀這類的文字，其中無論祥瑞或者災異的鋪陳描述，都非文章的重點，其核心在於其所要表達的意見。按《漢書．宣帝紀》說：「（甘露三年）詔諸儒講五經同異，太子太傅蕭望之等平奏其議，上親稱制臨決焉。乃立梁丘《易》、大小夏侯《尚書》、《穀梁春秋》博士。」而《漢書．楚元王傳》當出自劉氏自家的手筆，但是對此事記載卻並不濃墨重彩，其傳曰：「會初立《穀梁春秋》，徵更生受《穀梁》，講論五經于石渠。」而按照徐復觀先生《中國經學史的基礎》之〈西漢經學史〉對此評述曰：「宣帝為什麼要費那樣大的氣力來開石渠會議，始能贏得《穀梁》立官，因為這是對《公羊》博士們乃至對整個的法定權威挑戰。應由此去了解以後所發生的今古文之爭的形勢與實質意義。」[27]徐先生此番言論有點兒言過其實，一則，由於《春秋公羊傳》在武帝朝受到尊崇，因此朝臣以《春秋》論政事，議論紛紛，大有被濫用之嫌。《漢書．張湯傳》說：「是時，上方鄉文學，湯決大獄，欲傅古義，乃請博士弟子治《尚書》、《春秋》，補廷尉史，平亭疑法……而深刻吏多為爪牙用者，依于文學之士。丞相弘數稱其美。」酷吏竟然也以《春秋公羊傳》作包裝；《漢書．眭弘傳》說：「眭弘字孟，魯國蕃人也。少時好俠，鬥雞走馬，長乃變節，從嬴公受《春秋》，以明經為議郎，至符節令。」《漢書．丙吉傳》說：「吉本起獄法小吏，後學《詩》、《禮》，皆通大義。」後來竟「居相位」；《漢書．嚴助傳》記載武帝賜書嚴助曰：「……具以《春秋》對，無以蘇秦縱橫。」《漢書．朱買臣傳》說吳人朱買臣到長安，同鄉嚴助「薦買臣。召見，說《春秋》，言《楚辭》，帝甚說之」。似乎早在武帝初期，南人就另有一承傳《春秋》學的系統，似與董氏和胡母氏無涉，然而卻無不違背了《春秋》學的真義，足見「曲學阿世」已蔚然成風，朝野逐漸形成一個借助《春秋》學以謀晉身仕途的惡劣學風。對於政敵亦以《春秋》說事，劉向揭露曰：「是以群小窺見間隙，緣飾文字，巧言醜詆，流言飛文，譁於民間。」劉向承襲司馬遷，也使用了「緣飾」二字，說明他充分看到，《春秋》學之真精神難以進入到實質政治的層面，而世人使用《春秋》學卻往往出之以「緣飾」，作為政敵雙方，其實都可以使用《春秋》學來相互攻訐。成帝朝，《漢書．翟方進傳》說司隸校尉涓勳奏言：「（薛）宣本不師受經術，因事以立奸威。」借助經術的皮毛，以強詞奪理，盛氣淩人，甚至狐假虎威，為非作歹，這樣的偽經學風氣其來有自，《春秋》學的公信力勢必進一步被消費掉了。所以到宣帝時代，宣帝立《穀梁》博士，並非意在挑

---

27 徐復觀：《中國經學史的基礎》（臺北市：臺灣學生書局，1982年）。

戰《公羊》博士和整個法定權威，宣帝本不喜儒，《漢書．蕭望之傳》說：「初，宣帝不甚從儒術，任用法律，而中書宦官用事。」《漢書．匡衡傳》明言：「宣帝不甚用儒。」他「所用多文法吏，以刑名繩下」[28]，在其眼裏，對《公羊》博士視若無物，而所謂依附於博士制度的「整個法定權威」，在《史記》中根本看不到，受《漢書》的誤導，才以為曾有這樣的一股勢力，其實自武帝以下至宣帝，它僅僅是一虛幻的存在。

從學術層面上講，宣帝所注重的是刑名法家，至於經學之今和古或者《公羊》和《穀梁》，他其實都不太在意。劉向亦未嘗因曾受《穀梁》，而斬截地在《公羊》與《穀梁》之間劃清界限，他進言上諫，一貫使用董仲舒式借陰陽災異以批評朝政的模式，確實也尋覓不到《公羊》和《穀梁》的分際所在。假如真要推測宣帝立《穀梁》博士的用心，從他特別喜歡以種種祥瑞點綴昇平來看，對於《公羊》學之言災異，他自然是厭惡的。但無論《公羊》或《穀梁》，都是當時共通的一種言說方式，從說者到聽者，實際上無不善於聽鑼聽聲、聽話聽音，都不至於為其怪異之言所眩，而會本著「知人論世」、「以意逆志」，來看《春秋》學者之所言，其人究竟何所指也。二則，道不弘人，人能弘道，然而，整個前漢，治《春秋》學者，唯有董仲舒知行合一，餘者即使身為名儒，而在道德上，卻並不令人起敬，甚至頗有臭名昭著者，圓滑奸詐，挾經以圖利，黨同而伐異，甚至冠冕堂皇地趨炎附勢。身在政治紅塵中，向、歆父子更清醒地看透這一點，譬如，見下表，劉歆《西京雜記》中借公孫弘故人高賀之口，揭露了公孫弘表裏不一的虛偽品質。由於利益和立場之不同，即使面對同一自然現象，學者也是眾說紛紜，莫衷一是。《漢書．五行志上》說：「漢興，承秦滅學之後，景、武之世，董仲舒治《公羊春秋》，始推陰陽，為儒者宗。宣、元之後，劉向治《穀梁春秋》，數其旤福，傳以〈洪範〉，與仲舒錯。至向子歆治《左氏傳》，其《春秋》意亦已乖矣；言《五行傳》，又頗不同。」透過此種分歧的意見，所窺見的是不同語境下，持論者維護一己私利的良苦用心。《春秋》學不具有

[28] 《漢書．元帝紀》。

宗教的品格，它僅僅成為利益爭戰者手裏玩弄的工具而已，此亦嚴重拖累了《春秋》學的學術聲譽。

《漢書・董仲舒傳》說：「贊曰：劉向稱『董仲舒有王佐之材，雖伊、呂亡以加，筦、晏之屬，伯者之佐，殆不及也。』至向子歆以為：『伊、呂乃聖人之耦，王者不得則不興。故顏淵死，孔子曰：「噫！天喪余。」唯此一人為能當之，自宰我、子贛、子游、子夏不與焉。仲舒遭漢承秦滅學之後，六經離析，下帷發憤，潛心大業，令後學者有所統壹，為群儒首。然考其師友淵源所漸，猶未及乎游、夏，而曰筦、晏弗及，伊呂不加，過矣。』至向曾孫龔，篤論君子也，以歆之言為然。」此段文字中透露了重要的資訊，劉向因為要拉大旗作虎皮，所以尊崇董氏，幾乎無以復加，所謂「雖伊、呂亡以加」云云，其實反映出他自己的野心，他企望作王者師，因此借董氏來表達這種願望；而《春秋》董氏學迅速地被濫用以至扭曲之後，劉向的一廂情願完全破滅。於是劉歆發表了與其父不同的觀點，認為董氏「下帷發憤，潛心大業，令後學者有所統壹」，肯定其有功於儒家道統建設，但是，又指出董氏學術淵源未及子游、子夏，《春秋》董氏學中有不少齊學的成分，因此，董氏自然與孔子學說尚存在著距離，而劉向讚美董氏媲美伊、呂，而且筦、晏尚弗及其人，對此種評價，劉歆則以為過高了，可見在劉歆心目中，董氏的地位已有所下降。

按《論衡・案書》說：「《春秋左氏傳》者，蓋出孔子壁中。孝武皇帝時，魯共王壞孔子教授堂以為宮，得佚《春秋》三十篇，《左氏傳》也。公羊高、穀梁寘、胡母氏皆傳《春秋》，各門異戶，獨《左氏傳》為近得實。何以驗之？《禮記》造於孔子之堂，太史公，漢之通人也，左氏之言與二書合，公羊高、穀梁寘、胡母氏不相合。又諸家去孔子遠，遠不如近，聞不如見。劉子政玩弄《左氏》，童僕妻子皆呻吟之。」此言若屬實，劉歆在哀帝時，欲立《左氏春秋》於學官，其實也與父親劉向之家學淵源相關聯。關於《春秋》三傳，劉向所假借於《公》、《穀》經學者，唯在於其托陰陽以言政事的言說方式，而就史學的真實性而論，則還是服膺《左氏傳》。同樣《漢書・翟方進傳》記載：「方進雖受《穀梁》，然好《左氏傳》、天文星曆。」

此表明到前漢末，董氏所代表的《春秋》經學已漸告式微。

考察下表，王充雖然是中國歷史上著名的唯物論思想家，但是其《論衡》在涉及高帝、宣帝等前漢帝王時，關乎天命論的言辭卻尤其頻密地出現於其筆端，此亦正反映出，當《春秋》經學漸如明日黃花之時，若要為一政權的神聖性、合法性辯護，《春秋》經學已太半失效，然則王命論、天命論之類，就蜂擁而出。讓世人面對種種吉兆、神跡，不得不匍匐於巍峨的權力腳下，以表示無條件地服從其統治。所以，後漢流行讖緯之說，班彪的《王命論》其實正是《春秋》經學向著讖緯之學轉換的重要環節。

南朝劉勰《文心雕龍．序志》篇說：「敷贊聖旨，莫若注經，而馬、鄭諸儒，弘之已精，就有深解，未足立家。唯文章之用，實經典枝條，五禮資之以成文，六典因之以致用，君臣所以炳煥，軍國所以昭明，詳其本源，莫非經典。」其言外之意已經看到了儒家經學的政治用途已不復存在，而其現實的意義，唯在於文章取法的典範作用，換言之，經典是以非物質文化遺產的形式而存世，主要具有精神文物的價值，清末康有為等人尚乞靈於《春秋公羊傳》，堪謂病急亂投醫；若今人還想借此來作為救世良方，心存經世致用的夢想，那就真的抱殘守缺食古不化了。劉勰的見解十分精闢，亦對今人如何看待五經提供了重要的參照。

李學勤先生〈國學與經學的幾個問題〉談及：「所以現在的兩漢經學史，大家可以發現，講完西漢初年就得講東漢末年，中間沒有多少東西可講。漢初講到董仲舒的天人三策往下就得列表了，沒什麼可講，再往下就到東漢末，桓靈之世。為什麼呢？其實很簡單，因為這中間有很多人就是在講緯學的，其他的著作沒有，所以從西漢晚期到東漢中期，包括一些石刻啊，碑文啊，大部分都帶有緯學色彩，甚至就是緯學，那時候經學就是這副樣子。後來，讖緯被禁，緯學不被重視，被否定了，不研究了，所以漢代經學就沒多少好講的。」[29]此真是實事求是之論，堪稱大家風範！

---

29 收錄於李學勤：《文物中的古文明》（北京市：商務印書館，2008年）。

宋人王晳《春秋皇綱論》初探

馮曉庭*

一　前言[1]

《宋史・藝文志》錄「王晳《春秋通義》十二卷，又《皇綱論》五卷」，

---

* 嘉義大學中國文學系。

[1] 本文所敘《春秋皇綱錄》相關訊息，依序取材徵引自：

1.〔元〕脫脫（1238-1298）等：《宋史・藝文志一・經部・春秋類》（臺北市：洪氏出版社，1975年），卷202，頁5058。

2.〔宋〕鄭樵（1104-1162）：《通志・藝文略第一・經類第一・春秋・傳論》（臺北市：臺灣商務印書館景印清高宗乾隆十三年【1748】序武英殿刊本，1987年），卷63，頁795下；《通志・藝文略第一・經類第一・春秋・圖》，卷63，頁760上。

3.〔宋〕陳振孫（1183？-1261？）：《直齋書錄解題・經部・春秋類》（合肥市：安徽教育出版社《中華漢語工具書書庫》本景印清光緒九年【1883】江蘇書局刊本，2002年），卷3，頁8下。

4.〔宋〕王應麟（1223-1296）：《玉海・藝文志・春秋類》（臺北市：華文書局景印元惠宗至元【後至元】三年【1337】慶元路儒學刊本，1964年），卷40，頁35下-36上。

5.〔宋〕龔鼎臣（1009-1086）：《東原錄》（臺北市：臺灣商務印書館景印清高宗乾隆三十八【1773】至四十七年【1782】寫《文淵閣四庫全書》本，1983年），頁27下。

6.〔宋〕李燾（1115-1184）：《續資治通鑑長編・哲宗・元祐元年・十一月》（北京市：中華書局，2004年），卷391，頁9518。

7.〔清〕愛新覺羅永瑢（1743-1790）領銜，〔清〕紀昀（1724-1805）總撰：《四庫全書總目・經部・春秋類一・春秋皇綱論五卷提要》（臺北市：臺灣商務印書館景印清高宗乾隆六十年【1795】武英殿刊本，1983年），卷26，頁22下-24上。

8.〔元〕馬端臨（1254-1323）：《文獻通考・經籍考十・經部・春秋類》（臺北市：臺灣商務印書館景印清高宗乾隆十三年【1748】序武英殿刊本，1987年），卷183，頁1573上。

廁於章拱之（-1055-）《春秋統微》之後、丁副《春秋演聖統例》之前。參酌《宋史》體例，則王晳所處時代應該稍晚於孫復（992-1057），與劉敞（1019-1068）等人相當，是活動於宋仁宗（趙禎，1010-1063）主政時期的知識分子。《宋史・藝文志》所展現的，為理想性的全體宋人著述，品目浩繁，因此於相關訊息不得不有所省略，所以儘管各家論述都能緊依時代先後列序，卻也只能略見梗概，倘若據以針對王晳及其《春秋》學內蘊進行深入探究，則顯然不足，如若希冀進一步了解王晳學術面目，就必須尋繹敘述更加詳密的專業載錄。

相對於孫復、劉敞等《春秋》學名家，與王晳有關的文字記載，可以稱得上是隻字片語，而其中時代最早的，便是鄭樵《通志》的記述：

> 《春秋異義解》十二卷（王晳），《春秋通義》十二卷（王晳），《皇綱論》五卷（王晳），……《春秋明例隱括圖》一卷（王晳）。

顯然，除了《宋史》提及的《春秋通義》、《皇綱論》之外，王晳應該還撰寫了《春秋異義解》、《春秋明例隱括圖》兩部《春秋》學專著。鄭樵而後，陳振孫在《直齋書錄解題》又如是說道：

> 《春秋皇綱論》五卷，《明例隱括圖》一卷
>
> 太常博士王晳撰，至和中人。《館閣書目》有《通義》十二卷，未見。

據此，則王晳為宋仁宗至和（1054-1055）年間人物，曾官居太常博士。有宋一代記述王晳《春秋》學梗概的文獻，則以宋末王應麟的《玉海》最為詳盡：

9.〔清〕朱彝尊（1629-1709）編集，林師慶彰等審定，陳恆嵩等點校：《經義考・春秋十二》（臺北市：中央研究院中國文哲研究所籌備處，1997-1999年），冊5，卷179，頁775-777。

10. 宋鼎宗：《春秋宋學發微》（臺北市：文史哲出版社，1986年），第三章，頁40-42。

> 至和中，太常博士王晳撰《春秋通義》十二卷，據《三傳》、《注》、《疏》及啖、趙之學，其說通者附經文之下，缺者用己意釋之。又《異義》十二卷，《皇綱論》五卷二十三篇、論辨大義例。

歸納上述諸般紀錄，可以確知：

其一，王晳於宋仁宗至和年間官至太常博士。

其二，王晳的《春秋》學著作計有《春秋通義》、《春秋異義》、《春秋皇綱論》、《春秋明例隱括圖》四部。

其三，王晳探研《春秋》，已經能打破《三傳》藩籬，擇取正確適宜者為說。

其四，王晳《春秋》學內涵的架構，除了傳統屬於「漢、唐之學」的《三傳》、《注》、《疏》之外，形成於中晚唐，最終強烈影響《春秋》學發展的「啖趙學派」新《春秋》學，也是重要的元素。

其五，王晳《春秋》學之所以能自成一家，中心價值與法式就是宋人解經能夠拔出前修範疇的「用己意釋之」——亦即「以己意說經」。

除了上述幾則專業敘錄之外，翻檢若干零星史料，也能夠略窺王晳的仕宦與生平狀態：

> 天禧中，真宗已不豫，但患曹利用在西樞跋扈，丁謂在中書弄權。一日召知制誥晏殊坐、賜茶，言曹利用與太子太師丁謂與節度使，並令出。……即召翰林學士錢惟演，惟演遂救此二人……。晏相嘗說與王晳學士。（龔鼎臣：《東原錄》）丙子，……中散大夫、集賢校理王晳判登聞諫院，仍赴館供職。（李燾：《續資治通鑑長編》）

在關於宋真宗（趙恆，968-1022）與晏殊（991-1055）君臣相與的歷史軼事書錄中，龔鼎臣稱王晳為「學士」，依常理言，既然以「學士」為稱，則王晳理應官至「翰林學士」，四庫館臣便是據此判定王晳仕宦「不止太常博士矣」。再者，《續資治通鑑長編》記「中散大夫集賢校理王晳」在宋哲宗（趙煦，1076-1100）元祐元年（1086）十一月「判登聞諫院」，設若李燾所載王晢與《春秋皇綱論》作者確為一人，那麼王晢至少歷仕仁宗、英宗（趙曙，1032-1067）、神宗（趙頊，1048-1085）、哲宗四朝，供職已達三十餘載。至於王晢的先祖郡望，歷來文獻絕無載述，今據《春秋皇綱論》卷首標題，可以得知王晢出身太原（今山西太原）。

王晢《春秋》學專著有四，其中《春秋通義》、《春秋異義》各十二卷；由卷帙觀之，似乎與《春秋》經文依魯國十二公分卷相關；由書名觀之，應該是直接詮釋《春秋》經文的作品。二書流傳狀況不明，身處北宋的鄭樵理能得其書；而身處北、南宋之交的陳振孫，就似乎已然未見；後世如王應麟、馬端臨諸家所錄，大抵上應是轉引，並非親見。由於原文亡佚殆盡，二書解經與內容梗概，現下已無從察考，學者僅能就《玉海》的描述略行推想。至於《春秋明例隱括圖》，亦已亡佚，鄭樵列於「圖」之屬，在功能上應該屬於藉圖表彰明《春秋》義例的輔助性著作。

《春秋皇綱論》原名《皇綱論》，加冠「春秋」二字，今見文獻當中始於《直齋書錄解題》，名稱更易的緣由不明，後世的稱呼也莫衷一是。由於今日流傳的《春秋皇綱論》，以《通志堂經解》本與《文淵閣四庫全書》本梓刊鈔寫行世的時代最早，而二者書名皆題「春秋皇綱論」，為諧應以下所據文本，爾後便以「《春秋皇綱論》」稱之[2]。

《春秋皇綱論》共分五卷，歷來並無異說，對於其中蒐羅論述數計，則

---

[2] 1．本文徵引的《春秋皇綱論》原文，全數依清聖祖康熙十九年（1680）刊《通志堂經解》本（〔宋〕王晢撰，〔清〕徐乾學【1631-1694】等輯、〔清〕納蘭成德【1655-1685】刊，臺北市：大通書局，1970年景印）為準，以下僅標卷、頁，不再重複紀錄版本。

2．本文徵引的《左傳》原文，全數依清仁宗嘉慶二十年（1815）江西南昌府學刊《十三經注疏》本（舊題〔周〕左丘明撰，〔晉〕杜預【222-284】集解，〔唐〕孔穎達【574-648】正義，臺北市：藝文印書館，1985年景印）為準，以下徵引《十三經》暨相關注解文字，僅標書名、編纂者、卷、頁，不再重複紀錄版本。

3．舊題〔周〕公羊高撰、一說〔漢〕公羊壽書於竹帛，〔漢〕何休【129-182】解詁，〔北朝〕徐彥疏：《公羊傳》。

4．舊題〔漢〕穀梁赤撰，〔晉〕范甯【339-401】集解，〔唐〕楊士勛疏：《穀梁傳》。

有二十三篇、二十二篇、二十一篇之別，之所以產生如是差池，是因為當中〈尊王〉、〈戰〉兩篇各分上、下，述者分合不一，全書內容篇章如下表所示：

卷數	篇　名
1	孔子脩《春秋》1、始隱2、尊王上3、尊王下4
2	公即位5、卿書名氏6、稱人7
3	朝會盟8、會盟異例9、侵伐取滅10、紀師11、戰上12、戰下13
4	歸入14、會及15、書遂16、公至17、郊禘18
5	災異19、罪 20、殺大夫21、日月例22、傳釋異同23

總括地說，《春秋皇綱論》的撰作目的，一如《四庫總目》所云，「皆發明夫子筆削之旨」，換言之，王晳在書中所要表現的，是個人對於《春秋》義例或書例的觀點與詮釋。另一方面，王晳在鋪陳論述之際，也會連帶地針對前修舊說進行檢討、表達贊否。由此觀之，《春秋皇綱論》不僅只討論經書義例，還同時涵蓋了王晳對於《春秋》詮釋史的認識與敘述、關於自身《春秋》學淵源及好尚的披露。

從經典文本詮釋的角度來說，《春秋》書例的彰顯，不但是《春秋》學探研者解讀經文的基本依據，更可能是個人義理立場獨具特色的主因，所以，對於《春秋》書例的釐析，便成為歷代學者孜孜在意的重要傳統。然而，設若前修所制可以垂範，後世自然不必別出機杼、徒增紛擾。因此，研治《春秋》，無論是提出新書例，或者是重新詮釋既存書例，儘管於方法學上可以說是無所增益，卻是詮釋基本立場以及文本認知更易創新的表徵。王晳尋求《春秋》經文的構築原則，表面上雖然僅只是《春秋》學「屬辭比事」傳統基本精神的續接，在方法上不能稱得上是創新，但卻蘊藏了王晳《春秋》學的重要基本立場與獨特精神。據此而言，在《春秋通義》、《春秋異義》全般亡佚的狀況下，針對《春秋皇綱論》施行探論，或者可以發見王晳《春秋》學的若干重要元素。從經學或者《春秋》學發展史的角度來說，《春秋皇綱論》討論前修《春秋》學基本立場與經說得失，不但清楚地展現了王晢《春秋》學的淵源與好尚，同時也凸顯了新舊《春秋》學交遞嬗變的進程，至於經說重心與學術面相的轉移，則更是隨處得見，檢繹探研，必然得以釐清上述諸般命題。《春秋皇綱論》內蘊如是特殊，確實有必要詳加關注、闡明疏釋。基於以上認識，以下擬就若干命題，稍行論析，一則以釐清王晢《春秋》學的特色，一則以呈現《春秋皇綱論》在《春秋》學發展史上的意義。

二　《春秋皇綱論》論「孔子修《春秋》」

孔子（前551-前479）據魯史述《春秋》，向來是歷代學者的共同認知，而其目的為何，則是人言言殊，莫衷一是。這些差異之所以產生，可能肇因於家法師說不同，也可能是因為時代意識與文化認知的差別，只要能夠自圓其說，都足以成一家之言，作為某個時代的思想或文化表徵。王晢《春秋》學著作頗眾，儼然已成專家，對於這個議題，自然也需要有所發揮。於是，《春秋皇綱論》便以〈孔子脩《春秋》〉為議論發揮的起始：

> 昔者仲尼以聖人之才識歷國應聘，而卒老不遇，知天命之不與己也。於是崇聖業，讚《易》道，定《禮》、《樂》，刪《詩》、《書》。表先王之舊章，總皇極之彝訓，闡君臣父子之義，原治亂興衰之道，足以垂為世教，傳之無窮。然於己之才識，則未能盡發明之也，故作《春秋》，託之行事以盡焉，則司馬遷所記孔子之言曰：「我欲載之空言，不若見之行事之深切著明也。」此仲尼脩《春秋》之本意也。（〈孔子脩《春秋》〉，卷1，頁1上-1下）

《論語．衛靈公篇》經文「子曰：『君子疾末世而名不稱焉。』」（卷15，頁7上）[3]於司馬遷（前145-前86）編寫《史記．孔子世家》、言及孔子作《春秋》一事之際，被援引擴寫為：

3 〔魏〕何晏【190-249】集解，〔宋〕邢昺【932-1010】正義：《論語》。

> 子曰：「弗乎！弗乎！君子病沒世而名不稱焉，吾道不行矣，吾何以自見於後世哉？」乃因《史記》作《春秋》。（卷47，頁82）[4]

在司馬遷的認知當中，《春秋》經之所以成編行世，原因之一是孔子懷抱著「疾沒世而名不稱」的強烈意識，於是在深憂聖道不行、無以「自見於後世」的心理因素之下，便「因《（魯）史記》作《春秋》」，藉此保留己身的槃才卓識，並為後世垂法示範。司馬遷在〈孔子世家〉當中所鋪陳的聖人言行，儘管存在著諸多值得推敲的闕失，但是在時間上去古未遠、幾乎是首部能有系統的全面敘述、撰述者學術識見可信度高等因素的支持下，逐漸成為歷來學者追跡孔子學術的重要指引。前人對於司馬遷的論述認識如是，王晳亦如是，緣此，《春秋皇綱論》在以司馬遷思維架構為原則的基本心態之下，如是論述道：

其一，孔子「歷國應聘」，終究「老」而「不遇」，晚年深感「天命之不與己」，於是整理《易》、《禮》、《樂》、《詩》、《書》等文獻，期冀藉由這些「先王舊章」、「皇極彝訓」，闡明「君臣父子之義」、釐析「治亂興衰之道」，並且為世人擬定能夠「傳之無窮」的法式教條。

其二，《易》、《禮》、《樂》、《詩》、《書》這些載錄古先聖王法制事蹟的經典文獻，儘管「足以垂為世教，傳之無窮」，又是孔子親手編排，價值與作用無庸置疑，卻早已存世，其間容或蘊藏了若干孔子的真知灼見，但畢竟不屬孔子原創，難以全面展現孔子學術精髓。

其三，為了向世人顯露發明「己之才識」，孔子於是「作《春秋》，託之行事以盡焉」。之所以如是操作，一如《史記・太史公自序》所記孔子之言——「我欲載之空言，不若見之行事之深切著明也」（卷130，頁21）——設若僅只是空泛地鋪陳理論，那麼就難免義理隱晦，易起穿鑿曲解、游辭浮

---

[4] 本文徵引的《史記》原文，全數依《史記會注考證》本（〔漢〕司馬遷撰，〔南朝宋〕裴駰【-450-】集解，〔唐〕張守節【-700-】正義，〔唐〕司馬貞【-717-】索隱，〔日〕瀧川龜太郎【1865-1946】考證，臺北市：洪氏出版社，1986年）為準，以下僅標卷、頁，不再重複紀錄版本。

說之弊，於是孔子依據《魯史記》編修《春秋》，融貫外王之才、內聖之識於針對真確歷史人物行事而發的褒貶臧否當中。

王晳延伸司馬遷意志所鋪陳的「仲尼脩《春秋》之本意」，論述的角度著重於孔子的個人意識，基本上可以視為創作心理分析，至於《春秋》經編寫成帙的深層原因及功能目的，則未觸及。要窺見王晳對於孔子修《春秋》的實質意義與目的有何等認知，則必須從據下列篇章著手：

> 夫經制可以定天下，則《春秋》之經制備矣；至誠可以贊元化，則《春秋》之至誠深矣。執經制，推至誠，則承天治民，統正萬物，體道德而維之以禮法，本仁義而振之以權綱，尊君、與賢、旌善、黜惡，王道之權衡、太平之事業也。此仲尼之道與其才識，舉見之於《春秋》矣。（〈孔子脩《春秋》〉，卷1，頁1下-2上）

> 夫聖帝之隆，莫隆於堯、舜；禮法之備，莫備乎三代；國有史官者，皆堯、舜、禹、湯、文、武之令典也。史官屬辭以記得失，世盛則其政美，世衰則其道微，亦禮之常也。仲尼既遭亂世，以躬負聖人才識，無以發明，故因魯史之文，託之行事，以盡其所縕之志，以遺後世之聖賢爾。（〈孔子脩《春秋》〉，卷1，頁3下-4上）

綜合上述文字，可以知道，除了認定「疾沒世而名不稱」這個心理因素為孔子編修《春秋》的表層原因以外，《春秋皇綱論》還認為：

其一，所謂「經制」，即「外王」的不勘法制，是「定天下」的典章規度；所謂「至誠」，即「內聖」的不易善誠，是「贊元化」的德性涵養。倘若能夠「執經制，推至誠」，便得以「承天治民，統正萬物」，得以據「道德」為「體」而以「禮法」維繫之、據「仁義」為「本」而以「權綱」提振之，於君國大事，有所施行。如是，則「尊君」、「與賢」、「旌善」、「黜惡」等諸般功業，盡皆標舉隆興，而所謂「王道之權衡」、「太平之事業」，也就渾然可成。

其二，孔子所編修的《春秋》經，同時蘊藏了最為完備整齊的「經制」與「至誠」，於「承天治民」之事、「統正萬物」之功，最為密切，也最具毗益。所謂「仲尼之道與其才識，舉見之於《春秋》矣」——孔子灌注蘊藏於《春秋》經當中的「道」與「才識」，正是持「王道之權衡」、成「太平之事業」的宏彝典訓。

其三，堯、舜為「聖帝之隆」，三代乃「禮法之備」，「國有史官」，書錄言行，是「堯、舜、禹、湯、文、武」諸聖王的善政良典。史官的任務是「屬辭以記得失」；身逢盛世，則書錄之事，無非美善；身處衰世，則書錄之事，善隱美微；這是禮節法治的常態。孔子身居「亂世」，空具「聖人才識」，胸懷抱負，無由伸張，於是援據載錄亂世之事的《魯史記》，寄大道於筆削褒貶，託識見於人物「行事」，張佈典制、構建式範，留待後世聖賢的弘揚恢廓。

很明顯地，在王晳的認識當中，孔子之所以作《春秋》，背景因素不只一項。司馬遷所謂「君子病沒世而名不稱焉」，描述的僅只是孔子的表象思維，而在這個表象思維之下，則蘊藏了所謂「經制備矣」、「至誠深矣」、「王道權衡」、「太平事業」等目的深重、道理沉厚內在思考。換言之，王晳以為，《春秋》之作，誠如司馬遷所述，並非「載之空言」，而是寄「承天治民，統正萬物」的章憲教訓於針對歷史人物言行而發的褒貶筆削之中，濟世啟衰、振興王事的實質性意義，大過於虛浮想像的個人意念抒發，後世聖賢倘若有識於此，便能夠「定天下」、「贊元化」，內聖外王而功業永垂。

由於充分地肯定《春秋》經在內聖外王方面的實質功能，《春秋皇綱論》對於《春秋》經編成的嚴謹性，也加以分析道：

> 《魯史》常人之所為也，於聖賢文武之道必有不周，於是非得失之理必有不當，於採掇記注之閒必有不經，於憎愛誣諱之際必有不實，於仁義禮法之訓必有不明，於褒貶善惡之旨必有不精。故聖人裁取其文，建以法制，以成不刊之書，則聖人之才識，於是可得而觀之矣。（〈孔子脩《春秋》〉，卷1，頁4上）

孔子依據《魯史記》編集《春秋》，是歷來學者的共同認知，即便是多聞闕疑之士，也鮮少加以駁斥。然而，《魯史記》是一般史官所為，其智慧才識，距聖賢所稟，不可以道里計，因此，「不周」、「不當」、「不經」、「不實」、「不明」、「不精」等缺失，必定存在其中，應該是事實性極高的設想。既然《魯史記》存藏著如是的先決性缺失，那麼孔子據以編修《春秋》，容或可能出現蒙受誤導的情事；如此，則《春秋》經的可信度，便啟人質疑。

對於這項或許存在的疑義，王晳的回應相當堅決，認為由史官編寫的《魯史記》，固然藏納著種種誖誤，然而在編修成《春秋》的過程當中，經過孔子「裁取其文，建以法制」，已經轉化為文字確當、體制嚴謹的「不刊之書」，是絕對可信經典文獻。筆者以為，《春秋皇綱論》的敘述，不但表露了王晳對「孔子修《春秋》」一事的設想，同時也再度證實了王晳堅信《春秋》經蘊藏「聖人之才識」的理想心態；更重要的是，完美無瑕的認同意識，除了展現《春秋》經在當時的確具備現實人世全般事物發展的指導功能之外，更凸顯了學者極度「尊經」的必然性，而在極度「尊經」的風氣之下，徹底檢視經書、重新詮釋經書等學術行為，很可能於斯因應而生。

三　《春秋皇綱論》評《三傳》良窳

在著錄於簡冊之前，《三傳》口傳之說已經儼然左右詮釋《春秋》的方向；而自從著錄於簡冊之後，《三傳》更成為研讀《春秋》經的必要憑藉。在師說家法壁壘分明的學術氛圍之下，學者莫不奉之為圭臬，因而針對《三傳》的內文與記載提出質疑以及修正，在中唐之前可以說是絕無僅有。然而，在對於《春秋》經懷抱著理想性新認識的基本態度之下，被統稱為「啖趙學派」的「新《春秋》學」者啖助（724-770）、趙匡（-760-）、陸淳（？-806）等人，開始發掘《三傳》的缺失，並且提出相對的批判。所以，在《春秋啖趙集傳纂例》一書當中，便出現〈三傳得失議〉（卷1，頁3-4）[5]一篇，

5　本文徵引的《春秋集傳纂例》原文，全數依《叢書集成初編》本（〔唐〕陸淳撰，上海市：商務印書館，1936年）為準，以下僅標卷、頁，不再重複紀錄版本。

專門討論《三傳》的形成及其優劣短長。王晳曾多次讚揚「啖趙學派」，於其學說頗為服膺，或許是在啖助等人引領之下，《春秋皇綱論》當中也出現檢討《三傳》的篇章，這幀篇章廁置於全書之末，名曰〈傳釋異同〉（卷5，頁9上-10下）。

〈傳釋異同〉開篇首論各「家」各「傳」形成的背景：

> 仲尼修《經》之後，不久而卒，時門弟子未及講授，是故不能具道聖人之意，厥後書遂散傳，別為五家，於是異同之患起矣。

對於有關《春秋》經的詮釋之所以家數分歧一節，《春秋皇綱論》以為：

其一，孔子在編修《春秋》經之際，年已耄耋，經書成帙爾後未久，孔子便即辭世，孔門弟子不及面承講授教諭，於是無法完整正確地稱述孔子灌注於《春秋》經的道理與旨趣。

其二，由於孔門弟子無法完整正確地稱述孔子灌注於《春秋》經的道理與旨趣，所以人言言殊的狀態便隨之而生，原本內蘊一貫的《春秋》義理，在這樣的情境之下離析分散，最後分化成五個不同的派別，而各是其說、互斥其非的景況與困境也就於焉肇生。

在鋪陳了《春秋》經說迸散為五的原由之後，《春秋皇綱論》接著開始分述《三傳》各方面特色與優劣：

> 左氏善覽舊史，兼該眾說，得春秋之事跡甚備，其書雖附《經》而作，然於《經》外自成一書，故有貪惑異說，采掇過當。至於聖人微旨，頗亦疏略，而大抵有本末，蓋出於一人之所撰述也。
>
> 公、穀之學，本於議論，擇取諸儒之說，繫於《經》文，故雖不能詳其事跡，而於聖人微旨，多所究尋，然失於曲辯贅義，鄙淺叢雜，蓋出於眾儒之所講說也。

推敲上陳文句，可以發現，王晳對於《三傳》異同與優劣的見解為：

其一，《左傳》的作者擅於觀覽「舊史」，並能兼收眾家文獻，所以載錄春秋時代的史事甚為詳備。《左傳》雖然以《春秋》為撰作的依歸，實際上卻「於《經》外自成一書」——不完全受《春秋》經文的規範。所以，書中難免出現「貪惑異說，采掇過當」——惑溺沿襲「異說」、取材收錄失當等缺失。

其二，除了前述若干缺失之外，《左傳》於發揚剖析孔子的道理旨趣、《春秋》的微言大義一節上，則表現得疏忽簡略，顯然無法完整地達成通解聖經的任務。另一方面，《左傳》儘管缺失不少，在體制上卻「大抵有本末」——文字篇章大體上首尾完備；而如是「本末」齊備的統合一致狀態，則肇因於《左傳》「出於一人之所撰述」——是由個人獨立編修纂述完成所致。

其三，《公羊傳》與《穀梁傳》的學術基礎以「議論」為本，著重於《春秋》義理的論辯分析，所以擅於「擇取諸儒之說，繫於經文」。儘管不如《左傳》長於人物「事蹟」的表述，卻能於「於聖人微旨，多所究尋」——對於孔子的道理旨趣、《春秋》的微言大義，則能多所探究，釐清發揚。

其四，「本於議論，擇取諸儒之說」、「於聖人微旨，多所究尋」等基本學術性格，雖然致令《公羊傳》與《穀梁傳》擅能弘揚《春秋》義理微旨，卻也造成二者干犯「曲辯贅義，鄙淺叢雜」等缺失；之所以會出現如是的舛駁乖違，則肇因於《公羊傳》與《穀梁傳》「出於眾儒之所講說」——是集結諸多學者的講論疏解成書、淵源雜蕪所致。

通過以上敘述，王晳對於《三傳》良窳優缺的看法確實展現，其中的重點意見大致如下：

其一，詮釋《春秋》的《三傳》之所以歧異分成，肇因於孔子在《春秋》成帙爾後不久便溘然辭世，在無由受教的狀態下，傳《經》弟子眾說紛紛，終至學說分裂、派別分立，然而這些分裂的學說，都無法完整地詮釋《春秋》經文、解譯《春秋》義理。

其二，由於未獲孔子親授，《三傳》不但詮釋重心有別，編輯的基調與構成的體系也存在著徹底性差異。《左傳》著重史事著錄，性質上有類於史冊，又出於一人之手，所以看似首尾完整，然而卻存在著無法順暢伸張聖經義理的基本缺失。《公羊傳》、《穀梁傳》著重義理發揚，性質上歸屬於經注，雖然能夠較有效率地闡釋《春秋》大義，卻因為淵源眾多雜蕪，導致學說缺乏一致性，包藏若干贅累曲說。

其三，無論是形式方面或者是編纂者方面，《三傳》的基本分歧並非判定孰為高下的原因。同時，《三傳》之間的優缺良窳，也並非絕對的彼是我非、我是彼非，論斷其中臧否，必須要兼顧包容性與合理性。換言之，《三傳》之間互有勝處，合而用之，方為治《春秋》之上策。

由於《春秋皇綱論》在面對《三傳》之際，所採取的是不預設好惡、兼容並續、是其是而非其非的態度，那麼王晳謹據歷來壁野分明的《三傳》師法（家法）傳統，破除其中既有的區隔與對立，試圖尋得詮釋《春秋》的新路徑，便成為極具可能性的設想。

此外，緣著如是的態度，《春秋皇綱論》還針對漢代以來《三傳》學者互不交通、囿於自家的狀況進一步提出批判道：

> 自漢崇學校，《三傳》迭興，以賈誼之才、仲舒之文、向歆之學，厥猶溺於師說，不能會通，況於餘哉？其專窮師學以自成一家者，則何氏、杜氏、范氏而已。何氏則譸張瞽說，杜氏則膠固《傳》文，其稍自覺悟者，唯范氏爾，然不能洞達以會《經》意。

很明顯地，儘管樂於吸納固有學說，然而對於《三傳》之間壁壘分明，《春秋皇綱論》並不認同，以為：

其一，《三傳》各自成家以後，門戶森嚴，即便如「賈誼之才（《左傳》）」、「仲舒之文（《公羊傳》）」、「向歆之學（《穀梁傳》）」，也無法突破藩籬界線，會通貫一，追尋完滿的《春秋》義理。

其二，歷來「專窮師學以自成一家者」，有如鳳毛麟角，僅只何休、杜預、范甯三家。然而何休失於「譸張瞽說」——說解不實虛妄；杜氏失於「膠固《傳》文」——過度執著於《左傳》載錄；唯有范甯「稍自覺悟」，能夠會通三家，但是仍然無法全盤會通以尋求《春秋》義理的最完備疏解。

很明顯地，《春秋皇綱論》不但對於《三傳》各自分立、學者各擁家法師說的傳統狀態不滿，更認為在如是的氛圍之下，《春秋》義理根本無法完整而真實地呈現。至於能夠擔負尋得真實完整《春秋》義理的途徑，王哲所強調的「會通」與「洞達」——亦即融貫《三傳》，便是最緊要的法門。《春秋皇綱論》論述如是，無怪乎王應麟會說王哲治《春秋》「據《三傳》、《注》、《疏》及啖、趙之學，其說通者附經文之下」——能遍覽會通諸家，擇取其中該當者詮說經文。

王哲治《春秋》首重會通，一如王應麟所說，會通的真正目的是要選取「其說通者」，並非全然彙集網羅、毫無擇取。因此，王哲在會通《三傳》之後，於《春秋皇綱論》的尾端展示了擇取的原則：

其一，《春秋》經文實質上至「哀公十四年」「獲麟」而止，《公羊傳》與《穀梁傳》如是，而《左傳》「於獲麟以後，續《經》至孔丘卒」，顯屬偽造，所以去而不取。

其二，《左傳》有「《經》外之《傳》」，也就是學者慣稱的「無《經》之《傳》」，這些《傳》文雖然在史事敘述的完整性上或許有存在的必要，但是於《春秋》經文無所結坿，也無關乎大義的展現，所以去之不取。

其三，《左傳》說《經》，喜好「以一時言貌之恭傲」以及「卜筮巫夢之事」做為「推定禍福」的根據，而且事事「靡有不驗」，很明顯地是「貪惑異說」，非孔門大義所在，凡此諸般，應該去而不取。

其四，《左傳》當中「又有廣錄雜亂不實之語混合其間」，也當裁去不用。

其五，對於《左傳》，必須抱持著「如玉之有瑕，但棄瑕而用玉，不可并棄其玉」的心態，取其可用之處，黜其瞀亂之處。至於《公羊》、《穀梁》「《二傳》」，雖然整體看來說《春秋》「大義」失當，但是對於「內有數句可用者」，也應當「裁而用之」。

簡單地說，面對《三傳》，王哲的取用原則就是「會通」、「洞達」、「棄瑕而用玉」——融會貫通而擇取其是。如是的態度，除了宣告《三傳》分立的傳統已經無法限制王哲甚或當時學者之外，也證實了《三傳》不再是研治《春秋》的圭臬，不能通過檢覈考驗的部分將受揚棄。既然《三傳》無法承擔絕對性的詮釋指導責任，其中的經說當然也就不會全盤左右探治者的解讀方向。具備圭臬權威與方向指導性格的舊有「典範」失去作用，也代表了學風解放與學者個人意識的宏揚，於是王應麟所指陳的「據《三傳》、《注》、《疏》及啖、趙之學，其說通者附經文之下，缺者用己意釋之」等諸般現象，就出現在王晳的《春秋》學當中。

另一方面，王晳通觀《三傳》與諸家學說，擇取其中「通者」詮釋經文、發揚義理，設若舊說無合用者，則以「己意釋之」；這些現象，就詮釋技術來說，可以稱之為「以己意解經」。然而，所謂「以己意解經」的思想內涵，則植基於詮釋者對經典或者文化、歷史的認知，這項認知的建立，當然不可能毫無準據，尤其是施用於流傳日久、體系完整、背景多元的經典之上，更不能無所規範。《春秋皇綱論》的相關討論當中，屢次提及「《經》」字，認為解說詮釋必須「會《經》意」，可見王晳在面對諸多解釋之際，則取判定的標準絕對與「《經》」關聯甚深，這樣的關聯，正是對於經典絕對信任的表現，因為絕對信任，一切詮釋也就必須完全貼合於經文。換言之，經說的成功與否，與經文的關聯性是唯一考量，而如是的唯一考量，就是所謂的「回歸原典」精神。《三傳》之所以在王晳的《春秋》學當中不再具備權威性，王晳之所以能自在地擇取適當學說，以《春秋》經為尊的「回歸原典」思維，應該是最為重要的原因。

四　《春秋皇綱論》說《春秋》書例舉隅

《春秋》教，屬辭比事，聯綴文字而察覈其中異同，進而解構書記法則，分析筆削意義，自漢代以來一直是《春秋》學家積極從事的方法，即便是《三傳》家法師說鼎立，屬辭比事之法仍是通共之方，直至啖助諸人，仍未泯沒，且其名目之眾，較諸前修為盛。

王應麟說：「《（春秋）皇綱論》五卷二十三篇、論辨大義例（或標點作『大義、例』）。」不但清晰地說明了本書的內容性質——論述《春秋》大義以及書例，同時也證實了王晳在追求新的《春秋》學詮釋之際，也同時襲用了深具傳統的法式。

在《春秋》大義的疏解方面，〈孔子脩《春秋》〉論孔子作《春秋》的懷抱與目的，〈始隱〉論《春秋》經文獻擇取的準繩，〈尊王〉論《春秋》尊王的奧義，〈傳釋異同〉論《三傳》及舊傳經解的失用與良窳，共計四（五）篇，其餘十七（十八）篇則可歸屬於對《春秋》書例的標舉。有關王晳對於《春秋》書立的標舉詮說，以下姑舉數例以見其梗概。

一　始隱（《春秋皇綱論・始隱》，卷1，頁5上-8上）

針對典籍的啟始篇章發表議論、申述其中肇緒居首的義涵與作用，在經部諸書的詮釋歷史當中是為普遍現象，如《周易》「首〈乾〉、〈坤〉」、《尚書》「三科之條、五家之教」、《毛詩》「四始」，都是研究者樂於釐析的課題。《春秋》蘊藏了孔子垂法萬代、尊王經世的最深沉關懷，在如是的前提之下，無論是字句書寫，抑或是章節鋪排，都定然是大義之所寄存，如此，則經文書錄始於魯隱公元年，儼然是孔子述《春秋》的最重要筆法之一。既是經書首篇，又是義例所蘊，「《春秋》『始隱』」同時涵蓋了兩個必須探討分說的重要環節，無怪乎自《三傳》之學成立以來，歷代學者莫不對此大發意見。或許是承受前人遺緒，或許是自認該當有所論述，王晳於《春秋皇綱論》首卷「孔子脩《春秋》」首節之後，隨即鋪陳「始隱」一節。

孔子所以「約魯史修《春秋》」，除了「孔子脩《春秋》」一節所述種種之外，還有一個關乎人倫大體的動機，即「推原堯、舜之事，以明亂世之奸慝」。推敲字面，則王晳所稱「推原堯、舜之事，以明亂世之奸慝」，可以清楚地區分為兩個功能指向；「堯、舜之事」應是《春秋》所依據的正面典範，「亂世之奸慝」則是《春秋》批判針貶的對象。

孔子推堯、舜為表率，植因於二者「當天下之正位，粹然一任乎道，不私於已」的聖德睿識，在如斯的懿行上智之下，「堯視舜如己身，舜視禹如己身」，無私無我，公天下的盛世於焉展開，而所謂「親親」、「賢賢」等相對低落的價值標準，便有如老子所謂「大道」廢弛而後肇生的「仁義」，毫無存在的意義。禪讓之世美善如此，聖王道心貫通萬物天地，典冊經籍頗見敘贊，《春秋皇綱論》有鑑於此，於是總結其情狀道：

> 堯、舜、禹之道，一道也；堯、舜、禹之心，一心也。夫是之謂其人以萬物之心為心，以天地之德為德，其於己也，無一毫之私。……故《書》首二帝，以道德之美，莫或先焉者也。

既然堯、舜「道德之美」「莫或先焉」，那麼孔子據以為正面式範，自是情理順當。因此，《春秋》以魯隱公能成「禪讓」，在書寫意識上承續堯、舜、禹「以萬物之心為心，以天地之德為德，其於己也，無一毫之私」的理想範式，也就成為最為合理的表述。

二　紀師（《春秋皇綱論·紀師》，卷3，頁5下-6下）

《春秋》經文於各國軍事行動，有書「師」之例，如：

> 《隱公四年·經》：秋，翬帥師會宋公、陳侯、蔡人、衛人伐鄭。（《左傳》，卷3，頁14下；《公羊傳》，卷2，頁13上；《穀梁傳》，卷2，頁1下-3上）
>
> 《襄公二十三年·經》：八月，叔孫豹帥師救晉。（《左傳》，卷35，頁8上；《公羊傳》，卷20，頁15下；《穀梁傳》，卷16，頁5下）

關於《春秋》經文記「師」書例，《春秋皇綱論》如是分析道：

> 《春秋》凡它國用師之事，書之于《經》者，皆成師以上，乃書之也。何哉？重眾也。至于魯，則雖不成師，亦書之，重內事也。《公羊》曰：「將尊師眾，稱某帥師；將卑師眾，稱師。」此說是也。施之於內外，俱可通矣。……凡外師稱人稱師，各舉重以言之爾，其有不繫褒貶重輕則但稱師，晉趙鞅「瓦」之「師」是也。內師則凡書卿而不言帥師者，不成師也，若「叔老會晉荀偃伐許」是也。不書卿而但言師者，則卑者將而師多也，若「師及齊師圍郕」是也。（〈紀

師〉，卷3，頁5下-6下）

綜理上述文字，可以知道，對於《春秋》記「師」書例，王晢的認知如下：

其一，《春秋》經文凡是載錄外國「用師之事」，則必定是軍隊人數編制在定額以上[6]，為了表達重視群眾的思維，孔子於是以「師」為書。至於魯國軍隊，就算是人數編制未達定額，為了表示對於父母之邦邦務的重視，也以「師」為書。《公羊傳》說：「將尊師眾，稱某帥師；將卑師眾，稱師。」（《公羊傳》，卷3，頁1下-2上）是對《春秋》書「師」的正確詮釋。

其二，《春秋》經文載錄外國「用師之事」，有「稱人」，有「稱師」，書記之所以有所歧異，是因為「各舉重以言之爾」——著重的環節於何，便以之為書記的依據。至於「有不繫褒貶重輕」者，「則但稱師」——就書錄為「〇師」，〈定公八年・經〉：「公會晉師于瓦。」（《左傳》，卷55，頁10下；《公羊傳》，卷26，頁2下；《穀梁傳》，卷19，頁11下）便是其例。

其三，《春秋》經文載錄魯國「用師之事」，倘若「書卿而不言帥師者」——只書記帥師之將而不以「〇〇帥師」為書，起因於軍隊的人數編制未達定額，《襄公十六年・經》：「叔老會鄭伯、晉荀偃、衛甯殖、宋人伐許。」（《左傳》，卷33，頁2上；《公羊傳》，卷20，頁9上；《穀梁傳》，卷16，頁1上-1下）便是其例。至於「不書卿」——不書記帥師之將而僅只以「師」為書者，起因於「卑者將而師多」——帥師之將地位卑微，但是軍隊人數編制眾多，《莊公八年・經》：「師及齊師圍郕。」（《左傳》，卷8，頁15下；《公羊傳》，卷7，頁2上；《穀梁傳》，卷5，頁13上）便是其例。

三　殺大夫

《春秋》經文常書「殺大夫」之事，藉以遂行褒貶，如：

6　《公羊傳・隱公五年・解詁》：「師眾者，滿二千五百人以上也。」（《公羊傳》，卷3，頁2上）根據何休的說法，軍隊人數達二千五百，便可稱「師」。

> 《僖公七年．經》：鄭殺其大夫申侯。（《左傳》，卷13，頁2下；《公羊傳》，卷8，頁1下；《穀梁傳》，卷2，頁1下-3上）
> 《文公七年．經》：宋人殺其大夫。（《左傳》，卷19上，頁11下；《公羊傳》，卷12，頁13上；《穀梁傳》，卷10，頁11上）

關於《春秋》經文記「殺大夫」書例，《春秋皇綱論》如是分析道：

> 諸侯之義，無專殺大夫，何也？以其膺王命，執國政，爵尊祿厚，不比群吏故也。春秋之時，雖非王命之卿，然國之股肱，是亦卿也，則《春秋》凡殺大夫，皆譏之也。其被殺者，罪有輕重，不可混同。故聖人異其文以別之也。凡繫之君則稱君，繫之君與執政則稱國，殺之當則稱人，賊其上則稱盜。其稱君以殺者，則惡其君不慈友於子弟，虧親親之恩也。稱國以殺者，則其殺之者與其殺者，俱可責也。稱人以殺者，則略之而無所譏也，蓋國有典刑，當討有罪也。稱盜以殺者，則疾夫卑賤之人賊害其上也。凡此之例，皆書被殺者名氏，謹其事也。又有但稱國殺大夫，而不書大夫名氏者，蓋闕文也。其稱人以殺，而不書大夫名氏者，以其國亂，略之也。何以知其然哉？夫稱人者，非君與執政之為也，討罪之辭也，今不書大夫名氏，則非討罪也，雖稱人以殺，而實非討罪，故去其名氏，則善惡褒貶之歸無所寄焉，直志其國亂而已。（〈殺大夫〉，卷5，頁5下-6上）

梳理上述文字，可以知道，對於《春秋》記「殺大夫」書例，王晳的認知如下：

其一，「《春秋》凡殺大夫，皆譏之也」——《春秋》凡是書記「殺大夫」，絕對蘊藏著對於該項行為與相關史事的貶抑譏刺。孔子之所以設定書例如是，原因在於「諸侯之義，無專殺大夫」——諸侯國君並不掌有處決大夫的權柄。西周盛世，大夫均受王室策命，諸侯不得私立，諸侯大夫「膺王命，執國政，爵尊祿厚」，地位崇隆，與一般官吏不可同日而語，是以其生殺之權，不操之於諸侯。即便是到了春秋時代，世亂時衰，諸侯大夫已不復接受周天子策命，然而大夫執政，輔弼公室，有如國之股肱，因此，諸侯殺大夫，於義理人情，萬不可通。孔子編修《春秋》，秉持著如是的歷史認識，是以於「殺大夫」之事有所書記，藉此嚴加譏貶。

其二，春秋時代「殺大夫」的史事多有所見，隱藏於當中的實質內涵也各自不同，因此孔子「異其文以 之」——在書錄之際以不同的文字形式呈現其中的差異，藉以凸顯大義。

其三，《春秋》經文書記為某國君「殺大夫」，表示該事件為國君所主導，用來蘊藏「惡其君不慈友於子弟，虧親親之恩」的譏貶之義。

其四，《春秋》經文書記為某國「殺大夫」，表示該事件為國君與執政大夫共謀主導，用來蘊藏「其殺之者與其殺者，俱可責」的譏貶之義。

其五，《春秋》經文書記為某（國）人殺大夫，表示該事件中遭懲殺的大夫罪該受刑，其中並不蘊藏譏貶之義，而是《春秋》經文希冀藉此凸顯「國有典刑，當討有罪」——大夫有罪，國法追討的事實狀態。

其六，《春秋》經文書記為盜「殺大夫」，表示該事件蘊藏著以下犯上的情節，用來指責鄙夷「卑賤之人賊害其上」的惡心劣行。

其七，《春秋》通例，凡是「殺大夫」，必定詳錄遭難大夫名氏，表示對於此類事件的重視與謹慎態度。然而，《春秋》經當中卻又出現僅只書錄某國「殺大夫」、某（國）人「殺大夫」，而未書記其名氏的篇章。遭難大夫名氏之所以於《春秋》經文當中未見書錄，因由有二：「稱國殺大夫，而不書大夫名氏者，蓋闕文」——僅只書記某國「殺大夫」，而不書其名氏，是因為「闕文」，相關文獻記載有所缺失。「稱人以殺，而不書大夫名氏者，以其國亂，略之也」——僅只書記某（國）人「殺大夫」，而不書其名氏，是因為「其國亂，略之」，遭難大夫邦國動亂，為了呈現該國局勢紛亂的事實，於是孔子特意略去其名氏不加著錄。

在簡單地觀覽了《春秋皇綱論》說《春秋》書例的實質狀況之後，可以發現：

其一，王晳在設定書例之後，必定詳加說解，而一般為《春秋》設定書例的學者，一如時代稍早的「啖趙學派」、時代相近的劉敞，卻大多習慣以簡要略例的方式呈現經書義例，縱然有所疏釋，也總是簡明扼要，與《春秋皇綱論》的鋪陳相去甚遠。當然，繁與簡的對照，並不一定代表優與劣的對比，然而從《春秋皇綱論》針對諸多書例極力申論辯明的態度上，卻可以推知王晳試圖建構完整《春秋》學詮釋系統的基本態度。筆者以為，正是因為這樣的態度，《春秋》學才會在有宋一代日見恢弘，成為眾多學者寄託經世企盼的重要典籍。

其二，《春秋皇綱論》所舉的書例，絕大多數並非王晳獨創，而是前有所承，至於針對書例而發的詮說，也確實於舊說有所援用。所謂前修未密後出轉精，承續傳統、沿用舊說，倘若能夠斐然成章、成一家之言，當然無損於學說的價值。然而，如是的傳承與延續，卻似乎與唐代盧仝（795-835）所云、宋代諸儒所宗的「《春秋五傳》束高閣，獨抱遺《經》究終始」——「新《春秋》學」基本立場有所扞格。事實上，儘管王晳表現出強烈的批判舊學精神，但是《春秋皇綱論》當中會通《三傳》、「漢唐注疏」的部分卻所在多有，王晳一面與《三傳》舊說衝突，又同時與《三傳》舊說妥協，整體表現與盧仝所描述的理想狀態可以說相去甚遠。筆者以為，如是衝突與妥協交纏的狀態，證實了所謂絕對性的「回歸原典」意識，在《春秋》學範疇當中，著實難以完整踐行。

五　結語

《春秋皇綱論》一書僅五卷，所標義例不過二十一項，平心而論，相較於《三傳》與宋代慶曆以後的諸多《春秋》學專著，王晳的論述並不一定值得宗法或稱道，然而，倘若細加推敲，仍可以自其中窺見若干與宋初經學發展歷史息息相關的趣味之處：

其一，王晳論述「孔子脩《春秋》」，由撰述者基本心理與著述實用性兩個層面切入，一方面強化了孔子編脩《春秋》經的個人人生價值因素，一方面釐清了《春秋》的實質功能與作用。從表象來看，兩個層面歷來治《春秋》者均能有所議論，而王晳所陳述的結論也未踰越前人所設，以「無甚特出」為評，似乎並無不妥。然而，從經典流傳與詮釋的立場與演化來說，王哲如是的論述，無疑是對於孔子與《春秋》關係的進一步繫聯。根據歷史經驗，可以知道詮釋者極力繫聯經典文本與撰作或編修者之間的關係，除了是對經典文本可信程度的確定之外，也是詮釋基本立場的宣示。在王哲的論述體系當中，《魯史記》之所以轉化而為《春秋》，全然植基於的孔子覈查擬定，而孔子的理想與意志，則託坿《春秋》蘊發展現。換言之，《春秋》之所以具備神聖性，之所以有研讀的價值而授受不息，完全是因為與孔子有所關聯，正所謂「聖人裁取其文，建以法制，以成不刊之書，則聖人之才識，於是可得而觀之矣」——《春秋》之於孔子，其間意義遠遠不及孔子之於《春秋》。六經或者五經因為孔子的存在，由一般史料文獻轉變成為具備神聖地位與特殊義理的經典，是歷來的經學探研者不敢輕易否定的普遍概念，原本無需再行對此增辭飾文，然而王哲於書首據此加強伸說，除了表現基本經典認識之外，也凸顯了王哲基於尊孔而尊《春秋》的立場。興許正因為懷抱著如是的態度與觀點，《春秋皇綱論》對於所謂《春秋》在文字或形式上是否完足這類議題，顯得毫不在意，而著重於孔門大義的理解、發揮以及施行。筆者以為，正由於心路歷程如此，王哲方能擺脫《三傳》限制，兼容並蓄，信者傳信，疑者闕疑，專心致力於《春秋》文本的探研，而所謂「尊經」之事，於是乎展現。

其二，王哲極度尊崇《春秋》經，認為其中蘊藏著「承天治民，統正萬物」的「經制」與「至誠」。於是，《春秋皇綱論》極力主張經過孔子「裁取其文，建以法制」的《春秋》經，是一部字句精當、體制嚴謹的「不刊之書」，是可信度毋庸置疑的經典文獻。如是的完美無瑕的認同意識，除了展現《春秋》經在當時的確具備現實人世全般事物發展的指導功能之外，更凸顯了學者極度「尊經」的必然性，而在極度「尊經」的風氣之下，徹底檢視經書、重新詮釋經書等學術行為，很可能於斯因應而生。《春秋》經的絕對正確，是建構神聖地位的必要因素。《春秋》經既然具備神聖地位，那麼就必須完整無缺，如此方能具備指導現實政治運作、道德行為、社會發展、文化教育的功能。追求「會通」與「洞達」的原因在於「尊經」，而「尊經」

的原因在於「現實功能」，王晳在《春秋皇綱論》當中已然展示這樣的精神，宋代學者於斯有所承續，終於開拓出「變古」創新的新經學風氣。

其三，面對《三傳》，王晳有所批駁，有所採信；詮釋《春秋》，《春秋皇綱論》或擷取舊說，或鋪陳己論。判準的原則，大致就是王晳對於《春秋》經文書法的理解與孔子筆削義理的認知，而這樣的認知，又絕大多數根源自學者的新文化意識與新時代認知。在如是的態度之下，舊說已經不具備任何典範功能，僅是學者研究之際可以參酌的文獻之一，不但無法充當政治運作、道德行為、社會發展的最高指導，即便是能否正確地解說經書文本，也都遭受質疑。對於王晳來說，「用己意釋之」，只是個人詮釋經書之際的選擇與行為；對於經學發展來說，卻是「漢唐注疏之學」權威崩潰，新風氣與新視角即將建構的關鍵。另一方面，《春秋皇綱論》透過對經書的認識判別《三傳》舊說，藉由對經書的理解樹立自身的論述，已是「回歸原典」精神的展現，即使「回歸原典」行為並不代表對於舊說的全面捨棄，但是這樣的精神與行為，卻是「新《春秋》學」與新經學得以發展，致令宋代學術研究展現與漢唐舊學全然不同面貌的重要原因。

其四，王應麟在《玉海・藝文部》說王晳學《春秋》，「據《三傳》、《注》、《疏》及啖、趙之學，其說通者附經文之下，缺者用己意釋之」，意即王晳之學，部分根源於唐代的「啖趙學派」。王晳是否真如王應麟所描述的，視「啖趙學派」的學說為治《春秋》重要依據而有所發揚，端看以下文字便可分曉：

> 啖助謂《春秋》「救周之弊，革禮之薄，以夏道為本，不全守周禮」，則褒貶善惡斷以聖人之義不該之矣。趙氏謂《春秋》「大要二端而已，常典也，權制也。《春秋》據周禮，其典禮所不及者，則聖意窮其精理，以定褒貶，尊王室，正陵僭，舉三綱，提五常，又言有帝王簡易精淳之道」。此得《春秋》之宗指，優於數賢之說也。（〈孔子脩春秋〉，卷1，頁3上-3下）

這段記載當中，「啖趙學派」諸人的學說並非關鍵，觀察的重點應該聚集在「此得《春秋》之宗指，優於數賢之說」諸字之上，顯然，關於「孔子修《春秋》」一節，王晳對於「啖趙學派」的論述最為贊同。事實上，在鋪陳這段文字之前，《春秋皇綱論》業已針對歷來有關「孔子修《春秋》」的議論進行全面又嚴苛的批判，諸般評價，可謂贊否兩極，然而對於「啖趙學派」諸說，基本上表現出拳拳服膺的態度。除此之外，《春秋皇綱論》書中徵引啖、趙之說不下二十次，比例之高，冠於諸家。就此而言，兩者之間可能有所因循關係，應該可以肯定。總括地說，設若啖、趙與王晳之間真如王應麟所言，存在著傳遞沿襲的關係，那麼王晳不但與孫復等同，參與了「宋代《春秋》學」的建構與發揚，又承續了發軔於唐代後期、以「啖趙學派」為中心的「新《春秋》學」。由此觀之，王晳的《春秋》學除了極具開拓之功以外，《春秋皇綱論》的存在，也直接證實了宋代「《春秋》學」部分淵源自「啖趙學派」的發展脈絡。

其五，綜觀諸般史料可以發現，今見與王晳有關的記載文獻特點有二：一是篇幅大多簡短，並且文字不甚詳盡；一是均非以王晳為載錄的主要對象。文獻如是表現，著作又多所亡失，說明了王晳為人行事、任官論學，於其活動時代可能並無足資稱道、值得認可之處。然而，詳覽《春秋皇綱論》，卻又不難發現理解正確，於治《春秋》有所助益的篇章。兩者之間所以產生矛盾，肇因於閱讀者個人認識的歧異？抑或是時代認識的歧異？抑或是學術發展造成的歧異？都是《春秋》學或者經學史當中值得深究的有趣課題。

傅遜《春秋左傳屬事》與高士奇《左傳紀事本末》之「晉文公之伯」紀事比較

張曉生*

一　前言

《左傳》雖為《春秋》三傳之一，其特色在於詳述史事以證釋經義，但是最初《左傳》並未附經並行，劉歆雖好《左傳》，但僅「引傳文以解經，轉相發明，由是章句義理備焉」，至晉杜預撰《春秋經傳集解》，則「分經之年與傳之年相附，比其義類」，將《左傳》完全依附《春秋》時序，成為編年之體，如此雖然更可以相應於「經／傳」的關係，但是卻常使《左傳》紀事割裂分屬不同年月，學者欲原始要終，求事之本末，輒苦於尋檢綴集，缺乏貫通。據《四庫全書》本《左傳紀事本末》書前提要云：「自宋以來，學者以《左傳》紀事隔涉年月，不得其統，往往為之詮次類編。」[1]其見於史志者，有楊均、葉清臣、周武仲、章沖等十餘人[2]，宋代興起以「事類」概念改編《左傳》的風氣，其原因或是受到杜預《春秋經傳集解・序》中言《左傳》敘事「或先經以始事，或後經以終義，或依經以辯理，或錯經以合異，

* 臺北市立教育大學中國語文學系。

1 四庫館臣以「《左傳》紀事本末體」著作起自宋代，但張素卿教授則認為以「事類」概念整編《左傳》的作法，在唐代已經開始。如第五泰有《左傳事類》20卷，唐文宗之《御集春秋左氏列國經傳》30卷。見張素卿：〈《左傳》研究：敘事與紀事本末〉，行政院國家科學委員會專題研究計畫成果報告，計畫編號NSC88-2411-H-002-032-，1999年10月，頁4。

2 （清）高士奇：《左傳紀事本末》，《景印文淵閣四庫全書》（臺北市：臺灣商務印書館，1986年，景國立故宮博物院藏本），卷首目錄，葉9。

隨義而發」的影響，而有「聯屬事實」以理解經義的閱讀需求[3]，或是受到袁樞編《通鑑紀事本末》的體例啟發[4]，以及唐宋以後《春秋》學風氣的影響，在後世遂形成一類「紀事本末」形態的《左傳》研究著作。此一類型的著作滿足了讀者對於「原始要終」的需求，因而自宋以後，踵續編著者代不乏人。

這種「紀事本末」型態的著作，其共同的特徵在於作者均基於某種理路，對《左傳》內容進行改編[5]，且多半只錄《左傳》而不錄經文，在形式上似乎回到了《左傳》最初的單行局面，但是可能與《左傳》原本不同的，是這些「《左傳紀事本末體》」的著作不只是切斷了和《春秋》經文的關係，同時也因為編者將《左傳》內容拆散，再依自己的理解重組整編，使《左傳》成為一種「材料」，成為編者個人觀點的歷史敘述，與《左傳》原本的脈絡是否相應，也值得思考。無怪乎《四庫全書總目》的編者對於「《左傳》紀事本末」類型的著作，究竟屬「經」還是屬「史」，在部次之間並不

3 此意見參考張素卿：〈章沖春秋左氏傳事類始末述略——左傳學的考察〉，《國家圖書館館刊》，85年第1期（1996年6月），頁131-150。

4 《四庫全書總目》之編者即持此種意見，見（宋）章沖：《春秋左傳事類始末》《景印文淵閣四庫全書》（臺北市：臺灣商務印書館，1986年，景國立故宮博物院藏本），卷首目錄，葉35上。

5 （明）傅遜《春秋左傳屬事》：「事以題分，題以國分，傳文之後，各檃括大意而論之。」其體例為先列周事，再立「伯」事（齊桓、宋襄、晉文、晉靈、楚莊、晉景……），其後再分立魯、晉、齊、宋、衛、鄭、秦、楚、吳楚、楚吳越等國事，各國之事仍以時序排列先後。其體制與章沖《春秋左氏傳事類始末》已有不同。（明）劉績《春秋左傳類解》二十卷也是分國紀事，先周王而次以魯、宋、杞、陳、滕、薛、紀……吳越楚為序，較特殊的是，他的紀事不立標題，而以時間先後為序，每事之敘述則是先經後傳，並兼採《公》、《穀》二傳補充。（明）鄭之勳《左國類函》則是綜合《左傳》、《國語》資料，分立「君道」、「臣道」、「政治」、「禍亂」、「禮節」、「人才」等二十四目，分類紀事，每目下再立事件標題。（明）唐順之《左氏始末》則分「后」、「宗」、「宦」、「倖」、「奸」、「弒」等十四目，每目下再立事件標題，以分類紀事，每事並有隨文批解。（明）孫範《左傳分國紀事本末》也是先周後諸侯的分國紀事，每事亦立一標題範圍之。從以上略述可知，僅明朝一代可以知見的「《左傳》紀事本末體」著作，其分類編排觀念各不相同。

一致[6]。從以上所述，可見「《左傳》紀事本末體」著作所可能涉及的問題包括：

（一）各書在作者編纂理路之下，所呈現的事理脈絡如何？

（二）這些選編所呈現的事理脈絡，對於閱讀《左傳》有何影響？

（三）這種「《左傳》紀事本末體」的著作在作者意識上是「研經」還是「讀史」？

（四）這種型態著作在《春秋》經學發展上有何意義？

如果能釐清這些問題，實對於深入掌握宋代以後的《春秋》及《左傳》學發展有所助益。惟學界對於此類著作的關心程度並不高，不只研究者少，且論題大多數集中在宋章沖《春秋左氏傳事類始末》、清馬驌《左傳事緯》及高士奇《左傳紀事本末》等書上[7]，對於這種型態著作的發展流變及其學術史意義均未觸及。本文選取明傅遜《春秋左傳屬事》與清高士奇《左傳紀事本末》二書中的「晉文公之伯」紀事進行比較，藉以呈現不同編纂者的不同

---

6 例如（宋）章沖《春秋左氏傳事類始末》一書在《四庫全書》編修時，即有歸屬之難題。在乾隆四十四年（1779）《四庫全書薈要》編輯時，將章書分入經部《春秋》類，而《四庫全書》在乾隆四十七年（1782）編成時，又將《春秋左氏傳事類始末》列入史部「紀事本末」類。此外，（明）傅遜《春秋左傳屬事》列在經部《春秋》類，（清）馬驌《左傳事緯》也居經部《春秋》類，但是高士奇《左傳紀事本末》則歸於史部「紀事本末」類。這三部著作同屬「《左傳》紀事本末體」，但部次歸類並不一致。相關討論可參張素卿：〈章沖春秋左氏傳事類始末述略——左傳學的考察〉，《國家圖書館館刊》，85年第1期（1996年6月），頁131-150，以及李興寧：〈左傳中的紀事本末〉，《中國文化研究》，2006年春之卷，頁66-75。

7 以筆者所見，臺灣地區之期刊論文僅張素卿教授〈章沖春秋左氏傳事類始末述略——左傳學的考察〉一篇討論章沖之書的內容及經史歸屬問題；博士論文有李時銘：《馬驌之生平與學術》（臺北市：政治大學中國文學研究所博士論文，1983年），其中第三章「馬驌之經學」、第五章「馬驌之歷史編纂學」討論及《左傳事緯》；專書中李紀祥先生〈袁樞通鑑紀事本末與紀事本末體〉論及袁樞、章沖及高士奇三人的「紀事本末體」著作，見氏著：《時間．歷史．敘事——史學傳統與歷史理論再思》，頁249-250。大陸方面的期刊論文則以李興寧：〈左傳中的紀事本末〉，《中國文化研究》，2006年春之卷，頁66-75。討論聚焦於章沖、高士奇及馬驌三人「《左傳》紀事本末體」著作，較與本文論題之關切相符。

事理脈絡，並以此為基礎，嘗試提出若干引申思考，以進一步探討「《左傳》紀事本末體」著作在經學研究上可能的意義。

二　傅遜《春秋左傳屬事》與高士奇《左傳紀事本末》概觀

傅遜，字士凱，太倉人，嘗遊歸有光之門，困頓場屋，晚歲乃以歲薦任嵊縣訓導，遷建昌縣教諭，選傅河南王，終老於家。著有《春秋左傳屬事》二十卷、《春秋左傳注解辨誤》二卷[8]。

傅氏此書之編纂實倡自其友王執禮，由士凱續成。全書二十卷，不錄《春秋》經文，而以國為序：首「周」，次「伯」[9]，再次魯、晉、齊、宋、衛、鄭、秦、楚、吳楚、楚吳、越諸國，各國之下以大事為目，編排《左傳》內容，凡九十二目。傅遜於各目之敘事間，皆據杜預《集解》疏通文義，於杜注未安之處亦頗有更定，每事之末均檃括大意而論之。傅氏此書雖為重編《左傳》之作，由於其中訓詁、考證及文義大多依循杜預，傅氏嘗自云：「元凱無漢儒不能為《集解》，遜無元凱不能為此注。」[10]而王世貞之〈序〉中亦稱「夫傅氏者，左氏之慈孫，而杜氏之諍臣也」[11]，故其書與《左傳》之經注性質保持較接近的關係。

8　據（清）紀昀等撰，四庫全書研究所整理：《欽定四庫全書總目（整理本）》（北京市：中華書局，1997年），〈春秋左傳屬事提要〉，頁365；（明）張大復：〈傅遜傳〉，見《吳郡人物志》（臺北市：明文書局，1991年，《明代傳記叢刊》景印本），冊149，頁213-214；（清）張廷玉等：《明史》（北京市：中華書局標點本，1974年），卷96，〈藝文志一〉，頁2364。

9　傅氏於「伯」下繫屬齊桓公、宋襄公、晉文公、晉靈公、楚莊王、晉景公、晉悼公、晉平公等諸侯事。

10　（明）傅遜：《春秋左傳屬事》，《景印文淵閣四庫全書》（臺北市：臺灣商務印書館，1986年，景國立故宮博物院藏本），卷首目錄後書前提要，葉10。

11　（明）王世貞：〈春秋左傳屬事序〉，（明）傅遜：《春秋左傳屬事》（明萬曆間〔1573-1626〕日殖齋刊本），卷首，葉3上。

高士奇（1645-1704），字澹人，號江村，錢塘人。以監生赴京試，不利，賣文自給，新春為人所書聯帖，偶為康熙所見，即召見，旬日之間，三試皆第一，於是簡入內廷供奉，自此深蒙康熙恩眷，累遷至詹事府少詹事，並破格賜諡文恪。所著有多部詩文集，於經學則有《左傳紀事本末》五十三卷、《春秋地名考略》十四卷、《左傳姓名考》四卷諸書[12]。

據其高氏《左傳紀事本末》的凡例及韓菼之〈序〉[13]，此書是以宋袁樞《通鑑紀事本末》「列國大事，各從其類」的編輯觀念為基礎，改袁書以事類繫屬時序的體例，而以春秋時期主要之列國為綱，統攝大事。書中不列《春秋》經文，於《左傳》原文大體全錄，但若文涉二事，亦不嫌重見。其書共五十三卷，以周、魯、齊、晉、宋、衛、鄭、楚、吳、秦、列國為類序，類下再列大事之目，如周下有「王朝交魯」、「桓王伐鄭」、「王臣之事」、「王室庶孽之禍」諸目。持此體例與上述傅遜《春秋左傳屬事》比較，可知儘管高氏自云其書承自袁樞，但實際上的編排形式卻更近傅遜之書[14]。與傅書不同處，最明顯者在對於傳事的旁注及引申。傅遜在為傳事注解時，幾乎全依杜

---

12 高士奇之詩文集約有《清吟堂全集》、《城北集》、《苑西集》、《歸田集》、《獨旦集》、《隨輦集》、《竹窗詞》、《蔬香詞》等，其生平及著作簡述參考趙爾巽等：《清史稿》（臺北市：明文書局，1985年，《清代傳記叢刊》景印本），頁10014-10017；（清）李桓：《國朝耆獻類徵》（臺北市：明文書局，1985年，《清代傳記叢刊》景印本），卷60，葉15上-20上；（清）佚名：《漢名臣傳》（臺北市：明文書局，1985年，《清代傳記叢刊》景印本），卷3，葉26上-34上；鄧之誠：《清詩紀事初編》（臺北市：明文書局，1985年，《清代傳記叢刊》景印本），頁803-805；（清）張維屏：《國朝詩人徵略》（臺北市：明文書局，1985年，《清代傳記叢刊》景印本），卷13，葉6上-6下。

13 （清）高士奇撰、楊伯峻點校：《左傳紀事本末》（北京市：中華書局，1987年），〈左傳紀事本末序〉，頁1-3；〈左傳紀事本末凡例〉，頁5。

14 根據筆者初步比較，高士奇《左傳紀事本末》不只在分類體例上與傅遜《春秋左傳屬事》極為接近，其所列大事條目共有五十三目，其中名稱與傅遜書完全相同者三十一目，整合傅書細目為一目者三目，與傅書條目名稱略異者五目，從此現象來看，高氏自稱其書直承自袁樞《通鑑紀事本末》，可能是指在編輯理念──即「以《左傳》為史」而言，但在體例上，很明顯的不同於袁樞和章沖，而與傅遜書應有相當密切的關係，惟其與傅書關係之考察，實需另立專題深究，此處不能詳論。

預《集解》，並為其溝通文義，僅有若干訂正補充而大體無違。高氏則除傳文之外，不另作注，但立「補逸」、「攷異」、「辨誤」、「攷證」、「發明」等名目，廣輯「三代秦漢之書，經史諸子，雜出繁多，其與《左氏》相表裏者，皆博取而附載之」，舉凡《國語》、《戰國策》、《韓非子》、《公羊傳》、《穀梁傳》、《史記》諸書皆在採輯之列。如此作法，固然增加了《左傳》的閱讀資料，但也會使《左傳》紀事成為春秋時代各種史事記載中的一種，相當程度的削弱了《左傳》的解經性質。此一分別，其乃傅遜書列經部而高書冊在史籍之故歟？

本文選擇二書進行相同主題下的紀事比較，其間之設想大致有以下方向：

（一）二書在諸多「《左傳》紀事本末體」著作中體例相似，但在同一主題下，二書所選擇的《左傳》紀事內容卻頗有不同，如此正可以顯示「《左傳》紀事本末體」著作藉由「重組」《左傳》，所表示的不同敘事脈絡。

（二）二書在不同的敘事脈絡之下，對於其中人、事的評價也有異同。比較二者對《左傳》中人、事的不同評價，可以呈現著者解讀《左傳》的觀點。

（三）二人的敘事脈絡和史事評價與《春秋》、《左傳》是否相同？可據以檢視這種型態著作其作者之用意是「研經」還是「讀史」？

（四）這種型態著作在《春秋》經學史上的意義為何？

以下將先進行二書在「晉文公之伯」紀事上的比較，再於其後詳細分疏呈現一、二兩項觀察，並運用其他資料嘗試定位及反省三、四項關於學術史的問題。

三　傅遜《春秋左傳屬事》與高士奇《左傳紀事本末》中「晉文公之伯」紀事比較

傅遜《春秋左傳屬事》（以下簡稱「傅書」）與高士奇《左傳紀事本末》

（以下簡稱「高書」）二書中均有「晉文公之伯」一目，傅書在卷二「伯」類，高書在卷二五「晉」事[15]。為便於觀察與討論，茲將二書中「晉文公之伯」目下內容以表列加以對比，以呈現其異同，表後再提出筆者對於這些異同的觀察與討論[16]。

（一）

年代	傅遜《春秋左傳屬事》	高士奇《左傳紀事本末》
僖公二十三年	秋，楚成得臣帥師伐陳，討其貳于宋也。遂取焦夷，城頓而還。子文以爲之功，使爲令尹。叔伯曰：「子若國何？」對曰：「吾以靖國也。夫有大功而無貴仕，其人能靖者與有幾？」	
	晉公子重耳之及於難也，晉人伐諸蒲城。蒲城人欲戰，重耳不可，曰：「保君父之命，而享其生祿，於是乎得人。有人而校，罪莫大焉。吾其奔也。」遂奔狄。從者：狐偃、趙衰、顛頡、魏武子、司空季子。狄人伐廧咎如，獲其二女，叔隗、	晉公子重耳之及於難也，晉人伐諸蒲城。蒲城人欲戰，重耳不可，曰：「保君父之命，而享其生禄，於是乎得人。有人而校，罪莫大焉。吾其奔也。」遂奔狄。從者：狐偃、趙衰、顛頡、魏武子、司空季子。狄人伐廧咎如，獲其二女，叔隗、

15 本文選用的版本：傅遜《春秋左傳屬事》使用明萬曆間（1573-1626）日殖齋刊本（國家圖書館藏），卷之二，葉18上-34下；高士奇《左傳紀事本末》使用楊伯峻點校本（北京市：中華書局，1987年），頁299-321。

16 在正文中的內容比較主要陳列二書所選錄的《左傳》原文，至於傅書中對各事的評論及高書中的「補逸」、「發明」等引申資料及篇末議論，為避免冗雜，將擇要在後文之析論中呈現。此外，二書在「晉文公之伯」目下均附錄「襄公繼伯」之紀事，本文則專注在晉文公伯事，暫不論晉襄。

	季隗，納諸公子。公子取季隗，生伯鯈、叔劉；以叔隗妻趙衰，生盾。將適齊，謂季隗曰：「待我二十五年，不來而後嫁。」對曰：「我二十五年矣，又如是而嫁，則就木焉。請待子。」處狄十二年而行。過衛，衛文公不禮焉。出於五鹿，乞食於野人，野人與之塊。公子怒，欲鞭之。子犯曰：「天賜也。」稽首，受而載之。及齊，齊桓公妻之，有馬二十乘。公子安之。從者以爲不可，將行，謀於桑下。蠶妾在其上，以告姜氏，姜氏殺之，而謂公子曰：「子有四方之志，其聞之者，吾殺之矣。」公子曰：「無之。」姜曰：「行也！懷與安，實敗名。」公子不可。姜與子犯謀，醉而遣之。醒，以戈逐子犯。及曹，曹共公聞其駢脅，欲觀其裸。浴，薄而觀之。僖負羈之妻曰：「吾觀晉公子之從者，皆足以相國。若以相，夫子必反其國。反其國，必得志於諸侯。得志於諸侯，而誅無禮，曹其首也。子盍蚤自貳焉。」乃饋盤飧，置璧焉。公子受飧反璧。及宋，宋襄公贈之以馬二十乘。及鄭，鄭文公亦不禮焉。叔詹諫曰：「臣聞『天之所啓，人弗及也』。晉公子有三焉，天其或者將建諸！君其禮焉。男女同姓，其生不蕃。晉公子，姬出也，而至於今，一也。離外之患。而天不靖晉國，殆將啓之，二也。有三士，足以上	季隗，納諸公子。公子取季隗，生伯鯈、叔劉；以叔隗妻趙衰，生盾。將適齊，謂季隗曰：「待我二十五年，不來而後嫁。」對曰：「我二十五年矣，又如是而嫁，則就木焉。請待子。」處狄十二年而行。過衛，衛文公不禮焉。出於五鹿，乞食於野人，野人與之塊。公子怒，欲鞭之。子犯曰：「天賜也。」稽首，受而載之。及齊，齊桓公妻之，有馬二十乘。公子安之。從者以爲不可，將行，謀於桑下。蠶妾在其上，以告姜氏，姜氏殺之，而謂公子曰：「子有四方之志，其聞之者，吾殺之矣。」公子曰：「無之。」姜曰：「行也！懷與安，實敗名。」公子不可。姜與子犯謀，醉而遣之。醒，以戈逐子犯。及曹，曹共公聞其駢脅，欲觀其裸。浴，薄而觀之。僖負羈之妻曰：「吾觀晉公子之從者，皆足以相國。若以相，夫子必反其國。反其國，必得志於諸侯。得志於諸侯，而誅無禮，曹其首也。子盍蚤自貳焉。」乃饋盤飧，置璧焉。公子受飧反璧。及宋，宋襄公贈之以馬二十乘。及鄭，鄭文公亦不禮焉。叔詹諫曰：「臣聞『天之所啓，人弗及也』。晉公子有三焉，天其或者將建諸！君其禮焉。男女同姓，其生不蕃。晉公子，姬出也，而至於今，一也。離外之患。而天不靖晉國，殆將啓之，二也。有三士，足以上

	人，而從之，三也。晉、鄭同儕，其過子弟，固將禮焉，况天之所啓乎？」弗聽。及楚，楚子饗之，曰：「公子若反晉國，則何以報不穀？」對曰：「子、女、玉、帛，則君有之；羽、毛、齒、革，則君地生焉。其波及晉國者，君之餘也，其何以報君？」曰：「雖然，何以報我？」對曰：「若以君之靈，得反晉國，晉、楚治兵，遇於中原，其辟君三舍。若不獲命，其左執鞭弭，右屬櫜鞬，以與君周旋。」子玉請殺之。楚子曰：「晉公子廣而儉，文而有禮。其從者肅而寬，忠而能力。晉侯無親，外內惡之。吾聞『姬姓，唐叔之後，其後衰者也』，其將由晉公子乎！天將興之，誰能廢之？違天必有大咎。」乃送諸秦。秦伯納女五人，懷嬴與焉。奉匜沃盥，既而揮之。怒曰：「秦、晉，匹也，何以卑我？」公子懼，降服而囚。他日，公享之。子犯曰：「吾不如衰之文也，請使衰從。」公子賦〈河水〉，公賦〈六月〉。趙衰曰：「重耳拜賜！」公子降，拜，稽首；公降一級而辭焉。衰曰：「君稱所以佐天子者命重耳，重耳敢不拜！」	人，而從之，三也。晉、鄭同儕，其過子弟，固將禮焉，况天之所啓乎？」弗聽。及楚，楚子饗之，曰：「公子若反晉國，則何以報不穀？」對曰：「子、女、玉、帛，則君有之；羽、毛、齒、革，則君地生焉。其波及晉國者，君之餘也，其何以報君？」曰：「雖然，何以報我？」對曰：「若以君之靈，得反晉國，晉、楚治兵，遇於中原，其辟君三舍。若不獲命，其左執鞭弭，右屬櫜鞬，以與君周旋。」子玉請殺之。楚子曰：「晉公子廣而儉，文而有禮。其從者肅而寬，忠而能力。晉侯無親，外內惡之。吾聞『姬姓，唐叔之後，其後衰者也』，其將由晉公子乎！天將興之，誰能廢之？違天必有大咎。」乃送諸秦。秦伯納女五人，懷嬴與焉。奉匜沃盥，既而揮之。怒曰：「秦、晉，匹也，何以卑我？」公子懼，降服而囚。他日，公享之。子犯曰：「吾不如衰之文也，請使衰從。」公子賦〈河水〉，公賦〈六月〉。趙衰曰：「重耳拜賜！」公子降，拜，稽首；公降一級而辭焉。衰曰：「君稱所以佐天子者命重耳，重耳敢不拜！」
僖公二十四	春王正月，秦伯納之。不書，不告入也。及河，子犯以璧授公子曰：「臣負羈紲，從君巡於天下，臣之罪甚多矣。臣猶知之，而況君乎？請由此亡。」公子曰：「所不與舅氏同心	春王正月，秦伯納之。不書，不告入也。及河，子犯以璧授公子曰：「臣負羈紲，從君巡於天下，臣之罪甚多矣。臣猶知之，而況君乎？請由此亡。」公子曰：「所不與舅氏同心

年	者，有如白水！」投其璧於河。	者，有如白水！」投其璧於河。
	二月丁未，朝于武宮。	濟河，圍令狐，入桑泉，取臼衰。二月甲午，晉師軍於廬柳，秦伯使公子縶如晉師。師退，軍於郇。辛丑，狐偃及秦、晉之大夫盟於郇。壬寅，公子入於晉師。丙午，入於曲沃。丁未，朝於武宮。戊申，使殺懷公於高梁。不書，亦不告也。 呂郤畏偪，將焚公宮，而弒晉侯。寺人披請見，公使讓之，且辭焉，曰:「蒲城之役，君命一宿，女即至。其後余從狄君以田渭濱，女爲惠公來求殺余。命女三宿，女中宿至。雖有君命，何其速也？夫袪猶在。女其行乎！」對曰:「臣謂君之入也，其知之矣。若猶未也，又將及難。君命無二，古之制也。除君之惡，唯力是視，蒲人、狄人，余何有焉？今君即位，其無蒲、狄乎！齊桓公置射鉤，而使管仲相。君若易之，何辱命焉？行者甚衆，豈唯刑臣？」公見之，以難告。 三月，晉侯潛會秦伯於王城。己丑晦，公宮火。瑕甥、郤芮不獲公，乃如河上，秦伯誘而殺之。晉侯逆夫人嬴氏以歸，秦伯送衛於晉三千人，實紀綱之僕。 初，晉侯之豎頭須，守藏者也。其出也，竊藏以逃，盡用以求納之。及入，求見，公辭焉以沐。謂僕人曰:「沐則心覆，心覆則圖反，宜吾

	秋，頹叔、桃子奉太叔以狄師伐周。王出適鄭。 王使簡師父告于晉，使左鄢父告于秦。	不得見也。居者為社稷之守，行者為羈紲之僕，其亦可也，何必罪居者？國君而讎匹夫，懼者甚衆矣。」僕人以告，公遽見之。 晉侯賞從亡者，介之推不言祿，祿亦弗及。推曰：「獻公之子九人，唯君在矣。惠、懷無親，外內棄之。天未絕晉，必將有主。主晉祀者，非君而誰？天實置之，而二三子以為己力，不亦誣乎？竊人之財，猶謂之盜；況貪天之功，以為己力乎？下義其罪，上賞其姦，上下相蒙，難與處矣。」其母曰：「盍亦求之？以死，誰懟？」對曰：「尤而效之，罪又甚焉。且出怨言，不食其食。」其母曰：「亦使知之，若何？」對曰：「言，身之文也。身將隱，焉用文之？是求顯也。」其母曰：「能如是乎？與女偕隱。」遂隱而死。晉侯求之不獲，以綿上為之田，曰：「以志吾過，且旌善人。」 狄師伐周，王適鄭，處於氾。使簡師父告於晉，使左鄢父告於秦。
僖公二十五年	春，秦伯師於河上，將納王。狐偃言於晉侯曰：「求諸侯，莫如勤王。諸侯信之，且大義也。繼文之業，而信宣於諸侯，今為可矣。」使卜偃卜之，曰：「吉。遇黃帝戰於阪泉之兆。」公曰：「吾不堪也。」對曰：「周禮未改，今之王，古之帝也。」公曰：「筮之。」筮之，遇大有䷍之	春，秦伯師於河上，將納王。狐偃言於晉侯曰：「求諸侯，莫如勤王。諸侯信之，且大義也。繼文之業，而信宣於諸侯，今為可矣。」使卜偃卜之，曰：「吉。遇黃帝戰於阪泉之兆。」公曰：「吾不堪也。」對曰：「周禮未改，今之王，古之帝也。」公曰：「筮之。」筮之，遇大有䷍之

	睽養，曰：「吉。遇公用享於天子之卦。戰克而王饗，吉孰大焉？且是卦也，天為澤以當日，天子降心以逆公，不亦可乎？大有去睽而復，亦其所也。」晉侯辭秦師而下。三月甲辰，次於陽樊，右師圍溫，左師逆王。 夏四月丁巳，王入於王城，取太叔於溫，殺之於隰城。戊午，晉侯朝王，王饗醴，命之宥。請隧，弗許，曰：「王章也。未有代德，而有二王，亦叔父之所惡也。」與之陽樊、溫、原、攢茅之田。晉於是始啓南陽。陽樊不服，圍之。倉葛呼曰：「德以柔中國，刑以威四夷，宜吾不敢服也。此，誰非王之親姻？其俘之也？」乃出其民。	睽養，曰：「吉。遇公用享於天子之卦。戰克而王饗，吉孰大焉？且是卦也，天為澤以當日，天子降心以逆公，不亦可乎？大有去睽而復，亦其所也。」晉侯辭秦師而下。三月甲辰，次於陽樊，右師圍溫，左師逆王。 夏四月丁巳，王入於王城，取太叔於溫，殺之於隰城。戊午，晉侯朝王，王饗醴，命之宥。請隧，弗許，曰：「王章也。未有代德，而有二王，亦叔父之所惡也。」與之陽樊、溫、原、攢茅之田。晉於是始啓南陽。陽樊不服，圍之。倉葛呼曰：「德以柔中國，刑以威四夷，宜吾不敢服也。此，誰非王之親姻？其俘之也？」乃出其民。
	秋，秦、晉伐鄀。楚蓋克、屈禦寇以申、息之師戍商密。秦人過析，隈入而係輿人，以圍商密，昏而傅焉。宵，坎血加書，僞與子儀、子邊盟者。商密人懼，曰：「秦取析矣，戍人反矣。」乃降秦師。秦師囚申公子儀、息公子邊以歸。楚令尹子玉追秦師，弗及，遂圍陳，納頓子于頓。	
	冬，晉侯圍原，命三日之糧。原不降，命去之。諜出曰：「原將降矣。」軍吏曰：「請待之。」公曰：「信，國之寶也，民之所庇也。得原失信，何以庇之？所亡滋多。」退一舍而	冬，晉侯圍原，命三日之糧。原不降，命去之。諜出曰：「原將降矣。」軍吏曰：「請待之。」公曰：「信，國之寶也，民之所庇也。得原失信，何以庇之？所亡滋多。」退一舍而

	原降。遷原伯貫于冀。趙衰爲原大夫，狐溱爲溫大夫。 晉侯問原守于寺人勃鞮，對曰：「昔趙衰以壺飧從徑，餒而弗食。」故使處原。	原降。遷原伯貫於冀。趙衰爲原大夫，狐溱爲溫大夫。
僖公二十六年	夏，東門襄仲、臧文仲如楚乞師。臧孫見子玉而道之伐齊、宋，以其不臣也。 宋以其善於晉侯也，叛楚即晉。 冬，楚令尹子玉、司馬子西帥師伐宋，圍緡。 公以楚師伐齊，取穀。	夏，齊孝公伐我北鄙。衛人伐齊，洮之盟故也。公使展喜犒師，使受命於展禽。齊侯未入竟，展喜從之，曰：「寡君聞君親舉玉趾，將辱於敝邑，使下臣犒執事。」齊侯曰：「魯人恐乎？」對曰：「小人恐矣，君子則否。」齊侯曰：「室如懸罄，野無青草，何恃而不恐？」對曰：「恃先王之命。昔周公、大公股肱周室，夾輔成王，成王勞之，而賜之盟曰：『世世子孫無相害也。』載在盟府，大師職之。桓公是以糾合諸侯，而謀其不協；彌縫其闕，而匡救其災，昭舊職也。及君即位，諸侯之望曰：『其率桓之功，我敝邑用不敢保聚。』曰：『豈其嗣世九年，而棄命廢職，其若先君何？君必不然。』恃此以不恐。」齊侯乃還。 東門襄仲、臧文仲如楚乞師，臧孫見子玉而道之伐齊、宋，以其不臣也。 宋以其善於晉侯也，叛楚即晉。冬，楚令尹子玉、司馬子西帥師伐宋，圍緡。

	楚申公叔侯戍之。	公以楚師伐齊，取穀。凡師，能左右之曰以，置桓公子雍於穀，易牙奉之，以爲魯援。楚申公叔侯戍之。桓公之子七人，爲七大夫於楚。
僖公二十七年	秋，楚子將圍宋，使子文治兵於睽，終朝而畢，不戮一人。子玉復治兵於蔿，終日而畢，鞭七人，貫三人耳。國老皆賀子文，子文飲之酒。蔿賈尚幼，後至，不賀。子文問之，對曰：「不知所賀，子之傳政於子玉，曰『以靖國也』。靖諸內而敗諸外，所獲幾何？子玉之敗，子之舉也。舉以敗國，將何賀焉？子玉剛而無禮，不可以治民。過三百乘，其不能以入矣。苟入而賀，何後之有？」 冬，楚子及諸侯圍宋，宋公孫固如晉告急。先軫曰：「報施、救患，取威、定霸，於是乎在矣。」狐偃曰：「楚始得曹，而新昏於衛。若伐曹、衛，楚必救之，則齊、宋免矣。」於是乎蒐於被廬，作三軍，謀元帥。趙衰曰：「郤縠可。臣亟聞其言矣：『說禮、樂而敦詩、書。』詩、書，義之府也；禮、樂，德之則也；德、義，利之本也。〈夏書〉曰：『賦納以言，明試以功，車服以庸。』君其試之！」乃使郤縠將中軍，郤溱佐之；使狐偃將上軍，讓於狐毛而佐之；命趙衰爲卿，讓於欒枝、先軫。使欒枝將下軍，先軫佐之。荀林父御戎，	楚子將圍宋，使子文治兵於睽，終朝而畢，不戮一人。子玉復治兵於蔿，終日而畢，鞭七人，貫三人耳。國老皆賀子文，子文飲之酒。蔿賈尚幼，後至，不賀。子文問之，對曰：「不知所賀，子之傳政於子玉，曰『以靖國也』。靖諸內而敗諸外，所獲幾何？子玉之敗，子之舉也。舉以敗國，將何賀焉？子玉剛而無禮，不可以治民。過三百乘，其不能以入矣。苟入而賀，何後之有？」冬，楚子及諸侯圍宋，宋公孫固如晉告急。先軫曰：「報施、救患，取威、定霸，於是乎在矣。」狐偃曰：「楚始得曹，而新昏於衛。若伐曹、衛，楚必救之，則齊、宋免矣。」於是乎蒐於被廬，作三軍，謀元帥。趙衰曰：「郤縠可。臣亟聞其言矣：『說禮、樂而敦詩、書。』詩、書，義之府也；禮、樂，德之則也；德、義，利之本也。〈夏書〉曰：『賦納以言，明試以功，車服以庸。』君其試之！」乃使郤縠將中軍，郤溱佐之；使狐偃將上軍，讓於狐毛而佐之；命趙衰爲卿，讓於欒枝、先軫。使欒枝將下軍，先軫佐之。荀林父御戎，魏犫爲右。

	魏犨爲右。 晉侯始入而教其民，二年欲用之。子犯曰：「民未知義，未安其居。」於是乎出定襄王，入務利民，民懷生矣。將用之。子犯曰：「民未知信，未宣其用。於是乎伐原以示之信。民易資者，不求豐焉，明徵其辭。」公曰：「可矣乎？」子犯曰：「民未知禮，未生其共。」於是乎大蒐以示之禮，作執秩以正其官。民聽不惑，而後用之。出穀戍，釋宋圍，一戰而霸，文之教也。	晉侯始入而教其民，二年欲用之。子犯曰：「民未知義，未安其居。」於是乎出定襄王，入務利民，民懷生矣。將用之。子犯曰：「民未知信，未宣其用。於是乎伐原以示之信。民易資者，不求豐焉，明徵其辭。」公曰：「可矣乎？」子犯曰：「民未知禮，未生其共。」於是乎大蒐以示之禮，作執秩以正其官。民聽不惑，而後用之。出穀戍，釋宋圍，一戰而霸，文之教也。
僖公二十八年	春，晉侯將伐曹，假道於衛，衛人弗許。還，自南河濟，侵曹，伐衛。正月戊申，取五鹿。二月，晉郤縠卒。原軫將中軍，胥臣佐下軍，上德也。晉侯、齊侯盟於斂盂。衛侯請盟，晉人弗許。衛侯欲與楚，國人不欲，故出其君以說於晉。衛侯出居於襄牛。 公子買戍衛。楚人救衛，不克。公懼於晉，殺子叢以說焉，謂楚人曰：「不卒戍也。」 晉侯圍曹，門焉，多死。曹人尸諸城上，晉侯患之。聽輿人之謀曰，稱「舍於墓」，師遷焉。曹人兇懼，爲其所得者棺而出之。因其兇也，而攻之。三月丙午，入曹。數之以其不用僖負羈，而乘軒者三百人也，且曰「獻狀」。令無入僖負羈之宮，而免其族，報施也。魏犨、顛頡怒曰：「勞之不圖，報於何有？」	春，晉侯將伐曹，假道於衛，衛人弗許。還，自南河濟，侵曹，伐衛。正月戊申，取五鹿。二月，晉郤縠卒。原軫將中軍，胥臣佐下軍，上德也。晉侯、齊侯盟於斂盂。衛侯請盟，晉人弗許。衛侯欲與楚，國人不欲，故出其君以說於晉。衛侯出居於襄牛。 公子買戍衛。楚人救衛，不克。公懼於晉，殺子叢以說焉，謂楚人曰：「不卒戍也。」 晉侯圍曹，門焉，多死。曹人尸諸城上，晉侯患之。聽輿人之謀曰，稱「舍於墓」，師遷焉。曹人兇懼，爲其所得者棺而出之。因其兇也，而攻之。三月丙午，入曹。數之以其不用僖負羈，而乘軒者三百人也，且曰「獻狀」。令無入僖負羈之宮，而免其族，報施也。魏犨、顛頡怒曰：「勞之不圖，報於何有？」

	爇僖負羈氏。魏犨傷於胸，公欲殺之，而愛其材。使問，且視之。病，將殺之。魏犨束胸見使者，曰：「以君之靈，不有寧也。」距躍三百，曲踊三百。乃舍之，殺顛頡以徇於師，立舟之僑以爲戎右。 宋人使門尹般如晉師告急。公曰：「宋人告急，舍之則絶；告楚，不許。我欲戰矣，齊、秦未可，若之何？」先軫曰：「使宋舍我而賂齊、秦，藉之告楚。我執曹君，而分曹、衛之田以賜宋人。楚愛曹、衛，必不許也。喜賂、怒頑，能無戰乎？」公說。執曹伯，分曹、衛之田以畀宋人。 楚子入居於申，使申叔去穀，使子玉去宋，曰：「無從晉師！晉侯在外，十九年矣，而果得晉國，險阻艱難，備嘗之矣；民之情僞，盡知之矣。天假之年，而除其害。天之所置，其可廢乎？軍志曰：『允當則歸。』又曰：『知難而退。』又曰：『有德不可敵。』此三志者，晉之謂矣。」子玉使伯棼請戰，曰：「非敢必有功也，願以間執讒慝之口。」王怒，少與之師，唯西廣、東宮與若敖之六卒實從之。 子玉使宛春告於晉師曰：「請復衛侯而封曹，臣亦釋宋之圍。」子犯曰：「子玉無禮哉！君取一，臣取二，不可失矣。」先軫曰：「子與之！定人之謂禮。楚一言而定三國，我一	爇僖負羈氏。魏犨傷於胸，公欲殺之，而愛其材。使問，且視之。病，將殺之。魏犨束胸見使者，曰：「以君之靈，不有寧也。」距躍三百，曲踊三百。乃舍之，殺顛頡以徇於師，立舟之僑以爲戎右。 宋人使門尹般如晉師告急。公曰：「宋人告急，舍之則絶；告楚，不許。我欲戰矣，齊、秦未可，若之何？」先軫曰：「使宋舍我而賂齊、秦，藉之告楚。我執曹君，而分曹、衛之田以賜宋人。楚愛曹、衛，必不許也。喜賂、怒頑，能無戰乎？」公說。執曹伯，分曹、衛之田以畀宋人。 楚子入居於申，使申叔去穀，使子玉去宋，曰：「無從晉師！晉侯在外，十九年矣，而果得晉國，險阻艱難，備嘗之矣；民之情僞，盡知之矣。天假之年，而除其害。天之所置，其可廢乎？軍志曰：『允當則歸。』又曰：『知難而退。』又曰：『有德不可敵。』此三志者，晉之謂矣。」子玉使伯棼請戰，曰：「非敢必有功也，願以間執讒慝之口。」王怒，少與之師，唯西廣、東宮與若敖之六卒實從之。 子玉使宛春告於晉師曰：「請復衛侯而封曹，臣亦釋宋之圍。」子犯曰：「子玉無禮哉！君取一，臣取二，不可失矣。」先軫曰：「子與之！定人之謂禮。楚一言而定三國，我一

	言而亡之。我則無禮，何以戰乎？不許楚言，是棄宋也；救而棄之，謂諸侯何？楚有三施，我有三怨，怨讎已多，將何以戰？不如私許復曹、衛以攜之，執宛春以怒楚，既戰而後圖之。」公說。乃拘宛春於衛，且私許復曹、衛，曹、衛告絕於楚。子玉怒，從晉師；晉師退。軍吏曰：「以君辟臣，辱也。且楚師老矣，何故退？」子犯曰：「師直爲壯，曲爲老，豈在久乎？微楚之惠不及此。退三舍辟之，所以報也。背惠、食言，以亢其讎。我曲、楚直，其衆素飽，不可謂老。我退而楚還，我將何求？若其不還，君退、臣犯，曲在彼矣。」退三舍。楚衆欲止。子玉不可。 夏四月戊辰，晉侯、宋公、齊國歸父、崔夭、秦小子憖次於城濮，楚師背酅而舍。晉侯患之。聽輿人之誦曰：「原田每每，舍其舊而新是謀。」公疑焉。子犯曰：「戰也！戰而捷，必得諸侯。若其不捷，表裏山河，必無害也。」公曰：「若楚惠何？」欒貞子曰：「漢陽諸姬，楚實盡之。思小惠而忘大恥，不如戰也。」晉侯夢與楚子搏，楚子伏已而盬其腦，是以懼。子犯曰：「吉。我得天，楚伏其罪，吾且柔之矣。」 子玉使蓋勃請戰，曰：「請與君之士戲，君馮軾而觀之，得臣與寓目焉。」晉侯使欒枝對曰：「寡君聞命矣。楚	言而亡之。我則無禮，何以戰乎？不許楚言，是棄宋也；救而棄之，謂諸侯何？楚有三施，我有三怨，怨讎已多，將何以戰？不如私許復曹、衛以攜之，執宛春以怒楚，既戰而後圖之。」公說。乃拘宛春於衛，且私許復曹、衛，曹、衛告絕於楚。子玉怒，從晉師；晉師退。軍吏曰：「以君辟臣，辱也。且楚師老矣，何故退？」子犯曰：「師直爲壯，曲爲老，豈在久乎？微楚之惠不及此。退三舍辟之，所以報也。背惠、食言，以亢其讎。我曲、楚直，其衆素飽，不可謂老。我退而楚還，我將何求？若其不還，君退、臣犯，曲在彼矣。」退三舍。楚衆欲止。子玉不可。 夏四月戊辰，晉侯、宋公、齊國歸父、崔夭、秦小子憖次於城濮，楚師背酅而舍。晉侯患之。聽輿人之誦曰：「原田每每，舍其舊而新是謀。」公疑焉。子犯曰：「戰也！戰而捷，必得諸侯。若其不捷，表裏山河，必無害也。」公曰：「若楚惠何？」欒貞子曰：「漢陽諸姬，楚實盡之。思小惠而忘大恥。不如戰也。」晉侯夢與楚子搏，楚子伏已而盬其腦，是以懼。子犯曰：「吉。我得天，楚伏其罪，吾且柔之矣。」 子玉使蓋勃請戰，曰：「請與君之士戲，君馮軾而觀之，得臣與寓目焉。」晉侯使欒枝對曰：「寡君聞命矣。楚

	君之惠，未之敢忘，是以在此。爲大夫退，其敢當君乎？既不獲命矣，敢煩大夫，謂二三子：『戒爾車乘，敬爾君事，詰朝將見。』」 晉車七百乘，韅、靷、鞅、靽。晉侯登有莘之虛以觀師，曰：「少長有禮，其可用也。」遂伐其木，以益其兵。 己巳，晉師陳於莘北。胥臣以下軍之佐當陳、蔡。子玉以若敖之六卒將中軍，曰：「今日必無晉矣。」子西將左，子上將右。胥臣蒙馬以虎皮，先犯陳、蔡。陳、蔡奔，楚右師潰，狐毛設二旆而退之。欒枝使輿曳柴而僞遁，楚師馳之，原軫、郤溱以中軍公族橫擊之，狐毛、狐偃以上軍夾攻子西，楚左師潰。楚師敗績。子玉收其卒而止，故不敗。晉師三日館、穀。及癸酉而還。甲午，至於衡雍，作王宮於踐土。 鄉役之三月，鄭伯如楚致其師。爲楚師既敗而懼，使子人九行成於晉，晉欒枝入盟鄭伯。五月丙午，晉侯及鄭伯盟於衡雍。丁未，獻楚俘於王，駟介百乘，徒兵千。鄭伯傅王，用平禮也。己酉，王享醴，命晉侯宥。王命尹氏及王子虎內史叔興父策命晉侯爲侯伯，賜之大輅之服、戎輅之服，彤弓一、彤矢百、玈弓矢千，秬鬯一卣，虎賁三百人，曰：「王謂叔父：敬服王命，以綏四國，糾逖王慝。」晉侯三辭，從命，	君之惠，未之敢忘，是以在此。爲大夫退，其敢當君乎？既不獲命矣，敢煩大夫，謂二三子：『戒爾車乘，敬爾君事，詰朝將見。』」 晉車七百乘，韅、靷、鞅、靽。晉侯登有莘之虛以觀師，曰：「少長有禮，其可用也。」遂伐其木，以益其兵。 己巳，晉師陳於莘北。胥臣以下軍之佐當陳、蔡。子玉以若敖之六卒將中軍，曰：「今日必無晉矣。」子西將左，子上將右。胥臣蒙馬以虎皮，先犯陳、蔡。陳、蔡奔，楚右師潰，狐毛設二旆而退之。欒枝使輿曳柴而僞遁，楚師馳之，原軫、郤溱以中軍公族橫擊之，狐毛、狐偃以上軍夾攻子西，楚左師潰。楚師敗績。子玉收其卒而止，故不敗。晉師三日館、穀。及癸酉而還。甲午，至於衡雍，作王宮於踐土。 鄉役之三月，鄭伯如楚致其師。爲楚師既敗而懼，使子人九行成於晉，晉欒枝入盟鄭伯。五月丙午，晉侯及鄭伯盟於衡雍。丁未，獻楚俘於王，駟介百乘，徒兵千。鄭伯傅王，用平禮也。己酉，王享醴，命晉侯宥。王命尹氏及王子虎內史叔興父策命晉侯爲侯伯，賜之大輅之服、戎輅之服，彤弓一、彤矢百、玈弓矢千，秬鬯一卣，虎賁三百人，曰：「王謂叔父：敬服王命，以綏四國，糾逖王慝。」晉侯三辭，從命，

	曰:「重耳敢再拜稽首奉揚天子之丕顯休命。」受策以出，出入三覲。 衛侯聞楚師敗，懼，出奔楚，遂適陳，使元咺奉叔武以受盟。 癸亥，王子虎盟諸侯於王庭，要言曰:「皆奬王室，無相害也！有渝此盟，明神殛之，俾隊其師，無克祚國，及而玄孫，無有老幼！」君子謂是盟也「信」，謂晉於是役也「能以德攻」。 初，楚子玉自為瓊弁、玉纓，未之服也。先戰，夢河神謂己曰:「畀余，余賜女孟諸之麋。」弗致也。大心與子西使榮黃諫，弗聽。榮季曰:「死而利國，猶或為之，況瓊玉乎？是糞土也。而可以濟師，將何愛焉？」弗聽。出告二子曰:「非神敗令尹，令尹其不勤民，實自敗也。」既敗，王使謂之曰:「大夫若入，其若申、息之老何？」子西、孫伯曰:「得臣將死。」二臣止之，曰:「君其將以為戮。」及連穀而死。晉侯聞之，而後喜可知也，曰:「莫余毒也已！蔿呂臣實為令尹，奉己而已，不在民矣。」 六月，晉人復衛侯。 衛侯先期入。 叔武將沐，聞君至，喜，捉髮走出，前驅射而殺之。 元咺出奔晉。	曰:「重耳敢再拜稽首奉揚天子之丕顯休命。」受策以出，出入三覲。 衛侯聞楚師敗，懼，出奔楚，遂適陳，使元咺奉叔武以受盟。 癸亥，王子虎盟諸侯於王庭，要言曰:「皆奬王室，無相害也！有渝此盟，明神殛之，俾隊其師，無克祚國，及而玄孫，無有老幼！」君子謂是盟也「信」，謂晉於是役也「能以德攻」。 初，楚子玉自為瓊弁、玉纓，未之服也。先戰，夢河神謂己曰:「畀余，余賜女孟諸之麋。」弗致也。大心與子西使榮黃諫，弗聽。榮季曰:「死而利國，猶或為之，況瓊玉乎？是糞土也。而可以濟師，將何愛焉？」弗聽。出告二子曰:「非神敗令尹，令尹其不勤民，實自敗也。」既敗，王使謂之曰:「大夫若入，其若申、息之老何？」子西、孫伯曰:「得臣將死。」二臣止之，曰:「君其將以為戮。」及連穀而死。晉侯聞之，而後喜可知也，曰:「莫余毒也已！蔿呂臣實為令尹，奉己而已，不在民矣。」

	城濮之戰，晉中軍風於澤，亡大旆之左旃，祁瞞奸命，司馬殺之，以徇於諸侯，使茅茷代之。師還。壬午，濟河，舟之僑先歸，士會攝右。秋七月丙申，振旅，愷以入於晉，獻俘授馘，飲至大賞，徵會討貳，殺舟之僑以狥於國，民於是大服。君子謂文公「其能刑矣，三罪而民服。詩云『惠此中國，以綏四方』，不失賞刑之謂也。」 冬，會于溫，討不服也。	城濮之戰，晉中軍風於澤，亡大旆之左旃，祁瞞奸命，司馬殺之，以徇於諸侯，使茅茷代之。師還。壬午，濟河，舟之僑先歸，士會攝右。秋七月丙申，振旅，愷以入於晉，獻俘授馘，飲至大賞，徵會討貳，殺舟之僑以狥於國，民於是大服。君子謂文公「其能刑矣，三罪而民服。詩云『惠此中國，以綏四方』，不失賞刑之謂也。」 冬，會於溫，討不服也。
	衞侯與元咺訟，甯武子爲輔，鍼莊子爲坐，士榮爲大士。衞侯不勝，殺士榮，刖鍼莊子，謂甯俞忠而免之。執衞侯歸之于京師，置諸深室，甯子職納橐饘焉。	
	是會也，晉侯召王，以諸侯見，且使王狩。仲尼曰：「以臣召君，不可以訓。故書曰『天王狩於河陽』，言非其地也，且明德也。」壬申，公朝於王所。 丁丑，諸侯圍許。晉侯有疾，曹伯之豎侯獳貨筮史，使曰以曹爲解。「齊桓公爲會而封異姓，今君爲會而滅同姓。曹叔振鐸，文之昭也；先君唐叔，武之穆也。且合諸侯，而滅兄弟，非禮也；與衛偕命，而不與偕復，非信也；同罪異罰，非刑也。禮以行義，信以守禮，刑以正邪。舍此三者，君將若之何？」	是會也，晉侯召王，以諸侯見，且使王狩。仲尼曰：「以臣召君，不可以訓。故書曰『天王狩於河陽』，言非其地也，且明德也。」壬申，公朝於王所。 丁丑，諸侯圍許。晉侯有疾，曹伯之豎侯獳貨筮史，使曰以曹爲解。「齊桓公爲會而封異姓，今君爲會而滅同姓。曹叔振鐸，文之昭也；先君唐叔，武之穆也。且合諸侯，而滅兄弟，非禮也；與衛偕命，而不與偕復，非信也；同罪異罰，非刑也。禮以行義，信以守禮，刑以正邪。舍此三者，君將若之何？」

	公說，復曹伯，遂會諸侯于許。	公說，復曹伯，遂會諸侯于許。 晉侯作三行以禦狄，荀林父將中行，屠擊將右行，先蔑將左行。
僖公二十九年	夏，公會王子虎、晉狐偃、宋公孫固、齊國歸父、陳轅濤塗、秦小子慭盟於翟泉，尋踐土之盟，且謀伐鄭也。卿不書，罪之也。在禮，卿不會公、侯，會伯、子、男可也。	夏，公會王子虎、晉狐偃、宋公孫固、齊國歸父、陳轅濤塗、秦小子慭盟於翟泉，尋踐土之盟，且謀伐鄭也。卿不書，罪之也。在禮，卿不會公、侯，會伯、子、男可也。
僖公三十年	春，晉人侵鄭，以觀其可攻與否，狄閒晉之有鄭虞也。夏，狄侵齊。 晉侯使醫衍酖衞侯，甯俞貨醫，使薄其酖，不死，公為之請，納玉於王與晉侯，皆十瑴，王許之。 秋，乃釋衞侯。 九月甲午，晉侯、秦伯圍鄭，以其無禮於晉，且貳於楚也。	春，晉人侵鄭，以觀其可攻與否。狄間晉之有鄭虞也，夏，狄侵齊。 九月甲午，晉侯、秦伯圍鄭，以其無禮於晉，且貳於楚也。
僖公三十一年	春，取濟西田，分曹地也。使臧文仲往，宿於重館。重館人告曰：「晉新得諸侯，必親其共。不速行，將無及也。」從之。分曹地，自洮以南，東傅於濟，盡曹地也。襄仲如晉，拜曹田也。	春，取濟西田，分曹地也。使臧文仲往，宿於重館。重館人告曰：「晉新得諸侯，必親其共。不速行，將無及也。」從之。分曹地，自洮以南，東傅於濟，盡曹地也。襄仲如晉，拜曹田也。 秋，晉蒐於清原。作五軍，以禦狄。趙衰為卿。

僖公三十二年	春，楚蒍章請平於晉，晉陽處父報之，晉、楚始通。 冬，晉文公卒	春，楚蒍章請平於晉，晉陽處父報之，晉、楚始通。 冬，晉文公卒。

（二）傅、高二書於「晉文公之伯」紀事比較分析

《左傳》中對於晉文公重耳從被迫出亡至返國為君的歷練與成長，原本就有相當完整的記敘，但是《左傳》的編年體形式，使有關晉文公的紀事間還夾雜了其他的事件。如果單就個人的人生歷程而言，這些事不見得與重耳有關，但若從晉文公在日後成為諸侯之伯，主掌尊王抗夷大纛的地位與影響來看，這些在前後或同時發生的事，可能遙遙的與日後的重耳有著微妙的牽聯。至於哪些事和重耳產生了如何的牽聯？《左傳》作者的安排在當時有其用心，千古而下，後世讀書者也有其眼光和詮釋，傅、高二人即在各自的編排中表現了他們的選擇和看法。以下即依年序分析二者紀事的異同，並試圖探索其可能的用心：

一、在僖公二十三年的紀事中，二書最明顯的不同在於傅遜在「晉公子重耳之及於難也」之前選錄了「得臣伐陳」一事。此年秋，楚子玉伐陳有功，子文以子玉為令尹，叔伯（楚大夫薳呂臣）不以為然而問之，子文說出他的理由：子玉有功而不賞，他將為亂。這一段記敘中所包含對子玉性格的觀察，其實可以和僖公二十七年子玉為圍宋而治兵於蔿，「終日而畢，鞭七人，貫三人耳」之事相聯結，說明了子玉的性格是貪功好名且剛強無禮。而如此的性格，正是他在日後兵敗城濮，成就晉文公伯業的關鍵，故在「晉文公之伯」的主題之下，傅遜以其為首，並評以：「子玉非文公敵也，故卒以楚敗。」[17]可見傅氏認為重耳拒楚成功，楚子玉的性格是重要因素。至於高氏

17　傅遜注：「子玉非文公敵也，故卒以楚敗。且慮其為亂而舉，豈任人之體哉？」見（明）傅遜：《春秋左傳屬事》，卷2，葉18上。

於此段文字，列在卷四十五「楚伐滅小國」中，認為這是以楚國為主的事，不與晉文伯業相關。

二、僖公二十四年的紀事中，傅遜只簡短的選錄了「子犯與重耳誓於河」和王子帶引狄伐周，周襄王出奔鄭而向秦、晉求救之事。高士奇則除了上述二事外，還全錄了原來《左傳》在此年所記重耳返國所遇「寺人披」、「頭須」、「介之推」三事。傅遜不錄此三事，而置之於卷十二「驪姬之亂」中，將它們視為「驪姬之亂」的尾聲。事實上此三事與重耳回國結束內亂、團結上下，使晉國步向富強有密切的關係。但是這三件事情都涉及了重耳「性格」與「心態」的描寫：「寺人披」欲求見文公，文公猶記其兩度追殺之仇，「夫袪猶在」一語，表現了他的記恨；「頭須」本為重耳守藏之臣，惟未及與偕亡，致文公返國後，疑其忠貞而不欲見，是頭須「居者為社稷之守，行者為羈絏之僕，其亦可也，何必罪居者」一語，正中其量狹多疑；而介之推不言祿，終隱而死，其責重耳君臣以「下義其罪，上賞其姦，上下相蒙」，則突顯了重耳君臣為利苟且的行事。因此，選錄這三段記事的高士奇，在其篇末評論文公行事時，即從文公好啣恨報復的心理層面，考究文公之為人，認為儘管晉文功高，但人品低下，不如齊桓[18]。至於傅遜，他既不錄此事，又認為：「晉文行師，動崇禮信，媲跡齊桓，而夫子以正譎分之，其殆專指戰楚一事乎？使其捐曹、衛之怨，一以綏懷為德，幾於王矣！」[19]則是從「伯業」的角度肯定晉文公，但以戰楚用譎為其瑕疵。在對於三件事的擇錄態度上，我們可看出二人對於「晉文公伯業」的價值與意義的不同觀點與論斷。

三、僖公二十五年事中，二人同錄秦、晉出兵納襄王，晉文公在狐偃的鼓勵之下，承擔起納王之事，這是文公伯業的起點，理當收錄。傅遜在此處還錄了一段「秦、晉伐鄀」，鄀是附楚小國，秦、晉合兵伐之，楚使子儀、子邊以申息之兵戍商密，其後秦以詐術得商密，且囚子儀、子邊以歸，楚令

---

18 （清）高士奇：《左傳紀事本末》，頁320-321。

19 （明）傅遜：《春秋左傳屬事》，卷2，葉31上-31下。

尹子玉追秦師弗及，乃再圍陳，納頓子于頓[20]。傅遜所以採錄的理由，他並未在注解中明言，但觀其前文的思路，似乎他認為晉文公伯業之成功有兩大重點，一為勤王，一為距楚。其中距楚的關鍵雖在城濮一役，但前此之楚國與中原之糾葛、子玉之性格及子玉涉入的程度，皆當為輻湊於城濮的諸多因素，故他總是留意子玉及楚國之動向。至於高士奇則於此處未採本段文字，而將它歸在卷四十五「楚伐滅小國」中。

四、傅、高二人在僖公二十六年的紀事中有一個明顯的不同，即在於高氏收「展喜犒師」而傅氏未收。這段記載是齊國伐魯時所發生的事，而且其義理重點在於展喜面對齊孝公大軍壓境，卻不亢不卑的辨辭，婉轉卻堅定的指責齊孝公不能繼承其父桓公「糾合諸侯」的功業。初從其內容看來，似乎與晉及文公無關，但是這一次齊、魯的衝突，使得魯大夫東門襄仲、臧文仲如楚乞師，見子玉而導之伐齊、宋，宋叛楚即晉，魯以楚師伐齊取穀，此後再引發楚子怨宋叛楚而圍之，宋公孫固如晉乞師，晉文公聽從先軫建議，伐曹、衛以解宋圍，國際衝突事態一路擴大，終至於爆發城濮之戰。故此事其實可視為城濮之戰的導火線，與楚國意圖中原的動向有著隱微卻密切的關係。傅遜在前文敘事中既已重視楚國及子玉之動向，卻置此文不錄，實令人不解。再從文理而言，「夏，東門襄仲、臧文仲如楚乞師」是因上文「齊孝公伐我北鄙」而來，如果不錄前文而只載乞師，則乞師文字失去來歷，亦非所宜。傅氏將「展喜犒師」這段文字放在卷十三「桓公五子爭立」目下，並評曰：「公使受詞，知惠之賢矣，而竟不之用，何也？」[21]解讀重點放在展喜才能與際遇之上，並未慮及此事在晉文距楚的事件脈絡裏的意義。由此可見，「《左傳》紀事本末體」著作的編纂，其實是一種重讀與詮釋，在過程中，由於作者的心證而使原本《左傳》的敘述脈絡被剪輯切割，姑且不論它

---

[20] 頓子原迫於陳而奔楚，子玉於僖公23年伐陳，且為頓子南遷築城，今再伐陳，納頓子歸其故地。參楊伯峻：《春秋左傳注》（臺北市：洪葉文化事業公司景印本，1993年），頁402。

[21] （明）傅遜：《春秋左傳屬事》，卷13，葉7上。

與於「經義」的距離愈遠，其實對於理解史事之全貌也有影響[22]。

五、《左傳》在僖公二十七、二十八、二十九三年的紀事，主要即在呈現城濮戰前的情勢、人物的心理和反應以及戰爭的過程與結果，原本即是相當完整的脈絡，因此傅、高二人於此三年選錄的文字差異不大。其中對衛侯的處置及其後續發展，是二人主要不同處。衛國在當年重耳出奔時未予禮遇，出於五鹿，向人乞食，又遭「與塊」的對待，自是有所啣恨；加以當此劍拔弩張之時，衛又與楚新成婚誼，於是成為晉國對楚的戰略目標，衛成公夾在晉楚之間，進退失據，依違不定，最後選擇親楚，卻遭到國人反對而出居襄牛，子玉師敗之後，衛成公懼，乃出奔楚，適陳，使元咺奉叔武攝政受盟。其間成公聽聞元咺立叔武為君的傳言，故當晉許衛成公回國時，發生成公不信叔武而先入，其前驅射殺叔武，元咺訴於晉，晉執衛侯於深室的事件。這個事件，在《左傳》敘寫城濮之戰的脈絡中，只能視為插曲，但是卻可由此看出晉文的性格和成伯之後行事對諸侯的影響。傅遜詳錄此一事件的發展，並在「晉文公之伯」篇末的議論中，認為晉文公能行禮信，勤王距楚，「媲跡齊桓」，但他與楚戰用譎計、為報復而伐曹執衛，是其憾處。[23]傅氏於此雖不認同其對衛之行事，但貶抑不重；高士奇未錄此事，卻在篇末直斥其「睚眦必報」[24]，倒可能道出了傅遜在此細細摘錄卻未明言的心意。

六、二人在篇末對晉文公之行事與伯業均有評議，茲錄於此以便分析比較：

傅遜評曰：

> 晉文行師，動崇禮信，媲跡齊桓，而夫子以正譎分之，其殆專指戰楚一事乎？使其捐曹、衛之怨，一以綏懷為德，幾於王矣！而惜其病此

---

22 這裏其實有一個矛盾：即「《左傳》紀事本末體」著作之編纂初衷，原由於「學者以《左傳》紀事隔涉年月，不得其統」，但是經過分類改編之後，卻又造成另一種「隔涉」。

23 請參注27。

24 （清）高士奇：《左傳紀事本末》，頁320-321。又，高士奇將此段紀事列在卷38「寧武子弭晉難」目下。

也。既勝而諸侯靡從，強楚縮焉而不敢競，與桓異焉。以子玉死，而代之者不克以抗衡故爾。噫！當分裂雲擾之際，必皆雄俊，乃能分峙，稍劣不敵焉，覆亡隨之矣，而況能遠務外略哉？若呂臣，其蓋審勢而自守者與？[25]

高士奇論曰：

晉文公避驪姬之亂，經歷狄、鄭、衛、齊、宋、曹、楚、秦諸國，備嘗險阻，以老其才，凡十有九年，卒反晉國。棄責薄斂，分寡救乏，振滯匡困，舉善授能，官方定物諸大政，犂然一變晉國之常度。伐原示信，大蒐示禮，定王示義，用能出穀戍、解宋圍，一戰而收館穀之功，齊桓以後，功烈未有如是之赫者也。然而晉伯所基，惟其定王一舉。當時天子蒙塵，使簡師父告於晉，亦使左鄢父告於秦，秦伯會師河上，將納王，使秦得專定王之美，則天下之望走將在秦，晉之大事去矣。曹操先得獻帝，而袁紹不能爭；朱梁既反乘輿，而克用不能抗。名分所在，形格勢禁，自然之理也。所以狐偃言於晉侯曰：「求諸侯莫如勤王。」取威定霸之謀，於是乎在，而文能聽之，蓋亦賢矣。獨其受南陽之賞，陽樊不服，至用師以圍之，王之姻親幾為俘馘。妄行請隧，瀆亂王章，而不知翼戴天子止諸侯之常職，此非純臣之所為也。若城濮功高，而信先軫之詭謀，許復曹、衛，拘留宛春，一意敗楚，而無按兵修禮之風，比之召陵，誠所謂譎而不正者耶！大約文公之為人，不逮齊桓遠甚，而其臣子犯、趙衰、先軫之屬，亦無有知大體如管夷吾者，是以桓能忘濱死之怨，忍手劍之辱，而文反國之後，惟以報復為事。懷觀裸之恨，則出衛君於襄牛，銜與塊之憤，則責曹君以獻狀，卒使纍於晉陽，辱於深室。而衛之受禍尤烈，君臣交獄，兄弟相殘，拂人道之經，亂上下之分，必如是而後快心。即以鄭之小郄，不能捐棄，連秦伯以伐之，結釁殘民，兵端不息。迹文之

25 （明）傅遜：《春秋左傳屬事》，卷2，葉31上-31下。

所為，直睚眦必報之人耳！子犯授璧，子推自焚，蓋有以窺見文之褊心，而以為不能錄功略過也。世但見其能忍於豎頭、里鳧須而稱之，其亦未之考矣！踐土作宮，傳三覲之美，而河陽召王，功不塞咎，非聖人原情，文其罪魁乎！[26]

傅遜的評論基本上有兩條脈絡，一是晉文公的伯業成就，一是楚國不能與晉爭強的原因。在晉文公的成就方面，傅氏接受了《左傳》原文中所敘，文公以修禮講信教民，終在城濮「能以德攻」而踐土盟信，成就伯業，功跡比接齊桓，而且在伯業的維持上，城濮戰勝不但能使諸侯附從，且真正讓強楚退縮，較之齊桓僅召陵一盟，實有不同。至於他以譎勝楚及好行報復，則是其功業之瑕，傅氏以「一以綏懷為德，幾於王矣」期之，則士凱於晉文評價甚高。至於分析楚國在此一時期的成敗，傅氏則歸之於用人不當。他在正文的選錄及注解中，已表示子玉「非文公敵」、「 臣能知子玉之不堪，而不為文公所忌，豈識優而才弱者乎」[27]？而此處續論以呂臣之才在子玉死後繼任令尹，實自知無能處理此時風雲擾攘之局勢，故僅能自守而不足與晉為敵。

高士奇的評論則在對晉文公行事、人品進行褒貶。他首先肯定晉文歷經艱難，終返晉國，返國之後，對內能安定國人、分職任賢、教化百姓，對外能乘勢勤王、主持中原、勝楚館穀，實齊桓以來僅見。但高氏隨即調轉筆意，又針對其前文之褒辭一一追究：則晉文之勤王定位固為可嘉，但此本人臣大義，理當如此，然晉文蒙天子勞賞之時，竟妄行請隧，實僭越失禮；勝楚固為大功，但用先軫詭謀，一意敗楚，則非修禮用兵之道；其出亡之時，曾遭曹、衛非禮冷落，即位之後，惟以報復為事，伐曹執衛，不稍寬假，則心胸度量不如齊桓；至於世人所稱道，晉文能寬恕原寺人披昔日追殺、頭須攜藏自逃之過，其實子犯反璧、介之推棄祿之舉，才是真正顯現晉文褊心而不能錄功略過之性格。如此，前文所言之功，後文一一攻破，不惟如此，高氏再結以：踐土之盟，天子嘉勞、晉文三覲雖為美談，但「天王狩于河

---

26 （清）高士奇：《左傳紀事本末》，頁320-321。

27 （明）傅遜：《春秋左傳屬事》，卷2，葉29上。

陽」實召天子之罪，已使晉文功不掩過。文末高氏雖仍顧及《左傳》釋經的看法，但以為那是孔子容情，否則晉文當為罪魁，這樣的意見其實已全盤否定晉文公之行事功業。與傅遜相似的紀事卻得出差距甚大的論點，「《左傳》紀事本末體」著作給予作者心證空間之大，實令人驚訝！

通過以上的分析和比較，我們大致可以將傅遜、高士奇二書在「晉文公之伯」紀事上的事理脈絡及其異同，歸納整理如下：

二人對於《左傳》原文均進行了選擇與建構，傅遜之紀事除晉文公的作為行事及其影響外，同時重視楚國的行動，尤其是子玉的性格及作風。其結論即依如此脈絡，觀察晉文功業的意義及楚國不能與較的因素，其選編紀事與結論相應程度相當高。此外，值得注意的是，他對於晉文公的評價甚高，而其義理根據，大致是依《左傳》而來。高士奇的紀事很明顯的將敘述焦點集中在晉文公的身上，所以傅遜注意的楚子玉之事及衛成公之事他都不收，而在結論處則表現出強烈的批判思考，甚至不惜明尊孔子之說而實則全盤否定文公之伯業。在紀事與結論的相應程度上也相當一致，但其義理主張明顯不同於《左傳》。

四　從傅、高二書「晉文公之伯」紀事比較延伸的思考

我們在比較了傅、高二書在事理脈絡及義理評價之後，知道不同的「《左傳》紀事本末」就會產生不同的敘事安排，也會因此而得到不同的義理判斷。基於此，我們想進一步探問：「《左傳》紀事本末」只是「變編年為紀事」，為何會造成如此大的不同，其改變的應不只是「形式」，而有更核心的部分。如此，則「《左傳》紀事本末」究竟是史籍？還是經傳？還有，它在《春秋》學史上有何意義？以下我們將進行一些討論，也試圖回答這些問題。

（一）「《左傳》紀事本末體」著作在「變編年為紀事」之後，改變了什麼？

編年體的典籍，其最明顯的特徵在於它是依照年序，將史事繫屬其下，編纂而成。但是這個「年序」和「時間」，不是純粹「自然的時間」，而是有一個政治性的歸屬——即「年號」，《春秋》中的「春王正月」即是典型的代表。在年號之下，所有紀事的價值判斷不是個人或單一事件為主體，而是必須以這個年號所代表的政權或權力概念為依歸。因此可以將「編年」視為一種「論述」，即論述權力轉移的正統以及作為與思想合法性的解釋[28]。所以《春秋》中的「春王正月」及以魯君的年號紀年，即表現了尊王及宗魯的用意，則公羊學中「親周、故宋、以魯當新王」的義理，以及《左傳》在傳文中稱魯為「我」，以及三傳解釋《春秋》經義時，常有「為天子諱」、「為魯諱」的價值判斷，應該也是根據這樣的統緒概念所衍生出來同一方向的思考。因此，在《春秋》經學傳承的過程中，只要是依據《春秋》及三傳的編年統緒，其解釋便大致不會超出這個「尊王及宗魯」義理的範圍之外。「《左傳》紀事本末體」著作與原本《春秋》與《左傳》最大的不同，就在於「編年」的有無。「《左傳》紀事本末體」著作中的選文在表面上仍然依

---

28 這個觀念是受到李紀祥先生〈「編年」論述〉的啟發。李先生認為，「編年」不是一種單純的自然時間呈現，而是因為受到「帝系」、「年號」牽制，是一種具有「一次性」的「論述」，也就是說，在「編年」中的事件，是在一個以「帝系」、「年號」為統緒之下被選擇編輯的事件排列，因此，用不同的統緒所聯繫編排的事件，就會呈現不同的「歷史樣態」。他在文中以《史記》中「秦楚之際」的紀事為例，司馬遷在〈高組本紀〉中，以劉邦受子嬰之降為「元年」，如此則將政治權力嬗遞的統緒論述為「秦始皇-二世-漢高祖」，項羽和西楚就不在其中了。不過在〈項羽本紀〉中，於二世遭趙高擊殺後，所出現的編年為「漢之元年」、「漢之二年」、「漢之三年」……，史公用漢「之」元年，即意味著在此同時，還有「楚『之』某年」，這樣的論述，即意味著此時正統未定。李紀祥：〈編年論述〉，見氏著：《時間．歷史．敘事——史學傳統與歷史理論再思》（臺北市：麥田出版，2001年），頁228-231。如此則傅遜、高士奇以「列國」的方式「平列」各國之史事，其間的「年號」和「帝系」統緒便隱微不顯。

循左傳原文的記載，記錄著如「隱公元年」、「僖公二十六年」等年號，但是維繫原本《春秋》大義的「王／魯」紀年結構已經在「分國編輯」、「分類紀事」中被破壞，則其文中所記年號，其意義已經不是標示一個政統中的紀年，反而是成為一個單純的「時間記錄」，所以其中不含有原本編年體紀事的論述，也就是說，對於事件的論述是由「《左傳》紀事本末體」著作的作者（編者）所重構。如果我們這樣的推論不算離譜的話，似乎可以解釋傅遜與高士奇在他們的「紀事本末」中，既對於「紀事」進行選擇，也對他們由選擇而建構的事件進行論述，從而得到了相當不同的意見，這樣的意見，所呈現出來的價值判斷，就不是原來《春秋》與《左傳》義理所可以範圍的。我們看傅遜的意見，他的看法已經與《左傳》相當接近了，但是在他對晉文公的評價中，竟說：「使其捐曹、衛之怨，一以綏懷為德，幾於王矣！而惜其病此也。」認為以晉文公的能力與功業，如果可以修正其品德與行事，將幾於王業，這就與原本《春秋》「尊王」大義有所不同；而高士奇之全盤否定晉文功業，原本就與《左傳》屢以「出穀戍、釋宋圍，一戰而霸，文之教也」、「君子謂是盟也『信』，謂晉於是役也，『能以德攻』」等言論稱說晉文成就的觀點不同，而《左傳》解釋《春秋》經文「天王狩於河陽」引孔子說，以晉文召君為非，故為天子諱、也為晉文公諱，乃如此書寫，以呈現「非其地」的責難與「明德」的肯定，義理內涵的思考雖然曲折複雜，卻仍然依循著「尊王」的價值脈絡，但是高士奇卻將孔子的義理評價，簡單的認為是「原情」，捨去了孔子在「昭其明德」方面的義理衡量，而將晉文公的行事人品一概貶抑，這就可以看出「《左傳》紀事本末體」著作在去除了「編年論述」之後，其實也就離開了《春秋》經傳的論述場域，從而進入了史學的論述。

（二）「《左傳》紀事本末體」著作的「作者之志」是「研經」還是「讀史」？

我們在前段討論中就「《左傳》紀事本末體」著作在紀年模式所透露的

訊息，探索其對於史事與人物評價判斷，與原本《春秋》經傳不同的可能原因。我們在這裏還可以就這種形態著作的「作者之志」，來檢視他們著作的主要目的。傅遜在其〈春秋左傳屬事序〉中，自言其作意：

> 遜少好讀史，茲傳雖以釋經，而與後之言經者多牴牾難合，故經不能強明，而獨耽其文辭，視以古史。妄纂茲錄，名曰《春秋左傳屬事》。頗自謂得古人讀史之遺意，有助於考史者之便云。然袁氏書為世所好，而事多遺脫，稍有錯誤，若得為之補其遺、正其誤，而更益之以宋與元，使數千百年成敗興衰之故，皆得並論而詳列之，豈非生平之一快也！[29]

傅遜在這一段序文中，說到了他所以編輯此書的兩個重要理由：一是他把《左傳》視為古史，一是他作《春秋左傳屬事》的目的是補袁樞《通鑑紀事本末》之不足。在第一點上，傅氏並未明言他所謂《左傳》與「後之言經者多牴牾難合」究指何事，但這個理由使他放棄藉由《左傳》明《春秋》，而直接將《左傳》視為古史，以述史、讀史的態度重編《左傳》；左第二點方面，袁樞《通鑑紀事本末》的紀事上起自「三家分晉」，下終於「（後周）世宗征淮南」，即自戰國至五代，所以傅遜欲以「《左傳》紀事本末」填補其春秋史事，再補宋、元史事，以完成至其時為止的全幅歷史敘事。我們從這兩點意見可以觀察到，傅遜儘管大量使用杜注，而其價值判斷也大致接近《左傳》，但其「作者之志」則在於「讀史」而非「研經」。

本文中另一個討論對象——高士奇的「作者之志」又是如何？高士奇並未為其書作序，我們在他的「凡例」看到這樣的話：

> 《左氏》之書雖傳《春秋》，實兼綜列國之史。茲用宋袁樞《紀事本末》例，凡列國大事各類，不以時序，而以國序。[30]

---

29 （明）傅遜：《春秋左傳屬事》，卷首，〈春秋左傳屬事序〉，葉2下-3上。

30 （清）高士奇：《左傳紀事本末》，頁5。

這是他在凡例中的第一條。在這一段話中，高氏認為《左傳》實兼綜春秋時代列國之史，故用「袁樞《紀事本末》例」，將《左傳》以國分而不以時序。事實上，袁樞的《通鑑紀事本末》雖立標題統攝相關紀事，但是其各標題之前後編排順序，仍是依時間先後為序，並非如高士奇書的以國為序。那麼高士奇的「用宋袁樞《紀事本末》例」所指的應是其「變編年為紀事」之例，而非其以年為序的編輯體例。據《四庫全書總目・通鑑紀事本末提要》中引朱子之說，稱袁書「部居門目、始終離合之間，皆曲有微意，於以錯綜溫公之書，乃《國語》之流」[31]，則朱子看到了袁樞以「事類」為主體的編輯的思考，類似於《國語》以國為史事分類主體的國別史性質。但是究其實，袁樞之書並不完全符合國別史的體式，倒是其後的傅遜與高士奇的「《左傳》紀事本末體」著作，取法於袁樞「變編年為紀事」的精神，而以國為史事之類，真正表現出朱子所說的「《國語》之流」的國別史面貌。朱子對於這種以「分類」概念重編《左傳》著作的觀察，正適合用來解釋高士奇在凡例中的主張，即以《左傳》「兼綜列國之史」，於是以國別分類的方式重讀、重構《左傳》的史事敘述。如此，則高士奇之書無論在編著理念、體例和價值觀點等方面，均為「讀史」而非「研經」。

傅氏、高氏二書之外，我們還可以舉出明代孫範《左傳分國紀事本末》為例，孫範之書的體例也類似於傅遜、高士奇之書，採取以國為類，國下繫事的方式編輯，孫範在其書的〈序略〉中表明

> 顧其為書（按：指《左傳》），年經國緯，緒端紛出，雖部勒位置，首尾應接，各有條貫，然覽者未能一目便了。是用倣之史家，變編年為紀事，以事繫國，以國繫君，有一事而連綴三五國，上下數十年者，□原其事之所始，與其所歸，還繫所應屬之國，庶覽一國事之本

31　（清）紀昀等：《欽定四庫全書總目（整理本）》，〈通鑑紀事本末提要〉，頁365；其中所引朱子之言的原文見（宋）朱熹：〈跋通鑑紀事本末〉，（宋）朱熹撰，朱傑人等編：《朱子全書》（上海市：上海古籍出版社；合肥市：安徽教育出版社，2002年），冊24，頁3827。

末，而即因事以知其國勢之強弱、人才之盛衰，二百四十餘年之故，網羅胸中，出為濟世匡時之用，是今日所為輯傳意也。[32]

孫範之書刻於明末崇禎年間，時間處於傅遜與高士奇之間，則其書例倣之史家，而以分國紀事改編的《左傳》，目的在觀「國勢之強弱、人才之盛衰」，同樣在體例、編著理念上趨向「讀史」，由此亦可看出此類著作的共同性質。

（三）「《左傳》紀事本末體」著作，在《春秋》經學的發展上，有何可能的意義？

我們在以上的討論中，大致已可掌握「《左傳》紀事本末體」著作的史學性格。但是這種著作是本於《左傳》而來，《左傳》本為釋經，那麼將《左傳》之編年變為紀事，把經傳變為史籍，這是如何開始的？我們在傅遜及高士奇的「作者之志」討論中，看到了袁樞《通鑑紀事本末》對於他們的影響，但是筆者認為，這個影響的過程應是：先有「《左傳》為史」的觀念，然後才有以袁樞之體為範本，改編《左傳》的實踐。我們嘗試追索可能的觀念源頭，發現應該是受到唐、宋學者對《左傳》「不傳《春秋》」觀念的影響。

《春秋》學術發展至唐代啖助、趙匡、陸淳，興起「舍傳求經」的研究風氣，其影響一直及於宋、元、明三代[33]。其實從啖、趙、陸開始，乃至於其後主張「舍傳求經」的學者，對三傳的態度並非一味排斥不用，而是綜合其長、捨去其短。《四庫全書總目・經部春秋類序》說：

---

32 （明）孫範：〈左傳分國紀事序略〉，《左傳分國紀末本末》（明崇禎間原刊本），卷首〈序略〉，葉1下-2下。

33 參張穩蘋：《啖、趙、陸三家之春秋學研究》（臺北市：東吳大學中國文學研究所碩士論文），第六章〈啖助學說對宋代春秋學之影響〉、第七章〈啖助學派在元代以後的發展〉，頁151-196。

> 說經家之有門戶，自《春秋》三傳始，然迄能並立於世。其間諸儒之論，中唐以前，則《左氏》勝，啖助、趙匡以逮北宋，則《公羊》、《穀梁》勝。孫復、劉敞之流，名為棄傳從經，所棄者特《左氏》事跡、《公羊》、《穀梁》月日例耳。其推闡譏貶，少可多否，實陰本《公羊》、《穀梁》法，猶誅鄧析用竹刑也。夫刪除事跡，何由知其是非？無案而斷，是《春秋》為射覆矣。[34]

以上四庫館臣對《春秋》學術發展的評述中，我們可以看到他們對於從啖、趙以及於北宋的《春秋》學術觀察，認為他們多取《公》、《穀》「推闡譏貶」之義，而「棄《左傳》之事跡」。《公》、《穀》所釋《春秋》經義，彰微闡幽，本即《春秋》學術之基礎，用之本無疑義，但是「棄」《左傳》之事跡，以《春秋》以一萬八千餘字紀二百四十二年之事，讀者欲以此簡約文字證其大義，如何可能？我們仔細檢閱這種解經風氣的開始——啖、趙學派的著作，發現四庫館臣所謂「棄《左傳》事跡」，可能是指以下的看法

> 習《左氏》者，皆疑經存傳，談其事跡，翫其文彩，如覽史籍，不復知有《春秋》微旨。[35]

依照此說，啖、趙等認為《左傳》之於《春秋》，或有傳而無經，或有經而無傳，致使習《左傳》者往往信傳而疑經，只習其史事文辭而不能得《春秋》微旨，如此則讀《左傳》如讀「史籍」。這個看法所表現的「棄」，乃在於「不取《左傳》以事釋經」，即否定《左傳》這種以文、史為主的典籍可以闡述《春秋》微旨。由此發展，至北宋之劉敞便有「《左氏》不傳《春秋》」之說：

> 前漢諸儒不肯為《左氏》學者，為其是非謬於聖人也。故曰《左氏》

---

34 （清）紀昀等：《欽定四庫全書總目》（整理本），頁328。

35 （唐）陸淳纂：〈啖氏集傳集注義〉，在《春秋集傳纂例》（上海市：商務印書館，1936年，《叢書集成初編》排印本），卷1，頁5。

不傳《春秋》。此無疑矣。[36]

劉氏又有以《左傳》只有史籍觀興衰成敗的功能，而無《春秋》褒貶之義：

> 丘明所以作《傳》者，乃若自用其意說《經》，泛以舊章常例通之于史策。
>
> 可以見成敗耳，其褒貶之意，非丘明所盡也，以其不受《經》也，學者可勿思之哉。[37]

劉敞認為左丘明編纂《左傳》，除了根據己意說經外，還「泛以舊章常例通之于史策」，即採取紀錄歷史的舊有規範與常典成例分析疏通固有史籍文獻；此外，左丘明不受《經》於孔子，所以「左氏為不傳《春秋》」，《左傳》在性質上為歷史文獻，所以研讀其書，僅可以藉此得知歷史中人物事件的成敗興衰，至於《春秋》經文中所含藏的深意，則非《左傳》所能夠闡釋表述，學者可以不必於其中探研尋求。

這種「《左氏》不傳《春秋》」的意見在北宋末年持續進行，如葉夢得《春秋傳．序》中便有「《左氏》傳事不傳義」之說：

> 孟子不云乎：「其事則齊桓、晉文，其文則史。」而子之自言則曰：「其義則丘竊取之矣。」夫《春秋》者史也，所以作《春秋》者經也。故可與通天下曰事，不可與通天下曰義。《左氏》傳事不傳義，是以詳於史而未必實，以不知經故也。[38]

葉氏很直接的認定孔子《春秋》固然是以史為本，但其中有所取義，所以是經而不是史；《左傳》雖詳於史事，但因為其不知《春秋》之義，所以「不

---

36 （宋）劉敞：《春秋權衡》（臺北市：大通書局，1969年，景印《通志堂經解》本），卷1，葉1上。

37 （宋）劉敞：《春秋權衡》，卷1，葉1上

38 （宋）葉夢得：〈春秋傳序〉，《春秋傳》，《景印文淵閣四庫全書》（臺北市：臺灣商務印書館，1986年），卷首，葉2下。

實」——在義理及價值判斷上不正確。

「《左傳》紀事本末體」現存最早的著作，為宋代章沖的《春秋左氏傳事類始末》。章沖為葉夢得的弟子，他在書前序言中即重申葉氏「《左氏》傳事不傳義」的觀點，並刻意擱置《左傳》經傳屬性的爭議，而從「事」與「文」的角度進行此書的編輯：

> 始沖少時，侍石林葉先生為學，先生作《春秋讞》、《春秋考》、《傳》，使沖執《左氏》之書，從旁備檢閱。《左氏》傳事不傳義，每載一事，或先經以發其端，或後經以終其旨，……，間見錯出，常病其不屬。如遊群玉之府，雖珩璜圭璧，璀璨可愛，然不以彙聚，驟焉觀之，莫名其物。沖竊謂：《左氏》之為丘明與受經於仲尼，其是否，固有能辯之者。若夫文章富豔，廣記備言之工，學者掇其英精，會其離析，各備其事之本末，則當所盡心焉者。[39]

於此可見其基本立場為「《左氏》傳事不傳義」，故可以不論《左傳》的經學屬性而只論其富豔之文與備載之事。我們雖然無法據此遽斷章沖《春秋左氏傳事類始末》就是直接由這個觀念發展而出[40]，但我們可以肯定的是：此時已經有相當數量的學者認為：《左傳》的文、史價值，高過其經學的價值。這樣的觀念在事實上成為明、清兩代諸家編輯「《左傳》紀事本末體」著作的立足觀點，王世貞在為傅遜《春秋左傳屬事》作序時表示：

> 自胡氏之《傳》行，而三氏俱絀，獨為古文辭者尚好《左氏》，不能

39 （宋）章沖：〈春秋左氏傳事類始末序〉，《春秋左氏傳事類始末》（臺北市：大通書局，1969年景《通志堂經解》本），卷首，葉2上。

40 《四庫全書總目．春秋左氏傳事類始末提要》認為章氏書乃承自袁樞《通鑑紀事本末》，而張素卿及李紀祥則認為章沖之書受到其師葉夢得《春秋》學影響，至於和袁樞之作的關係，二書可能是雙線進行，不必然相關。相關討論請參《四庫全書總目》（整理本），頁675；張素卿：〈章沖春秋左氏傳事類始末述略——左傳學的考察〉，頁140-143；李紀祥：〈袁樞通鑑紀事本末與紀事本末體〉，《時間．歷史．敘事——史學傳統與歷史理論再思》，頁249-250。

> 盡廢之。而所謂好者，好其語而已爾，於是稱《左氏》者，舍經而言史。[41]

胡安國《春秋傳》在宋代《春秋》學系譜中亦屬於「舍傳求經」的類型，據《宋史．胡安國傳》，他曾經當面勸告高宗研讀《春秋》宜「潛心聖經」，而「《左傳》繁碎，不宜虛費光陰，耽玩文采」[42]，他看《左傳》即是文采重於經義。王世貞所說，學者不取《左傳》釋經，卻取《左傳》論文、讀史，其實就在說明，「《左傳》紀事本末體」著作——傅遜的《春秋左傳屬事》，就是這種《春秋》學風氣中的一種《左傳》學術表視型態。

至此，我們已經可以很肯定的掌握到由唐至明的《春秋》發展中，「舍傳從經」的觀念所導引出的《春秋》研究方向，除了「直探本經」的學術表現外，還使得《左傳》從經傳屬性轉變成文章、歷史的屬性，從而衍生出「《左傳》紀事本末體」這種型態的《左傳》研究著作。也就是說「《左傳》紀事本末體」這種類型的著作，雖然是從經學出走的「別子」，但它是長期《春秋》學發展中的合理產物。

其次，我們還想從以上的結論再進一步：「《左傳》紀事本末體」的「作者之志」及體例均是為史而作，那麼，它對「解經」是否真的無用？我們由宋、明的《春秋》經解中還發現了一個現象，即是這些著作對於《左傳》的紀事，不是「不用」，而是「選用」，即不依《左傳》原本的敘事脈絡，而是用自己選擇的敘事，以支持所解《春秋》之義。我們以胡安國《春秋傳》中僖公二十二年「宋公及楚人戰于泓」的釋義為例，觀察這個情形：

> 泓之戰，宋襄公不阨人於險，不鼓不成列，先儒以為至仁大義，雖文王之戰不能過也，而《春秋》不與，何哉？物有本末，事有終始，順事恕施者，王政之本也。襄公伐齊之喪，奉少奪長，使齊人有殺無虧

---

41 （明）王世貞：〈春秋左傳屬事序〉，《春秋左傳屬事》，卷首，葉1下。

42 參考趙伯雄：《春秋學史》（濟南市：山東教育出版社，2004年），第七章〈宋元明春秋學〉（下），頁496-522；戴維：《春秋學史》（長沙市：湖南教育出版社，2004年），第七章〈兩宋春秋學〉，頁359-366。

> 之惡，有敗績之傷，此晉獻公之所以亂其國者，罪一也。桓公存三亡國，以屬諸侯，義士猶曰薄德，而一會虐二國之君，罪二也。曹人不服，盍姑省德，無闕然後動，而興師圍之，罪三也。凡此三者，不仁非義，襄公敢行，而獨愛重傷與二毛，則亦何異盜跖之以分均出後為仁義，陳仲子以避兄離母居於陵為廉乎？夫計末遺本，飾小名、妨大德者，《春秋》之所惡也。故詞繁不殺，而宋公書「及」，以深貶之也。[43]

宋襄公欲繼齊桓之業求伯，但屢遭挫折，其中於鹿上為楚所執，又敗於泓之戰，不久即因傷於泓而死。對於這個具有悲劇性的人物，漢、宋《春秋》學的評價頗不相同，《公羊傳》以「君子大其不鼓不成列，既大事而不忘大禮，有君而無臣。以為雖文王之戰不過也」[44]，但是胡安國卻認為孔子《春秋》實「深貶之」，他所「選擇」用以評價宋襄公的這些事，只是《左傳》紀襄公事中的一部分，胡氏選擇這些事用來「證明」其罪，以達成他的解釋。這其實就是一種「紀事本末」的應用。

我們還可以再觀察一個例證。明郝敬在他的《春秋直解》中也是號稱「《春秋》直其事而是非自見」，主張直解經文，但在實際釋經時，他仍然要以《左傳》之事為據，並進行一些選擇，以展現其釋義。他在解釋僖公三十二年「冬，十有二月，己卯，晉侯重耳卒」時，說：

> 重耳貪殘之主、斗筲之器，出亡所過，唯酒食是議，唯女子車馬是好。顰笑睚眦，必刻臂書紳，懷螯圖報，是姦猾之老宿耳。當其臨深為高，擠人于淵，不遺餘力，苟求快意，無復怵惕之心。覆曹傾衛，何怨毒之深也！主盟八年，《春秋》所書。十有八事皆陰險刻薄，無

---

43 （宋）胡安國：《春秋傳》，《四部叢刊續編》（臺北市：臺灣商務印書館，1934年景印宋刊本），卷12，頁9上-9下。

44 〔漢〕何休解詁，〔唐〕徐彥疏，李學勤主編：《春秋公羊傳注疏（整理本）》（臺北市：臺灣古籍出版公司，2001年），頁287-288。

一當人意，而世儒嘖嘖稱為康侯、賢伯，豈非諂乎？豈非陋乎？[45]

在他對晉文公的評價中，所選用的事是「出亡雖酒食、女子車馬是好」、「睚眦必報」、「覆曹傾衛」，對於其勤王、拒楚之事隻字不提，姑且不論其偏見與否，我們從其中反而可以看到唐、宋以後《春秋》學術中「舍傳從經」的解經主張難以落實的困境，以及曲折運用「《左傳》紀事本末」的實況。

根據以上的現象觀察，我們可以發現：由唐代啖、趙、陸等人開始，乃至於宋而及於明的《春秋》「舍傳從經」研究風氣，出現學者「直解經文」的新《春秋》傳解，也由於「《左傳》傳事不傳義」、「《左傳》為史」的看法，促成了《左傳》研究向史學方向傾斜，逐步發展形成「《左傳》紀事本末體」的著作，而這種型態的著作或許因為編者有意識的去除其經學成分，使其成為「史籍」、「史料」，不再具有經學的價值意識，反而較具有開放性，可以再被釋經者用之作為支持其解釋的材料。

五　結論

經過以上各節對傅遜《春秋左傳屬事》和高士奇《左傳紀事本末》二書中「晉文公之伯」紀事異同的比較、分析，以及延伸性的反省思考之後，我們可以歸納出以下數點結論：

（一）二人對於《左傳》原文均進行了選擇與建構，傅遜之紀事重視晉文公的作為行事及其影響，以及楚國的行動，尤其是子玉的性格及作風。其結論即依如此脈絡，觀察晉文功業的意義及楚國不能與較的因素，其選編紀事與結論相應程度相當高，同時他對於晉文公的評價甚高，而其義理根據，大致是依《左傳》而來。高士奇的紀事很明顯的將敘述焦點集中在晉文公的身上，所以傅遜注意的楚子玉及衛成公之事他都不收，而在結論處則表現出

---

45 （明）郝敬：《春秋直解》，《續修四庫全書》（上海市：上海古籍出版社，2002年，景印明萬曆間郝氏《九部經解》本），卷6，葉18上。

強烈的批判思考，甚至不惜明尊孔子之說而實則全盤否定文公之伯業。在紀事與結論的相應程度上也相當一致，但其義理主張明顯不同於《左傳》。

（二）「《左傳》紀事本末體」著作在編輯形式、體例及作者之志上，均是有意去除《左傳》原有的經學特質，而以方便「讀史」為目的，故其性質當為「史籍」而非「經傳」。

（三）「《左傳》紀事本末體」著作的史學傾向，是受到唐、宋《春秋》學術發展過程中「舍傳從經」風氣所導致的「《左傳》為史」觀點所誘發，再與歷史編纂的新興型態結合所產生的結果。

（四）「《左傳》紀事本末體」著作因為去除了經學屬性，而使《左傳》成為史料，也為由宋至明的《春秋》釋經者提供了開放性的資料，可以使他們選擇史事進行其主觀解讀。

（五）「《左傳》紀事本末體」著作本身的史學性質，以及由《春秋》釋經者選擇史事進行其主觀解讀，而造成《春秋》經義「史學化」的現象，對於明、清《春秋》學術發展的影響，則是由此可以再進一步，值得觀察與思考的問題。

讀《經義述聞·春秋左傳》札記七則

郭鵬飛*

一 緒言

高郵王念孫（1744-1832）、王引之（1766-1834）父子是清代樸學的代表人物，其於經學、小學方面的成就，世罕其匹，《經義述聞》、《讀書雜志》、《廣雅疏證》、《經傳釋詞》等均為登峰造極之作，後世學者，莫不奉為圭臬。二王地位崇高，就其學術而加探討，實饒具意義。今不辭淺陋，就《經義述聞·春秋左傳》部分，檢其可議之處，略陳己見，以供斟酌。

二 本論

（一）僖公四年：雖眾

王引之曰：

> 「雖眾，無所用之。」家大人曰：「雖眾，本作『雖君之眾』。此對上文『以此眾戰』、『以此攻城』而言，故曰：『雖君之眾，無所用之。』唐《石經》脫去『君之』二字，則文義不明，而各本皆沿其誤。《商頌·殷武·正義》、《周官·大司馬·疏》、《文選·西征賦·注》、《白帖》五十三、五十八、《太平御覽·州郡部十四》引此竝作『雖君

* 香港城市大學中文、翻譯及語言學系。

之眾。』」[1]

王念孫以各本《左傳》「雖眾」脫「君之」二字，所持理由並不充分。竹添光鴻（1889-1978）反駁曰：

> 殊不知諸書有「君之」二字者，自以意增之，以明其義耳。古人引用，此例多有。[2]

楊伯峻（1909-1992）曰：

> 《商頌·殷武·正義》、《周官·大司馬·疏》、《文選·西征賦·李善注》、《白帖》五十三及五十八、《太平御覽·州郡部十四》引此並作「雖君之眾」，蓋皆述《傳》文之意，非《傳》文本是四字句。[3]

竹添、楊二氏所說雷同，但考兩經《正義》之文，皆以引文形式鋪陳，而非轉述《傳》意，故難下判斷。今考《傳》文：

> 齊侯陳諸侯之師，與屈完乘而觀之。齊侯曰：「豈不穀是為？先君之好是繼，與不穀同好如何？」對曰：「君惠徼福於敝邑之社稷，辱收寡君，寡君之願也。」齊侯曰：「以此眾戰，誰能禦之？以此攻城，何城不克？」對曰：「君若以德綏諸侯，誰敢不服？君若以力，楚國

---

1 （清）王引之：《經義述聞》（南京市：江蘇古籍出版社，2000年，景印清道光七年〔1827〕本），頁405下。

2 （日本）竹添光鴻：《左氏會箋》（臺北市：漢京文化事業公司，1984年），冊1，第5，頁17。案：《左氏會箋》竹添光鴻自序曰：「《左氏傳》之存于皇國者，以御府舊鈔卷子金澤文庫本為最古，凡三十卷，蓋隋唐之遺經……唐人真本今存皇國者，除余家《漢書·揚雄傳》外……《左傳》三十卷，獨為足本，洵絕世之寶也……余深為斯經慨焉，乃以卷子本為底本，參之《石經》與宋本，而經注之有異同者，加小圈于右旁，一一疏明……。」（見是書第1冊自序，頁1-3）若氏言可信，則《左氏會箋》本乃以唐卷子本為底本之校本，極為珍貴。此本亦無「君之」二字，王念孫推翻各本所記，稍覺武斷。

3 楊伯峻：《春秋左傳注》（修訂本）（北京市：中華書局，1990年），冊1，頁293。

方城以為城，漢水以為池，雖眾，無所用之。」[4]

就文意而論，屈完以「雖眾，無所用之」回應齊侯「以此眾戰，誰能禦之」的威嚇，亦意義圓足，無不清之病，加以唐《石經》以下，各本均作「雖眾」，似無需堅持脫落「君之」二字之說。

（二）僖公十二年：應乃懿德

王引之曰：

> 十二年《傳》：「余嘉乃勳，應乃懿德，謂督不忘。」《正義》曰：「應，當也。言我當女美德。」引之謹案：訓應為當，於義無取。《廣雅》曰：「應，受也。」言我受女美德而不忘也。古訓應為受，說見《尚書》「應保殷民」下。[5]

案：王氏訓「應」為「受」，甚是，而「當」亦可訓「受」，《國語・晉語六・郤至勇而知禮》：

> 郤至甲冑而見客，免甲而聽命，曰：「君之外臣至，以寡君之靈，閒蒙甲冑，不敢當拜君命之辱，為使者故，敢三肅之。」[6]

《國語・晉語九・趙襄子使新稚穆子伐狄》：

> 襄子曰：「吾聞之：德不純而福祿並至，謂之幸。夫幸非福，非德不

---

4 （東周）左丘明撰，（晉）杜預集解，（唐）孔穎達正義：《春秋左傳注疏》，《十三經注疏》（臺北市：藝文印書館，1985年，景嘉慶二十年〔1815〕江西南昌府學刊本），冊6，頁202下-203上。

5 《經義述聞》，頁407下。

6 上海師範大學古籍整理研究所點校：《國語》（上海市：上海古籍出版社，1988年），下冊，頁415。

當雍，雍為不幸，吾是以懼。」[7]

《韓非子·楊權篇》：

左右既立，開門而當。[8]

王先慎（1859-1922）《韓非子集解》引舊注曰：

左右，謂左輔右弼也。君臣既通，輔弼之臣斯立。如此，則同類相從，同聲相應，四方賢才畢來矣。君但開門而當之，無所遮擁也。當，受也。[9]

陳奇猷（1917-2006）贊同王說[10]。「當」有「受」義，然則孔穎達（574-648）訓「應」為「當」[11]，亦非無據。惠棟（1697-1758）讀「應」為「膺」，言膺受女美德[12]，亦通。

（三）僖公十二年：受下卿之禮

王引之曰：

「管仲受下卿之禮而還。」家大人曰：「受上當有卒字。上文管仲辭上

---

7 《國語》下冊，頁499。韋昭（204-273）注：「當，猶任也。雍，龢也。言唯有德者，任以福祿為龢樂也。」同書，頁500。案：「當」為「受」，言無德不受龢樂。韋說猶有間隔。

8 （戰國）韓非著，陳奇猷校注：《韓非子新校注》（上海市：上海古籍出版社，2000年），冊上，頁137。

9 （清）王先慎：《韓非子集解》，《諸子集成》（香港：中華書局，1978年），冊5，頁30。

10 《韓非子新校注》，冊上，頁140-141。

11 《春秋左傳注疏》，頁223上。

12 （清）惠棟：《春秋左傳補註》，《景印文淵閣四庫全書》（臺北市：臺灣商務印書館，1986年），頁138上。

卿之禮，是欲受下卿之禮也。王雖不許，而管仲終不敢以上卿自居，故曰：『卒受下卿之禮而還。』若無卒字，則與上文不相應矣。自唐《石經》始脫卒字，而各本皆沿其誤。杜《注》『卒受本位之禮』，卒受二字即本於正文。《白帖》五十九、《太平御覽・人事部》六十四引此竝作『卒受下卿之禮』，《史記・周本紀》同。」[13]

案：楊伯峻《春秋左傳注》引王氏說後道：

然金澤文庫本、敦煌初唐寫本殘卷俱無「卒」字。[14]

劉文淇（1789-1854）曰：

〈年表〉：齊桓公三十八年：「使管仲平戎於周，欲以上卿禮。讓，受下卿。」[15]

考本《傳》原文曰：

王以上卿之禮饗管仲。管仲辭曰：「臣，賤有司也。有天子之二守國、高在，若節春秋來承王命，何以禮焉？陪臣敢辭。」王曰：「舅氏！余嘉乃勳！應乃懿德，謂督不忘。往踐乃職，無逆朕命！」管仲受下卿之禮而還。[16]

就《春秋左傳》現存版本與類書、《史記》比較，無從斷定「卒」字有無，論文意，則無「卒」字亦通。王念孫以無「卒」不與上文相應，未必然也。

---

13 《經義述聞》，頁407下。

14 《春秋左傳注》（修訂本），冊1，頁342。案：金澤文庫本可參（日本）竹添光鴻：《左氏會箋》，冊1，第5，頁64。又敦煌卷子本可參李索：《敦煌寫卷春秋經傳集解校證》（北京市：中國社會科學出版社，2005年），頁51。

15 （清）劉文淇：《春秋左氏傳舊注疏證》（京都：中文出版社，1979年），頁306。《史記・十二諸侯年表》，可參（日本）瀧川龜太郎：《史記會注考證》（臺北市：洪氏出版社，1981年），頁253上。

16 《春秋左傳注疏》，頁223上。

（四）僖公二十四年：弔二叔之不咸

王引之曰：

> 《詩序》：「〈常棣〉，燕兄弟也。閔管、蔡之失道，故作〈常棣〉焉。」《箋》曰：「周公弔二叔之不咸，而使兄弟之恩疏。召公為作此詩，而歌之以親之。」《正義》曰：「咸，和也。咸與諴同。《說文》：『諴，和也。』言周公閔傷管、蔡二叔之不和睦，流言此作亂，用兵誅之，致令兄弟之恩疏。」曹植〈求通親親表〉亦云：「昔周公弔管、蔡之不咸，廣封懿親以藩屏王室。」是也。[17]

案：王引之以「咸」為「諴」的借字，釋作「和」。楊樹達（1885-1956）對「咸」字有更新體察，其於《積微居小學述林全編》卷六〈《詩》「敦商之旅克咸厥功」解〉云：

> 知咸有終竟諸字義者，僖公二十四年《左傳》云：「昔周公弔二叔之不咸，」不咸謂不終也。杜《注》訓咸為同，亦非也。〈毛班毀〉云：「王令毛伯更虢城公服，甹王位，作四方望，秉繁蜀巢。令錫鈴勒，咸。王令毛公以邦冢君士馭國人伐東國瘠戎，咸。王令吳伯曰：以乃師右比毛父！」咸字再見。〈史懋壺〉云：「王在莽京溼宮，親窺命史懋路筮，咸。王乎伊伯錫懋貝。」諸咸字皆竟字之義也。蓋周自大王翦商，至武王率三千人伐紂於牧野，始克竟太王翦商之功，故曰敦商之旅，克咸厥功也。鄭《箋》乃云：「武王克殷而治商之臣民，使得其所，能同其功於先祖。」失其義矣。按敦之訓伐，咸之訓終，前人訓詁皆不之及，今會合彝銘故書證成其說，知古訓之失傳者多矣。[18]

---

17 《經義述聞》，頁411上。

18 楊樹達：《積微居小學述林全編》，《楊樹達全集》（上海市：上海古籍出版社，2007年），冊上，頁342。

考金文「咸」字多用作「完畢」義，如〈作冊般甗〉曰：

王宜人方，無敄，咸。[19]

〈㓝尊〉：

王誥宗小子于京室，曰：「……叀王龔德欲天，順我不敏。」王咸誥。㓝易貝三十朋。[20]

〈德方鼎〉：

唯三月，王才成周，延珷福自鎬，咸。[21]

〈小盂鼎〉：

即立中廷，北嚮。盂告，費伯……告咸。[22]

又〈矢令方彝〉：

乙酉，用牲于康宮。咸既，用牲于王。[23]

「咸」與「既」連用，更顯「終畢」之義。《左傳》「昔周公弔二叔之不咸」，謂周公哀管、蔡二叔不能善終。楊氏之言較王引之說更有理據。

（五）僖公二十四年：子臧之服

王引之曰：

---

[19] 中國社會科學院考古研究所編：《殷周金文集成釋文》（香港：香港中文大學中國文化研究所，2001年），卷1，頁593，器號944。

[20] 《殷周金文集成釋文》，卷4，頁275，器號6014。

[21] 《殷周金文集成釋文》，卷2，頁305，器號2661。

[22] 《殷周金文集成釋文》，卷2，頁417，器號2839。

[23] 《殷周金文集成釋文》，卷6，頁26，器號9901。

> 「子臧之服，不稱也夫。」《釋文》服作及，云：「一本作服。」家大人曰：「作及者是也。及謂及於難。桓十八年《傳》：「周公弗從，故及。」杜《注》：「及於難也。」凡《傳》言「及」者，皆放此。言子臧之所以及於難者，由服之不稱也。「不稱也夫」，是推原其所獲禍之故。昭元年《傳》「莒展之不立，棄人也夫」，語意與此相似。但言不稱，而不言服者，蒙上文不稱其服而省也。子臧之及，承上身之災也而言。下文『自詒伊慼，其子臧之謂矣』，又承子臧之及而言。若作子臧之服，則非其指矣。服字右半與及相似，又涉上文兩服字而誤。」[24]

瑞典高本漢（1879-1978）[25]、楊伯峻[26]贊同王說。日人安井衡（1799-1876）則曰：

> 詩意本言德不稱服，此斷章取義，言服不稱其度，故曰：「子臧之服。」作服似長。[27]

案：本《傳》原文為：

> 鄭子華之弟子臧出奔宋，好聚鷸冠。鄭伯聞而惡之，使盜誘之。八月，盜殺之于陳、宋之間。君子曰：「服之不衷，身之災也。《詩》曰：『彼己之子，不稱其服。』子臧之服，不稱也夫。《詩》曰：『自詒伊慼。』其子臧之謂矣。《夏書》曰：『地平天成。』稱也。」[28]

文意表明子臧之亡，緣自服之不稱，君子先引「彼己之子，不稱其服」之詩，後實指子臧之服為不稱，舖述自然，呼應比「之及」更為緊密；況下文即引《詩》「自詒伊慼」應子臧殺身之事，文意清晰完足，王引之謂「若作

---

24 《經義述聞》，頁411下。

25 （瑞典）高本漢著，陳舜政譯：《高本漢左傳注釋》（臺北市：國立編譯館中華叢書編審委員會，1972年），頁118-119。

26 《春秋左傳注》（修訂本），冊1，頁427。

27 （日本）安井衡：《左傳輯釋》（臺北市：廣文書局，1967年），冊上，卷6，頁34。

28 《春秋左傳注疏》，頁257下-258上。

子臧之服，則非其指」，並不適切。然而，陸德明（556-627）《經典釋文》「之及」、「之服」共錄[29]，兩說宜並存之，私意則以為作「之服」稍勝。

（六）僖公二十五年：昔趙衰以壺飧從徑餒而弗食

王引之曰：

> 「昔趙衰以壺飧從徑餒而弗食。」杜讀至徑字句絕，云：「徑，猶行也。」《釋文》：「徑，古定反。一讀以壺飧從絕句，讀徑為經，連下句。乖於杜意。」《正義》曰：「杜以《傳》文為徑[30]，故釋為行，上讀為義。劉炫改徑為經，謂經歷飢餒，下屬為句。輒改其字以規杜氏，非也。」武進臧氏用中《拜經日記》曰：「案顧氏《隸辨》、徐氏〈紀產碑〉『雖直徑菅』，徑菅，即經管也。《史記·高祖本紀》：『夜徑澤中。』《索隱》曰：『徑，舊音經。』《楚辭·招魂》：『經堂入奧。』經，一作徑。蓋古通用。當從劉光伯讀作經，下屬為句。」家大人曰：「臧說是也。《史記·甘茂傳》：『今之燕必經趙。』〈秦策〉經作徑。〈大宛傳〉：『經匈奴。』《索隱》本經作徑。是古字多以徑為經也。《韓子·外儲說左篇》以此為箕鄭事，云：『箕鄭挈壺餐而從。』亦以從字絕句。下云『迷而失道，與公相失，飢而道泣，寢餓而不敢食』，始言迷而失道，繼言飢而道泣，終言寢餓而不敢食，則為時已久矣，故《傳》約言之曰：『經餒而弗食。』」[31]

案：「昔趙衰以壺飧從徑餒而弗食」，向有異說。杜《注》以「徑」字句絕，釋「徑」作「行」，武億（1745-1799）《經讀考異》從其說[32]。王念孫從

---

[29] （唐）陸德明撰，黃焯（1902-1984）：《經典釋文彙校》（北京市：中華書局，2006年），頁495上。又《左氏會箋》本亦作「臧之服」。

[30] 《正義》原文尚有「杜以徑猶行者」六字。《春秋左傳注疏》，頁264上。

[31] 《經義述聞》，頁412。

[32] （清）武億：《經讀考異》（上海市：上海古籍出版社，2002年，《續修四庫全書》景

劉炫、臧庸（1767-1811）說[33]，以「徑」為「經」，讀作「經餒而弗食」。焦循（1763-1820）《春秋左傳補疏》：

> 循按：《淮南・本經訓》云：「接徑歷遠。」高誘注云：「徑，行也。」杜本此。徑與經古字通，《廣雅》：「經，徑也。」《孟子》：「經德不回。」趙岐注云：「經，行也。」《文選・魏都賦》劉逵注云：「直行曰經。」是經亦訓行。劉炫改徑為經，義得通也。竊謂《說文》：「徑，步道也。」《史記・高帝紀》：「夜徑澤中。」《注》云：「徑，小道也。」蓋衰本以壺飧從重耳，有時重耳行大道，衰由小道，亦餒而不食，謂不以相違而自私也。從字絕句，徑一字句，餒而弗食四字句，或屬上讀從經，或屬下讀經餒，皆不辭。徑依〈曲禮注〉訓為邪行。[34]

焦氏認為「徑一字句」，以「衰由小道，亦餒而不食」。安井衡[35]、竹添光鴻[36]、劉壽曾（1838-1882）[37]、高本漢[38]、楊伯峻[39]等贊同焦說。俞樾（1821-1906）《群經平議》另有見解，曰：

> 《集解》曰：「徑，猶行也。」《正義》曰：「杜以徑猶行者，以《傳》文為徑，故釋為行，上讀為義。劉炫改徑為經，謂經歷飢餒，下屬

印華東師範大學藏清乾隆五十四年〔1789〕小石山房刻本），冊173，頁132下。

[33] 劉炫說見（唐）孔穎達：《春秋左傳正義》，《春秋左傳注疏》，頁264上。（清）臧庸說見氏著：《拜經日記》（《續修四庫全書》景印北京大學圖書館藏清嘉慶二十四年〔1819〕武進臧氏拜經堂刻本），頁62上。

[34] （清）焦循：《春秋左傳補疏》（上海市：上海古籍出版社，2002年，《續修四庫全書》景印上海辭書出版社藏清道光六年〔1826〕半九書塾刻《六經補疏》本），冊124，頁456上。

[35] 《左傳輯釋》，冊上，卷6，頁39-40。

[36] 《左氏會箋》，冊1，第6，頁65。

[37] 說見（清）劉文淇：《春傳左氏傳舊注疏證》，頁369。

[38] 《高本漢左傳注釋》，頁122-123。

[39] 《春秋左傳注》（修訂本），冊1，頁436。

> 為句，輒改其字以規杜氏，非也。」樾謹按：杜、劉二說，雖有上讀下讀之不同，然實則此字皆贅設也。如杜說，則但曰「以壺飧從」足矣，何必曰「從徑」乎？如劉說，則但曰「餒而弗食」足矣，何必曰「經餒」乎？且以情事言之，重耳與趙衰同行，餒則俱餒，重耳不食，衰自無獨食之理，此亦何足為異乎？焦氏循《左傳補疏》曰：「徑，小道也，蓋衰本以壺飧從重耳，有時重耳行大道，衰由小道亦餒而不食，謂不以相違，而自私也。從字絕句，徑一字句，餒而弗食四字句。」按此說，於情事為合，惟句讀似尚未得，徑字仍當上屬。「趙衰以壺飧從徑」者，謂以壺飧從小道也，猶《史記·欒布傳》所云：「從閒道也。」重耳行大道，衰由小道，故謂之從徑。師古注《漢書·張騫傳》曰：「從，由也。」是從徑即由徑也。《韓子·外儲說左篇》以此為箕鄭事，其曰：「迷而失道，與公相失，飢而道泣，寢餓而不敢食。」雖與《左傳》紀載不同，然可證其與重耳分道而行，舊說均未得其義也。[40]

俞指：「曰餒而弗食足矣，何必曰經餒乎？」甚是，而以徑字上讀，釋為「從小道」，則意猶有間。本《傳》只言「昔趙衰以壺飧從徑餒而弗食，故使處原」，再無上下文意互參，然此事見於《韓非子·外儲說左下》，則可以之為論說基礎。今錄其文，曰：

> 晉文公出亡，箕鄭挈壺餐而從。迷而失道，與公相失，飢而道泣，寢餓而不敢食。[41]

文章明言「晉文公出亡，箕鄭挈壺餐而從」，是從者為從晉文公，而非從徑。由「迷而失道，與公相失」一語，可以推尋本《傳》之「徑」為小道，一字為句，而「餒而弗食」為另一句。故眾家之言，以焦循說較為合理。

---

40 （清）俞樾：《群經平議》（上海市：上海古籍出版社，2002年，《續修四庫全書》景印清光緒二十五年〔1899〕刻《春在堂全書》本），冊178，頁408。

41 《韓非子新校注》，冊下，頁729。案：箕鄭，當為趙衰之誤。

（七）僖公三十一年：必親其共

王引之曰：

> 三十一年《傳》：「取濟西田，分曹地也。使臧文仲往，宿於重館。重館人告曰：『晉新得諸侯，必親其共。不速行，將無及也。』」家大人曰：「『必親其共』，共字義不可曉，當是先字之誤。先字隸書作先，形與共字相似。言諸侯之使，來分曹地，晉必親其先至者而多與之地，若後至則無及於事，故下文曰：『不速行，將無及也。』〈魯語〉載重館人之言，曰：『諸侯莫不望分而欲親晉，皆將爭先。晉不以固班，亦必親先者。』是其明證矣。先字不煩音釋，故杜無注，陸亦無音。若是共字，則不得無音釋也。唐《石經》始誤作共。」[42]

王念孫指「必親其共」之「共」義不可曉，以「共」、「先」二字隸書相似，並據〈魯語〉「亦必親先」之語，改「共」為「先」[43]。「共」字之義，（宋）林堯叟《左傳句讀直解》已有解釋，曰：

> 晉文公新得諸侯為伯，必親暱其恭順有禮之人。文仲若不速行，則先至者受地已盡，後至者將無及於事。[44]

林解「共」為「恭」，安井衡亦曰：

> 共音恭。霸主召之，先諸侯而至，恭也。《國語》作先，左氏作共，字異而意同，不必破共為先。[45]

---

42 《經義述聞》，頁414下-415上。

43 高本漢贊同王說。見《高本漢左傳注釋》，頁144。

44 （明）王道焜、趙如源編：《左傳杜林合注》，《景印文淵閣四庫全書》（臺北市：臺灣商務印書館，1986年，景國立故宮博物院藏本），冊171，頁467下。

45 《左傳輯釋》，冊上，卷7，頁7。竹添光鴻亦承安井衡說，見《左氏會箋》，冊1，第7，頁48。

楊伯峻引錢綺（1798-1858）《左傳札記》駁王念孫之言，曰：

> 「先至則為共，後至則為不共。《國語》自作『先』字，不必與《內傳》同也。」錢駁甚是。金澤文庫本、敦煌寫本殘卷皆作「共」字。[46]

劉壽曾曰：

> 共、先形不相近。此共當讀如許不共之共。內、外《傳》字不必相合，王說非。[47]

案：讀「共」為「恭」，文獻習見，《左傳》僖公二十七年：

> 公卑杞，杞不共也。[48]

陸德明《經典釋文》：

> 共音恭，本亦作恭。[49]

「必親其恭」，文意可通，不必據《國語》改「共」為「先」。就字形而言，「共」、「先」形體不同，「共」字甲文作續五·五·三、京都四五九A《甲骨文編》，金文作共覃父乙簋、善鼎、禽肯匝《金文編》。秦漢文字作效三五、秦一七五《睡虎地秦簡文字編》，共倉、魯共鄉《漢印文字徵》[50]、居延、曹全碑、鄧石如[51]。「先」字甲文作甲一九九二、甲三五二一、乙三七九八《甲骨文編》，金文作揚簋、善鼎、虢季子白盤《金文編》。秦漢文字作效二五、秦八七《睡虎地秦簡文字編》，涫于先印、苛先印信《漢印文字徵》[52]、居

---

46 《春秋左傳注》（修訂本），冊1，頁486。

47 說見（清）劉文淇：《春傳左氏傳舊注疏證》，頁447。

48 《春秋左傳注疏》，頁506上。

49 《春秋左傳注疏》，頁506上。

50 李圃主編：《古文字詁林》（上海市：上海教育出版社，2004年），冊3，頁212-213。

51 趙熊主編：《新編隸書字典》（西安市：世界圖書出版西安公司，2003年），頁31。

52 《古文字詁林》，冊7，頁756-758。

延、先曹全碑、先鄐石如[53]。無論從共時或歷時的角度看，二字形態大異，王念孫說法不確。

三　結論

王氏父子識力極高，考證往往一言九鼎，然有時亦不免勇於立說，如改「子臧之服」為「子臧之及」、加「君之」二字於「雖眾」之中，均有所偏。又王氏未睹遠古文字，則或影響判斷，如「周公弔二叔之不咸」，王氏釋「咸」為「諴」的借字，不知「咸」有「終畢」之用；又以為「共」、「先」形近而指「必親其共」乃「必親其先」之誤，實則二字形體大異。不過，此皆大醇小疵，無損王氏父子於經學上的輝煌貢獻。

---

[53] 《新編隸書字典》，頁28。

王引之《經義述聞・春秋名字解詁》上卷諸說平議

蕭敬偉*

一　導論

古人的名與字，普遍存在一定的聯繫。《白虎通・姓名》云：「或旁其名為之字者，聞其名即知其字，聞字即知其名。」[1]名與字既然意義相應，也就成為後人尋研文字古義的寶貴材料。許慎（?-約120）著《說文解字》，即每每引用古人名、字之間的意義關係，作為其字義訓釋的佐證。清代樸學大盛，乾嘉學者在考據、訓詁之學上，成就遠邁前代，其中又以高郵王念孫（1744-1832）、引之（1766-1834）父子之學，最受推崇[2]。王引之所著《經義

* 香港城市大學中文、翻譯及語言學系。

1 （清）陳立（1809-1869）撰、吳則虞點校：《白虎通疏證》（北京市：中華書局，1994年），卷9，頁411。

2 《清史稿・儒林列傳》載：「論者謂有清經術獨絕千古，高郵王氏一家之學，三世相承，與長洲惠氏相埒云。」（見趙爾巽〔1844-1927〕等：《清史稿》〔北京市：中華書局，1977年〕，卷481，頁13212）惟與王氏父子同時的阮元（1764-1849）云：「高郵王氏一家之學，海內無匹。」（見〔清〕阮元：〈王石臞先生墓誌銘〉，載《揅經室續二集》〔北京市：中華書局，《叢書集成初編》本，1985年〕，冊2210，卷2之下卷，頁93）又云：「我朝小學訓詁，遠邁前代，至乾隆間，惠氏定宇、戴氏東原大明之。……懷祖先生家學特為精博，又過於惠、戴二家。……哲嗣伯申繼祖，又居鼎甲，幼奉庭訓，引而申之，所解益多。著《經義述聞》一書，凡古儒所誤解者，無不旁徵曲喻，而得其本義之所在。使古聖賢見之，必解頤曰：『吾言固如是，數千年誤解之，今得明矣！』」（見〔清〕阮元：〈經義述聞序〉，載〔清〕王引之：《經義述聞》〔南京市：江蘇古籍出版社景印清道光七年（1827）刻本，2000年〕，頁1上）可見阮元認為王氏父子的精博，過於惠棟（1697-1785）、戴震（1723-1777）二家。

述聞》，有《春秋名字解詁》二卷，本因聲求義之說，論證春秋時人名、字之間的相因關係，更屬訓詁學一大力作。

王念孫因聲求義之說，見於王引之《經義述聞．序》。王念孫云：「詁訓之指，存乎聲音。字之聲同聲近者，經傳往往假借。學者以聲求義，破其假借之字而讀以本字，則渙然冰釋；如其假借之字而強為之解，則詰䊸為病矣。」[3]王氏父子以破假借、求本字的方法訓釋經籍，屢有創獲，成績斐然；在《春秋名字解詁》中，王引之也多循此法，解釋古人名與字的關係。《春秋名字解詁．敘》云：

> 夫詁訓之要在聲音，不在文字。聲之相同相近者，義每不甚相遠，故名字相沿，不必皆其本字。其所假借，今韻復多異音。畫字體以為說，執今音以測義，斯於古訓多所未達，不明其要故也。今之所說，多取古音相近之字以為解。雖今亡其訓，猶將罕譬而喻，依聲託義焉。[4]

除聲音通假之途外，王氏又在〈敘〉中歸納出古人命名與字的法則，以及訓釋的方法：

> 爰考義類，定以五體：一曰同訓，予字子我，常字子恒之屬是也。二曰對文，沒字子明，偃字子犯之屬是也。三曰連類，括字子容，側字子反之屬是也。四曰指實，丹字子革，啟字子閭之屬是也。五曰辨物，鍼字子車，鱣字子魚之屬是也。因斯五體，測以六例：一曰通作，徒字為都，籍字為鵲之屬是也。二曰辨譌，高字為克，狄字為秋之屬是也。三曰合聲，徐言為成然，疾言為旃之屬是也。四曰轉語，結字子綦，達字子姚之屬是也。五曰發聲，不狃為狃，無畏為畏之屬是也。六曰竝稱，乙喜字乙，張侯字張之屬是也。訓詁列在上編，名物分為下卷。眾箸者不為贅設之詞，難曉者悉從闕疑之例。上稽典

3　見《經義述聞》，頁2上。

4　見《經義述聞》，卷23，頁571上。

文，旁及謠俗，亦欲以究聲音之統貫，察訓詁之會通云爾。[5]

王引之把春秋時人名、字之間的關係，歸納為同訓、對文、連類、指實、辨物等「五體」，而通作、辨譌、合聲、轉語、發聲、竝稱等「六例」，則是據以測證的訓釋方法。其基本法則，是「多取古音相近之字以為解」，目的在「究聲音之統貫，察訓詁之會通」。

《春秋名字解詁》考證精密，辨明了一些隱晦而不易看出的古人名、字關係，讓後人掌握古訓[6]，在訓詁學上有重大價值。惟智者千慮，偶有一失。王引之廣泛運用聲音通假之說，論證古人名字，也招來傷於支離的批評[7]。《春秋名字解詁》書成後，即有張澍（1776-1847）[8]、王萱齡（1821年副貢）、俞樾（1821-1906）、陶方琦（1845-1884）、胡元玉、洪恩波、黃侃（1886-1936）、劉盼遂、于省吾（1896-1984）等諸家，對王氏之說予以駁論或補正。周法高先生（1915-1994）又將諸家之說，先後輯成《周秦名字解詁彙釋》及《補編》，並加案語[9]。是二書既為後世研究者提供極大方便，周先生之案語，也甚具參考價值。今不辭譾陋，謹就《春秋名字解詁》上卷所論古人名字，擇其可商之處，略申己見，並綜合各家論說，作一平議，以就正於專家學者。

---

5 同上。

6 參楊向奎（1910-2000）：《清儒學案新編》（第五卷）（濟南市：齊魯書社，1994年），〈王念孫、王引之《高郵學案》〉，頁322-323。

7 劉盼遂（1896-1966）〈春秋名字解詁補證〉謂王引之「著《春秋名字解詁》二卷，信能究聲音之統貫，察訓詁之會通矣。然破字過多，微傷支離，亦大醇中之小疵也」。見《劉盼遂文集》（北京市：北京師範大學出版社，2002年），頁488。

8 張澍之生卒年蒙南京師範大學王鍔先生賜告，謹此致謝。

9 見周法高：《周秦名字解詁彙釋》（臺北市：中華叢書委員會，1958年）及《周秦名字解詁彙釋補編》（臺北市：中華叢書編審委員會，1964年）。

二　本論

（一）鄭國參字子思（哀五年《左傳》）

王引之曰：

> 參讀為慘。《爾雅》曰：「慘，憂也。」「憂，思也。」又曰：「惄，思也。」〈周南・汝墳篇〉：「惄如調飢。」《韓詩》「惄」作「愵」，云：「憂也。」（見《釋文》。）是憂亦謂之思。〈小雅・正月篇〉：「癙憂以痒。」〈雨無正篇〉：「鼠思泣血。」「鼠思」即「癙憂」也。〈樂記〉曰「亡國之音哀以思」，猶云哀以憂也。又曰：「志微噍殺之音作，而民思憂。」與下文之康樂、剛毅、肅敬、慈愛、淫亂皆二字平列。思亦憂也。古人自有複語耳。[10]

王引之讀「參」為「慘」，釋為「憂」，並據《爾雅》、《詩・周南・汝墳》、《釋文》、《詩・小雅・正月》及《禮記・樂記》所載，論證「憂」可訓「思」，從而解釋國參字子思，是因「參」、「思」二字皆可訓「憂」。案「慘」從「參」聲，二字上古並屬清紐侵部，當可通假；但王氏讀「參」為「慘」，以與「思」義相附，則嫌迂曲。諸家之說，多與王氏相異。張澍曰：

> 國參字子思。參為參伍之參。參伍，錯綜之數，必思而得之，故字思。《世本》作「士思參」。[11]

案：張澍釋「參」為「參伍」之「參」，因參伍乃錯綜之數，「必思而得之」，故名參字子思。《易・繫辭上》載：「參伍以變，錯綜其數，通其變，

10　見《經義述聞》，卷22，頁530上。

11　見（清）張澍：《養素堂文集》，《續修四庫全書》（上海市：上海古籍出版社，2002年，景清道光十五年〔1835〕棗華書屋刻本），冊1507，卷32，〈春秋時人名字釋〉，頁106下。

遂成天下之文；極其數，遂定天下之象。」[12]故「參伍」指變化不定之數。惟以此釋「參」與「思」字，顯覺牽強。朱駿聲（1788-1858）曰：

> 曑，參商星也。……叚借為三。……又《左》哀五《傳》，鄭國參字子思。[13]

朱駿聲謂「參」（本作「曑」）假借為「三」，並舉國參字子思為例，但未明言箇中關係。周法高先生謂：

> 朱氏著「國參字子思」，未詳何釋，豈採《論語》「三思而後行」之語，續（引者案：疑為「讀」之誤。）參為三歟？[14]

查古人實有用經籍成語而定名字者，如楚公孫寧字子國、魯冉求字子有之例[15]，惟以《論語》「三思而後行」之語，訓釋國參字子思的關係，則恐不可信。劉盼遂先生曰：

> 參蓋齊之誤。齊與齋同。古書齊字作齋（見《玉篇》及《史記．田儋傳》），形與參相似，因以致訛。《大戴．保傅篇》「有司參夙興端冕」，參亦齊之訛也。（詳王氏《經義述聞．大戴禮記．參夙興條》）《禮記．祭義》：「齊之日，思其居處，思其笑語，思其志意，思其所樂，思其所耆，齋三日乃見其所為齊者。」是齊之義存於思，名齊字思，成一貫矣。[16]

案：王引之據以測證古人名字的「六例」之中，有「辨譌」一例，蓋指古

---

12 見《周易正義》，卷7，《十三經注疏（整理本）》（北京市：北京大學出版社，2000年），頁334。

13 見（清）朱駿聲：《說文通訓定聲》，載丁福保（1874-1952）編纂、楊家駱（1912-1991）重編：《說文解字詁林正補合編》（臺北市：鼎文書局，1997年），冊6，頁202上。

14 見周法高：《周秦名字解詁彙釋補編》，卷上，頁16。

15 詳參周法高：《周秦名字解詁彙釋．敘例》，頁4。

16 見劉盼遂：〈春秋名字解詁補證〉，頁489。

籍所指古人名字，或有錯譌，需更以正字，方能得其確詁。惟更改古書用字，必須先有充分文字及文獻證據，不得輕易斷以己意。「參」、「齊」二字於經典雖有譌用之例，但要解釋國參何以字子思，卻不一定要改「參」為「齊」；且劉氏本《禮記・祭義》之文，謂齊與齋同，而齊之義存於思，故名齊字思，其說也難以令人信服。俞樾則曰：

> 樾謂如王說，即非令名矣。《莊子・天下篇》曰：「聖人之法，以參為驗，以稽為決。」《史記・禮書》曰：「參是豈無堅革利兵哉？」《索隱》曰：「參者，驗也。」《荀子・解蔽篇》曰：「參稽治亂而通其度」，楊倞注亦以參驗釋之。是參有參驗之義，故名參字思。明既參驗之於物，又必思之於心，然後可以得天下之理也。或曰：參與通，思與偲通，古書省人旁耳。《說文》曰：「傪，好貌。」名傪字偲，猶《詩》云「美且偲」。[17]

俞氏謂王引之以「憂」之義釋國參字思，其名字並非令名，故不足取。案其說非是。洪恩波即謂：「古人命名必有因，不概義取嘉美。俞氏謂何取憂思之義，奚以解於孺悲公皙哀之倫乎？」[18]周法高先生也說：「說名字固不必拘拘於令名與否也。」[19]至於俞氏本《莊子》、《史記》、《荀子》之文，論「參」有「參驗」之義，因而謂「既參驗之於物，又必思之於心，然後可以得天下之理也」，以此釋名參字思之由，也嫌牽強，不如其釋「參」、「思」為「傪」、「偲」般直接。「傪」，《說文・人部》云：「好 。」錢坫（1744-1806）《𣄃詮》云：「義與《詩》『摻摻女手』字同。」洪頤煊（1765-1837）《讀書叢錄》云：「傪通作摻字。《詩・葛屨》：『摻摻女手皃。』《毛傳》：

---

17 見俞樾：《春秋名字解詁補義》，載《續修四庫全書》第128冊（上海市：上海古籍出版社據清光緒二十五年〔1899〕刻《春在堂全書・第一樓叢書》本景印，1995年），頁418上。

18 洪恩波：《聖門名字纂詁》，轉引自周法高：《周秦名字解詁彙釋》，卷上，頁17-18。

19 見周法高：《周秦名字解詁彙釋・敘例》，頁6。

『摻摻猶纖纖。』《說文》作攕。攕攕，好手 。與此訓正同。」[20]「偲」，《說文‧人部》云：「彊力也。从人，思聲。《詩》曰：『其人美且偲。』」段玉裁（1735-1815）《注》云：「〈齊風‧盧令〉曰：『其人美且偲。』《傳》曰：『偲，才也。』《箋》云：『才，多才也。』許云彊力者，亦取才之義申之。才之本義艸木之初也，故用其引申之義。」[21]「傪」訓「好皃」，「偲」訓「多才」，故名傪字偲（古籍省人旁作「參」、「思」），名與字相應，也跟《詩‧齊風‧盧令》「其人美且偲」句相合。是說當較他說為優。周法高先生亦認為此說可從[22]。

（二）魯原憲字子思（〈仲尼弟子傳〉）

王引之曰：

> 《說文》：「憲，敏也。」僖三十三年《左傳》杜預《注》曰：「敏，審當於事也。」憲有審當於事之義，故字子思。或曰：憲與獻通，思與偲通，皆謂多才能也。《周書‧謚法篇》曰：「博聞多能曰獻。」《史記正義》「獻」作「憲」。〈齊風‧盧令篇〉：「其人美且偲。」《毛傳》曰：「偲，才也。」鄭《箋》曰：「才，多才也。」[23]

王氏據《說文》釋「憲」為「敏」，又本杜預（222-284）注《左傳》「敏」字之語，謂「憲」有「審當於事」之義，以與「思」義相連，其說似嫌迂曲。其或說讀「憲」為「獻」，讀「思」為「偲」，並據古籍異文及《詩‧齊風‧盧令》毛（亨）《傳》、鄭（玄，127-200）《箋》之訓，謂「獻」、「偲」二字皆可釋為「多才能」。案「憲」、「獻」上古皆屬曉紐元部，「偲」從「思」聲，「思」、「偲」皆屬心紐之部，故可分別通假；而「獻」訓「多

---

20 見《說文解字詁林正補合編》，冊7，頁90。

21 同上，頁95下-96上。

22 見周法高：《周秦名字解詁彙釋》，頁15。

23 見《經義述聞》，卷22，頁530。

能」，「偲」訓「多才」，二字意義相關，以此釋原憲名、字，其說亦可通。惟諸家之說，多不以借義釋之。朱駿聲曰：

> 《說文》：「憲，敏也。」……《周書·謚法》：「博聞多能曰憲。」……《史記·弟子傳》：「魯原憲字子思。」[24]

朱氏採《說文》及《逸周書》之訓，以應原憲之名與字，惟其說簡略，未審何釋。張澍曰：

> 原憲字子思。《爾雅》：「憲，法度也。」名字取此，言思不出位，遵法度也。[25]

張氏據《爾雅》釋「憲」為「法度」，以「思不出位，遵法度也」，釋名憲字思之意義關係。其說顯嫌牽強附會，當不可從。俞樾則曰：

> 樾謂王氏二說皆近迂曲。憲字蓋自有思義。《禮記·學記篇》曰：「發慮憲，求善良。」鄭《注》訓憲為法，非也。善良二字同義，慮憲二字亦必同義。《爾雅·釋詁》曰：「慮，思也。」然則憲亦思也。《大戴記·文王官人篇》「其老觀其意憲慎」，《周書·官人篇》作「其老者觀其思慎」，是意憲即思也。名憲字思，義正相應矣。[26]

俞氏於《群經平議》，亦有相關論述。俞氏曰：

> 〈學記〉以「發慮憲，求善良」為對文。良猶善也，則憲猶慮也。原憲字子思，是憲有思義，故義與慮同。此云「其意憲慎」者，言其意思慎也。《周書·官人篇》曰：「其老者觀其思慎。」可證此文意憲之義。若訓憲為法，則兩字不倫矣。[27]

---

24 見《說文解字詁林正補合編》，冊8，頁1126下。

25 見張澍：〈春秋時人名字釋〉，頁110下。

26 見（清）俞樾：《春秋名字解詁補義》，頁418下。

27 見（清）俞樾：《群經平議》，《續修四庫全書》（上海市：上海古籍出版社，2002

俞氏據《禮記・學記》及《爾雅・釋詁》，證「慮」、「憲」同義，「憲」可訓「思」；又據《大戴禮記・官人》及《逸周書・官人》異文，證「憲慎」或作「思慎」。故名憲字思，名字之間關係完足。其說論據充分，當可信從。是說不假借義以釋「憲」、「思」二字，似亦較優於王氏或說。

（三）楚郤宛字子惡（昭二十七年《左傳》）

王引之曰：

> 宛當讀為怨。宛、怨古同聲，故借宛為怨。字又作惋。〈秦策〉曰：「受欺於張儀，王必惋之。」《史記・楚世家》「惋」作「怨」，是也。怨、惡義相近，故名怨字子惡。〈大雅・假樂〉曰：「無怨無惡。」〈夏官・合方氏〉曰：「除其怨惡。」[28]

王引之讀「宛」為「怨」（「惋」），又據《詩・大雅・假樂》與《周禮・夏官・合方氏》之文，證明「怨」、「惡」義近，以釋郤宛字子惡之由。案「宛」、「怨」皆從「夗」得聲，上古並屬影紐元部，故可通假；但王氏謂「宛」假借為「怨」，則未必可從。張澍曰：

> 郤宛字子惡。宛與苑通，亦與蘊通，言苑結也。心苑結則怨惡。[29]

張氏讀「宛」為「苑」，謂「宛」與「苑」、「蘊」通，乃「苑結」之意，而「心苑結則怨惡」，故名宛字惡。案《詩・小雅・都人士》：「我不見兮，我心苑結。」鄭玄《箋》云：「苑猶屈也，積也。」[30]程俊英（1901-1993）、蔣

年，景清光緒二十五年〔1899〕刻《春在堂全書》本），卷18，冊178，頁293下。

28 見《經義述聞》，卷22，頁530下。

29 見（清）張澍：〈春秋時人名字釋〉，頁104下。

30 見（漢）毛亨傳，（東漢）鄭玄箋，（唐）孔穎達疏，龔抗雲等整理，劉家和審定：《毛詩正義》，卷15（15之2），見《十三經注疏》委員會整理：《十三經注疏（整理本）》（北京市：北京大學出版社，2000年），頁1073上。

見元《詩經注析》云：「菀結，音義同鬱結。憂鬱難解之意。」[31]是「菀結」乃「鬱結」之意。惟內心鬱結與怨惡並無必然關係，以此解釋郤宛之名字，似不可信。俞樾曰：

> 樾謂如王說，則非令名也。宛讀如宛丘之宛。《毛傳》曰「四方高中央下曰宛丘」，是也。惡讀為亞。《說文》曰：「亞，醜也，象人局背之形。」楚郤宛蓋局背者，故名宛字亞，皆肖其形，所謂以類名也。惡與亞古字通。《尚書大傳》「鐘鼓惡」注曰：「惡當為亞。」《易・繫辭傳》「言天下之至賾而不可惡也」，荀本「惡」作「亞」，竝其證矣。[32]

陶方琦（1845-1884）曰：

> 宛字子惡者，惡即亞字。《說文》：「亞，醜也。賈侍中說，有次第也。」《易・繫辭》「言天下之至賾而不可惡也」，荀本作「亞」，注云：「次也。」言宛轉而有次第，故字子亞。亞、惡古字通（宋人得周惡夫印，即亞夫。），因或作惡。[33]

案：俞、陶二氏皆讀「惡」為「亞」，惟釋義則不同。俞氏釋「宛」為「宛丘」之「宛」，又據《說文》釋「亞」為「醜」，象人局背之形。王筠（1784-1854）《說文釋例》云：「醜是事而不可指，借局背之形以指之。非惟駝背，抑且雞匈，可云醜矣。」[34]故俞氏認為名宛字亞，蓋與郤宛外形相肖。惟謂郤宛局背，於《左傳》無徵，當屬推測之辭；而釋「宛」為「宛丘」之「宛」，謂「宛」字乃形容郤宛之外形，也難以令人信服。陶氏則本《說文》所引賈誼（前200-前168）之說，指「惡」應讀為「亞」，義為「次第」，名

31　見程俊英、蔣見元：《詩經注析》（北京市：中華書局，1991年），頁719。

32　見（清）俞樾：《春秋名字解詁補義》，頁419上。

33　見（清）陶方琦：《漢孳室文鈔》，《續修四庫全書》（上海市：上海古籍出版社，2002年，景清光緒十八年〔1892〕徐氏鑄學齋刻本），冊1567，卷1，頁490上。

34　見《說文解字詁林正補合編》，冊11，頁562。

宛字亞，蓋「言宛轉而有次第」。其說顯嫌牽強，恐不可信。

朱駿聲《說文通訓定聲》曰：

> 《說文》：「宛，屈艸自覆也。」……叚借……又為婉。……《左》昭廿七《傳》，楚郤宛字子惡，名字相反為應。[35]

胡元玉曰：

> 宛，古婉字。(《管子．五行篇》「然則天為粵宛」注：「宛，順也。」即假宛為婉。)《說文》：「婉，順也。」惡者，貌醜陋之稱。《左氏》襄二十六年《傳》：「生佐，惡而婉。」(服《注》：「佐貌惡心順。」)昭二十八年《傳》：「鬷蔑惡。」又云：「昔賈大夫惡。」皆其證。貌惡則欲其性婉，蓋郤宛貌陋，故名婉字惡以警之。《左氏》稱「郤宛直而和」，可知其克副命名之意矣。以怨惡為名字，恐未必然。[36]

朱、胡二氏皆讀「宛」為「婉」，二說亦大抵相同[37]，而以胡說較詳。胡氏據《說文》釋「婉」為「順」，又據《左傳》及服虔《注》，證「惡」可指「貌醜陋」。案昭公二十七年《左傳》載：「郤宛直而和，國人說之。」胡氏據此謂名婉字惡，與郤宛其人性婉而貌惡相合。惟以性格、外貌為命名與字之根據，恐未必然；至謂郤宛貌陋，於《左傳》無徵，當亦屬推測之辭。其實如朱駿聲所釋，「婉」、「惡」意義相反，符合王引之所列「五體」中之「對文」，並足以說明郤宛名字之關係。而釋「婉」為「宛」，也較各家之說直捷，當可信從。

---

35 同上，冊6，頁654上。

36 (清)胡元玉：《駁春秋名字解詁》，《續修四庫全書》(上海市：上海古籍出版社，2002年，景清光緒十四年〔1888〕南菁書院刻《皇清經解續編》本)，冊128，頁444下。

37 周法高先生亦曰：「朱、胡說同，是也。」見《周秦名字解詁彙釋》，頁19。

（四）宋樂溷字子明（昭九年《左傳》）

王引之曰：

> 溷當讀為焜。溷與焜同聲，（《集韻》焜、溷竝音戶衮切。）故借溷為焜。昭三年《左傳》「焜燿寡人之望」，服虔《注》曰：「焜，明也。」（見《正義》。）故名焜字明。[38]

王氏讀「溷」為「焜」，並據昭公三年《左傳》及服虔《注》，釋「焜」為「明」，以解釋樂溷字子明之意義關係。案「溷」字上古匣紐文部，「焜」字見紐文部，二字鄰紐雙聲，韻部相同，且《集韻》並音戶衮切[39]，故可相通假。惟《說文》云：「溷，亂也。一曰：水濁 。」[40]「溷」有「濁」義，與「明」意義相對，實不煩以借義釋之。諸家多不採王說。如張澍曰：

> 樂溷字子明。溷為屏隱幽黯之地，以相反為字，故曰明。[41]

朱駿聲曰：

> 《說文》：「溷，亂也。一曰：水濁貌。」……〈離騷〉「世溷濁而不分兮」，《注》：「亂也。」《漢書．五行志》「溷淆亡別」，《注》謂：「襍亂。」〈陸賈傳〉「無久溷公為也」，服《注》：「辱也。」〈翼奉傳〉注：「溷，污也。」《易．噬嗑》注：「不溷乃明。」《左》定九《傳》，宋樂溷字子明。[42]

俞樾曰：

38　見《經義述聞》，卷22，頁523上。

39　見（北宋）丁度（990-1053）等編：《宋刻集韻》（北京市：中華書局，1989年），頁105下。

40　見《說文解字詁林正補合編》，冊9，頁356下。

41　見張澍：〈春秋時人名字釋〉，頁105上。

42　見《說文解字詁林正補合編》，冊9，頁357上。

> 樾謂王氏因溷無明義，故讀為焜，殊近迂曲。今按《說文・水部》：「溷，亂也。一曰：水濁皃。」是溷有濁義。《楚辭・離騷》曰「世溷濁而不分兮」，〈涉江篇〉曰「世溷濁而莫余知兮」，皆其證也。《禮記・樂記篇》曰「清明象天」，〈孔子閒居篇〉曰「清明在躬」，是明與清義相近。故《淮南・原道篇》曰「清目而不以視」，高《注》曰：「清，明也。」溷濁、清明，義正相對。樂溷字子明，猶晉閻沒字明，蓋取相反者為義。《周易・噬嗑注》曰：「不溷乃明。」是也。[43]

陶方琦曰：

> 《說文》：「溷，亂也。一曰：水濁皃。」《淮南》：「清之為明，杯水見眸子；濁之為暗，河水不見泰山。」是濁即不明也。《易・噬嗑》注：「剛柔初動，不溷乃明。」是其義也。溷又同慁。《說文》 下引《逸周書》：「朕實不明，以皃伯父。」侻即慁也。(《史記》「無久慁乃公為也」，《漢書》作「溷」。）溷有污濁義，溷字子明，以反而得義。[44]

案張澍以「溷」為「屏隱幽黯之地」，未知何據。其餘各家均本《說文》之訓釋，證「溷」有「濁」義，與「明」意義相對；俞樾復引《禮記》之文及《淮南子》高誘（活躍於205-212）《注》，論證「明」與「清」意義相近，而溷濁、清明，義正相對。其說直捷明晰，當屬確詁。樂溷字子明，名、字意義相反，屬王引之「五體」中「對文」之例。

（五）魯冉孺字子魯（《仲尼弟子傳》）

王引之曰：

43 見（清）俞樾：《春秋名字解詁補義》，頁420。

44 見（清）陶方琦：〈春秋名字解詁補誼〉，頁490。

> 孺與濡通。《孟子‧公孫丑篇》：「三宿而後出晝，是何濡滯也。」趙岐《注》曰：「濡滯，猶稽也。既去，留於晝三日，怪其猶久。」濡之言需也。〈需彖傳〉曰：「需，須也。」（《爾雅》：「頿，待也。」頿與須同。）〈雜卦傳〉曰：「需，不進也。」是濡為遲鈍也。魯，亦遲鈍也。《說文》：「魯，鈍詞也。」《論語‧先進篇》「參也魯」，孔《注》曰：「魯，鈍也。曾子性遲鈍。」孺，又愚也。《方言》：「儒輸，愚也。」儒與孺通。魯鈍，亦愚也。大顏注《漢書‧周勃傳》曰：「俗謂愚為鈍椎。」（見《史記‧周勃世家》《索隱》。）[45]

案：王氏釋「孺」字有二說：一讀為「濡」，釋為「需」，又釋為「須」（頿），訓「不進也」，以此證「濡」有「遲鈍」義；一讀為「儒」，謂「儒」有「愚」義。「孺」、「濡」、「儒」俱從「需」得聲，上古並屬日紐侯部，可相通假。惟王氏讀「孺」為「濡」，又輾轉證其有「遲鈍」義，以與「魯」義相應，其說不免迂曲；而讀「孺」為「儒」，釋為「愚」，乃純以《方言》「儒輸，愚也」之訓為據。鄭環（1730-1806）曰：

> 魯，一作曾，誤。《家語》：「冉儒字子魚，魯人。」按曾與魯于儒義無涉，當從《史記》作魯。顧述曰：「《方言》：『儒輸，愚也。』故儒有魯義。」[46]

鄭環引顧述之說，謂「儒」有「愚」義，故與「魯」義相應，其說與王引之第二說同。案《廣雅‧釋詁一》：「儒輸，愚也。」王念孫《疏證》曰：

> 儒輸者，《方言》：「儒輸，愚也。」郭璞《注》云：「儒輸，猶懦撰也。」案儒輸，倒言之則曰輸儒。《荀子‧脩身篇》云：「偷懦憚事。」偷懦即輸儒。鄭注〈玉藻〉云：「舒懦者，所畏在前也。」《漢

45 見《經義述聞》，卷22，頁535上。

46 鄭環：〈弟子列傳考〉，轉引自周法高：《周秦名字解詁彙釋補編》，頁27-28。

書．西南夷傳》云：「恐議者選耎。」舒懦、選耎，竝輸儒之轉耳。[47]

是「儒輸」又可作「輸儒」、「偷懦」、「舒懦」、「選耎」，屬同一疊韻聯綿詞。王念孫《讀書雜志》曰：「凡連語之字，皆上下同義，不可分訓。說者望文生義，往往穿鑿而失其本指。」[48]「儒輸」一詞，即屬其例。王引之、顧述據《方言》「儒輸，愚也」，輒謂「儒」有「愚」義，實不可從。

其餘各家釋冉孺名字，多有異於王說者。金鶚（1771-1819）曰：

> 冉孺字子魯。孺子愚蒙，故字魯。魯一作曾，以形相近而誤矣。[49]

張澍曰：

> 冉孺字子魯。孺，幼稚。魯，愚鈍。言孺稚之人，性愚魯也。《家語》作子魚，譌。[50]

俞樾曰：

> 樾謂王氏讀孺為濡，非其本義。且古人多名孺者，如《史記．佞幸傳》籍孺、閎孺之類，是也。濡滯初非美談，古人何取乎此，而輒以命名乎？蓋孺者，幼稚之稱，如今人小名耳。及長，遂以為名，因配之以字。其曰魯者，言幼稚無知識也。是故冉孺字子魯，猶晉胥童字之昧也。童孺皆言幼稚也。《白虎通．嫁娶篇》曰：「夫人自稱曰小童，言己智能寡少，如童蒙也。」此胥童字昧之義，亦即冉孺字魯之義矣。[51]

---

47 見（清）王念孫：《廣雅疏證》（南京市：江蘇古籍出版社，景印清嘉慶元年〔1796〕王氏家刻本，2000年），卷1下，頁31上。

48 見王念孫：《讀書雜志》（南京市：江蘇古籍出版社，景印清道光十二年〔1832〕王氏家刻本，2000年），卷4之16，頁407上。

49 見（清）金鶚：〈孔子弟子考〉，《求古錄禮說》，卷9，見王先謙（1842-1918）編：《清經解續編》（上海市：上海書店，1988年），卷671，冊3，頁299下。

50 見（清）張澍：〈春秋時人名字釋〉，頁110下。

51 見俞樾：《春秋名字解詁補義》，頁419上。

俞樾以「濡滯」初非美談，古人必不以之命名，其說失諸偏頗，洪恩波已指出其非。（案：見「1. 鄭國參字子思」條。）至釋「孺」為愚蒙、幼稚之意，故與「魯」之「魯鈍」義相應，則金鶚、張澍、俞樾之說略同，而以俞說較詳。案《玉篇・子部》云：「孺，稚也，少也。」[52]《尚書・金縢》：「公將不利於孺子。」偽孔《傳》：「孺，稚也。」[53]是「孺」有幼稚之義。東漢徐穉（97-168）字孺子[54]，亦可作一旁證。周法高先生曰：「俞說不改字，可從。」其說是也[55]。

（六）晉荀盈字伯夙（襄二十七年《左傳》）

王引之曰：

> 盈讀為贏。（宣四年《左傳》「伯贏」，《呂氏春秋・知分篇注》作「伯盈」。案蔿賈字伯贏，即賈有餘利[56]之贏，是贏與盈通。）夙讀為肅。（《大戴禮・保傅篇》「坐夙端冕」，《白虎通》引作「齋肅端絻」，是肅與夙通。）贏，寬緩也。肅，嚴急也。〈月令・孟秋〉：「天地始肅，不可以贏。」鄭《注》云：「肅，嚴急之言也。贏，猶解也。」（解，古賣切。）《爾雅》：「肅，疾也，速也。」〈大雅・雲漢篇〉「昭假無贏」，《箋》訓贏為緩。是贏與肅正相反，故名贏字肅，

---

52 見（蕭梁）顧野王（519-581）：《玉篇》，卷下，見《小學名著六種》（北京市：中華書局據1936年版《四部備要》縮印，1998年），頁109下。

53 見《尚書正義》（整理本），《十三經注疏（整理本）》（北京市：北京大學出版社，2000年），卷13，頁399上。

54 見范曄（398-445）：《後漢書》（北京市：中華書局，1965年），卷53，頁1748。案：《說文》：「穉，幼禾也。」段玉裁《注》云：「引申為凡幼之偁。今字作稚。」見《說文解字詁林正補合編》，冊6，頁381下-382上。

55 見周法高：《周秦名字解詁彙釋》，頁37。

56 「餘利」，清道光七年（1827）本作「餘和」，今據《四部備要》本改。見《清人注疏十三經》（北京：中華書局，1998年，景1936年版《四部備要》），冊5，頁334下。

猶狐偃字犯，閻沒字明，以相反為義也。[57]

王氏讀「盈」為「嬴」，訓為「寬緩」，又讀「夙」為「肅」，訓為「嚴急」，以此釋名盈字夙，本作名嬴字肅，乃以相反為義。案「盈」、「嬴」上古俱屬余紐耕部，「夙」、「肅」俱屬心紐覺部，故可相通假，惟若如王氏之釋荀盈名字，則稍嫌迂遠。錢馥（約1746-1796）曰：

晉荀盈字伯夙者，取持盈之義也。《說文》：「夙，早敬也。从丮，持事雖夕不休，早敬者也。」[58]

張澍曰：

荀盈字伯夙。《爾雅》：「夙，早也。」朝既盈矣，當夙興不寐也。[59]

錢、張二氏皆不以借義釋「盈」、「夙」，惟前者本《說文》「夙」字「持事雖夕不休」之訓，謂名盈字夙乃「取持盈之義」，後者以朝盈則當夙興不寐，解釋「盈」、「夙」之意義關係，皆予人牽強之感。其餘各家，多改字以釋之。朱駿聲曰：

《說文》：「夃，秦以市買多得為夃。」……據此《論語》「求善賈而沽諸」，以沽為之。按此字當訓姑且之詞。……晉荀盈字伯夙，夙疑夃之誤，猶楚蒍賈字伯嬴也。[60]

又曰：

夙，叚借：《左》襄廿七《傳》，晉荀盈字伯夙。按夙者，夃之誤

---

[57] 見《經義述聞》，卷22，頁537。

[58] 見（清）錢馥：〈周秦名字解詁附錄〉，《小學盦遺書》，卷3，載徐德明、吳平主編：《清代學術筆記叢刊》(33)（北京市：學苑出版社，景印《清風室叢》刊本，2005年），頁131下。

[59] 見（清）張澍：〈春秋時人名字釋〉，頁102。

[60] 見《說文解字詁林正補合編》，冊5，頁401上。

字。[61]

陶方琦曰：

盈字伯夙，夙乃夃之誤。盈从夃从皿會意，其實盈與夃義並合。《說文》：「盈，滿器也。」又夃下云：「秦以市賈多得為夃。」滿器與多得，亦一義之引申也。《論語》「求善賈而沽諸」，沽即夃字。《說文》夃下引「我夃酌彼金罍」，是夃與姑通。沽與夃尤近。楚蒍賈字伯嬴，嬴與盈通，字本作盈。賈字盈，亦取盈字上體夃字也。《廣雅·釋詁》：「弜，賈也。」王氏《疏證》云：「未詳。」琦謂亦夃字之譌變。小篆乃字作，故譌作弓。又即夃中之夕字，更旁易其文耳。《說文》：「秦以市賈多得為夃」，故曰夃，賈也。[62]

劉盼遂先生曰：

夙為夃誤。《說文》：「盈，滿器也。從皿夃。」夃秦以市買多得為夃。引《詩》：「我夃酌彼金罍。」今《詩》作姑。盈為滿溢，夃為小滿。故以相從義為名字也。[63]

案《說文·皿部》：「盈，滿器也。从皿、夃。」[64]「盈」既从皿、夃會意，而「夃」訓「多得」，「盈」訓「滿器」，可見二字意義相關。故以「夃」代「夙」，則荀盈名字之意義關係當甚顯明。惟改字以釋古人名字，終究未必可從。俞樾則曰：

樾謂王說非也。盈當讀如本字。夙讀為縮。縮從宿聲，宿從㐁聲，㐁即古文夙字也。是縮本從夙得聲，故可叚夙為之。《周官·馮相氏疏》曰：「晷進為盈，晷退為縮。」《文選·東京賦》「不縮不盈」，薛綜

---

[61] 同上，冊6，頁271上。

[62] 見（清）陶方琦：〈春秋名字解詁補誼〉，頁491上。

[63] 見劉盼遂：〈春秋名字解詁補證〉，頁492。

[64] 見《說文解字詁林正補合編》，冊4，頁1406上。

注曰：「縮，短也。盈，長也。」是盈與縮正相對，故名盈字縮也。不必讀為贏肅，始得其義。[65]

俞氏從諧聲關係，論證「縮」本從「夙」得聲，故「夙」可假借為「縮」。俞氏復據《周禮·周官·馮相氏》賈公彥（活躍於七世紀）《疏》及《文選·東京賦》薛綜（?-243）《注》，證「盈」、「縮」意義相對，故名盈字縮。其說較王說直捷，與各家改字之議相比，亦更令人信服。竹添光鴻（1842-1917）《左氏會箋》及周法高先生，皆主俞說[66]。

（七）楚薳呂臣字叔伯（僖二十三年《左傳注》）

王引之曰：

呂與旅，伯與百，古字竝通。（宣十八年《左氏經》「楚子旅卒」，《穀梁》「旅」作「呂」。僖三十三年《穀梁傳》「百里子」，《釋文》：「百或作伯。」《孟子》「百里奚」，《韓子·難言篇》作「伯里子」。）莊二十二年《左傳》：「庭實旅百，奉之以玉帛，天地之美具焉，故曰利用賓于王。」杜《注》曰：「諸侯朝王，陳贄幣之象。旅，陳也。百，言物備。」僖二十二年《傳》：「楚子入饗于鄭，九獻，庭實旅百。」《注》曰：「庭中所陳品數百也。」是其義。[67]

王氏據古籍異文，證「呂」與「旅」、「伯」與「百」古字並通，並本杜預注《左傳》「旅百」之語，謂薳呂臣當名旅字百。案「呂」、「旅」古音皆屬來紐魚部，「伯」、「百」皆幫紐鐸部，可相通假，惟以「旅百」釋薳呂臣字

---

[65] 見（清）俞樾：《春秋名字解詁補義》，頁421下。

[66] 見（清）竹添光鴻：《左氏會箋》（臺北市：新文豐出版公司，1987年），第十八，頁33及周法高：《周秦名字解詁彙釋》，頁46。周先生又謂：「《左氏》襄公二十七年《傳》杜《注》：『伯夙，荀盈。』竹添光鴻《會箋》全襲俞樾之說，而不著主名。其書中多類此。」見《周秦名字解詁彙釋補編》，頁34。

[67] 見《經義述聞》，卷22，頁544下-545上。

叔伯，則恐非其義。張澍曰：

> 薳呂臣字叔伯。古異姓同姓之臣，君稱叔稱伯。[68]

張氏以古君主稱臣為叔、伯，釋薳呂臣之名字，其說牽強，當不可信。陶方琦曰：

> 呂有侶義，伯乃侶之譌字也。《淮南．天文訓》「音比大呂」注：「呂，侶也。」當為名呂字叔侶。[69]

陶氏以「伯」為「侶」字之誤，並據《淮南子．天文訓》高誘《注》，謂「呂」可訓為「侶」。案《說文新附》：「侶，徒侶也。」鈕樹玉（1760-1827）《說文新附考》曰：「侶通作旅，亦作呂。……《漢書．律志》云：『呂，旅也。』是呂有伴義。」[70]是「呂」可訓為「侶」。惟陶氏改字以釋薳呂臣之名字，恐不可從。俞樾曰：

> 樾謂王說非也。呂當讀為閭，古字省不從門耳。閭與伯，皆古軍中部曲之名。《周書．武順篇》曰：「左右一卒曰閭。」又曰：「四卒成衛曰伯。」[71]

俞氏讀「呂」為「閭」，並本《周書．武順》之文，謂「閭」、「伯」皆為古軍中部曲之名，其說也嫌迂曲。胡元玉曰：

> 伯讀如「五官之長曰伯」之伯。呂臣，謂心呂之臣，取四嶽佐禹得國之事為名字也。《說文》：「呂，脊骨也，象形。昔大嶽為禹心呂之臣，故封呂侯。膂，篆文呂，从肉从旅。」〈周語〉：「祚四嶽國，命以侯伯，（注：使長諸侯也。）賜姓曰姜，氏曰有呂。謂其能為禹股

---

68 見（清）張澍：〈春秋時人名字釋〉，頁104上。

69 見（清）陶方琦：〈春秋名字解詁補誼〉，頁491下。

70 見《說文解字詁林正補合編》，冊7，頁319上。

71 見（清）俞樾：《春秋名字解詁補義》，頁421下。

> 肱心膂，以養物豐民人也。」又稱「四嶽」為「四伯」。（注：為四嶽伯，故稱四伯。）是其事也。[72]

胡氏本四嶽佐禹得國之故事，以及《說文》「呂」字之訓，釋「呂臣」為「心呂之臣」。觀乎諸家釋薳呂臣之名，或重「呂」字，或重「臣」字，明顯不及此說周全。胡氏又據《國語．周語》之文，證「四嶽」又稱「四伯」。案《國語．周語下》載：「此一王四伯，豈緊多寵？皆亡王之後也。」韋昭（204-273）《注》云：「四伯，謂四嶽也，為四嶽伯，故稱四伯。」[73]故薳呂臣字叔伯，當以四嶽之故事為義。周法高先生亦認為胡說較長。[74]其見甚是。

三　結語

高郵王氏父子小學成就卓絕千古，《經義述聞》則本因聲求義之說，破經籍中聚訟未決之疑，其功甚偉。惟觀乎本文所論諸名字，王氏率以借義釋古籍用字，例如鄭國參字子思，讀「參」為「慘」，以與「思」義相附；宋樂溷字子明，讀「溷」為「焜」，以附合「明」義；晉荀盈字伯夙，讀「盈」為「嬴」，讀「夙」為「肅」，謂「嬴」、「肅」相反為義。此等古人名字，實皆不煩以借義釋之，仍能理順箇中之意義關係。論者謂《春秋名字解詁》「破字過多，微傷支離」[75]，當亦切中其弊。

楊樹達先生（1885-1956）嘗云：

> 夫名字之詁，與文義不同，文義說有常而不可移，名字則二文苟可關

72　見（清）胡元玉：《駁春秋名字解詁》，頁444下。

73　上海師範大學古籍整理研究所校點：《國語》（上海市：上海古籍出版社，1998年），卷3，頁107-108。

74　見周法高：《周秦名字解詁彙釋》，頁74。

75　參註7。

合，皆足成義，故說者多方，而要以平易為至。[76]

楊先生之見甚是。解釋古人名字之法，與訓釋經籍語詞有同有異，前者尤以平易、直捷為務，不必但求定於一說。《春秋名字解詁》作為第一部訓釋春秋時代古人名字關係之作，篇中所釋諸名字，皆能物色音同、音近之借字為說，並符合王氏所定「五體」、「六例」之法則，不少聚訟紛紜之古人名字，從而得以釐清。若非王引之精熟古籍，兼且小學根柢深厚，必不能為之。《春秋名字解詁》之成就，亦當為後人所肯定[77]。

---

76 見楊樹達：〈讀春秋名字解詁書後〉，載《積微居小學金石論叢》（上海市：上海古籍出版社，2007年），卷5，頁363。

77 劉師培（1884-1919）〈春秋名字解詁書後〉云：「王書填密嚴栗，匪俞（樾）胡（元玉）所克逮也。」（見《左盦集》，卷2，載《劉申叔遺書》〔南京市：江蘇古籍出版社，1997年〕，頁1218下）黃侃〈春秋名字解詁補誼〉亦云：「《白虎通德論》曰：『聞名即知其字，聞字即知其名。』亮非回互繳繞，使人難通；破字而誼章，孰與拘牽而誼晦？矧以聲音轉迻，簡冊變易，本字如是，何道知之？明明王君，蓋非（胡）元玉所可議也。」（載《國粹學報》，第41期〔1908年〕）

沈欽韓《春秋左氏傳補注》「桓子咋謂林楚」釋義研究

潘漢芳*

《春秋左氏傳》記錄了大量春秋時期的禮樂文化，是經學研究的一部重要典籍。歷來研究《左傳》的學者眾多，其中杜預（222-284）的《春秋經傳集解》，長期以來，是《左傳》注的權威。到了清代，研究《左傳》的學者，則多尊崇漢學，力求漢、魏舊注遺說，並以先秦典籍為證，以正杜《注》之失。沈欽韓（1775-1832）為清代中期學者，長於訓詁考據，所著《春秋左氏傳補注》，繼承清代小學考經的風氣，博採魏、晉以來諸家學說，對《左傳》的字詞以及典章名物制度細加研析，是清代《左傳》研究重要專著之一。沈欽韓為清嘉慶舉人，為學勤敏，尤其工於訓詁考證。在《左傳》研究方面，除了有《春秋左氏傳補注》外，還有《左傳地理補注》。近世《左傳》學的重要著作，如高本漢（1889-1978）的《左傳注釋》和楊伯峻（1909-1992）的《春秋左傳注》，對《左傳》的訓釋，尤其是關於禮制的部分，取沈說之處甚多，可見沈氏《春秋左氏傳補注》對後世的影響是甚為深遠的。這次我選擇了沈欽韓《春秋左氏傳補注》定公八年「桓子咋謂林楚」這則訓釋作研究，嘗試提出一些小意見。

定公八年　桓子咋謂林楚

《左傳》定公八年記載陽虎計畫殺害桓子，桓子知悉陽虎陰謀後，便遊

* 香港教育學院語文教育中心。

說車御林楚助其脫險。《傳》文云：

> 陽虎前驅。林楚御桓子，虞人以鈹、盾夾之，陽越殿。將如蒲。桓子咋謂林楚曰：「而先皆季氏之良也，爾以是繼之。」對曰：「臣聞命後。陽虎為政，魯國服焉，違之徵死，死無益於主。」桓子曰：「何後之有？而能以我適孟氏乎？」對曰：「不敢愛死，懼不免主。」桓子曰：「往也！」[1]

沈欽韓《春秋左氏傳補注》云：

> 杜預云：「咋，暫也。」按咋不可訓暫。〈攷工記〉：「鐘侈則咋。」《注》云：「讀咋咋然之咋，聲大也。」史照《通鑑釋文》：「咋，大聲也。」然桓子方虞陽虎，不應大聲告人。《後漢書．馬援傳》：「但萎腇咋舌。」〈魏策〉：「吳起與田文論功，起咋舌不敢談。」則咋非大聲，乃縮舌含糊之謂乎。唐石經初刻作乍，蓋依杜氏暫也之訓。[2]

沈說主要有四點：（一）認為杜預訓「咋」為「暫」並不正確，（二）認為「咋」不應訓作「大聲」，（三）訓「咋」為「縮舌含糊」，（四）認為唐石經誤刻「咋」為「乍」。除了第二點可取外，其餘三個看法，都值得商榷。

沈欽韓據《後漢書》及《戰國策》，訓「咋」為「縮舌含糊」，其意似是認為桓子知道陽虎將要殺害他，因害怕而縮舌含糊地向林楚求救。案：《說文》無「咋」字。張自烈（1597-1673）《正字通》「咋」下云：

> 咋，啖也，齧也。……與齚、齰並通。[3]

《漢書．東方朔傳》云：

1　（晉）杜預注、（唐）孔穎達正義：《春秋左傳正義》，《十三經注疏》（臺北市：藝文印書館，1965年景清嘉慶二十年江西南昌府學刊本），冊6，頁966上。

2　（清）沈欽韓：《春秋左氏傳補注》，（清）王先謙編：《皇清經解續編》（臺北市：藝文印書館，1965年），冊9，頁6765下。

3　（明）張自烈：《正字通》（北京市：中國工人出版社，1996年），頁145上。

孤豚之咋虎。[4]

顏師古（581-645）《注》曰：

咋，囓也。[5]

「咋」有「齧」、「啃咬」的意思。《後漢書．馬援傳》云：

豈有知其無成，而但萎腇咋舌，叉手從族乎？[6]

「咋舌」意謂咬住舌頭，引申為因害怕而不敢說話，然而，「咋」字本身並沒有「害怕」、「縮舌含糊」的意思。《傳》文只云「咋」，不言「咋舌」，沈氏以「咋舌」說之，似誤。朱駿聲（1788-1858）《說文通訓定聲》云：

《左傳》「桓子咋謂林楚」，以「齚」為文。[7]

朱氏訓「咋」為「齚」。「齚」字只有「齧」、「啃咬」之意，以此釋《傳》，甚為不辭。

沈氏又認為唐石經刻「咋」為「乍」，是受了杜預的影響，這個看法純粹是猜度，並無憑據。錢大昕（1728-1804）《十駕齋養新錄》云：

定八年「桓子咋謂林楚」，唐石經本作乍，後人加口於左旁。案：杜《注》：「咋，暫也。」《孟子》：「今人乍見孺子。」趙岐訓乍為暫。乍、暫聲相近，疑經注皆無口旁，後人妄增，非杜氏之舊也。錢唐梁履繩云：「咋字經典罕見，《左傳》果有此字，張參《五經文字》何以不收？當從初刻。」[8]

---

4 （漢）班固：《漢書》（北京市：中華書局，1962年），頁2867。

5 （東漢）班固：《漢書》，頁2867。

6 （南朝宋）范曄（398-445）：《後漢書》（北京市：中華書局，1965年），頁833。

7 （清）朱駿聲：《說文通訓定聲》，《說文解字詁林》（臺北市：臺灣商務印書館，1959年），冊9，頁5716b

8 （清）錢大昕：《十駕齋養新錄》，《皇清經解》（臺北市：復興書局，1961年），冊錢氏認為唐石經本作「乍」，今《傳》文作「咋」，只是後人所改，楊伯峻《春秋左傳注》亦持此說[9]。李富孫（1764-1843）亦從錢說，並云：

石經初刻當是古本，《玉篇》、《廣韻》「咋」字竝不引《傳》文。[10]

段玉裁（1735-1815）《說文解字注》亦曰：

《左傳》俗本改「乍」為「咋」。[11]

錢、李、段三人所言，顯較沈氏合理。

至於「咋」的意思，杜預《注》云：

咋，暫也。[12]

杜氏訓「咋」為「乍」。《廣雅・釋言》云：

乍，暫也。[13]

《說文》「乍」下曰：

乍，止也。一曰亡也，从亡，从一。[14]

段《注》云：

亡與止亡者，皆必倉猝，故引申為倉猝之稱。《廣雅》曰：「暫也。」

7，頁4974上。

[9] 楊伯峻：《春秋左傳注》（北京市：中華書局，1995年），頁1569。

[10] （清）李富孫：《春秋左傳異文釋》，《皇清經解續編》，冊9，頁6555上。

[11] （清）段玉裁：《說文解字注》（上海市：上海古籍出版社，1993年），頁634下。

[12] （晉）杜預注、（唐）孔穎達正義：《春秋左傳正義》，《十三經注疏》，冊6，頁966上。

[13] （三國）張揖（約公元5世紀）：《廣雅》，《字典彙編》（北京市：國際文化出版公司，1993年），冊25，頁257上。

[14] （漢）許慎：《說文解字》（北京市：中華書局，1998年），頁267下。

《孟子》:「今人乍見孺子將入於井。」《左傳》:「桓子乍謂林楚。」文意正同。而《左傳》俗本改乍為咋。[15]

「乍」引申為「倉猝」、「突然」之意。竹添光鴻(約1841-1917)《左氏會箋》云:

桓子至是,始覺陽虎有異志,乃倉卒呼林楚求救也。[16]

當時桓子知道陽虎將殺害他,故在逃亡時倉卒地向林楚求救,杜預訓「咋」為「暫」,最得《傳》意。

從來討古不易,沈欽韓《春秋左氏傳補注》,難免受主觀、客觀條件約制,以致出現某些誤解。然而,沈欽韓於《左傳》研究,集各家之說,於禮法及詞義訓詁均有很詳細的考釋,對經學研究有很大貢獻,其經學成就是不容否定的。

---

15 (清)段玉裁:《說文解字注》,頁634下。

16 (清)竹添光鴻:《左氏會箋》(臺北市:天工書局,1993年),頁1831。

《左傳》「晏嬰麤縗斬」楊伯峻注商榷

許子濱*

一　緒言

《左傳》襄公十七年載齊晏桓子死後，其子晏嬰為父服喪。晏子所行子喪父之禮，包括「麤縗斬，苴絰、帶、杖，菅屨，食鬻[1]，居倚廬，寢苫、枕草」，比較《儀禮》〈喪服〉經傳、〈士喪禮〉（〈既夕・記〉）所列，只有「麤縗斬」與「斬衰」、「枕草」與「枕塊」不同。鄭玄（127-200）附會《禮記・雜記》之文，以晏嬰「麤縗斬」及「枕草」為士與大夫為父異服之實證，並推衍出士為母及兄弟之服。鄭玄此說受到王肅（195-256）等人非議；杜預（222-284）也不以為然；到了清代，姚際恆（1647-約1715）更斥其說「惑亂天下後世」。楊伯峻先生（1909-1992）以一己之力，積二十餘年，撰成《春秋左傳注》（以下簡稱楊《注》）。此書為《春秋》、《左傳》作了一個總結性的注釋，並提出不少新解，既具有集歷代《左傳》學大成的意義，亦為《左傳》學開創新的研究方法。楊《注》綜括古今各家之說，並參以己意，為晏嬰喪父之禮做了一個頗為詳細的注釋。今天看來，楊先生對「晏嬰麤縗斬」的注釋，尚有不盡確當之處。因此，本文圍繞楊《注》展開討論，冀為斠正其說提供參考，以就正於大雅方家。

---

* 香港嶺南大學中文系。

1 王叔岷：《左傳考校》（北京市：中華書局，2007年），頁205。云：「《校勘記》：『案鄭注《禮記・雜記》、《漢書・東海恭王傳》引作「食粥」。』案粥乃鬻之俗省。」

二 「晏嬰麤縗斬」楊伯峻注商榷

《左傳》襄公十七年云：

> 齊晏桓子卒，晏嬰麤縗斬，苴絰、帶、杖，菅屨，食鬻，居倚廬，寢苫、枕草。其老曰：「非大夫之禮也。」曰：「唯卿為大夫。」

楊伯峻先生注「麤縗斬」云：

> 麤，通作粗。麤縗斬，即粗布斬衰。縗同衰。古代喪服，子為父斬衰三年。杜《注》以麤為三升布，鄭玄注《禮記．雜記》則云：「麤縗斬者，其縷在齊斬之間，謂縷如三升半而三升不緝也。斬衰以三升為正，微細焉則屬於麤也。」古代之布，以麻為主，即今之大麻或黃麻。雌雄異株。雄株曰枲，雌株曰苴。苴不好，只用于喪服之斬衰、齊衰。布以八十縷為一升，布幅寬二尺二寸（周尺，約合今四十四釐米），以三升，即二百四十縷織成，比之最細之布用三十升即二千四百縷者，當極粗疏。鄭玄謂縷如三升半，意即縷數仍是三升，但縷之粗細可比三升半。斬即不緝，衣裳之邊不縫。齊衰則縫邊。[2]

又，「寢苫枕草」下楊《注》云：

> 苫音山，編禾稈為席，孝子臥其上。以草為枕。以上並是晏嬰所行之子喪父之禮。與《儀禮．士喪禮》及〈喪服〉諸篇比較，僅麤縗斬與斬衰以及枕草與枕塊不同。[3]

又，「其老曰『非大夫之禮也』」下楊《注》曰：

> 其老，晏氏之宰。昭十五年《傳》載叔向之言，一則曰「王一歲而有三年之喪二焉」，又曰「三年之喪，雖貴遂服，禮也」。《禮記．

---

2 楊伯峻：《春秋左傳注》（北京市：中華書局，1990年），頁1033。

3 楊伯峻：《春秋左傳注》，頁1033。

> 中庸》載孔子之言曰：「三年之喪達乎天子。父母之喪，無貴賤，一也。」《孟子・滕文公上》載孟軻之言曰：「三年之喪，齋疏之服，饘粥之食，自天子達於庶人，三代共之。」似三年之喪，周代果有此事。然春秋已不實行，故晏嬰行之，而其老止之。[4]

又解「唯卿為大夫」之意曰：

> 大夫之義，本有廣狹。廣義之大夫，卿亦可曰大夫。狹義之大夫，不包括卿。晏嬰「唯卿為大夫」，不合此二義。沈欽韓《補注》云：「諸侯之卿當天子之大夫。晏子在齊非卿，故紿以是說。」而鄭玄注《禮記・雜記上》引此《傳》文，則曰「此平仲之謙也」。《晏子春秋・雜篇上》亦載此事，引孔丘之評曰：「晏子可謂遠害矣，不以己之是駁人之非，遜辭以避咎，義也夫！」偽《孔子家語》亦載此事。杜《注》因之亦云：「晏子惡直己以斥時失禮，故孫（遜）辭略答家老。」[5]

謹按：楊先生注解晏嬰所行子喪父之禮，有幾個地方值得商榷，茲分別辨析並為之斠正如下：

（一）「麤縗斬」的行文結構

楊先生注「麤縗斬」云：「麤，通作粗。麤縗斬，即粗布斬衰。縗同衰。」「斬即不緝，衣裳之邊不縫。齊衰則縫邊。」注中對「麤縗斬」三字的訓釋及其整體意義的解說，都不成問題[6]，但對其行文結構的理解卻有可商。

---

[4] 楊伯峻：《春秋左傳注》，頁1033-1034。

[5] 楊伯峻：《春秋左傳注》，頁1034。

[6] 郭明昆：〈《儀禮・喪服》考〉認為，《左傳》「麤縗斬」的「斬」字，疑為後人所加。其說無據，不可信。詳林慶彰編：《日據時期臺灣儒學參考文獻》（臺北市：臺灣學生書局，2000年），頁401。關於郭氏此書喪服部分的分析、評論，參葉純芳：〈郭明昆的生平及其《儀禮・喪服》的研究〉，葉純芳、張曉生主編：《儒學研究論

《儀禮．喪服》所列斬齊二服，分別是「斬衰裳」與「疏衰裳，齊」，兩者對言，互文見義。斬，指裁割麻布，亦取痛甚之意[7]；斬又與齊對言，有不緝與緝之別（見〈服傳〉）。李如圭（1193年進士）指出，「斬而後為衰裳，故先言斬」，「衰裳已制而後齊，故後言齊」[8]。林昌彝（1803-1876）說同[9]。斬衰同用疏布，亦不言而喻。若如李氏之說，則〈喪服〉行文之嚴密周緻，於茲可見。「疏衰裳」，鄭注云：「疏，猶麤也。」於鄭君經注中，「疏」、「麤」互訓，屢見不鮮[10]。所謂「斬衰以三升為正，微細焉則屬於麤」，意思是說縷（紗線或經線）稍細於斬衰三升正服，則近乎齊衰之麤（疏），因此就叫「麤縗」。《左傳》「麤縗斬」，猶言「疏衰斬」[11]，其結構與〈喪服〉「疏衰裳，齊」差近。郭店楚簡《六德》分述斬衰與齊衰之服為「疏斬布」與「疏衰齊」，「疏斬布」猶言「疏布斬」[12]，而「疏衰齊」則較〈喪服〉少一「裳」字，恰好與「疏衰斬」對言。以彼例此，《左傳》「麤縗斬」，可讀為「麤縗，斬」。孔穎達（574-648）《左傳疏》在談到「麤縗斬」的文意時說：「以麤布為衰而斬之，故以麤縗斬為文之次。」[13]據此，「麤縗斬」指以粗布為衰而不縫其邊。這樣解讀，也許比楊《注》更符合原文的行文結構。

叢．日據時期臺灣儒學研究專號》（臺北市：臺北市教育大學儒學中心，2008年12月），頁169-174。（清）毛奇齡《喪禮吾說篇》，《續修四庫全書》（上海市：上海古籍出版社，2002年，景清康熙李堞等刻《西河合集》本），冊95，頁61，謂「斬」字下屬「苴絰帶」為句，乃斬苴麻不治而用之為首絰為腰帶，亦不可取。

7 《左傳》昭公十年云：「孤斬焉在衰絰之中」，杜注釋「斬」為仍服斬衰，王引之讀斬為慙，通《說文》之㨻，慙焉者，哀痛憂傷之貌。（《經義述聞》〔南京市：江蘇古籍出版社，1985年〕，頁458）王說是也。

8 轉引（清）胡培翬：《儀禮正義》，頁1383。

9 （清）林昌彝：《三禮通釋》（北京市：北京圖書館出版社，2006年），頁337，云：「斬衰，先斬布而後製，故言斬衰者，斬先衰；疏衰先製而後緝，故言疏衰者，衰先齊。」

10 唐文：《鄭玄辭典》（北京市：語文出版社，2004年），頁328。

11 凡喪服，上曰衰，下曰裳。衰不緝，裳亦不緝，反之，亦然。言衰不言裳，裳與衰同，故舉衰以見裳。

12 劉釗：《郭店楚簡校釋》（福州市：福建人民出版社，2003年），頁116

13 《十三經注疏．左傳注疏》，頁575。

（二）周尺換算、「古布之最細者為三十升」

楊先生謂周尺二尺二寸，約合今四十四厘米[14]，即周尺每尺約合今二十厘米。楊先生沒有交代換算的依據，說不定是沿用前人的考證[15]，但這樣換算不無可商。實際上，周尺的長度，歷代雖有論述，但無實物可資佐證，尚不能確定。戰國以至秦漢尺長約合今二十三點一厘米[16]，現代學者一般按二十三厘米或二十三點一厘米的標準換算周尺[17]，如依前者，則周尺二尺二寸約合今五十點六厘米。

楊先生在解釋古布升縷之數時，沿用漢人舊說，以為古布之最細緻者達三十升之數。如此說來，這種麻布，幅寬二尺二寸，共二千四百縷，換算為今制，其密度為四十七點四根／厘米。以當時的紡織技術竟能織造如此精細的麻布，是很值得懷疑的[18]。清儒早就質疑這種說法。後來，錢玄《三禮通

---

14 丁鼎：《〈儀禮·喪服〉考論》（北京市：社會科學文獻出版社，2003年），頁111，也說：「在古代，布幅的經線以八十縷為一升，而布幅為二尺二寸（約合今四十四厘米）。」蓋用楊伯峻之說。

15 如吳大澂求得周鎮圭尺長合十九點五厘米，吳承洛《中國度量衡史》斷周尺長十九點九厘米，均與楊先生說差近。詳參丘光明編著：《中國歷代度量衡考》（北京市：科學出版社，1992年），頁2、10。

16 參丘光明編著：《中國歷代度量衡考》，頁10。

17 陳維稷主編：《中國紡織科學技術史（古代部分）》（北京市：科學出版社，1984年），頁99，云：「據《儀禮》記載，麻布的精粗是以一定寬度內紗線的多寡來區別的，八十縷叫做一升，升亦稱稯、緵或總。據漢代人解釋是指二尺二寸（每尺合二十三厘米）的經面上經紗的縷數，十升布的密度為十五點七根／厘米，相當於現在做蚊帳的夏布。」如準確計算，十升布的密度當為十五點八厘米（800根÷（2.2尺×23厘米）=15.81根／厘米）。聞人軍：《考工記譯注》（上海市：上海古籍出版社，1993年）云：「一尺之長，各諸侯國不盡相同，大體上分為大尺和小尺兩個系統。大尺系統的代表是周尺，每尺約合二十三點一厘米；楚尺也是大尺，每尺約合二十二點五厘米。小尺系統的代表是齊尺，每尺約合十九點七厘米。」（頁14）

18 陳維稷主編：《中國紡織科學技術史（古代部分）》云：「最細的三十升，全幅達二千四百縷。用來做允冕，線縷之細接近絲縷，這是非常精細的。」（頁100）除援引鄭玄《儀禮注》外，未能提供實證。

論・衣服》也仔細分析過這個問題，他說：

> 古人常用之布，其細者為十五升，其次為十升。七升之布則為徒隸所服。……或說布之最細者為三十升。但其細密已大大超過今之細紵麻布，恐非事實。《論語・子罕》：「子曰：麻冕，禮也。今也純，儉。吾從眾。」何晏《集解》引孔安國《傳》：「冕，緇布冠也。古者績麻三十升布以為之。純，絲也。絲易成，故從儉。」《詩・周南・葛覃》孔穎達《疏》引《論語注》亦云：「績麻三十升以為冕」。但後人懷疑三十升過密，不能織造。江永《鄉黨圖考・冕考》：「古布幅闊二尺二寸，當今一尺三寸七分半。若容三十升之縷二千四百，則今尺一分之地幾容一十八縷，此必不能為者也。」按現今最細紵麻布經線為一厘米二十八根。古布二尺二寸之幅，合今五十點六厘米（今一尺為二十三厘米），如三十升，亦即一厘米為四十三根，其細密大大超過現在的細紵麻布。據近年長沙馬王堆一號漢墓出土紵麻布多種，其中最細者經線為一厘米二十八根，約合十七升，與現在的紵麻布相同。則古時三十升布，或僅為誇張之辭，形容其細密難成。[19]

據錢先生的說法，可以看出，漢人謂古有三十升布，未必有實物依據，很可能只是極言其精細罷了。江永（1681-1762）甚至斷然否定古代存在這種布的可能性。錢先生也指出，就是漢代的紵麻布，其最細者也不過是十七升而已，古時怎麼可能有三十升的麻布呢？錢先生的看法是合理的。目前，我們可以看到的戰國時期的麻布實物，其中最精細的戰國麻布要算是一九五二年長沙四〇六號楚墓出土的那幅，經密每厘米二十八根，約為十七升布。後來，馬王堆一號漢墓也出土了幾幅麻織品。這些麻織品可分為粗麻布與細麻布兩種，粗麻布經密每厘米十八根，共有經線八一〇根，約合十升布；細麻

---

[19] 錢玄：《三禮通論》（南京市：南京師範大學出版社，1996年），頁78。「如三十升，亦即一厘米為四十三根」，換算有誤，當為一厘米四十七根。

布經密每厘米三十二-三十八根，約合二十一-二十三升布[20]。這是我們現在看到的最精細的漢代麻布實物。由此可見，說古布之最細者為三十升，或僅為誇張之辭而已。

（三）鄭玄對「麤縗斬」的理解及其與杜《注》的歧異

楊先生引鄭玄《禮記・雜記・注》云：「麤縗斬者，其縷在齊斬之間，謂縷如三升半而三升不緝也。斬衰以三升為正，微細焉則屬於麤也。」「謂縷如三升半而三升不緝也」，句讀不明。據〈喪服・記〉，斬衰三升，齊衰四升。鄭玄以為，既說「麤縗斬」，則非斬衰，其縷在斬與齊之間。孔穎達《禮記疏》云：「斬衰三升，麤衰四升，其布在三升四升之間，故云縷如三升半，言麤如三升半，而計縷唯三升，故云縷如三升半，而三升，不緝也。」[21]楊先生申述鄭意云：「鄭玄謂縷如三升半，意即縷數仍是三升，但縷之粗細可比三升半。」孔《疏》正為楊《注》張本。鄭玄還推算出：「其為母五升縷，而四升；為兄弟六升縷，而五升。」結合這些文例來看，「縷如三升半而三升不緝也」當讀作：「縷如三升半，而三升，不緝也。」

楊伯峻先生引述的鄭玄《禮記注》原文是這樣的：

> 今大夫喪禮逸，與士異者，未得而備聞也。《春秋傳》曰：「齊晏嬰麤衰斬，苴絰、帶、杖，菅屨，食粥，居倚廬，寢苫、枕草。甚老曰：『非大夫之禮也。』曰：『惟卿為大夫。』」此平仲之謙也。言己非大夫，故為父服士服耳。麤衰斬者，其縷在齊斬之間，謂縷如三升半，而三升，不緝也。斬衰以三升為正，微細焉則屬於麤也。然則士與大夫為父服異者，有麤衰斬、枕草矣。其為母五升縷，而四升，為兄弟六升縷，而五升乎？惟大夫以上，乃能備禮盡飾，士以下則以臣

---

20 詳參上海市絲綢工業公司，上海市紡織科學研究所編：《長沙馬王堆一號漢墓——出土紡織品的研究》（北京市：文物出版社，1980年），頁76、59。

21 《十三經注疏・禮記正義》（臺北市：藝文印書館，1988年），頁713。

服君之斬衰為其父，以臣從君，而服之齊衰，為其母與兄弟，亦以勉人為高行也。大功以下，大夫、士服同。[22]

〈雜記〉說：「大夫為其父、母、兄弟之未為君者之喪服如士服，士為其父、母、兄弟之為大夫者之喪服如士服。」鄭君認為這裏透露出大夫與士喪服有別，加上晏嬰「麤縗斬」、「枕草」與〈喪服〉不同，於是便說古本有「大夫喪禮」。鄭玄這樣推想，無非是為了區分「麤縗斬」與「斬衰」，使「麤縗斬」與「斬衰」分屬士與大夫的喪服。但是，鄭玄不得不承認，大夫喪服的具體內容已無從稽考。就像孔穎達所揭示的那樣，鄭玄注〈雜記〉此文，引述晏嬰麤縗斬之事，旨在證明大夫與士喪服不同。楊先生先列杜《注》，隨後便引鄭玄《禮記注》，並於注末申述鄭意，似乎贊同鄭玄的看法。假如楊先生確有此意，他對鄭玄之說恐怕沒有掌握得很透徹，同時，他可能也未能洞悉鄭說與杜《注》的分歧所在。其實，孔穎達《左傳疏》早就對鄭玄之說提出質疑，其文云：

〈雜記〉：「大夫為其父母兄弟之未為大夫者之喪，服如士服；為其父母兄弟之為大夫者之喪，服如士服。」如彼《記》文，則大夫與士喪服不同。《記》是後人所記，記當時之事。今此晏子之老，亦譏晏子所為非大夫之禮。是時之所行，士及大夫喪服各不同也。晏子實為大夫而行當時之士禮，晏子反時以從正，其家老不解，謂晏子為失，故據時所行而譏之也。[23]

又疏解「唯卿為大夫」云：

〈檀弓〉云：「魯穆公之母卒，使人問於曾申。曾申對曰：『哭泣之哀，齊斬之情，饘粥之食，自天子達。』」然則天子以下，其服父母，尊卑皆同，無大夫士之異。晏子所行是正禮也。言唯卿得服大夫

[22] 《十三經注疏・禮記正義》，頁712。

[23] 《十三經注疏・左傳正義》，頁576。

> 服，我是大夫得服士服。又言己位卑不得從大夫之法者，是惡其直己以斥時之失禮。故孫（引者按：孫同遜）辭略答家老也。《家語》曾子問此事，孔子云：「晏平仲可謂能辟害也。不以己是而駮人之非，孫辭以辟咎義也。」夫《家語》雖未必是孔子之言，要其辭合理，故王肅與杜皆為此說。鄭玄注〈雜記〉引此《傳》言：「晏子云『唯卿為大夫』，此平仲之謙也。」言喪服服布麤衰，斬衰三升，義服斬衰三升半。為母服齊衰四升，正服齊衰五升，義服齊衰六升。降服大功七升，正服大功八升，義服大功九升。降服小功十升，正服小功十一升，義服小功十二升。緦麻十五升，去其半。鄭注〈雜記〉云：士為父斬衰，縷如三升半，而三升，不緝。（引者按：此引鄭《注》與原文稍異。）言縷之精麤如三升半，成布而縷三升，故云：「麤衰在齊、斬之間。」鄭又云：「士為母衰五升縷，而四升，為兄弟衰六升縷，而五升。」鄭以〈雜記〉之文，士為父母兄弟之服不得與大夫同，皆縷細降一等，其縷數與大夫同。但〈雜記〉之文記當時之制，以當時大夫與士有異，故為此解，非杜義也。[24]

針對鄭君之說，孔《疏》開章明義便說「《記》是後人所記」，這句話明確地告訴我們，〈雜記〉所反映的時代，與晏嬰之時一樣。其時，士與大夫喪服各自不同，但古之正禮並非如此。從曾子所言可見，「天子以下，其服父母，尊卑皆同，無大夫士之異」。也就是說，依正禮，為父母服喪，並不存在士與大夫的差異。晏子行的是正禮，只是由於不欲斥責時人所行失禮，才謙稱自己是大夫就只能服士服。孔穎達提及王肅與杜預都不贊同鄭說。王肅之說，具見於孔穎達《禮記疏》所引《聖證論》。王肅認為，「喪禮自天子以下無等」。除了曾子語外，還有另外兩條例證，包括《孟子》的「諸侯之禮，三年之喪，齋疏之服，飦鬻之食，自天子達於庶人，三代共之」及〈雜記〉的「端衰、喪車皆無等」[25]。在在說明喪服不因身分等級而異。如是，則

---

24 《十三經注疏．左傳正義》，頁576。

25 《十三經注疏．禮記正義》，頁713。本著疏不破注的原則，孔穎達於《禮記注疏》疏

鄭玄謂大夫與士喪服不同之說並不符合周禮之實。鄭玄注〈雜記〉「端衰、喪車無等」云：「喪者衣裳，及所乘之車，貴賤同，孝子於親，一也。」孔穎達《禮記疏》闡釋其意云：「言喪之衣裳及惡車，天子至士制度同，無貴賤等差之別也。以孝子於其親，情如一也。」[26]這裏，鄭玄也承認喪衰貴賤無異。鄭《注》之所以出現牴牾的現象，大概是隨文為訓所致。

就古人制禮之義而論，《荀子・禮論》云：「三年之喪，稱情而立文，所以為至痛極也。齊衰、苴杖、居廬、席薪、枕塊，所以為至痛飾也。」[27]《禮記・坊記》云：「禮者，因人之情而為之節文，以為民坊者也。」郭店楚簡《語叢一》亦云：「禮，因人之情而為之節文者也。」「節」，指「制中」，使無過無不及；「文」，指文飾。也就是說，制禮的原則是切合人的情感表現，制定各種適當的模式，既予以限制、約束，又加以文飾、疏導。這就是制定三年喪制的原意。據《禮記・大傳》，服術有六，以「親親」居首。子喪父之禮按親親之義而制定，與身分等級無關。因此，天子與諸侯也好，大夫與士也好，其喪父之禮不應有異。由於〈雜記〉僅僅談及為父母兄弟之服，所以鄭玄就說：「大功以下，大夫士服同。」然則，自期以上，大夫與士服異，而自期以下，大夫與士又不異。輕服不異而重服反異，難道不同等級的人對其父母兄弟之情有異？這是說不過去的。我們大可這樣看待這個問題，「端衰、喪車無等」與「大夫為其父母兄弟之未為大夫者之喪，服如士服」云云，分別反映兩個不同時代的喪服，或如禮家所言，前者代表周

通鄭玄之說，對於與鄭說乖違的異說（服虔、王肅、杜預之說），則棄而不用。而在《左傳注疏》中，孔穎達則力主杜預之說，而不用鄭說。

[26] （清）孫希旦：《禮記集解》，頁1064。孫希旦曰：「禮服自玄端以上，衣之長與幅廣相等，故謂之端。喪衰之制亦然，故謂之端衰。然吉時禮服皆端，而玄端之袂圜殺，與朝服以上侈袂者不同。喪衰與玄端同制者，惟士之喪衰為然，若大夫以上，甚喪衰與朝服等同制，其袂亦侈，不與玄端同也。端衰無等，謂其布之升數及齊、斬之制也。為父皆斬衰三升，為母皆齊衰四升，是端衰無等也。天子喪車五乘，而〈士喪禮〉『主人乘惡車，白狗幦，蒲蔽』，與天子始喪之車同，是喪車無等也。」

[27] （戰國）荀子著，王天海校釋：《荀子校釋》（上海市：上海古籍出版社，2005年），頁795-796。「齊衰，當作『斬衰』。」（王天海語，頁797）

禮，後者反映春秋以後的情況。

我們知道，古人制定喪服，以服喪者與服喪對象關係的親疏遠近為原則，關係越是親近，喪服越重，越是疏遠，則其服越輕。喪服的輕重，主要體現在衰裳用布的精粗上，而衰裳的精粗則以升數計量。一升八十縷（紗線或經線），即布幅寬二尺二寸由八十條紗線或經線編織而成。按此標準，布的精粗程度，視乎升數多少而定。五等喪服就以升數為劃分標準。鄭玄以為，士斬衰之服稱「麤縗斬」，與代表大夫等級的「斬衰」有別，兩服升數相同（三升），其間的差異只透過縷的粗細表現出來。

按照孔穎達的詮釋，鄭玄的整套構想，還聯繫到喪服的降、正、義之服。今按〈喪服・記〉云：

> 衰三升，三升有半，其冠六升。以其冠為受，受冠七升。

鄭玄《注》云：

> 衰，斬衰也。或曰：三升半者，義服也。其冠六升，齊衰之下也。斬衰正服，變而受之此服也。[28]

鄭玄取或人之說，並加以擴展整合，從而創立降服、正服、義服這三條服制義例。後代禮家就在鄭說的基礎上詳加推衍，形成互有同異的以降、正、義釐析服制的體系[29]。諸家所定圖說，以胡培翬（1782-1849）〈附考五服衰冠升數及降正義服〉所考為「最精彩」（黃以周〔1828-1899〕語）[30]。實際上，五服用布升數，詳載於《禮記・間傳》，而略具於〈喪服・記〉，但胡氏也承認「〈傳〉（引者按：指〈間傳〉）、〈記〉（引者按：指〈喪服・記〉）但

---

28 （清）胡培翬：《儀禮正義》，頁1613。

29 諸儒對五服義例的論述，可詳丁鼎：〈歷代諸儒所定喪服義例比較表〉，《〈儀禮・喪服〉考論》（北京市：科學文獻出版社，2003年），頁211-217；鄧聲國：〈清儒「五服」義例研究歸屬對比表〉，見氏著：《清代〈儀禮〉文獻研究》（上海市：上海古籍出版社，2006年），頁210-221。兩表可互補。

30 （清）黃以周撰，王文錦點校：《禮書通故》（北京市：中華書局，2007年），頁405。

言降服，未有正、義之名」[31]，也就是說，鄭玄所立服制義例，只有降服有所本，而正、義卻純粹是鄭玄構擬出來的。鄭玄看到〈喪服·記〉與《禮記·間傳》各服用布升數不一，斬衰二等，齊衰、大功、小功各有三等，所以就在〈喪服〉原來的「降服」外，加上「正服」、「義服」，使之分別與三等升數配對。據〈喪服·記〉，斬衰、大功、小功用布升數各有二等，齊衰卻只有一等。而依〈間傳〉所述，齊衰、大功、小功皆有三等，而「斬衰」僅有「三升」一等，別無〈喪服·記〉所說的「三升半」。這些分歧，前人似乎都不能很好地解釋[32]。降、正、義之服得以配對三等升數，顯然是經過人為的整齊劃一的工夫。對五服之中存在正、義、降之分，現代學者之中，雖有肯定其說者[33]，但大多表示懷疑。

鄭玄提出，大夫與士所服斬衰，縷數雖同，但縷的粗細卻不一樣。士為父服麤縗斬，其縷數與大夫同為三升，而縷的粗細則如三升半。「斬衰以三升為正，微細焉則屬於麤」，意思是說，麤縗斬也是三升，同正服，但其縷較正服略細。依照士服縷數同乎大夫而其縷「細降一等」的原則，便得出士「為母五升縷而四升，為兄弟六升縷而五升」的結論。在這個理論架構裏，縷的粗細便與降、正、義三服產生聯繫。士為父服斬衰，縷數三升，而縷較大夫細降一等至三升半（義服）；為母服齊衰，縷數四升（降服），而縷較大夫細降一等至五升（正服）；為兄弟服齊衰不杖期，縷數五升（正服），而縷較大夫細降一等至六升（義服）。士為父母兄弟之服均較大夫細降一等，

---

31 （清）胡培翬：《儀禮正義》，頁1618。

32 （清）胡培翬取戴震、金榜之說，以三升半之衰專指公士大夫之臣為其君布帶繩屨。（《儀禮正義》，頁1625）正如黃以周所言，金榜說亦備一義而已。（《禮書通故》，頁404）

33 如沈文倬〈漢簡《服傳》考〉說：「服有正、降、義之分，降、義之名雖不見於《喪服經》，但降服表現在服之等差上，如女子子未嫁為父斬衰三年，已嫁降服不杖期，等等。而義服指諸侯為天子、庶人為國君等所謂『有君之義』，而非宗族之親，故稱義服。然則服之有降、義，實際上存在於五服之中。」《宗周禮樂文明考論》（杭州市：浙江大學出版社，2006年），頁209。

誠如林昌彝所言，有尊卑觀念存乎其間[34]。以粗縷與細縷分屬大夫與士，屬於《禮記．禮器》所說的「禮有以大為貴者」。這樣配對，驟看起來，頗為精密，但只要細加思索，不難發現問題。鄭玄明明說士「為母五升縷，而四升」，那麼，其縷的粗細就從正服，與為父、兄弟之降從義服不同。[35]姑勿論鄭玄以及後儒鑿鑿言之的降、正、義服是否合乎服制的真實情況，有一點可以確定的是，降、正、義服的劃分，全部著眼於縷數，即同一幅寬內包含多少縷，卻與縷的粗細了無關涉。鄭玄將〈雜記〉及《左傳》所記晏嬰服喪之事牽合起來，以為士與大夫喪服不同，又礙於縷數無法說明這種區別，於是巧用心思，試圖以縷的粗細為分等的標準。

根據後儒對服制的詮釋，五服的區分標準，已牽涉到縷的粗細。五服之內最輕的是「緦服」，《儀禮．喪服傳》云：「緦者，十五升抽其半，有事其縷，無事其布，曰緦。」《禮記．雜記上》云：「朝服十五升去其半而緦，加灰錫也。」鄭玄注云：「緦，精麤與朝服同。去其半，則六百縷而疏也。」[36]朝服十五升，即一千二百縷；緦麻服減半，即六百縷[37]。緦麻服升數少，而縷的粗細同朝服，如此則密度大，故言疏。敖繼公《儀禮集說》（成書於1301年）云：「抽其半，則成布七升有半也。乃在小功之下者，以其縷細也。凡五服之布，皆以縷之麤細為序。其麤者則重，細者則輕，故升數雖多而縷麤，猶居於前。如大功在繐衰之上，是也。升數雖少而縷細，猶居於後，如

34 （清）林昌彝：《三禮通釋》補充、闡釋鄭意云：「大功以下，大夫、士服同。此蓋周衰禮變而齊之服於是有等，故大夫以尊而伸服斬衰，士以卑而屈服齊衰。」（頁337）

35 （唐）孔穎達《禮記疏》彌縫鄭說云：「云『縷如五升，成布四升』，據父卒為母言之也。此注以士為兄弟，與臣為君義服齊衰同，則父在為母與兄弟服亦同。縷如六升，而成布五升，據父在為母言之，為此前後注異。」（《十三經注疏．禮記正義》，頁713）據鄭玄《禮記注》，齊衰義服六升。「縷如六升，而成布五升」，則為母縷數五升，而縷較大夫細降一等至六升（義服）。惟其如此，士為父母兄弟之縷，始能皆降從義服。

36 《十三經注疏．禮記正義》，頁723。

37 如錢玄《三禮通論》（頁79）所說，以前學者對「十五升抽其半」的解釋有三種：一說七升半（源自鄭玄），又一說十四升半，又一說十五升。

緦麻在小功之下，是也。」[38]據此，縷的粗細已用作區分五服的標準。如今又說士與大夫異服是按照縷的粗細來劃分，豈不造成標準重疊、混淆不清的問題。

總之，為父服喪，身分等級不同，就表現在縷（紗線或經線）的粗細之上，前此未聞，唯鄭玄有是說，無法從〈喪服〉等文獻裏找到實證。更何況，鄭玄所創立的服制義例本身有不少疑點[39]。根據這種未可必之說而構建起來的喪服理論，也就難以站得住腳了。總而言之，鄭說雖巧而終無實據，不足以解說晏嬰服喪之禮。

鄭玄判別「麤衰斬」與「斬衰」之說，孔穎達不以為然，已如上述。孫希旦（1736-1784）《禮記集解》更斥為臆說：

> 鄭乃以晏嬰之麤衰、枕草為士為父之異於大夫者，又謂「麤衰在齊、斬之間」，而並以推士為母及兄弟之服，臆說甚矣。寢苫、枕塊，〈士喪．記〉之明文，可謂枕塊為大夫禮，而枕草為士禮乎？〈喪服〉一經，雖兼有大夫以上之禮，然實主士禮言之。其言五服之精麤，曰「斬衰三升、三升有半」，「齊衰四升」，安有如鄭所云「縷如三升半而三升」，「縷如五升而四升」，「縷如六升而五升」者乎？孟子之告滕文公曰：「齊、疏之服。」《新書．六術篇》曰：「服有麤衰、齊衰、大紅、細紅、緦麻。」蓋對大功以下而言，則齊衰為麤；對齊衰而言，則斬衰為尤麤。晏嬰所服之麤衰，即斬衰，初非齊、斬之間別有所謂麤衰也。[40]

孫希旦揭示了鄭說的漏洞，足以補充孔穎達《左傳疏》。孫氏針對鄭玄立說的根本——「麤縗」和「枕草」，指出既然「枕塊」見於〈士喪禮．記〉，

---

[38] （清）胡培翬：《儀禮正義》，頁1554-1555。

[39] 章景明：《先秦喪服制度考》（臺北市：臺灣中華書局，1986年），頁42、231，以為，〈喪服．記〉「衰三升，三升有半」的意思，不過是說明升數多種供人選擇罷了。此說甚辯，惜無確證。

[40] （清）孫希旦：《禮記集解》，頁1046。

就不能說枕塊為大夫禮；稱「麤」其實是相對的，對齊衰以下各服而言，斬衰用布最粗，故著一「麤」字。「麤縗斬」比「斬衰」多一個「麤」字，並不意味兩者有甚麼不同。同時，孫氏指出，按縷的粗細分辨各等喪服，是鄭玄憑臆立說，缺乏實據。胡培翬《儀禮正義》在談到晏子之服與〈喪服〉的關係時說：「此（引者按：兼該〈喪服〉與晏子所服而言）喪服斬衰之制，貴賤皆同。至春秋時而有異，故其老疑之。然晏子所服與〈喪服〉經傳符合，亦可證此禮遵行已久，非後人偽撰也。」[41]胡氏也主張斬衰之制本無貴賤之分，至春秋之時，才發生變化，出現貴賤不同、服制亦異的情況。晏子復古之制，有別時俗，使其家老大惑不解。胡氏明確指出，晏子所服與〈喪服〉經傳符合，從而證明〈喪服〉乃據事實寫成，並非出於空想。反對鄭玄之說的還有姚際恆，他甚至給鄭玄扣上「惑亂天下後世」的罪名[42]。抨擊

41 （清）胡培翬：《儀禮正義》，頁1343。

42 （清）姚際恆《禮記通論》論鄭玄〈雜記〉注云：「孔子曰：『三年之喪，天下之通喪也。』〈中庸〉曰：『三年之喪，達乎天子；父母之喪，無貴踐，一也。』孟子曰：『三年之喪，齋疏之服，饘粥之食，自天子達乎庶人，三代共之。』此皆言三年之喪，天子與庶人一也。〈中庸〉曰『期之喪，達乎大夫』，此言期之喪，大夫與庶人一也。大夫降旁期，正期不降也。則三年與期喪，時日既一，其服亦一，自古經傳皆無異說也。而記者之為此說者何？蓋春秋時周衰禮廢，多行短喪，即以聖門高弟亦靡然從風，況其時驕恣諸侯大夫乎？夫喪且可短，又何有于服之稍麤輕重哉？（自注云：「《疏》引王肅曰：『春秋之時尊者尚輕簡，喪服禮制遂壞。』張融曰：『士與大夫異者，是亂世尚輕簡，非王者之達禮。』」）所以當時吳（引者按：當作晏）子矯而行之，而家臣反以為非也。即晏子唯卿為大夫之對，亦祇據當時之禮答之，而非貴賤皆一之禮也。緣其時去周初已遠，典籍無存，春秋又自有春秋之禮，故此文乃春秋以後人所記。彼見其時大夫與士異服，後且有大夫為其父母兄弟之未為大夫者之喪服，士為其父母兄弟之為大夫者之喪服（自注：此指庶子），皆如大夫服者，故申之曰：『大夫為其父母兄弟之未為大夫者之喪服』、『士為其父母兄弟之為大夫者之喪服』，皆當如士服。此在記者猶謂『是正其禮、俾勿僭踰也』，不知正類紾兄之臂，而謂之姑徐徐之見爾，乃後人取此以入《禮記》，而鄙儒註《禮》並不考當時情事，直以為周之制禮如此，則更可駭焉。鄭氏曰：『大夫喪禮逸，與士異者，未徥備聞。』若然，是周公果有其『大夫喪禮』與士異者矣，是鄭為之實其事也而可乎？不特此也，復引〈喪服傳〉斬衰、疏衰縷升不同之數，附會晏子之事，以配合于大夫士，其說為尤轉。春秋戰國固多毀壞禮制，自是而後，仲尼七十子之徒撰述禮文，以行于世，聖

鄭說，莫斯為甚，未免過於激烈。平心而論，後世禮家自王肅而下，大肆抨擊鄭玄士與大夫為父異服之說，一味強調此為春秋之禮，而非周禮之實[43]。然而，大家似乎都忽略了一個問題：如士與大夫為父異服確為春秋之禮，那麼，其間差異又如何表現出來呢？鄭玄附會〈雜記〉所言，擷取晏嬰喪父之禮中的「麤縗斬」為證，藉以分辨士服與大夫之服，其說無據，固不待辯，但我們在批評鄭說的同時，不得不承認，古今禮家中只有鄭玄嘗試解答春秋士與大夫異服的問題，即使是王肅以至姚際恆，也只說士與大夫異服是春秋尚「輕簡」的表現，但對「輕簡」的具體內容都沒有任何說明，從這點來看，鄭玄之說還是值得探討的。

實際上，依《左傳》解《左傳》，從春秋時禮證春秋時禮，我們可以找到一則卿為其父服喪的事例，哀公二十年，「十一月，越圍吳，趙孟降於喪食。楚隆曰：『三年之喪，親暱之極也，主又降之，無乃有故乎？』趙孟曰：『黃池之役，先主與吳王有質，曰：『好惡同之。』今越圍吳，嗣子不廢舊業而敵之，非晉之所能及也，吾是以為降。』」趙孟為其父趙鞅服喪，值越圍吳，吳行將被滅，趙孟自言欲敵越救吳而不能，只好「降於喪食」。

人之道漸明。由漢以來，無不遵聖人之禮者，而喪制且井井矣。〈喪服傳〉所述斬疏諸服之制，曾有一語分別大夫士者乎？奈何附會以為說也。……鄭氏在東漢，其時遵行聖教已久，借謂春秋有此禮，亦自春秋之禮，而非周初之禮，直當置之而弗道，乃反舉其事以證為周之禮制，且鑿鑿言之，其惑亂天下後世，不亦甚乎？又後章云『端衰喪車無等』，可見記者本雜取禮文，故篇名「雜記」。註者乃如是以釋之，則是記者之過小，而註者之過大也。」見林慶彰主編：《姚際恆著作集．禮記通論輯本》（臺北市：中央研究院中國文哲研究所，1994年），冊三，頁142。春秋實行短喪，詳參拙著〈論杜預《春秋經傳集解》中的「既葬除喪」說〉，發表於中央研究院中國文哲所舉辦之「魏晉南北朝經學國際研討會」（臺北市：中央研究院中國文哲研究所，2008年11月26-28日）。

[43] 丁鼎《〈儀禮．喪服〉考論》引述明王志長及清乾隆《欽定儀禮義疏》之文，指出〈雜記〉與《左傳》所反映的父母之喪中大夫之服與士之服的等級區別乃起於「禮壞樂崩」之時或「世卿執政之時」（頁313-314）。大夫與士喪服如何區別？丁氏亦無任何說明。

哀悼他國之被滅，有一定禮數，趙孟依禮而行[44]。楊《注》云：「簡子趙鞅當死于此年，無恤繼承卿位。在父喪中，古禮，食品必須減殺，今因吳被圍，有滅亡之勢，而己不能救助，又降等于喪父之食。」[45]以減殺釋「降」，確當無疑，「降於喪食」，即減殺其居喪食品之差等。趙孟繼父卿位，卿之喪食的具體內容，《左傳》沒有交代。考《國語．楚語下》云：「祀加於舉。天子舉以大牢，祀以會；諸侯舉以特牛，祀以大牢；卿舉以少牢，祀以特牛；大夫舉以特牲，祀以少牢；士食魚炙，祀以特牲；庶人食菜，祀以魚。」然則卿之日食（舉），兼有羊豕，大夫止用一豕，均較士為盛[46]。趙孟既居三年之喪，自必減殺盛饌，如今更值吳將被滅，故再加減殺。晏嬰居喪，食鬻，同乎〈服傳〉之歠粥。食鬻已是最低禮數，〈問喪〉云：「親始死，水漿不入口，三日不舉火，鄰里為之糜粥，以飲食之。」〈閒傳〉亦云：「父母之喪，既殯食粥。」自親始死至殯期間，一直食粥[47]。依春秋時之禮，卿與大夫之喪食，雖較日食有所減殺，恐不致於「食鬻」，不然，趙孟如何「降於喪食」？以此例彼，晏嬰居於大夫之列，依當時之禮，喪食亦非「食鬻」。從楚隆謂趙孟為父服三年之喪來看，卿之常禮固當如是。春秋之時，卿大夫行喪父之禮的其他儀節、禮數，已無從稽考，有別於晏嬰所行，則可斷言，甚或因應時勢所需，於周禮有所簡化，亦未可知。

上文提及，對晏子麤衰斬一事的看法，鄭玄與服虔、杜預存在頗大的分歧。陳建樑先生在他的博士論文裏，對鄭、服二說作出了深入的剖析。他在前人研究的基礎上，闡明了服虔有關喪服的看法。要言之，服虔據〈雜記

---

44 《左傳》文公四年云：「楚人滅江，秦伯為之降服，出次，不舉，過數。」楊《注》云：「降服，素服也。……出次，避開正寢不居也。不舉，去盛饌而徹樂也。……過數，謂過其禮數也。哀悼他國之被滅，有一定之禮數，哀十年《傳》云：『齊人弒悼公，赴于師，吳子三日哭於軍門之外。』此哀悼他國君被殺之禮數。至於他國被滅，哀悼之禮數如何，雖不可知，據《傳》，秦穆公『降服，出次，不舉』，則過甚矣。哀二十年《傳》，越圍吳，吳被滅之勢已成，趙孟亦『降於喪食』而已。」（頁 534）

45 楊伯峻：《春秋左傳注》，頁 1716。

46 詳參楊伯峻：《春秋左傳注》，頁 215。

47 參（清）胡培翬：《周禮正義》，頁 1356。

上〉「端衰、喪車無等」之文，主張天子及士人的喪服，在喪衰及喪車上，都沒有差別。反觀鄭玄的看法，就與服虔之說背道而馳[48]。陳先生確實能夠掌握鄭、服二說的要點，同時也對其間的優劣，作出了中肯的評論。可是，通覽全文，可知陳先生的立論依據主要來自宋、清諸儒的論著，而孔穎達的《左傳疏》卻得不到應有的重視。

至於杜預注「麤縗斬」云：

> 斬，不緝之也。縗在胸前，麤，三升布。

杜注非常簡明，如其說，「麤縗斬」指以三升麤布為衰，不縫其邊。在杜預看來，「麤縗斬」即以三升布為衰而不緝之。晏嬰服父喪的整套禮儀與〈喪服〉無異[49]。鄭玄以士與大夫為父異服解說晏嬰服喪之禮，杜預不表贊同，其立場是非常清楚的。可見杜、鄭二說殊異，不能兼融。楊伯峻兼引二說，對其間的差異不但沒有任何說明，而且對鄭說還相當重視，一再援引並申述鄭玄有關「麤縗斬」的看法，難免令人懷疑他對鄭說缺乏充分的了解，也沒有察覺到「麤縗斬」在鄭玄整個喪服理論中所起的作用。

還有一點必須辨明，鄭玄認為，根據《左傳》的記載，士與大夫為父服喪的差異，除了「麤衰斬」與「斬衰」不同外，還體現在「枕草」與「枕塊」[50]上。宗鄭者多沿其說，如張錫恭《喪服鄭氏學》引《左傳疏》云：「枕塊，據大夫已上。若士，則大夫適子為士者得行大夫禮；若正士，則枕草。」[51]杜預大概不贊成鄭玄的看法，他說：

> 此禮與〈士喪禮〉略同。其異唯枕草耳。然枕凷亦非〈喪服〉正文。[52]

---

48 參考陳建樑：《《春秋左氏傳》鄭、服說比義・禮制異說例》（香港：香港中文大學研究院中國語言及文學學部哲學博士論文，1996年），頁221-250。

49 《十三經注疏・左傳正義》，頁575-576。

50 （唐）陸德明：《經典釋文》云：「塊，本又作凷。」

51 （清）張錫恭：《喪服鄭氏學》（北京市：文物出版社，1984年），卷1，頁33。

52 《十三經注疏・左傳正義》，頁576。

杜氏以為《左傳》與〈士喪禮〉(見今〈既夕・記〉。〈既夕禮〉與〈士喪禮〉原為一篇[53]),只有「枕草」與「枕凷」不同而已,但「枕凷」也不是〈喪服〉經文,作「枕凷」者,其實是〈喪服傳〉及〈士喪禮〉(〈既夕・記〉)[54]。揆杜氏之意,古禮未必無枕草之法。這句話似乎是針對鄭《注》說的。

胡培翬《儀禮正義》云:

> 〈既夕・記〉亦云:「寢苫枕塊。」注:「苫,編稿,塊,塭也。案:稿,即草也,謂編草為苫。故《左傳釋文》云「苫,編草也。塊,塭也」,《爾雅・釋言》文,郭《注》:「土塊也。」〈喪大記〉作枕凷,凷與塊同,凷正字,塊俗字。《左傳》晏嬰寢苫枕草。《釋文》引王儉云:「夏枕凷,冬枕草。」[55]

孔穎達詮解杜《注》時說過「杜意言古禮未必無枕草之法」,這句話很值得細味。除〈喪服傳〉及〈既夕・記〉外,「寢凷」或「寢塊」還見於《禮記》〈喪服大記〉、〈問喪〉、〈閒傳〉、〈三年問〉、《墨子・節葬下》。據《說文》,凷正字,塊俗字[56],「寢凷」等於「寢塊」。作「寢草」者只有《左傳》所記晏嬰服喪之事,此外一律作「寢凷(塊)」。王儉以為,居喪者所枕之物,隨著季節的轉移而有所改變。如其說,晏嬰「枕草」似乎是因為冬天的緣故。可是,《儀禮》及《禮記》都沒有服喪之禮隨季節轉換的記載。〈檀弓上〉記孔子答子夏「居父母之仇」之問云:「寢苫枕干」,以干盾兵器

53 詳(清)胡培翬:《儀禮正義》,頁1825。

54 (唐)孔穎達《左傳疏》云:「〈喪服傳〉文及〈士喪禮・記〉皆云:居何廬,寢苫枕凷,歠粥,朝一溢米,夕一溢米。是此禮與士喪禮畧同,其異者唯彼言枕凷此言枕草耳。然枕凷者乃是禮記及〈喪服傳〉耳,亦非〈喪服〉正文。杜意言古禮未必無枕草之法也。」(《十三經注疏・左傳正義》,頁576)

55 (清)胡培翬:《儀禮正義》,頁1355。

56 (漢)許慎撰,(清)段玉裁注:《說文解字注》(上海市:上海古籍出版社,1981年),頁684。

為枕物，表示復仇的決心[57]。「枕干」無疑出於實際需要，不可視為常禮。我們也許可以作出這樣的推想：晏嬰為父服喪，並沒有按照當時的大夫之禮，或如後人所理解般，採用士禮，而這種士禮才是原來的周禮。當時居喪枕物也許並不固定，或枕草或枕凷，但到了後代禮書那裏，就被規範、劃一為枕凷。[58]胡培翬《儀禮正義》在談到晏子之服與〈喪服〉的關係時說：「此（引者按：兼該〈喪服〉與晏子所服而言）喪服斬衰之制，貴賤皆同。至春秋時而有異，故其老疑之。然晏子所服與〈喪服〉經傳符合，亦可證此禮遵行已久，非後人偽撰也。」[59]胡氏也主張斬衰之制本無貴賤之分，至春秋之時，才發生變化，出現貴賤不同、服制亦異的情況。胡氏明確指出，晏子所服與〈喪服〉經傳符合，從而證明〈喪服〉乃據事實寫成，並非出於空想。當然，撇除「枕草」與「枕凷」之異，〈喪服〉經傳確與《左傳》符合，但如果著眼於這個差異，晏子所行周禮與〈喪服傳〉之間，可能存在或先或後的不同。

對於「凷」，有學者別出新解。王輝〈古禮「寢苫枕凷」別解〉認為，先秦典籍及出土文字材料所言「寢苫枕凷」，前人多把「凷」字訓為土塊，是不可取的。他於是根據銀雀山竹簡《晏子春秋》、茂陵霍光墓祠瓦當「光耀凷宇」瓦當，把「凷」看成是「坎」字，訓為墓穴。倚廬為守墓小屋，或在墓傍。亦可於居室旁鑿地為小坎，旁作倚廬[60]。此說看似可通，實未可從。今考銀雀山漢簡本《晏子春秋》，有「上无喬行，下无凷德」，此句今本作「上無驕行，下無諂德」。駢宇騫《晏子春秋校釋》解釋「凷」、「諂」這對

57 詳《十三經注疏．禮記正義》，頁133。

58 筆者曾於嶺南大學中文系與中央研究院中國文哲研究所合辦之「經學國際學術研討會」上發表〈《左傳》晏嬰「麤縗斬」楊伯峻注商榷〉一文。會上談及「枕草」與「枕 」之異時，承蒙楊天宇教授指點，故有是說，謹致謝忱。

59 （清）胡培翬：《儀禮正義》，頁1343。

60 王輝：〈古禮「寢苫枕凷」別解〉，《殷都學刊》，1998第1期，頁50-52。羅世烈等主編：《先秦史與巴蜀文化論集》（天津市：歷史教學出版社，1995年），錄王文提要。此書所收文章，原為一九九四年八月中旬在四川舉行的「先秦史及巴蜀文化國際學術討論會暨由或先秦史學會第六屆年會」論文。（頁280）

異文說：

> 「凷」，從土從凵，疑為「坎」之異體。朱駿聲《說文通訓定聲》云：「凷，一說坎也，塹也，象地穿。」當與《說文．土部》「塊」字之異體「凷」非一字。簡文「凷（坎）」，當讀為「諂」，從「欠」聲之字與從「臽」聲之字古音相近可通。《左傳．襄公二十六年》「至則欿用牲」之「欿」，《周禮．秋官．司盟》鄭《注》引作「坎」。《說文》云：「坎，陷也。」是其證。[61]

王輝《古文字通假字典》說同[62]。「凷」確實可借為「坎」，但此說卻不適用於解釋居喪時之「枕凷」。「枕凷」是動賓結構，枕指躺臥時把頭枕於物上，而所枕之物就是凷。同樣的結構，還見於〈檀弓上〉孔子所說的「寢苫枕干」中的「枕干」，所枕之物則為盾。如「凷」為「坎」為墓穴，試問怎能用作所枕之物呢？王先生之說令人費解。其實，依原文讀，「寢苫枕凷」的意思很好理解，不過是說居喪者編藁作薦、以土塊為枕而已，毋庸別作新解。

（四）「春秋已不實行三年之喪，而晏嬰行之，故為其老所止」

楊先生認為，春秋之時似乎已不實行三年之喪，晏嬰復行三年之喪，所以才遭到家老的勸止。考《左傳》襄公十四年云：

> 吳子諸樊既除喪，將立季札。

楊《注》云：

> 春秋或行三年之喪，昭十五年《傳》「王一歲而有三年之喪二焉。」

61 駢宇騫：《晏子春秋校釋》（北京市：書目文獻出版社，1988年）頁42。

62 王輝：《古文字通假字典》（北京市：中華書局，2008年），頁799。

可為明證。諸樊為壽夢之長子。[63]

這裏，楊先生的看法與前面談到的截然相反，雖然加上一個「或」字，但肯定的語氣恐怕還是比較強的。顯見其說前後牴牾[64]。至於楊先生認為家老所以勸止晏子，關鍵就在晏子行三年之喪。此說亦可商榷[65]。《左傳》原文並沒有明確提到晏子行三年喪禮。上文已經提出，楊先生對鄭玄的整個看法缺乏深入的了解，這裏就更明顯。既然楊先生採用鄭玄之說，就該像鄭玄那樣，把家老說的「非大夫之禮也」理解為晏子「麤縗」及「枕草」皆非大夫所當為。現在，楊先生卻說家老阻止晏子，是因為他行三年之喪，難免使人疑惑。鄭玄謂士與大夫喪服異等，其說未可信，已辨如上。那麼，家老的話也許應該這樣理解：春秋之時，士與大夫為父之服有異，而晏子不行當時的大夫喪父之禮，反而行士禮，家老不解，於是說「非大夫之禮也」[66]。胡培翬《儀禮正義》云：「此喪服斬衰之制，貴賤皆同，至春秋時而有異，故其老疑之。」明言家老不解者在乎晏嬰所服。其說最為簡括。

三年之喪為天下通喪，夏殷周莫不如此，這是先秦儒家代表人物孔子、孟子和荀子一脈相承之說，孔子說：「夫三年之喪，天下之通喪也。」（《論語．陽貨》）孟子說：「三年之喪，齊疏之服，飦粥之食，自天子達於庶

---

63 楊伯峻：《春秋左傳注》，頁1007。

64 陳戍國：《春秋左傳校注》（長沙市：嶽麓書社，2006年）說：「楊注謂『春秋已不實行』三年之喪，上說實非是。昭十五年《左氏》載叔向之言不是說得很明確嗎？」（頁624）昭公十五年，王太子壽與王穆后先後崩卒，《左傳》記叔向曰：「王一歲而有三年之喪二焉。」楊《注》云：「王為太子服三年喪，今《儀禮．喪服》有明文；然夫于妻，則期而已矣，無服三年之文。唯《墨子》〈節葬下〉、〈非儒下〉、〈公孟篇〉俱有夫為妻喪之三年之文，與《儀禮》異，與《左傳》合。」（頁1374）

65 錢玄：《三禮通論》說：「照禮書說，三年之喪，自天子達于庶人。晏子是齊國之相，他照著喪禮做了，人家反說他非禮，這也可證明當時統治階級已不實行三年之喪。這種風氣，直到西漢時期還是如此。」（頁610）說同楊《注》。

66 （清）于鬯：《香草續校書》（北京市：中華書局，1982年）云：「春秋時大夫喪父之禮，則當時為大夫者必皆習用之。而晏子獨否，故其家老有是言也。」（頁112-113）趙生群：《春秋左傳新注》（西安市：陜西人民出版社，2008年）亦云：「晏嬰為大夫而行士禮，家臣不解，故有此言。」（頁583）皆未明言導致家臣不解的具體內容。

人，三代共之。」（《孟子・滕文公上》）荀子說：「三年之喪，人道之至文者也。夫是之謂至隆，是百王之所同，古今之所一也。」（《荀子・禮論》，亦見於《禮記・三年問》）。孟子之時，滕文公的父兄百官皆反對制定三年之喪，理由是「吾宗國魯先君莫之行，吾先君亦莫之行也，至於子之身而反之，不可」（《孟子・滕文公上》）。由於滕文公的父兄百官言之不詳，所以魯先君與滕先君指涉範圍不明。魯、滕二國先君不行三年之喪，或許是後世之失，並不意味原來沒有這種喪制。

上引哀公二十年趙孟為父服喪之事，足以證明春秋之時卿大夫仍行三年之喪。這個事例也可以作為晏子為父服喪三年的佐證[67]。《左傳》還記載叔向談及天子及諸侯的三年之喪。《春秋》昭公十一年記五月「夫人歸氏薨」，「大蒐于比蒲」；九月，葬齊歸，公不慼。《左傳》記叔向曰：「魯公室其卑乎！君有大喪，國不廢蒐；有三年之喪，而無一日之慼。國不恤喪，不忌君也；君無慼容，不顧親也。國不忌君，君不顧親，能無卑乎？殆其失國。」[68]齊歸為魯昭公生母，依〈喪服〉，父卒，為母服齊衰三年之服，與叔向所言相符。又，《左傳》昭公十五年記周景王為太子壽及穆后服喪，「既葬除喪」。叔向譏周景王「一動而失二禮」，因為「三年之喪，雖貴遂服」，如今景王不但不終三年喪服，還與賓宴樂，其失一也；不但居喪宴樂，還求彝器，其失二也。叔向斥魯昭公居喪而無慼容，不思其親。前後兩段話語批評的對象分別是周景王及魯昭公，一為周天子，一為猶秉周禮（閔公元年仲孫湫語）的魯侯，叔向譏斥的是他們居喪期間的失禮行為。如不是周禮本有三年喪制，叔向豈能據此立論？試想周禮本無三年之喪，叔向之言豈非無的放矢！由此可見，如果說春秋已全然不行三年之喪，顯然與事實不符[69]。

---

67 章景明：《先秦喪服制度考》云：「這裏雖沒有說晏嬰服多久的喪服，但其服喪的衣服、飲食、居處等情形，則與喪服斬衰三年的規定相同。」（頁17）

68 詳楊伯峻：《春秋左傳注》，頁1327。

69 丁鼎：《〈儀禮・喪服〉考論》對三年之喪有很詳細的探討（頁22-52）。據文獻所載，春秋時期或有不行三年之喪的事例，如陳立：《公羊義疏》（臺北市：臺灣商務印書館，1986年）疏釋哀公六年「除景公之喪」云：「〈喪服〉斬衰章，『父』。〈傳〉

三 結論

總上所論，楊伯峻對「晏嬰麤縗斬」的注釋有四處值得商榷：

（一）「麤縗斬」的行文結構：誠如孔穎達《左傳疏》所言，「麤縗斬」意謂「以麤布為衰而斬之」。〈喪服〉以「斬衰裳」與「疏衰裳，齊」對言，「斬」置衰裳之前，「齊」置衰裳之後，是由於先裁割麻布再加縫製的緣故。「斬」與「齊」分別表示兩種不同的縫製方法，即不緝與緝，仿照「疏衰裳，齊」的結構，可得出「疏衰裳，斬」。如這個判斷可以成立，則「麤縗斬」可讀為「麤縗，斬」。

（二）周尺換算、「古布之最細者為三十升」：周尺換成今制，一般按每尺約合今二十三厘米換算。楊先生的換算，很可能是沿用舊說。根據出土實物所見，可知漢人謂古布之最細者達三十升之說值得懷疑。

（三）鄭玄對「麤縗斬」的理解及其與杜《注》的歧異：晏嬰為父服喪之禮，與〈喪服〉經傳所列，除「麤縗斬」及「枕草」外，可謂吻合無間。鄭玄附會《禮記．雜記》之文，以為士與大夫異服，並截取晏嬰所行之禮充實士與大夫異服的具體內容。他設想士與大夫異服表現在縷的粗細上，再結合正、義、降三服，構建士與大夫為父母兄弟喪服不同的體系。事實上，鄭玄之說疑點重重，不可信據，不足以解說晏嬰服喪之禮。對於鄭說，杜預不以為然，指出晏嬰所服與〈喪服〉經傳所說士服並無分別。楊《注》既引杜《注》，復多取鄭玄之說，似未洞悉杜、鄭兩說的分歧所在，故有考慮未周之

曰：『父，至尊也。』又曰：『君』，〈傳〉曰：『君，至尊也。』則君父皆應三年，景公死於上年之九月，至此年秋末始及期，舍及陳乞，並諸大夫，皆無除喪之禮，蓋時無三年喪禮也。故《孟子．盡心》云：『齊宣王欲短喪。公孫丑曰：「為期之喪，猶愈於已乎！」』又〈滕文公篇〉，滕定公薨，然友反命，定為三年之喪，父兄百官皆不欲，曰：『吾宗國魯先君莫之行，吾先君亦莫之行也。』襄十四年《左傳》吳子諸樊既葬而除喪，《注》：『乘卒至此春十七月，既葬而除。』閔公二年《傳》：『譏始不三年。』《論語．陽貨》篇宰我問三年之喪，期已久矣。是當時各國皆不行三年喪也。《詩．檜風．序》：『素冠，刺不能三年也。』則春秋前已有不三年者矣。」（頁1929）

嫌。至於常禮或「枕草」或「枕凷」，說明當時居喪枕物並不固定，但到了後代禮書那裏，就被規範、劃一為枕 。「枕凷」與「枕草」、「枕干」結構一樣，「凷」、「草」、「干」皆為所枕之物，由是而知「凷」斷非所謂墓穴，舊說確不可易。

（四）「春秋已不實行三年之喪，而晏嬰行之，故為其老所止」：楊先生注釋晏嬰喪父之禮，以為春秋已不實行三年之喪，但楊《注》另一條注文卻說：「春秋或行三年之喪」，並謂昭公十五年《傳》「王一歲而有三年之喪二焉」可為明證，其說前後牴牾。晏子為父服喪三年，楚隆謂趙孟為父三年足為佐證。家宰謂晏嬰所行「非大夫之禮」，看來只能說是由於晏嬰所行之禮與當時流行的大夫喪父之禮不同。當時士與大夫異服的具體內容，除喪食外，別無可考。

作為帝王教科書的《論語》

——宋代《論語》經筵講義探析*

金培懿**

一　前言

所謂經筵者，又稱講筵、經幄、經帷，主要是指古代帝王為研讀經史而特設的御前講席。南朝時雖有「講筵」一詞[1]，然「經筵」之稱始於北宋，惟早自漢代已見御前講席，例如有鑒於昭帝幼年即位，輔佐臣屬遂舉碩儒韋賢、蔡義、夏侯勝等入宮以教授幼帝[2]。而據史書所載，昭帝曾召見蔡義說《詩》，結果是：「上說之，擢為光祿大夫給事中。進授昭帝數歲……。」[3]而甘露三年（B.C.51）漢宣帝更召集諸儒於石渠閣討論經旨異同，宣帝更親自

---

* 本文係筆者執行國科會專題研究計畫「經筵講義中的《論語》帝王學——中日帝王的經典學習比較（Ⅱ）（NSC96-2411-H-194-013-MY3）」之部分研究成果，感謝該會補助。又初稿發表於二○○九年五月三十日，由香港嶺南大學中文系所舉辦之「經學研究國際學術研討會」，會中承蒙評論人蔡長林教授，與會學者鄭吉雄、勞悅強、張曉生、馮曉庭等教授惠賜寶貴意見。日後投稿至《成大中文學報》，更有賴兩位匿名審查委員不辭辛勞、不吝賜正，使本文有機會修訂誤漏之處，今謹一併深致謝忱。

** 臺灣師範大學國文學系。

1 詳參（唐）姚思廉：〈張正見傳〉，《陳書》（楊家駱主編：《新校本陳書》，臺北市：鼎文書局，1980年），卷34，頁469。

2 詳參（劉宋）范曄：〈桓郁傳〉，《後漢書》（楊家駱主編：《新校本後漢書》，臺北市：鼎文書局，1980年），卷37，頁1255-1256。

3 （漢）班固：〈蔡義傳〉，《漢書》（楊家駱主編：《新校本漢書》，臺北市：鼎文書局，1980年），卷66，頁2898。

「稱制臨決」，一般認為經筵制度肇始於此[4]。入唐後，玄宗開元年間選耆儒博學之士每日入內侍讀、講經史，開元十三年（725）更設置「集賢院」，「侍講」之名於此正式入銜。[5]

至宋代，真宗咸平二年（999）七月設置翰林侍講、侍讀學士，擇老儒舊德以充其選，其後又設「崇政殿」說書，以秩卑資淺者任之[6]，神宗元豐改制，講讀學士僅稱侍講、侍讀，以學士或侍從職事官有學識者充任，秩卑資淺者一樣為說書，並訂定春二月至端午；秋八月至冬至，遇雙日講官入侍邇英殿講讀[7]。又與前朝相異的是宋代還設立「講筵所」這一機構以負責經筵進

---

4 持此論之代表性先行研究有朱瑞熙：〈宋朝經筵制度〉，《第二屆宋史學術研討會論文集》（臺北市：中國文化大學史學研究所史學系，1996年），頁229-264。朱瑞熙此說係依據宋人林駉所謂：「古者，自上而下皆勸學之賢。後世有定職矣，又其甚也闕而不置爾。古者，由內而外皆講學之地。至後世有定所矣，又其甚也罷而不設爾。自宣帝甘露中（53-50B.C.）始詔諸儒講五經于石渠，經筵之所始乎此，厥後遂為常制。是以東漢章帝命諸儒于白虎觀講五經，侍中淳于恭奏，帝親稱制臨決，如石渠故事。於是有定所矣。」（〔宋〕林駉：〈經筵〉，《新箋決科古今源流至論》〔臺北市：新興書局，1970年〕，卷9，頁906-908。）而來立論，朱瑞熙之前則有張帆：〈中國古代經筵初探〉（《中國史研究》第51期〔1991年〕，頁102-111）、之後有鄒賀、陳峰：〈中國古代經筵制度沿革考論〉（《求索》2009年第9期，頁202-205），二人基本上皆主張經筵肇始於漢昭帝。而陳東：〈中國古代經筵概論〉（《齊魯學刊》第202期〔2008年〕，頁52-58）則指出經筵雖起源於漢、唐，但林駉之說只是指出漢代石渠閣、白虎觀會議是經筵有「定所」之始；並非在說石渠閣、白虎觀會議就是經筵之始。

5 （晉）劉昫：〈玄宗紀上〉，《舊唐書》（楊家駱主編：《新校本舊唐書》，臺北市：鼎文書局，1980年），卷8，頁188、（宋）王溥：《唐會要》（臺北市：臺灣商務印書館，1983-1986年，《景印文淵閣四庫全書》冊606），頁825-828。林駉亦曰：「自玄宗選儒學之士入內侍讀，馬懷素、褚無量與焉。侍讀之名始乎此。迨開元十三年置集賢院，有侍講學士，有侍讀學士，於是有常職矣。」（林駉：〈經筵〉，《新箋決科古今源流至論》，卷9，頁908。）

6 （宋）李燾：《續資治通鑑長編》（《景印文淵閣四庫全書》冊314，臺北市：臺灣商務印書館，1983-1986年），卷45，頁590。

7 （清）徐松：〈職官〉六之五十八，《宋會要輯稿》（北京市：中華書局，1957年），頁2525。

講[8]，而宋代經筵講讀之制，就目前學界之研究，基本上認為其始於真宗咸平四年（1001），確定於仁宗朝[9]。換言之，經筵講讀制度自宋代建國初期就已形成。而「崇政殿」說書的職責就在進讀經書史籍，講釋經義，備顧問以應對。

而北宋經筵講讀之內容豐富，主要不外經書、史書與祖訓。經書中主要

---

8 徐松：〈職官〉六之七十四，《宋會要輯稿》，頁2533-2534。

9 若如是，則宋仁宗朝之前所謂的「經筵」，相對「非制式」、「非標準」，且相對「廣義」。因為在宋仁宗朝之前的經筵講師，例如東漢之「侍講」，基本上以本官兼職，主要作為皇帝執政之諮詢顧問，故不同於後世之經筵講讀官。又魏晉之際雖仍存在侍講制度，卻不區分皇帝或太子之侍講。另如南朝劉宋時出現的侍讀，其職務原本是為諸王傳授經學而設置，其實不入侍宮禁。而且西晉出現的「太子侍講」已經具有官銜，至於「太子侍讀」，終南朝之世，則未列入官銜，僅是職司，要迨北周之際才成為官職，惟北齊同於南朝，仍為本官侍讀。另外，雖然最初的「侍講禁內」、「侍講禁中」是指侍講皇帝，但實際上並不細分受教者究竟是皇帝、太子甚或女眷。上述情形從另一面來看，我們可以說太子侍講或太子侍讀的設置，乃皇帝侍讀、侍講官之先驅，又太子侍讀、侍講迨太子即位後，按理也就成為皇帝侍讀、侍講，如唐朝褚無量、明代高拱皆是。甚至在宋朝之後，例如遼朝的御前講席並未使用「經筵」來界定，而且多承襲隋唐古風，並未受到宋朝經筵制度影響；金朝雖沿用宋朝「經筵」一詞，但並未區分其究竟是御前講席還是太子講席，且經筵在金朝也非單純的學問講席，誠如元好問所謂：「名則經筵，實內相也。」（〔金〕元好問：〈內相文獻楊公神道碑銘〉，《遺山集》〔《元好問全集》，太原市：山西古籍出版社，2004年〕，卷18，頁423。）

元代經筵設置多承襲金朝理念，經筵之法或經筵週期，多與宋朝相異或是宋朝所未有，諸如東宮太子之講席亦稱「經筵」；又明朝除皇帝外，太子出閣後亦有講筵之設置，但僅稱之為「講筵」而不稱「經筵」。因此「經筵」一詞未必僅侷限於宋朝所謂專為教育皇帝而設這一範疇，若從廣義而言，其應可包含皇帝、太子、諸王、皇子等諸講筵在內；狹義而言才指專為教育皇帝而設之御前講席。

由於本文主要在討論宋代《論語》經筵講義，故所採「經筵」一詞之定義，指專為教育皇帝而設之御前講席，然鑒於太子教育實為皇帝教育之前導作業，故在思考所謂經筵講義這一帝王教育之總體風貌，與帝王皇族經典教育之一貫性，亦即帝王教育可視為皇儲教育的延續時，則希望從廣義的「經筵」定義來思考、論述諸如經筵經說、解經法、經筵教育之理想型態與現實處境之間的落差、經筵教育之交替、補充、發展關係與其目的，乃至經筵講師之自我定位與其透過經筵而傳達出之政治發聲。

又以五經與《論語》、《孝經》為主，而四書於北宋經筵中雖然尚未成為一完足獨立之思想體系而被應用於經筵教育中，但從經筵教育之主要目的乃在輔弼君德這一層面來看，四書作為經筵教材，其學聖之教育目的性，或是太子、諸王由啟蒙教育進入讀經的教育階段性，乃至作為形塑帝王聖德的教育一貫系統性，皆比五經強。其中《論語》又常是有志於學聖之北宋帝王的必選教材，而且《論語》經筵講義之數量堪稱歷朝之冠。例如真宗於東宮之際，「講《尚書》凡七遍，《論語》、《孝經》亦皆數四[10]」。仁宗、哲宗幼年登基，初御經筵時所學的都是《論語》，英宗繼位之初，召天章閣侍講呂公著首先講的也是《論語》[11]。

至於東宮講官一職，一般而言，北宋任太子三師（太子太師、太子太傅、太子太保）與太子三少（太子少師、太子少傅、太子少保）者，基本上多由致仕之宰執或文臣遷轉「三師」、「三少」這一標誌地位待遇的階官。北宋以太子師傅待宰相致仕者；南宋則除東宮講讀外，亦無實際職事。然宋朝亦曾出現由現任宰相同時兼任太子師傅者，如北宋之蔡京、南宋之秦檜、賈似道即是，也因而造成既是權臣又是太子師傅的宰相，日後又成為「君師」，如虎添翼，權傾一時，無懼皇權，專擅朝政，南宋理宗、度宗兩朝之賈似道便是其中代表[12]。

另外，不僅太子師傅由宰執致仕者或文臣遷轉，侍讀、侍講也多由臺諫官、宮觀官、封駁官、六部侍郎等兼任。蓋元豐（1078-1085）以來，多

---

10 李燾：〈大中祥符二年九月條〉，《續資治通鑑長編》，卷72，頁167。

11 李燾：〈乾興元年十一月辛巳條〉，《續資治通鑑長編》，卷99，頁547-548；〈元豐八年十二月壬戌條〉，卷360，頁139；〈嘉祐八年十二月己巳條〉，卷199，頁326。

12 史載理宗崩殂，度宗因為是賈似道所立，故「每朝必答拜，稱之曰『師臣』而不名，朝臣皆稱為『周公』。甫葬理宗，即棄官去，使呂文德報北兵攻下沱急，朝中大駭，帝與后手為詔起之。似道至，欲以經筵拜太師，以典故須建節，授鎮東節度使，似道怒曰：『節度使粗人之極致爾！』遂命出節，都人聚觀，節已出，復曰：『時日不利。』亟命返之。宋制：節出，有撤關壞屋，無倒節理，以示不屈。至是，人皆駭歎。然下沱之報實無兵也」。詳見（元）脫脫：〈姦臣四．賈似道列傳〉，《宋史》（楊家駱主編：《新校本宋史》，臺北市：鼎文書局，1980年），卷470，頁13783。

以宮觀官兼侍讀，例如元豐八年（1085）四月，詔資政殿大學士呂公著兼侍讀，提舉中太乙宮兼集禧觀公事；七月，資政殿學士韓維兼侍讀，亦仍提舉中太乙宮兼集禧觀公事。元祐元年（1086-1093），端明殿學士范鎮致仕，同樣提舉中太乙宮兼集禧觀公事，兼侍讀，然范鎮卻拒不赴任。其他如朱勝非、張浚、謝克家、趙鼎、万俟卨等人，則並以提舉醴泉觀或萬壽觀兼侍讀。孝宗隆興元年（1163）湯思退以醴泉觀並侍讀。乾道五年（1169）劉章以提舉佑神觀兼侍讀[13]。

至於臺諫兼侍讀一事，故事臺丞無在經筵者，然自慶曆（1041-1048）以來，臺丞多兼侍讀。如慶曆二年（1042），仁宗以御史中丞賈昌朝長於講說，召其侍講邇英殿[14]。中興後，建炎元年（1127）御史中丞王賓建請復開經筵，高宗遂命其兼侍講[15]。其後十五年，繼王賓為侍講者，僅王唐、徐俯二人，一樣皆出自上意。紹興十二年（1142）春，万俟卨、羅汝檝分別以中丞、諫議始兼侍讀，自後朝廷要求每除言路，必兼經筵。而紹興二十五年（1155），殿中侍御史董德元兼侍讀，非臺丞、諫長而以侍講為稱者，又自此始。此後，臺官或兼說書者，始自隆興二年（1164）五月的尹穡；諫官或兼說書者，始自乾道九年（1173）十二月的詹元宗。然爾後並以侍讀稱之，不復兼說書[16]。至於翰林侍講學士方面，國子祭酒邢昺於咸平二年（999）為侍講學士，其後又以馬宗元為侍講，不加別名，供職而已[17]。元祐（1086-1093）中，司馬康則以著作佐郎兼侍講，時朝議以為皇帝所以有此命令，乃顧念文正公司馬光之賢能。同樣屬於以特殊緣由而命為侍講者，尚有紹興五年（1135）的范沖與朱震，分別以宗卿、祕少兼侍講，以及乾道六年（1170）

---

13 脫脫：〈職官二・侍讀侍講志〉，《宋史》卷162，頁3813、徐松：〈職官〉六之六十一、六十二，《宋會要輯稿》，頁2527。

14 李燾：《續資治通鑑長編》，卷135，頁213。

15 （宋）李心傳：《建炎以來繫年要錄》（臺北市：新文豐出版公司，1985年，《叢書集成新編》，冊115），卷11，頁626。

16 脫脫：〈職官二・侍讀侍講志〉，《宋史》，卷162，頁3813-3814。

17 同前註，頁3814。

的張栻吏部員外郎兼侍講。而中興後，庶官兼侍講者，據《宋史》所載，僅范沖、朱震、張栻三人[18]。

渡江後，尹焞以秘書兼侍講，王十朋、范成大以郎官兼侍講，亦屬於殊命[19]。綜言之，南宋一代經筵講官之任聘，其發展大致如《宋史》以下所言：

> 近事，侍從以上兼經筵則曰侍講，庶官則曰崇政殿說書，故左史兼亦曰侍講。紹興十二年（1142），万俟卨、羅汝檝並兼講讀。蓋秦梓時已兼說書，便於傳道，秦熺復繼之。每除言路，必預經筵，檜死始罷。慶元後，臺丞、諫長暨副端、正言、司諫以上無不預經筵者。正言兼說書自端明巫伋始，副端兼說書自端明余堯弼始，察官兼說書自少卿陳夔始，修注兼說書自朱震始。修注官多得兼侍講，開禧三年（1207）十一月，王簡卿知諫院為左史，仍兼崇政殿說書，言者以為不可，罷之。[20]

寧宗（1194-1224）時，規定講官每逢單日，須早晚進講。然如值休假，或遇大寒大暑，則止講。而宋朝經筵講讀之內容，據朱瑞熙之研究，主要分為四大類：一是古代經典、二是前朝史書和政書、三是本朝史書和政書、四是相關專書。其中經書方面則不外是《尚書》、《春秋》、《毛詩》、《周禮》和《論語》、《大學》、《孝經》等；前朝史書和政書方面則多是《前漢書》、《舊唐書》、《資治通鑑》、《稽古錄》等，抑或進講漢唐故事；本朝史書和政書則有《三朝寶訓》和《祖宗聖政錄》等[21]。主要無非是試圖藉由闡述大道的聖賢書，而來學習治國平天下的經國偉業。至於寫詩、賦詩之類的「小道」，對帝王而言則永遠是次要的風雅，與緊要的天下治平大業無關，故講官也會婉轉勸誡君上切勿附庸風雅地吟詩作對。例如哲宗元祐二年（1087）九月，經筵講《論語》徹章，哲宗遂出示其親書唐人詩分賜在坐之宰臣、執

---

18 同前註。

19 脫脫：〈職官二・崇政殿說書志〉，《宋史》，卷162，頁3815。

20 同前註，頁3815-3816。

21 朱瑞熙：〈宋朝經筵制度〉，頁244。

政、經筵官[22]。當時邇英殿侍讀呂公著立即於翌日上奏曰：

> 以堯、舜三代為法，則四海不勞而治，將來《論語》終帙，進講《尚書》，二書皆聖人之格言，為君之要道。臣則於其中及《孝經》內，節要語共一百段進呈。聖人之言本無可去取，臣今惟取明白切於治道者，庶便於省覽，或遊意筆硯之間，以備揮染，亦日就月將之一助也。[23]

呂公著並未直接斥責哲宗書寫唐詩有何不妥，卻迂迴地說明《論語》、《尚書》、《孝經》等經典中的聖人格言，才是有助於為君者事半功倍地治理四海天下的典籍，故特別從此三書中節錄出一百條段落，除方便哲宗閱覽之外，亦可提供君上雅致興起時，運筆書寫之內容。呂公著婉轉地表達出：皇帝應閱覽之書籍，乃至其揮毫書寫之墨跡，內容應該都是有益於修德治道的經書之言，亦即聖人格言。呂公著上奏此番意見的數日之後，結果就是：

> 太皇太后宣諭曰：「呂相所進要語，已令皇帝即依所奏，每日書寫看覽，甚有益於學問，與寫詩篇不同也。」[24]

關於帝王讀詩、寫詩不被鼓勵一事，南渡後高宗朝之經筵講官尹焞見高宗好看山谷詩，便直接了當地問高宗曰：

> 此人詩有何好處？陛下看此做什麼？[25]

由此可知經筵上的學習對象乃以經書為主，目的就在平治天下。其實不只讀

---

22 脫脫：〈禮十六．嘉禮四．宴饗志〉，《宋史》，卷113，頁2688、2694；以及（宋）朱熹、李幼武編，〈三朝名臣言行後錄〉，《宋名臣言行錄五集》（臺北市：文海出版社，1967年），卷8，頁638。

23 朱熹、李幼武編：〈三朝名臣言行後錄．呂公著〉，《宋名臣言行錄五集》，卷8，頁638-639。

24 同前註，頁639。

25 朱熹、李幼武編：〈皇朝名臣言行外錄．尹焞〉，《宋名臣言行錄五集》，卷9，頁1975。

詩、寫詩不被鼓勵，史載仁宗曾經向在經筵歲久的丁度問及蓍龜占應之事，丁度則如下回應道：

> 卜筮雖聖人所為，要之一技而已，不若以古之治亂為監。[26]

換言之，人主與其訴諸未知的鬼神之力以求興邦，未若求諸史籍，以前朝故事為執政之借鑒。

又神宗元豐元年（1078）命崇政殿說書陸佃於進講前一日供進講義，此後成為慣例，經筵官在進講前，一般須於經筵前一日備寫完畢進呈講義[27]，此稱之為「經筵講義」。然講官也不能只是援引前代之經書注疏，而無其個人之發明[28]，乃至徒具才氣，卻無學術涵養者，基本上也無資格入經筵[29]。而據筆者查閱《宋史》，明載經筵講師中著有所謂「經筵講義」或「經筵故事」者，便有劉爚《經筵故事》[30]、杜範《經筵講義》三卷[31]、牟子才《經筵講義口義》[32]、黃疇若《經筵故事》[33]、陳宗禮《寄懷斐經筵講義》[34]、洪天錫《經筵講義》[35]、真德秀《西山甲乙經筵講義》[36]、葉味道《大學講義》、《經筵口奏》、《故事講義》等[37]，惟今多未存。蓋南宋一代，所謂講義之作，大為盛行。其

---

26 脫脫：〈丁度傳〉，《宋史》，卷290，頁9764。

27 （宋）王應麟：〈帝學〉，《玉海》（臺北市：華文書局，1967年），卷26，頁558。

28 例如仁宗朝之經筵講官楊安國，前後居經筵二十七年，因喜好緯書，不僅尊緯書與注疏中所引緯書如經書，進講時亦無有己意之發明，而且「一以注疏為主，無他發明，引喻鄙俚，世或傳以為笑」。詳參脫脫：〈楊安國傳〉，《宋史》，卷294，頁9828。

29 例如夏竦之子夏安期，便是有才無學而不得入經筵之例。史載：「安期雖乘世資，頗以才自厲，朝廷數器使之，然無學術，而求入侍經筵，為世所譏。」詳參脫脫：〈夏竦／子安期傳〉，《宋史》，卷283，頁9578。

30 脫脫：〈劉爚傳〉，《宋史》，卷401，頁12173。

31 脫脫：〈杜範傳〉，《宋史》，卷407，頁12289。

32 脫脫：〈牟子才傳〉，《宋史》，卷411，頁12361。

33 脫脫：〈黃若疇傳〉，《宋史》，卷415，頁12450。

34 脫脫：〈陳宗禮傳〉，《宋史》，卷421，頁12595。

35 脫脫：〈洪天錫傳〉，《宋史》，卷424，頁12657。

36 脫脫：〈真德秀傳〉，《宋史》，卷437，頁12964。

37 脫脫：〈葉味道傳〉，《宋史》，卷438，頁12987。

中解經者，如袁燮《毛詩講義》之類；其論史者，如曹彥約《經握管見》之類，皆彼等於經筵上所陳述之講解內容。故由此亦可推知：宋代朝廷定期的經筵講讀制度，相當程度帶動了經筵講義類著述的編修與流傳。

而有宋一代，曾為太子賓客、太子舍人、太子少傅、太子詹事、翰林侍講、侍讀學士、皇子侍講、王府侍讀、王府侍講等職之宋儒，據《宋史》所載就有百人以上，而為了營造一個群賢環繞的，從皇儲到帝王一貫延續的所謂廣義的經筵學習氛圍，這些帝王身邊的君師，基本上必需是經明行修、學德兼備之儒學文臣[38]。也必須是足以教導太子、帝王德操，並以其自身為典範而來參與太子、帝王人格之養成與發展的品格導師。

本文針對宋代之《論語》經筵講義，擬就《四庫全書》〈集部〉所收楊時、程俱、王十朋、袁甫、劉克莊、徐元杰等六人之《論語》經筵講義為主要研究對象，試圖探究經筵講官各有何進講風格？此風格與其所進講之《論語》講義內容之間有無關聯？又彼等所講授之《論語》經筵講義，其內容思想或主張多聚焦於哪些共通議題？試圖以之形塑何種帝王人格？達成何種政治效用？又實際對太子、諸王等皇子產生何種教育功效？凸顯出帝王教育存在著哪些問題？進而剖析經筵講義之解經法所具有的特色、經筵教育的特點，以及宋代《論語》經筵講義所具有的時代思想意涵。希望藉之釐清宋代經學教育中，《論語》作為帝王教科書的具體形貌為何。

二　各《論語》經筵講官所講篇章、內容與進講方式

前述楊時、程俱、王十朋、袁甫、劉克莊、徐元杰等六位《四庫全書》所收《論語》經筵講官之進講內容，其所選之進講篇章不盡相同，而重覆之

---

38 例如宋真宗曾告輔臣要選擇「經明行修」之學官或專經之士為其說經，詳見李燾：〈咸平元年（998）正月丁丑條〉，《續資治通鑑長編》，卷43，頁562。又古代官職中之儒臣、詞臣、科臣等專稱，皆專指一定出身起家，專有一定職掌之人，然有鑒於近來論者多視經筵之主講官、侍講官與侍讀官為「儒臣」，故本文以下亦以「儒臣」稱此類儒學文臣。

篇章並不多，重覆者有：一、楊時：〈巧言令色〉章（出於〈學而〉篇）與劉克莊：第六則之〈言巧言令色〉（出於〈陽貨〉篇）；二、楊時：〈不患人之不己知〉章與王十朋：〈學而〉第一之第一則。其他之進講篇章，各講官之間並無重覆；但有時在進講《論語》某篇章時，因為必須援引《論語》其他篇章來解釋，也會造成諸如：其雖非講官所選講之篇章，但在進講內容中，由於講官需要援他章以證，遂導致所援以說明之章節，不約而同地，亦與其他講官所援以說明之章節相同。如王十朋的進講中有一則出自〈為政〉篇第二章的〈為政以德〉，而徐元杰於其所進第二則講義中，在援引朱熹之說法以解〈學而〉篇所以置於篇首之理由時，也是用了北辰之義來解釋為政必先以德。

大體而言，此六位講官們自《論語》中所選取出來進講的篇章，主要以〈學而〉篇為多，如楊時所進講者共九則，皆取自〈學而〉篇；王十朋所進講者中有兩則、徐元杰有一則亦是出自〈學而〉篇。另外，關於其他進講篇章之中，程俱主要集中在講〈雍也〉篇，共講有六則；袁甫主要以〈顏淵〉篇為主，共講了六則；劉克莊則以〈陽貨〉篇為主，再加講一則〈微子．微子去之〉章，共講了十則；徐元杰之講義，除一則出於〈學而〉篇，其餘九則皆出於〈為政〉篇；王十朋之三則講義，除前述兩則出自〈學而〉篇者，另一則出於〈為政〉篇。

然各講官之風格亦各有特色。例如楊時之講解多有己見在其中，並有勸誡人君應當以君子為楷模，不應逆道而行之意味。所選篇章以〈學而〉篇為主，注重個人德行，講解時則衍申至君王應具備何種德行，並屢引《詩經》、《尚書》輔助說明。程俱則以解釋篇章之意義為主，常舉正反兩面之例證，隱約可看出其試圖論及君王為政之道，但並未特別指出或加以討論。所講內容也一樣著重在德行部分，但主要還是在解釋篇章本身，且最後結尾的部分常流於個人感慨，以委婉的方式，希望君王能夠引以為鑑，而不若楊時語氣直接。而王十朋完全著重在解釋《論語》原文本身之意涵，比較沒有其他延伸、勸誡的部分。由此似乎也可看出講師對於「皇帝」這一學生的戒慎恐懼。然王十朋所謂「為政以德，是帝王仁義之學，非修德於為政之時」

的這一看法，則頗有其獨特之見地。

袁甫則多先解釋原文之意涵，然後再援引時事加以申論，同時亦會解釋之所以如此之原因所在，以及身為君王所以必須更加謹慎之理由何在。袁甫所進講之內容中，有兩點非常具有個人特色。一是其主張君上應該培養「剛德」；二是其主張人君要破除自我身體之執著、囿限，無「我」這一私累，方能與宇宙萬物無間隔，動靜皆能合乎禮。劉克莊之進講風格，主要也是在解釋原文本身之意涵，但屢引朱子、程子之《論語》闡釋為證，最終則以先儒或其自己對此篇章的評論做結。而徐元杰之講義並沒有明確指出其所講論之《論語》篇章為何，在講解經義時，也與劉克莊一樣，多援引程子、朱熹之說來輔助說明，其講義與其他五位講官最大的差異就在於：其所選篇章有四章是以論「孝」為主。而從劉克莊、徐元杰引用程子、朱熹之註解一事看來，頗有所謂：藉由引用權威，有助於避免觸犯龍顏的意味在其中。

另外在進講方式方面，楊時先標明篇章，如〈巧言令色〉章。後再接解釋；程俱則標明引用之文句出於《論語》哪一篇，如〈雍也第六〉。並引述其所講之整則經文原文，再加以闡述；王十朋同於程俱，但在闡釋經義之前，首先釋《論語》書名之來源及意義，繼而標出其所講釋之文句是出於《論語》哪一篇，如〈學而第一〉。並引用整句經文原文，如：「子曰：為政以德，譬如北辰，居其所而眾星共之。」而後再加以說明之；袁甫則直接引用整句原文，如：「子曰：君子成人之美，不成人之惡。」而後再加以說明之，但並未標明其出於《論語》何篇；而劉克莊則同於袁甫，直接引用原文而不標明其出於何篇章，而於原文之後直接闡述其義；徐元杰則是在講義之前，先闡釋《論語》之價值，再表述自己戒慎恐懼、竭力而為的心情，然後直接闡釋經義，而對於其所闡其所釋文句為何？出於哪一篇章？等等，並不直接援用之，例如：「臣聞先儒朱熹曰：〈學而〉為書之首篇，所記多務本之意……。」

據上所述，《論語》經筵講官在進講時，並無一制式進講方法，端看講官自身安排。而關於其講解之內容，六位講官基本上教導目的皆著眼於增崇聖德，細部內容則分別說明為學之重要、德行須涵養、身心宜修養，並強調仁心之重要。然就彼等講義之表面字義看來，除楊時講解多有己見在其中，並有勸誡人君應當以君子為楷模，直言人君不應逆道而行之意味外，其他學者相較於楊時，則多以解釋《論語》原文之意義為主，其中或有如程俱一樣，藉古喻今以諷喻君上者，然皆未若楊時直接警言人君應有何戒慎警惕。

雖然各講官之講義風格有所差異，然誠如前文所述，彼等所欲達成之教育目的，無非在增崇聖德，涵化帝王之道德人格修養。而筆者在閱讀此六位講官所進講之《論語》講義內容後，可清楚看出其共同之教育目標乃在「養君德」，故其帝王教育之共同訴求乃在「正君心」、「格君心之非」，故有四大主張：為學志道、修身進德、遠佞近賢、輕利寡欲。下文將就此四大教育主張，分項討論經筵講官所欲形塑的帝王人格，以及其所欲輔弼的君德具體為何？

三 《論語》與君德：為學志道、修身進德、輕利寡欲、遠佞近賢

歷代大多數經筵講義之內容，開頭多先宣揚帝王之英明、偉業與聖政，繼而在講解經義時，或弘揚名臣賢士之嘉言善行，或旁及當下國家社會之現實處境與急待解決之時政問題，兼亦涉論朝政人事與文化學術等各方面，而無論是哪一層面，均具有極為強烈的現實功能性。《四庫全書》所收宋代各家經筵講官之《論語》進講內容，雖然各講官之講義風格有所差異，然誠如前文所述，彼等所欲形塑之帝王人格，亦有其共通之處，故主旨皆聚焦在所謂：為學志道、修身進德、輕利寡欲、遠佞近賢等四大君德的養成。下文將分別就此六位講官所提出的此四大帝王教育之共同主要目標，分項討論經筵講官所欲形塑的帝王人格，以及其所欲輔弼的君德具體為何？

（一）為學志道

關於《論語》一書之特色，《四庫全書總目》有言：「故《論語》始於

言學，終於堯、舜、湯、武之政，尊美屏惡之訓。」[39]換言之，《論語》作為帝王教育之教科書，其若有可能達到堯、舜治世，則其前提必須自學始。其實，漢朝以還的御前侍講與經筵講義，無非也是意識到「學」乃是「政」的預備工作，或者說是準備階段，甚至是君王執政後，日夕觀省、參考鑑戒、日新聖德，與成就至德大業、永保天下的憑藉工具，故儒臣屢向帝王強調「學」的重要性，並提倡君王宜尊師傅講論經義。張昭就曾如下說道：

> 山岳不讓其撮土，所以成其高；王者不倦昌言，所以成其聖。歷觀前代，乃至近朝，遍閱聖君，無不好學。故楚靈王軍中決勝，不忘倚相之書；漢高帝馬上爭衡，猶聽陸生之說。遂得宸謀益治，宗社延長。……古者或立儒官，或開文館，旁求巖穴之士，延納草澤之才。雖有前規，伏恐未暇。況國家設官分職，選賢任能。有輔弼講其國經，有師傅啟其言路。可以談天人之際，可以陳理亂之繇。但能屬耳于典謨，何必服膺于卷軸？伏望陛下聽政之餘，數召近臣，討論經義。所冀熟三綱五常之要，窮九疇八政之源。[40]

正因為研讀、討論經義作為一種「學」的重要途徑，其攸關的是歷代帝王能否成德進業、治國保天下，故經筵講官們也屢於經筵上反覆陳述「學」對於君王的重要性，此一現象在宋代《論語》經筵講官身上亦無例外。王十朋便如下說道：

> 古之學者為己，非止乎為己也。學既足乎己，行其所學，斯可以為人。故先之以學，次之以為政。學與政非二物，故所學者如何爾。學帝王仁義之術，則為德政；學霸者刑名之術，則為刑政。幼之所學，壯之所行，一也。為政以德，是帝王仁義之學也，非修德於為政之

[39] （清）紀昀等編：〈經部．四書類二〉，《四庫全書總目提要》（臺北市：臺灣商務印書館，1983年），卷36，頁22。

[40] （宋）張昭：〈請尊師傅講論經義疏〉，曾棗莊、劉琳編：《全宋文》（上海市：上海辭書出版社，2006年），卷9，頁207。

> 時，行所學於為政之時耳。正其身，而天下自歸，譬之北辰。北辰嘗居其所而眾星咸拱，人君以德為政，無為而治，而天下共尊。古之人有行之者，堯、舜、禹、湯、文、武是也。[41]

劉克莊則向君上明言道：好仁不好學，其蔽也愚的前代君王，就如徐偃王以仁失國。好知不好學，其蔽也蕩，就如周穆王不足以知〈祈招〉之詩。好信不好學，其蔽也賊，就如宋襄公不重傷、不禽二毛以至於敗。好直不好學，其蔽也絞，就如齊宣王自狀其好貨、好色、好世俗之樂者是也。好勇不好學，其蔽也亂，就如楚靈王能問鼎而不能捄乾溪之敗。好剛不好學，其蔽也狂，就如夷吾以愎諫敗，主父以胡服死。仁、知、信、直、勇、剛皆屬於美德，上自人君，下至士君子之所當好；然不學以明其理，則各有所蔽，學所以去其蔽也[42]。顯然，在劉克莊看來，歷朝昏敗之君主所以陷於愚、蕩、賊、絞、亂、狂的地步，皆導因於「不學」，故導致治國「無術」。

徐元杰更進一步指出：

> 學問之道無他，求其放心而已。求於心者，合下必自源頭理會。《魯論》言出心字，只有三處，然句句字字無往而非求心。臣嘗日夜反覆求孔門所以問答之根據，不但稍可以知聖人心法之傳，至於古帝王相傳為學切要處，亦因是可以推尋。蓋求道莫切於求心，求心莫切於求仁，仁為心之全德。故曰：仁人，心也，合而言之，道也。[43]

據徐元杰上述的說法，則帝王為學的進路，就在藉由求放心、全德、成仁等次第，而達到契入聖域、道域這一終極目標。徐元杰並且說道：

---

[41] （宋）王十朋：〈小學講論語〉，《梅溪後集》（臺北市：藝文印書館，1959年，《欽定四庫全書》），卷27，頁34-35。

[42] 詳見（宋）劉克莊：《論語講義》，《後村先生大全集》（臺北市：藝文印書館，1959年，《欽定四庫全書》），卷84，頁18。

[43] （宋）徐元杰：《經筵講義》，《楳埜集》（臺北市：藝文印書館，1959年，《欽定四庫全書》），卷1，頁1。

(〈學而篇〉)十六章之旨,無非學者之事。學者求為君子,君子則求在我者也。合首章與末章而觀,即所謂「人不知而不慍」,參諸患不知人之旨,則學之貴於自知,可以觀聖門之氣象矣。[44]

也就是說為學的遠大目標雖然是在契入聖域、合於正道,但任何偉大的目標還是得從反求諸己出發,方有其可能性。換言之,即便帝王試圖以德化萬民來取代嚴刑峻法,但更應該將其自身視為必須被克服的最大對象。因為帝王既然為天下萬民所瞻仰、仿效之對象,則其自身端正與否,正是維繫邦國興亡、天下治亂的關鍵。故徐元杰如下說道:

政刑乃為治之具,固不可一日弛。然治之大本,有不止是,苟恃其具而不探其本,則無以格民心、善民俗,徒有苟免刑罰之意,而未必有愧恥改過之心。蓋雖不敢為惡,而為惡之心實未嘗忘也。……人主之治天下,使民有懼心,不若使民有愧心,驅之而後從,不若化之而不忍犯。蓋德著於躬行踐履,所以率先乎民者也。……人主端本於深宮隱微之間,表正於四方遠近之眾,即《大學》所謂明明德於天下,必先之以治國齊家,本之以修身正心,其道則愈反而愈約。故推之化天下,自有愈用愈博者存斯民。……朱熹曰:「政者為治之具,刑者輔治之法,德禮則所以出治之本,而德又禮之本也。」[45]

若如是,則如何使帝王正心修身,成就君德,乃成經筵教育的首要之務。

(二)修身進德

正因為帝王一身攸關邦國興亡、天下治亂,故政治的根本就在帝王如何修身進德,而此事也就成為經筵講官教育帝王的重責大任。程頤就明言:

---

44 同前註,頁2。

45 同前註,頁4-5。

> 朝廷置勸講之官，輔導人主，豈止講明經義？所以薰陶性質，古所謂承弼厥辟，出入起居者焉，宜朝夕納誨，以輔上德。[46]

既然講官之職責是在藉由講讀經典以達到輔弼君德的功效，則在進講的過程中，講官常常必須透過經書來傳遞修身進德之重要，例如袁甫在進講《論語》時，所進講之篇章所以全選自〈顏淵〉篇，顯然就是意識到孔門四科乃以德行為先，而孔門弟子中，德行超乎聖門高流之上的，就推默而識之的顏回。至於帝王在聽講時，潛移默化之中，其究竟必須涵養何種德行，講官不僅要明確教導之，同時也要具體指出歷朝聖王之典範，這也是為何在經書進講之外，儒臣講官所以屢進漢唐故事，其原因無非試圖收見賢思齊之效[47]。

而宋代《論語》經筵講官於經筵上試圖形塑的具體君德，主要強調修身首重孝德的養成，其中王十朋說道：

> 於《論語》，善事親為孝，善事兄為弟，孝弟者閨門之懿，百行之先也。事親孝，故忠可移於君，事兄弟，故順可移於長，擴而充之，至於格上下、通神明、準四海，未有不本於此者。堯、舜古之盛帝，其道至大也。孟子稱之曰：孝弟而已矣。堯、舜之道，不止於孝弟，然其所以巍巍蕩蕩，後世莫及者，蓋由其以孝弟擴而充之也。[48]

楊時也以舜帝為典範，強調人因為生命流轉、時空變遷，故不能終身慕父母，然人卻可以慎終追遠以至終身不忘，終身慕之，舜帝就是因為慕妻、慕君、慕父母，惟順父母足以解憂，更敬仰其先人，也就是因為舜帝具備此孝順德行，而使其臣民道德歸於淳厚。楊時認為舜所以足以為天下、後世取法者，莫過於其孺慕、孝順、敬仰雙親先人的德行，此乃人君所應學習取法的

---

46 （宋）程頤：〈乞六參日上殿劄子　元祐元年四月〉，《全宋文》，卷1751，頁227。

47 宋代經筵講官之一文彥博，嘗進漢唐故事十一則，理由在於：「臣近者竊聞聖旨，令經筵官間日進漢唐故事各一件，以備御覽，有以見聖德稽古求理之切。臣忝預經筵，固當粗有裨補，輒亦於漢唐史中節錄得數事，繕寫進呈，伏望聖慈采覽。」（頁264）所進故事詳見（宋）文彥博：〈進漢唐故事奏〉，《全宋文》，卷649，頁264-274。

48 同註41，頁33。

道德[49]。

徐元杰則在九則的《論語》進講中，舉出〈孟懿子問孝〉、〈孟武伯問孝〉、〈子游問孝〉、〈子夏問孝〉四章，以「孝」德作為與顏淵「仁」德的對照組，強調：

> 欲求孝者，要必合四章而並觀，反吾身而密察聖人之所以告四子者，斯能備其道於一身。[50]

然而「孝」為何與「仁」並舉以對照？我們或許可以說：「孝」如果是皇室宗親內部上下關係的安定劑，「仁」則是君臣、君民上下關係的安定劑。其皆使封建社會中的上下秩序，可以藉由人自主的道德發露而來達成一種基於良善人性的關係和諧；而不是藉由法令條文的外在約束而被迫遵守某種人為規範的關係。在此可以看出相信人性良善，並基於此價值信仰所發展出的「德」之自我涵養、要求，「禮」之自我行為約束、規範，始終超越以「刑」、「法」來制裁人之行為的儒家主流價值。

據上所述，人君所以必須涵養孝順之德，乃因擴充之可收化民歸厚這一風行草偃的治民效用，而且欲發揮此化歸之效，則帝王必須能以所謂：不違逆父母、不遺憂於父母、能衷心誠摯敬養事親、直義而有溫潤之色的態度，涵養其周到全面的孝德。而「孝」作為君德之一，筆者以為其除了是百善之先以外，「孝」作為帝王教育之一環，若從政治鬥爭始終存在於皇室家族內部的現實處境來看，與其說帝王所以須要盡「孝」，是因為「孝」這一德目可建構出穩定的家庭倫理秩序，毋寧說其不也具備了穩定皇室宗親內部之權力爭奪關係的效能在其中。

誠如上述所謂「孝」德常與「仁」德並舉，故除了不斷重申君上必須涵養孝德之外，講官們也屢向人君耳提面命其必須存仁心、戒殺心，以養其聖

49 詳參（宋）楊時：《經筵講義．論語》，《龜山集》（臺北市：藝文印書館，1959年，《欽定四庫全書》），卷5，頁4-5。

50 同註43，頁9。

王仁德。袁甫說明道：

> 聖門所謂文者，非詞華之謂也。夫子曰：「文王既沒，文不在茲乎？」顏淵曰：「博我以文。」所謂文者，即道也。彝倫之懿，粲然相接者，皆文也。三千三百待人以行者，皆文也。……既曰文而又曰仁，同乎？異乎？曰：文者所以著見，而仁者其根本，名異而實同也。會之以文，蓋所以輔吾之仁也。聖人切切於求仁，造次顛沛，未嘗暫舍，終食之間，未嘗或違。……修明師友講習之學，豈非人主之急務哉。[51]

袁甫此話，似乎也說明了講官所進講的經書史籍，都在闡發這一「彝倫之懿」的「文」，同時也是在涵養「文」之本的「仁」。然由於「仁」一字包含眾德於其中，落實到實際的執政層次而論，當有其具體作為。故袁甫主張人主的「仁」德展現，就在其必須如同「孝」德的發揮一般，當行風行草偃之德，以收化民之效，即便是對無道之人。其言：

> 無道為有道之害，不加誅殺則害不除、政不肅，是固然也。然良心善性，人人固有，導之以仁義，齊之以禮樂，自可使之遷善遠罪，而又何以殺為？《易》曰：天地之大德曰生。聖人體天地好生之大德，以父母斯民，欲善而民善，以德而感德，真如風行草偃之易。苟至於是，則吾與斯人並生並育於覆載之間。此乾道變化各正性命之功也，而無所事乎殺矣。蓋生固德也，而刑亦德也。孟子所謂：以生道殺民，雖死不怨殺者。季康子識不足以及此，乃先萌一殺心，其與天地好生之德大悖矣。此孔子所以深排而力戒之。[52]

亦即，好生之德堪稱是人君導民以仁義、齊民以禮樂的基礎，也是人君對天

---

51 （宋）袁甫：《經筵講義》，《蒙齋集》（臺北市：藝文印書館，1959年，《欽定四庫全書》），卷1，頁6-7。

52 同前註，頁5。

下子民展現其「仁」心的前提要件。換言之，欲收化民之效，「生德」勝於「刑德」，而且好生之德的發揮，不僅合於聖人孔子之道，亦可參天地之大德。此點恰與上文主張「孝」與「仁」的這種所謂：藉由人自主的道德發露而來達成一種基於相信人性良善的和諧人際關係；而不是從開頭就有疑人性而試圖藉由法令條文的外在約束，以規範人們行為的思維相呼應。

綜言之，為學志道、修身進德乃是帝王要自我高尚其志，廣其格局。然而學識的培養與道德的涵養，終究要落實到執政的實踐層面上來。故宋代《論語》經筵講官多從所謂輕利寡欲、遠佞近賢兩方面來勸導人君。這就如同在經筵上講官雖然都以三代聖王來作為人君的典範，但作為人君落實到政治現實實踐層次上的學習對象，講官所標舉的學習典範則多是漢唐兩朝盛世的明主。以是，元祐初年間（1086-1093）朝廷也頒布聖旨，令經筵講官間日，又或者於非講讀日進漢唐故事各一件，以備御覽[53]。換言之，經筵講官的帝王教育方策，在典範的例舉、理想的追尋與現實施行這兩個層次之間，其實存在著某種必然性的落差。

（三）輕利寡欲

蓋人君若要以其自身為最大對象，則其必須面對另一個執政的主要課題，那就是人主應該要去除其一己之私欲，以免妨礙公務、公益。楊時如下言道：

> 夫食無求飽，居無求安，非志於道者不能也。古之聖人以天下為心，其於居食之際，非徒若是而已。食而飽必思天下之有未飽者；居而安必思天下之有未安者。當禹之時，烝民未粒，故菲飲食雖欲求飽，有

[53] 據《宋史》所載，元祐初年蘇頌遷吏部兼侍讀，上奏曰：「國朝典章，沿襲唐舊，乞詔史官采新、舊唐書中君臣所行，日進數事，以備聖覽。」（脫脫：〈蘇頌傳〉，《宋史》，卷340，頁10866）又如前述，文彥博於元祐二年（1087）便進呈了十一則漢唐故事。

> 未暇也。民未得平土而居，故卑宮室，過門不入。雖欲求安，有不可得也。聖人之以天下為心者蓋如此，後之為天下者可不監之哉。[54]

亦即，只有當人主能去除一己之私利，方可以天下蒼生為念。惟其能人飢己飢，人溺己溺，故能不遠仁道。針對此點，袁甫則提出更徹底的解決之道，亦即人君必須破除我執，乃至去我化，方能去人我之別，視民如己，進而與天地萬物融合無間。其言：

> 己與天地萬物本無隔也，而認八尺之軀為己，則與天地萬物始隔矣。故惟克己則洞然大公，不見有己矣。……克己何以能復禮？曰禮者周流貫通乎天地萬物之間，無體、無方、無不周徧，人惟認八尺之軀為己，於是去禮始遠。茍不認己為己，則天高地下，萬物散殊，皆禮也。吾亦天地萬物中一物耳，無往非禮而何有於己哉。故不克己則禮失，既克己則禮復。[55]

袁甫此番言論，堪稱試圖徹底地將人君之私我完全去除。而這一去除人君一己之私欲的主張，自然也往勸誡人君戒除華奢的這一教誨方向發展。而關於人君之生活習慣乃至習性的養成，當然也不會是在皇子們當上皇帝後才來訓練培養之，此即前文王十朋所謂的：「非修德於為政之時。」因此講官們在教導皇子時就要戒除其諸如豪奢、浮華等惡習一事，由英宗時期曾經擔任過吳王宮教授的吳充，因為痛心皇子們奢侈、浮躁又輕慢所提出的《六箴》中，第六條即為「崇儉」這點，亦可獲得證明[56]。而身為仁宗、英宗、神宗三朝之講官的呂公著，其於英宗治平元年（1064）四月所進講的《論語・子之所慎齋戰疾》之講義內容，亦提醒英宗從身心兩方自我克制一己之情欲，謹慎自愛。呂公著言：

---

54 同註49，頁10。

55 同註51，頁7。

56 詳參脫脫：〈英宗趙曙本紀〉，《宋史》，卷13，頁253。

> 有天下者為天地、宗廟、社稷之主，其於齋戒祭祀，必致誠盡恭，不可不謹。古之人君，一怒則伏尸流血，故於興師不可不謹。至於人之疾病，常在乎飲食起居之間，眾人所忽，聖人所謹。況於人君，任大守重，故當節嗜欲，遠聲色，近醫藥，為宗社自愛，不可不謹。[57]

呂公著提出了人君一己之身心，並非僅屬於其個人所擁有，而是公共領域的一部分。其藉由個人身心之修養，使得情欲之發展有其節度，目的就在確保人君之政治道德實踐，亦即國家之長治久安可以獲得保障。

袁甫並且主張只有當人君從物欲、混沌的世界中勇敢並堅決地自我提昇、超脫出來，其才有可能與天地萬物融為一體而無有一毫間隔。值此之際，人君才有可能視民如己。如此一來，天下蒼生的問題也就成了人君的切身問題，人君的仁心才能涵蓋天下蒼生，天下也才能處於一種共生同濟的溫暖關係，亦即處於人君的仁心為懷之中。袁甫如下說道：

> 又發明之曰：一日克己復禮，天下歸仁焉。玩一日字，正所謂朝聞道也。正所謂我欲仁，斯仁至矣。凡人昏昏於物欲之中，如醉如夢，一日勇決無牽制、無拘滯、無二三，此身與天地萬物了無阻隔，人即己也，己即人也，天地萬物皆非形軀之所能間也。故曰天下歸仁焉。言天下皆在吾仁之內也。[58]

相對於楊時、袁甫，劉克莊在進講《論語》時，則是舉出前代帝王因趨利而衰敗的實例以教化人君，使君上引以為鑑。其言：

> 臣於此章（〈子之武城，聞弦歌之聲〉章）見周衰，為政者稍已趨於功利，夫子厭之，故一聞弦歌之聲，莞爾而笑。……君子小人雖異，皆不可以不學道，小邑與治天下雖異，皆不可以不尚禮樂教化。……

57 呂公著：〈論語講義二　治平元年四月〉，《全宋文》，卷1092，頁266。

58 同註51，頁8。

無計功謀利之心，則愛人矣。[59]

我們在此須注意的是：劉克莊提出所謂「無計功謀利之心」的「愛」民條件，主張人君要涵養一顆真心誠意，付出一種無算計、不求回報的「愛」民真情義。亦即仁君／人君並不是為了滿足自我成就感，或是為了成就一番豐功偉業這一企圖下來「展示」其愛民。由此我們或許可以說：劉克莊試圖努力涵養的君德，乃是人君要對其子民具體付出無私真摯的、無自他分別的「大愛」。

而除了必須限縮自身之私欲，人君更不可為了遂一己之私欲而勞民傷財。故講官也勸告人君要能薄徭賦、輕斂，使民休養生息。或許就是因為這一理由，所以程俱在進講《論語》時，首先舉出的篇章就是〈雍也．子華使於齊〉章，用以說明人君不僅不可厚斂於民，亦應明察秋毫，不可縱容貪殘官吏魚肉百姓[60]。程俱在此藉由規勸人君寡其私欲，同時道出官僚體系可能如何欺上瞞下以遂逞其私欲，提醒人君關注此政治體制結構內部，有關「人」的問題。其實，經筵講官也特別關注人君周遭的人際問題，亦即，人君與「賢士」、「奸佞」之間的親疏遠近關係如何？

（四）遠佞近賢

輔弼君德的講官們非常清楚環境，人際環境對人君有著特別深遠的影響。一個為學志道、修身進德、輕利寡欲的人君，設若其不能遠佞進賢，則君德難免朝夕不保。誠如理宗朝的經筵講官包恢，其歷仕所至，破豪猾、去姦吏、治蠱獄、課盆鹽、理銀欠，政聲赫然。其曾於輪對時如下對言道：

臣心惻隱所以深切為陛下告者，陛下惻隱之心如天地日月，其閉而食

---

59 同註42，頁15-16。

60 詳參（宋）程俱：《進講》，《北山集》（臺北市：藝文印書館，1959年，《欽定四庫全書》），卷29，頁1-2。

之者曰近習、曰外戚耳。[61]

正因人君容易被環繞其身旁的「近習」與「外戚」所影響，所以講官們總是諄諄教誨人君要勿陷讒諂，不為巧言令色、狡詐之人所迷惑。楊時說道：

讒人之言常巧矣。故能變亂是非之實，中傷善類，以蔽惑人主之聽，不可不察。[62]

劉克莊更明白直指奸臣佞人，不僅會混淆視聽、陷害忠良，更足以亡國。其言：

（巧言、令色）皆人偽也，其去天理遠矣，故曰鮮矣仁。天下有正色，有正聲，然紫能奪朱，鄭能亂樂；天下有正理，然利口者，能使是、非；賢、不肖易位，故聖人深惡之。……若人也其始止欲順悅人主之意，而其終乃至於傾覆人之國家，三豎之於齊；趙高之於秦；江充、李訓之於漢唐；虞世基、裴矩之於隋，是也。[63]

而除了偽善奸佞之人外，對於有口辯之才如子貢者，劉克莊亦抱持負面評價。其言：

顏子止受用一仁字，曾子止受用一孝字，而為大賢。子貢躬行不足，口辯有餘，徒以言語求夫子，其在孔門雖有可與言《詩》之褒，然不能免方人之誚，安於資質之偏，而不以顏、曾自勉。[64]

筆者以為劉克莊此話自有微言大義在其中。誠如針對子貢所謂「我之不欲人之加諸我也，吾亦欲無加諸人」（《論語・公冶長》）的自勉，孔子則指正子貢說：「賜也，非爾所及也。」筆者以為孔子所以如此答覆子貢，乃因孔子

61 脫脫：〈包恢傳〉，《宋史》，卷421，頁12593。

62 同註49，頁4。

63 同註42，頁19-20。

64 同前註，頁20-21。

從子貢身上意識到：人即使在心理情感上覺得可貴，並在理性上認同理解倫理道德的必要，但並不等於其道德實踐獲致必然的保障。劉克莊的此番進講，迂迴地提醒人君應以子貢為借鑒，恥其不殆躬行，莫只是停留在經筵上「論」道德，卻無法付諸道德「實踐」。

劉克莊甚至將小人與女子並舉，提醒人君要謹慎與之相處。劉克莊認為朱子所謂「君子之於臣妾，莊以涖之，慈以蓄之，則無二者之患」[65]的作法，乃是人君對待小人以及與女性相處的最好方式[66]。在此引人注意的是：相較於其他講官，劉克莊還注意到「近習」與「外戚」之外，環繞在人君身側的后妃侍妾等女性，設若人君無法以一種莊重有節度的家族關愛來對應之，則皇宮內院的男女關係，將會因為爭寵、恃寵、失寵等複雜人際關係的流轉與改變，而衍生紛擾爭端，不僅會危害「君德」，甚至可能威脅「君權」。

有鑑於此，經筵講官們因而主張人君應該要納諫言、近賢臣。別因為巧言順耳、惑心而誤信讒人便佞之士之言，而以之為心腹。程俱因而如下說道：

> 伏節死義、犯顏逆耳之事，常在愚憨樸魯之人，而諛悦嗜利之徒，常出于疏通警敏之士。[67]

由此看來，經筵講官所面臨的教育難題，並非僅止於帝王一人，其輔弼君德過程中最大的障礙，或恐就是人君身邊的姦佞人臣與后妃侍妾。亦曾擔任經筵講官的程頤就深刻體會到這個問題的嚴重性。程頤言：

> 臣聞三代之時，人君必有師傅保之官：師，道之教訓；傅，傅其德義；保，保其身體。後世作事無本，知求治而不知正君，知規過而不知養德，傅德義之道固已疏矣，保身體之法復無聞焉。……臣以為

65 （宋）朱熹：〈陽貨·唯女子與小人為難養也〉，《論語集注》（臺北市：大安出版社，1996年，《四書章句集注》），頁255。

66 同註42，頁21。

67 同註60，頁8。

> 傅德義者，在乎防見聞之非，節嗜好之過；保其體者，在乎適起居之宜，存畏慎之心。臣欲乞皇帝左右扶侍祗應宮人內臣，并選年四十五已上，厚重小心之人；服用器玩皆須質樸，一應華巧奢麗之物，不得至於上前，要在侈靡之物不接於目，淺俗之言不入於耳。及乞擇內臣十人，充經筵祗應，以伺皇帝起居，凡動息必使經筵官知之，有翦桐之戲則隨事箴規，違持養之方則應時諫止。
>
> 〔貼黃〕今不設保傅之官，傅德義、保身體之責皆在經筵，皇帝在宮中語言動作衣服飲食，皆當使經筵官知之。[68]

程頤提出此一建議，證明其觀察到：經筵講官若試圖保傅君德，則其必須參與皇帝的生活整體，從生活全面的各項習慣著手，調整皇帝之身心人格發展，方能確實涵養其君德、形塑其聖賢人格。換言之，講官必須參與帝王的人格形塑、品格養成過程。若如是，則講官當然必須掌握帝王的生活全貌，包括其各種生活習慣與細節，乃至其與侍讀、侍講之間的言行互動，如果能詳實記錄之，則應有助於講官指導、修正帝王之言動。故孝宗朝，起居舍人洪邁就曾如下建議道：

> 起居注皆據諸處關報，始加修纂，雖有日曆、時政記，亦莫得書。景祐故事，有邇英、延義二閣注記，凡經筵侍臣出處，封章進對，宴會賜予，皆用存記。十年間稍廢不續，陛下言動皆罔聞知，恐非命侍本意。乞令講讀官自今各以日得聖語關送修注官，令講筵所牒報，使謹錄之，因今所御殿名曰《祥曦記注》。[69]

而經筵教育所試圖形塑的君德，其終極目標就在培養一位人臣、子民皆可由衷凜然以對的「四海綱常之主」[70]，所以理想上講官本須恪盡職責，忠亮直

---

68 程頤：〈論經筵第二箚子〉，《全宋文》，卷1751，頁224-225。

69 脫脫：〈洪皓／子邁傳〉，《宋史》，卷373，頁11571。

70 語出徐元杰勸戒理宗勿輕率出命，起復丁父憂之丞相史嵩之，宜愛惜民彝，以免有違禮制之常。詳見脫脫：〈徐元杰傳〉，《宋史》，卷424，頁12661。

言，反復規正君王。亦即一位學養、才德兼備的經筵講官，其個人學識與道德的完善，設若無法對人君以及一國之政治發揮實際影響，實踐政治道德功效，則其經筵教育終歸失敗。相同地，因為君王必須治理萬民、統領四海天下，因此經筵教育也不能只停留在帝王一己之個人道德的涵養，此個人道德也同樣必須達成政治道德功效的落實，亦即平治天下，達到長治久安，乃至四海昇平。誠如後文所述，理宗也曾悅納經筵講官包恢之直言諫議，然終因理宗縱慾並疏於政事，導致賈似道專擅，史家因而論贊曰：

> 可惜哉！由其中年嗜慾既多，怠於政事，權移奸臣，經筵性命之講，徒資虛談，固無益也。[71]

由此可知，講官在經筵上若徒論玄虛、蹈空之性命道德，實際上卻無法具體使人君節私欲、遠佞臣，落實其教喻以導正人君之人格，並使人君之國家治理可以達到海內晏安，則經筵講官也就形同無法達成其教育功效。換言之，經筵講義之講論經義，其目的既不在追求經文原義的復現，其經義之闡發也不能僅止於因文見義之解釋，其終究必須指向切合時局、時政，乃至國家、民族、君臣個人之真實處境，關切當下情境的「有為之言」[72]。

四　有為之言——經筵講義的解經正法

從上節程頤對經筵教育的建議看來，經筵講官雖貴為當時知名的經師、人師，然因皇宮中有其特殊體制規儀，以致講官們在施行教育的過程中，不

71　脫脫：〈理宗趙昀本紀〉，《宋史》，卷45，頁889。

72　日本江戶時代儒者中井履軒對朱熹於《孟子集註》〈梁惠王．交鄰國有道〉章中，將「惟仁者為能以大事小」、「惟智者為能以小事大」兩句《孟子》原文中之「事」字，改解為具有「撫育」之義的「字」字一事說明道：「經文大小並稱事矣，註於事小改為字，非也。豈南宋之時，有為而言邪？有為之言，不可解經。」見（日）中井履軒，〈梁惠王第一．交鄰國有道章〉，《孟子逢原》第十卷，關儀一郎編：《日本名家四書註釋全書》（東京都：鳳出版，1973年），頁40。

免存在著諸多限制，因而與受教者的帝王之間，始終有著難以親近的隔閡。復加其所面對的乃是九五之尊的帝王，或者可能是未來皇權繼承人的儲君皇子，因此講官們始終處在此種政治威權的壓力之下，有著權力上無法逾越的分際。前者顯示出講官保傅教導帝王之重責大任，在理想與實際的施行上有其落差。後者凸顯出帝王與講官在經筵上的權力衝突，亦即原本君尊臣卑的君臣關係，在經筵上則逆轉為臣（師）尊君（生）卑。

據前文所述，經筵講義作為帝王教育的主要內容，其主要目標乃在培養君德，學作君子，進於聖人；興禮樂、施仁政，以求國家社稷長治久安。君德的養成這一教育目標，堪稱是孔子以來儒家人格涵養的主流正統教育進路，故講官在進講經書時也多採取正面規勸，故多選取《論語》中有關德行養成之篇章來進講，此由儒臣屢屢進講漢唐盛世之故事看來，亦可獲得證明。而此種教育方式無非企圖使帝王可以高尚其志，廣其格局。然而無論是從前文所分析的遠佞近賢、輕利寡欲來看；或是仁宗、英宗、神宗三朝之經筵講師呂公著，其於元豐八年（1085）六月所上之論修德為治之十大要事，亦即：一曰畏天，二曰愛民，三曰修身，四曰講學，五曰仁賢，六曰納諫，七曰薄斂，八曰省刑，九曰去奢，十曰無逸[73]看來，帝王教育落實到實際政治生活層面，無非就在尋求解決帝王個人與國家社稷之現實問題的下學之事，而且多是其當下現實生活中所面臨的政治課題。此即仁宗朝之經筵講官呂公著於嘉祐八年（1063）七月所進《論語》講義〈學而時習之〉章所說的：

> 人君之學，當觀自古聖賢之君，如堯、舜、禹、湯、文、武之所用心，以求治天下國家之要道。非若博士諸生治章句，解訓詁而已。[74]

而治理天下國家之事，又有輕重、緩急、難易之別，考慮現實以尋求實際的

---

[73] 呂公著：〈論修德為治之要十事奏　元豐八年六月〉，《全宋文》，卷1095，頁305-312。

[74] 呂公著：〈論語講義一　嘉祐八年七月〉，《全宋文》，卷1092，頁265。

解決方案，尤屬當務之急，故程俱則如下說道：

> 今欲于朞月之間，一天下，返舊都，致太平，興禮樂，是則力不足矣。是挾泰山以超北海之類也。今欲勤聽斷、明政刑、節財用、慎舉措、脩軍政、紓民力、進賢能，以馴致中興之功，此則可為之事也。苟不為焉，是則畫也。是為長者折枝而自以為不能之類也。[75]

換言之，講官們所勸誡、建議的，多屬於這類人君皇權眼前所能決定處理的具體政務，是與當下國家社稷、社會時局緊密關聯的現實問題。但也因為如此，故經筵講官的講經、解經法，多是逸離開經書原文之上下脈絡的「離經言道」，但其目的並不在建構講官自身的思想學說體系，而多是「有為之言」。

亦即，此種「離經言道」的解經法，多是經筵講官對於國家時局有感而發，意圖有所作為之言，或是與其個人生命現狀之現實處境有關的感傷時事之語，故其中所透露出的弦外之音，目的都在試圖影響皇帝以引發某種政治效應。例如呂公著「每進講多敷經義以進規」[76]，其在會講「人不知而不慍，不亦君子乎」一句時便說道：

> 在下而不見知於上者多矣。然在上者亦有未見知於下者也。故古之人君，政令有所未孚人心或有未服，則反身修德而不以慍怒加之，如舜之誕敷文德，文王之皇自敬德，是也。[77]

呂公著如此詮解「不知不慍」，已然逸離開《論語》上下文脈絡，而將「不知」一詞所指涉的對象範圍擴充延伸，將「政令」也視為人君心志人格之一部分，不侷限於舊注所解，敷陳經義，以扣合經筵教育乃在教育人君這一目的。企圖教育人君別因臣屬意見與己意不合，或是當政令不符合民心期待而

---

75 同註60，頁13。

76 朱熹、李幼武編：〈三朝名臣言行後錄．呂公著〉，《宋名臣言行錄五集》，卷8，頁628。

77 同前註。

導致民怨四起，就發怒而罪下臣僚子民；而是應該以舜帝、文王為典範，反躬省修，廣納諫言。而南宋度宗朝之講官歐陽守道的進講，史稱：

> 經筵所進，皆切於當世務，上為動色。[78]

另外，如禮部侍郎兼侍讀的許奕，不僅平常上疏陳言最為剴切，史稱其侍讀時：

> 每進讀至古今治亂，必參言時事：「願陛下試思，設遇事若此，當何以處之。」必拱默移時，俟帝凝思。[79]

而哲宗元祐年間（1086-1093）的侍讀蘇頌，史稱：

> 頌每進可為規戒、有補時事者，必述己意，反復言之。……每讀至弭兵息民，必援引古今，以動人主之意。[80]

南渡後，高宗詔臺諫條陳大利害時，吳表臣進策措置上流以張形式，安輯淮甸以立藩蔽，擇民兵以守險阻，集海舶以備不虞。諸如此類，不僅其策論多被高宗所採用，吳表臣另外更乞求高宗應該：

> 選講官以裨聖德，且於古今成敗、民物情偽、邊防利害，詳熟講究。[81]

高宗因而詔開經筵。足見隨著宋王朝政權的南移，經筵上所講之內容，除人君之道德修養外，關於成敗興衰的檢討，王朝新據地之風俗民情的瞭解，以及防守疆土以禦外侮等，此類攸關國祚存亡等國家民族所面臨之現實問題，

---

78 脫脫：〈歐陽守道傳〉，《宋史》，卷411，頁12366。

79 脫脫：〈許奕傳〉，《宋史》，卷406，頁12269。

80 脫脫：〈蘇頌傳〉，《宋史》，卷340，頁10866。另見朱熹、李幼武編：〈三朝名臣言行後錄．蘇頌〉，《宋名臣言行錄五集》，卷10，頁718。而蘇頌所以有機會歷仕四朝，主要乃神宗朝之侍讀陳襄所薦，詳參脫脫：〈陳襄傳〉，《宋史》，卷321，頁10421。

81 脫脫：〈吳表臣傳〉，《宋史》，卷381，頁11732。

當是南渡後之新開經筵上，首要慎重論對的重大議題。至孝宗時，經筵侍講官周必大則更明白地上奏皇帝說道：

> 經筵非為分章析句，欲從容訪問，裨聖德，究治體。[82]

由上述《宋史》所載資料看來，離經言道，參以世局時務，雜以己意、己見的「有為之言」，其實正是經筵講義之講經、解經正法。換言之，經筵講官們與一般傳統注經者之間最大的差異，乃在彼等相當大幅度地拋開了「原義」復現的這一解經要求，或者說追求原義原本就不是經筵講官解經的目標，彼等所致力的，乃在使經典與其所生存的當代產生對話，進而發揮實際政治效用。反言之，如果「經筵非為分章析句」，則《論語》，或者是任何一部經筵上的經典，在絕大的程度上都淪為帝王教育中，藉以影響執政權力、發揮某種政治效能的工具性語言載體。

因此，若有講官無法發揮此一講經效用，或是無法使皇帝接納其所講之經義與對時事、政策之建言的話，則無論其學養如何深厚、見識如何廣博，其對人君而言，可能終究還是一位無法勝任經筵的「經師」，而非一位輔弼國君治國立業的「君師」。此事我們由朱熹身上便可得到證明。朱熹因為在經筵上持論切直而觸犯龍顏[83]，當時劉光祖與孫逢吉同在經筵，恰逢某侍郎告疾而停講，遂委請平時進講《論語》的孫逢吉代講，逢吉見該侍郎講義後，因為有感於其中講《詩經》〈權輿〉篇刺康公與賢者有始無終一事，與帝逐朱熹一事相類，遂欣然代講並特別將之選取出來進講。但孫逢吉並未在經筵上達到其試圖為朱熹平反的目的。皇帝對朱熹進講的評價是：

---

82 脫脫：〈周必大傳〉，《宋史》，卷391，頁11965。

83 脫脫《宋史》言：「朱熹在經筵持論切直，小人共不便，潛激上怒，中批與祠。」詳見脫脫：〈孫逢吉傳〉，《宋史》，卷404，頁12225。然據《朱子語類》所載，關於朱熹為何被罷經筵，當時竊議者所說之理由為：「先生請早晚入講筵，人主將不能堪，便知先生不能久在君側。」詳見（宋）朱熹：〈本朝六・中興至今日人物下〉，《朱子語類》（北京市：中華書局，1986年），卷132，頁3183。

朱熹言多不可用。[84]

針對皇帝的這一評價，孫逢吉的答辯是：

熹議祧廟與臣不合，他所言皆正，未見其不可用。[85]

然令人遺憾的是：孫逢吉不僅未能替朱熹平反，其自身最後竟「寖失上意」。

相反地，講官所進講之內容若能通經致用、切合國家社會之實務，提供執政參考之具體方案，則人君亦會極力延攬，例如胡安國便是。據朱熹所言：

能解經而通世務者，無如胡文定。然教他做經筵，又都不肯。一向辭去，要做《春秋解》，不知是甚意思。蓋他有退而著書立言以垂後世底意思，無那措諸事業底心。[86]

由此可知，經筵講義作為一帝王教育，儒臣經師並無法執意孤行其價值、理念或主張，無論其所懷之心意真摯、熱情與否，乃至其所講論之內容對錯與否，在教育帝王的過程中，上意卻是可以隨時免除其「講官」資格的，具有莫大威權的「學生」。相對於朱熹的直言犯上，當時與朱熹同列在朝的彭龜

---

84 脫脫：〈孫逢吉傳〉，《宋史》，卷404，頁12225。關於朱熹之言為何無用，日後李贄曾提及朱熹雖拒斥君主身旁之小人，然卻無法提出剷除奸佞之具體辦法，故李贄亦譏評朱熹之言為無術、無學之偽學。筆者以為李贄某種程度道出人君之心裡感受，並提供吾人思考個人道德的完善，未必保證其必然能夠達成某種政治道德功效，而此一問題正是經筵講官必須面臨的重大教育課題。李贄言：「夫趙（趙汝愚）為丞相，朱為講官，侂胄未得志也。而朱先生侍講首以侂胄為言，何哉？既約彭龜年共攻之矣。他日經筵復留身論奏，至于再，至于三，必欲決去之而後已。……且夫我本欲決去小人者也，而小人又決不去，是無術也。苟無術，是無學也。既無學，又何以從政而安人乎？則謂我為偽學亦可矣。」詳參（明）李贄：〈儒臣傳．趙汝愚附韓侂胄〉，《李氏藏書》（明萬曆己亥〔二十七年，1599〕至天啟三年〔1623〕焦竑金陵刊本），頁21。

85 脫脫：〈孫逢吉列傳〉，《宋史》，卷404，頁12225。

86 朱熹：〈程子之書一〉，《朱子語類》，卷95，頁2458。

年，其講論事實雖出於愛君之忱，然結果卻還是以「盡言」得罪[87]。此事恰好再度反映出：在經筵上，經筵講官與皇帝的關係，現實層面上終究是「人臣」對「人君」的下對上關係；而非「君師」對「帝生」的尊對卑關係。

五　告人主之法與政治發言權

若如上述，則經筵講官究竟該採取何種教育方法，方可善導人君又可免於禍害及身？針對此一問題，朱熹在回答前述某人問及其被罷經筵，是否導因於其請皇帝早晚入講筵這一問題時曾言：

> 早晚入講筵，非某之請，是自來如此。然某當時便教久在講筵，恐亦無益。一日雖是兩番入講筵，文字分明，一一解注，亦只講過而已，看來亦只是文具。[88]

朱熹明言若只是解說經義，經筵講過並無實際影響人君之效用。又針對前述胡安國不赴經筵而欲做《春秋解》一事，朱熹則又評其：

> 縱使你做得了將上去，知得人君是看不看？若朝夕在左右說，豈不大有益？……人說話也難。……便是說話難。只是這一樣說話，只經一人口說，便自不同。有說得感動人者，有說得不愛聽者。近世所見會說話，說得響，令人感動者，無如陸子敬。[89]

就此段引文看來，朱熹主張若能朝夕向人主論說其經書所載之聖人理道，較之著書或許更能影響人主，因為人君未必閱覽經注；然透過經筵講官個人體認後所做的經義發明，則可在經筵上反覆教導，薰陶影響人君。惟如何說得人主感動、愛聽、願意接受並實踐之，確實有其難度。所以在針對前述尹焞

87　詳參脫脫：〈林大中列傳〉，《宋史》，卷393，頁12015。

88　朱熹：〈程子之書一〉，《朱子語類》，卷95，頁2458。

89　朱熹：〈本朝六·中興至今日人物下〉，《朱子語類》，卷132，頁3183。

質疑高宗好看山谷詩時，卻僅說出一句：「不知此人詩有何好處？陛下看它作什麼？」朱熹則提出其以為理想的告人主之法，其言：

> 然只如此說，亦何能開悟人主！大抵解經固要簡約。若告人主，須有反覆開導推說處，使人主自警省。蓋人主不比學者，可以令他去思量。如孔子告哀公顏子好學之問，與答季康子詳略不同，此告君之法也。[90]

也就是說，正因經筵教育的對象是人主；而非一般學士，所以較之所謂不明言、啟發之、令其思考的一般教育，告人主則宜採直言的「反覆」開導以「警省」人主。無奈史載朱熹正因持論切直，故未能久處經筵。然人臣又豈可因畏懼直言易犯上，而拒講實情？仁宗朝臣趙抃便遞狀呼籲：

> 今經筵侍講者，講吉不講凶，講治不講亂；侍讀者讀得不讀失，讀存不讀亡。臣愚以為陛下非所以廣聰明之義也。伏望發德音，命經筵臣僚臨文講誦無隱諱。至於吉凶治亂得失存亡之所由兆，尤宜詳究鋪陳之，使禍福之鑑日開，宗廟社稷無窮之福也。[91]

據史籍所載，有宋一代確實不乏皇帝悅納經筵講官諫言之實例。如孝宗朝之經筵講官李燾，嘗諫省後宮費用，直言：「外議陛下多服藥，罕御殿，宮嬪無時進見，浮費頗多。」[92]孝宗則回應道：

> 卿可謂忠愛，顧朕老矣，安得此聲。近惟葬李婕好用三萬緡，他無費也。[93]

理宗朝之經筵講官包恢，經筵對奏，誠實懇惻，理宗欣然說道：

---

90 朱熹：〈程子門人．尹彥明〉，《朱子語類》，卷101，頁2576。

91 （宋）趙抃：〈論經筵及御製宸翰狀〉，《全宋文》，卷886，頁236。

92 脫脫：〈李燾傳〉，《宋史》，卷388，頁11918-11919。

93 同前註。另見於〈李賢妃傳〉，《宋史》，卷243，頁8653。

其言甚直，朕何嘗怒直言！[94]

高宗朝之侍讀范沖，知道高宗喜好《左傳》，每敷衍經旨，因以規諷，而高宗未嘗不稱善[95]。甚至不乏講官直陳時弊，而實際發揮政治效用。例如孫道夫在經筵，極論類試請託之弊端，請盡令赴禮部。皇帝本想延至後年遣御史監察，然孫道夫持論益加堅定。此事下至國子監，祭酒楊椿主張派遣一監試前往以革其弊，是年，四川類省試始從朝廷差官[96]。呂公綽侍經筵之際，時久不雨，帝問其何以致雨？呂公綽回答原因在獄久不決，皇帝遂躬親慮囚，已而大雨[97]。又陳襄在經筵時，神宗厚待之，曾向其諮訪可用之人才，陳襄一共推舉了司馬光、呂公著、蘇頌、蘇軾等三十三人[98]。王大寶兼崇政殿說書時，奏明君上曰：「江南諸州有月樁錢，無定名數，吏緣為姦，刻剝民。又有折帛錢，方南渡兵興，物價翔貴，令下戶折納，務以優之，今市帛匹四千，而令輸六千。盍委監司覈月樁為定制，減折帛惠小民。」君上遂詔戶部詳其奏[99]。

據上述信史所言，足見經筵教育功效的發揮，雖然有賴講官之講論、說話技巧，但君王自身之為君心態乃至學習態度，亦是影響經筵教育成敗的重要因素。而講官所以敢直言不諱，基本上就在其相信人君乃是衡諸「道」，而非取諸一已之「私心」，而來判斷其進言。另外，在經典義理的學習態度上，人君亦當與講官進行互動學習，故司馬光主張：

學非問辨，無由發明。今陛下若皆默而識之，不加詢訪，雖為臣等疏淺之幸，竊恐無以宣暢經旨，裨助聖性。伏望陛下自今講筵，或有臣等講解未盡之處，乞賜詰問，或慮一時記憶不能詳備者，許令退歸討

94 脫脫：〈包恢傳〉，《宋史》，卷421，頁12593。

95 脫脫：〈范沖傳〉，《宋史》，卷435，頁12906。

96 脫脫：〈舉遺逸附志〉，《宋史》，卷156，頁3630。

97 脫脫：〈呂夷簡／子公綽傳〉，《宋史》，卷311，頁10212。

98 脫脫：〈陳襄傳〉，《宋史》，卷321，頁10421。

99 脫脫：〈王大寶傳〉，《宋史》，卷386，頁11856。

論，次日別具箚子敷奏。[100]

范祖禹在進呈《帝學》一書時，亦強調：

臣又聞，學則必問，問然後為學。《中庸》曰：「君子尊德行而道問學，致廣大而盡精微，極高明而道中庸。」皆所以為天下法也。堯有衢室之問，舜有總章之訪，動必咨于四岳。孔子稱舜之大智曰「好問」，仲虺戒湯曰：「好問則裕。」學者聖之先務也，問者學之大方也。[101]

程頤更主張：

朝廷慎選賢德之士，以侍勸講。講讀既罷，常留二人直日，夜則一人直宿，以備訪問。皇帝習讀之暇，游息之閒，時於內殿召見，從容宴語。不獨漸磨道義，至於人情物態，稼穡艱難，積久自然通達。……竊聞間日一開經筵，講讀數行，群官列侍，儼然而退，情意略不相接。如此而責輔養之功，不亦難乎？……但時見講官，久則自然接熟。大抵與近習處久熟則生褻慢，與賢士大夫處久熟則生愛敬，此所以養成聖德。[102]

程頤此番主張，乃本文前述所謂經筵講官若欲輔弼君德，除善講經義之外，恐怕要能直接參與人君的生活整體，以涵養其人格。其實，依據舊制，修注官與經筵官原本皆准許留滯皇帝身邊奏事[103]。然也因為經筵官身處帝王近側，可接近權力核心，故經筵遂成眾家覬覦、必爭的要職。

其實據《宋史》所載，經筵這一帝王學習儒典的場合，常常淪為當代政治各方角力爭相設法取得發言權的政治權力論述場域。因此，經筵講官這一

---

100 （宋）司馬光：〈乞經筵訪問箚子　治平二年十月上〉，《全宋文》，卷1192，頁68。

101 （宋）范祖禹：〈上帝學奏　元祐五年八月〉，《全宋文》，卷2142，頁216。

102 程頤：〈論經筵第一箚子〉，《全宋文》，卷1751，頁223-224。

103 脫脫：〈洪皓／子遵傳〉，《宋史》，卷373，頁11566。

任職也常為有心人士所覬覦的對象，例如王安石執政之際，其所採用參與新政者多少年，安石之子王雱欲預選，但又恐受人批評，遂與安石謀劃參政的方法，當時王雱所想出的計謀就是：

> 執政子雖不可預事，而經筵可處。[104]

又徽宗朝之右諫議大夫范宗尹，亦欲處之經筵[105]。另外，同樣與秦檜有關的，乃是秦檜被黜閑居時，興化士人林大鼐對策，言：「自宣政以來，人無節義。後得秦檜於虜中，乞立趙氏，節義可取。」[106]日後秦檜知之，遂大加擢用林大鼐。然某日林大鼐在經筵講經甚稱上意，君上甚喜而賜一帶，秦檜便將之逐出。秦檜此舉，無疑耽憂林大鼐會因此得寵而危及自身之寵信，故務必儘快除之而後快。此事同時也反映出士人確實可以藉由經筵講經，迅速縮短其與人君之間的距離，堪稱是士大夫接近權力核心的捷徑。

因此，政治立場敵對的雙方陣營，也會擔心對營人士涉入經筵。而人君為了弭平不同政治勢力的派別傾軋，甚至為顧及某方，亦會使其立於經筵[107]。包括經筵講官的任命也常引發政治性議論。而敵對的雙方或於經筵上競求表現、互別苗頭[108]，或於經筵上針鋒相對、勢不兩立[109]，甚至藉經筵以詆

---

104 脫脫：〈王安石／子雱傳〉，《宋史》，卷327，頁10551。

105 詳參脫脫：〈姦臣三．秦檜傳〉，《宋史》，卷473，頁13749。

106 朱熹：〈本朝五．中興至今日人物上〉，《朱子語類》，卷131，頁3159。

107 例如神宗朝之諫官楊繪，不畏強禦，知無不為，然抗跡孤遠，立朝寡援。神宗因而特意解其諫職，改兼侍讀，以避其風頭。詳參脫脫：〈楊繪傳〉，《宋史》，卷322，頁10449。

108 例如李皇后寖預政，倪思進講姜氏會齊侯於濼，君上因而悚然。時政治立場相對的趙汝愚，與倪思同侍經筵，退與人曰：倪思「讜直如此，吾黨不逮也」。詳參脫脫：〈倪思傳〉，《宋史》，卷398，頁12114。

109 例如杜範與李鳴復為了是否乞和一事，於經筵上勢不兩立，杜範甚至出言曰：「鳴復不去則臣去，安敢入經筵？」而李鳴復也抗疏自辨。詳參脫脫：〈杜範列傳〉，《宋史》，卷407，頁12282-12283。又如理宗朝之觀文殿大學士史嵩之，其不欲崇政殿說書呂午在經筵，遂與言路密謀劃除之，惟君上不允許呂午去職，再留呂午於經筵，結果兩人議論越加不合。詳參脫脫：〈呂午傳〉，《宋史》，卷407，頁12298。

毀政敵。例如鄭清之「日夜於經筵短公許（程公許）」[110]，又如欽宗時門下侍郎耿南仲對於凡與自己不合者，皆指為朋黨，見胡安國論奏，便在皇帝面前如下構陷胡安國：

> （耿南仲）曰：「中興如此，而曰績效未見，是謗聖德也。」乃言安國意窺經筵，不宜召試。[111]

耿仲南所以有此擔慮，誠如前文所述，原因就在經筵上君臣所論，確實不僅止於經義的討論。舉凡論學、議政、用人，乃至告密、詆毀政敵，皆可借用經筵這一場合來進行各種發言。例如理宗朝之朱貔孫，當時因賈似道仗勢理宗倚成，多擅命行事，侍讀朱貔孫則隨事進諫，不肯阿附賈似道，並且「屢於經筵密以告帝」有關行公田之政一事[112]。而與講官常藉經筵以取得政治發言權相對的，帝王也會在經筵上表明其心跡。例如宋孝宗某日御經筵，因論監司案察，顧謂講讀官曰：「朕近日得數人，應孟明，其最也。」[113]

凡此種種，皆可證明經筵上之講經，絕非僅止於講論經義。由於經筵這一場域關涉帝王現實生活的多面性，與國家政治運作的特殊、複雜性，故也使得經筵講官之講義內容，除因文見義之經義講解之外，其經義發明或經筵上之發言，多是攸關時局、政局之政策，或是與權力結構相關的政治發言。故若能取得經筵官之職，則無疑掌握了政治發言權，故其解經論道之講義內容，也屢屢趨向攸關政治現實的「有為之言」。

六　結論——「章句經師」到「傳道君師」

關於帝王與講官在經筵上的權力衝突問題，在宋代呈現出諸儒喧譁的景況，而問題的導火線則始於入宋以後的撤廢講官之坐講，然筆者以為此一問

---

110 詳參脫脫：〈程公許傳〉，《宋史》，卷415，頁12458。

111 脫脫：〈胡安國傳〉，《宋史》，卷435，頁12910。

112 詳參脫脫：〈朱貔孫傳〉，《宋史》，卷411，頁12363。

113 脫脫：〈應孟明傳〉，《宋史》，卷422，頁12611。

題遠可上溯至孟子，其所關涉到的其實是儒士的自我定位問題。首先，關於廢坐問題，或言始於宋太祖，此或許因太祖曾撤宰相范質之座而有此論：

> 自唐以來，大臣見君，則列坐殿上，然後議所進呈事，蓋坐而論道之義。藝祖（太祖）即位之一日，宰相范質等猶坐。藝祖曰：「吾目昏，可自持文書來看。」質等起進呈罷，欲復位，已密令中使去其坐矣，遂為故事。[114]

或言始於宋仁宗[115]，因為在仁宗天聖（1023-1031）以前經筵講讀官皆坐講，景祐年間（1034-1037）經筵講讀官翰林侍講學士孫奭首次立講[116]。而程頤卻說北宋在太祖、真宗之際經筵講官仍是坐講，立講之儀「只始於明肅太后之意」[117]。無論如何，北宋經筵侍者坐、講者立之儀節確實由仁宗下詔頒訂：

> 邇英閣講讀官當講讀者，立侍敷對，餘皆賜坐侍於閣中。[118]

而針對講官究竟應不應該恢復其坐講這一問題，宋朝儒臣展開激烈爭論，則是在神宗熙寧元年（1068）[119]。該年四月，由翰林學士兼侍讀呂公著、翰林學士兼侍講王安石等人上奏曰：

> 臣等竊以謂侍者可使立，而講者當賜坐。所以當賜坐者，以傳先王之道故也。伏惟陛下躬仁聖之質，將興堯、舜之治，於傳道之際，不宜因循有司一時之失，不正其禮。[120]

---

114 （宋）邵博：《邵氏見聞後錄》（北京市：中華書局，1983年），卷1，頁1。

115 蘇頌有言：「臣等竊尋故事，侍講皆賜坐。自乾興以來，講者始立，而侍者皆坐聽。」（宋）蘇頌著、王同策等點校：〈駁坐講議〉，《蘇魏公文集》（北京市：中華書局，2004年），卷16，頁218。另見於呂公著：〈請坐講奏〉，《全宋文》，卷1092，頁275。

116 （宋）彭龜年：《止堂集》（上海市：上海古籍出版社，1987年），頁822。

117 （宋）程顥、程頤：《二程集》（北京市：中華書局，1981年），頁551。

118 李燾：〈皇佑三年九月丁丑〉，《續資治通鑑長編》，卷171，頁726。

119 詳參（宋）范祖禹：《帝學》（北京市：商務印書館，2006年），卷7，頁10-12。

120 呂公著：〈請坐講奏〉，《全宋文》，卷1092，頁275。

> 翰林學士兼侍讀呂公著、翰林學士兼侍講王安石等言：「竊尋故事，侍講者皆賜坐；自乾興後，講者始立，而侍者皆坐聽。臣等竊謂侍者可賜立，而講者當賜坐，乞付禮官考議。」詔禮院詳定以聞。判太常寺韓維、刁約，同知禮院胡宗愈言：「臣等竊謂臣侍君側。古今之常，或賜之坐，蓋出優禮。祖宗以講說之臣多賜坐者，以其敷暢經藝，所以明先王之道。道所存，禮則加異。太祖開寶中，李穆、王昭素於朝召對，便殿賜坐，……太宗端拱中，幸國子監，升蔫將出，顧見講座，因召學官李覺講說。覺曰：『陛下六飛在御，臣何敢輒升高坐。』太宗為之降輦，……今列侍之臣，尚得環坐，執經而講者，顧使獨立於前，則事體輕重，議為未安。臣等以為宜如天禧故事，以彰陛下稽古重道之義。」[121]

在呂公著與王安石等人的建言中，我們除可看到北宋開國以來，李覺以國子監博士之身分對「君師」身分的自覺，另外從「敷暢經藝」乃在「明先王之道」的說法，亦可看出北宋經筵講官以先王之道的代言人自居的優越意識，也因彼等的此種自我感覺與定位，故要求帝王必需對其異禮優待。

然北宋儒士間並非每人皆以「傳道」者自居。針對呂公著、王安石等人的這項提議，蘇頌、劉攽等人則反對曰：

> 臣竊謂侍從之臣，見於天子者賜之坐，有司顧問，猶當避席立語，況執經人主之前，本欲便於指陳，則立講為宜。若謂傳道近於為師，則今侍講解說舊儒章句之學耳，非有為師之實。豈可專席安然以自取重也。又朝廷班制，以侍講居侍讀之下，祖宗建官之意輕重可知矣。今若侍講輒坐，其侍讀當從何禮？[122]
>
> 侍臣講論於前，不可安坐，避席立語，乃古今常禮。君使之坐，所以

121 （宋）楊仲良：《續資治通鑑長編紀事本末》（北京市：北京圖書館出版社，2003年），卷53，頁1703-1704。

122 同前註，頁1704-1705。

示人主尊德樂道也；若不命而請，則異矣。[123]

劉攽此話一出，當時在場禮官皆同其議。在此我們應該注意的是：劉攽與王安石原本政治立場相異，然此處兩人意見的相左，並不僅限於立講或坐講之經筵儀節；而是代表著儒臣的自我身分、地位、主權之伸張，仍必須是在帝王「主動」尊德樂道的前提之下方可成立。換言之，即便經筵講官以「君師」之尊來教育人君，但並不意味著儒臣因此可以主動請求維護自我之權限。而且在劉攽等人的認知中，經筵講師之授業僅是「解說舊儒章句之學」，是一種知識性專職，而無傳道之師的實質，因此不具備向擁有政治絕對崇高權力與地位之帝王伸張自主權，或對之挑戰的立足點。也就是說，在北宋儒士之間，經筵講官究竟是自我定位為「章句經師」抑或「傳道君師」，決定了其自身的身分地位。若以「章句經師」自居，則其與帝王之間當然只能是「臣」屬主從關係，「師」的實質就只能是技能性的；若以「傳道君師」自居，則其經筵講「學」即在傳先王之「道」，而先王之「道」又能涵化帝王養成聖「德」，啟迪引導帝王擇取治國良「術」，如此一來則「傳道君師」又形同「輔國良相」，經筵講官則既是帝王思想、行為的善導者，同時又是帝王治國施政的決策參與者。

而日後爭取恢復坐講最具代表性的兩位儒者，當推立足於王安石之對立面的程頤，以及朱熹這兩位經筵講官。程頤於宋哲宗元祐元年（1086）被命為崇政殿說書，而在未決定是否上任之前，程頤首先上疏試探君意，疏中言道：

> 竊以知人則哲，帝堯所難。雖陛下聖鑒之明，然臣放獲進對於頃刻間，陛下見其何者，遽加擢任？今取臣畎畝之中，驟置經筵，蓋非常之舉，朝廷擇其報效，天下之所觀矚，苟或不當，則失望於今，而貽譏於後，可不謹哉！臣未敢必辭，只乞令臣再上殿進劄子三道，言經筵事。所言而是，則陛下用臣為不誤，臣之受命為無愧。所言或非

123 脫脫：〈劉敞／弟攽傳〉，《宋史》，卷319，頁10387。

> 是，其才不足用也，因可聽其辭避。如此則朝廷無舉動之過、愚臣得去就之宜。[124]

程頤不因崇政殿說書乃經筵講官中職位較低者而有顧慮，其發言彰顯了經筵講師是否赴經筵，並非一味取決於帝王一人之決定權，講官同時也擁有主動選擇權，而且也主張講官於經筵對帝王的建言應具有政治實踐效力。而程頤所進呈的三道經筵箚子，在第一道箚子中，程頤以周公輔佐成王為例，以周公作為經筵講師之典範，再次凸顯了經筵講師不僅只是傳授章句之學的「經師」，而是輔弼聖德的傳道「君師」。第二道箚子中，程頤則將經筵講師等同三代制度中的師、保、傅，賦予講官尊崇之地位，並提出講官宜參與帝王之生命與生活全體。而在第三道箚子中，程頤便據理力爭回復坐講。其言：

> 臣竊以人主居崇高之位，持威福之柄，百官畏懼，莫敢仰視，萬方承奉，所欲隨得。苟非知道畏義，所養如此，其惑可知。……從古以來，未有不尊賢畏相而能成其聖者也。……欲乞今後特令坐講，不惟義理為順，所以養主上尊儒重道之心。竊聞講官在御案傍，以手指書，所以不坐，欲令一人指書，講官稍遠御案坐講。意朝廷循沿舊體，只以經筵為一美事。臣以為天下重任惟宰相與經筵，天下治亂繫宰相，君德成就責經筵。由此言之，安得不以為重？〔貼黃〕竊聞講官在御案旁，以手指書，所以不坐。欲乞別一人指書，講官稍遠御案坐講。[125]

程頤點出了人君養於宮中，以位高權重，而可俯視天下，隨心所欲。故若心中無道、義存在，則恐怕難分是非；若不能尊重賢能人士，又不能敬畏輔佐其執政的宰相，則無法成其聖德。程頤以此來勸諫哲宗皇帝恢復坐講，以表明皇帝尊賢之心與成聖之志。同時在王安石之後，程頤又再次標高經筵講師的獨特性尊崇地位，就在其乃肩負起善導君心、輔弼君德的要務，故可與宰

---

124 李燾：〈元祐元年三月辛巳條〉，《續資治通鑑長編》，卷373，頁371。

125 同前註，頁373。

執相提並論。程頤未說出口的就是：如果經筵講師全程參與帝王從行為、心識、品德、思想到執政之運籌帷幄的所有過程，則經筵講師的實際功效不僅超越了宰執，而且還成為足以與帝王挑戰、抗衡的一方。

相較於程頤，朱熹則從所謂：立講無法仔細指點皇帝讀經的這一進講過程中，執行講經作業時將產生的實際缺失，而主張應恢復坐講。朱熹言：

> 古者三公坐而論道，方可仔細說得。如今莫說教宰執坐，奏對之時，頃刻即退。文字懷於袖間，只說得幾句，便將文字對上宣讀過，那得仔細指點，且說無坐位，也須有個案子，令開展在上，指畫利害，上亦知得仔細。今頃刻便退，君臣如何得同心理會。……如今群臣進對，頃刻即退，人主可謂甚逸。古人豈是故為多事！[126]

然而朱熹真正在意的，恐怕還是在人君即使在經筵上受教於講官，卻仍不忘宣示其政治威權，向「君師」展現其主宰操控權力。換言之，儒臣、人臣若有能在人倫秩序上，逆轉君臣間之尊卑地位的機會，當然就必須確定並強調其乃君王之「師」的這一崇高地位。這也就是權臣賈似道所以會在理宗崩殂，立度宗為帝後，就設法使度宗每朝必答拜，並不使度宗稱其名，而稱其為「師臣」，時朝臣亦皆稱其為「周公」。蓋對帝王而言，臣卑師尊，賈似道所欲凸顯的，無非是其以「君師」之身分，凌駕於原本位居政治權力之最高位者——帝王之上。相較於賈似道是利用「君師」這一身分以遂行其一己之權力私欲，朱熹則如下言道：

> 古之君臣所以事事做得成，緣是親愛一體。因說虜人初起時，其酋長部屬都無分別，同坐同飲，相為戲舞，所以做得事。如後來兀 犯中國，擄掠得中國士類，因有教之以分等陛立制度者，於是上下位勢漸隔，做事漸隔，做事漸難。[127]
>
> 叔孫通為綿蕝之儀，其效至於群臣震恐，無敢喧嘩失禮者。比之三代

126 朱熹：〈本朝二　法制〉，《朱子語類》，卷128，頁3068-3069。

127 朱熹：〈禮六　冠昏禮〉，《朱子語類》，卷89，頁2284。

> 燕享群臣氣象，便大不同，蓋只是秦人尊君卑臣之法。[128]

朱熹強調人君與經筵講師之間的關係，乃是以「親愛」為基礎的，透過由衷、自然的情感聯繫，達到彼此相尊親、互敬愛的「師生」情誼。在朱熹而言，帝王個人不僅要法三代聖王，也要法三代燕享群臣的和樂氣象，而不是藉由卑臣而來尊君，而來抬高、宣示皇帝的政治崇高性地位。朱熹所企盼的此種君臣相親、相尊的理想，筆者以為其源頭乃是孟子以來，儒士的自我期許。亦即，儒士、經師應當要以「君師」自我期許，高尚其志，並以此「君師」身分來引導帝王尊德，趨向「王道」。因此，若從所謂「君師」與「帝王」的關係來看，朱熹以為其理想的關係狀態，應如以下引文所言：

> 此章見賓師不以趨走承順為恭，而以責難陳善為敬；人君不以崇高富貴為重，而以貴德尊士為賢，則上下交而德業成矣。[129]

而筆者認為朱熹此處所謂的：「賓師不以趨走承順為恭，而以責難陳善為敬。」不僅是經筵講師與一般「章句經師」最大的差異處，同時也是儒臣挺拔起其獨立人格，繼承「斯文在我」之自信，不受政治威權宰制，並轉換其被統治之儒臣經師身分，進而以「傳道君師」自我定位，指導人主進德修業、政治向善的最佳自我定位與自我期待。

如上所述，本文以宋代楊時、程俱、王十朋、袁甫、劉克莊、徐元傑等六人之《論語》經筵講義為考察對象，討論其進講風格、講授議題、經筵席教育目的，同時說明經筵解經正法，以及經筵講官之政治發言所產生的政治效用，與宋代經筵講官之自我主體自覺、認識與定位等。藉由分析考察宋代《論語》經筵講義，筆者提出以下數點認識：一、宋代《論語》經筵講官在進講時，並無一制式進講方法，端看講官自身安排。二、由宋代《論語》經筵講義看來，經筵講官的講經、解經法，多是逸離開經書原文之上下脈絡的「離經言道」，但其目的並不在建構講官自身的思想學說體系，而多是關乎時

---

128 朱熹：〈歷代二〉，《朱子語類》，卷135，頁3222。

129 朱熹：〈公孫丑下・湯之於伊尹〉，《孟子集注》，卷4，頁338。

局、政局的「有為之言」。三、追求原義原本就不是宋代《論語》經筵講官解經的目標，彼等所致力的，乃在使經典與其所生存的當代產生對話，進而發揮實際政治效用。四、以呂公著、王安石、程頤、朱熹為代表的宋代經筵講師，繼承了中唐以來斯文在我的自信，以傳道君師自居，成為超越宰執而與帝王抗衡的一方。五、然在經筵上，經筵講官與皇帝的關係，現實層面上終究是「人臣」對「人君」的下對上關係；而非「君師」對「帝生」的尊對卑關係。

盡善盡美

——從《論語集注》看朱熹的新經學

勞悅強*

朱熹畢生研究《論語》，嘗言：「讀其他書不如讀《論語》最要，蓋其中無所不有。若只躬行而不講學，只是個鶻突底好人。」[1]又說：「《論語》只是個坯璞子，若仔細理會，煞有商量處。」[2]朱子講究知行合一，但上述的勸諭所強調的是《論語》的閱讀問題。朱熹極注意讀書，門人弟子更有輯記朱子教人讀書的言論，名曰《讀書法》[3]。朱子既然認為《論語》如斯重要，則閱讀《論語》自然有一套方法，也就是他本人所講的「商量處」。本文旨在探微，不求博涉，僅就朱熹對《論語．八佾》〈子謂韶盡美矣章〉的閱讀和理解作一分疏，「仔細理會」，從而窺測其《論語》讀書法。朱熹視《四書》更重於五經，不獨以為五經之階梯而已。由此觀之，《四書》不啻乃朱熹的新經學。

又學者論程、朱道學每每以其道德形上學為言，言之成理，但《論》、《孟》、《學》、《庸》原書本來就潛藏著濃厚的道德意味，而《中庸》言性與

* 新加坡國立大學中文系。

1 （宋）黎靖德編，王星賢點校：《朱子語類》（北京市：中華書局，1999年），冊8，卷120，頁2891。

2 同上注。

3 （宋）黎靖德編：《朱子語類》，卷9和卷10。此外，朱子論讀書法的言論還散見於同書他卷以及他的其他著作。

天道，精義待發，程、朱本《四書》而說道學，無可厚非。要抉發朱熹解讀《論語》的詮釋特色，我們也許可以書中明顯不涉及道德和天道問題的篇章為例，「仔細理會」朱子如何研讀《論語》。此外，自清代以來，論者常常批評宋儒論學為臆說空談，多無文獻證據。〈子謂韶盡美矣章〉乃孔子討論音樂的言論，從文義上看，完全不關乎道德、天道的問題，而要分析孔子此處的樂論，極易落入無根之談。我們一方面可以考察朱熹是否在非關道德、天道的情況下，不顧實據，也大談其道學，另一方面又可以審視在音樂如此抽象的一個藝術課題上，朱熹如何闡發他的見解。由此而觀，〈子謂韶盡美矣章〉為我們提供了一個認識朱熹《論語》學很好的個案研究，而同時亦可窺見其新經學的基本精神。

一　唐以前的解讀

〈子謂韶盡美矣章〉云：「子謂〈韶〉，『盡美矣，又盡善也』。謂〈武〉，『盡美矣，未盡善也』。」也許我們可以先認識前人的讀法，然後再通過比較來了解朱熹解讀此章的特點。根據何晏《論語集解》，漢人注此章者，最早存有孔安國一家。孔氏曰：

> 〈韶〉，舜樂名也。謂以聖德受禪，故曰盡善也。〈武〉，武王樂也。以征伐取天下，故曰未盡善也。[4]

孔《注》的著眼點為大舜與武王得天下的方式，舜「以聖德受禪」，所以「盡善」，而武王則「以征伐取天下」，所以「未盡善」。至於大舜與武王二人本身的德操，孔氏似乎並未關心，而僅謂大舜「聖德」，足以受禪。

稍後，董仲舒雖然並未注解《論語》，但他對〈子謂韶盡美矣章〉亦有看法。《漢書》卷五十六〈董仲舒傳〉載仲舒對策曰：

> 堯在位七十載，乃遜於位，以禪虞舜。堯崩，天下不歸堯子丹朱而歸

---

4 （梁）皇侃：《論語集解義疏》（臺北市：廣文書局，1968年），上冊，頁111。

> 舜，舜知不可辟，乃即天子之位，以禹為相，因堯之輔佐，繼其統業，是以垂拱無為而天下治。孔子曰：「〈韶〉盡美矣，又盡善也。」此之謂也。至於殷紂逆天暴物，殺戮賢知，殘賊百姓。伯夷、太公皆當世賢者，隱處而不為臣。守職之人，皆奔走逃亡，入於河海。天下耗亂，萬民不安，故天下去殷而從周。文王順天理物，師用賢聖，是以閎夭、太顛、散宜生等亦聚於朝廷，愛施兆民，天下歸之，故太公起海濱而即三公也。當此之時，紂尚在上，尊卑昏亂，百姓散亡，故文王悼痛而欲安之，是以日昃而不暇食也。孔子作《春秋》，先正王而繫萬事，見素王之文焉。繇此觀之，帝王之條貫同，然而勞逸異者，所遇之時異也。孔子曰：「〈武〉盡美矣，未盡善也。」此之謂也。[5]

董仲舒認為孔子稱道大舜之所以「盡善盡美」，乃針對他深識天下大勢之「不可避」，於是順應民心，紹繼帝堯之統業，又幸得禹為相，同時「因堯之輔佐」，遂可以無為而治天下。這是大舜之「逸」。這個說法有一定的理據。孔子曾讚揚大舜，說：「無為而治者其舜也與？夫何為哉？恭己正南面而已矣。」（《論語・衛靈公》）此即董仲舒所講的「垂拱無為而天下治」。夫子所說固然是針對大舜受禪以後的政治而言，但大舜登位後能夠「無為而治」，則他的受禪能夠順應天下「不可避」之大勢，同樣也可說是「無為」的表現。至於武王「盡美」而「未盡善」，仲舒似乎諱言征伐，而他所說的「勞」無疑指的是武王伐紂革命之事。大舜與武王同樣能夠平治天下，然而「勞逸」不同，仲舒歸之於兩人「所遇之時異」。換言之，他關注的仍然是外在的時勢，而不是大舜與武王兩聖本人德操的同異[6]。

---

5 （漢）班固：《漢書》（北京市：中華書局，2002年），冊11，頁2508-2509。

6 （唐）顏師古《注》董仲舒對策語曰：「亦《論語》載孔子之言也。〈武〉，周武王樂也。以其用兵伐紂，故有慚德，未盡善也。」顏《注》針對武王的「慚德」而言，似乎不合仲舒原意，但卻代表唐人《論語》說的一斑。有關顏師古的《論語》學，可參考鄧國光：〈顏師古的《論語》注解及其在思想史上的意義—唐代貞觀經學探要之一〉，見彭林主編：《中國經學》，第3輯（桂林市：廣西師範大學出版社，2008

根據清劉寶楠《論語正義》，現存漢人對〈子謂韶盡美矣章〉尚有東漢鄭玄《注》一說。鄭玄的《論語》注早佚，今僅存輯本。劉氏引鄭《注》曰：

> 〈韶〉，舜樂也，美舜以德禪於堯。又盡善，謂太平也。〈武〉，周武王樂，美武王以此功定天下。未盡善，謂未致太平[7]。

劉寶楠又引董仲舒對上述策文中有關大舜一段至《論語》引文為止，然後說：「仲舒此言，即鄭君義。」[8]劉氏這個判斷並不精確。鄭玄謂「盡善」指「太平」而言，可謂與董仲舒「垂拱無為而天下治」之說大致相同，但鄭君謂〈韶〉「美舜以德禪於堯」，這個說法應該本於孔安國。至於劉寶楠略去董仲舒對〈武〉樂的看法以及其對〈韶〉、〈武〉的比較，則又有誤導讀者之嫌。仲舒明明說「帝王之條貫同」，恐怕他不會認為「未盡善」是指武王「未致太平」而言。無論如何，鄭玄《注》依然強調大舜與武王外在的功績而言，在此意義下，董說與鄭義的確相同。

漢代以後，集魏晉南朝《論語》注家於一爐共冶者為皇侃的《論語集解義疏》。有關〈子謂韶盡美矣章〉，皇氏疏文如下：

> 云「子謂〈韶〉盡美矣，又盡善也」者，此詳虞、周二代樂之勝否也。〈韶〉，舜樂名也。夫聖人制樂，隨人心而為名。韶，紹也。天下之民樂舜揖讓，紹繼堯德，故舜有天下而制樂名〈韶〉也。美者，

年），頁74-132。按：《尚書．仲虺之誥》：「成湯放桀於南巢，惟有慚德，曰：『予恐來世以台為口實。』」此乃師古說所本。又偽孔《傳》曰：「有慚德，慚德不及古。」然而，孔安國釋〈子謂韶盡美矣章〉卻並未採《尚書》說。

7 按：劉氏所引出自宋李昉等撰《太平御覽》卷564。《御覽》本文引《論語．八佾》〈子謂韶盡美矣章〉，文下附自注，而注文與劉氏引鄭《注》幾乎相同。唯一差異在於注文最後一句，《御覽》作「未盡善，致太平」，當有誤。然而，劉寶楠以《御覽》自注文出於鄭玄《注》，則不知何所據。鄭玄《注》文見（清）劉寶楠撰，高流水點校：《論語正義》（北京市：中華書局，1998年），冊上，頁135。

8 （清）劉寶楠撰、高流水點校：《論語正義》，冊上，頁135-136。

堪合當時之稱也。善者，理事不惡之名也。夫理事不惡，亦未必會合當時；會合當時，亦未必事理不惡，故美善有殊也。〈韶〉樂所以盡美，又盡善，天下萬物，樂舜繼堯，而舜從民受禪，是會合當時之心，故曰盡美也。揖讓而代，於事理無惡，故曰盡善也。

云「謂〈武〉盡美矣，未盡善也」者，〈武〉，武王樂也。天下之民樂武王干戈，故樂名〈武〉也。天下樂武王從民而伐紂，是會合當時之心，故盡美也，而以臣伐君，於事理不善，故云未盡善也。《注》謂以聖德受禪，故曰盡善也。《注》不釋盡美而釋盡善者，釋其異也。《注》以征伐取天下，故曰未盡善也。《注》亦釋其異者也[9]。

相對於漢人注來說，皇《疏》有兩個突破。首先，皇侃指出：「夫聖人制樂，隨人心而為名。」漢人注針對時勢、功德以及取得天下之方式而作解說，皇《疏》卻直指「人心」而論二聖制樂之道。誠然，皇侃所謂的「人心」，換另一角度看，也可以就是漢人所講的「時」，不過，漢人著重在「一時之勢」，而皇侃則專注在其時「人心」的蘄向。講「時勢」偏重於外在力量，而講「人心」則注意內在訴求。其次，皇侃特別注意到「美」與「善」的實際意涵如何不同。他指出，「美者，堪合當時之稱也。善者，理事不惡之名也。」所謂「堪合當時」應該就是「隨人心」的意思。「聖人制樂」既然能夠「隨人心而為名」，這是一件「美」事，而「美」事之為「美」事則在於其能「堪合當時」。孔安國以取天下的方式論善否，皇侃身處魏晉玄學流行之後，則轉以「事理」論善否。他認為，武王「以臣伐君，於事理不善」，所以〈武〉樂未盡善也，而大舜「揖讓而代，於事理無惡」，所以〈韶〉樂盡善也。儘管皇《疏》新穎，但相對大舜與武王而言，「人心」和「事理」仍然屬外而無關乎二聖本人的德操。

---

9 （梁）皇侃：《論語集解義疏》，冊上，頁111-112。

二　北宋儒者的解讀

在分析朱熹對〈子謂韶盡美矣章〉的解讀以前，我們先審視北宋現存的兩種讀法，這兩種讀法在當時都享有官方的法定地位，影響相當廣遠。第一種讀法見於邢昺的《論語正義》。《論語正義》於宋真宗咸平年時（1000年前後）成書，後來收入清阮元編訂的《十三經注疏》，故又稱《論語注疏》。邢《疏》的讀法如下：

> 此章論〈韶〉、〈武〉之樂。子謂〈韶〉盡美矣，又盡善也者，〈韶〉，舜樂名。韶，紹也。德能紹堯，故樂名〈韶〉。言〈韶〉樂其聲及舞，極盡其美。揖讓受禪，其聖德又盡善也。謂〈武〉盡美矣，未盡善也者，〈武〉，周武王樂，以武得民心，故名樂曰〈武〉。言〈武〉樂音曲及舞容則極盡美矣，然以征伐取天下，不若揖讓而得，故其德未盡善也。[10]

漢人注和皇《疏》都從外緣因素如時勢或民心談〈韶〉、〈武〉制樂的成因，又從事理分析〈韶〉、〈武〉的內容，但卻沒有討論這兩種音樂本身作為藝術形式的問題。邢《疏》的特別之處在於能夠區分藝術形式與藝術內容。邢昺說「〈韶〉樂其聲及舞，極盡其美」，而〈武〉則「樂音曲及舞容則極盡美矣」，這是針對〈韶〉、〈武〉的樂聲和相配的舞蹈而言。換言之，「美」指的是藝術形式。至於大舜「揖讓受禪」而武王「以征伐取天下」，這是〈韶〉、〈武〉所表達的大舜和武王二人的「德」。換言之，「善」指的是藝術的內容。對邢昺而言，受禪與征伐並非取天下的不同形式，而是大舜與武王二人「德」的表現。德與樂，一內一外，是兩個不同的概念範疇。儘管外在的音樂形式可以完美無瑕，但內在的德可以尚未臻至善。至於內外何以可以不一致，邢昺則並未解釋。這是一個漏洞。

---

[10] （宋）邢昺：《論語注疏》，收入（清）阮元：《十三經注疏》（臺北市：藝文印書館，1976年，嘉慶二十年江西南昌府學開雕），冊8，頁32。

邢《疏》流行約八十年後，宋哲宗元祐中（1086-1093）福州人陳祥道為太常博士，撰《論語全解》十卷，行於場屋，為當時所重[11]。祥道的《論語》說承自王安石。關於〈子謂韶盡美矣章〉，他說：

> 天下無異，道有異時；聖人無異，心有異跡，故禮以堯、舜授受、湯、武征伐為時。《春秋傳》以揖遜、征誅，其義一也。然則〈韶〉盡美而〈武〉獨未盡善，豈非美者在心與道，未盡善者，在時與跡歟？蓋充實之為美，可欲之謂善。武王之於紂，欲遂其為臣而不得，逃其為君而不能，則其順民心，行天罰者，豈所欲哉？觀賓牟賈以聲淫及商為非〈武〉者，則〈武〉之非欲，從此可知矣。然樂者，道之聲，則有美與善，道之至則無美與善，故《莊子》有曰：天下皆知美之為美，斯惡矣，皆知善之為美，斯不善矣[12]。

跟邢《疏》一樣，《全解》特別注意到「美」與「善」指涉不同。更重要的是，陳祥道的解讀完全與音樂無關。「美者在心與道」，「善者在時與跡」；「美」「善」跟〈韶〉、〈武〉並無直接關係。聖人之「心」，易地皆然。天下之「道」，始終如一，因此，「心」與「道」皆「美」。事實上，「道之至」更無所謂「美與善」。祥道「美」化聖人之心與天下之道，他有意不用「善」來概括此二者。另一方面，《全解》所引「充實之為美，可欲之謂善」，語本《孟子・盡心上》。原文曰：「可欲之謂善，有諸己之謂信，充實之謂美，充實而有光輝之謂大，大而化之之謂聖，聖而不可知之之謂神。」孟子原意乃指人心的德性言，但祥道既然認為「善」乃指「時」與「跡」，則「善」的「可欲」與否便變成是客觀外在的情況和條件，人心人力都無可如何。如此說來，「善」並非人心內在的「德」了。用今天的語言來說，祥道對聖人之心和天下之道的「美」化可謂是一種去道德化的解讀，因此，〈韶〉

---

11 （宋）陳祥道：《論語全解》，《景印文淵閣全書》（臺北市：臺灣商務印書館《四庫全書》，1986年），冊196，〈提要〉，頁1a（63）。

12 （宋）陳祥道：《論語全解》，《景印文淵閣全書》，冊196，卷2，頁17a-18a。

之盡善與〈武〉之未盡善實際上與大舜和武王二人的德行全然不相涉。《四庫》提要作者謂祥道「或不免創立別解，而連類引申，亦多有裨於義訓。惟其學術本宗信王氏（安石），故往往雜據《莊子》之說，以作證佐，殊非解經之體」[13]。這可算是非常恰當的評論。

朱熹的創解

朱熹生南宋初，其學受北宋二程兄弟影響極深，其中尤以程頤為然。程、朱的義理學堪稱宋代道學的主流。朱熹所學有所承受，他於孝宗乾道八年壬辰（1172）已輯錄二程、張載及范祖禹、呂希哲、呂大臨、謝良佐、游酢、楊時、侯仲良、尹焞、周孚先等十二家有關《論語》和《孟子》之說，薈稡條疏，名之曰《論孟精義》，而自為之序，當時朱子四十三歲。對於〈子謂韶盡美矣章〉，《論語精義》輯錄了下列的言論。

> 伊川《解》曰：「一有傳之失者，故未盡善。」又《語錄》曰：「成湯放桀，惟有慚德，武王亦然，故未盡善[14]。堯、舜、湯、武，其揆一也。征伐非其所欲，所遇之時然耳。」又曰：「〈武〉未盡善，非是武王之樂未盡善，言當時傳舜之樂則盡善盡美，傳武王之樂則未盡善爾。」又曰：「說者以征誅不及揖讓，曰：『跡故不及，然其聲音節奏，亦有未盡善者。』〈樂記〉曰：『有司失其傳也。若非有司失其傳，則武王之志荒矣。』[15]孔子自衛反魯，然後樂正，〈雅〉、〈頌〉各得其所。是知未正之前，不能無錯亂者。』」[16]

---

[13] （宋）陳祥道：《論語全解》，《景印文淵閣全書》，冊196，頁2a-2b（64）。必須指出，注文中所引《莊子》，其實出自《老子》第二章。陳祥道誤記矣。

[14] 伊川此說襲自顏師古。

[15] 《朱子全書》本以「若非有司失其傳，則武王之志荒矣」二語出自伊川，不確。二語出自《禮記・樂記》。

[16] 按：引文中「說者以征誅不及揖讓」以下見朱子編《二程遺書》二十三，今收入（宋）程顥、程頤著，王孝魚點校：《二程集》（北京市：中華書局，1984年），冊1，

范曰：「〈韶〉與〈武〉，其德不同，其聲亦異也。樂所以象其德，德之所至，聖人不加損，亦不加益焉。湯有慚德，其自知明也。〈武〉雖欲為〈韶〉，亦不可得矣。其未盡善，亦武王之所知也。」

謝曰：「揖遜之事，天與之，人與之。征誅之義，順乎天而應乎人也。聖人豈有二心哉？如冬日則飲湯，夏日則飲水，事故如此。征誅之義，固不如儀鳳之容。然聖人豈以我所遇之時不如舜而私自己哉？盡美與盡善，聖人之意，豈不曰舜與武王同道？」

游曰：「王者功成作樂，〈韶〉、〈武〉之盡美，以其功言之也。如觀其成功，則二聖人之樂，皆無餘美。乃若所遇之事，所以致功者，舜以紹堯而為〈韶〉，武以滅商而為〈武〉，豈可同日而語哉？觀成湯之有慚德，則武之用心可知矣。故盡美者其功也，未盡善者其事也，猶之周公東征，四國是皇。是時周室幾再造矣，其功顧不大哉。至於致辟管叔于商，豈其所欲乎？〈武〉之未盡善，其事類如此矣。」

楊曰：「在齊聞〈韶〉，三月不知肉味。顏淵問為邦則告以樂〈韶〉舞，則〈韶〉之盡美盡善可知矣。武之〈武〉，非聖人之所欲，故未盡善也。樂以象成，故形于聲容者如此。」又曰：「孟子曰：『天與賢則與賢，天與子則與子。』唐、虞禪，夏、商、周繼，皆天也。聖人何容心哉？奉天而已。橫渠曰：『舜之孝，武王之武，聖人之不幸也。』征伐豈其所欲哉？不得已焉耳，故曰『未盡善也』。帝王之號，亦因時而已，非有心跡之異也。」

尹曰：「樂所以象德，故有其德者則有其聲，蓋不可以偽為故也。」[17]

細讀伊川、范、謝、游、楊、尹六家之說，其實伊川一家足蓋其餘，這並不

頁306，但引文歸屬程顥，不知何據。

17 （宋）朱熹：《論語精義》，收入朱傑人、嚴佐之、劉永翔主編：《朱子全書》（上海市：上海古籍出版社；合肥市：安徽教育出版社，2002年），冊7，卷2上，頁130-131。

奇怪，因為除范祖禹外，餘四家都是伊川門下弟子[18]。六家的說法其實集中在下列三點。

一、武王以征伐得天下，所以〈武〉未盡善，而武王亦有慚德，但這只是武王「所遇之時」如此，並非他存心要以征伐取天下。這是伊川說，而范祖禹、謝良佐和之。楊時對慚德加以補充，說這是「聖人之不幸」，征伐乃「不得已焉耳」，「亦因時而已，非有心跡之異也」。游酢引申說「盡美者其功也，未盡善者其事也」[19]。

二、〈武〉所以未盡善，因為「其聲音節奏，亦有未盡善者」，而所以如此則由於「有司失其傳」。這是伊川據《禮記·樂記》提出的說法。

三、范祖禹提出「樂所以象其德，德之所至」，尹焞和之曰：「樂所以象德，故有其德者則有其聲，蓋不可以偽為故也。」

上述第一點基本上漢代注家已經指出，並非北宋儒者的新意。正如上文所言，慚德之說，顏師古最先言之而本於《尚書》。時遇之說，啟自董仲舒。楊時和游酢的解釋實即仲舒「帝王之條貫同而勞逸異，所遇之時異也」的說法。

第二點是程頤的創見，但卻並非無稽之談。上文指出，邢《疏》區分藝術形式與藝術內容，而以〈韶〉、〈武〉的樂聲和相配的舞蹈而言「美」。程頤的說法很可能受到邢《疏》的啟發。他引〈樂記〉的說法出自孔子與賓牟

---

18 時間比朱熹略早的鄭汝諧撰有《論語意原》，朱熹嘗讀之，並且嘉許。《論語意原》卷一：「稱夷、齊以為賢，歎〈武〉樂而未盡善，所以深明武王不得已之心而存君臣之大義。」鄭氏借孔子論伯夷、叔齊以見武王征伐之不得已，讀書得間，但他的論點並未超出伊川一門所說。

19 與朱熹同時並為好友的張栻同樣強調聖人心同事異，是為不幸，而武王本人慚之。《癸巳論語解》卷二：「舜紹堯之緒，從容揖遜而有天下。武王翦紂之暴，一戎衣而有天下。雖聖人之心初無二致，揖遜征伐，時焉而已。然征伐之事，聖人豈所欲哉？有所不得已焉耳。蓋時異則事異，事異則所為憂樂亦異，故其見於樂之聲容者，亦不容無不同者焉。是則〈韶〉、〈武〉之俱為盡美者，聖人之心一也。〈武〉之未得為盡善者，時與事之不同也。故成湯有『予有慚德』之言，蓋以為不幸，所值之時如此，有慚于舜、禹之事也。嗟乎！是武王之心也。」

賈討論〈武〉樂的對話。孔子謂〈武〉「聲淫及商」，殺氣騰騰，而賓牟賈直言「非〈武〉音也」，因為「有司失其傳也。若非有司失其傳，則武王之志荒矣」。賓牟賈的說法馬上得到孔子的首肯。孔子說：「丘之聞諸萇弘，亦若君子之言是也。」可見賓牟賈的看法是春秋時代人的共識。

上述第三點亦是宋儒的發明。賓牟賈說「若非有司失其傳，則武王之志荒矣」，實際上，他不啻認為音樂反映作樂者的心志。《史記．孔子世家》載孔子從師襄子學鼓琴，初曉琴曲，又通琴數，並而得作者之志，但最後孔子更要求「得其為人」[20]，可見孔子論樂必求知作樂者其人其志。由此而觀，范祖禹和尹焞「樂象德」的看法最能得孔子論樂的精神。雖然范、尹二人並未直接提出他們的文獻根據，但他們無疑知道〈樂記〉和《史記》的記載。事實上，他們的見解顯然是從程頤論武王之志的說法中得到啟發的。

除《論語精義》所引以外，程頤對〈子謂韶盡美矣章〉尚有一說。朱子編《二程外書》卷八〈游氏本拾遺〉引伊川云：「樂隨風氣，至〈韶〉則極備。若堯之洪水方割，四凶未去，和有未至也。至舜以聖繼聖，治之極，和之至，故〈韶〉為備。」[21]「風氣」說其實皇侃早已提出。皇《疏》謂「聖人制樂，隨人心而為名」，又說：「美者，堪合當時之稱也。」換言之，「風氣」說也非伊川的創解。

現在我們再比對朱熹的《集注》如下：

> 〈韶〉，舜樂。〈武〉，武王樂。美者，聲容之盛。善者，美之實也。舜紹堯致治，武王伐紂救民，其功一也，故其樂皆盡美。然舜之德，性之也，又以揖遜而有天下。武王之德，反之也，又以征誅而得天下，故其實有不同者。○程子曰：「成湯放桀，惟有慚德。武王亦然，故未盡善。堯、舜、湯、武，其揆一也。征伐非其所欲，所遇之時然爾[22]。

---

20 （日）瀧川龜太郎：《史記會注考證》（臺北市：宏業書局，1977年），頁736。

21 （宋）程顥、程頤著，王孝魚點校：《二程集》，冊2，頁400。

22 （宋）朱熹：《四書章句集注》（北京市：中華書局，2003年），頁68-69。

朱熹在注文中的說法相當簡明，而且驟眼看來也似乎並無什麼新意。然而，如果我們仔細參照朱熹以前各家的說法，則朱《注》的特點就明顯了。以下我們條列朱《注》中的各點內容，並參考《朱子語類》的有關說法，再比對前人的見解，朱說的獨特地方就會粲然在目。

首先，朱熹認為，大舜致治與武王救民，「其功一也，故其樂皆盡美」。此說承自游酢。游氏說：「王者功成作樂，〈韶〉、〈武〉之盡美，以其功言之也。如觀其成功，則二聖人之樂，皆無餘美。」兩者都從功業上說〈韶〉、〈武〉皆能盡美。

其次，朱熹區分「美」「善」之不同。他說：「美者，聲容之盛。善者，美之實也。」他認為，藝術和道德是兩個獨立的概念範疇。當弟子沈僩問有關他「善者，美之實」的說法，朱熹答曰：「實是美之所以然處，且如織出絹與布，雖皆好，然布終不若絹好。」[23]至於「美之所以然處」，朱熹說：「只就世俗論之，美如人生得好，善則其中有德行耳。以樂論之，其聲音節奏與功德相稱，可謂美矣。善則是那美之實。」[24]又說：「善是言德。」[25]雖然道德與藝術的區別，邢昺在北宋初已經指出，但朱熹自覺地作此判別，對於我們如何認識他對本章的解讀很有幫助，因為這證明朱熹對儒家經典的詮釋絕非只是一種簡單的泛道德主義。

必須指出，朱熹與邢昺固然都能區別道德與藝術之不同，但兩人對道德與藝術之間的關係的理解卻迥然有別。對於邢昺而言，德與樂顯然各自獨立，互不相關，所以，他說：「〈韶〉樂其聲及舞，極盡其美。揖讓受禪，其聖德又盡善也。」注文中的「又」字出自《論語》原文，由於語脈簡略，孔子原意今天難以絕對確定。然而，依邢昺的詞氣，德與樂無疑是兩件並行不悖的事，所以，他似乎認為德與樂可以內外不一致。美樂不必來自善德，而善德也不必產生美樂。

---

23 （宋）黎靖德編：《朱子語類》，卷25，冊2，頁635。

24 （宋）黎靖德編：《朱子語類》，卷25，冊2，頁636。

25 （宋）黎靖德編：《朱子語類》，卷25，冊2，頁635。

反觀朱熹，他說「實是美之所以然處」，可見「美」與「善」是一件事情的兩面，「美」是其然，「善」是其「所以然」。根據《語類》所記，朱子的弟子屢屢就《集注》中有關「美」與「善」而問難請益，可見「美」與「善」的一而二，二而一的性質這一說法的確與別不同，所以，弟子對其義理頗費思量。對於弟子的疑問，朱熹曾經從不同角度嘗試解惑。下面一段問答具體而微，概括了朱子對〈子謂韶盡美矣章〉的理解。

> 問「善者，美之實」。曰：「美是言功，善是言德，如舜『九功惟敘，九敘惟歌』，與武王仗大義以救民，此其功都一般，不爭多。只是德處，武王便不同。」
>
> 曰：「未盡善，亦是征伐處未滿意否？」曰：「善只說德，是武王身上事，不干征伐事。」
>
> 曰：「是就武王反之處看否？」曰：「是。」謝教。
>
> 曰：「必竟揖遜與征伐也自是不同。征伐是個不得已。」
>
> 曰：「亦在其中，然不專就此說。」
>
> （陳）淳曰：「既征伐底是了，何故又有不得已意？」曰：「征伐底固是，必竟莫如此也好，所以孔子再三誦文王至德，其意亦可見矣。樂便是聖人影子，這處未盡善，便是那裏有未滿處。」[26]

朱熹聲明大舜與武王政功相若，這跟前人的說法完全相同。至於揖遜與征伐，從孔安國一直到顏師古，都認為高下分明，讓勝於伐，故有「慚德」之說。然而，北宋胡宏（1105-1161）開始回護武王，認為揖讓與征伐同德。他說：「揖讓征伐以安天下，皆聖人之所為也。或以為揖讓近厚，征伐近薄，言湯、武之德不如堯、舜，則非矣。若以征伐為啟後世爭奪之門者，自漢氏而後，英雄咸假揖讓成其篡竊，而未有能明白行湯、武之事者也。雖謂揖讓不如征伐，亦可矣。」或曰：「〈韶〉盡美矣，又盡善也。〈武〉盡美矣，未盡善也。然則孔子之言何耶？」曰：『此謂樂耳。〈韶〉之樂，德盡

---

26 （宋）黎靖德編：《朱子語類》，卷25，冊2，頁635-636。

美矣，其聲音節奏，又盡善也。〈武〉之樂，德盡美矣，其音聲節奏，未盡善也。觀聖人者，盍亦審諸？』」[27]五峰堅持揖讓與征伐同德，因此，〈韶〉、〈武〉同樣都是「德盡美」，所不同者只是〈韶〉「聲音節奏又盡善」而〈武〉「音聲節奏未盡善」而已。此說其實為伊川所繼承，而伊川更進一步強調〈武〉樂之未盡善，乃由於「有司失其傳」而「非是武王之樂未盡善」。這顯然是存心回護武王，為其不得已的征伐作開脫。

然而，伊川說只是空谷足音，連他的弟子如謝上蔡和游定夫都不願遵從。謝說「征誅之義固不如儀鳳之容」，而游說「舜以紹堯而為〈韶〉，武以滅商而為〈武〉，豈可同日而語哉」。朱熹雖然敬佩伊川，但他也不敢苟同其說，所以，他說「征伐底固是，必竟莫如此也好，所以孔子再三誦文王至德，其意亦可見矣」。朱熹特別強調，「只是德處，武王便不同」。這一點道德上的強調是他與程門諸子不同的地方。朱子所講的「德」是專就大舜和武王本人的德操而言，這也是從孔安國而來注家一直忽略的考慮。正如他所言：「善只說德，是武王身上事，不干征伐事。」德操與功業不同，朱子說，雖然揖遜與征伐「亦在其中，然不專就此說」，重點仍然在大舜和武王本人的德操，不專就揖遜與征伐論德，因為取天下的方式由時勢的外在制約，不能完全由人來決定[28]。

由於朱子認為「美」與「善」乃一事之兩面，因此，「善」見於「美」，同時「美」也反映「善」。他堅持「聲音節奏與功德相稱，可謂美矣」，〈韶〉與〈武〉同稱「美」，關鍵在於兩者都是樂與德相稱的藝術表現，但這並不等於〈韶〉與〈武〉的藝術內容不分軒輊，因此，〈韶〉能「盡善」而〈武〉則「未盡善」。職是之故，儘管〈韶〉和〈武〉早已失傳，但朱子仍然非常希望認識兩者的實際情況，藉此以了解大舜和武王其人的德操。這也是他的學問和見識遠超前代學者的地方。他說：

---

27 （宋）胡宏著、吳仁華點校：《胡宏集》（北京市：中華書局，1987年），〈皇王大紀論．揖讓征伐〉，頁249-250。

28 朱子說：「舜之德如此，又撞著好時節，武王德不及舜，又撞著不好時節。」見（宋）黎靖德編：《朱子語類》，卷25，冊2，頁637。朱子此說可以追源至董仲舒。

〈韶〉與〈武〉，今皆不可考。但《書》所謂：「正德、利用、厚生惟和。九功惟敘，九敘惟歌，戒之用休，勸之以〈九歌〉。」此便是作〈韶〉樂之本也。所謂「〈九德〉之歌，〈九韶〉之樂」是也。看得此歌本是下之人作歌，不知當時如何取之以為樂，卻以此勸在下之人。武王之〈武〉，看〈樂記〉便見得，蓋是象伐紂之事。其所謂北出者，乃是自南而北伐紂也。看得樂氣象，便不恁地和。〈韶〉樂只是和而已，故〈武〉所以未盡善。[29]

又曰：

（〈韶〉、〈武〉）意思自不同，觀《禮記》所說武王之舞，「始而北出」，周在南，商在北，此便做個向北意思；「再成而滅商」，須做個伐商意思；「三成而南」，又做個轉歸南意思；「四成而南國是疆，五成而分周公左，召公右」，又分六十四個做兩處。看此舞，可想見樂音須是剛，不似〈韶〉純然而和。〈武〉須有些威武意思。[30]

---

[29] （宋）黎靖德編：《朱子語類》，卷25，冊2，頁635。按：東晉干寶（令升）《晉紀總論》曰：「以三聖之知，伐獨夫之紂，猶著大武之容，曰未盡善也。」其說與朱子論相似。見（梁）蕭統編，（唐）李善注：《文選》（北京市：中華書局），冊3，卷49，頁692。又《韓詩外傳》卷8載湯之樂曰：「湯作〈護〉，聞其宮聲，使人溫良而寬大。聞其商聲，使人方廉而好義。聞其角聲，使人惻隱而愛仁。聞其徵聲，使人樂養而好施。聞其羽聲，使人恭敬而好禮。《詩》曰；『湯降不遲，聖敬日躋。』」見許維遹：《韓詩外傳集釋》（北京市：中華書局，1980年），頁301。顏師古以下謂湯有慚德，於此可得證明；〈護〉具和氣而無威武意思。

[30] （宋）黎靖德編：《朱子語類》，卷25，冊2，頁634。《語類》同卷又載：問：「《集注》：『美者，聲容之盛。善者，美之實。』如何是美之實？」曰：「據《書》中說〈韶〉樂云：『德惟善政，政在養民。水、火、金、木、土、穀，惟修正德、利用、厚生惟和，九功惟敘，九敘惟歌。』此是〈韶〉樂九章。看他意思是如何到得。〈武〉樂所謂『武始而北出，再成而滅商，三成而南，四成而南國是疆，五成而分周公左，召公右。六成而復綴以崇』，『與夫總干而山立，武王之事也，發揚蹈厲，太公之志也』，其意思與〈韶〉自是不同。」見冊2，頁634。按：不獨〈武〉樂有威武意思，〈武〉舞亦然。《禮記．樂記》：「賓牟賈侍坐於孔子。孔子與之言，及樂，曰：『夫〈武〉之備戒之已久，何也？』對曰：『病不得其眾也。』」鄭《注》：「〈武〉謂周舞

又曰：

> 後世所謂文武之舞，亦是就〈韶〉、〈武〉舞變出來。〈韶〉舞不過是象那「地平天成，六府三事允治」，天下恁地和平底意思。〈武〉舞不過象當時伐商底意思。觀此二個意思，自是有優劣[31]。

朱子研究〈韶〉、〈武〉所得，即是他所說的「美之實」。雖然樂曲早亡，但朱子根據古籍所載，推斷出「〈韶〉純然而和」而「〈武〉須有些威武意思」，同時「樂音須是剛」。由此他斷定兩者「自是有優劣」[32]。

由於樂與德互為表裏，因此，通過〈韶〉、〈武〉的「氣象」和「意思」，朱子又可以進一步想像和認識大舜和武王的道德精神。當弟子問：「〈韶〉盡美盡善，〈武〉盡美未盡善，是樂之聲容都盡美，而事之實有盡善、未盡善否？」朱子答道：「不可如此分說，便是就樂中見之。蓋有這德，然後做得這樂出來。若無這德，卻如何做得這樂出來。故於〈韶〉之樂便見得舜之德是如此。於〈武〉之樂便見得武王之德是如此，都只是一統底事。」[33]對朱子而言，有人始有德，而德則可於樂中見之，在此意義下，有德始有樂。朱子這套樂論其實原自孔子。孔子從師襄子學琴，務必從琴曲而識琴數，進而從琴數而想見作曲者其人。孔子無疑也認為音樂與德操相互為一。孔子的樂論後來在《禮記・樂記》得到明確的敘述。《禮記・樂記》：「君子之聽音，非聽其鏗鏘而已也，彼亦有所合之也。」《注》：「以聲合成己

也。備戒，擊鼓警眾。病猶憂也，以不得眾心為憂。憂其難也。」見《禮記注疏》，收入（清）阮元：《十三經注疏》，冊5，頁694。

31 （宋）黎靖德編：《朱子語類》，卷25，冊2，頁634。

32 朱子又說：「堯、舜之禪授，湯、武之放伐，分明有優劣不同，卻要都回護教一般，少間便說不行。且如孔子謂：『〈韶〉盡美矣，又盡善也。〈武〉盡美矣，未盡善也。』分明是武王不及舜。文王三分天下有其二，以服事殷，武王勝殷殺紂，分明是不及文王。泰伯三以天下讓，其可謂至德也矣。分明太王有翦商之志，是太王不及泰伯。」見（宋）黎靖德編：《朱子語類》，卷58，《孟子》八，〈萬章下・伯夷目不視惡色章〉，冊4，頁1365。

33 （宋）黎靖德編：《朱子語類》，卷25，冊2，頁633。

之志。」[34]內外互為一體，

關於大舜和武王的德操，朱子又分兩個層次來認識。從根本上言，朱子受到孟子的啟發，從「性之」和「反之」（又稱「身之」）來判斷大舜和武王的道德境界的高下。孟子說過：「堯、舜，性者也；湯、武，反之也。」[35]當弟子問及〈韶〉、〈武〉的美善如何比較，朱子曰：「德有淺深，舜性之，武王反之，自是有淺深。又舜以揖遜，武以征伐，雖是順天應人，自是有不盡善處。……故武之德雖比舜自有深淺而治功亦不多爭。〈韶〉、〈武〉之樂，正是聖人一個影子，要得因此以觀其心。」[36]朱子的說法發前人所未發，難怪弟子當時便有疑惑。有弟子問：「盡善盡美，說揖遜征誅足矣，何以說性之、反之處？」朱子答曰：「也要尋他本身上來，自是不同。使舜當武王時，畢竟更強似大〈武〉。使武王當舜時，必不及〈韶〉樂好。」[37]從《論語精義》所引可見，謝良佐認為「盡美與盡善，舜與武王同道」，但據朱子對弟子的回答，他並不同意這樣的說法。

如果朱子只是簡單地借用孟子的理論來判定大舜和武王的道德品位，這也許只能夠算作一種巧說。朱熹的弟子顯然察覺到這一可能，因此，有弟子問何以〈武〉未盡善，而從朱子的回答，我們清楚看到他言之有據，他對大舜和武王的品評決非其個人的臆說。朱子說：

> 「若不見得他『性之、反之』不同處，又豈所謂『聞其樂而知其德』乎？舜與武王，固不待論。今且論湯、武，則其『反之』至與未至，雖非後學所敢議，然雖細讀其書，恐亦不待聞樂而知之也。」
>
> 請問。
>
> 曰：「以《書》觀之，湯必竟反之，工夫極細密，但以仲氏稱湯處觀

---

34 《禮記注疏》，收入（清）阮元：《十三經注疏》，冊5，頁693。

35 （宋）朱熹：《四書章句集注》，〈盡心下〉，頁373。

36 （宋）黎靖德編：《朱子語類》，卷25，冊2，頁633-634。又同書卷63，《中庸》第十八章：朱子曰：「如堯、舜與湯、武真個爭分數，有等級，只看聖人說『謂〈韶〉盡美矣，又盡善也，謂〈武〉盡美矣，未盡善也』處，便見。」見冊4，頁1553。

37 （宋）黎靖德編：《朱子語類》，卷25，冊2，頁637。

> 之，如『以禮制心，以義制事』等語，又自謂『有慚德』，覺見不是，往往自此益去加功，如武王大故疎，其數紂之罪，辭氣暴厲，如湯便都不如此。」[38]

當另一位弟子提呈同一問題時，朱子筆答，並將所述示諸友，徵求意見，可惜無人置喙。於是，朱子乃問祖道，而祖道答曰：

> 看來湯、武也自別。如湯自放桀歸來，猶做工夫，如「從諫弗咈」，「改過不吝」，「昧爽丕顯，旁求俊彥」，刻盤銘，修人紀，如此之類，不敢少縱。武王自伐紂歸來，建國分土，散財發粟之後，便只垂拱了。又如西旅之獒，費了太保許多氣力，以此見武王做工夫不及成湯甚遠。先生所謂觀《詩》、《書》可見者，愚竊以為如此。[39]

對於這個回答，《語類》記載：「先生笑曰然。某之意正如此。」[40]從上述兩段對答可見，朱子論人斷非捕風捉影，盲從古人的道德評騭。同樣以征伐得天下，他認為周武不如商湯，證據固然在於文獻如《尚書》和《禮記》，但朱熹更依從文獻，想像湯、武之為人。顏師古根據商湯有「慚德」之說，進而推論周武亦然，頗有見地，然而，推論有何根據，師古似乎未嘗思及，因此，他的看法未免流於紙面上的學問。至於武不及湯更非師古所能想像。反觀朱子從湯、武二人的言行和辭氣，想像其人的氣象，他的見解乃切身的學問。〈武〉未盡善，朱子未嘗歸咎於武王的「慚德」，個中消息，由此可見。武王固未自言有慚德，而他的言行氣象也不足以證之。〈韶〉、〈武〉雖久失傳，但朱子想像孔子如何品評二者之美善，他大概認為夫子既然強調聽樂必須想像作者，則他比論〈韶〉、〈武〉當必遵從同一原則。欲知其人，必先識其樂，因此，當弟子問「性之、反之，似此精微處，樂中如何見

---

38 （宋）黎靖德編：《朱子語類》，卷25，冊2，頁637。

39 （宋）黎靖德編：《朱子語類》，卷25，冊2，頁635。

40 （宋）黎靖德編：《朱子語類》，卷25，冊2，頁635。

得？」朱子答曰：「正是樂上見，只是自家不識他樂，所以見不得。」[41]所謂知其人，其實就是識其「善」，而善於性上見。根據《尚書》，〈韶〉的精神既然在於和氣，而〈武〉則在於威武，這是樂曲性格的表現。樂曲的性格一方面透露作者的本人的性情，同時又反映出作者取得天下的手段，因此，朱子說「節奏與功德相稱，可謂美矣」。然而，揖遜與征伐不同，兩者「自是有優劣」。又由於朱子認為德樂互為表裏，因此，大舜和武王二人的性情也有高下。朱子借用孟子「性之、反之」說，絕非只求巧妙。

結語

清代樸學者論學多主實事求是，而往往病咎朱子空言義理，但樸學家每每諱言義理，避之唯恐不及。義理偏枯，則樸學家所求之是，最終也莫得其是。其實，朱子讀經極重先儒舊注疏，每勸學者由注入經。朱子曾經論斷北宋一代之學術曰：「祖宗以來，學者但守注疏，其後便論道，如二蘇直是要論道。但注疏如何棄得！」[42]事實上，錢穆先生謂：「棄注疏而論道，不惟二蘇，二程以下理學家皆不免。能切實虛心看注疏，在有宋一代理學中，殆亦惟朱子一人。」[43]所以，朱子甚至批評當時學風之壞，正在於學者不讀注疏。

---

41 關於朱子此意，《語類》中有記錄。朱子曰：「『湯、武反之』，其反之雖同，然細看來，武王終是疏略，成湯卻孜孜向進。如其伐桀，所以稱桀之罪，只平說過。又放桀之後，『惟有慙德』。武王數紂，至於極其過惡，於此可見矣。」又曰：「湯、武固皆反之。但細觀其書，湯反之之工，恐更精密。又如〈湯誓〉與〈牧誓〉數桀、紂之罪，詞氣亦不同。《史記》但書湯放桀而死；武王遂斬紂頭，懸之白旗。又曰湯『有慙德』，如武王恐亦未必有此意也。」兩段引文均見（宋）黎靖德編：《朱子語類》，卷61，冊4，頁1474。

42 （宋）黎靖德編：《朱子語類》，卷129，冊8，頁3091。朱子又嘗論《詩》：「因言歐陽永叔《本義》，而曰：『理義大本復明於世，固自周、程，然先此諸儒亦多有助。舊來儒者不越注疏而已，至永叔、原父、孫明復諸公，始自出議論。』」見同書卷80，冊6，頁2089。

43 錢穆：《朱子新學案》（臺北市：三民書局，1971年，五冊），冊4，頁247。弟子問書，有時朱子只以注疏所言作答。比如，漢卿問天神地示之義。朱子答曰：「注疏謂他說：「今世博學之士……不讀正當底書，不看正當注疏，偏揀人所不讀底去讀，欲乘人之所不知以誇人，不問義理如何，只認前人所未說，今人所未道者，則取之以為博。如此如何望到約處。」[44]至於論道，朱子主博學反約，而論學則主張理事兼融，這與他重視格物致知關係最為密切。他嘗批評南宋初期的學風，說：「今人論道，只論理不論事，只說心不說身，其說至高而蕩然無守，流於空虛異端之說。」[45]顯然，他本人最反對好高騖遠而流於空虛的學說。他特別強調，論學必須理事兼備，缺一不可。對於〈子謂韶盡美矣章〉，他能夠區分樂與德及其相應的美與善，這是理與事之別。然而，理事兼融，而非各自孤立，樂與德互為表裏，朱子由此見解而能夠藉〈韶〉、〈武〉而探討大舜與武王本人的德性。這是他的創見。他考證〈韶〉、〈武〉的精神，證據確鑿，因此，他以「性之」和「反之」評騭舜與武王的德性，同樣具有堅實的文獻根據，堪稱理事兼融。如果堅實的文獻證據可謂技術性的「美」，而義理的窮究入微可謂心術上的「善」，則朱子對〈子謂韶盡美矣章〉的詮釋未嘗不可謂「盡善盡美」了。這種尊重訓詁注疏、強調文獻考據，兼融理事、曲盡人情而又講究道德修養的治學精神，也許正是朱熹對宋代以前舊經學的一種繼承和更新。

宋以前經學講五經，朱熹標榜《四書》。《朱子語類》一百四十卷，《四書》部分佔五十一卷，五經部分佔二十九卷，由此可見朱子平日講學重點所在。又門人編訂《語類》，亦以《四書》在先，五經在後。尤其值得注意的是，《四書》之前，更有論小學一卷，而所謂小學，又非漢唐儒所謂訓詁之學，實乃相對於大人之學的「禮、樂、射、御、書、數及孝、弟、忠、信之事」[46]。朱子的新經學的根本精神無疑在於個人修養與其在人生中的應用，文

天氣常伸謂之神，地道常默以示人謂之示。」見（宋）黎靖德編：《朱子語類》，卷3，冊1，頁51。

44 （宋）黎靖德編：《朱子語類》，卷57，冊4，頁1346。

45 （宋）黎靖德編：《朱子語類》，卷120，冊8，頁2904。朱子又嘗言：「近日學者又有一病，多求於理而不求於事，求於心而不求於身。」同前註。

46 （宋）黎靖德編：《朱子語類》，卷7，冊1，頁124。

獻考索，訓詁注疏雖然無不講究，要必求其與義理相融洽，而後乃見其功用與意義[47]。朱子對〈子謂韶盡美矣章〉的詮釋，所論大舜與武王的藝術與個人修養，切合無間，兩聖為人，千載之下，不啻栩栩如生，是則朱子經學的平庸處實際即是其博大處。

---

47 朱子曰：「大抵談經，只要自在，不必泥於一字之間。」見（宋）黎靖德編：《朱子語類》，卷74，冊5，頁1879。

讀清人劉開《論語補注》

鄺健行*

一

《論語補注》（下稱《補注》）三卷，清劉開撰，《清史稿・藝文志・經部・四書類》著錄。開字明東，一字孟塗，又字方來，安徽桐城人，卒於道光元年（1821），年四十一[1]。書前〈自序〉題「壬申十二月既望」寫成，即嘉慶十七年（1812）十二月。不妨看作此書在本年間完成，時劉開三十一歲。

全書補注文字四十二條，最長的達二千多字，最短的不足一百字。用朱熹的《論語集注》（下稱《集注》）正文的單詞、單句、一節或一章作條目，然後展開討論。全書寫作要旨，〈自序〉清楚說明，茲撮錄如下：

> 士病於窮經久矣，四子之學，弊益甚焉。言宋者流為空虛固陋之習，言漢者溺於瑣碎紛紜之說，二者相反而不克相成。是以注釋愈廣，益離夫經；考證雖繁，無適於義。夫言以明道，不惟聖人之意是從，而惟門戶之見是主，不亦惑乎？開治《論語》，不敢私逞夫己見，亦不敢苟同於先儒，夫亦曰求合於孔氏之旨而已。其有足相發明者，必審擇而後折衷。不欲廣引炫博，懼其雜而無當也。其或《注》有未安者，但存疑以備一說，不必肆為攻擊。……夫妙義所在，無事外

* 香港浸會大學中文系。

[1] （清）姚元、陳方海撰：〈劉孟塗傳〉，見（清）劉開：《劉孟塗集》，《續修四庫全書》（上海市：上海古籍出版社，2002年，景清道光六年姚氏檗山草堂刻本），〈集部〉，〈別集類〉，冊1510，頁230-232。

> 求。……即以聖人之書證聖人之言，其可知者十得九焉。……至於棄孔氏之本義，爭漢宋之異同，守此則非彼，又開之不敢蹈者也。

〈自序〉主要講三點：一、治經不專主漢或宋，不守此而非彼，總以求合孔氏之旨為原則。二、以經證經。三、對朱子《論語集注》中未安處提出疑問。一、二兩點講研究原則和方法，第三點講研究的對象。第三點才是本書治學的具體內容。運用預設的原則和方法討論《集注》未安的言論，從而找出合乎孔氏之旨的說法。

〈自序〉中「《注》有未安」的「注」，繙閱全書，當可明白指的就是朱熹的《論語集注》；因為各條全以《集注》為討論對象。談及他家注說的不過三幾處，而且還是在議論《集注》時附帶提到。另外，書中常常單提《注》如何如何，其下所引，即《集注》文字或意思。所以劉開有所「未安」，實質等於說朱熹的解說未合孔子本意，他需要表達自己的看法。

《補注》對《集注》的意見，大抵有四種：一是完全不同意；二是部分同意、部分不同意；三是《集注》講法雖然不錯，但有可補足申引之處；四是略涉《集注》，不加議論，卻在另一方面自發和《集注》無甚關係的說法。茲各舉一例說明：

（一）全不同意例：〈「子曰南人有言」節〉

> 〈子路〉：子曰：「南人有言曰：『人而無恆，不可以作巫醫。』善夫！」

《集注》解為巫者醫者雖屬賤役的人，做人仍然不可以三心兩意[2]。《補注》則解為無恆之人，不可以請巫者醫者替他求神醫病。二說的不同在於：《集注》把人之無恆與否合到巫醫身上，《補注》把無恆之人和巫醫分屬兩類人。《補注》的根據來自《禮記．緇衣》：

---

2 《集注》：「故雖賤役，而猶不可以無常。」又云：「恆，常久也。」

> 子曰：「南人有言曰：『人而無恆，不可以為卜筮。』」

就是說：「無恆之人，不可為之接神。」《集注》中「作」是「做」、「為」意；《補注》中解《禮記》「為」是「替他」、「為之」意。《補注》的結論，一方面是通過「不可以為卜筮」以下引《詩經》和《易經》文字分析而得出[3]，一方面也和舊注相合。何晏《論語集解》引「鄭曰」：「巫醫不能治無恆之人。」可見巫醫和無恆之人不同屬一種人。《補注》認定《論語》之「作」和《禮記》之「為」無別，並且應從《禮記》解釋。《集注》「以無恆為即巫醫之人，與《記》所述夫子之言，其義有悖」。

（二）部分同意例：「子曰禘自」一節

> 〈八佾〉：子曰：「禘自既灌而往者，吾不欲觀之矣。」

禘是王者之大祭，灌是祭祀開始不久，用鬱鬯之酒灌地。由於歷史原因，魯國太廟兼祭文王和周公；這本來不合禮的。《集注》以為魯國君臣剛行祭禮不久，到了「灌」的儀式時，已見懈怠而誠意滅散，於是「失禮之中又失禮焉」。孔子本來就不想看原屬非禮的禘，到了灌的儀式，魯國君臣懈怠的表現，更不合禮，不禁歎息[4]。

劉開同意《集注》禘本非禮和孔子本不欲觀的說法，但他拿魯臣季氏私祭時的表現，對魯君臣懈怠的看法表示懷疑：

> 季氏私祭，自闇及夜，而後肅敬漸怠；而謂太廟大祭，方行灌畢，頃刻之後，君臣皆全無誠敬之意乎？而曾私祭之不若乎？

---

3 「龜筮猶不能知也，而況於人乎？言無恆之人雖先知如龜筮，猶不能定其吉凶，何況於人？其下引《詩》云：『我龜既厭，不我告猶。』又引《易》曰：『不恆其德，或承之羞。』余謂此章之解，當從〈緇衣〉為是。」

4 據〈朱注〉，下同，不另標注頁碼。

他又指出「既灌以後，尚是行禮之初，所行儀節不過十分之一」，魯君臣不致這麼早懈怠。孔子所以發歎，不是因為這個，而是因自既灌以後，儀節的僭越非禮程度越來越嚴重，像用天子的禮器和前代天子樂舞、甚且夾雜蠻夷之樂之類。這是失禮之中的失禮。禘本非禮，這是第一個失禮，《補注》同意《集注》。既灌以後魯國君臣表現懈怠，這是《集注》的第二個失禮，《補注》不同意，另提他說。

（三）補足申引例：「子曰如有周」章

〈泰伯〉：子曰：「如有周公之才之美，使驕且吝，其餘不足觀也已。」

《集注》除解釋詞語如「才美」、「驕」、「吝」外，又引程子曰：「若但有周公之才而驕吝焉，亦不足觀矣。」其後還引程子談「驕」、「吝」其勢相因的議論。劉開認為：《集注》對經文「其餘」兩字沒有說明和發揮。他評論程子的話：

> 程子云但有周公之才而驕吝焉，亦不足觀；是「其餘」二字可以無用，……而聖人之言不成贅文哉？

然後他就「其餘」兩字作補充說明：

> 使有其才之美而既驕且吝，則才不足有為。大本已失，其餘所行之事雖有小善，亦不足觀矣。天下才美之人豈無一端之稍善？但驕吝則不能進德，德既無見，餘行何足觀焉。如此而「其餘」之義始有著落也。

意思大概是：才美的人所行之事也有某些可取，但他既驕且吝，不能進德，做人的大原則大方向沒有了；這樣其他作為會不具正面意義的。劉開說法不管對錯，他畢竟給「其餘」二字補充解說了。

補足申引的方式有多種，上例是一種。此外也可以對注文作論據上的補充。好像〈不圖為樂之至於斯也〉條（〈述而〉）。樂指帝舜〈韶〉樂。《集注》只說「極其情文之備」，到底情文怎樣兼備，《集注》沒說。劉開便徵引《書經》文字，以見舜帝「深通乎音律之精妙，達乎詩歌之蘊」、「又深用其聰明聖智於樂而曲盡其精微」。又好像〈天將以夫子為木鐸〉條（〈八佾〉）。《集注》先提出「天必將使夫子得位設教」，又提「或曰」：「天使夫子失位，周流四方以行其教。」似乎有兩說可以並存之意。劉開看準經文中的「將」字，指出只有前說才合：「封人不曰『天以夫子為木鐸』，而曰『天將以夫子為木鐸』，是專言將必得位以行教明矣。若以失位周流為行教，則夫子現在失位，天已使為木鐸矣，何將以之有？」

（四）自發議論例：「可以無大過矣」

〈述而〉：子曰：「加我數年，五十以學《易》，可以無大過矣。」

《集注》整節文字解釋下來，說出「可以無大過」之故：

學《易》則明乎吉凶消長之理，進退存亡之道，故可以無大過。

《集注》不曾就甚麼是「大過」進一步說明，劉開也沒有就此有所發揮。但他卻另起話題，談聖人有沒有「過」，有沒有「大過」。他認為：「天地以順動，尚不免夫差忒，況聖人乎？」所以聖人不能無過。只是聖人之「過而出於正，以事理觀之，可謂無過；而自聖人之心視之，則大以為失也」。不管怎樣，有過無過之說，雖由經文引起，但跟《集注》無關，純屬劉開自發議論。

《補注》各條針對《集注》而發，卻也不能說最後都可以解決了問題，得到正確答案。特別是一些通過情理作推論的結果，往往只能是《補注》一方的看法，不見得便必然動搖了《集注》另一方的觀點。這是因為不具備堅實的文獻資料以作證明或否定的緣故。好像「子貢問曰何如斯」章：

> 子貢問曰：「何如斯可謂之士矣？」子曰：「行己有恥，使於四方，不辱君命，可謂士矣。」曰：「敢問其次。」曰：「宗族稱孝焉，鄉黨稱弟焉。」曰：「敢問其次。」曰：「言必信，行必果，硜硜然小人哉！抑亦可以為其次矣。」曰：「今之從政者何如？」子曰：「噫！斗筲之人，何足算也。」（〈子路〉）

子貢問了四問，愈問層次愈低，《集注》所謂「子貢之問每下」。孔子回答也每回降低其高明程度。第一次回答，《集注》說「此其志有所不為，而其材足以有為者也」。第二次回答，《集注》說「此本立而材不足者，故為其次」。第三次回答，《集注》說「此其本末皆無足觀，然亦不害其為自守也，故聖人猶有取焉」。至於最後一次回答，已把對象看成鄙細而不足論的人了。這便啟劉開疑惑：

> 子貢天資最高，志亦卓越，所問皆遠者大者，如問仁問政，必窮端盡變，無每況愈下之辭，而忽問及士行，已非遠者大者。夫子所告，又極中正平實，非有高深之言；乃猶降格更詢，至於僅以孝弟見稱。本立而才不具，已非士之上者，子貢且優於彼多矣。而猶復問其次，豈志之不遠而言之愈卑與？

劉開於是斷定子貢一定是有所為而問。那就是：

> 子貢見當時之從政者皆無可表見，欲質諸夫子，而不欲專以此為問，故先言何如斯可為士。言士則其行或次於卿大夫矣。及見夫子之所稱者皆非今之從政者能及，故每問益下。

《補注》說法，只能是另外一種參考意見，不見得足以取代《集注》的議論，因為作者只是通過推想而不是憑藉實在的資料引致結論；推想可以從多種方向進行的。像這樣的推論結果，書中屢見。不過也不必否認，書中確有好些意見明白合理，比《集注》可取，或者比《集注》更充實。譬如上文提到的〈天將以夫子為木鐸〉條，拈出「將」字分析，給《集注》的模稜兩可的意見作清楚判斷；又譬如上文提到的〈不圖為樂之至於斯也〉句，給《集注》「極其情文之備」一語作充實的文獻資料補足；都是例子。再舉一個新例子。書中卷上有「子曰父在」章一條，出〈學而〉：

> 子曰：「父在觀其志，父沒觀其行，三年無改於父之道，可謂孝矣。」

《集注》逐句解釋，未見發明。但本章容易教人疑惑，《補注》說了：

> 以為不當改耶，則舊章且不可更，何有於父？終身守之可也，何限三年？以為必當改耶，則行且有損幹蠱[5]之謂，何改之足以成父名？而掩其跡，何待三年？此理之可疑者也。

《補注》接著指出經文說的是「道」，「言道則非不善可知。既非不善，自不必急於更端」。但另一方面，天下無久而不變之事，所以道也有「宜變之理」，隨時而改。即父親在世時，有些事也會因時制宜而改的；然則父死子改，「即所以體父志也」。所以必待三年之後才改，一方面由於孝子思念之情，不忍即改父道；另方面也由於「道」不是錯誤，只是隨時推移，漸見不完滿，等到三年以後才改也可以。改父之道無損於孝，其理在此。《補注》這樣的解說，倒是通達可取、解人疑惑的。

《補注》之中，有時也見議論過當處。好像卷中「子曰父母之年」章：

> 〈里仁〉：子曰：「父母之年，不可不知也。一則以喜，一則以懼。」

《集注》說「既喜其壽，又懼其衰」，可見焦點放在父母晚年的時段。這原是一向以來對「年」字的理解。《論語集解》引「孔曰」：「見其壽考則喜，見其衰老則懼。」舊注如此。然而劉開在議論壽考喜懼之後，補充說：

> 人子少時，父母尚在強盛之年者，豈無所用其喜懼乎？斯亦義之闕而不全者矣。

---

5 《易・蠱》：「幹父之蠱。」王弼注：「幹父之事，能承先執，堪其任者也。」

按父母既在強盛之年，距離壽考衰老還有一段長時間，作兒子的實在不需要有衰老之懼。這樣的補充推衍，似乎求深過分了。又好像卷上〈與其易也〉，句出〈八佾〉：

喪，與其易也，寧戚。

《集注》云：「易，治也。」劉開理解為「治」有「習」、「區晝」意，即學習和安排。而「以易為治，則於理未安。古之治喪禮而習其節文者，皆在平時」。他以為「易」的含義是：「儀節行之裕如，坦易嫺熟，不見有隨在難安之意。」實則《集注》也指出：「在喪禮，則節文習熟，而無哀痛慘怛之實者也。」此意和《補注》無不同。《補注》非議，未免疏忽。

二

劉開自少年時便受姚鼐所知，對鼐終身崇仰[6]，他對經學的觀點和治經的方法，無疑也受到姚鼐的影響。

姚鼐以為天下學問之事，不出義理、考證、文章三者[7]。義理考證，分別為宋學、漢學的特色；姚鼐二者並提，見出他包容宋學漢學的胸襟。誠然宋學、漢學之間，他還是稍為偏向宋學的；這是因為程、朱說經，「得聖賢之意多」[8]。又「（程、朱）論說所闡發，上當於聖人之旨，下合乎天下之公心者，為大且多」[9]。他在〈復蔣松如書〉中表明對漢宋的態度：「博聞強識，以助宋君子之所遺則可也，以將跨越宋君子，則不可也。」[10]所以劉開在〈姬傳

6 《劉孟塗集》，後集卷10，〈哭姬傳先生〉詩第四首「四海憐才偏我獨」句自注云：「開幼以書謁先生，謬蒙歎賞，有國士無雙之稱。」姚元之、陳方海撰傳，都說開年十四上書姚鼐，鼐「奇之」。

7 《惜抱軒全集》，卷4，〈述菴文鈔序〉、卷7，〈復秦小峴書〉。

8 《惜抱軒全集》，卷6，〈復曹雲路書〉。

9 《惜抱軒全集》，後集卷1，〈程綿莊文集序〉。

10 《惜抱軒全集》，卷6。

先生八十壽序〉中謂：「必義理為主以正其原，考證為輔以致其確；不似調停漢宋者之漫無輕重。」[11]要注意的是：姚鼐只是說程、朱多得聖賢之意，而不是全得聖賢之意。他說過他們「不達古人之意者，容有之矣」[12]。既然論經以聖人之旨為依歸，程、朱說法如有不合，「雖或舍程、朱可也」[13]。

至於論學文字，姚鼐批評有些言義理的人，「其辭蕪雜俚近，如語錄而不文」。有些言考證的人，其辭「繁碎繳繞，而語不可了當」[14]。二者均不可取。作為桐城派古文家，他要求文章要有倫有序，辭氣馴雅，自不待言。〈復魯絜非書〉中提到：「人之學文，其功力所能至者，陳理義必明當，布置取舍繁簡廉肉不失法，吐辭雅馴不蕪。」[15]既是一般文章的標準，也應該是論經文字的標準。

劉開的觀點和議論，跟姚鼐的十分接近。前引〈自序〉，當中指出漢學宋學之不克相成、重視經文本旨、文字避免雜而無當，均是證明。茲再引《劉孟塗集》中若干文字，以為補足：

> 甲、夫宋之與漢也，其學固有大小緩急之殊也，其交相為用一也，合之則兩得，離之則兩失。[16]
>
> 乙、吾之所以尊師程、朱者，非黨於宋也，為其所論者大、所持者正、切於民彝而裨於實修，可以維持風教於不墜也。其兼取漢儒而不欲偏廢者，非悅其博也，將用以參考同異、證明得失，可以羽翼夫聖道也。[17]
>
> 丙、且夫君子之學，知法孔氏而已，何漢宋之有哉？[18]

---

11 《劉孟塗集》，文集卷6。

12 同註8。

13 同上註。

14 《惜抱軒全集》，卷4，〈述菴文鈔序〉。

15 《惜抱軒全集》，卷6。

16 文集卷2，〈學論中〉。

17 同上。

18 文集卷2，〈學論下〉。

丁、宋儒之明大義、闡微言、開迪後學，其識宏矣；而聖經之蘊奧，則不敢自謂能盡也。……夫程、朱有功孔子者也，而衡以孔氏之意，則其不合者尚多焉。[19]

甲段言漢學宋學宜並用，乙段言偏重宋學，丙段言以孔子之意為依歸，丁段言即程、朱仍有不足處。

因為解經只求合孔氏之旨，因為漢宋可以並用，所以《補注》之中，劉開倘認為舊注更可取，舊文獻更具說服力，則會改從舊說，捨棄朱注。譬如「是謂能養至於犬馬皆能有養」三句：

〈為政〉：子游問孝。子曰：「今之孝者，是謂能養。至於犬馬，皆能有養。不敬，何以別乎？」

《集注》謂「養」為「飲食供奉」，《補注》謂「養」為「竭力奉親」，不光指飲食供奉：

養非徒飲食供奉之謂。凡竭力以奉親者皆是。犬馬效力代役，皆能有奉於上；此包說之所以宜從也。……蓋養親之養，乃奉養之義，以下事上者也。

文中的「包說」，指《論語集解》中所引的「包曰」：「犬以守禦，馬以代勞，皆養人者也。」「皆養人者」，邢《疏》解為「皆能有以養人者」。劉寶楠《論語正義》闡釋包說：「以犬馬喻人子，養為服養也。」《補注》文字全據「包曰」立說。「事上」即人子如犬馬之奉侍老親，另加敬意。這是以漢人說代替宋人說的例子。又譬如「能近取譬可謂仁之方也已」條（〈雍也〉）。《集注》說「方，術也」。《補注》不同意：

（方）非術也。蓋博施濟眾，學者無從致力；唯定取則有定在可從，由是行之，可不昧於所向矣。若以方為行仁之術，則用術無常，未有

---

[19] 同上。

定準，不可謂之方也。

劉開以為「方」有「定準」、「準則」意。《論語集解》引「孔曰」:「方，道也。」極近《補注》的「由是行之」之意。然則說劉開反對《集注》，另標新說，其間參詳過古注，未必全沒有可能。

《補注》成書，應該還會受到另一種影響。這種影響，劉開也許不是有意識地接受，像他接受姚鼐的觀點那樣；然而客觀上確能對《補注》起作用的。這種影響是：經義寫作。經義即俗稱的八股文，還有制義、制藝、時文、四書文種種叫法。宋神宗熙寧間（1068-1077），王安石改革科舉制度，罷唐代以來詩、賦、帖經等項目，改考經書大義，是為經義。明代中葉以後，經義定型為八股的形式。考試範圍收窄到考《四書》，發揮一據朱熹《四書集注》[20]。

明清兩代，全國讀書人為獲取功名，無不從小就以經義寫作為日常主要功課，一直到考試中式為止。可以推想：時間積累既久，經義寫作中種種有關事項，自然深入心脾，極有可能以此為中心，把凝固了的意識，有意無意投射到其他撰著方面去。清初古文大家方苞便被譏評過「以時文為古文」[21]。方苞讚賞明代唐順之、歸有光「以古文為時文，理精法備，而氣益昌」[22]，可沒說過自己「以時文為古文」的話。方苞固然無意運時文之法入古文，但積習既久，無意之中受到影響，還是可以理解的。劉開考科舉試，始終連舉人都沒有考上。姚元之撰傳所謂「習舉子業，試輒不利」。他既然始終不曾放棄考試，則始終在經義寫作上付出極大的研習勞力。他自己慨歎「不幸制舉之事敗之於其中」，不能專心從事「明道修辭，紹正傳而振絕緒」[23]。這麼看來，要說經義無形中對他的學術研究也會有影響作用，不見得全屬無稽之

20 考試內容和文體種種，見《宋史》和《明史》的〈選舉志〉、顧炎武《日知錄》卷16〈試文格式〉條。近人所著《科舉考試史》一類專書必有述及。

21 錢大昕《潛研堂文集》，卷33，〈與友人書〉引述王若霖的話：「靈皋（方苞字）以古文為時文，卻以時文為古文。」錢大昕說洞中方苞癥結。

22 《望溪集》，集外文卷8，〈禮闈示貢士〉。

23 《劉孟塗集》，文集卷3，〈後陳編修書〉。

談。

從表面看，《補注》的條目，如「色難」、「唐、虞之際於斯為盛」、「子曰南人有言 節」、「子曰父母之年」章等，就是經義題目名稱中所謂的「單句題」、「數句題」、「一節題」和「全章題」的形式[24]。就個人所知，明人陳際泰有〈色難〉題文，明人徐方廣有〈父母之年章〉題文[25]。條目跟經義題目相同，見出劉開擬條目，一據經義方式。看來在他心中，一般經義和他書中的經說文字，除了形式，其他方面不必有分別；兩者目的都是探求經文的確旨。

以下嘗試從三方面觀察經義的影響：

1 第一方面：羽翼經傳

朱熹注《論語》雖然精到，但還不能說已周密無隙，再無可以著筆之處。梁章鉅《制義叢話》卷一云：

> 《學》、《庸》、《語》、《孟》，猶日月之著明。朱子之注，則測時之表也。非天之有日月，則表無所施。非表之明時，則分刻亦無所施。故先正之文有足以羽翼經傳者以此耳。

這是說朱注仍屬像時辰一般的大綱說明，作經義的人儘可以進一步作分刻疏說與補充。因為這樣會有更明白更細緻闡釋經書的結果，所以能「羽翼經傳」。這是指在朱注的框架下立言。譬如三年之喪，朱子注得不夠明晰，明人錢福指出三年之喪不獨對父母才行，乾隆間鄭光策便以為「足補《章句》所未及」[26]。就算經義作者有時跳出朱注框架，如果議論於古確有所據的，儘管對考試功令有妨，但平日的房稿或窗稿仍舊獲得識者讚賞，仍舊視為羽翼

---

[24] 商衍鎏：《清代科舉考試述錄》（北京市：三聯書店，1958年），〈八股文之文題〉，頁231-234。

[25] 陳文及徐文分別選錄入《塾課小題分編》八集及五集。（清人王步青編，敦復堂版）。

[26] （清）梁章鉅：《制義叢話》（臺北市：廣文書局，1976年），卷14，〈鄭蘇年師曰三年之喪〉。

經傳之作。《制義叢話》卷十四〈周星頡曰〉條：

> 文章體格有盡而義理日出不窮，是以李厚菴、韓慕盧、方百川、望溪諸先生專於義理求勝，復能各開生面，卓然成家。而識力透到，往往補傳注所不及。

好像方舟（百川）的〈子路宿於 節〉文[27]，朱注引胡氏曰：「晨門知世之不可而不為，故以是譏孔子。」方舟此文不用「譏」意，而把晨門寫成孔子第一知己。梁章鉅以為：「視大注（按即朱注）『譏』字之義為高遠。」

桐城始祖方苞是經學名家，其文「專以義理取勝」，其間自然包括了對朱注的申引、補充或修正[28]。後來姚鼐論義理也不盡守朱注。姚氏也是當時經義名家[29]。劉開在這樣的桐城家法薰染下，即使寫表面看來不是經義的文字，同樣可以接受前輩開明的觀點。然則他對朱子的意見，可以不同意，可以一半同意，可以申引補足，甚至另發意見，也就不足為奇了。

2 第二方面：口氣代言

經義代聖賢立言，是為代言。行文之際要求根據題目，寫出聖賢的準確語態，從而顯示出人物的情思或形狀，是為口氣。一句話，經義可以用形象性的方法去寫，目的通過形象的描摹更精確體會和掌握經文的意義。這跟用理性的語言去解經不同。一般傳注用的是理性語言，然而人們認為用形象方法，有時更能逼入經文深細處。清人管世銘曰：

> 前人以傳注解經，終是離而二之。惟制義代言，直與聖賢為一，不得不逼入深細。且章句集傳，本以講學。其時今文之體（指經義體）未

---

27 〈憲問〉：子路宿於石門，晨門曰：「奚自？」子路曰：「自孔氏。」曰：「是知其不可為而為之者與？」方舟文載《桐城方氏時文全稿．方百川稿》（光緒十四年湖南會友書局印行）。

28 方苞經義《抗希堂稿》（收進《桐城方氏時文全稿》中）不乏例子。

29 拙文：〈桐城派前期作家對時文的觀點與態度〉，見拙著：《詩賦與律調》（北京市：中華書局，1994年）。

> 興。大注極有至理名言，而不可以入語氣，是最宜分別觀之。設朱子之前已有時文，其精審更當不止於是也。[30]

《補注》各條，其中不少使用理性的語言論證，好像上引「子曰南人有言」節條就是，但其中也有一些運用形象的觀點方法去講的。好像「吾與回言終日」章：

> 〈為政〉：子曰：「吾與回言終日，不違如愚。退而省其私，亦足以發，回也不愚。」

《集注》對「不違」一詞解說了，但對「如愚」一詞沒有說甚麼。《補注》對此有意見，其言曰：

> 注所謂有聽受而無問難者，是矣，而不足以盡「如愚」之氣象。

於是進一步去體會補充：其他弟子向孔子提問，心中疑惑解決後，「或欣然以解而有躍如之意」。自外表看來，便不曾有「如愚」的反應。只有顏回以不言作「口氣」，「一聆聖言，默契深通，若為固然，而非得之意外。匪徒無所疑難，即欣喜躍如之跡亦不見於外焉；故氣象有類於愚」。顯然劉開是從人物形象的具體反應去體會「如愚」一語的，所以他最後說「學者所宜玩之」。「玩」是玩味、體會，偏於自形象入手。

評賞經義人物形象時，評賞者往往使用「氣象」一詞。好比方苞弟弟方林〈孟子致為臣而歸〉章文[31]，袁顧亭評道：「形容庸主情態與孟子巖巖氣象，皆能曲盡。」便是例子。

從人物口氣形象切入闡說經旨，經義例子極多，譬如宰我問三年之喪。宰我希望把父母死後守喪三年改為一年，受到孔子「不仁」[32]的責備。從經

---

30 （清）梁章鉅：《制義叢話》，卷1。

31 《桐城方氏時文全稿・方椒塗稿》。

32 〈陽貨〉：宰我問三年之喪：「期已久矣。君子三年不為禮，禮必壞；三年不為樂，樂必崩。舊穀既升，鑽燧改火，期可已矣。」子曰：「食夫稻，衣夫錦，於女安乎？」

文表面看來，宰我的話大違名教，大背師訓，說得錯極了。但宰我入孔門四科之中的「言語」(〈先進〉)，屬十哲之一，也就是孔門高等弟子。人們通讀《論語》對宰我這個人的形象有總體認識後，可能對他有關三年之喪的論議另有看法。劉思敬寫〈宰我問三年章〉文正是這樣[33]。劉氏以為宰我實「傷世之忍於親者」奪情不守三年之喪。他善於言辭，於是故意「代天下之逆倫者」講話，目的在引出孔子「不仁」的批判。這樣「自聖門論定，始曉然於毀瘠，正所以為禮樂也」。文後引「俞評」:「宰我是極聰明士，其問難每從極奇險處生議論，尋出孔子極平極穩道理。」我們固然可以說劉思敬通過宰我這個人去寫翻案文章。這種寫法其實跟《補注》中劉開寫「子貢問曰何如斯」章沒有不同。「子貢天資最高，志在卓越。」又和宰我同列言語一科。他問士行每況愈下，也應該另有深意，於是文中寫出一番見解。

3 第三方面：辨義入微

《四書》題目有限，寫經義的人數目無盡，不免有多人同寫一題的情況。作者為了出眾制勝，要在謀篇運意、造句修辭和其他方面下工夫。下工夫的結果，寫成文章，有時便可別開生面。這樣的工夫運用到學術研究方面，有時也能具有正面積極的意義的。茲從經義的審題一點觀察。

經義審題在於細心理會全題意思，對個別重點詞語作發揮，並且又是人所未言或未詳言者，作為全文主腦寫出來。前人所謂「認」、「透」、「鮮」即這番意思。譬如張鑑〈耦而耕〉題，題目出《論語．微子》「長沮桀溺耦而耕」。耦為並耕之意。張鑑此文，文後評道：「不向『耕』字鋪排，只著眼『耦』字。」「聖人所遇隱士、荷蕢丈人，皆耕者流，不獨沮、溺。惟著眼『耦』字，沮、溺外不可移掇一字，是相題卓識。」[34]又譬如《制義叢話》

曰:「安。」「女安則為之。夫君子之居喪，食旨不甘，聞樂不樂，居處不安，故不為也。今女安則為之。」宰我出。子曰:「予之不仁也。子生三年，然後免於父母之懷。夫三年之喪，天下之通喪也；予也有三年之愛於其父母乎？」

33 《制義靈樞》二編(周銘恩編，家塾本)。

34 《詳評今文啟蒙三十藝》(廖玉湘選，新都廖氏塾本，清光緒十年)。

卷十三載管世銘論「天將以夫子為木鐸」句：「『木鐸』二字是封人特筆，正為萬世之聖人寫照。若為常解，則門人記《論語》時，言已不驗，又何所取而著之於篇乎？」於是據自己意見寫成文章，雖不合常解，但評者稱「言似深奇，理極平正。此以孟、韓注孔，非以帖括說經」。同一情況回到《補注》，如果劉開用寫經義的方式發揮「將」字義，也有可能寫出一首名文來。

辨題析意的訓練，同樣可移用在注文之上。《補注》「文王既沒文不在茲乎」條（〈子罕〉），朱子解為「不曰道而曰文，亦謙辭也」。劉開則以為「道之美盡於文」，孔子不是謙辭。又「子曰回也非助」章（〈先進〉）句云：「回也非助我者也。」《集注》謂「助我，若子夏之起予」。劉開則指「助我」和「起予」兩詞，「二者皆助之事而義微別，不可混而一之」。

以上幾點觀察，見出經義寫作對《補注》一書的可能影響。

粵、港地區《論語》粵譯讀本兩種

——民國時期私學授經的情況

盧鳴東*

一 引言

朱熹在〈論語訓蒙口義序〉中曰：

> 予既序次《論語要義》以備觀覽，暇日又為兒輩讀之。大抵諸老先生之為說，本非為童子設也，故共訓詁略而義理詳，初學者讀之，經之文句未能自通，又當遍誦諸說，問其指意，茫然迷眩，殆非啟蒙之要。因為刪錄，以成此編。本之《注疏》以通其訓詁，參之《釋文》以正其音讀。[1]

《論語》是中國歷代教授兒童的必備經典，惟孩童年紀尚輕，智力學識遠遜成人，勉強他們探求聖賢大義，難免有損啟蒙原旨。明代呂坤認為向學童授經「至於深文奧理，天下國家，童子理會不來，強聒反滋其惑」[2]。《論語訓蒙口義》的成書便說明了一部合適兒童讀經的注本的重要性。

《粵東白話兩論淺解》（以下簡稱「《兩論》」）和《四書白話旁訓》（以

---

* 香港浸會大學中文系。

1 （宋）朱熹：〈論語訓蒙口義序〉，載《朱子大全》（臺北市：臺灣中華書局，1983年，《四部備要》景明胡氏刻本校刊本），卷75，冊9，頁7。

2 （明）呂坤撰：《四禮翼》，《續修四庫全書》（上海市：上海古籍出版社，2002年，景明萬曆刻《呂新吾全集》本），冊108，頁355。

下簡稱「《旁訓》」）是民國時期的兩部《論語》粵譯讀本，它們的出現是專門為粵、港地區就讀私學的學童在缺乏深厚的傳統「小學」根基底下，在白話譯文中夾雜大量粵方言的詞彙和文句，以便操廣東話的讀者通過淺白的文字掌握《論語》經義。這兩部讀本除了帶有粵方言的地方色彩，有別於一般《論語》國語譯本外，譯文的語義根據主要以朱熹《論語集注》為主，而在體例上，亦據此把《論語》分為「上論」和「下論」兩個部分。惟《兩論》的編寫旨在為當時的義學學童和尋常婦孺提供語譯教材，故多用廣東俚語俗詞而略於字詞訓釋，與詳於名物訓詁和人物解說的《旁訓》稍有分別。

《兩論》的底本是梁應麟、黎煥星於民國期間執教香港義學時語譯《論語》的教材，先後印行三次，由香港香遠印務局出版，初版於一九一五年發行[3]。當時就讀義學的學生屬於小學程度，入學水平不高，最高亦只能修讀至小學四年級[4]。因此，教員慣常使用粵語講授古文，務求淺白易懂，而《兩論》在白話譯文中雜用了大量粵語，原因也在於此。《旁訓》的作者是順德人張鐵任，此書由廣東廣州東雅印務公司出版，先後三次在廣東省發行，一九一八年印刷初版。《旁訓》按照《四書》內容分為六卷，卷一是《大學》和《中庸》，卷二、卷三是《論語》，卷四至卷六是《孟子》。由於作者原意是「以粵省方言旁註《四書》」，以「便於私塾訓蒙之用」[5]，因此，譯文和訓詁內容多用粵語翻譯。

民國時期，由國民政府頒布「禁讀五經」的小學教育政策並不限私人

---

[3] 《粵東白話兩論淺解》於一九一五年三月發行初版，一九一九年再版，一九二三年發行第三版。本文所載的是第三版，由香港香遠印務局出版。

[4] 二十世紀初，香港義校分為四種類型，合共一一四間：一、由個人贈款的義學有十一間，二、由團體撥款的義校有四十六間，三、由慈善機關開辦的義校有四間，四、由廟祠捐款的義學有四間，五、紀念性質的義學有一間，六、由港九（澳）中華義學創辦的有四十八間。義校學生肄業以後，可以應考政府開辦的官立學校第八班，直至升入香港大學肄業。可是，每間義學每年只可保送一位高材生應考。詳見方美賢：《香港早期教育發展史》，（香港：中國學社，1975年），頁149-159。

[5] 張鐵任：《四書白話旁訓》，轉載一九一九年十二月十日，廣東省會警察廳佈告第一二九號。

辦學團體，包括義學、村塾、蒙館和書塾等，它們依舊按照傳統向學童講授《四書》、《五經》。由於《兩論》和《旁訓》是專門為粵、港私學學童提供讀經教材的粵譯《論語》讀本，從它們的成書原因、內容體例和語譯方法中，當略可窺探民國時期私學授經的情況。本文以《兩論》為主要分析內容，輔以《旁訓》探討私學授經的三個問題：一、就《兩論》和《旁訓》的《序言》和相關資料中，揭示當時私學授經的對象和目的；二、比較《兩論》和《旁訓》的體例異同，說明《兩論》作者為了方便私學學童讀經，修訂朱熹《論語集注》的體例；三、通過語詞訓譯和語意訓譯的方法，分析《兩論》、《旁訓》把《論語集注》的訓詁材料語譯為粵方言，以便學童學習。

二 私學授經與粵譯經典

一九一二年中華民國成立，作為傳統中國小學必備教材的儒家經典地位面臨嚴峻考驗。晚清注重儒家教育，重視程度不下於前朝，一九〇四年張之洞的《釐訂學堂章程析》記載「至于立學宗旨，無論何等學堂，均以忠孝為本，以中國經史之學為基，俾學生心術一歸于純正」，又規定「讀經講經」為初等小學堂和高等小學堂的必修科目[6]。但自滿清帝制崩潰，儒家教育便被貶低為「忠君與共和政體不合，尊孔與信教自由相違」[7]的過時產物，有徹底改革的需要。一九一二年一月十九日，教育部總長蔡元培頒布《普通教育暫行辦法十四條》，第六條是「凡各種教科書，務合乎共和民國宗旨，清學部頒行之教科書，一律禁用」；第八條是「小學讀經科一律廢止」[8]；同年九月，再頒行「壬子學制」，使新學制正式在全國推行。

---

6 苑書義等主編：《張之洞全集》（石家莊市：河北人民出版社，1998年），卷61，冊3，頁1591。

7 高平叔編：〈對於新教育的意見〉，載《蔡元培全集》（北京市：中華書局，1984年），卷2，頁136。

8 羅家倫主編：《臨時政府公報》（臺北市：中國國民黨中央委員會黨史史料編委員會，1968年），第4號（1912年2月1日），頁68-69。

在民國新一代學制中，小學讀經不但不受鼓勵，更被認定為有禁止、取締的必要。《兩論》作者友人李不懈於〈序言〉中論及：「自民國成立後，而一般自命為新志士者，更有倡議廢漢字，棄舊禮，又有提倡廢姓氏，滅五倫，……其忘本之徒，復禁五經，直欲步暴秦之故轍。」（頁2）早在「壬子學制」推行半世紀前，香港已淪為英國殖民地，學童讀經不受限制，在《兩論・跋》中，梁應麟的同鄉陳鴻煊指出當時情況：

> 前者學部規定讀經章程，高等小學課授《論語》，以其成童已居，立德宜堅，德育之良莫逾《兩論》，乃未幾紛更部令，取消讀經，《四子》之篇不登講課，與人民心理大相背馳，數年來學校之衰，一落千丈。夫彼禁讀經之故，未敢公然非聖，祇別為辭曰：「其語古奧，其義高深，不適兒童。」然他未暇論……今梁君講學之區，越在租界，獨能推行聖學，普及青年，將來由淺幾深，使我孔教遺書日月同明，乾坤徧照。[9]

殖民地政府批准官立學校講授儒家經典，而當時由教會、社團和私人團體開辦的義校也主張學童讀經，其中國文科便包括《論語》、《孟子》、《左傳》、《孝經》等課程[10]。《兩論》的作者梁應麟、黎耀星曾在義校授經。梁應麟曰：

> 年來忝席九龍學校，授受之間，往往以聖道高深，殊難闡發，良以道求深而返晦，言以淺而易明。因不惴愚謬，與同事黎君耀乾著《粵東白話二論淺解》二卷，取便孺童之聽受，聊資日夕之講求。[11]

「九龍學校」全名為「南海商會九龍義學」，位於當時香港新填地街十一號，是由商會撥款開辦的義務教育機構。義校主要招收清貧子弟，班額最高為小學四年級，惟因經費所限，全校由一至兩名教員負責教學、行政和管理等工

---

9 《粵東白話兩論淺解》，頁5。

10 《香港早期教育發展史》，頁158。

11 《粵東白話兩論淺解》，頁3。

作，校舍多設於民房、祠宇廟堂、樓宇單層樓內，設備簡陋[12]。入讀義校學童年紀尚淺，學識程度不高，要是專責求深，詳例先儒舊注，反使經義晦暗難明；在義校講學時，梁、黎二人正有此體會。黎耀星在《兩論・序》中曰：

> 《論語》一書，其辭簡，其意賅，其理淵深而廣博。讀者固難，講解者更難，講解於婦人孺子，使其了然明白，則又難乎其難……推原其故，殆由講解者，徒守陳舊學說，以為奇書，捧高頭講章，奉為秘本，甚至謂俚語必無著述，白話必無文章，至令高明者好事幽深，遲鈍者自甘蒙昧，良可慨也。[13]

黎耀星認為教授幼童讀經必須因應他們的學識水平，利用淺白易懂的教材講授，由於《兩論》專門為學童讀經而著，有著指定的對象，故此書內容不能太過旁博，用辭也要盡量避免艱深，遂「於公餘之下，與同事梁君左卿用白話淺譯《論語》」，以便學童學習《論語》。

粵語是香港人的通行語言，當時義校老師也多採用粵語授課，以便學童學習。就學童而言，閱讀白話無疑比起古文容易，但對於在港出生的一般婦孺來說，則粵語更是耳熟能詳。在《兩論・序》中，友人陳文俊指出：「近有《白話四書圖注》出世，而全用國語，不便於粵東婦孺。」[14]對於教育程度不高的粵東婦孺來說，閱讀白話存在一定困難，因粵語是他們日常生活的主要溝通工具，故《兩論》除了使用白話語譯外，亦透過他們慣常使用的粵方言語譯《論語》。梁應麟曰：

> 蓋以粵東方言將古人傳箋注疏譯以淺白，不敢旁參己見，不敢曲解人言，夫亦惟文從字順，務期婦人孺子易於問津云爾。[15]

《兩論》付梓以後，流通甚廣，初版於一九一五年發行後，惟供不應求，於

---

12 《香港早期教育發展史》，頁46。

13 《粵東白話兩論淺解》，頁5。

14 《粵東白話兩論淺解》，頁1。

15 同上，頁3。

一九一九年和一九二三年先後再版。友人陳鴻煊在《兩論・跋》中曰：「梁君左卿，孔教中堅也，設教香江，循循善誘，手訂《兩論》、《兩孟淺解》，風行於時，其《兩孟淺解》，愚忝序焉。戊午春，《二論淺解》發行已罄，將再梓。函愚跋，愚深喜之。」[16]由《兩論》再版的情況來看，此書銷量不錯，在粵、港地區應具有一定的影響力。

事實上，就張鐵任為其《旁訓》向廣東省警察廳申報禁翻版版權保護令來看，粵譯讀本這一類經學著述在廣東一帶相信頗受歡迎。《旁訓》與《兩論》性質相同，皆以粵語譯經為私塾學童提供讀經參考。根據一九一九年十二月十日，廣東省會警察廳佈告第一二九號引述張鐵任所言：

> 竊民前以著作《四書白話旁訓》一種，呈請註冊給照，經於九月二十六日蒙批示該民人以粵省方言旁註《四書》，尚無紕繆，便於私塾訓蒙之用，核與著作權，並無不符應，予註冊給照以資保護等，因奉此旋於十月十八日復蒙發給執照，以資憑證各在案，曷勝感激，惟此書自出版後，頗覺暢銷，至今日忽形窒礙，難保無奸商翻印之虞，迫再具呈，瀆懇鈞部咨行廣東省長轉飭警察廳給示嚴禁翻印，所以專版權……[17]

《旁訓》於一九一八年八月首次發行，銷量可觀，遂於一九一九年五月再版，並獲省政府發放版權執照，惟因再版以後，銷程稍欠理想，故張鐵任懷疑此因商人盜版之故，於是再次向省政府申報，要求轉飭警察廳公佈嚴禁翻印。我們雖然很難確定銷量偏低必然是由盜印所造成，但張鐵任公然向省政府投訴商人盜版，相信亦非子虛烏有，純屬虛構，否則省政府亦不會如此重視，而經警察廳公佈以後，《旁訓》於翌年（一九二〇年）二月再發行第三版，可見此書於當時市面上仍有一定需求。

---

16 《粵東白話兩論淺解》，頁5。《兩論》成書於一九一五年，於戊午年，即一九一八年售罄，至一九一九年發行第二版，而陳鴻煊的〈跋〉是在再版時編入。

17 《四書白話旁訓》，轉載一九一九年十二月十日，廣東省會警察廳佈告第一二九號。

三　《兩論》、《旁訓》與《論語集注》

中國鴻儒輩出，箋注傳疏繁鉅，為《論語》作注者不勝枚舉。何晏的《論語集解》徵引了包咸、周氏、孔安國、馬融、鄭玄、陳群、王肅、周生烈等諸家學說，而朱熹《論語集注》則匯集二程、范祖禹、呂希哲、呂大臨、謝良佐、楊時、尹焞等人注解。諸家析理至微，為曉明孔聖奧旨，高文深義往往輩出，精闢之論時時而見。《兩論》、《旁訓》雖以學童易學易懂為語譯原則，但取義絕非漫無準則，隨意湊合。宋代以降，朱熹《四書集注》備受重視，童子讀經、科場出題皆以朱注為本。至元代仁宗皇慶二年頒布科舉法，正式規定經義從《四書》出題，一「用朱氏《章句集註》」為主[18]，而清代學童讀經出現「言不合朱子，率鳴鼓百面攻之」[19]的情況。在《兩論・序》中，梁應麟強調朱熹《集注》的重要性：

> 朱子《集注》之作，合眾派而會流，參殊塗而同軌，蓋以繼絕學，傳正統，豈但謂之訓詁而已哉！[20]

承襲傳統，《兩論》、《旁訓》均採用朱熹《論語集注》作為字辭解釋和發明義理的主要根據，但為了方便學童準確地掌握《論語》經義，以及熟悉經內出現的人物，彼此都不謀而合地對《論語集注》的體例作出了一些修訂。

（一）標明章節經義

經義無達詁，惟讀經是理解經義的先行途徑。明代呂坤以為學童「看書先要讀正文一遍，便想此書是甚麼意思，次將朱註細貼一遍」[21]，便說明學童

18 （明）宋濂：《元史》（北京市：中華書局，1976年），〈選舉志一〉，冊4，頁2019。

19 （清）朱彝尊：〈道傳錄序〉，載《曝書亭集》（上海市：商務印書館，出版年份不詳，《四部叢刊》景原刊本），冊90，頁297。

20 《粵東白話兩論淺解》，頁4。

21 （明）呂坤：《四禮翼》，載《續修四庫全書》（上海市：上海古籍出版社，2003年，

沒有不是先從讀經入手，之後參照注釋，發明經義。審乎《論語集注》二十篇，朱熹在篇目以下有概括整篇題旨。例如〈學而第一〉篇目下記載：「此為書之首篇，故所記多務本之意，乃入道之門，積德之基，學者之先務也。凡十六章。」[22]這有助讀經前先行了解經文大義。但包括〈學而〉篇在內，全書說明篇旨的有〈八佾〉、〈公冶長〉、〈述而〉、〈鄉黨〉、〈先進〉、〈微子〉、〈子張〉八篇，而各篇章大義則隨文見於注釋中。考慮到學童理解能力不高，每因經文字句艱澀，因此，《兩論》在各篇每章前都加入一段「題解式」的經義說明，用來點明每章節的經文大義，縱使學童於讀經時不能充分了解經文句義，也不至於茫無頭緒。至於《旁訓》略於義理說明，故只輯錄《論語集注》中〈八佾〉和〈微子〉的篇旨，沒有如《兩論》般逐一注明每章經義。

《兩論》為了方便學童閱讀起見，在各篇章中皆用「呢章係……」作為句首，又多以單句說明，使經義內容簡捷明晰，容易理解。在《論語》四百九十四章中，共三百二十四章使用單句，其他一般也不超出四句，而單句中主要用「評論、講、講論、記、想」等詞直接說明每章經義。例如〈為政〉「學而不思則罔」章，《論語》便指出：「呢章係夫子**講論**學、思唔好偏廢嘅。」[23]其中有九十八章使用這種句式。至於複雜的單句多用「呢章係＋主語＋□＋賓語＋動詞＋賓語」為句式，約一百一十一章，主要說明思想內涵和動作依據。例如〈八佾〉「子入太廟」章，《集注》曰：「孔子言是禮者，敬謹之至，乃所以為禮也。」[24]這說明禮沒有不敬。《兩論》篇旨為「呢章係夫子摵敬字嚟做主嘅。」[25]《集韻．怪韻》曰：「摵，持也。」[26]摵有持著的意思。

景明萬曆刻《呂新吳全集》本），冊108，頁355。

[22] （宋）朱熹：《四書集註》（香港：香港太平書局，1986年），頁1。

[23] 《粵東白話兩論淺解》，〈上論〉，頁7。

[24] （宋）朱熹：《四書集註》（香港：香港太平書局，1986年），頁16。

[25] 《粵東白話兩論淺解》，〈上論〉，頁11。

[26] （宋）·丁度：《集韻》，《景印文淵閣四庫全書》（臺北市：臺灣商務印書館，1986年），冊236，頁664。

由此用「摵」帶出敬是禮的內涵。作者用大量的相同句式，使學童易於掌握句子中的邏輯關係，有助理解篇章經義。

《兩論》主要用朱熹《集注》作為經義說明的依據。朱熹在〈鄉黨〉「廄焚」章中曰：「非不愛馬，然恐傷人之意多，故未暇問。蓋貴人賤畜理當如此。」[27]《兩論》據此說明：「呢節係記門人記夫子有貴人賤畜的意思嘅。」[28]此外，《集注》中徵用經師舊疏注解《論語》經義，《兩論》也加以沿用。朱熹引用游酢所言注釋〈八佾〉「人而不仁」章。《集注》曰：「游氏曰：『人而不仁則人心亡矣，其如禮樂何哉？言雖欲用之而禮樂不為之用也。』」[29]《兩論》說明：「呢章係夫子論冇本心嘅人，唔可以用得禮樂嘅。」[30]至於《集注》中的一些理學思想，若是學童不易理解的，《兩論》多用淺白語辭取代。《論語・里仁》曰：「子曰：『君子喻於義，小人喻於利。』」《集注》曰：「義者，天理之所宜；利者，人情之所欲。」[31]《兩論》把「義」語譯為「道理」；「利」語譯為「好處」，說明：「呢章係夫子辨君子小人志向唔同嘅。」[32]可見，《兩論》為符合淺白易懂的要求，通過譯文把部分經義刪去。陳文俊在《兩論・序》中曰：

> 余友左卿梁君、煥星黎君關心學務，將古人之箋疏訓詁以淺譯深，手著《粵東白話兩論淺解》，以餉粵東婦孺執書問序。[33]

作者運用簡單的句式，由淺入深地把朱注語譯，以便讀者理解《論語》中每一章節的經義內容。因《兩論》本是應義校學童的需要而成書，故其書寫的方法和原則，在一定程度上也能夠反映出他們教授學童讀經的情況。

---

27 《四書集註》，頁66。

28 《粵東白話兩論淺解》，〈上論〉，頁41。

29 《四書集註》，頁13。

30 《粵東白話兩論淺解》，〈上論〉，頁9。

31 《四書集註》，頁23。

32 《粵東白話兩論淺解》，〈上論〉，頁14。

33 《粵東白話兩論淺解》，頁1。

（二）附加人物目錄

《論語》記載「孔子應答弟子時人及弟子相與言而接聞於夫子之語」[34]，書中人物眾多，除了孔門弟子外，魯國當時或各國的諸侯大夫，以及歷史人物俱有記載。《論語集注》對書中首次出現的人物均有解說，粗略統計，約123人。《兩論》重視人物背景的介紹，但它沒有把人物資料放在正文的解說中，而另置「人名表」附於經文的前面，這有別於《集注》的體例。至於《旁訓》則按照各人出現的次序，把人物的說明置於每頁「書天」的位置上。

因《兩論》分為「上論」和「下論」兩部內容，故「人名表」也一分為二，以「上論人名表」收錄〈學而〉至〈鄉黨〉篇中出現的五十四人，而「下論人名表」記載〈先進〉至〈堯曰〉的五十八人。「人名表」根據書中人物的出現次序排列。例如「上論人名表」首列「孔子」，然後是「有子」，因有子是繼孔子出現的人物；又如「下論人名表」先列「顏路」，因剔除「上論人名表」曾出現的人物後，顏路便是首個出現的人物。《兩論》的「人名表」把人物解說獨立於經文注釋外，使讀者在讀經前，可以先行了解書中所有人物的身分。在《集注》的基礎上，《兩論》和《旁訓》在人物的解說上作出了一些增補。例如[35]：

（1）《論語集注》曰：「回，孔子弟子，姓顏，字子淵。」
《兩論．上論人名表》曰：「姓顏，名回，字子淵，魯國人。」
《旁訓》曰：「回，姓顏，字子淵，魯人，孔子弟子。」

（2）《論語集注》曰：「哀公，魯君，名蔣。」
《兩論．上論人名表》曰：「魯君，姓姬，名蔣，定公之子。」
《旁訓》曰：「哀公，魯君，名蔣，姓姬，周公之後。」

---

34 （漢）班固：《漢書》（北京市：中華書局，1975年），冊6，頁1717。

35 見《四書集註》，頁9、11；《粵東白話兩論淺解》，〈上論〉，頁1；《四書白話旁訓》，〈上論〉，頁3。

二書補充《論語》中人物的出處，說明顏淵是「魯國人」，而魯哀公是魯定公的兒子，周公的後人。這些看來不必交代的背景知識，對於初次接觸《論語》的學童來說，殊為重要。

比較來說，《旁訓》詳於義訓，除了在「書天」的位置上交代人物外，還記錄《論語》中的字詞、禮儀、朝代、名物和地理等解說，這些都是《兩論》所沒有的。例如《論語．八佾》曰：「子曰：君子無所爭，必也射乎！揖讓而升，下而飲，其爭也君子。」《旁訓》釋「射禮」曰：「古射禮，三人較射曰耦射，射時比耦而進，三揖三讓，然後升堂，各發四矢，一揖下堂，眾耦射畢，勝者復揖，不勝者升堂，取觶立飲。」[36]與此同時，《論語》中的一些不可考證的歷史人物，《兩論》皆不列出，而《旁訓》則略作揣測。《論語．微子》曰：「周有八士，伯達、伯適、仲突、仲忽、叔夜、叔夏、季隨、季騧。」朱熹曰：

> 或曰成王時人，或曰宣王時人。蓋一母四乳而生八子也，然不可考矣。[37]

《集注》認為「八士」的身分不可考證，揣測他們可能是周初成王或宣王時代人。據此，「八士」於《兩論》「人名表」中付予闕如，在譯文中亦僅說明「周朝始初人才豐盛嘅時候，有一個老母孖生八個才德嘅人」[38]，由此說明「八士」是「周朝始初」時人，但是「成王」抑或是「宣王」，則沒有交代。《旁訓》釋曰：「八士，南宮氏兄弟也，周文王時，皆為虞官，蓋一母四胎而生八子也。」[39]這對於「八士」身處的時代、地區和階級俱作出說明。可見，《兩論》和《旁訓》雖同是為私校學童提供讀經教材，但它們的目的有所不同，前者要求學童初步掌握《論語》經義，不必探究個別的問題，後者則在經義說明外，訓釋與經文相關的意義。

---

36 《四書白話旁訓》，〈上論〉，頁5。

37 《四書集註》，頁130。

38 《粵東白話兩論淺解》，頁41。

39 《四書白話旁訓》，〈下論〉，頁31。

四　粵語譯文與經文訓釋

《兩論》和《旁訓》設定為學童讀經課本，在經文的語譯上，應盡量配合學生的需要。譬如課堂講學，老師的措辭當以簡明為主，用詞也不能太過艱深，使學童明白課堂的講授內容。呂坤曰：

> 與初學講書，教弟子先將該講之書理會一遍，方與講解。講解只用俗淺，如閭閻市井說話一般。我嘗言講《中庸》、《大學》，須令僕僮炊婦，一聽手舞足蹈，方是真講書。[40]

課堂講授要求師生在思想上有緊密交流，教學語言因應學生程度作出取捨，以淺譯深，使學生對經義有清晰的理解。借鑒義校學童讀經的教學經驗，《兩論》作者採用學童最熟悉的語言語譯《論語》，期望運用廣東話通俗淺白的一面，為他們鋪設《論語》入門的台階。在《兩論・序》中，作者友人梁樹勳曰：「且以粵東之方言，解東山之妙旨，使衢童能知，灶嫗都解」，這正好說明《兩論》的語譯特色[41]。

（一）詞語訓譯

1　對譯構詞

根據對譯的原則，譯詞的構詞成分必須包含被譯詞在內，因此，由單音詞語譯為雙音詞，雙音詞的構詞成分便含有被譯的單音詞，就複合詞的構詞語素而言，其中的一個語素便由原來的單音詞充當。《兩論》經常使用《集注》中同義為訓的條例，把《論語》中的單音詞語對譯為並列複合詞，藉以構詞成分之間的互訓關係，增加語義內涵的表義能力。例如[42]：

---

40 （明）呂坤：《四禮翼》，載《續修四庫全書》，冊108，頁355。

41 《粵東白話兩論淺解》，頁3。

42 見《四書集註》，頁1、33、6；《粵東白話兩論淺解》，〈上論〉，頁3、21、6；《四書

（1）《論語・學而》曰：「君子務**本**，**本**立而道生。」

《集注》曰：「本猶根也。」

《兩論》曰：「所以有德行嘅君子，專心務求**根本**上做工夫。」

《旁訓》曰：「有德行人專務根本，**根本**立穩，就道德發生。」

案：《集注》「本」訓為「根」，兩詞近義，《兩論》、《旁訓》便以「根本」這個並列複合詞對譯「本」。

（2）《論語・雍也》曰：「有顏回者好學，不**遷**怒。」

《集注》曰：「遷，移也。」

《兩論》曰：「佢平日嬲怒呢個人，唔**遷移**過別人嘅。」

《旁訓》曰：「有個姓顏名回既人中意發問，又唔**移**怒過別人。」

案：《集注》「遷」、「移」同訓，而《兩論》以「遷移」對譯「遷」，《旁訓》則以「移」替代「遷」。

（3）《論語・為政》曰：「子曰：『為政以德，譬如北辰，居其所而眾星**共**之。』」

《集注》曰：「共，向也。」

《兩論》曰：「咁就滿天星宿，俱皆都**拱向**住佢呀。」

《旁訓》曰：「就數多星宿**向**住佢。」

案：「共」訓為「向」；「共」、「拱」同音假借。《集注》曰：「共音拱，亦作拱。」（頁6）又阮元校：「《釋文》出眾星共，云：『鄭作拱。』按：拱正字，共假借字。」[43]《兩論》以「拱」為正字，並以「拱向」對譯「共」，《旁訓》則以「向」替代「共」。

根據《集注》中同義為訓的條例構成的並列複合詞，當中的兩個語素便有互注的關係，使詞義本身更見清晰，有利學童掌握。上例的「根本」、「遷

白話旁訓》，〈上論〉，頁1、13、3。

43 （魏）何晏等注、（宋）邢昺疏：《論語注疏》，載《十三經注疏》（臺北市：新文豐出版公司，2001年），冊19，頁37。

移」、「拱向」三個並列複合詞，兩個構詞語素都是現代漢語，惟《兩論》有用與被譯詞有同義關係的粵語來構成並列複合詞，例如[44]：

(4)《論語．八佾》曰：「禮與其奢也，寧**儉**。」

《兩論》曰：「個的吉禮，許佢太過奢華，寧可**慳儉**的重好咯。」

《旁訓》曰：「吉禮與其奢華亞，寧可**儉樸**。」

案：今粵方言「慳」可單獨使用，或構成「慳儉」一詞，皆指節約、儉省[45]。「慳」、「儉」互訓，有節約、節省之義。《兩論》以「慳儉」對譯「儉」，而《旁訓》則以「儉樸」對譯「儉」。

(5)《論語．里仁》曰：「**擇**不處仁。」

《兩論》曰：「倘或**揀擇**過，都唔居處個的仁厚嘅地方。」

《旁訓》曰：「**揀擇**得唔住在仁厚處。」

案：今粵方言「揀」可單獨使用，或構成「揀擇」一詞，有挑揀、揀選的意思[46]。古義「揀」、「擇」同訓。《廣雅．釋詁一》曰：「揀，擇也。」[47]是以「揀擇」有互訓說明的作用，於《兩論》、《旁訓》中皆以「揀擇」對譯「揀」。

此外，《論語》中有些古語詞至今已甚少使用，《兩論》便在《集注》的互訓條例中採用較易明白的語詞，與其有同義關係的粵語構成並列複合詞。例如[48]：

(6)《論語．學而》曰：「人不知而不**慍**，不亦君子乎。」何晏注曰：

---

44 見《粵東白話兩論淺解》，〈上論〉，頁9、13；《四書白話旁訓》，〈上論〉，頁5、6。

45 李榮主編，白宛如編纂：《廣州方言詞典》（南京市：江蘇教育出版社，1998年），頁318。

46 《廣州方言詞典》，頁316。

47 （魏）張揖：《廣雅》，《景印文淵閣四庫全書》（臺北市：臺灣商務印書館，1986年，景國立故宮博物院藏本），冊221，頁17。

48 見《四書集註》，頁1；《粵東白話兩論淺解》，〈上論〉，頁3、15；《四書白話旁訓》，〈上論〉，頁1、9。

「慍，怒也。」[49]

《集注》曰：「慍，含怒意。」

《兩論》曰：「至於人家唔知到我有才學，而且我都唔**嬲怒**。」

《旁訓》曰：「人地唔知自己好又唔**嬲**。」

案：「慍」、「怒」同訓，於今義「怒」比「慍」常用，於是《兩論》選用了「嬲怒」語譯「慍」。今粵方言「嬲」表示生氣，意義與「怒」相同，故「嬲怒」起到互注的作用。此外，「嬲怒」相對「慍」而言，則用了替換的語譯方法，就《集注》的「怒」來說，便是對譯。至於《旁訓》僅以「嬲」替代「慍」。

（7）《論語．里仁》曰：「**見**不賢而內自省也。」

《兩論》曰：「**睇見**有德行嘅人。」

《旁訓》曰：「**睇見**好人。」

案：《說文》曰：「睇，目小視也。」又：「見，視也。」[50]「睇」、「見」析言有別，渾言則同，皆有看見的意思。今「睇」為粵方言詞匯，「見」是現代漢語，於《兩論》中便用「睇見」來對譯「見」。

在《兩論》中，其他例子如「利」語譯為「利便」（〈里仁〉「放於**利**而行」）；「鄰」語譯為「鄰舍」（〈里仁〉：「德不孤，必有**鄰**。」）[51]，皆是使用粵語中的同義並列複合詞對譯《論語》中語詞。從上例來看，《兩論》比起《旁訓》更多使用這種對譯方法。

2 替代語詞

替代語詞是最常用的語譯方法，與對譯不同，它是把整個語詞替換，被譯詞不必充當譯詞的構詞成分。在《兩論》中，有用現代漢語替換古語詞，

---

49 （魏）何晏等注、（宋）邢昺疏：《論語注疏》，載《十三經注疏》，冊19，頁17。

50 （漢）許慎：《說文解字》，頁73下，177下。

51 《粵東白話兩論淺解》，〈上論〉，頁14、15。

例如「抵擋」替「禦」；「窗口」替「牖」；「乾肉」替「脩」；「竹排」替「桴」；「打仗」替「戰」；「乾淨」替「潔」；「起身」替「作」等。有用粵語詞匯替換古語詞，例如「野雞乸」替「雌雉」；「籃仔」替「簞」；「瞓覺」替「寢」；「走難」替「顛沛」；「好耐」替「久」；「老豆」替「父」；「老婆」替「妻」；「大佬」替「兄」；「好彩」替「幸」；「成世」替「終身」；「番去」替「歸」；「駛乜」替「何必」；「乜誰」替「誰」等。在語詞的替換中，《集注》的訓釋條例為《兩論》提供了重要詞義參考。例如：

（1）「口丫角」替「倩」

粵語「口丫角」即嘴角[52]。《論語・八佾》曰：「子夏問曰：『巧笑**倩**兮。』」「倩」，何晏《論語集解》載「馬曰：『倩，笑貌。』」[53]《集注》則曰：「倩，好口輔也。」[54]《廣雅》釋曰：「輔謂之頰。」[55]《春秋左傳要義》曰：「頰之與輔，口旁肌之名也。」[56]「口輔」即口角邊旁部分。《兩論》參考《集注》釋義，用「口丫角」替換「倩」，並云：「個人笑得好，而且**口丫角**又好睇。」[57]比較《旁訓》用「面有微凹嘅」，「口丫角」更能準確地語譯「口輔」的語義。

（2）「五顏六色」替「犁」

粵語「五顏六色」即五光十色[58]。《論語・雍也》曰：「**犁**牛之子。」《集注》曰：「犁，雜文。」[59]犁有雜色的意思。《兩論》按照《集注》解說，以

---

52 《廣州方言詞典》，頁209。

53 （魏）何晏等注、（宋）邢昺疏：《論語注疏》，載《十三經注疏》，冊19，頁66。

54 《四書集註》，頁14。

55 （魏）張揖：《廣雅》，《景印文淵閣四庫全書》，冊221，頁450。

56 （宋）魏了翁：《春秋左傳要義》，載《景印文淵閣四庫全書》（臺北市：臺灣商務印書館，1986年，景國立故宮博物院藏本），冊153，卷14，「釋輔車相依」條，頁407。

57 《粵東白話兩論淺解》，〈上論〉，頁8。

58 《廣州方言詞典》，頁87。

59 《四書集註》，頁34。

「五顏六色」替換「犁」，並云：「譬如毛片係**五顏六色**個的犁牛，佢生的牛仔。」[60]比起《旁訓》用「雜毛牛嘅仔」[61]來語譯，「五顏六色」更見生動，容易加深學童的印象。

（3）「粗魯」替「暴」

粵語「粗鹵」形容人不斯文，無教養，急躁的樣子[62]。《論語．泰伯》曰：「斯遠暴慢也。」《兩論》語譯為：「就離遠**粗魯、放肆**嘅樣子咯。」[63]當中把「暴」、「慢」分別語譯為「粗鹵」和「放肆」，此沿自《集注》訓釋。《集注》曰：「暴，粗厲也。慢，放肆也。」[64]「暴」有急躁、剛烈的意思。《兩論》襲用「放肆」一詞，卻用「粗魯」替換「暴」。《旁訓》語譯為「就要離遠暴戾，懶慢咯」[65]。「粗鹵」比較「暴戾」，更能恰當地表達「粗厲」的意義。

《兩論》把《論語》中的古語詞語譯成粵語，雖不一定與原義完全相同，但俚語方言容易為學童婦孺受落，由此掌握《論語》經文意義，雖不至於絲毫無誤，但最低限度他們可以獲得一個大概的理解。作者友人李不懈稱此書「係本朱註而譯為俗語者，婦孺讀之，均可洞悉」[66]，此言當是。

（二）文意訓譯

1　補述語意

在語言的交際場合中，說話人往往省略不言而喻的語言成分，讓聽話

---

60 《粵東白話兩論淺解》，〈上論〉，頁21。

61 《四書白話旁訓》，〈上論〉，頁13。

62 《廣州方言詞典》，頁243。

63 《粵東白話兩論淺解》，〈上論〉，頁31。

64 《四書集註》，頁51。

65 《四書白話旁訓》，〈上論〉，頁19。

66 《粵東白話兩論淺解》，頁1。

人從上下文的提示體會出來。《論語》記載孔子和弟子或弟子之間的對答語辭，行文言簡意賅，留下不少思考空間，往往不好理解，要弄清當中義理，必須花上一番功夫。學童思辯能力有限，要求他們補述被省略的語意，顯然存在一定困難。《兩論》通過語譯補充《論語》中語焉不詳的經義，其中《集注》便成為重要參考的依據。

古今漢語句式不同，《兩論》補述由句子結構所造成的省略成分，使經文意義表達得更清楚。《論語・為政》曰：「子曰：『視其所以，觀其所由，察其所安。』」句中的「所以」、「所由」和「所安」是由指示代詞「所」組成的名詞性短語結構，「所」置在及物動詞的前面，指代的對象是多樣的，《兩論》為了使譯文的意義完整，根據《集注》說明「所」字結構所表示的事物。《兩論》曰：

> 如果一個人，想知道人家**好醜**，要先先睇吓佢所造嘅事幹，係善嘅，抑或係惡嘅。又要用意睇佢個心所從來處，係真心為善，抑或假心為善。又要細心查察佢係快樂為善，抑或勉強為善。[67]

〈為政〉中「視其所以」，《集注》曰：「以，為也。為善者為君子，為惡者為小人。」[68]當中以「善」、「惡」補述「所以」的指代對象，即表示「為善」、「為惡」的意思。據此，《兩論》採用淺白的粵語，以「好醜」語譯「善」、「惡」。粵語「好醜」有好歹的意思[69]。此外，「觀其所由」，《集注》曰：「由，從也。事雖為善，而意之所從來者有未善焉，則亦不得為君子矣。」[70]《集注》以為「所由」即是「所從是善抑或未善」，「善」和「未善」是被省略的成分，故《兩論》補述為「係真心為善，抑或假心為善」。至於「察其所安」，《集注》曰：「安，所樂也。所由雖善而心之所樂者，不在於

---

67 《粵東白話兩論淺解》，〈上論〉，頁7。

68 《四書集註》，頁9。

69 《廣州方言詞典》，頁250。

70 《四書集註》，頁9。

是，則亦偽耳。」[71]《集注》注明「所安」即是「所樂是善抑或未善」，《兩論》據之語譯為「係快樂為善，抑或勉強為善」。

補述文意不只是補足句中被省略的成分，連帶說話人的感情語態、人物動態和時態體貌等也包括在內。《論語・里仁》曰：「子曰：『參乎！吾道一以貫之。』曾子曰：『唯。』」《集注》曰：「唯者，應之速而無疑者也。」[72]因曾子默識孔子所指，故能夠迅速回答孔子，而又沒有抱有懷疑。根據《集注》注釋，《兩論》用粵語「快脆」來摹擬曾子應答孔子時的情態。《兩論》曰：「曾子應得**快脆**。」[73]粵語「快脆」有快速、快當的意思[74]。相比之下，《旁訓》語譯為「曾子話『係』」[75]，就不及《兩論》般傳神。

至於人物動態包括動作施行的程度、頻率和範圍等。例如《論語・泰伯》曰：「人而不仁，疾之已甚，亂也。」孔子用「甚」來形容厭惡的程度。《集注》釋曰：「惡不仁之人，而使之無所容，則必致亂。」[76]朱熹認為把不仁者推向天下無處容身的境地，比起「甚」更能強調厭惡的程度。《兩論》沒有從這個事例出發，卻用「太過交關」語譯「甚」的意義。《兩論》曰：「倘或憎惡佢**太過交關**。」[77]粵語「太過」已與「甚」相當，而「交關」有利害、嚴重的意義，說明「太過交關」已超出一般的厭惡程度。《旁訓》亦用「太過」語譯「甚」，「憎厭佢又已經**太過**極」[78]。

《論語》集中記錄人物之間的對答言辭，對於事件的終始本末，說話人所在的時間背景，不一定有完整的交代。《兩論》根據《集注》補述事件發生的時態和體貌。《論語・八佾》曰：「子入太廟，每事問。」《集注》曰：

---

[71] 同上，頁9。

[72] 同上，頁23。

[73]《粵東白話兩論淺解》，〈上論〉，頁15。

[74]《廣州方言詞典》，頁94。

[75]《四書白話旁訓》，〈上論〉，頁19。

[76]《四書集註》，頁52。

[77]《粵東白話兩論淺解》，〈上論〉，頁32。

[78]《四書白話旁訓》，〈上論〉，頁20。

「太廟，魯周公廟。此蓋孔子始仕之時，入而助祭也。」[79]《論語》記載孔子入周公廟時，對於禮器的種類表現得很有興趣，每事發問。由於只有魯國大夫才有資格協助魯君祭廟，故朱熹補述了孔子入廟當發生在他做官的時候。如此既交代了事件發生的時間背景，也有助理解助祭的性質。據此，《兩論》曰：「孔夫子**初初**做官入去太廟助祭。」[80]粵語「初初」是時間副詞，用來語譯《集注》中的「始」，「初初」修飾「做官」，表示開始入仕，相對於孔子日後不仕魯國的時候。至於《旁訓》就沒有注意到這一點，只語譯為：「孔子入魯大廟，每樣事情都問。」[81]

《兩論》重視動作發生的時間，也同樣兼顧到動作發生的過程，即是「體貌」；粵語的體貌助詞能夠說明動作正在進行、已經完成、多次發生或持續下去的不同情況。《論語‧雍也》曰：

> 伯牛有疾，子問之。自牖執其手，曰：「亡之命矣夫。斯人也，而有斯疾也。斯人也，而有斯疾也。」

《集注》稱孔子「故不入其室而自牖執其手，蓋與之永訣也」[82]。可見，孔子執著伯牛的手，並向他說出永訣之辭，這兩個動作是同時進行。所以，《兩論》用體貌助詞「住」加在「執」的後面，表示在孔子說話時，執手的動作狀態是保持著的。《兩論》曰：「喺在窗口外頭，執**住**佢隻手，睇完之後，發嘆就話。」[83]粵語「執」屬於保持體貌，相當於現代漢語「著」。《旁訓》譯為「由窗口揸起仍佢隻手」，就未能表示這種時態意義。又如《兩論》用體貌助詞「過」表示動作的先後次序。《論語‧憲問》曰：「陳成子弒簡公。孔子沐浴**而**朝，告於哀公曰……」《集注》曰：「是時孔子致仕居魯，沐浴

---

[79] 《四書集註》，頁16。
[80] 《粵東白話兩論淺解》，〈上論〉，頁11。
[81] 《四書白話旁訓》，〈上論〉，頁6。
[82] 《四書集註》，頁36。
[83] 《粵東白話兩論淺解》，〈上論〉，頁22。

齊戒以告君，重其事而不敢忽也。」[84]朱熹用「以」代「而」，表示「沐浴」和「朝」兩個動作的順承關係。《兩論》曰：「孔子洗**過**頭，洗**過**身，鄭鄭重重，然後入朝。」[85]粵語「過」表示經歷體貌，作用與「過」相同。《兩論》用「洗頭」、「洗身」代替「沐浴」，並用體貌詞「過」加在「洗」的後面，說明孔子經歷過這兩個動作後，接著上朝向魯哀公稟報。《旁訓》譯為「孔夫子洗頭洗身嚟上朝」[86]，就沒能強調出動作發生的先後意義。

2 補述語氣

人物語氣反映了說話人的立場、觀點、態度和感情，透過孔子與弟子之間對答時所使用的語氣，有助了解他們說話時的內心想法。在《集注》中，朱熹經常憑藉說話人的語氣來解釋經義，據此，《兩論》使用粵語語氣助詞表明說話人的語氣，使學童從日常生活慣常聽到的語氣中，感受到《論語》中各個人物在說話時的意向。

在《論語》中，說話人為了表示肯定的語氣，往往先用設問句進行提問，然後回答，由此表示對事物的肯定。《論語．泰伯》記載曾子曰：

> 可以託六尺之孤，可以寄百里之命，臨大節而不可奪也。君子人**與**？君子人**也**。

《集注》曰：「與，疑辭也。決辭設為問答，所以深著其必然也。」[87]朱熹說明曾子用了設問的方式，肯定君子的為人；「與」提出疑問，而「也」表示肯定的語氣。《兩論》語譯為：「呢的係成德君子嘅人**喇呱**？的確係成德君子嘅人**咯**！」[88]「喇呱」是粵語助詞的連用，「喇」表示勉強同意，而「呱」表示半信半疑，用於揣測性的疑問。「喇呱」表示在同意的前提下，再次提出

---

84 《四書集註》，頁99。

85 《粵東白話兩論淺解》，〈下論〉，頁21。

86 《四書白話旁訓》，〈下論〉，頁15。

87 《四書集註》，頁51。

88 《粵東白話兩論淺解》，〈上論〉，頁31。

疑問，肯定事情的必然性，反映曾子故意通過提問進一步肯定結果。至於「咯（囉）」帶有理所當然、肯定無疑的意思。《旁訓》譯為：「有本事嘅人囉。有本事嘅人亞。」[89]「囉」表示簡單，不必多說；「亞（啊）」有同意的意思，但不如「喇呱」能夠帶出疑問的語氣。

此外，《兩論》有使用粵語語氣詞補述說話人的情貌。《論語．憲問》記載孔子曰：

> 君子道者三，我無能焉。仁者不憂，知者不惑，勇者不懼。子貢曰：「夫子自道也。」

朱熹曰：「道，言也。自道猶云：『謙辭。』」[90]子貢認為孔子的說話只是謙辭。據此，《兩論》用粵語「嘅啫」來表示這種情貌，譯為：「呢的係夫子自謙**嘅啫**。」[91]粵語「嘅」表示加強肯定，有同意的色彩；「啫」有僅僅如此的意思。「嘅啫」表示「肯定只是如此」，揣測孔子必然只是謙虛而已。至於《旁訓》譯為：「孔夫子自己講謙話亞。」[92]「亞（啊）」表示同意，其必然性不如「嘅啫」強烈。

此外，《兩論》有使用人物之間的關係來理解人們說話時的態度。《論語．泰伯》記載曾子向門人所說的一番說話：

> 曾子有疾，召門弟子曰：「啟予足，啟予手。《詩》云：『戰戰兢兢，如臨深淵，如履薄冰。』而今而後，吾知免夫。小子！」

曾子認為身體受於父母，不敢有絲毫毀傷，他還以老師身分戒慎門人緊記此事。《集注》釋曰：「小子，門人也。語畢而又呼之，以致反覆叮嚀之意，其警之也深矣。」[93]朱熹認為曾子這番說話是對門人的叮囑，帶有警戒訓示的

---

89 《四書白話旁訓》，〈上論〉，頁20。

90 《四書集註》，頁101。

91 《粵東白話兩論淺解》，〈下論〉，頁22

92 《四書白話旁訓》，〈下論〉，頁16。

93 《四書集註》，頁50。

口吻。因此，《兩論》用粵語「吓（嗄）喇」補述曾子說話時的態度。《兩論》曰：「你班小子！要記緊**吓喇**。」[94]粵語「吓」帶有表示提醒的祈使語氣，而「喇」表示命令，故「吓喇」兼具提醒而帶有命令的意思，符合曾子對門人說話時的態度。至於《旁訓》譯為「你細蚊仔要記住」，便沒有添加語氣詞[95]。

最後，說話時的語言場景對人物語氣的補述也起到提示作用。在《論語・先進》「公西華侍坐」篇中，當子路講出自己的志向後，因孔子微笑應之，故輪到冉有講述志向時，他便顯得謙遜一些，稱：「如其禮樂，以俟君子。」朱熹注曰：「俟君子，言非己所能。冉有謙退，又以子路見哂，故其詞益遜。」[96]到了公西華，態度則比冉有更為謙卑。當時孔子詢問：「赤爾何如？對曰：『非曰能之。願學焉……』」朱熹釋曰：

> 公西華志於禮樂之事，嫌以君子自居，故將言己志而先為遜詞，言未能而願學也。[97]

朱熹說明公西華既不敢以君子自居，但又想透露有意從事禮樂的志向，因此，他稱自己有意學習禮樂。粵語有「下」表示婉轉的肯定，既可說明公西華當時對自己堅決學習禮樂的謙虛態度；另有「嚡」表示引起對方原先沒有留意的語氣，能夠帶出公西華雖自言不能為禮樂，卻希望引起對方注意，明白自己有此志向。《兩論》語譯為：「阿求所講的禮樂，我就唔敢話可能做得咯。但係我亦想學**吓**（下）**播**（嚡）……」[98]「下嚡」兩個語氣詞連用，正好表達公西華當時的心理狀況。

---

94 《粵東白話兩論淺解》，〈上論〉，頁31。

95 《四書白話旁訓》，〈上論〉，頁19。

96 《四書集註》，頁75-76。

97 同上，頁76。

98 《粵東白話兩論淺解》，〈下論〉，頁7。

五　結語

二十世紀初的香港，公立和私立的學校學費同樣高昂，不少適學兒童因家貧而失學，義學的出現正好為他們提供免費的就學機會。由於入讀義學子弟的水平不高，僅屬小學程度，因此，教員講授中國經典時便盡量淺白，使學生容易理解。梁應麟、黎煥星是義學教育的前線人員，深深明白學童讀經的需要，而《粵東白話論語淺解》便是專門迎合學童讀經的程度，以及提供粵東婦孺閱讀的粵譯《論語》讀本。張鐵任的《四書白話旁訓》是同時期的另一部粵譯《論語》讀本，也是專門提供私塾童蒙參考，但比較之下，則以《兩論》為優。《兩論》為了使學童掌握《論語》經義，每於章前概括出經文大義；又另置「人名表」交待書中人物身分，使學童於讀經前有初步理解，在體例上作出如此安排，足見作者用心，而《旁訓》雖詳於義訓，卻沒有考慮到學童讀經的特別需要。同時，二書雖同樣用粵語譯文，但《兩論》多用粵語中人們慣常使用的俚語俗詞對譯、替代古文，及補述句中被省略的成分，並在文中增添語氣助詞準確地交代說話人的立場、觀點、情貌等，站在學童教育而言，《旁訓》不及《兩論》般精密周詳。

經學的學術研究與課堂講學有不同重點，前者以博多為要，務必兼容諸家說法，箋注原文以探究經文本義；後者以學生學習為本，教師因應授課對象的程度，整理適合的教材，講授經文，說明經義。《兩論》的成書與課堂講學有密切的關係，反映出當時私學授經的一些情況，其運用朱熹《論語集注》作為語譯根據，避免注疏考證的困難，以淺譯深的粵譯方式，加強譯本的可讀性，在實際的教學的體驗中，作者明白這些都是學童讀經的必要條件。《兩論》的譯文也許不能滿足經義的發明，但在民國時期經學發展的轉向底下，它的成書致力為讀經團隊扶植新生的幼苗，這無疑令人鼓舞。

清末民初桐城派《孟子》文法論

——以姚永概《孟子講義》、吳闓生《孟子文法讀本》為核心

丁亞傑*

一　前言

宣統二年（1910），姚永樸（1861-1939）任京師大學堂經文科教員。民國元年（1912），京師大學堂改為國立北京大學，嚴復（1854-1921）任校長兼文科學長，因事務繁重，於是聘姚永概（1866-1923）為文科教務長，吳闓生為北京大學預科教務長。民國二年（1913），姚永樸短暫離開北京大學，是年十一月即返校任教，但姚永概則於同月離開北京大學。民國四年（1915），徐樹錚（1880-1925）在北京創辦正志中學，姚永概應聘前往任教務長。延至民國六年（1917）十一月，姚永樸也辭出北京大學，至正志中學任教[1]。

---

* 中央大學中國文學系。

[1] 詳見潘務正：〈晚清民國桐城文派年表簡編〉，《晚清民國桐城文派研究》（南京市：南京大學碩士論文，2003年5月），頁62-82。另參考張仁壽：〈姚永樸評傳〉、〈姚永概評傳〉，楊懷志、江小角編：《桐城派名家評傳》（合肥市：安徽人民出版社，2001年），頁313-323，324-342。王學勤：〈桐城姚仲實先生年譜〉，《桐城派研究》，2002年第4輯，頁63-78。楊懷志：〈姚永樸、姚永概傳略〉，楊懷志、潘忠榮編：《清代文壇盟主桐城派》（合肥市：安徽人民出版社，2002年），頁140-144。各家說法年代或有參差，潘務正是表注明原始文獻，故年代以潘表為主。姚永樸、姚永概兄弟離開北京大學，當與劉師培（1884-1919）、黃侃（1886-1935）、陳獨秀（1879-1942）、胡適

姚永概《孟子講義》即任教正志中學時所編著教材。約略與此同時，吳闓生（1877-1947）所作之《孟子文法讀本》，於民國二年（1913）經高步瀛（1873-1940）箋注刊行，並於民國十年（1921）重校再刊。

姚永樸曾於光緒十二年（1886）奉書吳汝綸（1840-1903），自承相師之意。姚永概則於光緒十八年（1892）至河北保定蓮池書院謁吳汝綸，從其治學，並奉吳汝綸之命，教其子吳闓生[2]。吳汝綸、姚永概、吳闓生輾轉相師，同有解《孟子》之作，而其解經方法，又有若合符節之處。

吳汝綸云：

> 竊謂古經簡奧，一由故訓難通，一由文章難解。馬、鄭諸儒，通訓詁不通文章，故往往迂僻可笑；若後之文士，不通訓詁，則又望文生訓，有似韓子所譏郢書燕說者。較是二者，其失維鈞。[3]

吳汝綸已指出解經之法有二：一是訓詁解經，一是文章解經。不通訓詁，則望文生訓；不通文章，則迂僻可笑。至少在此處，兩者無分軒輊。

姚永概評《孟子・滕文公上》〈滕定公薨〉章云：

（1891-1962）等人文學理念不合有關。正志中學為徐樹錚與梁士詒（1869-1933）合辦，徐樹錚為首任校長，王樹枏（1852?-1936）為首任董事長。

2 見潘務正：〈晚清民國桐城文派年表簡編〉，《晚清民國桐城文派研究》，頁70-72。另參王學勤：〈桐城姚仲實先生年譜〉，《桐城派研究》，2002年第4輯，頁64；張仁壽：〈姚永概評傳〉，楊懷志、江小角編：《桐城派名家評傳》，頁327。吳汝綸自光緒十五年（1889）起至光緒二十七年（1901）止，任蓮池書院山長。見郭立志：《桐城吳先生年譜》，卷2，《桐城吳先生全書》（臺北市：藝文印書館，1964年，《清末自著叢書初編》景印《雍睦堂叢書》本）。賀濤（?-1912年）、王樹枏、傅增湘（1872-1950）、高步瀛等，均為蓮池書院學生。光緒二十八年（1903）改為校士館，吳汝綸於次年擔任館長。光緒三十一年（1905）廢除科舉，次年袁世凱（1859-1916）再改為文學館，賀濤任館長。見河北保定蓮池書院管理處編：《蓮池書院》（北京市：方志出版社，1998年）。蓮池書院在晚清時期，與桐城派關係密切，可說是桐城派在北方的重鎮。

3 （清）吳汝綸：〈與王晉卿〉，《尺牘》（輯佚），施培毅、徐壽凱點校：《吳汝綸全集》（合肥市：黃山書社，2002年），冊3，頁615。王樹枏，字晉卿，號陶廬。

> 此章文字，以「固所自盡」四字為主，故開口先將主意標明；其後「不可以他求者也」，「是在世子」，皆一意到底，至文公深悟而曰「是成在我」，遂實行「自盡」之道。於是向之不悅者，至是「可謂曰知」矣；及四方來觀者亦皆大悅，皆是「自盡」之明效大驗。文章以此為線索，道理亦以此為根本。[4]

則明白指出義理是以文章為根本。推衍其意，要了解義理，必須先了解文章技法。文章技法是了解義理的前提條件，義理不是藉讀者思考而來，而是分析文章技法而來。

吳闓生云：

> 六經皆文也。《詩》、《書》文雖崇奧，要亦古哲所精心結譔之文字，故必以文家之義法求之，而後意緒乃能大明，而精神旨趣因以畢見，千古註疏訓詁所以罕得其真諦者，由於文法之不講故也。[5]

經典義理表出，出之以文字；既出之以文字，顯然須從文字出發，才能獲得經典所蘊含的義理。所謂文字，並不是文字學上的文字，而是文章學上的文字，文章的構造，吳闓生以「文法」名之，指作文之法，而非語言學上的文法[6]。並認為歷代解經雖眾，卻難能得到真義，正是不講文法之故。桐城派從姚鼐（1731-1815）以降的傳統是義理、辭章、考證學問三分，各有優為[7]；現在是詞章統攝義理與訓詁，詞章又歸結到文法；欲明經義，就須講求文法。

---

4 姚永概著，陳春秀點校：《孟子講義》（合肥市：黃山書社，1999年），卷5，頁81。

5 吳闓生：〈尚書大義序〉，《尚書大義》（臺北市：臺灣中華書局，1970年）。

6 文法一詞，始自（宋）謝枋得（1226-1289）：《文章軌範》，《四庫全書珍本》第11輯第199冊（臺北市：臺灣商務印書館影，1981年），尤其在卷二韓愈（768-824）〈爭臣論〉多次出現。

7 （清）姚鼐：〈述菴文鈔序〉，以義理、考證、文章為序；〈復秦小峴書〉則以義理、文章、考證為序，分見劉季高（1911-2007）點校：《惜抱軒詩文集》（上海市：上海古籍出版社，1983年），卷4，頁61；卷6，頁104。王昶（1724-1806），字德甫，號蘭泉，又號述菴；秦瀛（1748-1821），字凌滄，一字小峴，號遂菴。

其弟子曾克耑（1900-1975）亦云：

> 以其先人之說《易》、《書》高遠，不便初學，乃依其說為《周易大義》、《尚書大義》，鉤弋文句，溝通故訓，往往有三數言訓釋，釐然有當於人心，遠過經生千百言解說而人仍不能通其義者，此說經之不能不以文通之之微旨也。[8]

指出以文通經優於經生解經，其一在於文字簡明，觀吳闓生之解《孟子》，確有如此特色，以三數句點出文章精采所在，頗利讀者體會。這就轉到第二點特色，即有當人心，借由文章之美，進入經典，體會義理之深。

姚永概《孟子講義》的體例，大致就依循上述觀念安排。首先是《孟子》原文；其次是《孟子》詞義的訓詁，典制的說明，人事的介紹，義理的引述——尤以趙岐（？-201）《孟子章句》、朱子（1130-1200）《孟子集注》為多，時略出己見；最後則是文法的分析。吳闓生《孟子文法讀本》原典有高步瀛以雙行小注的形式為簡要的集解，吳闓生的評點置於書眉，類似眉批。至於內容，較之姚永概，更為純粹討論文章技法。

從吳汝綸到吳闓生，文章漸凌駕義理之上，解經以分析文法為要務，這顯然是一日益激進的講法。義理與文法之間，至少存在兩種關係，一是義理是給定的，有待分析文法理解；一是以文法解經，可以見到前賢所未理會之境。前者須論證文法解經，有助於義理了解；後者必須論證文法解經，優於傳統解經方法。亦即文章的美感與義理的抉發之間，存在何種結構的問題。本文即以姚永概、吳闓生解《孟子》的作品為對象，分析其共同的文法論，討論前述理念能否成立，其限制又何在。

---

8 曾克耑：〈桐城吳氏國學秘笈序〉，《孟子文法讀本》（臺北市：臺灣中華書局，1970年）。

二 文法的分析與文章的美感

這一文法表出的形式，其實就是傳統的「評點」。評即評論，點即標點。文本之有標點，起源甚早，用以區隔文句[9]。再細析之，標是各種符號，用以標出文本重點，點類如句讀，斷開文句。評則是立基於這些符號，說明文本精采處。其後標號與圈點合流，形成各種符號，以提示讀者文本精采處。評點依附作品實際批評，評語就在文句之間。或指出某字精警，或指出某句挺拔，或指出某章完密等。整個討論核心，是圍繞文章章法而成。所謂文章章法，也不僅指散文，涵蓋駢文、詩歌、小說、戲曲等不同文類。而其目的，主要在文章鑑賞。至其對象，不限文學作品，只要將文本視為文學作品，就可依此法討論。所以經、史、子、集等，概在評點範圍。亦即只要視文本視為文學作品，自會有一文學閱讀的方法[10]。標點雖淵源有自，但以評點鑑賞文章，卻大盛於南宋，歷經明、清而不墜。吳汝綸等人討論文章的方法，就可上溯南宋以降講求文章寫作的傳統[11]。

---

9 參見張舜徽（1911-1992）：《中國古代史籍校讀法》（臺北市：里仁書局，2000年），頁21-24。

10 龔鵬程云古文運動以後，文家論文，歸準於六經。雖說「文以載道」，所重者在道不在文，但六經文辭之美，卻得以發現並獲闡揚。見龔鵬程：〈細部批評導論〉，《文學批評的視野》（臺北市：大安出版社，1990年），頁401。張素卿云明清評點盛行，表徵文學意識的進展，整合小說、戲曲、詩、詞、古文諸文類，乃至經、史、子群書，以「文」的觀點讀之，「文」重新含攝經、史、子而形成一種普遍的文學意識。見張素卿：〈「評點」的解釋類型——從儒者標抹讀經到經書評點的側面考察〉，鄭吉雄、張寶三合編：《東亞傳世漢籍文獻譯解方法初探》（臺北市：國立臺灣大學出版中心，2008年），頁114-115。

11 評點學的淵源、發展及重要作品，詳見龔鵬程：〈細部批評導論〉，《文學批評的視野》，頁387-438；孫琴安：《中國評點文學史》（上海市：上海社會科學院出版社，1999年）；張伯偉：《中國古代文學批評方法研究》（北京市：中華書局，2002年），頁543-591；林明昌：《古文細部批評研究》（臺北市：淡江大學中文系博士論文，2002年），頁21-48；黃肇基：《鑿奧與圓照——方苞、林紓的左傳評點》（臺北市：允晨文化公司，2008年），頁24-104。各種圈點符號的使用方法，林明昌所論尤詳，見其書第四章〈古文細部批評之圈點記號〉，頁49-73。專論經書評點，詳見張素卿：

既討論文章章法，則先須析分文章構成，再檢視所以如此構成的原因，從而探究如此構成的原因與義理的關係何在。劉勰（465-522）云：「夫人之立言，因字而生句，積句而成章，積章而成篇。」[12]字句章篇為構成作品的基本因素。評點學即討論這些基本因素如何組成，成為一優秀的作品。所以本文仍以傳統方式，討論前述問題[13]。

（一）字法

在討論字法之時，姚永概關注四個層面。一是字詞在作品中的關鍵意義。如《孟子・公孫丑下》〈陳臻問曰〉章：「無處而餽之，是貨之也；焉有君子而可以貨取乎？』」姚永概云：

> 「處」字、「貨」字，是鍊字法。[14]

「處」即安居無事，「貨」即無故受財。安居無事而無故受財，無異於接受賄賂，所以孟子拒之。取與之際，就在此二字見出。孟子所重視者，在不應接受餽贈的分際，而非可以接受的狀況，所以姚永概云這是鍊字法。

又如《孟子・滕文公上》〈有為神農之言者許行〉章：「吾聞用夏變夷者，未聞變於夷者也。陳良，楚產也。悅周公、仲尼之道，北學於中國，北方之學者，未能或之先也。彼所謂豪傑之士也。子之兄弟事之數十年，師死

〈「評點」的解釋類型——從儒者標抹讀經到經書評點的側面考察〉，鄭吉雄、張寶三合編：《東亞傳世漢籍文獻譯解方法初探》，頁79-126。綜論明清士人對評點的態度，見侯美珍：〈明清士人對「評點」的批評〉，《中國文哲研究通訊》，第14卷第3期（2004年9月）。

12 （梁）劉勰著，周振甫（1911-2000）注釋：《文心雕龍注釋》（臺北市：里仁書局，1984年），頁647。

13 仇小屏不依篇章字句形式，而是將各種文章學術語，依其功能，置於秩序律、變化律、聯絡律、統一律之下，見仇小屏：《文章章法論》（臺北市：萬卷樓圖書公司，1998年）。

14 姚永概：《孟子講義》，頁64。

而遂倍之。」姚永概云：

> 「變」字、「倍」字，是眼目處。[15]

所謂眼目處，是指讀者從此可見到文章的重點。「變夷」與「變於夷」所指正好相反：一指變化蠻夷之人，一指反為蠻夷之人所化。夷夏之分，是孟子的文化選擇，變或為所變，則在是否選擇周公、孔子之道。陳良選擇周、孔，其弟子陳相於陳良去世之後，卻師事許行，背棄其師。這一背反的對象，不止指許行，更是許行所尊崇的周、孔之道。變於夷就是這一背棄的結果。

其次是字詞所涉及的義理。如《孟子．告子上》〈富歲子弟多賴〉章：「……故曰：口之於味也，有同耆焉；耳之於聲也，有同聽焉；目之於色也，有同美也焉。至於心，獨無所同然乎？心之所同然者何也？謂理也，義也。聖人先得我心之所同然耳。故理義之悅我心，猶芻豢之悅我口。」姚永概引劉大櫆（1698-1779）云：

> 劉海峰曰：「篇中『同』字十四見，是一篇之主。從物引到人身，從足引到口，從耳、目引到心，如抽蕉剝繭。」[16]

本章孟子論證人心皆悅理義，確如劉大櫆所云，先從外在之物，經由感官，再逐漸內向至心，以生理之所有，論證心理之所有。而以一「同」字，貫串全章，形成連帶的效果，令讀者一氣讀下來，不覺為孟子所說服。

又如《孟子．梁惠王下》〈齊人伐燕勝之〉章：「以萬乘之國伐萬乘之國，簞食壺漿，以迎王師，豈有他哉，避水火也。如水益深，如火益熱，亦運而已矣。」姚永概云：

> 「亦運而已矣」，句法妙絕，妙在一「運」字。此古人所謂鍊字也。[17]

---

15 姚永概：《孟子講義》，頁91。

16 姚永概：《孟子講義》，頁197。

17 姚永概：《孟子講義》，頁32。

趙岐注：「如其所患益甚，則亦運行奔走而去矣。」[18]朱子注：「運，轉也。言齊若更為暴虐，則民轉而望救於他人矣。」[19]前者指奔走逃亡，後者指轉向他人求救。兩者自是不同的情況，但在一字中可兼而有之。主事者自會有不同的體會，也會有不同的想像，行止之際，其實有所參酌。

第三是字詞與人物形象的描寫。如《孟子．梁惠王下》〈魯平公將出〉章：「魯平公將出，嬖人臧倉者請曰：『他日君出，則必命有司所之。今乘輿已駕矣，有司未知所之，敢請。』公曰：『將見孟子。』曰：『何哉君所為輕身以先於匹夫者？以為賢乎？禮義由賢者出，而孟子之後喪踰前喪。君無見焉！』公曰：『諾。』」姚永概云：

> 「魯平公將出」一「將」字，「公曰諾」一「諾」字，寫出昏庸之君，其見賢也，難而又難，毫無絕斷；其信讒也，易而又易，曾不猜疑。[20]

魯平公往見孟子，一無事前的準備，有司也不知所往，彷彿駕車隨意出遊，完全沒有拜見賢者的心態。「將」字是即將出行之意，出行而無目的，用以說明魯平公漫不經心的行為，從而得知其後漫不經心的態度。臧倉的言論，其實可以討論，但魯平公一句「諾」就採納其建議，曾無疑義，確實輕易。這些都是從外在的現象，探知其內心的世界。

又如《孟子．公孫丑上》〈伯夷非其君不事〉章：「孟子曰：『伯夷隘，柳下惠不恭。隘與不恭，君子不由也。』」姚永概云：

> 此章論斷止有四句，其實只有「隘」、「不恭」三字而已。然所以隘，所以不恭，已於敘述二人之內，摹寫十分酣足，到末一點，令人首肯。得此訣者，可以作傳狀、誌銘大手筆也。[21]

---

18 （宋）孫奭：《孟子注疏》（臺北市：藝文印書館，1982年，景印嘉慶二十年南昌府學刊《十三經注疏》本），卷2下，頁6。

19 （宋）朱子：《四書章句集注》（臺北市：大安出版社，1994年），頁307。

20 姚永概：《孟子講義》，頁37。

21 姚永概：《孟子講義》，頁58。

「隘」與「不恭」，僅是一形容詞，其功能如同姚永概所說，是最後的斷語。這一斷語，是根據先前敘述伯夷與柳下惠的性格而來。斷語是否精確，就在能否與性格相配。

不論是魯平公、伯夷或柳下惠，姚永概的評語，其實已近於小說作品中對人物的描繪，或經由言語、動作等動態描寫，或經由性格描寫，呈現人物的形象。對《孟子》的分析，不但是文章美感的分析，更接近小說人物的分析。經典閱讀，已略有小說化的傾向[22]。所以姚永概才會說掌握此技，可以作傳狀、誌銘。

雖然姚永樸嘗云文學家之別出於諸家有四，其一即小說家：「據《漢書・藝文志》，小說家蓋擯於九流之外，以為街談巷語，道聽塗說者之所造。然就其善者言之，或述見聞，智者得之，可以集思廣益。或談禍福，愚者得之，可以振聵發聾。……然及其蔽也，情鍾兒女，入於邪淫；事託鬼狐，鄰於誕妄。又其甚者，以恩怨愛憎之故，而以忠為奸，以佞為聖。諛之則頌功德，詆之則發陰私。傷風敗俗，為害甚大。」[23]但在實際批評中，仍不免與所持理論互異。根本原因，可能即與評點本身有關。評點既貼附作品分析，示讀者以規矩，揭出作品難為人知的佳妙處，於是不嫌繁瑣，逐一指點，豈能輕易放過人物的描寫，遂類同小說創作技法。

第四是用字新奇，如《孟子・盡心上》〈食而弗愛〉章：「食而弗愛，豕交之也；愛而不敬，獸畜之也。恭敬者，幣之未將者也；恭敬而無實，君子不可虛拘。」姚永概云：

> 此等當玩其造句之妙，下字之奇。「豕交」、「獸畜」、「無實」、「虛

---

22 本節所涉及小說人物的描寫，可參考方祖燊：《小說結構》（臺北市：東大圖書公司，1995年），頁345，頁397-398。姚永概所論，近於小說中「扁平人物」，即依循單純理念或性質而被創造出來的人物。見（英）佛斯特（E.M Forster，1879-1970）著，李文彬譯：《小說面面觀》（*Aspects Of The Novel*）（臺北市：志文出版社，2002年），頁92。

23 姚永樸：《文學研究法》（臺北市：廣文書局，1979年，景印民國三年〔1914〕刊本），卷1，頁17。

拘」，皆下字新奇而又的確。[24]

這種不嫌細微，從小處以見文章之妙，在具體操作時，日益求精、求細，也注意用字之新，這些新奇的字詞，可以增加文章的美感。

吳闓生論用字之處較少，而對用字新奇，則同姚永概。如《孟子．公孫丑上》〈仁則榮〉章：「今國家閒暇，及是時般樂怠敖，是自求禍也。」而云：

「求禍」二字尤奇，而「不仁辱」之旨盡矣。[25]

本章首句云：「仁則榮，不仁則辱。」孟子此意有二：不仁處就在「般樂怠敖」，辱則是自我侮辱，而非他人辱己。一般人均祈福，此則以求禍當之，所以吳闓生才說二字尤奇。

（二）句法

姚永概論究文句，分別從作品的精妙、讀者的感受分析文句特殊處。以作品精妙論，如《孟子．公孫丑下》〈孟子之平陸〉章：「孟子之平陸，謂其大夫曰：『子之持戟之士，一日而三失伍，則去之否乎？』曰：『不待三。』『然則子之失伍也亦多矣。凶年饑歲，子之民老羸轉於溝壑，壯者散而之四方者幾千人矣。』曰：『此非距心之所得為也。』曰：『今有受人之牛羊而為之牧之者，則必為之求牧與芻矣。求牧與芻而不得，則反諸其人乎？抑亦立而視其死與？』曰：『此則距心之罪也。』他日見於王曰：『王之為都者，臣知五人焉。知其罪者，惟孔距心。為王誦之。』王曰：『此則寡人之罪也。』」姚永概云：

「此非距心之所得為也」、「此則距心之罪也」、「此則寡人之罪也」三

---

24 姚永概：《孟子講義》，頁241。

25 吳闓生：《孟子文法讀本》，卷2，頁8。

句乃文中筋節，不可忽過。[26]

前二句是孟子步步進逼，平陸大夫距心不得不承認自己的錯誤；最後導致齊王也不得不承認自己的錯誤。距心主事，人民流離失所，卻無所作為。而會導致距心最初不承認錯誤，則在人民所以流離失所，其實就是齊王主政下的現象。齊王一則失政，二則失察。失政之罪，可能較失察更甚。

再如《孟子．告子下》〈丹之治水也愈於禹〉章：「白圭曰：『丹之治水也愈於禹。』孟子曰：『子過矣。禹之治水，水之道也。是故禹以四海為壑。今吾子以鄰國為壑。水逆行，謂之洚水——洚水者，洪水也——仁人之所惡也。吾子過矣。』」姚永概云：

「是故」二句，奇警之至，禹功丹罪，斷得分明。凡論之文，必不可無精語，否則令人昏昏欲睡也。[27]

所稱「奇警」之句，就是「以四海為壑，以鄰國為壑」二句。不但本此斷定是非，更本此斷定文章高下。就姚永概評語而論，文章優劣，可能高於是非判斷。這在下例，更是明顯。

如《孟子．盡心上》〈天下有道〉章：「孟子曰：『天下有道，以道殉身；天下無道，以身殉道。未聞以道殉乎人者也。』」姚永概云：

三句，句句錘鍊，自造偉辭。[28]

「自造偉辭」出自《文心雕龍．辨騷》：「觀其骨鯁所樹，肌膚所附，雖取鎔經旨，亦自鑄偉辭。」[29]就劉勰所指，「自鑄偉辭」重於「取鎔經旨」。姚永概

---

26 姚永概：《孟子講義》，頁241。

27 姚永概：《孟子講義》，頁221。

28 姚永概：《孟子講義》，頁221。

29 （梁）劉勰著，周振甫注釋：《文心雕龍注釋》，頁64。范文瀾（1893-1969）引黃侃云：「二說最諦。異於經典者，固由自鑄其詞；同於風雅者，亦再經鎔鍊，非徒貌取而已。」見范文瀾：《文心雕龍注》（臺北市：臺灣開明書店，1981年），卷1，頁34。黃侃所說，也在於文詞的創造。

引此，並加上「句句錘鍊」，其意顯然可見。

以讀者感受論，如《孟子・離婁上》〈不仁者〉章：「孔子曰：『小子聽之！清斯濯纓，濁斯濯足矣，自取之也。』夫人必自侮，然後人侮之；家必自毀，而後人毀之；國必自伐，而後人伐之。〈太甲〉曰：『天作孽，猶可違；自作孽，不可活。』此之謂也。」姚永概云：

> 此章要旨在「自取之也」一句，下文連點三「自」字，引〈太甲〉曰，亦重在「自作孽」句。[30]

「自取之也」是結論，以下三「自」字，才是發生的原因。一氣讀下，似是理所當然，而不會考慮其他原因。「自」是自己所引發，讀者在閱讀時，這一自字更能與讀者結合，變成「我」字，於是「自取之也」成為「我取之也」，而予讀者自我警惕。警惕讀者，是姚永概評點時注意所在。

如《孟子・離婁上》〈規矩方員之至也〉章：「暴其民甚，則身弒國亡，不甚，則身危國削，名之曰『幽』、『厲』，雖孝子慈孫，百世不能改也。《詩》云：『殷鑒不遠，在夏后之世。』此之謂也。」姚永概云：

> 此章「名之曰『幽』、『厲』」二句，是就君子之名譽言，皆危迫悚切之辭。而惡名一加，萬古不改，所以警人君者尤深至。[31]

從「名譽」以「教戒」後世，所著重者，是文字的社會功能。一生的行為，以文字彰顯，一生的功過，亦以文字判斷，這即是謚號的功能[32]。其異在謚號固以文字為之，姚永概此論則擴及到文章。相同之處，都在藉文字以理解一個人「行為的世界」[33]，而有一最終的判定。

---

30 姚永概：《孟子講義》，頁118。

31 姚永概：《孟子講義》，頁114。

32 汪受寬云謚號是根據人一生的行為，參考謚法規定而決定。這是對死者的重新排隊。見《謚法研究》（上海市：上海古籍出版社，1995年），頁264。一個人的最終判斷，是在身後而非生前。

33 此採徐復觀（1903-1982）用語。徐復觀區別西方邏輯與中國名學之異，指出邏輯抽再如《孟子・盡心下》〈吾今而後知殺人親之重也〉章：「孟子曰：『吾今而後知殺人親之重也：殺人之父，人亦殺其父；殺人之兄，人亦殺其兄。然則非自殺之也？一間耳。』」姚永概云：

> 起筆故作恍然大悟之情，收筆乃為深刻入骨之語，方令聞者驚心動目。[34]

當文章評點從作品的分析轉換至讀者的感受時，即已隱約甚或明示代為作者說明，至其說明的內容，則非指作品內涵，而是指作品技法。論「起筆」、「收筆」，就是指出文章如何表達。並期望這一說明，能影響讀者的認知與行為。令「聞者驚心動目」，則是這一期待[35]。此時文章約略有經世的意義，藉由閱讀行為，重新認知世界，甚或能改變世界。

與姚永概不同，吳闓生仍將焦點注意在文本上。如《孟子・告子下》〈魯欲使慎子為將軍〉章：「魯欲使慎子為將軍。孟子曰：『不教民而用之，謂之殃民，殃民者，不容於堯舜之世。一戰勝齊，遂有南陽，然且不可。』……『今魯方百里者五，子以為有王者作，則魯在所損乎？在所益乎？徒取諸彼以與此，然且仁者不為，況於殺人以求之乎？君子之事君也，務引其君以當道，志於仁而已。』」姚永概引吳闓生評語：

> 「一戰」三句，每句四字，止十二字耳，而奇肆駿傑，理得事順，足見筆力之強。「子以為」三句，治平之略，偶然一露。「徒取」二

掉經驗的具體事實，以發現純思維的推理形式。名學則是扣緊經驗的具體事實，或扣緊意指的價值要求，以求人的言行一致。邏輯所追求是思維的世界，名學所追求的是行為的世界。詳見徐復觀：《公孫龍子講疏》（臺北市：臺灣學生書局，1976年），頁7。龔鵬程更進一步指出，所謂的名，就是指字。詳見龔鵬程：〈深察名號：哲學文字學〉，《文化符號學》（臺北市：臺灣學生書局，1992年），頁135-137的分析。

34 姚永概：《孟子講義》，頁249。

35 龔鵬程指出評點與新批評不同之處有三：作品不是先驗的存在，而是經由讀者想像力重建的客體；讀者所以能經由想像力重建作品的意義，是建立在中國哲學肯定的心的普遍性；批評者也非追溯作者原意，而是在發明作意。參見龔鵬程：〈細部批評導論〉，《文學批評的視野》（臺北市：大安出版社，1990年），頁435-437的分析。

> 句，拗折一筆，意乃深至。[36]

吳闓生並未指出「治平之略」的具體內容，僅僅是「說出」從此處可見出治平之略。其後的「拗折」是指未直接回答「魯在所損乎？在所益乎」這一問題，反而轉到取齊之地以益魯國之非，從而導出不應與齊戰之意。吳闓生雖說「意乃深至」，其實是讓讀者「體會」這一深意，其本人並未對此深意多所著墨，用力處在此深意的表達方式。

《孟子．萬章下》〈士之不託諸侯〉章：「孟子曰：『悅賢不能舉，又不能養也，可謂悅賢乎？』曰：『敢問國君欲養君子，如何斯可謂養矣？』曰：『……堯之於舜也，使其子九男事之，二女女焉，百官牛羊倉廩備，以養舜於畎畝之中，後舉而加諸上位。故曰王公之尊賢者也。』」姚永概引吳闓生評語：

> 注意在「舉加上位」一句，與上「悅賢不能舉」相應，此鱗爪之一露也，他皆雲煙耳。[37]

「後舉而加諸上位」與「悅賢不能舉」前後相呼應，意指悅賢不但能舉，且須加諸上位，這才是悅賢之道。但是一意思，吳闓生並未明說，僅說與上相應，再加重語氣說其他（文字）皆雲煙。

（三）章法

析論章法，姚永概注意文章的層次，即各段文句的組成。如《孟子．告子下》〈古之君子〉章：「陳子曰：『古之君子，何如則仕？』孟子曰：『所就三，所去三。迎之致敬以有禮，言將行其言也，則就之；禮貌未衰，言弗行也，則去之。其次，雖未行其言也，迎之致敬以有禮，則就之；禮貌衰，則去之。其下，朝不食，夕不食，飢餓不能出門戶；君聞之，曰：「吾大者

---

36 姚永概：《孟子講義》，頁217。並見吳闓生：《孟子文法讀本》，卷6，頁19。

37 姚永概：《孟子講義》，頁183。並見吳闓生：《孟子文法讀本》，卷5，頁20。

不能行其道，又不能從其言也，使飢餓於我土地，吾恥之。」周之，亦可受也，免死而已矣。』」姚永概云：

> 先以兩句總括下文，即以三段分承之，章法與〈五霸〉章相同。[38]

章法與〈五霸〉同，是指：「先總攝後意論斷以冠全章，而後逐段分疏，便不必再加收束，又是一種章法。」[39]亦即預先將答案說出，然後再說明理由。這在文章寫作，是較為常用的技法。

再如《孟子・公孫丑上》〈夫子加齊之卿相〉章：「『昔者竊聞之：子夏、子游、子張皆有聖人之一體，冉牛、閔子、顏淵則具體而微，敢問所安。』曰：『姑舍是。』曰：『伯夷、伊尹何如？』曰：『不同道。非其君不事，非其民不使，治則進，亂則退，伯夷也。何事非君？何使非民？治亦進，亂亦進，伊尹也。可以仕則仕，可以止則止，可以久則久，可以速則速，孔子也。皆古聖人也。吾未能有行焉，乃所願，則學孔子也。』」姚永概云：

> 後半文字，孔子乃一正面大主人，卻又請出子夏、子游、子張、冉牛、閔子、顏淵以及伯夷、伊尹許多人來作陪客，於文字乃有興會，然亦是孔子難以形容，非借他人來作襯，無以描擬得出故耳。[40]

這是以客襯主，在文章寫作中，也是較常用的技法。但姚永概指出本章用此技法的原因，是孔子難以形容，非借他人比較，才能見出孔子之偉大，頗具慧見。

最為精采的是對文章層次的分析，如《孟子・公孫丑下》〈孟子將朝王〉章，姚永概云：

---

38 姚永概：《孟子講義》，頁222-223。

39 姚永概：《孟子講義》，頁216。所謂〈五霸〉章是指《孟子・告子下》：「孟子曰：『五霸者，三王之罪人也。今之諸侯，五霸之罪人也。今之大夫，今之諸侯之罪人也。』」

40 姚永概：《孟子講義》，頁49。

> 前段是敘事，情節甚繁，而能曲折如意，所以為難。「王使人來曰」，及孟仲子對答，詞意均妙。古人立言，委婉如此。中段因景子言敬，孟子答以敬王之道。「齊人無以仁義與王者言」以下，突兀離奇，筆筆跳脫，此等心思，能寫出極不易。人人胸胸中所有，卻是人人筆下所無，須玩味之。後段因景子言禮，而告以不召之臣。「天下有達尊三」以下，生氣勃勃，噴薄而出。凡五層轉折，忽起忽落，蔚為奇觀。[41]

本章三段五層，第一段是敘述齊王召見孟子，第二段是景子與孟子討論敬王之道，第三段是景子與孟子討論禮。所說五層轉折，是指王使人來曰、孟仲子對曰、齊人無以仁義與王者言、天下有達尊三，四句之間，有五層變化。而這些轉折，目的就是針對「敬王之道」的答案。一般作法，可能僅對問題回答，但在本篇，經過層層轉折，最後導出「以仁義與王者言」才是真正的敬王之道。姚永概確能指出這些轉折點，讀者從而能欣賞文章的層次變化。

吳闓生集中在文章的轉折。如《孟子．公孫丑下》〈沈同以其私問曰〉章：「或問曰：『勸齊伐燕，有諸？』曰：『未也。沈同問：「燕可伐與？」吾應之曰：「可。」彼然而伐之也。彼如曰：「孰可以伐之？」則將應之曰：「為天吏則可以伐之。」今有殺人者，或問之曰：「人可殺與？」則將應之曰：「可。」彼如曰：「孰可以殺之？」則將應之曰：「為士師則可以殺之。」今以燕伐燕，何為勸之哉？』」吳闓生云：

> 通篇「以燕伐燕」一句為主，蓄而不露，至末始行頓出。全章之文全為此句作勢而已，可悟作文之法，前文未盡之意於此折出。不曰天子可以伐之，其固已無天子也。[42]

本章重點是「以燕伐燕」，而以「頓出」、「折出」說明。頓是頓住，文字於此停頓，折是轉折，文意於此帶出。但本篇文字之停頓，並不在前章，而在

41　姚永概：《孟子講義》，頁62-63。本章文長不錄。

42　吳闓生：《孟子文法讀本》，卷2，頁17。

此章，所以吳氏云至末始行頓出。以燕伐燕雖云頓住，其意卻不頓住，反而是溯回答前章的問題，此之謂折出[43]。吳氏所云，重在全篇所欲指出的重點，及表出此重點的方法。

（四）篇法

文章雖云由字句章篇所構成，但在實際寫作時，可能正是從篇章句字倒而為之。所以呂祖謙（1137-1181）云看文字第一看大概主張，第二看文勢規模，第三看綱目關鍵，第四看警策句法[44]。其後歸有光（1506-1571）完全承此見解[45]。宋文蔚也以造意、謀篇、布局、分段、運調、音節、運典、脩辭、鍊句、鍊字十項為序，以指陳作文之法[46]。於是會有一些文章技法，貫穿於篇章句字之中，將不同的文句組成，聯結為一整體。

如《孟子‧離婁上》〈天下大悅而將歸己〉章：「孟子曰：『天下大悅而將歸己，視天下悅而歸己，猶草芥也，惟舜為然。不得乎親，不可以為人；不順乎親，不可以為子。舜盡事親之道，而瞽瞍厎豫。瞽瞍厎豫而天下化；瞽瞍厎豫而天下之為父子者定。此之謂大孝。』」姚永概云：

> 第一句憑空突兀，說一「天下之大悅而將歸己」；第二句乃說「視猶草芥」，猶未知何人也；第三句乃說出舜，猶不知何以視天下歸悅，猶草芥之故也；以下四句乃說出，「不順乎親」云云，所謂全用逆

---

43 （清）宋文蔚（1854-1936）討論「頓折」云：「其用法宜先從題之各面生情，用筆頓住，然後再用折筆折到本題。則筆愈曲調愈調矣。」見（清）宋文蔚編：《評註文法津梁》（臺北市：蘭臺書局，1983年），冊中，頁57-59。

44 （宋）呂祖謙：《古文關鍵》（臺北市：鴻學出版公司，1989年，景印清江蘇書局刻本），卷上，頁1。

45 （明）歸有光：〈歸震川先生總論看文字法〉，《文章指南》（臺北市：廣文書局，1972年），頁1。

46 （清）宋文蔚：〈編輯大意〉，《評註文法津梁》，頁1。

筆。[47]

所稱「逆筆」，是指從後往前，先道出整篇文章的結論，再節節進逼，從此結論往前不斷追溯，最後才讓讀者理解何以如此。吳闓生則云：

起句突然而來，奇橫無比，再用逆接，以如此雄駭之勢，一句撇卻，尤為振古奇觀。[48]

起句奇橫雄駭指「視天下悅而歸己，猶草芥也」，「不得乎親，不可以為人；不順乎親，不可以為子」則是逆接，在說明何以如草芥的原因。姚永概之逆筆，就是吳闓生之逆接。再如《孟子·梁惠王下》〈文王之囿〉章：「齊宣王問曰：『文王之囿，方七十里，有諸？』孟子對曰：『於傳有之。』曰：『若是其大乎？』曰：『民猶以為小也。』曰：『寡人之囿，方四十里，民猶以為大，何也？』曰：『文王之囿方七十里，芻蕘者往焉，雉兔者往焉。與民同之，民以為小，不亦宜乎！臣始至於境，問國之大禁，然後敢入，臣聞郊關之內，有囿方四十里，殺其麋鹿者如殺人之罪。則是方四十里為阱於國中，民以為大，不亦宜乎！』」吳闓生云：

「臣始至於境」句逆接。[49]

逆接或逆筆，都是先提出令人訝異的問題，而後再逐步說明問題背後隱含的價值判斷，讓讀者恍然大悟，進而拍案稱奇。這一技法，關鍵並不在形式，而在句子本身能否驚人耳目，如能驚人耳目，配合這一技法，就會有極佳的效果。

相同的例證如《孟子·盡心上》〈易其田疇〉章：「孟子曰：『易其田

---

47 姚永概：《孟子講義》，頁131。本句原書標點為：「第三句乃說出舜猶不知何以視天下歸悅猶草芥之故也；以下四句乃說出『不順乎親』云云……。」似有誤，改標點如上引文。

48 吳闓生：《孟子文法讀本》，卷4，頁10。

49 吳闓生：《孟子文法讀本》，卷1，頁13。

疇，薄其稅斂，民可使富也。食之以時，用之以禮，財不可勝用也。民非水火不生活，昏暮叩人之門戶，求水火，無弗與者，至足矣。聖人治天下，使有菽粟如水火。菽粟如水火，而民焉有不仁者乎？』」姚永概云：

> 「民非水火」以下，筆筆逆入，句句提起，與「天下大悅而歸於己」數句，正復一律。[50]

都是先指出現象，再逐步說明有此現象的原因。雖是「筆筆逆入」，卻是「句句提起」，逆入是由後往前進入，提起是借著由後往前的筆法，說出理由所在。以水火喻菽粟，以最常見的日常事物，比喻日常生活必需品，這即是前述所云造句要出奇，否則儘有此技法，文章也難以動人。

吳闓生也極重視這一技法，其程度較之姚永概有過之而無不及。其常用術語除上析逆接外，尚有「逆勢」、「逆筆」、「逆勢轉接」、「逆攝硬轉」、「逆振」、「逆提」等。

吳闓生對「逆」的解釋見《孟子・離婁上》〈自暴者〉章：「孟子曰：『自暴者，不可與有言也；自棄者，不可與有為也。言非禮義，謂之自暴也；吾身不能居仁由義，謂之自棄也。』『仁，人之安宅也；義，人之正路也。曠安宅而弗居，舍正路而不由，哀哉！』」吳闓生云：

> 起用逆勢。末言自暴自棄之由，直從自暴句起，然後再申釋之，便是逆。[51]

這一說法，與姚永概全同，可說是兩人的共同認知。文章技法的名稱，形成一專門術語，而由於有共同認知，所以也無須對該術語做一定義式的說明，而逕以各該術語直接分析文章。由此可以推斷，這些文章技法，是其時桐城學者在解析文章時的共感共知。重視逆的寫作，從而發展以逆為思考對象的各種技法。

50　姚永概：《孟子講義》，頁234。

51　吳闓生：《孟子文法讀本》，卷4，頁5。

如《孟子・公孫丑上》〈尊賢使能〉章：「孟子曰：『……信能行此五者，則鄰國之民仰之若父母矣。率其子弟攻其父母，自有生民以來未有能濟者也。如此則無敵於天下。無敵於天下者，天吏也。然而不王者，未之有也。』」吳闓生云：

> ……然後倒入「無敵於天下」，從「無敵於天下」倒入「天吏」，從「天吏」倒入王道，全取逆勢。[52]

「倒入」是指一句與另一句的逆向聯接而言，「逆勢」指全章均採這一技法。即倒入是部分的句子構成，逆勢則是全篇文句均如此構成。以倒入說明逆勢，更可理解逆接的筆法。

再如《孟子・梁惠王下》〈所謂故國者〉章：「（孟子）曰：『左右皆曰賢，未可也；諸大夫皆曰賢，未可也；國人皆曰賢，然後察之；見賢焉，然後用之。左右皆曰不可，勿聽；諸大夫皆曰不可，勿聽；國人皆曰不可，然後察之；見不可焉，然後去之。左右皆曰可殺，勿聽；諸大夫皆曰可殺，勿聽；國人皆曰可殺，然後察之；見可殺焉，然後殺之。故曰國人殺之也。如此，然後可以為民父母。』」吳闓生云：

> 此下三段皆突然而起，峭折勁絕。凡用筆突然而起，皆善於作逆勢者。[53]

突然而起能說明何謂逆勢，主要的因素均是乍讀之下，文句令人震懾，不知其所以。隨著閱讀時間延長，了解令人震懾之因，其震懾之心於是漸次平復。

又如《孟子・滕文公下》〈景春曰〉章：「景春曰：『公孫衍、張儀豈不誠大丈夫哉？一怒而諸侯懼，安居而天下熄。』孟子曰：『是焉得為大丈夫乎？子未學禮乎？丈夫之冠也，父命之；女子之嫁也，母命之，往送之門，

---

52 吳闓生：《孟子文法讀本》，卷2，頁33。

53 吳闓生：《孟子文法讀本》，卷1，頁18。

戒之曰：「往之女家，必敬必戒，無違夫子。」以順為正者，妾婦之道也。居天下之廣居，立天下之正位，行天下之大道；得志與民由之，不得志，獨行其道；富貴不能淫，貧賤不能移，威武不能屈，此之謂大丈夫。』」吳闓生云：

> 「子未學禮乎」，接得不測，用逆筆之妙也。[54]

與上述同，「逆筆」在在以令讀者意想不到的文句，直中問題的核心，再逐步說明答案，用以說服讀者。

逆筆又有另一用法，如《孟子・滕文公下》〈匡章曰〉章：「孟子曰：『於齊國之士，吾必以仲子為巨擘焉。雖然，仲子惡能廉？充仲子之操，則蚓而後可者也。夫蚓上食槁壤，下飲黃泉。仲子所居之室，伯夷之所築與？抑亦盜跖之所築與？所食之粟，伯夷之所樹與？抑亦盜跖之所樹與？是未可知也。』」吳闓生云：

> 「蚓而後可」，奇語突接，令人不解所謂，至後半始敘明之。章法前虛後實，亦用逆筆之妙也。[55]

凡「突然而起」、「接得不測」、「奇語突接」，均在指出逆筆所造成的驚異效果。「前虛後實」則似擬喻，以一故事為始——而非一觀念或議論，帶出其後所欲點出的主題。

至如《孟子・離婁上》〈不仁者〉章：「孟子曰：『……夫人必自侮，然後人侮之；家必自毀，而後人毀之；國必自伐，而後人伐之。〈太甲〉曰：「天作孽，猶可違；自作孽，不可活。」此之謂也。』」吳闓生云：

> 主意在「夫人必自侮」數句。先逆提一段議論，倒置篇首，使人不知何而來，但覺浩氣橫空，無可踪跡。[56]

---

[54] 吳闓生：《孟子文法讀本》，卷3，頁15。

[55] 吳闓生：《孟子文法讀本》，卷3，頁23。

[56] 吳闓生：《孟子文法讀本》，卷4，頁4。

所釋「逆提」甚為清晰：預設一前提，這一前提或是行為規範，或是價值標準。並將這些內容，先置於文章之首，初未有任何說明。待文章逐漸展開，這些規範或標準也才逐漸建立。亦即文章開展與義理成立，是互為因果的過程。在開展的過程中，讀者可理解義理的內涵。

又如《孟子．離婁下》〈君子所以異於人者〉章：「是故君子有終身之憂，無一朝之患也。乃若所憂則有之。舜人也，我亦人也；舜為法於天下，可傳於後世，我由未免為鄉人也，是則可憂也。憂之如何？如舜而已矣。若夫君子所患則亡矣。非仁無為也，非禮無行也。如有一朝之患，則君子不患矣。」吳闓生云：

> 「是故君子有終身之憂」兩句逆提，「乃若所憂則有之」再用逆筆。「非仁無為也」二句逆接。[57]

根據前析，「逆提」是置於篇首，而有引領全篇的作用。應用在此處「逆提」是指先提出價值標準，繼而提出這一價值標準所隱含的最高原則。「逆筆」則指出這一最高原則的具體內容或對象。「逆接」說明所以接受最高原則的具體內容或對象的原因。

逆又可與轉聯結，如《孟子．公孫丑上》〈夫子當路於齊〉章：「齊人有言曰：『雖有智慧，不如乘勢；雖有鎡基，不如待時。』」吳闓生云：

> 數語承上啟下，逆攝硬轉，為一篇之關鍵。後半便可放筆為之。[58]

攝是含攝，含攝其前的分析，並先提出答案，是謂「逆攝」。轉是兩相比較，選擇其中之一，以為行為的準據。待選的各選項，並無優劣正誤之分，只是在當下的情境，所能為最佳的選擇，所以謂之硬轉。由於是含攝其前，並轉接其後，是以吳闓生以承上啟下當之。

再如《孟子．梁惠王上》〈叟不遠千里而來〉章：「孟子見梁惠王，

---

57 吳闓生：《孟子文法讀本》，卷4，頁17-18。

58 吳闓生：《孟子文法讀本》，卷2，頁26。「逆攝」另見《孟子文法讀本》，卷3，頁8。

王曰：『叟！不遠千里而來，亦將有以利吾國乎？』孟子對曰：『王何必曰「利」？亦有「仁義」而已矣。王曰「何以利吾國？」大夫曰「何以利吾家？」士庶人曰「何以利吾身？」上下交征利，而國危矣。萬乘之國，弒其君者，必千乘之家；千乘之國，弒其君者，必百乘之家。萬取千焉，千取百焉，不為不多矣。苟為後義而先利，不奪不饜。未有「仁」而遺其親者也；未有「義」而後其君者也。王亦曰「仁義」而已矣，何必曰「利」？』」吳闓生云：

> 此章通體皆用逆勢轉接……。「王曰何以利吾國」、「萬乘之國，弒其君者」、「未有仁而遺其親者也」三段，皆無所因，平地特起……。「未有」二句逆提，雋敏簡淨，收異常斬截。[59]

逆勢一如前析，非到最後，不提出預設的答案，以收說服之效。轉接是指從國君到大夫再到士庶人，都在問相同的問題，從國君轉到他人。逆提則是在一句之中，以雙重否定語，達到肯定的結論。

姚永概針對逆的技巧云：

> 凡文字順筆最平，逆筆最奇。順筆最易為，而難於出色；逆筆最難下，而易驚人。作人最宜順，萬不可逆；而作文卻不宜順，以逆為貴。[60]

作人與作文分科，順、逆一方面是人倫標準，另一面卻是藝術標準。就人倫標準而言，可順不可逆；就藝術標而言，宜逆不宜順。已指出人倫之道與文藝之術，各有規範，不可相混。

吳闓生則完全不考慮人與文章之異同，《孟子．公孫丑上》〈矢人豈不仁於函人哉〉章：「孟子曰：『矢人豈不仁於函人哉？矢人惟恐不傷人，函人惟恐傷人。巫匠亦然。故術不可不慎也。』」吳闓生云：

---

59 吳闓生：《孟子文法讀本》，卷2，頁10。

60 姚永概：《孟子講義》，頁53。

> 起句飄忽而入，令人不知所謂。用逆之妙，一至於此。復引巫匠證之，以厚集其勢，然後落到慎術，票姚雋偉可喜。[61]

以「用逆之妙」形容文章之美，亦即在順逆問題上，雖未必反對甚且贊成姚永概所提的人倫標準，但在討論文章時，確只論及藝術標準。較姚永概更注意文章的美感，或者說在藝術問題上，較姚永概更為激進[62]。

《孟子・盡心上》〈舜之居深山之中〉章：「孟子曰：『舜之居深山之中，與木石居，與鹿豕遊，其所以異於深山之野人者幾希。及其聞一善言，見一善行，若決江河，沛然莫之能禦也。』」姚永概云：

> 一抑一揚，遂將聖人精神寫得栩栩欲活，由其學識之高，亦由筆力之妙。[63]

抑是貶抑，揚是頌揚。兩者交互為用，可增文章之姿。舜與野人並列，從其生活環境論較，舜與野人無異，這是抑。但對善的嚮往，則大異於野人，這是揚。在抑揚的對比中，見出所欲討論對象的特殊之處。這僅是簡單的抑揚兩相對比。

複雜者如《孟子・萬章下》〈敢問不見諸侯何義也〉章：「萬章曰：『敢問不見諸侯何義也？』孟子曰：『在國曰市井之臣，在野曰草莽之臣，皆謂庶人。庶人不傳質為臣，不敢見於諸侯，禮也。』萬章曰：『庶人，召之役，則往役；君欲見之，召之，則不往見之，何也？』曰：『往役，義也；往見，不義也。』……（孟子）曰：『繆公亟見於子思，曰：「古千乘之國以友士，何如？」子思不悅，曰：「古之人有言曰『事之云乎』，豈曰友之云乎？」子思之不悅也，豈不曰：「以位，則子，君也，我，臣也，何敢與君

---

61 吳闓生：《孟子文法讀本》，卷1，頁1。用逆之妙另見《孟子文法讀本》，卷5，頁21。

62 （清）宋文蔚云：「作文謀篇，首貴取勢，其法莫妙於用逆。」又云：「用逆之法，或先探下意作翻，逆折而入；或從題之反面逆翻，再用順承撥轉，則氣勢倍增，篇法自然不平。」見《評註文法津梁》，冊上，頁60。

63 姚永概：《孟子講義》，頁231。

友也？以德，則子事我者也，奚可以與我友？」千乘之君求與之友，而不可得也，而況可召與？齊景公田，招虞人以旌；不至，將殺之。』……（萬章）曰：『敢問招虞人何以？』曰：『以皮冠。庶人以旃，士以旂，大夫以旌。以大夫之招招虞人，虞人死不敢往；以士之招招庶人，庶人豈敢往哉？況乎以不賢人之招招賢人乎？欲見賢人而不以其道，猶欲其入而閉之門也。夫義，路也；禮，門也。惟君子能由是路，出入是門也。』……萬章曰：『孔子「君命召，不俟駕而行」。然則孔子非與？』曰：『孔子當仕有官職，而以其官召之也。』」姚永概引劉大櫆云：

> 以「德」、「位」二字作主。德字是正，位字借作波瀾，而起伏抑揚，全取位字為妙用。庶人不傳質，一抑；往役，二役；何敢與君友，三抑；虞人不敢受大夫之招，庶人不敢受士之招，四抑；君命召不俟駕，五抑。得此五抑，遂使行文詭譎變化。[64]

此處之抑揚與上述略有不同。上例有具體的對象，且對其行為評論；此例是泛論，並不在評論具體對象。上例較重在評論者加諸在被評論者之上；此例則較著重評論者自身的出處。上例之抑，只有貶義；此例之抑，則依行為者身分而定。在劉大櫆的分析，德是揚，是正；位是抑，是借。但在作品中，正好相反，只見連續五抑，在說明依身分的差別，而有不同的禮儀。但就德而言，則完全無預於身分之異，超越地位而有更高的價值。抑的次數愈多，隱藏在字裏行間的德，其地位就愈益崇高。

《孟子．滕文公上》〈有為神農之言者許行〉章：「吾聞用夏變夷者，未聞變於夷者也。陳良，楚產也；悅周公、仲尼之道，北學於中國，北方之學者，未能或之先也。彼所謂豪傑之士也。子之兄弟事之數十年，師死而遂倍之。」吳闓生云：

> 「彼所謂豪傑之士也」句一揚，下三句乃痛抑之。揚之者所以為抑落

---

64 姚永概：《孟子講義》，頁185。

作勢也。[65]

此例亦有具體的對象，但卻是同一人，據其前後的理念與行為，而有優劣的判斷。吳闓生並有理論分析：揚之者所以為抑作勢。其實也可反過來說：抑之者所以為揚作勢。所以抑揚不僅是兩相對比，從而有優劣之分，更在於從抑導出揚，或從揚導出抑。這一技法，可令文章從靜態的對比，轉向動態的呈現。

《孟子．萬章下》〈齊宣王問卿〉章：「齊宣王問卿。孟子曰：『王何卿之問也？』王曰：『卿不同乎？』曰：『不同，有貴戚之卿，有異姓之卿。』王曰：『請問貴戚之卿。』曰：『君有大過則諫，反覆之而不聽，則易位。』王勃然變乎色。曰：『王勿異也。王問臣，臣不敢不以正對。』王色定，然後請問異姓之卿。曰：『君有過則諫，反覆之而不聽，則去。』」吳闓生云：

特言卿有兩等耳。而筆勢抑揚，遂覺意味不盡。[66]

這與上例有類同之意，前者是對象同一，但前後行為有差異，據此而有抑揚；後者是職務同一，但血緣身分有不同，據此而有抑揚。

抑揚主要是針對人物，或是其行為，或是其身分。人物可以兩相對比，也可集中在一人[67]。

《孟子．梁惠王下》〈齊宣王見孟子於雪宮〉章：「齊宣王見孟子於雪

---

65 吳闓生：《孟子文法讀本》卷3，頁11。

66 吳闓生：《孟子文法讀本》卷5，頁22。

67（明）歸有光〈文章體則〉「抑揚則」針對人事立論：「人非聖人，熟能無過。苟非全惡，未必非無一長可取。故論人者，雖不可恕人之惡，亦不可沒人之善。抑而須揚，揚而須抑，方為公論。」接著並指出抑揚之法有五：先抑後揚、先揚後抑、抑揚並用、揚中之抑、抑中之揚。見《文章指南》，頁9。（清）宋文蔚則以為人與事俱可有抑揚：「凡論人之美惡，與事之成敗，其是非得失，必與其人其事相稱，否則非失之太過，即失之不及。作文遇此種題，當知用筆抑揚之法。」見《評註文法津梁》，冊中，頁52。魏飴則以為欲揚先抑廣泛運用於散文創作。見魏飴：《散文鑑賞入門》（臺北市：萬卷樓圖書公司，1989年），頁145。仇小屏從理論與實例，歷論古今對抑揚的分析，詳見仇小屏：《文章章法論》，頁291-306。

宮。王曰：『賢者亦有此樂乎？』孟子對曰：『有。人不得則非其上矣。不得而非其上者，非也，為民上而不與民同樂者，亦非也。樂民之樂者，民亦樂其樂；憂民之憂者，民亦憂其憂。樂以天下，憂以天下，然而不王者，未之有也。』」姚永概云：

> 行文當明開合之訣。「不得而非其上者，非也」此句是開；「為民上而不與民同樂者，亦非也」此句是合。開是賓而合是主。先開而後合，合處乃有力，乃有神，義理乃更圓足。[68]

姚永概以賓主釋開合，似是賓主即開合。但姚永概另有論賓主處：《孟子．萬章下》〈仕非為貧也〉章：「孟子曰：『仕非為貧也，而有時乎為貧；娶妻非為養也，而有時乎為養。為貧者，辭尊居卑，辭富居貧。辭尊居卑，辭富居貧，惡乎宜乎？抱關擊柝。孔子嘗為委吏矣，曰：「會計當而已矣。」嘗為乘田矣，曰：「牛羊茁壯，長而已矣。」位卑而言高，罪也。立乎人之本朝而道不行，恥也。』」姚永概云：

> 文章必有賓主，何也？譬如一人飲酒，毫無樂趣，有多少話，說不出來，必得二三佳客，乃可暢所欲言，此文之所以須賓也。此章本以「為貧而仕」為賓，卻以「娶妻」伴說，是仕為主，而娶妻為賓。結處「道不行」句為主，卻又以「位卑言高」墊說，更加一賓。試將「娶妻」及「位卑言高」數句刪去，頓覺文氣索然，不成文矣。仙凡之界，即判於此。[69]

依姚永概說，本章「為貧而仕」是賓，「道不行」是主；但在行文之際，以「娶妻」為賓，「為貧而仕」是主；「位卑而言高」是賓，「道不行」是主。形成雙主賓的結構。「為貧而仕」襯托「道不行」的主旨[70]。

68　姚永概：《孟子講義》，頁24。

69　姚永概：《孟子講義》，頁182。

70　（清）宋文蔚云：「以題目為主，從題外引來作陪者為賓，然賓中意思，仍須從主中生出，或在主之反面，或在主之對面，方與題目有情。」見《評註文法津梁》，冊賓主是平行對比，借賓以顯示主，賓是襯托，主才是最後所要表達的重點。開合不是平行對比，開也不是襯托合，開的目的是導向合，沒有開就無法有導向合的發展，亦即沒有開就沒有合。開合必須共同存在，賓主則不須共同存在。有主無賓，只是缺乏文章美感，「文氣索然，不成文矣」；有合無開，文章主旨可能會削弱。先開後合，「義理乃更圓足」[71]。

《孟子．梁惠王上》〈齊桓晉文之事〉章：「（孟子）曰：『有復於王者曰：「吾力足以舉百鈞，而不足以舉一羽；明足以察秋毫之末，而不見輿薪。」則王許之乎？』曰：『否。』」吳闓生指出本段是開，合應是：「今恩足以及禽獸，而功不至於百姓者，獨何與？」其後「（孟子）曰：『挾太山以超北海，語人曰：「我不能」，是誠不能也。為長者折枝，語人曰：「我不能」，是不為也，非不能也。』」吳闓生指出本段也是開，其合應是：「故王之不王，非挾太山以超北海之類也；王之不王，是折枝之類也。」[72]這一例證更可清楚表出，如沒有開，在文章接續上，幾乎無法導出後面的合。

《孟子．滕文公上》〈墨者夷之〉章：「（孟子）曰：『蓋上世嘗有不葬其親者，其親死則舉而委之於壑。他日過之，狐狸食之，蠅蚋姑嘬之。其顙有泚，睨而不視。夫泚也，非為人泚，中心達於面目。蓋歸反虆梩而掩之，掩之誠是也。則孝子仁人之掩其親，亦必有道矣。』徐子以告夷子。夷子憮然為間曰：『命之矣。』」姚永概云：

上，頁16。周振甫的賓主說，也著重在人物的區分上。見周振甫：《文章例話》，頁155。與姚永概相較，姚永概跳脫人物的賓主說，事物、觀念也可運用此此法。仇小屏歷論古今對賓主的分析，詳見仇小屏：《文章章法論》，頁203-222。

[71] 開合的疑義頗多，（清）王葆心（1867?-1944）即認為有一篇之開合：正反、虛實；一段之開合：斷續、縱擒。見（清）王葆山：《古文辭通義》，王水照編：《歷代文話》（上海：復旦大學出版社，2007年），冊8，卷9，總頁7489。周振甫云先務虛，不接觸到正題，就是開；務虛以後歸到正題，就是合。見周振甫：《文章例話》（臺北市：蒲公英出版社，出版年不詳），頁143。仇小屏則指出開合有四種說法：開合兼抑揚、或反正；開合是律詩特有的章法；縱收是造成開合的因素之一；開合即縱收。從而認為避免使用開合這一術語。見仇小屏：《文章章法論》，頁372-375。

[72] 吳闓生：《孟子文法讀本》，卷1，頁8。

……後半形容入妙而善用頓挫之體。如「夫泚也」三句，「掩之誠是也」句，皆是頓挫焉。[73]

「其顙有泚，睨而不視」是看見遺體外露於野後的情感與行為，接續其後並非改變處理遺體的方式，而是「夫泚也，非為人泚，中心達於面目」，轉到不葬其親者所以會有如此情感與行為的原因。其後再一轉至「蓋歸反虆梩而掩之，掩之誠是也」，才是處理遺體的方式。整個論述過程，中間停頓，轉移至其他論點，最後才回到結論。這一寫作技巧，即是頓挫。

吳闓生則有多處論頓挫，如《孟子．公孫丑下》〈孟子將朝王〉章：「（孟子）曰：『故將大有為之君，必有所不召之臣；欲有謀焉則就之。其尊德樂道，不如是不足以有為也。故湯之於伊尹，學焉而後臣之，故不勞而王；桓公之於管仲，學焉而後臣之，故不勞而霸；今天下地醜德齊，莫能相尚。無他，好臣其所教，而不好臣其所受教。』」吳闓生云：

以下就大處發揮，氣象軒昂磊落，筆筆頓挫，最見英偉雄厚之氣。[74]

「故將大有為之君」與「必有所不召之臣」先形成君臣各有其特色的對比，轉至「（君）欲有謀焉則就之（臣）」，其後不是謀而就之的結果，而是謀而就之方能稱為尊德樂道。最後才是謀而就之的結果，而且是以具體的歷史人物與事件為例證，以此說服國君，如能實踐此一行為，非稱王即稱霸。

再如《孟子．萬章上》〈舜往于田〉章：「（孟子）曰：『天下之士悅之，人之所欲也，而不足以解憂。好色，人之所欲；妻帝之二女，而不足以解憂。富，人之所欲；富有天下，而不足以解憂。貴，人之所欲；貴為天子，而不足以解憂。人悅之、好色、富貴無足以解憂者，惟順於父母，可以解憂。』」吳闓生云：

「自天下之士悅之」至「貴為天子，而不足以解憂」皆極力頓挫。「人

[73] 姚永概：《孟子講義》，頁94。

[74] 吳闓生：《孟子文法讀本》，卷2，頁14。

> 悦之」四句，復總挈以重頓之……。[75]

連續四句「不足以解憂」，每一句似都要提出何者才「足以解憂」，但卻均未提出。直到四句結束後，應可以提出而仍未提出，再重複不足以解憂的情況，最後才說出：「惟順於父母，可以解憂。」四次停頓後，再一次總結停頓，至文末才指出個中關鍵。停頓——轉折——回復，即是頓挫的基本結構。

再如《孟子・萬章下》〈一鄉之善士〉章：「孟子謂萬章曰：『一鄉之善士，斯友一鄉之善士；一國之善士，斯友一國之善士；天下之善士，斯友天下之善士。以友天下之善士為未足，又尚論古之人。頌其詩，讀其書，不知其人，可乎？是以論其世也。是尚友也。』」吳闓生云：

> 此見聖賢學力器量，起得無端而來，以「友天下之善士為未足」頓挫。[76]

「友天下之善士」應是這一系列問題的極致，然而筆鋒一轉，再提高一層，進至「尚論古人」，這才是最高的境界。文章所以頓挫，是原本以為如此，卻還有令人意想不到的層次，形成文章的美感。

再如《孟子・離婁上》〈仁之實〉章：「孟子曰：『仁之實，事親是也。義之實，從兄是也。智之實，知斯二者弗去是也。禮之實，節文斯二者是也。樂之實，樂斯二者，樂則生矣。生則惡可已也？惡可已，則不知足之蹈之、手之舞之。』」吳闓生云：

> 頓挫抑揚全在掉用虛字得法。[77]

此處的抑揚指聲調高低，是指文章因用「之」字所形成音韻流動的美感。

姚永概所稱的頓挫，略指論述在中間停頓，再轉至其他論點，最後回

---

[75] 吳闓生：《孟子文法讀本》，卷5，頁1。

[76] 吳闓生：《孟子文法讀本》，卷5，頁21。

[77] 吳闓生：《孟子文法讀本》，卷4，頁9。

到主題。吳闓生所稱的頓挫也有轉折——回復的結構；除此之外，還有轉折——提昇的結構、音韻流動的美感等。[78]

三　文章的美感與義理的體會

這些字句章篇的分析，其指向皆在文章如何形構而成，更著重於文章形構的美感。姚永概、吳闓生均指出以文法解《孟子》的重要及必要，亦即惟有藉由文章技法的分析，方能理解《孟子》精義。

如《孟子・盡心下》〈養心莫善於寡欲〉章：「孟子曰：『養心莫善於寡欲。其為人也寡欲，雖有不存焉者，寡矣。其為人也多欲，雖有存焉者，寡矣。』」趙岐注寡欲：「雖有少欲而亡者，謂遭橫暴，若單豹臥深山而遇饑虎之類也，然亦寡矣。」注多欲：「謂貪而不亡，若晉國欒黶之類也，然亦少矣，不存者眾。」[79]姚永概云：

> 存、不存指心言，緊承上文養心言之。趙注乃謂為身家之存亡，各引一古事當之，迂矣。[80]

---

78 頓挫說法多家，來裕恂（1873-1962）分為頓句與挫句，認為：「文至順流而下之時，宜用頓句。」又云：「挫者，折也。文章雖貴一氣呵成，勇往直達，然有縱橫飛動之態，乏綢繆纏綿之致，則將陷於逕直之弊。故文家往往於氣盛處，下一挫語，以摧殘其氣而收斂之，下文再用開闔之法。」見來裕恂：〈文法〉，《文章典》，卷1，《漢文典》，王水照編：《歷代文話》，冊9，總頁8540。有與沈鬱頓挫連言，重在詩歌美學：「既指詩之內容反映了深廣的時代精神，寄託深遠，感興幽微，又指詩之章法富於曲折變化，音律上抑揚有致。」見趙則誠等主編：《中國古代文學理論辭典》（長春市：吉林文史出版社，1985年），頁476。又有以文章為主，而認為是：「停頓轉折，有緩有急。」見鄭頤壽主編：《辭章學辭典》（西安市：三秦出版社，2000年），頁113。張秋娥則云：「頓挫，是篇章結構方面的修辭方法，指在關鍵性的詞句後作小小停頓。它可使文勢跌宕，搖曳多姿，避免平板無味。」見張秋娥：〈謝枋得評點中的修辭思想〉，《國文學報》，第33期（2003年6月），頁125-164，引文見頁154。

79 （宋）孫奭：《孟子注疏》，卷14下，頁6

80 姚永概：《孟子講義》，頁262。

這一說解是承朱子而來：「欲如口耳鼻目四支之欲，雖人之所不能無，然多而不節，未有不失其本心者，學者所當深戒也。」[81]趙岐將存、不存解為身家存不存，與養心之旨為二橛，朱子直就義理注解，姚永概則就文法說明朱子注解較趙注得當。就義理本身而言，姚永概並無發揮之處，但就證明義理而言，姚永概能以文句的承接說明朱注之得當。

再如《孟子・告子上》〈拱把之桐梓〉章：「孟子曰：『拱把之桐、梓，人苟欲生之，皆知所以養之者。至於身，而不知所以養之者，豈愛身不若桐、梓哉？弗思甚也。』」姚永概云：

> 以文法論，頗似《國策》中小文，然彼以說時事，設喻也易；此以論義理，設譬也難。況彼多沾沾自喜之氣，此如見惓惓救世之情，不可同日語也。[82]

本章義理易解，是以朱子於此注，僅是文字的訓詁[83]。姚永概也無義理的發揮，但讓讀者了解論理之文設譬喻較論事之文為難。這一論點其實頗可考慮，孟子議論宏辯，往往設譬以喻之，此又不只孟子一家，先秦諸子頗多如是。所以姚永概又云：

> 凡性理之文，最難得者是一趣字。……次則難在一捷字，……。[84]

這是指出《孟子・告子上》孟子譬喻多方，以說明心性的內涵。然而重點不在孟子大量運用譬喻，而是在這些譬喻有「趣」，其次是文章轉折明快絕倫，即所謂「捷」。孟子與告子心性的對諍，是思想史上的重要論題，姚永概廣引趙岐、朱子、戴震（1723-1777）、焦循（1763-1820）等諸說，可以推論其接受諸家說解，只有文章部分抒發己見，以趣、捷當之。由此可窺

---

81 （宋）朱熹：《四書章句集注》，頁525。

82 姚永概：《孟子講義》，頁202。

83 （宋）朱熹注：「拱，兩手所圍也。把，一手所握也。桐梓，二木名。」見《四書章句集注》，頁468。

84 姚永概：《孟子講義》，頁194。

知其心目所在。姚永樸曾云：「文學家之別出於諸家者有四焉。一異於性理家。何以言之？性理家所講求者，微之在性命身心，顯之在倫常日用。其學以德行為主，而不甚措意於詞章。」[85]有別於性命身心、倫常日用之學者，就在有趣——文章有興味。[86]姚永樸此語，區別文學家與性理家的不同；姚永概的分析，則區別孟子與性理家的不同。兩人均以文學興味看待《孟子》。

而吳闓生呢？在「揠苗助長」的譬喻中，吳闓生云：

> 談理之文，易於晦昧，加入此等妙解曲喻，實能屈達難顯之情，使人易於領解，且妙語解頤，尤足引起種種情趣。此亦古人不傳之秘也。[87]

較姚永概更重視文章的趣味，且以情趣形容文章之妙。姚、吳二人，均認為論理之文難作，一在於作者重學問過於詞章，一在於作品本身即缺乏引人閱讀的興味，所以指出《孟子》文章的佳妙處，文章佳妙處可論者甚多，卻強調能讓讀者解頤。在「攘鄰之雞」的譬喻中再複述一次：「設喻奇詭可喜，讀之使人解頤。」[88]設喻未必是《孟子》文章的特色，但設喻有趣、奇詭，反倒能突顯《孟子》文章特色。吳闓生雖云：「（《孟子》）句調色澤之美，……忘其為經籍之文」[89]，但《孟子》畢竟是經典，不僅欣賞其文章佳妙處，仍須探求其義理佳妙處。

《孟子．離婁上》〈君子之不教子〉章：「公孫丑曰：『君子之不教子，何也？』孟子曰：『勢不行也。教者必以正；以正不行，繼之以怒；繼之以怒，則反夷矣。「夫子教我以正；夫子未出於正也。」則是父子相夷也。父

---

85 姚永樸：《文學研究法》，卷1，頁14。其餘三家是考據家：「考據家宗旨，主於訓詁。……在經學者為注疏家。……在史學者為典制家。」政治家：「政治家宗旨，主於事功。」小說家：「……街談巷語、道聽塗說者之所造。」同書，卷1，頁14-19。

86 姚永概在《孟子．梁惠王上》〈寡人願安承教章〉更明白指出：「譬喻，亦是文章一大法門。……總以風趣為主耳。」見《孟子講義》，頁8。

87 吳闓生：《孟子文法讀本》，卷2，頁5。

88 吳闓生：《孟子文法讀本》，卷3，頁20。除「情趣」外，吳氏或稱「趣味」，見《孟子文法讀本》，卷4，頁7；或稱「詼詭有趣」，見《孟子文法讀本》，卷5，頁10。

89 吳闓生：《孟子文法讀本》，卷1，頁12。

子相夷則惡矣。古者易子而教之，父子之間不責善，責善則離，離則不祥莫大焉。』」姚永概云：

> 此章文法，多用複句、複字。因所論精微，非如平常道理易說故也。如「以正」、「繼之以怒」、「父子相夷」、「責善」、「離」等字句皆是。[90]

姚永概所稱複句、複字，其實是修辭格中的「頂真」[91]。所以採取這一修辭方式，是因論理精微之故。亦即字法句法，與義理深淺有關，這是從作者寫作立場出發；至於讀者是否能從作品的字法句法更深刻的體會義理，姚永概雖未明說，但解《孟子．公孫丑上》〈夫子加齊之卿相〉章「我知言」曾云：「人之有言，皆出於心，即其言之病，而知其人之失。」[92]可以逆推應有如是的想法。

吳闓生在《孟子．滕文公上》〈有為神農之言者許行章〉評論孟子與陳相辯論許行之學說得失，也是以文章學的角度析之：

> 自篇首至「惡得賢」，乃是設案，先將原委敘明，以下便可任情排擊，無所瞻徇。自「孟子曰」至「不可耕且為也」，詰難陳相，如飄風急雨之驟至，其勢至迅急，卻是儘力盤旋。「然則治天下獨可耕且為歟」一句，始將主意逼出，精神畢見。「故曰或勞心」一段，仍用連字綴句以束其氣，乃與上文相稱。「當堯之時」以下，連接數大段，皆難並耕之說，氣勢如重山複嶺，排疊壓下，又如江潮海浪，複沓并至，不可抵禦，而雲雷鱗介珍怪之屬，咸起沒乎其中。「雖欲耕得乎」、「聖人之憂民如此，而暇耕乎」、「堯、舜之治天下，亦不用

90　姚永概：《孟子講義》，頁126。

91　頂真，陳望道（1891-1977）認為是積極修辭方式之一，有每句蟬聯，或稱為聯珠格；有章和章中間一句蟬聯，或稱為連環體。見陳望道：《修辭學發凡》（臺北市：文史哲出版社，1989年），頁212-214。黃慶萱則認為是優美形式的設計之一，見黃慶萱：《修辭學》（臺北市：三民書局，1979年），頁499-514。

92　姚永概：《孟子講義》，頁46。

於耕耳」等句，皆有千鈞之力，始得束住。……[93]

敘明原委，任情排擊，這是整篇篇法。其後分成若干章，各有章法：詰難陳相，如飄風急雨；勞心勞力，是連字綴句；堯舉舜治水，如重山複嶺，又似江潮海浪。聖人無暇而耕等三句句法有千鈞之力。這是綜合篇章句字以說明本篇文法。

姚永概雖云廣徵各家之說，但主要是義理的選擇，其案語還是以文法為主，極少針對義理直接發明。吳闓生的評點，完全是文法分析，義理與訓詁還是高步瀛集解而成。這些文法的分析，與其說是作者（姚、吳二氏）藉由評點發明義理，不如說是指點讀者體會義理。而其做法，也不是理論式的建構，論證文法分析較易於進入義理的世界，而是以實際的評點示讀者以門徑。體會的深淺，則繫於讀者本身的功力。

四　以文解經的方法論反省

吳汝綸以為解經須綜合訓詁與文章，才能精確的掌握經義。轉至姚永概，其《孟子講義》的編輯形式，還能顧及吳汝綸的論點，但其案語已朝向文章解經。至於吳闓生《孟子文法讀本》，就完全以文章為核心。解經的重點，已逐漸變化，最終以文章為主，從篇章句字的組織與構成，說明《孟子》文章的美感特色。

以文章解經，首先面對的問題即是文章美感與義理發明，是否如同吳、姚諸氏所說，不明白文章構成，即難以理解《孟子》義理。從前析字句章篇的結構而論，字法重在詞義問題。句法重在讀者的感受，以及句子的美感。章法集中於各章層次的分析。篇法因聯絡全篇，所以大都是技巧的點出。整體而言，做到理解文章的構成，但更進一步的經由字句章篇細緻的分析，以理解義理，顯然較為欠缺。而其所謂明義理，並非撰作一篇文章，細析義理；也異於經學箋注之學，在注解中發明義理。而是借由指陳文章技法，讓

93　吳闓生：《孟子文法讀本》，卷3，頁7。原文過長，故不錄。

讀者體會義理。

評點不但依附文本，事實上也是「義理先行」。如在討論伯夷、柳下惠時，僅注意其隘與不恭的性格，而宣稱得此技法，可以是寫作傳狀的大手筆。但在《孟子．萬章下》〈伯夷目不視惡色〉章，孟子稱伯夷是「聖之清者」，柳下惠是「聖之和者」，姚、吳沒有繼續申說兩人何以是聖人，聖人又何以有此偏弊。僅從人物描寫看待孟子對二聖的評論。說其偏弊，有賴於前人的解釋。朱子即云：「所以偏者，由其蔽於始，是以缺於終。所以全者，由其知之至，是以行之盡。」[94]這或可推論，義理的部分，前人究之已深，所以姚、吳僅從文章論析。但如此要臻至以文法明義理之微，可能還有若干差距。

再以《孟子．告子上》〈富歲子弟多賴〉章為例，從口、耳、目論心之所同然，可是前者是感官，後者是心性。以感官之同，論證心性之同，於是感官會等同於心性，這一理論是否可以成立？從文章的角度與從義理的角度分析，會有不同的結果。程頤即云：「理義之悅我心，猶芻豢之悅我口，此語親切有味。須實體察得理義之悅心，真猶芻豢之悅口，始得。」[95]顯然是視口、耳、目為比喻，接著指出須從道德實踐的立場以獲致此一感受，才不會視芻豢悅口等同理義悅心這一生理層面。可以見出以文章技法體會義理與以道德實踐體義理差異所在。

最重要的是姚、吳諸氏，對義理之文的態度。吳汝綸曾與姚永樸書：「說道說經，不易成佳文。道貴正面，而文者必以奇勝。經則經疏之流暢，訓詁之繁瑣，皆於文體有妨。」[96]訓詁繁瑣妨礙文體姑且不論，經疏流暢亦然，就不是義理問題，完全從文章美感考慮。兼以談理之文，要趣、要捷、要有妙解等，日益重視經典的文學樣貌。

至於分析文章技法即能讓讀者體會義理，吳、姚二人也都未有理論的說

94 （宋）朱熹：《四書章句集注》，頁441。

95 （宋）朱熹：《四書章句集注》引，頁462。

96 姚永樸：《文學研究法》，卷1，頁16。

明或是建構，但以實例示範。於是分析文章技法成為整個解經過程的操作核心。這一操作方式，是貼緊經典本文為之，這是因為其技法僅從內涵說明，其實並不難理解，困難在於如何運用在實際寫作。所以從不同的文章，分析類同的技巧，告知讀者技法運用之妙。在這一方面著墨漸多的結果，經典的文學性格，超過了經學性格。經學義理的闡發，反而不能彰顯。

這看似降低了《孟子》的經學地位，卻又不然。《孟子》的義理既是給定的——尤其經過朱子注釋後，文士學者無不研讀《孟子》，儘管不同時代、地域與學派，會有不同解讀，尊孟的態度大略則同，作為經典的地位並未動搖。現在在義理之外，又加上文章，於是《孟子》既有義理之精，也有文采之美。一端是心性、治國之源，另一端是文學、創作之本。根本是提高了《孟子》的地位。有思想史上的孟子，也有文學史上的孟子。

以明、清為例，託名蘇洵（1009-1066）的《評孟子》之後[97]，有各種以評點方式討論《孟子》文章的作品。如戴君恩（明萬曆四十一年（1613）進士）《繪孟》十四卷，倫明（1875-1944）云：「大旨仿蘇老泉批點《孟子》，於篇章字句，以提轉、承接、結合等法為之標明，但彼此不無小異。」王訓（順治十六年〔1659〕進士）《七篇指略》七卷：「大旨仍仿蘇氏評《孟子》，惟多用符號以作指點。」王又樸（1681-1760）《讀孟》十五卷：「經文之旁，著圈點，著評語。扼要處，則圈圍其字以別之。經文之後，自以所見，標其義法，又為之順說，以暢其旨。」周人麒（1705-1784）《孟子讀法附記》十四卷：「所謂讀法，仍用單點、單圈、密圈等作標識，行間

---

97 四庫館臣認為是書標號，承南宋以來評點的傳統，但又較南宋複雜，非南宋作品，在明正德年間已盛行。見（清）永瑢（1743-1790）等：《四庫全書總目》（臺北市：藝文印書館，1979年，景印廣東刊本），卷37，頁1。吳承學指出四庫館臣對宋代評點作品較為寬容，對明代評點作品較為嚴厲；又云四庫館臣對評點的批評，大都只是態度與立場，缺乏學理分析；且紀昀也有評點《李義山詩集》等作品，從而認為評點學是大眾的流行文化，即使批評者也難拒絕其魅力。見吳承學：〈四庫全書與評點之學〉，《文學評論》，2007年第1期。所言甚是，但評點是否大眾流行文化，有待商榷，評點最初在文士興起，何能說是大眾文化？日後村塾仿效，是從文士延伸至民間，而非文士向塾師學習。

書眉偶作評語。……其附記則參引諸家之說，並參己見，於文法、章旨反覆推闡。」牛運震（1706-1758）《孟子論文》七卷：「是書以尋常論文之法論《孟子》。」汪有光《標孟》七卷：「行間有評，每節後又有總評，頗能發揮妙蘊。……是其意又欲學者因孟子之文，進而求孟子之道。」孫肇興《刪補孟子說約》二卷：「是書似仿蘇氏《評孟子》而略不同，彼專以文法求《孟子》，不外起伏照應等等作用。此則於《孟子》一字一句，務得其著落。……作者縱未必然，而讀者不可不然也。」范爾梅《孟子札記》一卷：「書中評文處多，解義處少。」康濬《孟子文說》七卷：「（康濬）又言孟子是作成文字，問答或亦有因，但每篇主意結構，總是用意安排就的。」翁方綱（1733-1818）《孟子附記》二卷：「所斷斷者，多在語脈文勢間。」[98]諸家略以南宋以降的評點方式，析論《孟子》的文章。

此一脈絡，特點如下：一是評文者多，解義者少。二是因文以求道，析文的目的，是利於求道，不僅是玩賞辭意。文與道的關係，是工具與目的的結構，抑或文即道、道即文，兩者不可分，須有進一步的分疏。三是從讀者角度，想像作者如何寫作，甚至代作者發言，指出作者如何寫作，形成「作者縱未必然，而讀者不可不然」，讀者的地位，日漸重要，衍生出過往的作者與現存的讀者，孰重孰輕的爭論[99]。四是《孟子》一書，初不作為文學或文章典範，視之為文學作品，至中唐才形成[100]，既視《孟子》為文學作品，於

---

[98] 引文均見中國科學院圖書館整理：《續修四庫全書總目提要·經部》（北京市：中華書局，1993年），頁921-924。

[99] 侯美珍列舉明清士人反對評點，計有十一項之多，其中即有評點者未能得作者之意；評點者使作者無限之書，拘於評者有限之心手；評點者流於率意、主觀；評點者自居高明，蔑視作者四項。見侯美珍：〈明清士人對「評點」的批評〉，《中國文哲研究通訊》，第14卷第3期（2004年9月）。這些評批，集中在讀者是否應評點作品，是否有資格評點作品。

[100] 最顯著的例證即是柳宗元（773-819），在〈答韋中立論師道書〉云：「本之《書》以求其質，本之《詩》以求其恆，本之《禮騷》以求其宜，本之《春秋》以求其斷，本之《易》以求其動，此吾所以取道之原也。參之《穀梁》以厲其氣，參之《孟》、《荀》以暢其支，參之《莊》、《老》以肆其端，參之《國語》以博其趣，參之〈離騷〉以致其幽，參之《太史》以著其潔，此吾所以旁推交通而以為之文也。」《孟子》

是就進一步認定孟子有意寫作成文，無視《孟子》一書本為對答體，而以創作視之，孟子從思想家擴大或變為文學家。姚永概、吳闓生解讀《孟子》，其實就是這一脈絡的發展[101]。

五　結論

姚永概與吳闓生都以南宋以降的評點文本的方法——或稱文法——解讀《孟子》。文法可以篇章句字的形式區分。姚永概注意字法中字詞的關鍵意義，字詞中所涉及的義理，字詞與人物形象，用字新奇。吳闓生僅注意用字新奇。姚永概論究文句，注意文句構造的精妙，讀者對文句的感受。吳闓生仍注意文句在文本上的技巧。無論是姚永概抑或吳闓生，都注意章法組成的層次，層次之間轉折的技巧。篇法貫串全文，姚永概與吳闓極力於此。指出的共同術語有逆筆、抑揚、開合、頓挫等。以之分析文章全篇的構成。

姚永概、吳闓生均指出以文法解《孟子》的重要，亦即惟有藉由文章技法的分析，方能理解《孟子》精義。姚永概的案語還是以文法為主，極少針對義理直接發明。吳闓生的評點，完全是文法分析。這些文法的分析，與其說是作者藉由評點發明義理，不如說是指點讀者體會義理。

姚永概、吳闓生的《孟子》評點，固然依附文本，同時也是義理先行，所以姚、吳僅從文章論析，但如此要臻至以文法明義理之微，可能還有若干差距。而以文章技法體會義理與以道德實踐體義理，也有差異。又要求談理之文，要趣、要捷、要有妙解等，日益重視經典的文學樣貌。

列為文章學習的對象之一。

101 龔鵬程指出孟子在漢魏南北朝經學注疏中，均不以文章之美見重。唐代韓愈推尊孟子仍是以道不以文。唯柳宗元才算是由文章上採摭孟子。宋代蘇洵批點《孟子》，固是依託，但蘇氏父子確是為文效法孟子較為具體的人物。詳參龔鵬程：〈經學如何變成文學？〉，《六經皆文——經學史／文學史》（臺北市：臺灣學生書局，2008年），頁1-25。劉瑾輝析清代《孟子》學為義理與考據兩部分，就忽略了文學史上的《孟子》學。見劉瑾輝：《清代孟子學研究》（北京市：社會科學文獻出版社，2007年）。

姚永概、吳闓生的工作，整體而言，做到了理解文章構成，但更進一步的理解義理，顯然較為欠缺。而其所謂理解義理，並非撰作一篇文章，細析義理；也異於經學箋注之學，在注解中發明義理。而是借由指陳文章技法，讓讀者體會義理。在這一方面著墨漸多的結果，經典的文學性格，超過了經學性格。經學義理的闡發，反而不能彰顯。

但《孟子》作為經典的地位並未動搖，義理之外，又加上文章，於是《孟子》既有義理之精，也有文采之美。有思想史上的孟子，也有文學史上的孟子。

晚明以降對《孟子》的文學解釋，作品其實頗多，這些作品，大都乏人問津。是以除了「義理《孟子》學」外，「文學《孟子》學」也是極可發展的研究方向。

區大典《孝經通義》考論

許振興*

一　導言

《孝經》是《十三經》中篇幅最短小的一種。它的今文本不足千八百字，而古文本亦不足千九百字。它的作者與產生年代雖是學者長期爭議未休的話題，它卻在漢代以來一直深受社會各階層的重視。歷代統治者親講、御注《孝經》者大不乏人，而唐玄宗（李隆基，685-762，712年-756在位）的兩度御注影響後世尤為深遠[1]。由於「孝」具有多方向、多層面的演延與移轉功用，是以在家庭（或家族）、社會、政治諸範疇都能產生不容忽視的凝聚力[2]。因辛亥革命而寓居香港的晚清遺老區大典（1877-1937）藉講學香港的機緣編成《孝經通義》[3]一書，援經據典，詳細闡釋《孝經》各章的本義與延伸義。由於是書不見載於任何書目，是以罕為世知；而香港個別收藏是書的大學圖書館又因圖書檢索目錄的載錄失誤，無端牽引出是書編撰權誰屬的疑問。本文除臚列證據論證是書確是區大典編撰外，更將勾勒此書在內容與形式上的特色，藉以突顯它在《孝經》學史與香港經學史上的地位。

---

* 香港大學中文學院。

1 有關《孝經》的傳述與研究，可參看陳鐵凡：《孝經學源流》（臺北市：國立編譯館，1986年）一書。

2 參看甯業高等：《中國孝文化漫談》（北京市：中央民族大學出版社，1995年）與蕭群忠：《孝與中國文化》（北京市：人民出版社，2001年）二書。

3 遺史輯：《孝經通義》（香港：奇雅中西印務，1930年？）。

二　《孝經通義》的編撰者

《孝經通義》全書一冊，沒有標示確切的出版年月，是以無法確知它的真正梓行日期。它是民國時期香港地區印行的一部《孝經》著述，不見載於任何書目。陳鐵凡的《孝經學源流》雖是目前相對完備的《孝經》學著述，對此書亦無片言隻語提及。這可見此書的流通範圍大抵不出香港一地。今只知香港大學圖書館與香港中文大學圖書館各藏有一部。

（一）誰是《孝經通義》的編撰者

誰是《孝經通義》的編撰者？此疑問的產生緣於收藏是書的兩間大學圖書館載錄在圖書檢索目錄上的資訊不盡一致：

一、香港大學圖書館的藏本被列為「區大典」編撰十三冊本《香港大學中文學院經學講義》的第七冊。書的入藏日期為一九六九年五月二日。館方沒有披露誰是藏本的原物主。根據《香港大學中文學院經學講義》各冊間夾附的條子，知馮平山圖書館前館長李直方曾將各冊檢核[4]。

二、香港中文大學圖書館的藏本被列為「遺史輯」六冊本《經學講義》的第五冊。書的原物主是一九一六年畢業於香港大學文學院、曾追隨香港大學最早聘任的兩位漢文講師（Lecturer in Chinese）賴際熙（1865-1937）與區大典修習經、史學問的李景康（1891-1960）[5]。是書於一九六九年十月二十

4　香港大學圖書館藏本的索書號為「特020.7 916 v.7」。

5　李景康的畢業年分，根據香港大學校方的記錄，當為一九一六年（參看University of Hong Kong: *Calendar*, 1923, Hong Kong: Kelly & Walsh Limited, Printers, 1923, "List of Graduates", p.169）。李鴻烈撰寫的〈重印李景康先生詩文集序〉誤以為他在一九一七年畢業於香港大學。見李景康：《李景康先生詩文集》（香港：學海書樓，2003年，書首，不標頁碼）。李景康修習經、史學問的表現，賴際熙的〈與軒頓院長（香港大學文學院院長）書四通〉嘗錄有林棟（1890-1934）、李景康、梁乃晉、李作聯、曹善芬、楊巽行、羅顯勝六位首屆文學院文學士修習「經學」與「史學」的考試績分。李景康的績分僅次於第一名的林棟。參看賴際熙撰、羅香林（1906-1978）輯：《荔

八日入藏該大學的崇基書院圖書館，今已改藏於該大學的新亞書院錢穆圖書館[6]。

此兩藏本《孝經通義》的封面正中均題上「經學講義」四字，而封面的左下角俱標有「遺史輯」三字。兩書的版心同載有「經學課本」四字、「孝經通義」四字、頁數與「遺史輯」三字諸項。兩書的首頁首行同樣刊有「孝經通義」四字與「違史輯」三字，而「違史輯」實際便是「遺史輯」的誤植。這可見兩藏本同屬一刊本。

《孝經通義》全書只標「遺史輯」而未有隻字交代誰是「遺史」。由於兩大學的圖書館將內容與版式完全相同的兩藏本分列為「區大典」編撰《香港大學中文學院經學講義》的第七冊與「遺史輯」《經學講義》的第五冊；香港各大學圖書館載錄同是封面正中題上「經學講義」四字、封面左下角標明「遺史輯」的各種經學著述時，又分別用上《香港大學中文學院經學講義》、《香港大學經學講義》、《經學講義》等書名，並在記述各書編撰者時分別標為「區大典」、「遺史 」、「遺史輯」、「遺史 （賴際熙）輯」等；論者遂不免對誰是《孝經通義》、甚至此等經學著述的編撰者產生疑問。香港各大學圖書館檢索目錄有關「遺史輯」各種《經學講義》編撰者的載錄，可概括表列為：

垞文存》（香港：學海書樓，2000年），卷1，頁70-71。由於賴際熙的〈與軒頓院長書四通〉俱沒有註明發函日期，今據第一通書函提及的學生名字考索，林棟（Lam Tung, B.A. 1916）、李景康（Li King Hong, B.A. 1916）、李作聯（Li Tsok Lun, B.A. 1916）畢業於一九一六年，而羅顯勝（Lo Hin Shing, B.A. 1919）則畢業於一九一九年，他們同時在學，則此第一通書函當修於一九一六年。當時正是軒頓首度擔任文學院院長的最後一年。軒頓曾三度出任文學院院長，任期為一九一四年至一九一六年、一九二〇年至一九二一年、一九二二年至一九二三年。相關記載，參看 Brian Harrison（ed.）: *University of Hong Kong : the first 50 years*, 1911-1961（Hong Kong: Hong Kong University Press, 1962）, p.134.

6　香港中文大學圖書館藏本的索書號為「PL2461.Z6 C58 v.5」。

藏書地	書名	編撰者	索書號	內容
香港大學圖書館	《香港大學中文學院經學講義》	區大典	特 020.7 916 v.1-13	《易經講義》、《書經講義》、《詩經講義》、《儀禮禮記合編講義》、《周官經講義》、《春秋三傳講義》、《孝經通義》、《大學講義》、《中庸講義》、《論語講義》、《孟子通義》、《老子講義》與《論語通義》各一冊。
香港大學圖書館	《香港大學經學講義》	遺史〔賴際熙〕輯	HKC 895.109 X62 v.1-4	《書經講義》、《周官經講義》、《儀禮禮記合編講義》與《春秋三傳講義》各一冊。
香港嶺南大學圖書館	《香港大學經學講義》	遺史〔賴際熙〕輯	PL2466 .Q44 1930	只《詩經講義》一冊。
香港中文大學圖書館	《香港大學經學講義》	遺史〔賴際熙〕輯	PL2461.Z7 H7 v.1-4	《書經講義》、《儀禮禮記合編講義》、《周官經講義》與《孟子通義》各一冊。
香港中文大學圖書館	《香港大學經學講義》	遺史〔賴際熙〕輯	PL2461.Z7 H7 v.1 c.2	只《周官經講義》一冊。館方將此書誤標為四冊本第一冊《書經講義》的複本。
香港中文大學圖書館	《經學講義》	遺史輯	PL2461.Z6 C58 v.1-6	《易經講義》一冊、《大學講義》兩冊、《中庸講義》一冊、《孝經通義》一冊）及《老子講義》一冊，合五種六冊。

香港中文大學圖書館	《論語通義》	遺史	PL2471.Z6 I2, PL2471.Z6 I2 c.2	《論語通義》一冊。
香港中文大學圖書館	《孟子通義》	遺史	PL2474.Z6 I2	《孟子通義》一冊。

因此，針對此足以混淆事實的混亂載錄，先行弄清「遺史」究竟是區大典、還是賴際熙便成了探究《孝經通義》一書首需解決的問題。

（二）區大典與《孝經通義》

香港大學圖書館的十三冊本《香港大學中文學院經學講義》於一九六九年五月二日入藏該館後，館方率先將它的編撰者「遺史」定為辛亥革命後寓居香港、長期任教香港大學文學院與中文學院[7]的晚清遺老區大典。這無疑是持之有據、忠於事實的決定。

區大典是清末以來香港有數的經學家。他是廣東南海人，登光緒二十九年（1903）癸卯榜進士，獲授翰林院編修。他於辛亥革命後舉家移居香港，在一九一三年得老師吳道鎔（1853-1936）舉薦，與同門、同年的廣東增

7 有關香港大學中文學院（中文系）的創設與發展，可參看羅香林：〈香港大學中文系之發展〉，載氏撰：《香港與中西文化之交流》（香港：中國學社，1961年），頁223-256；Ferderick S. Drake（林仰山，1892-1974）:「Chinese and oriental studies」, in *University of Hong Kong: the first 50 years, 1911-1961*, pp.142-147；Bernard Mellor: *The University of Hong Kong : an informal history*（Hong Kong: Hong Kong University Press, 1980), pp. 70-87；李廣健：〈鉅觀與微觀因素對早期香港大學中文教學的影響（1912-1935）〉，載《臺南師院學報》，第27期（1994年6月），頁237-258；王齊樂（1924-）：《香港中文教育發展史》（香港：三聯書店，1996），頁270-283。有關香港大學成立中文系的緣由，參看程美寶：〈庚子賠款與香港大學的中文教育 —— 二三十年代香港與中英關係的一個側面〉，載《中山大學學報（社會科學版）》，1998年第6期（1998年12月），頁60-73。

城人賴際熙同時受聘於剛成立的香港大學（University of Hong Kong）文學院（Faculty of Arts），分別講授經學與史學課程。一九一二年香港大學成立時，擔任首任校長（Chancellor）的香港第十四任總督盧押（Frederick John Dealtry Lugard, 1858-1945, 1907-1912擔任香港總督）[8]雖曾揚言教習中國語言及文學知識的課程（knowledge of the Chinese language and literature）絕不會成為香港大學吸引世人的特色（an attractive feature in the University）[9]，而斷然將大學的教學語言確定為英語[10]，並特別強調大學的「實用性」[11]；可是大學為了象徵式酬謝曾大筆捐款協助創校的華人，仍得根據「《香港大學條例》第十三則，規定文科須注重教授中國語言文學（the Chinese language and literature.）」[12]的要求，於一九一三年文學院成立時聘任教師教授中國語言文

---

8 有關盧押的生平與擔任香港總督時的各項施政，Bernard Mellor的專著*Lugard in Hong Kong : empires, education and a Governor at work 1907-1912*（Hong Kong : Hong Kong University Press, 1992）頗具參考價值。

9 參看F. D. Lugard:「Memo. By His Excellency the Governor」, Enclosure 8 of *Report of Sub-committee: Hongkong, 25th September, 1908*, pp. 16-19.

10 參看Frederick J. D. Lugard: *Souvenir presented by Sir Hormusjee N. Mody and the Committee of the Hongkong University to commemorate the laying of the foundation stone of the Hongkong University building by His Excellency Sir F. J. D. Lugard, K.C.M.G., C.B., D.S.O., Governor of the Colony on Wednesday, 16th March, 1910*（reprinted with speeches at the ceremony, and illustrations, Hong Kong: Noronha & Co., 1910）, pp.4-5.

11 參看Frederick J. D. Lugard: *Some notes for readers in England*, in Hong Kong, Committee for the establishment of a university for Hong Kong: *Papers relative to the proposed Hongkong University*（Hong Kong: Noronha & Co., 1908）, pp. i-ii.

12 《荔垞文存》，附錄〈香港大學文科華文課程表〉，頁169。「《香港大學條例》第十三則」正是〈一九一一年香港大學堂憲章〉（*The University Ordinance, 1911, No. 10 of 1911*）的第十三則，該則第一條有關大學學院（The Faculties）的設置，清楚列明“There shall be Faculties of Medicine and Engineering, and such others as maybe constituted by the Court, priority being given to Science and Arts Faculties, in the latter of which due provision shall be made for the study of the Chinese language and literature.”（*Hong Kong University: present position, constitution, objects and prospects, with photo, plans, and appendices containing the University Ordinance, 1911, speeches, statements of accounts, and estimates of revenue and expenditure*, p.14）

學。區大典遂因緣際會，獲聘為「傳統漢文」（Classical Chinese）課程的漢文講師，負責在講授「文學」（Literature）的名義下講授經學。

香港大學文學院的成立，主要是為了造就任官、從商與教學的人才。學生可藉著修習英文、本國語言文學（實際是「漢文」）、政治與商品經濟、歷史等科目獲取學位[13]。當時大學的四年學制被區分為中期課程（Intermediate Course）與終期課程（Final Course）兩階段。學生修習中期課程的時間不得少於兩學年[14]。採漢語授課的「傳統漢文」（Classical Chinese）課程由「史學」（History）與「文學」（Literature）兩科目組成。「史學」（History）一科由賴際熙負責講授中國的歷史。他選取二十四史、《資治通鑑》、《續資治通鑑》、《通典》、《通考》、《通志》、《通鑑輯覽》與宋、元、明的歷史載錄，逐一講授三代至東晉（中期課程）與南北朝至明朝（終期課程）的歷史。「文學」（Literature）一科由區大典負責講授中國的經學。他選授朱熹（1130-1200）與其他學者對《四書》（中期課程）與《五經》（終期課程）的評註[15]。這顯示校方既無法否定中國經、史學的傳統，又不能漠視「經

---

13 校方出版的*Calendar*聲明 "The Faculty of Arts is intended chiefly for students who desire to adopt an official career or to go into commerce. The Courses already arranged enable them to take a degree in English, in the language and literature of their own country, in Political and Commercial Economics, and in History."（University of Hong Kong: *Calendar, 1913-14*, Hong Kong: The Newspaper Enterprise Ltd., 1914, p.58）由於當時文學院開辦的科目包括理科的物理（Physics）、化學（Chemistry）與數學（Mathematics）等科目，校方還特別指出 "The Courses in Arts are not only useful to students intending to enter the Public Service or to go into Commerce. They also provide a good training for a teacher, and will no doubt be used for that purpose."（*Ibid.*）客觀的需求，令校方在1916年為經濟與政治科學（Economics and Political Science）設置榮譽學位課程（an honours degree course）、為商業（Commerce）設置文憑課程（a diploma course），又另行設立教育學系（Department of Education），一時間大受學生歡迎。參看 *University of Hong Kong : the first 50 years, 1911-1961* , pp.127-128.

14 參看 *Calendar, 1913-14*, p.59.

15 參看 *Calendar, 1913-14*, pp.60&63; University of Hong Kong: *Calendar, 1914-15*（Hong Kong: The Newspaper Enterprise Ltd., 1915）, pp.73&77.

學」與「史學」都不屬於源自西方現代學術分科門類的事實[16]，故只能採用模糊處理的權宜方法，容許賴際熙與區大典假「史學」（History）與「文學」（Literature）的名義講授中國傳統的經史學。區大典便是如此因緣際會地在香港大學開展他的經學教育事業。

其實，香港大學文學院設置的漢文課程一直只是聊備一格，校方既不鼓勵、亦不推廣漢文的教習，是以修讀的學生人數一直寥寥可數。1916年時，漢文課程便只有七人修讀[17]。由於校方只視漢文課程為附設科目，一般只願批准學生修習漢文的中期課程，是以每年能藉修習漢文課程取得文學士學位者簡直鳳毛麟角[18]。一九一七年起，校方准許成功修畢四年制課程的學生增修一年「傳統漢文：史學與文學（兩科目）」（"Classical Chinese, History and Literature (Two subjects)"）課程以獲取新設的五年制榮譽學位[19]。該課程由賴際熙與區大典共同負責，包括：《十三經》基本原理與內容、精讀《十三經》一種、概述歷代治亂興衰與探討歷代經典有關管治、稅收、教育、地理等記述[20]。《孝經》既是《十三經》的一種，自得與《四書》、《五經》同時成

---

16 傳統「經史之學」的「史學」與現代學術分科的「歷史」、「歷史學」並不完全相同，相關論析可參看李紀祥（1957-）的〈以「史」為學與以「歷史」為學〉（載氏撰：《時間．歷史．敘事——史學傳統與歷史理論再思》〔臺北市：麥田出版，2001年〕，頁43-63）一文。「經學」與現代學科分類的關係，陳以愛的〈《國學季刊發刊宣言》：一份「新國學」的研究綱領〉（載黃清連編：《結網編》〔臺北市：東大圖書公司，1998年〕，頁519-571）論析頗詳。有關現代學術分科與傳統學科的相互關係，左玉河（1964-）的《從四部之學到七科之學——學術分科與近代中國知識系統之創建》（上海市：上海書店出版社，2004年）與《中國近代學術體制之創建》（成都市：四川人民出版社，2008年）二書分析入微，頗便參考。

17 參看《荔垞文存》，卷1，〈與軒頓院長書四通〉（第一通），頁69-71。

18 參看Anthony Sweeting: "The University by Report", in Chan Lau Kit-ching & Peter Cunich (eds.): *An impossible dream : Hong Kong University from foundation to re-establishment, 1910-1950*, (New York: Oxford University Press, 2002), p.220.

19 參看University of Hong Kong: *Calendar, 1917-18* (Hong Kong: The Newspaper Enterprise Ltd., 1917), p.70.

20 「傳統漢文：史學與文學」（"Classical Chinese, History and Literature (Two subjects)"）的課程內容為「A series of lectures by Messrs. Lai His Chi and Au Tai Tin on: (a) The

為學生修習的對象。這五年制榮譽學位課程在一九二三年便因文學院進行課程更革而無復存在，新的四年制課程將「傳統漢文」（Classical Chinese）易名為「漢文」（Chinese），將原有的兩科首兩年中期課程「史學」（History）與「文學」（Literature）改稱為「傳統中國史學」（Classical Chinese History）與「傳統中國文學（Classical Chinese Literature）」，列為新的首年（First Year）課程；再將原屬五年制榮譽學位課程的「傳統漢文：史學與文學（兩科目）」易名為「傳統中國史學與文學」（Classical Chinese History and Literature），列為新的次年（Second Year）課程[21]。學生修畢首兩年課程後，第三年（Third Year）時可選擇有關倫理學（Ethics）的課題撰寫論文一篇；第四年（Fourth Year）時則可自行選擇有關歷史（History）、政治學（Political Science）、政治經濟學（political Economy）或哲學（Philosophy）的課題撰寫論文一篇。學生所選擇的題目須於諮詢負責漢文與英文課程的講師後以中、英兩種語文撰寫，並可與考試答卷同時繳交[22]。這明顯已將原有四年的教學內容壓縮為兩年，而學生接受史學與經學訓練的課時便相應減少半數。

fundamental principles and general outlines of the thirteen classics.（b）One of the thirteen classics considered in detail.（c）A general survey of Chinese History, dealing chiefly with the rise and fall of dynasties.（d）The Chinese Classics as dealing with rules of Government-taxation, education, etc. Geography in connection with Chinese History. 」（*Calendar, 1917-18.* pp.81-82）這一年的課程還特別標明校長（Vice-Chancellor）會以歐洲人的觀點就中國歷史與文學發表一系列演說，原文為“In 1917-1918 the Vice-Chancellor will deliver a series of lectures on Chinese History and Literature, regarded from the European point of view.”（*Ibid.*, p.82）

21 參看 *Calendar, 1923*, pp.126-127.

22 規則原文為：“Facilities are provided in the Third and Fourth Years, under which Chinese students may write an essay in their Third Year on a selected subject in Ethics, and in their Fourth Year on selected subjects in History or Political Science, or political Economy, or Philosophy. The subject of the essay is chosen in consultation with both the Chinese and the English Lecturers concerned. The essay is written in Chinese and English, and may be submitted with the examination scripts in the Degree Examination.”（*Ibid.*, p.128）

由於香港大學根本沒有重視學生的漢文教育，長期任教的賴際熙與區大典便一直未獲校方聘為專任教師。他們在校方採用量時計酬的聘任方式下，只能同時兼任其他漢文學校的教席以維持生計。一九二六年初，當時的教育司活雅倫（A. E. Wood）深感大學開辦多年，各科成績卓著，惟文科中的中文一科無甚足觀，決定著手改善大學學生的漢文程度，因而支持大學聘任賴、區二人為專任漢文講師，俾令他們免卻兼職的苦惱，從而得以專心提升學生的漢文水平[23]。一九二七年香港大學中文學院成立後，賴際熙被委任為學院的中國史學教授（Reader in Chinese History），而區大典則獲委為學院的中國文學教授（Reader in Chinese Literature）[24]。當時學生在四年內須研習的「經學」（Classics）內容為：

> 第一年：經學：《大學》、《中庸》、《論語》、《孟子》（以《朱子集註》義理為主，參以古註訂詁）。[25]
>
> 第二年：經學：《詩經》、《書經》（以《十三經》註疏為主，參以《欽定七經》）。[26]
>
> 第三年：經學：《儀禮》、《周禮》、《禮記》（以《十三經》註疏為主，參以《欽定七經》及《五禮通考》）。[27]
>
> 第四年：經學：《春秋》、《左氏傳》、《公羊傳》、《穀梁傳》（以《十三經》註疏為主，參以《欽定七經》）。[28]

這時無疑是區大典一生事業的顛峰。鄧又同（1915-2003）編的《學海書樓

---

23 參看University of Hong Kong: *Calendar, 1926*（Hong Kong: The Newspaper Enterprise Ltd., 1926）, pp.122-124；《香港中文教育發展史》，頁270。

24 參看University of Hong Kong: *Calendar, 1927*（Hong Kong: The Newspaper Enterprise Ltd., 1927）, p.144.

25 University of Hong Kong: *Calendar, 1928*（Hong Kong: The Newspaper Enterprise Ltd., 1928）, p.172.

26 *Ibid*, p.173.

27 *Ibid*, p.174.

28 *Ibid*, p.175.

主講翰林文鈔》嘗立〈區大典太史事略〉一目，交待區大典的生平，說：

> 區太史，南海人，字慎輝，號徽五。一八七七年生，光緒丁酉（光緒二十三年，1897）科舉孝廉，光緒廿九年癸卯科會試，賜進士出身，授翰林院編修。辛亥後移居香港，先後在皇仁書院等官校授中文，其後受聘香港大學中文學院授經史多年，曾任尊經學校校長，致力發揚經學，保存國粹，與增城賴際熙太史同其旨趣。課餘恆研《易》學，私淑漢管寧（158-241）之行誼。著有《易經要義》、《經學講義》等書。常臨學海書樓講經學，弘揚儒學，青年學子獲益良多焉。[29]

由於區大典一生處事低調，此寥寥二百字，已是目前得見最詳盡的相關記載。經學教育的推廣正是他寓港四分一世紀間最重要的成就。同是前清翰林的岑光樾（1876-1960）於區大典逝世後親撰〈輓區徽五前輩〉聯語，稱：

> 下筆輒千言，遺史每多憂世論；知交齊一慟，尊經誰續等身書。[30]

聯中「遺史」一號正與「尊經」一名相對，藉以紀念區大典曾任校長的「尊經學校」與曾寓居的「尊經室」[31]。嚴靈峰（1904-？）編輯的《無求備齋老子集成續編》收錄嚴氏所藏、據民國《經學講義》排印本景印的區大典《老子講義》二卷。書的版式與內容跟香港大學圖書館藏十三冊本《香港大學中文學院經學講義》、香港中文大學圖書館藏六冊本《經學講義》載錄的《老子講義》完全相同。三者首頁首行俱列「老子講義」、「遺史輯」等字；書的版心上端皆列「子書課本」四字；上下魚尾中刊「老子講義卷一」或「老子講義卷二」，另附頁數；版心下端則標「遺史輯」三字。嚴靈峰在書的封面標此書為「區大典《老子講義》」，又在書的內頁列此書為「區大典撰」，足

---

29 鄧又同輯錄：《學海書樓主講翰林文鈔》（香港：學海書樓，1991年），頁33。

30 岑光樾撰，岑公焴編：《鶴禪集》（香港：自印本，1984年），頁116。此資料承駱為孺先生提供，不敢掠美，特致謝忱。

31 參看陳伯陶：《孝經說》（香港：奇雅中西印務，1927年），卷下，區大典〈孝經說後序〉，頁33上。

見他早已確認「遺史」即區大典[32]。區大典為一九二四年十月出版的《預科季刊》封面題寫刊名後鈐上「遺史」刻章又是另一證明「遺史」即區大典的證據[33]。香港大學馮平山圖書館於一九四〇年二月二十二-二十六日舉辦廣東文物展覽會時出版的一冊《廣東文物展覽會出品目錄》，內附〈廣東名人小史〉，載：

> 區大典（清），字徽五，晚號遺史。南海人。光緒癸卯翰林，著有《四書講義》、《老子》、《荀子》。[34]

展覽會舉行時，區大典雖已辭世差不多三年[35]，籌辦展覽會的執行委員許地山（1893-1941，宣傳組主任）、陳君葆（1898-1982，保管組主任）、李景康（編目組主任）等[36]都是跟區大典稔熟的好友、門生，他們自不會容許展覽會的出品目錄將「遺史」一號張冠李戴。種種證據都應令關注誰是《孝經通義》一書編撰者的論者安心相信「遺史」便是區大典。

區大典對《孝經》一書異常重視。寓居香港的晚清遺老陳伯陶（1855-1930）於1927年撰成《孝經說》一書後，他便撰寫〈孝經說後序〉大加表揚，稱：

> 予夙嗜經學，晚年尤篤好《易經》、《孝經》、《中庸》三書。竊以《易經》者，天道之會歸也；《孝經》者，人道之會歸也；《中庸》者，天人學之會歸也。……前輩陳君子礪（陳伯陶），邃經學，性純孝，著《孝經說》上、中、下三篇，開宗明義，揭先聖傳經救世之

32 嚴靈峰編輯：《無求備齋老子集成續編》（臺北市：藝文印書館，1970年），冊98。

33 香港預科書院同學會編：《預科季刊》，第1卷第1期（1924年10月），封面。

34 中國文化協進會主辦：《廣東文物展覽會出品目錄》（香港：中國文化協進會，1940年），〈廣東名人小史〉，頁24。此資料承駱為孺先生提供，不敢掠美，特致謝忱。

35 據區大典家人發佈的訃文，區大典於一九三七年七月二十三日（夏曆六月十六日）寅時辭世（《香港工商日報》，1937年7月24日，第1張第1版）。《陳君葆日記》記載亦同（頁296）。此資料承駱為孺先生提供，謹致謝忱。

36 參看《廣東文物展覽會出品目錄》，頁8-9。

> 旨，中序曾子（曾參，約前505-435）、子思、孟子諸賢之學本先聖，以黜墨氏，而於近代之非孝無親，尤為深惡而痛絕。噫！是何先得我心也！抑以為經學不明，異學斯熾，孟氏言經正則庶民興，斯無邪慝。獨居深念，思以管蠡之見，薈萃《易經》、《孝經》、《中庸》三書所言天人之故、仁孝之原，少明古聖賢垂教之旨，庶邪說暴行或少戢其風。前輩其亦將引為同調乎？敬序簡末，以誌仰止。歲次強圉單閼，秋仲，南海區大典序於尊經室。[37]

他稱賞陳伯陶撰成《孝經說》為「先得我心」[38]，正充分表達了同道者惺惺相惜的肺腑真情；而他對《孝經》的重視，更可自他「獨居深念，思以管蠡之見，薈萃《易經》、《孝經》、《中庸》三書」[39]的剖白窺得一二。「尊經」的「遺史」對《孝經》一書份外著意，因而總合多年來講授此書的要義，編成《孝經通義》一書自屬順理成章。

（三）賴際熙不是「遺史」

其實，引發誰是「遺史」爭議的源頭當溯源於香港中文大學圖書館將一九六九年十月二十八日入藏該大學崇基書院圖書館的六冊本《經學講義》定為「遺史輯」後，又將陸續入藏的四冊本與一冊本《香港大學經學講義》定為「遺史〔賴際熙〕輯」。此後，香港大學圖書館與香港嶺南大學圖書館載錄它們各自收藏的該書四冊本與一冊本時，亦採用了香港中文大學圖書館以「遺史」為「賴際熙」的相同記載。這遂不免令人懷疑究竟「遺史」是區大典、還是賴際熙。

賴際熙與區大典是光緒二十九年癸卯榜的同榜進士，孫甄陶的《清代廣東詞林紀要》簡介他的事蹟：

---

[37] 《孝經說》卷下，區大典：〈孝經說後序〉，頁32上-33上。

[38] 同上書，卷下，區大典：〈孝經說後序〉，頁33上。

[39] 同上注。

> （賴際熙）增城人。字煥文，號荔垞。本科進士，授編修。充國史館纂修，旋晉總纂。民國後，僑居香港，應香港大學之聘，為漢文講師。民國十年（1921），旅港崇正總會成立，被推為會長，連任六居。民國十二年（1923），倡設學海書樓，專以藏書及講學為務。民國十六年（1927），香港大學中文系正式成立，受聘為專任講師，民國二十四年（1935）退休。二十六年（1937）二月卒，年七十三。所編纂有《清史大臣傳》若干卷，《崇正同人系譜》十五卷，《增城縣志》、《赤溪縣志》各若干卷。[40]

鄧又同於《學海書樓主講翰林文鈔》撰述的〈賴際熙太史事略〉，對他的生平事蹟敘述尤詳，稱：

> 賴太史，增城人，字煥文，號荔垞，晚歲注籍羅浮酥醪觀，道號圓智。公生於同治四年（西元1865）乙丑歲，少歲以增生就讀廣雅書院。光緒十五年（西元1889）己丑舉孝廉，光緒二十九年癸卯科會試，賜進士出身，派進士館習法政，畢業授編修，充國史館纂修，旋晉總纂。辛亥後移居香港，矢志保存國粹，弘揚聖學為己任。公於一九一五年籲請香港政府劃地數畝永作宋皇台遺址，以保存歷史古跡，俾供後人憑弔。當時港紳李瑞琴贊襄其事，捐建石垣圍繞宋皇台榜書巨石，今遊九龍宋皇台公園，見宋皇台巨石屹立其中。兩旁綠柳成蔭，坐椅排列，供游人休憩。園前兩旁矗立九龍宋皇台遺址碑記，中英文碑石，分置左右，碑文詳敘其事。該兩石乃香港政府一九五九年所立者。一九二三年，賴公創立學海書樓於香港般含道（Bonham Road）二十號，以保存國粹，聚書講學，弘揚聖道，宏振斯文為主旨。時值辛亥國變後，清季儒林翰苑中人，僑居香港者不下十人，賴公先後分別邀請各太史在書樓講學，或課經史，或授詞章。其後各太史先後棄世，則敦聘國學名宿主講。書樓創立迄今垂六十八年，除日

40　孫甄陶：《清代廣東詞林紀要》（臺北市：臺灣商務印書館，1971年），頁149。

> 寇侵港數年外，國學講座從未間斷，發揚國粹，嘉惠後學。此賴公創學海書樓之功，不可歿也。港督金文泰（Cecil Clementi, 1875-1947, 1925-1930擔任香港總督）主政時期，雅好漢學，當時賴公已受聘為香港大學中文學院教授多年，公乃應邀襄贊港督金文泰於大學首創中文學系，又為大學圖書館籌置中文藏書。其後值馮平山（1860-1931）公七十壽辰，賴公請其捐建中文圖書館。今日香港大學馮平山圖書館實出自賴公經始焉。一九五零年，香港大學中文系主任羅香林教授，為紀念賴公創立港大中文系功績，集其詩文遺稿，編印《荔垞集》以志念之。公於一九三七年二月十五日辭世，享年七十三。遺著有《清史大臣傳》若干卷，《崇正同人系譜》十五卷，《荔垞文存》、《增城縣志》、《赤溪縣志》各若干卷。[41]

他的著述偏重史志，而在香港大學文學院與中文學院的教學又一直只負責講授「史學」（History）和「歷史」（History）的課程，是以他的哲嗣賴恬昌便曾指出：

> 我先父是教授史學的，區大典是教授經學的，經史兩個大系，由兩人負責。[42]

因此，他嘗為配合講課需要而編成《香港大學中文學院史學課本》一書[43]，情況正與區大典編撰《經學講義》相類。種種事實證明賴際熙並不具備編撰十三冊《經學講義》的客觀條件。香港中文大學圖書館編定的圖書檢索目錄以「遺史」為「賴際熙」無疑是偏離事實的誤載。

---

41 鄧又同輯錄：《學海書樓主講翰林文鈔》，頁47-48。

42 亞洲電視新聞部資訊科編著：《解密百年香港》（香港：明報出版社公司，2007年），頁112。

43 參看賴際熙編：《香港大學中文學院史學課本》（香港：奇雅中西印務，1930年？）。

三 《孝經通義》的特色

區大典傳世的經學著述共十二種，計為：《易經講義》、《書經講義》、《詩經講義》、《儀禮禮記合編講義》、《周官經講義》、《春秋三傳講義》、《孝經通義》、《大學講義》、《中庸講義》、《論語講義》、《孟子通義》與《論語通義》。它們都是區大典講授諸經時的講義。當中以「講義」命名者多達九種，而以「通義」命名者亦佔三種。《孝經通義》是難得以「通義」作書名的一種。它自應在形式與內容上具備足以稱述的特色。這等特色更不時在形式與內容上產生互動的影響，計有：

（一）「通義」為本

《孝經通義》以「通義」命名，究竟有甚麼用意呢？「通義」與「講義」又有甚麼本質上的分別呢？區大典便嘗對此書的命名略作解釋，稱：

> 茲編《孝經》講義，每章之末，特博舉群經以通釋之，故曰「《通義》」。[44]

這結合他解釋自己編撰《論語講義》與《論語通義》兩書的心得，讀者大抵應可悟得「講義」與「通義」的不同處：

> 《論語》者，孔子（孔丘，前551-前479）應答弟子、時人及弟子相與言而接聞於夫子之語也。當時弟子各有所記。夫子既卒，門人相與輯而論撰，故謂之「論語」。《論語》一書，聖賢學說之最精粹者也；然弟子紀述聖言，不無先後與詳略，其編次未可執也。予既循章附注，為《論語講義》。然要未會其通，爰仿朱子（朱熹）《孟子要略》之體，又成《論語通義》一書上下卷。[45]

---

44 《孝經通義》，頁1下。

45 遺史氏輯：《論語通義》（香港：奇雅中西印務，1930年？），上卷，頁1上。

由於《論語》是他唯一分別撰有「講義」與「通義」的著述，他對兩者的分工自是具有指標性的啟示作用。「通義」的特點正在於匯集諸義、會通眾說，以求薈萃各家精義於一書。因此，「通義」對經書的闡釋已非只停留於句剖字釋經書的原文。《孝經通義》的編撰便是本於此準則。

（二）「案」語為用

《孝經通義》全書三萬多字，不分卷，是區大典十二種傳世的經學著述中篇幅較小的一種。此書最重要的特點是善用「案」語闡釋個人的觀點，以達成「通義」的目的。他於書名、章名、《孝經》原文、個人新增的相關資料後，均繫上「案」語，或援用前人解說、或批評先儒論點、或直抒個人見解，從而一一表達自己的看法。

他於書的開端以「案」的形式為「《孝經通義》」作開章明義的解說，申明《孝經》是孔子的撰著，稱：

> 《漢書．藝文志》《孝經》列六藝九種。班（班固，32-92）〈志〉云：「《孝經》者，孔子為曾子陳孝道也。」唐注疏《正義》定為孔子所撰，假曾子之言，為對揚之體；又引《孝經緯鉤命決》云：「孔子曰：『吾志在《春秋》，行在《孝經》。』」又曰：「《春秋》屬商，《孝經》屬參。」此班〈志〉所謂為曾子陳孝道也。鄭玄（原避清諱，作「鄭元」，今逕改。127-200）〈六藝論〉曰：「孔子以六藝指意殊別，恐道離散，後世莫知根源，故作《孝經》以總會之。」洵得其旨矣。[46]

由於傳世的《孝經》有今文、古文二本，他繼而闡釋自己對兩本的看法，解釋自己偏重今文的原因，稱：

> 《四庫提要》《孝經》有今文、古文二本，今文稱鄭玄注，古文稱孔安國注。今文《孝經》十八章。古文《孝經》多〈閨門〉一章，又〈庶

46 《孝經通義》，頁1上。

> 人章〉分為二,〈曾子敢問章〉分為三,凡二十二章。惟鄭、孔注,後儒或疑其偽。唐玄宗(原避清諱,作「唐元宗」,今逕改)博采眾說,為《孝經》注,復定十八章,從今文也。今所通行者是矣。[47]

因此,是書以今文本《孝經》的唐玄宗注、邢昺(932-1010)疏《孝經正義》為依歸[48],在編排與解說上一面倒援用今文本。他在書中特別批評《古文孝經》將今文本〈聖法章第九〉一分為三的處理方法,正是此種態度的明確表示。他說:

> 《古文孝經》,此章分為三,皆有「子曰」二字以別之。然細味經文,語氣實銜接一片,終乃引《詩》證之,似以《今文》合為一章較當。[49]

他進而在書首「《孝經通義》」下的「案」語申析個人對「孝」的理解,稱:

> 《孝經》大義,本諸道德,施諸政教,其旨不外仁、愛、義、敬,其效極之孝治天下;體則至約,用則至博。其書實與《中庸》相表裏。《中庸》首揭天命之性,率性之道,即《孝經》所謂「至德要道」與「父子之道,天性也」;中博舉舜之大孝、周之世孝、武周之達孝以明道,極之盡倫盡制,治國示掌,即《孝經》所謂「孝治天下」,與光神明,通四海也。終言聖人之道,在三百三千之禮,即《孝經》臚陳天子、諸侯、卿大夫、士、庶人之孝,皆禮也。大、小戴記禮,言孝者十之六七。《大戴記》更博采曾子之言孝,《小戴記》且集《中庸》為禮書。善乎後儒黃道周(1585-1646)為《孝經集傳》,其言曰:「語孝必本敬,本敬則禮從此起。乃輯《大小戴禮》為《孝經大傳》。」蓋禮者,義之實也。主乎義敬,本乎仁愛,生事以禮,死葬以禮、祭以禮,則《孝經》全書之旨也。曾子《孝經》傳諸孔子,即

47 同上註。

48 有關唐玄宗注、邢昺疏《孝經注疏》的研究,可參看陳一風:《孝經注疏研究》(成都市:四川大學出版社,2007年)。

49 《孝經通義》,頁18下。另參看同上書,頁20上。

傳《中庸》於子思，其淵源固有自也。[50]

由於他一直「思以管蠡之見，薈萃《易經》、《孝經》、《中庸》三書所言天人之故、仁孝之原，少明古聖賢垂教之旨，庶邪說暴行或少戢其風」[51]，是以特意將《孝經》與《中庸》相提並論，處處本《中庸》以釋《孝經》諸要旨。他還兼顧《禮》的要義，對孝、敬、仁、禮數者的關係尤為著意。這融會《孝經》、《中庸》與《禮》的思想，更在會通眾說的「通義」前提下，成為貫徹全書的重心。

區大典除以「案」語闡釋書名外，又按今文本《孝經》的編排將全書分為十八章，並在各章的章名下以「案」語闡釋它們的要旨。現將他闡釋章名的「案」語表列如下：

章名	**「案」語**
開宗明義章第一	案：《正義》云：「開張一經之宗本，顯明五孝之義理，故曰『開宗明義章』。」 又案：漢劉向校經籍，定《孝經》十八章而不列名。鄭《注》始見章名，唐玄宗命儒官重訂之，遂定今本十八章之名。[52]
天子章第二	案：《正義》曰此下至〈庶人〉，凡五章，謂五孝。天子至尊，故標居其首。《白虎通義》：「王者，父天母地，故曰天子。殷周以來，始有此名。」[53]
諸侯章第三	案：《正義》曰：「次天子之貴者，諸侯也。」〈釋詁〉云：「公、侯，君也。」不曰諸公者，嫌涉天子三公也。言諸侯以統伯子男也。[54]
卿大夫章第四	案：《正義》曰次諸侯之貴者，卿大夫也。〈王制〉，上大夫，卿。《周禮》，王之卿六命，大夫四命。今連言者，以

50 同上書，頁1上-1下。

51 《孝經說》，卷下，區大典：〈孝經說後序〉，頁33上。

52 《孝經通義》，頁1下。

53 同上書，頁4下。

54 同上書，頁6下。

其行同也。又天子諸侯，皆有卿大夫。此章云「言行滿天下」，又云「事一人」，則天子之卿大夫也，而諸侯之卿大夫可推矣。[55]

士章第五　案：《正義》曰：「次卿大夫者，士也。」《白虎通義》：「士者，事也，任事之稱也。」即《孟子》所言上士、中士、下士。是也，天子稱元士。此統言士，則兼諸侯之士言也。[56]

庶人章第六[57]　案：《正義》曰：「庶者，眾也。」「士有員位，人無限極，故士以下皆為庶人。」古者責士不責民，故禮不下庶人；然孝本天性，則一也。[58]

三才章第七　案：《易繫辭》：「天道、地道、人道，曰三才。」此章以天經、地經、民行，明孝道之大，故以「三才」名章。朱子又以前六章為經，以下為傳。此章言孝行之大，本之天經地義，即釋首章「至德要道」之旨，「順天下」、「民和睦」二語，正回應首章，則朱子之說，亦自有見。[59]

孝治章第八　案：此章詳言孝治天下，以總結上文（原作「上支」，今逕改）。上言先王因天地，順人情，以為教，皆孝治天下之事，故此章總結之。[60]

聖法章第九　案：此章承上孝治，而歸本聖德，復由聖德聖治，而極言孝治也。首言孝之量，以義敬而極；次推孝之本，以仁愛而深；終反覆申明仁愛義敬之旨。義措諸事，敬衷諸禮，而威儀乃為定命之符，化民之則。此孝治本於聖德，至大無以復加也。

又案：《古文孝經》此章分為三，皆有「子曰」二字以別之。然細味經文，語氣實銜接一片，終乃引《詩》證之，

55　同上書，頁7下。
56　同上書，頁9上。
57　原文誤標為「庶人章第七」（同上書，頁10上），今逕改。
58　同上書，頁10上。
59　同上書，頁13上。
60　同上書，頁16上。

似以《今文》合為一章較當。[61]

紀孝行章第十　案：《正義》曰「此章紀錄孝子事親之行」，「故以名章」。又案：以上皆統論孝道綱領，書此章獨細，論孝行條目，其言親切有味，學者所當深思也。[62]

五刑章第十一　案：以上詳言教孝之治，此章推言不孝之刑。刑所以弼教也。五刑始見〈虞書〉，舜命臯陶明九刑是也。五刑之目，見於〈呂刑〉，墨、劓、剕、宮、大辟是也。《禮・服問》云，喪多而服五，罪多而刑五，以服有親疏，罪有輕重也。故以名章。[63]

廣要道章第十二　案：首章揭至德要道，而未詳其義；此章及下章乃廣言之。首章以治本言，故首舉至德，而後推及要道。此二章，以治效言，故首言要道，而後歸本至德，謂以要道施化。化行而德彰，亦以明道德相成，故互為先後也。[64]

廣至德章第十三　案：義見上章。[65]

廣揚名章第十四　案：首章言揚名顯親，為孝之終。此章更廣言之，故以名章。《古文孝經》移〈感應章第十六〉在此章之前，附〈廣至德、要道章〉之下，以明至德要道之極至，義各有當也。[66]

諫諍章第十五　案：事親處常，諫親處變，合常變以論孝道，故附〈諫諍章〉於〈廣揚名章〉後。所謂孝子揚父之美，不揚父之惡也。[67]

---

61 同上書，頁18下。

62 同上書，頁23下。

63 同上書，頁27上。

64 同上書，頁28上。

65 同上書，頁29下。

66 同上書，頁30下。

67 同上書，頁31下。

感應章十六　　案：全經首假曾子問以明孝之始終，次假曾子問以明孝天地之經，復次假曾子問以明孝本天地之性。此章乃終明天、地、人感應之理，以總結全經之旨。[68]

事君章第十七　　案：此章廣中於事君之義，以結上；亦即〈士章〉資父事君，與〈廣揚名章〉事親孝、忠可移君之義。蓋君、親同尊，臣、子同敬，其義一也。言事君不外愛敬，即以明事親一本愛敬也。[69]

喪親章第十八　　案：此章言孝子喪祭之禮，以申結〈紀孝行章〉致哀致嚴之旨，此事親之終也。《禮・祭統》言親歿則喪，喪畢則祭，故統以〈喪親〉名章。[70]

他於首六章的「案」語均開章明義標明取材自《孝經注疏》，並於〈天子章第二〉明確表達個人對「《正義》曰此下至〈庶人〉，凡五章，謂五孝。天子至尊，故標居其首」[71]的贊同。他除清楚表明自己偏重《孝經注疏》外，又援用朱子「以上六章合為一節。細味經文，辭旨連環，義本一貫，分章分節，無關體要也」[72]的見解，認為「上六章言孝道已盡，語氣已結」[73]。這都是他善用「案」語突顯個人見解的鮮明事例。他採用「案」語的場合不只限於闡釋書名、章名與《孝經》原文，還用於闡釋個人新增的相關資料。由於他在每章原文後添附的資料數目甚夥，「案」語的作用便更能得到彰顯。

---

[68] 同上書，頁33上。

[69] 同上書，頁34下。

[70] 同上書，頁36下。

[71] 同上書，頁4下。

[72] 同上書，頁12上。

[73] 同上書，頁13上。

（三）「博舉」為務

《孝經通義》既以「通義」為名，讀者自然期望編撰者能盡量發揮會通眾說的功力。匯集諸義正是會通眾說的先決條件。前列闡釋章名的「案」語表固已粗略反映區大典博舉群書眾說的會通能力，然他在每章末盡力將相關資料「通通」匯集卻最能顯示他已致力於「博舉」。現將他在各章末增添的資料來源與數目表列：

章名	增添資料來源與數目
開宗明義章第一	《論語》、《詩》、《大戴禮・曾子本孝篇》、〈曲禮〉各一則與《禮記・哀公問》、《大戴禮・曾子大孝篇》各兩則，合共八則。[74]
天子章第二	《書》、《禮記・內則》、《禮記・哀公問》、〈夏書〉、《論語》、《孟子》、〈商書〉各一則與《禮記・祭義》兩則，合共九則。[75]
諸侯章第三	《周書》、《易・乾・三爻》、《易・節彖傳》、《大戴禮・曾子立事篇》各一則，合共四則。[76]
卿大夫章第四	《孟子》、《禮・表記》、《禮・緇衣》、《禮・中庸》、《大戴禮・曾子立事篇》、《禮・內則》、《荀子・大畧篇》各一則，合共七則。[77]
士章第五	《禮記・喪服四制》、《大戴禮・曾子立孝篇》各一則，合共兩則。[78]
庶人章第六	《禮・月令》、《周禮・大司徒》、〈職方氏〉、《大戴禮・曾子本孝篇》、《呂氏春秋・孝行覽》各一則，〈周書〉兩則與《大戴禮・曾子大孝篇》、《大戴禮・曾子立事篇》與《孟子》各三則，合共十六則。[79]

---

74 同上書，頁3上-4下。

75 同上書，頁5下-6上。

76 同上書，頁7上。

77 同上書，頁8上-9上。

78 同上書，頁9下-10上。

79 同上書，頁10下-13上。

三才章第七　《春秋左傳》、《禮・樂記》、《易・繫傳》、《中庸》、董子《春秋繁露》、《周禮》各一則與〈禮運〉、《論語》、《大學》各兩則，合共十二則。[80]

孝治章第八　《禮・聘義》、《禮・大傳》、〈周書〉、〈曲禮〉、《論語》、《易・遯・三爻》、《禮・哀公問》、《禮・祭義》、〈祭統〉、《大戴禮・曾子大孝篇》各一則，《孟子》兩則與《中庸》三則，合共十五則。[81]

聖法章第九　〈禮運〉、《禮・祭法》、《春秋公羊傳》、《禮・祭禮》、《易》、《論語》、《易・序卦》、〈家人卦〉、《中庸》、《禮・文王世子》、《禮・祭義》、《大戴禮・曾子立孝篇》、《禮・內則》、《大戴禮・曾子制言篇》各一則，〈周書〉、《大學》各兩則，《孟子》、《詩》各三則與《春秋左傳》四則，合共二十八則。[82]

紀孝行章第十　《虞書》、《淮南子・齊俗訓》、《大戴禮・曾子立孝篇》、《大戴禮・曾子事父母篇》、《禮・文王世子》、《陸賈新語・慎微篇》、《大戴禮・曾子疾病篇》、〈曲禮〉、《大戴禮・衛將軍文子篇》、《中庸》、《禮・祭義》、《韓詩外傳》、《大戴禮・曾子立事篇》、《易・初爻小象》、《易・乾三爻文言》各一則，《孟子》、《禮・檀弓》、《禮・雜記》、《禮・祭統》各兩則，《禮・內則》三則與《論語》六則，合共三十二則。[83]

五刑章第十一　《禮・檀弓》、《周禮・大司徒》各一則，《論語》兩則與《孟子》三則，合共七則。[84]

廣要道章第十二　《禮・祭禮》、《禮・樂記》、《禮・經解》、〈曲禮〉、《論語》、《中庸》各一則與《孟子》兩則，合共八則。[85]

廣至德章第十三　《禮・鄉飲酒義》、《大戴禮・曾子立孝篇》、《禮・表記》各一則，合共三則。[86]

---

[80] 同上書，頁14上-15下。

[81] 同上書，頁17上-18下。

[82] 同上書，頁21上-23上。

[83] 同上書，頁24上-26下。

[84] 同上書，頁27下-28上。

[85] 同上書，頁28下-29上。

[86] 同上書，頁30上。

廣揚名章第十四	《大戴禮・曾子立孝篇》、〈曾子立事篇〉、《易，家人彖傳》各一則，合共三則。[87]
諫諍章第十五	《春秋左傳》、《禮・檀弓》、〈曲禮〉、《大戴禮・曾子本孝篇》、〈立孝篇〉、〈大孝篇〉、〈事父母篇〉各一則與《論語》兩則，合共九則。[88]
感應章十六	《易・乾卦》、《白虎通義》、《禮・郊特牲》、《禮・祭義》、《禮・文王世子》各一則與《中庸》兩則，合共七則。[89]
事君章第十七	《大學》、〈祭義〉、〈祭統〉、《易・繫傳》、《禮・坊記》、〈周書〉、〈商書〉、《春秋穀梁傳》、《大戴禮・衛將軍文子篇》、《孟子》各一則與《禮・表記》、《春秋左傳》各兩則，合共十四則。[90]
喪親章第十八	《禮・問喪》、《禮・喪服四制》、《禮》、《禮・問喪》、〈祭義〉、《禮・內則》各一則，《禮・間傳》、《禮・雜記》、《禮・檀弓》、《儀禮・士喪禮》各兩則，《大戴禮・曾子大孝篇》三則與《論語》四則，合共二十一則。[91]

區大典為不足二千字的《孝經》原文補充了二百零五則相關資料，數量不可謂不多。這足證他對諸經典的嫻熟已達信手拈來、共冶一爐的程度，而通列眾說以示博識的能力更是水銀瀉地。

（四）老生常談

《孝經》的要義，論者每聚焦於「以孝勸忠」與「移孝作忠」的政治功用[92]，區大典自不能免俗。書的開首〈開宗明義章第一〉甫將原文列出：

---

87 同上書，頁31上。

88 同上書，頁32上-32下。

89 同上書，頁33下-34下。

90 同上書，頁35下-36上。

91 同上書，頁37上-39下。

92 參看徐傳武、宋一明：〈《孝經》概說〉，載鄭傑文、傅永軍主編：《經學十二講》（北京市：中華書局，2007年），頁259-265。

仲尼居，曾子侍。子曰：「先王有至德要道，以順天下，民用和睦，上下無怨，女知之乎？」曾子曰[93]：「參不敏，何足以知之！」子曰：「夫孝，德之本也，教之所由生也。復坐，吾語女。[94]

他已迫不及待利用「案」語申明自己的主張，認為：

此節揭全書之旨，至德要道，即孝也；順天下而民和睦，即孝治天下也。原諸道德，徵之政教，首揭大旨，不明言孝道，所以發曾子之問也。德者，體也；道者，用也。本諸身心為德，措諸事業為道。以德性言，則仁為孝本；以德行言，則孝為仁本。夫孝，德之本也，此其至矣。親親以道民愛，老老以道民敬。夫孝，教所由生也，此其要矣。造極曰至，守約曰要。德言至，道言要，互文也。不曰治天下、平天下，而曰順天下。孝為至性至情，天下之所順，故親親長長而天下平。先王孝治天下，順之而已。《易》所謂「順性命之理」，《禮》所謂「順人情之大竇」也。順則和而不戾，和則睦而不爭，睦則相親無相怨。仁以洽萬民之情，禮以定上下之分。興仁興讓，孝治所由大同也。至德者，孝之體；要道者，孝之用。順天下者，孝之功；和睦無怨者，孝之效。統言以發曾子之問，然後明詔以孝。德之本，教所生，即申言上「至德要道」意，有子所謂「本立道生」是也。[95]

他隨即又以「案」語闡釋〈開宗明義章第一〉的原文「夫孝，始於事親，中於事君，終於立身」[96]，指出：

「始於事親」，即上守身事親，為孝始也。「終於立身」，即上立身顯

---

93 據《孝經注疏》原文，「曾子曰」應作「曾子避席曰」。見（唐）李隆基注、（宋）邢昺疏，鄧洪波整理，錢遜審定：《孝經注疏》（北京市：北京大學出版社，2000年），頁3。

94 《孝經通義》，頁1下。

95 同上書，頁1下-2上。

96 同上書，頁2下。

> 親，為孝終也。又必兼言「中於事君」，其義乃備。蓋為曾子言孝。蓋士之孝也，即下之士章，資父事君之義。《大學》言明德新民，為修己治人之學，故曰「孝者所以事君」，即下〈廣揚名章〉事親孝，忠可移君之義。[97]

他的晚清遺老身分本應對「士」的「移孝親以忠君」本應別具一番懷抱，可是他在〈士章第五〉列出原文：

> 資於事父以事母，而愛同；資於事父以事君，而敬同。故母取其愛，而君取其敬，兼之者父也。故以孝事君則忠，以敬事長則順。忠順不失，以事其上，然後能保其祿位，而守其祭祀，蓋士之孝也。[98]

他繼而作出的闡釋竟是：

> 此章陳士之孝也。愛敬之義，自〈天子章〉發之，諸侯以下至士，則以敬為主。諸侯，君道也；故敬身敬親以敬民，與天子同。卿大夫士，臣道也；故卿大夫敬身敬親以敬君。士敬身敬親以敬君，兼敬長。士次於卿大夫，以卿大夫為長也。敬君敬長，皆資敬於親。然敬本於愛，故又推原敬親之本於愛親。母親而不尊，父則尊親兼之。父母同親，故資父之愛以愛母；君父同尊，故資父之敬以敬君。此以明敬君敬長之必資於敬親，而敬親實本於愛親也。與〈天子章〉言愛親敬親同旨，故曰愛敬通上下言之，既明敬本於愛，愛敬同原。以下又專以主敬言也。敬親即孝親，以孝事君，以敬事長，不過互文。資孝親敬親，以推之敬君則忠，推之敬長則順。上即兼君長言，忠君順長，則事上之道不失，而祿位可保，祭祀可守。斯榮親不至辱親，而士之孝在是矣。自天子以下至士，皆言愛敬其親，即愛敬其身，推而愛敬民人，愛敬君長，因以保天下國家，然後愛敬其親之心乃克盡。

---

97 同上書，頁2下-3上。

98 同上書，頁9上。

蓋以孝治天下國家，亦即以治天下國家為孝，義本一貫也。[99]

他將此見解於闡釋〈廣揚名章第十四〉原文「子曰：『君子之事親孝，故忠可移於君；事兄弟，故順可移於長；居家理，故治可移於官。是以行成於內，而名立於後世矣。』」[100]時作進一步的延伸：

> 此章申言士孝，以廣揚名、顯親為孝終之義。曾子，士也。故孔子於士孝三致意焉。移孝親以忠君，即士之以孝事君則忠也；移弟兄以順長，即士之以敬事長則順也；移治家以治官，即士之忠順不失以事上也。內之孝行既成，外之孝名不朽。名揚而親顯，此士孝之通義也，所以勗曾子者至矣。[101]

這等溫溫吞吞的見解，無疑令讀者感到意料以外的不著邊際。相比於他曾自許為「先得我心」[102]，「上、中、下三篇，開宗明義，揭先聖傳經救世之旨，中序曾子、子思、孟子諸賢之學本先聖，以黜墨氏，而於近代之非孝無親，尤為深惡而痛絕」[103]的陳伯陶《孝經說》，他自己的氣魄與深度何止相去萬里。

四　結語

自民國成立以來，「清季翰苑中人、寓港者無慮十餘輩，或以文鳴，或以學顯」[104]。區大典便是「以學顯」、特別是「以經學顯」的一位。他雖因緣際會供職於英國人管治下的文教機構，卻對清室一直念念不忘。他曾以晚清遺老的身分參與陳伯陶等於一九一六年（丙辰）秋在九龍城宋王臺祭祀宋末

---

[99] 同上書，頁9上-9下。

[100] 同上書，頁30下。

[101] 同上注。

[102]《孝經說》卷下，區大典：〈孝經說後序〉，頁33上。

[103] 同上書，卷下，區大典：〈孝經說後序〉，頁32上-33上。

[104]《荔垞文存》，羅香林：〈故香港大學中文學院院長賴煥文先生傳〉，頁165。

宗室趙秋曉（1245-1294）的活動[105]。他更在民國建立、清帝遜位二十年後仍在《孝經通義》一書中力避清諱，將「鄭玄」改為「鄭元」、「唐玄宗」改為「唐元宗」[106]。他在書中對「移孝忠君」的闡說缺乏激情澎湃的引申無疑令人深感失望，可是他過度內斂的表現卻正好從另一層面展示他盡忠不在多言的特點。他的《孝經通義》雖或受制於授課講義的形式，甚或個人木訥與缺乏創意的性格[107]，的確無法如他推重的陳伯陶《孝經說》般暢所欲言[108]；他仍能在不易突破前人成說的侷限下，利用相對豐富的學問[109]，著意於遍舉群經以充實《孝經》的內容，俾求達成「博舉」、「通義」的成書宗旨。因此，《孝經通義》雖是一部不見經傳的《孝經》教材，它卻是民國時期香港一地《孝經》傳述狀況與經學發展面貌的見證者。

---

105 有關活動，參看蘇澤東編：《宋臺秋唱》（廣東：粵東編譯公司刊本，1917年）一書。區大典不善詠事，只參加祭祀而未有唱和。

106 參看《孝經通義》，頁1上。

107 區大典於一九三五年三月十三日在香港大學的大學禮堂主講「經學大要」後，他的學生、已受聘擔任中文學院講師的陳君葆（1898-1983）便嘗指出他「講經還不要緊，一涉到現代的問題便無往而不見其千瘡百孔，而且許多也是極淺薄之見」。陳君葆著、謝榮滾主編：《陳君葆日記》（香港：商務印書館，1999年），頁133。當時仍在學的學生施爾更「以為『區老師』講來講去總不外那一套話，好像是唸熟來的」（同上注）。

108 有關陳伯陶《孝經說》一書，參看許振興〈民國時期香港的經學：陳伯陶《孝經說》的啟示〉，見「變動時代的經學和經學家（1912-1949）」第三次學術研討會論文（臺北市：中央研究院中國文哲研究所，2008年7月17-18日）。此文嘗作闡釋。

109 陳君葆在一九三年七月二十三日下午得知他的老師區大典已在當天早晨辭世後，曾感慨：「徽師（區大典）一生事業雖不若荔老（賴際熙），然學問著述則較豐富，惜其鬱鬱以終，可悲也。」（《陳君葆日記》，頁296）這大抵可視為區大典經學成就的定調。

《易緯乾鑿度》上卷中的時空觀

孫劍秋*

一　前言

一般學者對緯書的評價不高，認為其中多荒誕之言、不經之語，所以都棄而不論。然而從《周易》經傳發展的過程來看，卦爻辭古樸難知，故而有《十翼》之作；《十翼》說解簡要，所以有後儒的註釋。而緯書的出現，從廣義的角度來說，不也正是對《周易》經傳的一種詮釋嗎？

《易緯乾鑿度》上卷（以下簡稱**《乾鑿度》**）是所有緯書中最受肯定的一篇[1]，它在解說「一名三義」、「八卦用事」、「十二辟卦」、「六十四卦生成」、「三才六位」、「推卦爻之數以合曆法、歲紀」等，都較《十翼》詳盡，實有羽翼聖人之功。《四庫全書總目提要》也指出：《後漢書》、南北朝諸史、《周易正義》、《周易集解》都直接徵引本文；宋儒戴九履一圖、朱熹《易本義》的圖說，也是源自於本篇，則本篇的價值與影響不言可喻[2]。

---

* 臺北教育大學語文與創作學系、華語文中心。

1 本文僅探討《易緯乾鑿度》上卷，這是後代學者最常引用且無爭議的部分。筆者同意大陸學者蕭洪恩的看法「《易緯乾鑿度》成書於太初改曆之前」，見孫劍秋：《易緯文化揭密》（北京市：中國書店，2008年），頁82-94。惟筆者認為〈易緯乾鑿度下卷〉不僅有些文句與上卷重出，且由於頗多祥瑞徵驗的敘述，應是後期學者之作，不能與上卷同觀，訂為上下兩卷，是鄭樵《通志》之目。故本文僅就上卷部分進行討論。

2 見（清）永瑢、紀昀等：《四庫全書總目》（臺北市：臺灣商務印書館，1983年），冊1，經部，〈周易乾鑿度提要〉，頁156。

二　《乾鑿度》對時間與空間的詮釋

古人面對生存環境，首先要探討的就是天地何以存在？萬物何以化生？於是時間的長短與空間的大小，便是首要對象。〈繫辭傳〉提出「《易》有太極，是生兩儀，兩儀生四象，四象生八卦」的宇宙生成論。這段話裏指出了空間（兩儀）和時間（四象），卻未說明來源。《乾鑿度》則承繼此一思想而有所發揮：

> 《易》始於太極，太極分而為二，故生天地。天地有春、夏、秋、冬之節，故生四時。四時各有陰、陽、剛、柔之分，故生八卦。八卦成列，天、地之道立，雷、風、水、火、山、澤之象定矣。[3]

這段話明顯是針對〈繫辭傳〉宇宙生成論的詮釋。太極分而為二，就是陰陽、天地。環繞天地周流不息，就是春夏秋冬四季景象——四時。四季景象有寒暖陰晴，於是就有天、地、雷、風、水、火、山、澤的虛實八象。這八象對萬物的化生相互循環影響，於是就有了空間（四正四維）與時間（生長收藏）的變化。

> 其布散用事也，〈震〉生物於東方，位在二月。〈巽〉散之於東南，位在四月。〈離〉長之於南方，位在五月。〈坤〉養之於西南方，位在六月。〈兌〉收之於西方，位在八月。〈乾〉制之於西北方，位在十月。〈坎〉藏之於北方，位在十一月。〈艮〉終始之於東北方，位在十二月。八卦之氣終，則四正四維之分明，生長收藏之道備，陰陽之體定，神明之德通，而萬物各以其類成矣。[4]

這段話有三個重點。首先八卦的空間排列，自東邊〈震〉卦起，依序是東南邊為〈巽〉卦、南邊為〈離〉卦、西南邊為〈坤〉卦、西邊為〈兌〉卦、西

3　林忠軍點校：《易緯導讀》（濟南市：齊魯書社，2002年），《乾鑿度》，卷上，頁79。

4　同註4，頁79-80。

北邊為〈乾〉卦、北邊為〈坎〉卦、東北邊為〈艮〉卦。這個排列方式在〈說卦傳〉第五章中已經存在。

其次是卦德。自東邊起，依序是生（物）、散、長、養、收、制、藏、終。這些代表象徵，也分別見於〈說卦傳〉第四、五章。

唯獨在時間的安排上，《乾鑿度》的作者有不見於《十翼》中的觀點。他稱東、西、南、北，為四正方，分別隸屬於二、五、八、十一月；東南、西南、西北、東北，為四維方，分別隸屬於三四月、六七月、九十月、十二一月。然後一年的月分歸屬便定下來。《乾鑿度》認為：

> 〈艮〉漸正月，〈巽〉漸三月，〈坤〉漸七月，〈乾〉漸九月，而各以卦之所言為月也。〈乾〉者天也，終而為萬物始，北方萬物所始也，故〈乾〉位在於十月；〈艮〉者止物也，故在四時之終，位在十二月；〈巽〉者陰使陽順者也，陽始壯於東南方，故位在四月；〈坤〉者地之道也，形正六月，四維正紀，經緯仲序，度畢矣。[5]

按：天為萬物之始，我國傳統領土是西北高、東南低，生民抬頭仰望上天（高處），便是西北。而且水自西北往東南流，帶給下游許多生命生存所需物資，於是古人認為北方（西北）為萬物始。在地支中，〈乾〉卦屬戌、亥之位；以月分來說，則在十月，而漸（兼）九月。〈艮〉卦卦德為止，止並非萬物靜止，而是畜養以過度至次年。一年最終為第十二月，所以〈艮〉卦屬之，而漸（兼）正月。〈巽〉卦卦德為順，陰導陽順，而陽氣漸旺，故位在四月，而漸（兼）三月。〈坤〉屬地，就位置（形）來說，正屬六月，而漸（兼）七月。《乾鑿度》又云：

> 〈乾〉、〈坤〉，陰陽之祖也。陽始於亥，形於丑，〈乾〉位在西北，陽祖、微據始也。陰始於巳，形於未，據正立位，故〈坤〉位在西南，陰之正也。君道始倡，臣道終正，是以〈乾〉位在亥，〈坤〉位在

5 同註4，頁80。

> 未，所以明陰陽之職，定君臣之位也。[6]

這段敘述中有一個重要意涵，就是〈乾〉卦既定在戌（九月）、亥（十月），則各卦之位可以推知，即〈坎〉卦在子（十一月）；〈艮〉卦在丑（十二月）、寅（正月）；〈震〉卦在卯（二月）；〈巽〉卦在辰（三月）、巳（四月）；〈離〉卦在午（五月）；〈坤〉卦在未（六月）、申（七月）；〈兌〉卦在酉（八月）。於是月份、地支及方位也就安排妥定。時間、空間既已排定，然而天地間最貴的人，該如何與之融為一體呢？《乾鑿度》云：

> 八卦之序成立，則五氣變形，故人生而應八卦之體，得五氣以為五常，仁、義、禮、智、信是也。[7]

「五氣變形」指的是木、火、土、金、水，五行的乘變。人受五行乘變之氣，於是有仁、義、禮、智、信，五常之德。《乾鑿度》進一步闡釋：

> 夫萬物始出於〈震〉，〈震〉東方之卦也，陽氣始生，受形之道也，故東方為仁。成於〈離〉，〈離〉南方之卦也，陽得正於上，陰得正於下，尊卑之象定，禮之序也，故南方為禮。入於〈兌〉，〈兌〉西方之卦也，陰用事而萬物得其宜，義之理也，故西方為義。漸於〈坎〉，〈坎〉北方之卦也，陰氣形盛[8]，陽氣含閉，信之類也，故北方為信。夫四方之義，皆統於中央，故〈乾〉、〈坤〉、〈艮〉、〈巽〉位在四維，中央所以繩四方，行也，智之決也，故中央為智。故道興於仁，立於禮，理於義，定於信，成於智，五者道德之分，天人之際

---

6 同註6。

7 同註6。

8 「陰氣形」句下，原本有「復十八世」至「壬癸為水」一節，乃後文錯簡重出。而自「盛陰陽」至「一變而為七」一節，復錯在後「邱文以後，授明之出，莫能雍」之下，今依林忠軍《易緯導讀》改正，惟本人衡量前後文意，認為「盛陰陽」之「陰」字，亦為衍字，應刪去。

> 也。聖人所以通天意，理人倫，而明至道也。[9]

〈震〉、〈離〉、〈兌〉、〈坎〉在方位上屬於東、南、西、北四正方，〈震〉為一陽始生，萬物稟陰受陽而形始出，就像植物受陽氣而結果仁，所以東方為仁。〈離〉卦之時，陽氣最盛於上（南），陰氣得正於下（北），就像尊卑之位已定，所以南方為禮。〈兌〉卦之德為悅，所以《乾鑿度》說「陰用事而萬物得其宜」，得其宜，所以西方為義。〈坎〉卦中陽爻為上下二陰爻所困，所以「陰氣形盛，陽氣含」，陰盛則陽閉，陽息則陰消，循環往復，未有差忒，所以有信。而仁義禮信，要以智來決行，所以中央為智。

上文提到，太極分而為兩，而有天地，盈天地之間有四時，四時分陰陽剛柔而生八卦，八卦序位底定則五行生氣，人應五氣而得五常，能行五常之道就為聖人。這是《乾鑿度》從時、空的生成，一直論述到人稟五常即為聖的思維理路。然而若反推回去，太極為何？太極之上還有什麼派生它嗎？這是下節要討論的。

三 《乾鑿度》對時空源起的詮釋

太極是有還是無，歷來學者爭議不休。大抵說來，儒、道二家及醫家學者認為太極雖無形，卻是有機的存在。道教學者則認為太極之上還有個寂然莫名的無極。這個議題的形成，主要是宋儒周敦頤《太極圖說》的原文，到底是「無極而太極」還是「自無極而生太極」所產生的解讀差異。然而早在漢代《乾鑿度》對時空源起的詮釋，正好可以提供一個解決的途徑。《乾鑿度》云：

> 夫有形生於无形，〈乾〉、〈坤〉安從生。故曰：有太易，有太初，有太始，有太素也。太易者，未見氣也。太初者，氣之始也。太始者，形之始也。太素者，質之始也。氣形質具而未離，故曰渾淪。渾淪

9 同註4，頁80-81。

> 者，言萬物相渾成而未相離。視之不見，聽之不聞，循之不得，故曰易也。易无形畔。[10]

《乾鑿度》認為太易、太初、太始、太素是宇宙最初的本體，太易是形而上的存在，看不見也依循不著，是未見氣的階段。太初則是氣初現的階段，太始是形初具的階段，太素是質初成的階段，太易、太初、太始、太素同時存在而未離的階段稱作渾淪，也就是萬事萬物還混成未離的階段。《乾鑿度》作者怕詮釋不足，所以又加了「視之不見，聽之不聞，循之不得，故曰易也。易无形畔」五句，說明這四種「太」，看似有生成次序，然而卻還是在「无形畔」的狀態。所以《乾鑿度》在論述時空形成的開端，便先言「易始於太極」[11]。換句話說，這四種「太」就具而未離的現象說稱作「渾淪」；就其視之不見，聽之不聞，循之不得的情況說，稱作「易」。統言之：說「易始於太極」，正說明「渾淪」也是太極的狀態，太極也包有四「太」！分言之：「無極而太極」的「無極」就同太易階段；「太極」就同太初、太始、太素三者渾淪為一的階段。所以太極就是最高的本體，其上並無另一個完全虛無的無極派生它。張載《正蒙》：「大易不言有無，言有無諸子之陋也。」就是對虛無說、無極說的批評。王船山註《正蒙》時云：

> 明有所，以為明；幽有所，以為幽。其在幽者，耳目見聞之力窮，而非理氣之本無也。老、莊之徒，於所不能見聞，而決言之曰無，陋甚矣。《易》以〈乾〉之六陽、〈坤〉之六陰大備，而錯綜以成，變化為體，故〈乾〉非無陰，陰處於幽也，〈坤〉非無陽，陽處於幽也。〈剝〉、〈復〉之陽非少，〈夬〉、〈姤〉之陰非微，幽以為緼，明以為表也。故曰《易》有太極，〈乾〉坤合於太和，而富有日新之無所缺也。若周子之言無極者，言道無適主，化無定則，不可名之為極，而實有太極，亦以明夫無所謂無，而人見為無者，皆有也。屈伸者，

[10] 同註4，頁81-82。

[11] 同註4，頁79，第9行。

> 非理氣之生滅也，自明而之幽為屈，自幽而之明為伸，運於兩閒者恆伸，而成乎形色者有屈。彼以無名為天地之始，滅盡為真空之藏，猶瞽者不見有物而遂謂無物，其愚不可瘳已。[12]

王夫之的批評更是直接，他說看不見、聽不到，並非無，而是人之耳目有時窮。且他也指明周敦頤的無極，其實還是實有太極。而筆者也認為太極是有機的存有，並非完全的虛無。

四　結語

本文探討《乾鑿度》對時空的詮釋，認為《乾鑿度》作者是有順序條理的為宇宙的本體、派生順序作了合理的說明，它所代表的是漢朝人對時空本體的解說與認識。它的解釋有黃、老道家的影子，也不乏徵引〈繫辭傳〉的地方，所以它不僅保存漢初學者對宇宙時空的認識，也有羽翼經傳的價值。

---

[12] （清）王夫之：《張子正蒙注．大易篇》，《船山遺書全集》（臺北市：船山學會，1971年），頁9531。

經、經學和經學史研究

——兼序《南北朝經學史》

王鍔*

中國隨著科學技術的發展，經濟的日漸繁榮，文化建設就顯得越來越重要。中華民族具有五千年光輝燦爛的文化，要建設符合當今時代特色的新文化，就必須清理、借鑒中國傳統文化，繼承傳統文化的精華。對中國傳統文化的研究和重估，無疑離不開對中國經學和中國經學史的研究。如何研究中國經學呢？早在二十世紀三十年代，周予同先生就有精闢的論述。他說：「第一，要先懂得『經』是什麼？第二，要懂得什麼叫做『經學』？第三，要懂得經學上有些什麼『派別』？這些經學派別不同的特徵究竟是什麼？第四，要追究這些經學學派為什麼會發生？它的最基本的原因是什麼？綜合地說，就是要先從經學史的研究入手。」[1]

《說文解字》曰：「經，織從絲也。」段玉裁《說文解字注》：「織之從絲謂之經。必先有經，而後有緯。」[2]「經」最初寫成「巠」、「涇」等，始見於周代青銅器。「經」之初字為「巠」，是象形字；經是後起字，指經營、經緯的意思。

從文獻學的角度講，「經」作為儒家經典的解釋，到戰國後期才出

---

* 南京師範大學文學院。

1 周予同著，朱維錚編：《周予同經學史論著選集》（增訂版）（上海市：上海人民出版社，1996年），頁628。

2 （漢）許慎撰，（清）段玉裁注：《說文解字注》（上海市：上海書店，1992年），頁644上。

現。《荀子・勸學篇》：「學惡乎始？惡乎終？曰：其數則始乎誦經，終於讀禮。」[3]歷代學者對於經的解釋，極不一致。漢班固認為，經者，常也，即仁、義、禮、智、信五常之道。今文學家龔自珍、皮錫瑞等認為只有孔子著述才可稱經，經是聖人著作的專稱。古文學家章太炎認為，一切線裝書都可稱為經。劉師培認為凡是駢文的書冊，都可稱之為經。周予同先生說：「經是指中國封建專制政府『法定』的以孔子為代表的儒家所編著書籍的通稱。作為經典意義的經，出現在戰國以後，而正式被『法定』為經典，則應在漢武帝罷黜百家、獨尊儒術以後。」[4]周予同先生的表述清晰而準確。

儒家之經的範圍和領域，隨著歷史的進程，逐漸擴大，有「六經」、「五經」、「七經」、「九經」、「十二經」、「十三經」甚至「十四經」等名稱。「六經」又名「六藝」，是指《詩》、《書》、《禮》、《樂》、《易》、《春秋》。「六藝」編訂成定型的六本教材，應該是孔子完成的。「六藝」經過孔子的整理是無疑的，所以，才會被尊為儒家學派的「經典」。「六藝」後來被尊為「六經」，約在戰國中晚期。

關於「六經」之名，先秦文獻多有記載。《禮記・王制》曰：「樂正崇四術，立四教，順先王《詩》、《書》、《禮》、《樂》以造士。春秋教以《禮》、《樂》，冬夏教以《詩》、《書》。」[5]〈經解〉曰：「孔子曰：『入其國，其教可知也。其為人也，溫柔敦厚，《詩》教也；疏通知遠，《書》教也；廣博易良，《樂》教也；潔靜精微，《易》教也；恭儉莊敬，《禮》教也；屬辭比事，《春秋》教也。故《詩》之失，愚；《書》之失，誣；《樂》之失，奢；《易》之失，賊；《禮》之失，煩；《春秋》之失，亂。其為人也，溫柔敦厚而不愚，則深於《詩》者也；疏通知遠而不誣，則深於《書》者也；廣博易良而不奢，則深於《樂》者也；潔靜精微而不賊，則深於《易》者也；恭儉莊敬而不煩，則深於《禮》者也；屬辭比事而不亂，則深於《春秋》者

---

3 （清）王先謙：《荀子集解》（北京市：中華書局，1992年），上冊，頁11。

4 《周予同經學史論著選集》（增訂版），頁841。

5 （清）阮元校刻：《十三經注疏》附《校勘記》（北京市：中華書局，1983年），頁1342上。

也。』」[6]

《莊子・天運》記述孔子問禮於老聃曰:「丘治《詩》、《書》、《禮》、《樂》、《易》、《春秋》六經,自以為久矣,孰知其故矣?」老子曰:「夫六經,先王之陳跡也。」[7]〈天下篇〉曰:「其在於《詩》、《書》、《禮》、《樂》者,鄒魯之士搢紳先生多能明之。《詩》以道志,《書》以道事,《禮》以道行,《樂》以道和,《易》以道陰陽,《春秋》以道名分。」[8]《論語》也多次談到孔子以《詩》、《書》、《禮》、《樂》教授弟子。

比較〈王制〉、〈經解〉、〈天運〉、〈天下〉篇的記載,〈王制〉所言,與《莊子》記載前「四經」次序同,而與〈經解〉次序異;但四篇文獻的記載,「六經」名稱已經具備。〈經解〉雖未明言「六經」,且於篇名題名為「經解」;到〈天運》篇,已明言「六經」。對於以上記載,前人多懷疑不信。1993年出土的郭店楚簡,其中《六德》曰:「觀諸《詩》、《書》,則亦在矣;觀諸《禮》、《樂》,則亦在矣;觀諸《易》、《春秋》,則亦在矣。」[9]《六德》所言「六經」次序,與〈天運〉同。由此證明,在戰國中葉,已經有這種《詩》、《書》、《禮》、《樂》、《易》、《春秋》的說法,也充分證明,〈王制〉、〈經解〉、〈天運〉、〈天下〉的記載是正確的,司馬遷在《史記・孔子世家》的記載,也是有根據的。

漢武帝罷黜百家以前,「六經」、「六藝」並稱,是後,惟稱「六經」。其中「樂經」亡佚,只有「五經」,而人們仍沿用「六經」之名。

《後漢書・趙典傳》注引《謝承書》曰:「典學孔子『七經』、河圖、洛書、內外藝術,靡不貫綜,受業者百有餘人。」[10]《漢書・藝文志》之「六

---

6 《十三經注疏》附《校勘記》,頁1609下。

7 (清)郭慶藩:《莊子集釋》(北京市:中華書局,1993年),冊2,頁531-532。

8 《莊子集釋》,冊4,頁1067。

9 荊門市博物館:《郭店楚墓竹簡》(北京市:文物出版社,1985年),頁188。對此,李學勤先生早已指出,見標點本《十三經注疏・序》(北京市:北京大學出版社,1999年)。

10 (南朝宋)范曄撰,(唐)李賢等注:《後漢書》(北京市:中華書局,1987年),冊4,頁947。

藝略」分為《易》、《書》、《詩》、《禮》、《樂》、《春秋》、《論語》、《孝經》、小學九類，《論語》、《孝經》已經升格為經。「七經」是「五經」外加《論語》、《孝經》，大概是沒有問題的，這與漢代宣導以「孝」治天下是分不開的。

南朝陳末，陸德明撰《經典釋文》，為十四部重要經典釋文注音，其中儒家經典就包含《周易》、《尚書》、《毛詩》、《周禮》、《儀禮》、《禮記》、《左傳》、《公羊傳》、《穀梁傳》、《孝經》、《論語》、《爾雅》等十二部。唐代以科舉取士，在「明經科」增加「三禮」、「三傳」，即《周禮》、《儀禮》、《禮記》、《左傳》、《公羊傳》、《穀梁傳》，連同《易》、《書》、《詩》，便成為「九經」。唐文宗開成二年（837），為便於士子學習，將儒家經典刊刻在石經上，即「開成石經」，除「九經」外，增加《論語》、《孝經》、《爾雅》，便有「十二經」之名，與《經典釋文》一致。

《孟子》何時入經？前人概言在宋代，比較含糊。杜澤遜先生嘗撰文考察，認為《孟子》是北宋神宗熙寧年間進入儒家經書行列的。在石經系統，「十三經」成為一部配套的叢書，是在北宋末徽宗宣和年間。南宋彙刻經書大都包括《孟子》。在目錄學著作中，尤袤《遂初堂書目》是較早把《孟子》列入經部的[11]。至遲，在北宋末期，「十三經」名稱已具。

所謂「十四經」，是在「十三經」外加《大戴禮記》。《隋書．經籍志》、《宋史．藝文志》、《四庫全書總目》等，將《大戴禮記》或列入「禮類」，或附於《禮記》，後《書目答問》等目錄學著作，一直沿用。但《大戴禮記》始終未獲正式批准，沒有列入「經」的行列。

北宋時期，由於司馬光、程顥、程頤對《大學》、《中庸》的重視，直到朱熹，將《大學》、《論語》、《孟子》、《中庸》合稱「四書」，並撰《四書章句集注》，以表達其完整的哲學思想體系。《明史．藝文志》別立「四書」一類，後被《四庫全書總目》等目錄學著作繼承。但「四書」內容，實

---

[11] 杜澤遜：〈《孟子》入經和〈十三經〉匯刻〉，《文獻學研究的回顧與展望——第二屆中國文獻學學術研討會論文集》（臺北市：臺灣學生書局，2002年），頁191-205。

際包含在「十三經」之中。

自「六經」到「十三經」，經歷了一個比較漫長的過程。「十三經」逐漸被中國歷代封建統治者重視，是有深刻原因的。欲明白「十三經」被封建統治者重視的原因，就不能不研究「經學」。那麼，什麼是「經學」？

周予同先生說：「所謂經學，一般說來，就是歷代封建地主階級知識份子和官僚對上述經典著述的闡發和議論。……經學是歷代地主階級知識份子和官僚，披著『經學』外衣，發揮自己思想進行鬥爭的一種形式，不管學派如何紛繁，如何爭論，基本上都是為封建統治服務的。」[12]朱維錚先生進一步闡述說：經學「特指中國中世紀的統治學說。具體地說，它特指西漢以後，作為中世紀諸王朝的理論基礎和行為準則的學說。因而，倘稱經學，必須滿足三個條件：一、它曾經支配中國中世紀的思想文化領域；二、它以當時政府所承認並頒行標準解說的『五經』或其他經典，作為理論依據；三、它具有國定宗教的特徵，即在實踐領域中，只許信仰，不許懷疑。因此，所謂經學，範疇較孔學為寬，較儒學為窄」[13]。概言之，經學就是訓解、闡述中國封建社會「法定」的十三部儒家經典之學，是中國封建社會的統治學說。截至一九一二年民國政府「廢止讀經」，經學在中國綿延已長達兩千多年。

兩千多年的經學，就學術流派而言，有漢學和宋學之分。漢學有西漢今文經學和東漢古文經學之別，清代復興的古文經學與東漢的古文經學不同，復興的今文經學與西漢的今文經學有差異。元明的宋學與兩宋時期的宋學也有區別。這些經學流派產生的原因及其特徵，各不相同。要分析經學流派的特徵和原因，就必須研究經學流派的代表人物和代表作。就經學代表人物而言，兩漢至清末，舉其巨擘，則有伏生、董仲舒、戴聖、劉歆、馬融、鄭玄、王肅、雷次宗、皇侃、陸德明、孔穎達、賈公彥、程顥、程頤、王安石、朱熹、金履祥、王陽明、顧炎武、黃宗羲、王夫之、閻若璩、惠棟、戴震、江藩、阮元、龔自珍、康有為、廖平、皮錫瑞、孫詒讓、章太炎、劉

---

12 《周予同經學史論著選集》（增訂版），頁854。

13 朱維錚：《中國經學史十講》（上海市：復旦大學出版社，2002年），頁9-10。

師培等，數不勝數。就經學代表作而言，除《四書章句集注》、《十三經注疏》外，再略加翻閱《四庫全書》、《續修四庫全書》的經部以及《通志堂經解》、《清經解》、《清經解續編》，就足以令人目眩。若能通過文獻記載，了解這些經學代表人物，仔細閱讀他們的代表作，再聯繫各朝各代的歷史、皇帝的好惡和相關政策、學術思潮，研究比較，方能較為清晰地了解經學的相關問題。

經學就其闡釋和議論的實質來看，代表不同時代不同階級的利益。漢武帝「罷黜百家，獨尊儒術」，經學正式成為中國封建社會的統治學說。西漢董仲舒以陰陽五行之說與今文經《春秋公羊傳》相牽合，為當時政治服務。王莽時期，以劉歆提倡之古文經《周禮》為改制依據。東漢時，因古文經盛行，研究文字、訓詁之小學興起，古文經學，人才輩出。東漢末年，鄭玄在前人基礎上，進一步融合經今古文，遍注群經，鄭學興盛。魏晉南北朝經學，雖有王肅與鄭玄作對，但終以失敗結束；受「玄學」、「佛教」之影響，「義疏」之學興起。隋唐以經義取士，孔穎達等編定《五經正義》，為科場所用。宋儒總結兩漢以來之經學成果，另闢蹊徑，懷疑經典，理學產生，影響深遠。元仁宗以宋儒義理取士，宋學在元明時期，一直占統治地位。清乾嘉時期，學者學宗漢儒，反對鑿空與株守，推明古訓，溯求本原，實事求是，成為乾嘉經學之重要特色，對經典之考據，熾盛一時。道光時期，今文經學復興，劉逢祿專治《公羊》，其弟子龔自珍、魏源利用《公羊傳》「譏切時政」，主張變革、改制。受今文經學的影響，近代經學隨之大變，廖平、康有為和他們的論著，對近代經學和政治，影響極大。

自漢至清末，隨著歷史的進步，歷代知識份子，以儒家經典為依託，採用不同的形式，著述立說，提出各自的主張，發揮經典的思想，進行論爭，為現實服務。所以，不同時代的經學，也就各有特點。經學作為中國傳統文化的主體，對其發展演變的歷史，即經學史的研究，就顯得尤為重要，也是創建符合時代特色的新文化和建設和諧社會之所必須。

中國經學史研究的任務是什麼呢？周予同先生說：「一、研究『經』的來源和性質，研究中國社會經濟政治的變化如何反映在『經學』範圍之內。

各個不同歷史時代、各個不同社會階級（階層）如何在『經學』範圍內展開思想鬥爭。二、中國封建專制政府和封建統治階級如何利用『經』和『經學』來進行文化、教育、思想上的統治。歷代的『經學』思想又如何為不同階級（階層）或集團服務。三、隨著中國封建社會的發展，在不同的歷史時代中，『經學』思想發展的規律是怎樣的。個別經學家的思想為什麼不屬於統治階級，甚或利用『經學』進行革命宣傳。對這種文化遺產應該怎樣批判吸收。這些，都是『中國經學史』研究工作者的研究任務。」[14]根據周予同先生的論述，經學史研究的任務，首先必須搞清「經」的來源和性質，懂得什麼是經學。其次，研究中國歷代封建政府是如何利用經和經學進行文化、教育和思想上的統治，弄清不同時代的歷史人物是如何利用經在經學範圍內進行論爭的；再次，研究經學發展的規律，結合時代分析經學家的思想及其影響。其目的是分清精華和糟粕，繼承精華，剔除糟粕。

中國經學史的研究，與長達兩千多年的經學相比，十分年輕。若以皮錫瑞《經學歷史》[15]為開端，僅僅一百年。其實，初刊於嘉慶二十三年（1818）的《漢學師承記》[16]，已開清代經學史研究之端。江藩選錄清代嘉慶以前漢學家四十人，附見十六人，各為一傳，敘述學術淵源和師承關係。道光六年（1826），方東樹刊印《漢學商兌》。江藩和方東樹，從正反兩面評論清代漢學，是清代漢學、宋學正面交鋒爭論之開始。道光二年（1823），江藩又刊印《國朝宋學淵源記》，為清代三十九位理學家立傳，評論清代前期的宋學及理學家。成書於光緒十二年（1886）《今古學考》，是廖平經學研究的代表作，主要討論兩漢經今古學的區別。康有為《新學偽經考》初刊於光緒十七年（1891），他認為漢王莽以來的古文經學是假的，是劉歆偽造的；《孔子改制考》認為「六經」是孔子為「托古改制」而作，康氏意欲利用今文經學宣傳維新變法思想。江藩、方東樹、廖平、康有為已經從經學師承、學派

---

14 《周予同經學史論著選集》（增訂版），頁660。

15 《經學歷史》於光緒三十三年（1907）由湖南思賢書局首刊。

16 （清）江藩纂，漆永祥箋釋：《漢學師承記箋釋》（上海市：上海古籍出版社，2006年），〈前言〉，頁8。

等方面，研究總結清代、漢代經學史。這些著作，無疑對皮錫瑞均產生影響。

回顧百年的中國經學史研究，經學史研究的歷程與百年中國歷史一樣，坎坷曲折。從已經發表的經學史研究成果來看，經學史研究的成績主要表現在以下幾個方面：

第一，出版了一批通史類的經學史著作。皮錫瑞「是用會通的眼光來寫中國經學史的第一人」[17]，《經學歷史》是經學史研究的開山之作。此後，劉師培《經學教科書》[18]、馬宗霍《中國經學史》[19]、日本人本田成之《中國經學史》[20]、周予同《中國經學史講義》[21]、吳雁南主編《中國經學史》[22]等相繼出版。

第二，出版了一些單部經典研究史的著作。如沈玉成《春秋左傳史稿》[23]、劉起釪《尚書學史》[24]、趙伯雄《春秋學史》[25]、洪湛侯《詩經學史》[26]、廖名春等《周易研究史》[27]等。

第三，出版了一些斷代經學史研究的著作。如《中國經學史的基礎》[28]、《兩漢經學史》[29]、《魏晉南北朝隋唐經學史》[30]、《宋明經學史》[31]、《清代經學史

---

17 《周予同經學史論著選集》（增訂版），頁834。

18 劉師培著，陳居淵注：《經學教科書》（上海市：上海古籍出版社，2006年）。

19 馬宗霍：《中國經學史》（上海市：商務印書館，1936年）。

20 （日）本田成之著，孫俍工譯：《中國經學史》（上海市：上海書店出版社，2001年）。

21 周予同：《中國經學史講義》，收入《周予同經學史論著選集》（增訂版），頁830-944。

22 吳雁南等主編：《中國經學史》（福州市：福建人民出版社，2001年）。

23 沈玉成、劉寧：《春秋左傳史稿》（南京市：江蘇古籍出版社，1992年）。

24 劉起釪：《尚書學史》（訂補本）（北京市：中華書局，1996年）。

25 趙伯雄：《春秋學史》（濟南市：山東教育出版社，2004年）。

26 洪湛侯：《詩經學史》（北京市：中華書局，2002年）。

27 廖名春、康學偉、梁韋弦：《周易研究史》（長沙市：湖南出版社，1991年）。

28 徐復觀：《中國經學史的基礎》（上海市：上海書店出版社，2002年）。

29 章權才：《兩漢經學史》（廣州市：廣東人民出版社，1990年）。

30 章權才：《魏晉南北朝隋唐經學史》（廣州市：廣東人民出版社，1996年）。

31 章權才：《宋明經學史》（廣州市：廣東人民出版社，1999年）。

通論》[32]、《清代揚州學派經學研究》[33]、《漢代〈詩經〉學史論》[34]、《宋代疑經研究》[35]、《鄭玄通學及鄭王之爭研究》[36]等。

第四，發表了大量研究中國經學史的單篇論文。臺灣中央研究院文哲所主辦的經學研究刊物《經學研究論叢》第1-15輯、臺灣高雄師範大學經學研究所主辦的《經學研究集刊》第1-3期、清華大學彭林主編的《中國經學》第1-3輯以及《元代經學國際研討會論文集》[37]、《明代經學國際研討會論文集》[38]、《清代經學國際研討會論文集》[39]等書刊專門刊發經學研究論文。《葑閣文存》[40]、《中國經學史十講》、《經學探研錄》[41]是個人研究經學史論文的結集。

以上所述，僅是經學史研究之概況。百年的經學史研究，有成績，也有缺陷[42]。

那麼，歷史已經進入二十一世紀的今天，應該如何從事中國經學史研究呢？朱維錚先生有精彩的論述。他說：「從事中國經學史研究，紹述前人固然是繼往的前提，突破舊說也當屬開來的起點，但任何個人要想在這門學科

---

32 吳雁南：《清代經學史通論》（昆明市：雲南大學出版社，1993年）。

33 劉建臻：《清代揚州學派經學研究》（南京市：江蘇人民出版社，2004年）。

34 劉立志：《漢代〈詩經〉學史論》（北京市：中華書局，2007年）。

35 楊新勳：《宋代疑經研究》（北京市：中華書局，2007年）。

36 史應勇：《鄭玄通學及鄭王之爭研究》（成都市：巴蜀書社，2007年）。

37 楊晉龍主編：《元代經學國際研討會論文集》（臺北市：中央研究院中國文哲研究所，2000年），冊上下。

38 林慶彰主編：《明代經學國際研討會論文集》（臺北市：中央研究院中國文哲研究所籌備處，1996年）。

39 本所編委會主編：《元代經學國際研討會論文集》（臺北市：中央研究院中國文哲研究所，1994年）。

40 沈文倬：《葑閣文存》上下冊（北京市：商務印書館，2006年）。

41 楊天宇：《經學探研錄》（上海市：上海古籍出版社，2004年）。

42 對近年經學史的研究，朱維錚先生評價說：「近年海內關於經學史的專門論著，數量日增，內容呢？恕我直言，多半屬於陳陳相因，一『陳』在於述史了無新意，二『陳』在於論史重談反右以來綱舉目張的老調。有的似乎力求創新，但令人讀後只能感到論者存心『自我作故』，彷彿經學史研究從其人其書才剛開始拓荒，乃至全書既不提百年經學史，也不列參考文獻。」《中國經學史十講．小引》。

有所建樹，起碼有三件事要做。一是必須重新考察相關歷史資料，二是必須重新論證可作研究出發點和依據的基本史實，三是必須就史論史地剖析經學史行程中的形態差異及其內部聯繫。很可惜，近四分之一世紀裏，我還沒有發現一面從事經學原典的校勘整理，一面選擇若干關鍵課題力求復原歷史實相，同時也針對這門學科的新舊傳統陳見，嘗試作出合乎歷史的說明，這樣的新著曾在大陸出版物中出現。」[43]

朱維錚先生的論述，令人深思。就個人對經學的淺薄知識，我們認為，經是經學研究的基礎，經學史研究是對經學的實際運動過程進行真實地描述，分析各種經學現象的原因、過程和結果，探尋經學發展的規律。如果想撰寫一部理想的《中國經學史》，或者想對中國經學史進行客觀地、符合歷史事實的評價，就必須要做好以下幾點：

第一，熟讀經典，研究經典本身。「十三經」經文，就字數而言，約近七十萬字，但內容廣泛。研究者想要研究經學史，只有熟讀經典，注重經典本身研究，或者立足於經典本身，搞清經典文本的涵義，方能研究經學和經學史。

第二，從目錄學角度，對經學研究的代表作進行清理和總結。歷代研究經和經學的論著極多，浩如煙海。到目前為止，究竟有多少，必須從目錄學角度進行總結，為研究者提供方便。早在清初，朱彝尊撰《經義考》，對清初以前的經學論著進行著錄。後來，翁方綱撰《經義考補正》。但對清代近三百年的經學論著，除《清史稿藝文志及其補編》、《清史稿藝文志拾遺》、《書目答問》、《中國叢書綜錄》等書目之經部外，尚沒有專門的工具書。臺灣林慶彰先生曾主編《經學研究論著目錄》一、二、三編，收錄民國至一九九七年經學研究的論著；另有《日本研究經學論著目錄》（1900-1992），使用極為方便。筆者曾為《三禮研究論著提要》[44]，著錄漢代至二〇〇四年「三禮」研究的論著。除「三禮」外，其他十部經典的研究論著，尚待總結。

43 《中國經學史十講·小引》。

44 王鍔：《三禮研究論著提要》（增訂本）（蘭州市：甘肅教育出版社，2007年）。

研究經典本身和編纂經學書目，是經學和經學史研究的基石。

第三，標點整理一批經學研究的代表作。經學研究的代表作很多，在傳抄和刊刻過程中，難免滋生很多錯誤，如不利用版本之間的校勘，不利用相關史料考證訛誤，就很難找到依據的善本。當今涉足於經學研究的大多數學者，真正願意通過整理經學代表作，仔細比勘版本異同，掌握原始資料，在整理的基礎上，進一步研究經學問題的，實在太少。《十三經注疏》[45]和《清經解》、《清經解續編》中的部分著作，亟待進行整理標點，勘謬正訛，以便供研究者參考。

第四，注重經學關鍵課題的研究。經學史上的問題很多，但對於關鍵的一些課題，諸如孔子與經學的關係、經學學派中漢學與宋學的關係、經今古文學之異同、經學與政治的關係、經學與讖緯的關係、經學與玄學的關係、經學與佛教的關係、宋人疑經改經、經學代表人物與代表作、經學對古代社會的影響、經學與古代政府決策、經和經學研究的現代價值等問題，必須依據文獻記載，逐一進行研究，盡可能還原歷史真實，方能清晰經學演進的歷史。

第五，加強斷代經學史和單經研究史的研究。不同的歷史階段，由於當政者的好惡不同，學者的價值取向有異，加之受學術思潮以及統治集團內部利益的衝突等影響，呈現給人們的經學現象，異彩紛呈，真假難辨。所以，靠一人之力，往往很難搞清經學史上的所有問題。但若能集中精力，專攻一經，或通過研讀群經，專門研究某一朝代的經學史，或專門研究某一經研究的歷史，相對而言，就要容易許多[46]。只有大量斷代經學史、單經研究史的著

---

45 北京大學出版的《十三經注疏》標點本，已為學界提供了方便，但有欠妥之處。日本野間文史撰〈讀李學勤主編之〈標點本十三經注疏〉〉，見《經學今詮三編》——《中國哲學》第24輯（瀋陽市：遼寧教育出版社，2002年4月），呂友仁先生〈《十三經注疏·禮記注疏》整理本評議〉，見《中國經學》第1輯（桂林市：廣西師範大學出版社，2005年11月），都已經指出一些缺陷。

46 趙伯雄先生在《春秋學史·自序》說：「作經學史，還需從許多最基礎的工作做起，例如先做分經典的研究，或者先做分階段的研究。只有在分經典的研究及分階段的研究上有了高水準的成果，例如有了高水準的《易學史》、《尚書學史》、《詩經學史》

作問世，才有可能完成一部比較理想的中國經學史。若勉強為之，只能是隔靴搔癢，流於空泛。

正因為如此，經學和經學史的研究，艱難曲折，舉步維艱。尤其是在物欲橫流的現代社會，傳統經典，常遭蔑視。故真心願意獻身學術，甘於寂寞，從事經學和經學史研究的人，鳳毛麟角。

二〇〇七年十一月五日至八日，山東大學杜君澤遜來寧。在寒舍暢談中，杜兄言及有弟子焦桂美者，歷時數載，撰《南北朝經學史》（下簡稱「焦書」），欲請審讀。十一月底，收到焦書，洋洋四十餘萬言。遂歷時十餘日，閱讀一過。欽佩之餘，感慨良多。概言之，焦書有如下特點：

第一，選題新穎，填補空白。斷代經學史研究，是中國經學史研究的重要組成部分。已經發表的斷代經學史論著，只有徐復觀、章權才等先生之論著數種。專門以南北朝經學為對象的著作，恕我寡聞，唯有臺灣汪惠敏先生的《南北朝經學初探》[47]和簡博賢先生的《今存南北朝經學遺籍考》[48]。二書均未曾寓目，但從書名來揣測，似乎不是從經學史的角度所進行的研究。

皮錫瑞《經學歷史》、馬宗霍《中國經學史》中關於南北朝經學的論述，主要依據正史「儒林傳」，缺乏對南北朝經學家和經學代表作的具體分析；加之門戶之見，評價多失之偏頗。章權才《魏晉南北朝隋唐經學史》對南北朝經學史的論述，也不夠深入。此外，尚有一些探討南北朝經學的單篇論文，除個別文章外，大多鋪陳舊說，浮光掠影。真正意義上的《南北朝經學史》，尚未出現。

關於南北朝經學史的研究狀況，焦書在「前言」中做了仔細分析。焦書認為南北朝經學史研究，存在個案研究不足、對南北朝時期各種經學現象的關注不夠、對南北朝經學史發展的脈絡和總體特點把握不夠細緻確切、創新做得不夠等缺陷。所以，焦書以「南北朝經學史」研究為題，對南北朝經學

等等，有了高水準的《兩漢經學史》、《兩宋經學史》、《清代經學史》等等，高水準的《中國經學史》才有可能出現。」趙伯雄先生所言極是。

47 汪惠敏：《南北朝經學初探》（臺北市：臺灣嘉新水泥公司文化基金會，1979年）。

48 簡博賢：《今存南北朝經學遺籍考》（臺北市：臺灣黎明文化事業公司，1975年）。

史的研究時段、研究範圍、依據的主要資料，參考前賢論著，進行了界定和說明。就選題而言，是很有研究價值和學術意義的。

前人研究南北朝經學，主要依據正史記載。焦書除正史資料外，主要依據《隋書．經籍志》、《今存南北朝經學遺籍考》之記載，並將依據資料擴展到輯佚文獻、詩文總集和別集，較之以前，視野開闊。焦書確立的研究目標是，通過對南北朝經學家及其經學著作較為全面的研究，明確其學術傾向、治經特點、經學貢獻，從而較為客觀地評價每位經學家在南北朝經學史上的地位，探尋南北朝經學史發展的基本走向。這一目標不僅實現，也超越前賢。所以，從總體上看，焦書確是一部真正意義上的《南北朝經學史》，是填補空白之作。

第二，結構謹嚴，條理清晰。自東漢以來，中國歷史又進入長期分裂狀態，社會動蕩，戰爭不斷，五胡亂華，政權更迭。就學術而言，玄學、佛教、道教，交相輝映；史學、文學、藝術，空前發展；儒家經典，亦備受當政者重視。

南朝從西元四二〇年宋武帝劉裕建國，到西元五八九年陳叔寶被擒，歷時一百六十九年；北朝從北魏拓跋珪建國，到西元五八一年北周靜帝宇文衍禪國楊堅，歷時一百九十五年；南北朝歷史，不過近二百年。然在二百年的歷史時期，南朝先後經歷了宋、齊、梁、陳，北朝分裂為東魏、西魏，又分別被北齊、北周取代。頻繁的政權交替，必然影響學術文化的發展。經學也有南學、北學之異。要對南北朝的經學史進行研究，其難度也可想而知。

焦桂美女士，知難而進，通過對資料的深入研讀，將全書分為五章三十五節，每節下細分若干問題，就總體結構而言，謹嚴有度，條例清晰。比如第二章南朝經學，焦書分為南朝經學發展概況、南朝經學的基本走向、雷次宗的《略注喪服經傳》、庾蔚之的《禮記略解》、何胤和賀瑒的《禮記》注疏、崔靈恩的經學成就、沈文阿的《春秋左氏經傳義略》、皇侃的《禮記義疏》、皇侃的《論語義疏》、關於《論語義疏》的初步研究等十節，前兩章是總論，後八章是對經學家和經學著作的分析。第一節南朝經學發展概況分如何認識宋齊時期的經學、梁武帝提倡經學之舉措、王儉與南朝經學之重振三個小標題，梁武帝提倡經學之舉措從設立中央地方兩級學校，充分發揮學校的教育功能，重用通經之士，以利祿促進經學發展，身體力行，重視以經學教育子弟三個方面來論述，層層遞進，十分清楚。其他章節，基本如此。

第三，立足原著，論述詳盡。根據《隋書．經籍志》的記載，南北朝時期的經學著作有數百種之多。唐代《五經正義》、賈公彥《儀禮疏》和《周禮疏》的編纂，多依賴南北朝經學著作，方得以順利完成。但南北朝經學著作完整保存到今天者，唯有皇侃《論語義疏》、陸德明《經典釋文》等數種，大多數著作，均散佚不存。所以，要考察南北朝經學史，可供利用的完整資料，十分有限，同時也給研究帶來很大困難。

研究某朝經學歷史，除正史記載外，主要依賴經學著作。已經散佚的南北朝經學著作，散見於《五經正義》等書，清代輯佚學家馬國翰、黃奭、王謨、王仁俊等，利用《五經正義》等文獻，對散佚不存的南北朝經學著作，進行了仔細鉤沈，使我們從某些僅存條目，得以管窺南北朝經學之概貌。

焦書在考察南北朝經學史時，不僅對《論語義疏》、《經典釋文》、《大戴禮記注》等著作進行分析；對散佚不存的經學論著，利用馬國翰等人的輯佚資料，同時參考《禮記正義》、《春秋左傳正義》等書，鉤稽史料，互相比對，分析探討，這是以前經學研究者幾乎不曾涉足的領域，其艱辛自不待言。

皇侃《論語義疏》，是能夠確定的南北朝時期完整保存至今的經學著作，也是我們能夠看到的最早的經學「義疏類」著作，學術價值非常重要，該書於南宋末期散佚，清乾隆時期又方從日本傳入，並被收入《四庫全書》。焦書立足原著，對《論語義疏》進行了詳盡論述。焦書不僅研究了《論語義疏》的體制和闡釋特點，對《論語義疏》的篇序和成就、皇侃的學術思想，也進行深入討論。關於《論語義疏》的闡釋特點，焦書認為，皇侃注書，能宗主一家，間採群言；經注兼疏，勇於案斷；詳略隨文，不拘一格；重現背景材料，注重情感體驗；儒家主旨中雜染玄、佛及隱逸思想。這些總結，皆持之有故。

對《論語義疏》進行分析，相對來說，比較容易。但對失傳的經學著作，僅依據輯佚材料考察，或需要從它書中一一梳理，就要艱難得多。事實證明，焦書對南北朝經學著作的論述，主要是依據此方法。諸如對雷次宗、庾蔚之、何胤、賀瑒、崔靈恩、沈文阿、熊安生、蘇寬、賈思同、劉焯、顧彪、劉炫等人經學成就及其著作特點的論述，主要依據輯佚資料，或從《五經正義》中鉤稽，為研究南北朝經學，建立了紮實的資料基礎。

熊安生是北朝著名的經學家，其學上承徐遵明、李寶鼎，下傳馬光、賈公彥，是承先啟後的經學代表人物。焦書依據馬國翰輯佚的《禮記熊氏義疏》四卷，總結該書有以下特點：獨尊鄭注，心無旁騖；注重互證，務求有據；深入探討、後來居上；好引陰陽讖緯；善於總結條目；力求對異文做出合理解釋；力求對《禮記》地位做出進一步認定。對熊氏注重互證的特點，又細分為上下文互證、本經互證、《三禮》互證、它經互證、它書互證、綜合互證等；對《禮記》異文產生的原因，熊氏進行了分析，焦書總結為因斷章取證而致、名異實同、原則規定與具體實踐不同、場合不同和用禮不同、異人之說並存及各舉一隅、相兼乃備等六種原因。這些結論，皆舉例證明。如果不是立足原著，分析就不會如此仔細縝密。這樣的研究方法和得出的結論，是超越前賢的。

第四，綜合考察，見解新穎。焦書立足原著，不僅對南北朝時期十多位經學家的經學成就及其代表作進行了逐一分析，而且依據大量原始資料，綜合考察了南北朝經學的特徵，發表了許多獨到的見解。

南北朝經學，前人多關注南學和北學的異同，而較少關注南北朝經學的其他特徵。眾所周知，南北朝時期，儘管政局不穩，但學術異常繁榮。就文獻學而言，王儉《七志》和阮孝緒《七錄》，均附道教、佛教類著作；四部分類法的確立，南北朝學者蕭繹等貢獻很大。《隋書・經籍志》將經部分為《易》、《書》、《詩》、《禮》、《樂》、《春秋》、《孝經》、《論語》、緯書、小學十類，在某種意義上講，正是南北朝經學的寫照。這些學術特徵，無不對經學發生影響。

焦書針對南北朝經學的具體情況，在第一章關於南北朝經學的宏觀考察中，分南北朝師學的發展及其特色、南北朝家學的發展及其特色、南北朝經學的地域性特點、經學家的遷徙與南北朝經學、南朝玄學與經學、佛教與經學的互相滲透、南朝經學與文學文論史學之互動、諸經傳播的不平衡現象及其原因、南北朝經學異同論等九節，綜合考察了南北朝經學中師學、家學和經學的地域性特點，分析了南北朝經學與玄學、佛教、文學、史學、文論之間的關係，多發前人所未發。

佛教與經學的關係，前人較多關注經學對佛教的影響，而較少注意佛教對經學的影響。焦書通過考察，認為南北朝「經學之重振促進了佛徒學習、注疏儒家經典之熱情，強化了佛教對儒學的依附關係，確保了儒家倫理觀念的主導地位，最終促進了佛教的儒學化」。南北朝經學對佛教的影響是佛教僧徒傳習、注釋儒家經典，佛教論難常以儒家經典為指導，佛徒認同並遵從儒家倫理。佛教對經學的滲透主要表現在南北經學家之好佛，佛教對儒經注疏內容之滲透，佛教對儒經注疏語言之浸染，佛教對儒家講經、注經形式之影響，佛教對儒家講經、注經原則之影響。當然，佛教與經學的相互滲透是不平衡的，佛教是無條件地受經學的制約和規範，經學是有選擇的從佛教中汲取有益成分。

南北朝經學家的遷徙活動，與南北朝經學之發展密切相關。南北朝經學家遷徙的原因多樣，焦書認為，經學家或因避仇而遷，或因不得重用而遷，或因內亂而遷，或因戰亂被迫而遷，或因國滅而遷，或因出使被迫羈留，但這些經學家之遷徙，直接影響了南北朝經學的發展。焦書認為，經學家之遷徙，促進了經學傳習範圍、經學注疏之交融、南北經學文本之交流，最終直接導致一批貫通古今、相容南北的經學家及經學著作出現，為隋唐經學之融合奠定了基礎。

最後，焦書在結語部分總結說：南北朝經學承擔著承前啟後、繼往開來的歷史使命，南北朝經學雖非長期持續發展，但總體趨勢呈明顯上升狀態；南朝與北朝內部的經學風尚均非一成不變，而是各自經歷了一個發展演變過程；南北朝師學、家學的發展既有共性，又有自身的特點；南北朝經學的發展並非孤立現象，而是與當時的社會現實、學術思潮等密切關聯；南北朝經學各有特色，又異中有同；南北朝經學家深入探討諸經，並取得了累累成果；南北朝經學對唐代及後代經學影響深遠。這些結論，令人耳目一新。

焦書是在博士論文的基礎上修改而成。據悉，為完成此書，作者從文獻中抄錄的資料，多達近百萬字。在學風浮躁的今天，這樣的治學精神，值得稱讚。

由於時間等原因的限制，焦書尚有一些不足。就南北朝經學的總體面貌來看，南北朝政府和經學家，都非常重視《三禮》的研究及其現實意義。就我粗略統計，南北朝時期研究《三禮》的經學著作，《周禮》有十五種，《儀禮》有七十二種，《禮記》有三十二種，總論《三禮》的著作有九種，通論禮學者五十種，總計接近一八〇種[49]，遠遠超過對其他經典的研究。《三禮》中，尤其重視對《儀禮．喪服》和《禮記》的研究。此外，帝王也加入到研究經典的行列，梁武帝蕭衍著有《禮記大義》十卷、《制旨革牲大義》三卷，主編《五禮》一〇〇〇卷，梁元帝蕭繹著《禮雜私記》。這一現象，反映了南北朝時期對禮的重視程度。焦書對此現象雖已涉及，但探討不夠深入。南北朝時期的經學，對禮如此重視，竊以為有三個原因：

一是政局動蕩，社會不穩，《三禮》中尊卑有序的思想有利於社會安定。南北朝時期，朝代更迭，帝王更換，快如法輪，人人苦之。尤其是帝王，一旦取得地位，無不希望長治久安，人人講禮，對其頂禮膜拜，蕭衍主編《五禮》一〇〇〇卷，其良苦用心也在於此。故《三禮》研究，異常繁榮。

二是佛教的盛行，嚴重危機到政府的統治思想，經典中能與佛教抗衡者，以《三禮》為最。梁武帝一方面篤信佛教，曾三次捨身同泰寺（今南京雞鳴寺）；一方面又重視經學，設置五經博士，大力提倡經典的教育作用。北魏太武帝拓跋燾、北周武帝宇文邕，先後強令禁止佛教。這種較量，反映在文化上，就是佛教與儒家的鬥爭。儒家經典中，《三禮》所蘊含的尊卑觀念、禮尚往來和維護君臣上下的思想，極有利於抵制佛教思想的蔓延。從學者到政府，有人在迷信佛教的同時，又不願意失去自己的地位和利益，故無

---

49 《三禮研究論著提要》（增訂本）專著類。

論願意與否，大家都講究親親尊尊，禮讓有度。因此，從上到下，重視儒家禮儀，研究《三禮》，或依據《三禮》制定當代禮儀，也就在情理之中。

三是士族和庶族的鬥爭需要。南北朝時期受魏晉門閥制度的影響，亦非常注重門第觀念，尤以南朝為最。士族為了保證自己的利益，希望人人遵守禮法。而〈喪服〉篇及《禮記．大傳》等，非常利於宣揚等級制度和宗法觀念，以便維護自己的地位。所以，南北朝在制定本朝禮儀的過程中，經常以《禮記》等經典為依據。《宋書》、《梁書》文獻，有大量記載，不再贅言。

承蒙杜君和焦桂美女士之抬愛，命為序言，誠惶誠恐！三辭不許，勉強為之。如有不當，方家教之。

二〇〇七年十二月二十一日初稿

二〇〇九年三月十八日修改

論賈誼經學思想之時代意義

潘銘基*

一 前人論述賈誼經學派別概說

賈誼，祖籍洛陽，漢文帝時人。漢初經學未盛，致力經學者多為故秦博士，「經學至漢武始昌明，而漢武時之經學為最純正」[1]。賈生之時，經學既未定於一尊，且亦未為大盛。惟後人論述賈生學術思想之時，多述其經學所承，以為窮波討源，雖幽必顯。就《詩》而言，陳喬樅《魯詩遺說考》、王先謙《詩三家義集疏》、魏源《詩古微》等皆以為賈生用《魯詩》；至於《春秋》，學者多推尋賈生學術淵源，以為其師承張蒼，修《左氏傳》訓故。及至用禮，又單憑片言隻語，少加考證，輒謂賈誼乃「荀子的再傳弟子」[2]。以上眾說，皆可商而未可盡信。汪中云：「漢世慕尚經術，史氏稱其緣飾，故公卿或持祿保位，被阿諛之譏，博士講授之師，僅僅方幅自守，文吏又一切取勝。蓋仲尼既沒，六藝之學其卓然著於世用者，賈生也。」[3]汪氏以為賈生說事多用六經，卓然於世，今證以《新書》諸篇，知汪說是也；而《新書》與六經之關係亦可考見。

茲篇之撰，旨在利用互見文獻之法，考證賈生引用經籍之實況，以期打破前人所謂賈生學術淵源之成見。復以諸經為例，細論賈誼《新書》所引經文，及其說解與經說之異同。最後，重構賈生用經之貌，並據此討論西漢初

* 香港中文大學中國語言及文學系。

1 （清）皮錫瑞著，周予同注釋：《經學歷史》（香港：中華書局，1961年），頁70。

2 王興國：《賈誼評傳》（南京市：南京大學出版社，1992年），頁99。

3 （清）汪中：〈賈誼新書序〉，載汪中著、田漢雲點校：《新編汪中集》（揚州市：廣陵書社，2005年），文集第四輯，頁423。

年學者用經引經之法。

二　賈誼《詩》學概說

陳喬樅《魯詩遺說考》、王先謙《詩三家義集疏》以為賈誼之時惟有《魯詩》，賈生引《詩》立說必以魯義[4]。賈誼生於西漢文帝之世，其時《毛詩》未行，故二人從而推論賈生引《詩》，必屬《魯詩》。反之，吳智雄則以為「賈誼詮釋的《詩》義與《毛詩》義合者或近者為多」[5]。其實歷來學者論賈誼所用《詩》家，每多忽略賈生說《詩》，旨不在解經，而係依據先秦典籍以申述己意，說理述事。下文即選其顯例，分析賈生用《詩》之實：

4　陳喬樅《魯詩遺說考》卷一解釋〈騶虞〉一詩云：「賈太傅時惟有《魯詩》，此所說〈騶虞詩〉即魯義也。」（〔清〕陳喬樅：《三家詩遺說考．魯詩遺說考》〔臺北市：藝文印書館據南菁書院《皇清經解續編本》景印，1986年〕，卷1，頁32a，總頁2354。）案：《三家詩遺說考》分為《魯詩遺說考》、《齊詩遺說考》、《韓詩遺說考》三部分，下文引用《三家詩遺說考》，即分別以《魯詩遺說考》、《齊詩遺說考》、《韓詩遺說考》稱之，以資區別。又王先謙《詩三家義集疏》每多沿用陳喬樅說，其於賈生用《詩》之處，亦云：「賈時惟有《魯詩》，所引魯訓也。」是王氏亦以賈誼所用為《魯詩》也。（〔清〕王先謙撰，吳格點校：《詩三家義集疏》〔北京市：中華書局，1987年〕，卷2，頁121。）魏源《詩古微．齊魯韓毛異同論上》云：「賈誼、劉向博極群書，何以《新書》、《說苑》、《列女傳》宗《魯》而不宗《毛》？」（〔清〕魏源：《詩古微》〔臺北市：藝文印書館據清光緒十四年江陰南菁書院本景印，1972年〕，卷1，頁3a，總頁14599。）可見魏源亦以為賈誼用《魯詩》也。王洲明、徐超〈《賈誼集校注》前言〉亦云：「漢初三家《詩》比《毛詩》盛行，而三家《詩》中《魯詩》又最盛行，所以《新書》十五條引《詩》，用《魯詩》者達十二條之多。」（〔漢〕賈誼著，王洲明、徐超校注：《賈誼集校注》〔北京市：人民文學出版社，1996年〕，前言，頁2。）可見二人亦以為賈誼用《魯詩》。唯唐晏《兩漢三國學案》將賈生置於「不詳宗派」之列，說較近是。（〔清〕唐晏著，吳東民點校：《兩漢三國學案》〔北京市：中華書局，1986年〕，卷5，頁213。）

5　吳智雄：《西漢前期經學思想研究》（嘉義縣：中正大學中國文學系博士論文，2002年），頁200。

例一：《新書·禮》引《詩》云：「君子樂胥，受天之祜。」[6]

案：《新書》引《詩》見〈小雅·桑扈〉。文同《毛詩》。至其說《詩》之義，《新書·禮》云：

> 胥者，相也。祜，大福也。夫憂民之憂者，民必憂其憂；樂民之樂者，民亦樂其樂。與士民若此者，受天之福矣。禮，聖王之於禽獸也，見其生不忍見其死，聞其聲不嘗其肉，隱弗忍也。[7]

陳喬樅、王先謙等以此為《魯詩》義[8]。其實賈誼解《詩》文字，實本《孟子》。《孟子·梁惠王下》云：「樂民之樂者，民亦樂其樂。憂民之憂者，民亦憂其憂。」[9]又《孟子·梁惠王上》云：「君子之於禽獸也，見其生，不忍見其死；聞其聲，不忍食其肉：是以君子遠庖廚也。」[10]兩文皆見於孟子廷說齊宣王時，賈生襲用《孟子》解《詩》之跡，昭然若揭，非取三家之義。茲列《新書·禮》與《孟子》互見文字對讀如下：

> 《新書·禮》胥者，相也。祜，大福也。
>
> 《孟子·梁惠王下》
>
> 《新書·禮》夫憂民之憂者，民必憂其憂；樂民之樂者，民亦樂其樂。

---

6 （漢）賈誼撰，閻振益、鍾夏校注：《新書校注》（北京市：中華書局，2000年），卷6，頁216。

7 《新書校注，》卷6，頁216。

8 陳喬樅《魯詩遺說攷》將賈生引用〈桑扈〉列入《魯詩》之下，以為《魯詩》義。（《魯詩遺說攷》，卷13，頁5a，總頁2483。）王先謙《詩三家義集疏》謂賈生引〈桑扈〉云：「此魯說。」（《詩三家義集疏》，卷19，頁773。）可見陳喬樅與王先謙同謂賈誼用《詩》乃魯義。

9 （漢）趙岐注，（宋）孫奭疏《孟子注疏》，載《十三經注疏》委員會整理：《十三經注疏（整理本）》（北京市：北京大學出版社，2000年），卷2，頁48-49。

10 廖名春、劉佑平整理，錢遜審定：《孟子注疏》，載《十三經注疏》委員會整理：《十三經注疏（整理本）》，卷1，頁24。

《孟子．梁惠王下》樂民之樂者，民亦樂其樂。憂民之憂者，民亦憂其憂。

《新書．禮》與士民若此者，受天之福矣。

《孟子．梁惠王上》

《新書．禮》禮，聖王之於禽獸也，見其生　不忍見其死，

《孟子．梁惠王上》君子之於禽獸也，見其生，不忍見其死；

《新書．禮》聞其聲　不　嘗其肉，隱弗忍也。

《孟子．梁惠王上》聞其聲，不忍食其肉：是以君子遠庖廚也。

顯而易見，二文相類，賈生釋〈桑扈〉之文，襲用《孟子》，非陳喬樅、王先謙等所謂用《魯詩》義。

例二：《新書．容經》引《詩》云：「威儀棣棣，不可選也。」[11]

案：《新書》引《詩》見〈邶風．柏舟〉。文同《毛詩》。王先謙謂此《詩》「三家『選』作『算』」[12]，陳喬樅、王先謙等以為賈誼用《魯詩》，則賈誼引《詩》理當作「算」。惟賈誼引作「選」，只能與《毛詩》相合。至於說《詩》之義，王先謙以為賈誼《詩》說，「時惟《魯詩》，此魯說也」[13]。細考賈誼引《詩》之義，曰：

> 夫有威而可畏謂之威，有儀而可象謂之文。富不可為量，多不可為數。故《詩》曰：「威儀棣棣，不可選也。」棣棣，富也。不可選，眾也。言接君臣、上下、父子、兄弟、內外、大小品事之各有容志也。[14]

---

11 《新書校注》，卷6，頁229。

12 《詩三家義集疏》，卷3上，頁130。

13 《詩三家義集疏》，卷3上，頁130。

14 《新書校注》，卷6，頁229。

賈說實本《左傳．襄公三十一年》載衛侯與北宮文子之對話。茲列二書對讀如下：

《新書．容經》

《左傳．襄公三十一年》公曰：「善哉！何謂威儀？」

《新書．容經》夫有威而可畏謂之威，有儀而可象謂之文。

《左傳．襄公三十一年》對曰：「有威而可畏謂之威，有儀而可象謂之儀。

《新書．容經》富不可為量，多不可為數。

《左傳．襄公三十一年》君有君之威儀，其臣畏而愛之，則而象之，故能有其國家，令聞長世。臣有臣之威儀，其下畏而愛之，故能守其官職，保族宜家。順是以下皆如是，是以上下能相固也。

《新書．容經》故《詩》曰：「威儀棣棣，不可選也。」

《左傳．襄公三十一年》〈衛詩〉曰：「威儀棣棣，不可選也。」

《新書．容經》棣棣，富也。不可選，眾也。

《左傳．襄公三十一年》

《新書．容經》言接君臣、上下、父子、兄弟、內外、大小　品事之各有容志也。

《左傳．襄公三十一年》言　君臣、上下、父子、兄弟、內外、大小，　皆有威儀也。[15]

可見《左傳》「有威而可畏，謂之威」，賈生作「夫有威而可畏謂之威，有儀而可象謂之文」；《左傳》「〈衛詩〉曰：『威儀棣棣，不可選也』」，賈生

15 （周）左丘明傳，（唐）杜預注，（唐）孔穎達正義，浦衛忠等整理，楊向奎審定：《春秋左傳正義》，載《十三經注疏》委員會整理：《十三經注疏（整理本）》，卷40，頁1304-1305。

作「故《詩》曰：『威儀棣棣，不可選也』」；《左傳》「言君臣、上下、父子、兄弟、內外、大小皆有威儀也」，賈生作「言接君臣、上下、父子、兄弟、內外，大小品事之各有容志也」。可見賈誼此處因襲並引申北宮文子說《詩》之詞。陳喬樅、王先謙等以為三家詩中《魯詩》最先，最為近古，惟《左傳》引《詩》，實不能以三家之說囿之。王先謙所言魯說[16]，更本諸賈生，即凡說《詩》義近賈生者，亦入《魯詩》範疇。賈誼襲用《左傳》，引申《詩》義，皆本《左傳》，重在申明王者之威儀。劉立志《漢代詩經學史論》謂「漢儒說《詩》多有采錄自先秦典籍者，不能一一確定其《詩》學派別」，並舉賈生此說為例，以為《新書・容經》此文「全本於《左傳・襄公十一年》『北宮文子』」所言[17]，劉氏所論，可謂知言。至若賈誼與《左傳》之關係，下文將作詳論，此處不贅。

> 例三：《新書・禮容語下》引《詩》云：「昊天有成命，二后受之，成王不敢康，夙夜基命宥謐。」[18]

案：《新書》引《詩》見〈周頌・昊天有成命〉。賈誼所引「夙夜基命宥謐」中「謐」，今本《毛詩》作「密」。王先謙以為：「賈時惟有《魯詩》，知魯『密』作『謐』。」[19]是王氏據賈誼《新書》引《詩》而推論《魯詩》「密」作「謐」。

其實賈誼《新書・禮容語下》此文，亦見《國語・周語下》，大抵為賈說所本。然而賈生在因襲《國語》之餘，至解《詩》處而自用新意，不依舊解。茲對讀二書如下：

---

16 案：王先謙《詩三家義集疏》云：「魯說曰：夫有威而可畏，謂之威。有儀而可象，謂之儀。富不可為量，多不可為數，故《詩》曰：『威儀棣棣，不可選也。』棣棣，富也。不可選，眾也。言接君臣、上下、父子、兄弟、內外、大小品事之各有容志也。……『夫有』至『志也』，賈子《新書・容經篇》文。時惟《魯詩》，此魯說也。」（《詩三家義集疏》，卷3上，頁130。）

17 劉立志：《漢代詩經學史論》（北京市：中華書局，2007年），頁157。

18 《新書校注》，卷10，頁379。

19 《詩三家義集疏》，卷24，頁1009。

《新書．禮容語下》晉叔向　聘于周，發幣　大夫。及單靖公，靖公享之　儉而敬，

《國語．周語下》晉羊舌肸聘于周，發幣於大夫　及單靖公。靖公享之，儉而敬；

《新書．禮容語下》賓禮贈賄同，是禮　而從　，享燕無私，送不過郊，

《國語．周語下》賓禮贈餞　，視其上而從之；　燕無私，送不過郊；

《新書．禮容語下》語說〈昊天有成命〉。　既而叔向告人曰：

《國語．周語下》語說〈昊天有成命〉。單之老送叔向，叔向告之曰：

《新書．禮容語下》「　吾聞之曰，一姓不再興，

《國語．周語下》「異哉！吾聞之曰：『一姓不再興。』

《新書．禮容語下》今周有單子以為臣，周其復興乎？昔史佚有言曰：

《國語．周語下》今周其　興乎！其有單子也。昔史佚有言曰：

《新書．禮容語下》「動莫若敬，居莫若儉，德莫若讓，事莫若資。」

《國語．周語下》「動莫若敬，居莫若儉，德莫若讓，事莫若咨。」

《新書．禮容語下》今單子　皆有焉。夫宮室不崇，器無蟲鏤，儉也；

《國語．周語下》　單子之貺我，禮也，皆有焉。夫宮室不崇，器無彤鏤，儉也；

《新書．禮容語下》身恭除潔，外內肅給，敬也；燕好享賜，雖歡不踰等　，讓也；

《國語．周語下》身聳除潔，外內齊給，敬也；宴好享賜，不踰其

上，讓也；

《新書·禮容語下》賓之禮事，稱上而差，資也；若是　而加之以無私，重之以不侈，

《國語·周語下》賓之禮事，放上而動，咨也。如是，而加之以無私，重之以不殺，

《新書·禮容語下》能辟怨矣。居儉動敬，禮讓事資，而能辟怨，以為卿佐，其有不興乎？

《國語·周語下》能避怨矣。居儉動敬，德讓事咨，而能避怨，以為卿佐，其有不興乎！

《新書·禮容語下》 夫 〈昊天有成命〉，〈頌〉之盛德也。其詩曰：『昊天有成命，

《國語·周語下》「且其語說〈昊天有成命〉，〈頌〉之盛德也。其詩曰：『昊天有成命，

《新書·禮容語下》二后受之，成王不敢康，夙夜基命宥謐。』

《國語·周語下》二后受之，成王不敢康，夙夜基命宥密，

《新書·禮容語下》謐者，寧也，億也。命者，制令也。基者，經也，勢也。夙，早也。康，安也。后，王；二后，文王武王。成王者，武王之子，文王之孫也。文王有大德而功未就，武王有大功而治未成，及成王承嗣，仁以臨民，故稱「昊天」焉。不敢怠安，蚤興夜寐，以繼文王之業。布文陳紀，經制度，設犧牲，使四海之內，懿然葆德，各遵其道，故曰有成。承順武王之功，奉揚武王之德，九州之民，四荒之國，歌謠文武之烈，累九譯而請朝，致貢職以供祀，故曰「二后受之」。方是時也，天地調和，神民順億，鬼不厲祟，民不謗怨，故曰「宥謐」。成王質仁聖哲，能明其先，能承其親，不敢惰懈，以安天下，以敬民人。今單子美說其志也，以佐王室，吾故曰

『周其復興乎』？[20]

《國語．周語下》於，緝熙！亶厥心肆其靖之。』是道成王之德也。成王能明文昭，能定武烈者也。夫道成命者，而稱昊天，翼其上也。二后受之，讓於德也。成王不敢康，敬百姓也。夙夜、恭也，基、始也，命、信也，宥、寬也，密、寧也，緝、明也，熙、廣也，亶、厚也，肆、固也，靖、龢也。其始也，翼上德讓，而敬百姓。其中也，恭儉信寬，帥歸於寧。其終也，廣厚其心，以固龢之。始於德讓，中於信寬，終於固和，故曰成。單子儉敬讓咨，以應成德。單若不興，子孫必蕃，後世不忘。[21]

由上列對讀文字觀之，賈誼《新書．禮容語下》此段文字實因襲自《國語》。賈誼因襲《國語》，並非孤例[22]，此處更同有〈昊天有成命〉一詩。賈誼因襲《國語》，重在說解〈昊天有成命〉一詩；《國語》同樣引《詩》，然其重在論史，是以不同。〈禮容語〉指容儀和言談合乎禮制。此文述叔向見單靖公，見靖公舉止言談合乎禮儀，結果報在靖公輔政，使周能復興。陳喬樅、王先謙等以為賈時惟有《魯詩》，復因賈誼引用上述一段解《詩》而以為《魯詩》當如是，而後世學者引《詩》與賈生相同者亦以為《魯詩》學者[23]。然賈誼引用此文目的與《國語》有異，是以至解《詩》處而自創新解，非三家義所及。若此，可見賈誼《詩》說多出己意，遍觀典籍，不因襲前人說法。

以下再看《毛傳》、鄭《箋》、韋昭《國語解》等如何訓釋〈昊天有成命〉一詩。《毛傳》、鄭《箋》訓解此《詩》，語多同於《國語》，《毛傳》

20 《新書校注》，卷10，頁378-379。

21 《國語》(上海市：上海古籍出版社，1978年)，頁114-116。

22 案：除此文外，《新書．傅職》亦有襲取《國語．楚語上》之跡。

23 陳喬樅《魯詩遺說攷》謂賈誼、匡衡說解〈昊天有成命〉義同，因而推論「是齊、魯《詩》說皆如此」。(《魯詩遺說攷》，卷18，頁6b，總頁2537。)可見陳氏以為賈生用《魯詩》。

云：「二后，文、武也。基，始。命，信。宥，寬。密，寧也。」[24]鄭《箋》云：

> 昊天，天大號也。有成命者，言周自后稷之生而已有王命也。文王、武王受其業，施行道德，成此王功，不敢自安逸，早夜始信天命，不敢解倦，行寬仁安靜之政以定天下。寬仁所以止苛刻也，安靜所以息暴亂也。[25]

孔穎達《正義》謂「此篇《毛傳》皆依《國語》」[26]，其說是也。至於韋昭《國語解》，亦有數條注文訓解此《詩》：

（一）盛德，二后也，謂成王即位而郊見，推文、武受命之功，以郊祀天地而歌之也。[27]

（二）昊天，天大號也。二后，文、武也。康，安也。言昊天有所成之命，文、武則能受之。謂修己自勸，以成其王功，非謂周成王身也。賈、鄭、唐說皆然。[28]

（三）夙，早也。夜，暮也。基，始也。命，信也。宥，寬也。密，寧也。言二后蚤起夜寐，始行信命，以寬仁寧靜之。[29]

（四）是詩道文、武能成其王德也。[30]

---

[24]（漢）毛亨傳，（漢）鄭玄箋，（唐）孔穎達疏，龔抗雲等整理，劉家和審定：《毛詩正義》，載《十三經注疏》委員會整理：《十三經注疏（整理本）》，卷19，頁1524。

[25]（漢）毛亨傳，（漢）鄭玄箋，（唐）孔穎達疏，龔抗雲等整理，劉家和審定：《毛詩正義》，載《十三經注疏》委員會整理：《十三經注疏（整理本）》，卷19，頁1524。

[26]（漢）毛亨傳，（漢）鄭玄箋，（唐）孔穎達疏，龔抗雲等整理，劉家和審定：《毛詩正義》，載《十三經注疏》委員會整理：《十三經注疏（整理本）》，卷19，頁1525。
（漢）毛亨傳，（漢）鄭玄箋，（唐）孔穎達疏，龔抗雲等整理，劉家和審定：《毛詩正義》，載《十三經注疏》委員會整理：《十三經注疏（整理本）》，卷19，頁1525。

[27]《國語》，頁116注1。

[28]《國語》，頁116注2。

[29]《國語》，頁116注3。

[30]《國語》，頁117注5。

可見韋注之說，大抵本之毛氏，而其中「非謂周成王身也」一句，適與賈生解說相反。賈誼以為詩中所謂「成王不敢康」中之「成王」乃指周成王，毛氏、韋昭則以為「言昊天有所成之命，文、武則能受之。謂修己自勸，以成其王功，非謂周成王身也。」據此，則賈說殆誤。

就《詩》文訓詁而言，賈生亦有異於他書，可見賈誼解《詩》，不囿一說，多有創見：

	賈誼《新書》	《國語》	韋昭《國語解》	《毛傳》	《爾雅》
謐	寧、億	寧	寧	寧	（釋詁上）靜
命	制令	信	信	信	（釋詁上）告
基	經、勢	始	始	始	（釋詁上）始
夙	早	恭	早		（釋詁下）早
康	安		安		（釋詁下）靜

其實整段文字出於《國語》，《新書》、《毛傳》、《國語解》或因襲其說，或為之作解，胡承拱《毛詩後箋》謂西漢初年「《詩》未萌芽，群言淆亂，賈生雜述所聞，恐未足為據耳」[31]。極詆賈生《詩》說。惟核之《國語》，則見賈誼《新書》訓釋此詩，略勝《毛傳》、《國語解》矣。馬瑞辰《毛詩傳箋通釋》云：

> 「二后受之，成王不敢康。」《箋》：「文王、武王受其業，施行道德，成此王功，不敢自安逸。」瑞辰按：〈晉語〉引此詩，韋昭注：「謂文、武脩己自勤，成其王功，非謂周成王身也。」說與《箋》同。但考叔向說是詩曰：「是道成王之德也。成王，能明文昭，能定武烈者也。」二后指文、武，則「成王」自指周成王無疑。頌作於成王之時，成王猶〈召南〉詩稱平王，象其德而稱頌之，非諡也。叔向曰：「夫道成命而稱昊天，翼其上也。『二后受之』，讓於德也。」蓋謂成王不自謂能受天命，而曰文、武受之，故以為讓於德。若不指周

---

31 （清）胡承拱撰，郭全芝校點：《毛詩後箋》（合肥市：黃山書社，1999年），卷26，頁1519。

成王，則「二后受之」何謂讓於德乎？《賈子・禮容篇》釋此詩曰：「二后，文王、武王。成王者，文王之孫，武王之子也。文王有大德而功未就，武王有大功而治未成。及成王承嗣，仁以臨民，故稱昊天焉。蚤興夜寐，以繼文王之業，懿然葆德，各遵其道，故曰有成。」是賈子亦以詩「成王」指周成王身矣。……此《箋》及韋注《國語》並以「成王」指文、武，失之。[32]

馬瑞辰於此處指出就叔向所言，可見「成王」乃指周成王，故鄭《箋》及韋《注》並誤，惟賈誼所言得《國語》之意。韋昭雖在注解《國語》，然而其《詩》本毛氏[33]，故解釋此段《詩》文亦多用毛氏語。由上舉各書引〈昊天有成命〉之例可見，兩漢典籍引《詩》乃常事，惟因《詩》而引申之義，則各有不同。若以此《詩》為例，賈誼所云是否魯義，實難以論斷，惟其《詩》說與毛氏及韋昭不同，則是事實。孔穎達《正義》云：「古人說詩者，因其節文，比義起象，理頗溢於經意，不必全與本同。」[34]孔氏之言是矣！

小結

準上所論，前人所論賈誼引《詩》之文，其實多屬賈誼《新書》與他書重文互見處。此等文字皆各有所自，非必由賈生所創。倘以此等文字論述賈

---

32 （清）馬瑞辰：《毛詩傳箋通釋》（北京市：中華書局，1989年），卷28，頁1050。

33 （清）唐晏《兩漢三國學案》將韋昭列於《毛詩》學者之下，惟未加解釋。（見《兩漢三國學案》，卷6，頁306。）歷來學者但謂韋昭習《毛詩》，未有細加考證，樊善標〈韋昭《詩》學探論〉細意分析韋昭《詩》學，文中經過再三考證，以為「韋昭一再引用《詩》句來證明注解中陳述的史實，又把《詩序》視為史料，這表現出他對歷史的偏好，更有意思的是，在這些材料中，完全沒有和《毛詩》違逆的觀點，歷來把韋昭列在《詩》毛氏派的說法終於得到了證據支持。」（見樊善標〈韋昭《詩》學探論〉，《中國文化研究所學報》〔香港：香港中文大學中國文化研究所，1999年〕，頁314。）

34 （漢）毛亨傳，（漢）鄭玄箋，（唐）孔穎達疏，龔抗雲等整理，劉家和審定：《毛詩正義》，載《十三經注疏》委員會整理：《十三經注疏（整理本）》，卷19，頁1526。

生所屬詩派，未免失諸偏頗。漢初詩學流派分立，門戶之見未成，賈生「以能誦《詩》屬《書》聞於郡中」、「頗通諸子百家之書」[35]，今觀其用《詩》之例，方知其言不易矣。西漢初年，三家《詩》未立學官，文人多用文獻說《詩》，實未可入於三家範疇。陳喬樅、王先謙等以為賈誼引《詩》必屬魯說，實可商而未可盡信。

三　賈誼《春秋》學概說

據《漢書・儒林傳》、《隋書・經籍志》和《經典釋文・序錄》所載，賈誼與《左傳》一書關係密切，其由有二：一為賈生師承張蒼，習《左氏》之學，並傳之貫公，以至誼孫嘉[36]。二為賈生撰有《左氏傳》訓故。後世學者據此加以發揮，唐晏《兩漢三國學案》以賈生為《左傳》學者[37]，劉師培謂張蒼「作《張氏微》十篇，以授賈誼。誼作《左氏傳訓故》，遺說具見《賈子新書》。賈氏世傳其業，誼兼授貫公」[38]。又云：「賈誼受《左氏》學于張蒼，世傳其學，至于賈嘉。」[39]是皆置賈生於《左傳》授受源流之統，以為賈生必屬《左氏》學者。今人王更生〈賈誼春秋左氏承傳考〉云：

---

35 《史記》，卷84，頁2491。

36 案：沈玉成、劉寧《春秋左傳學史稿》云：「《經典釋文・敘錄》所記《左傳》的傳承，全部照抄《別錄》和《漢書》，但在賈誼之後多出一句『誼傳至其孫嘉』，然後由賈嘉傳給貫公，同時，和張禹同出貫長卿門下的還有張敞。貫公為河間獻王劉德博士，劉德以景帝前元二年（前155）立，在位二十六年而卒（武帝元光五年，前130），賈誼卒於文帝前元十二年（前168），年三十三。以年齡推算，似乎不太可能由他的孫子去傳授《左傳》於貫公。陸德明所據何自，不詳。」（沈玉成、劉寧：《春秋左傳學史稿》（南京市：江蘇古籍出版社，1992年，頁78。）準此，有關賈誼傳授《左傳》之過程實在有可疑之處，未可輕易論定。

37 （清）唐晏：《兩漢三國學案》（北京市：中華書局，1986年），卷9，頁448。

38 劉師培：〈左氏學行於西漢攷〉，載《劉申叔遺書》（南京市：江蘇古籍出版社，1997年），《左盦集》，卷2，頁8b，總頁1216。案：劉氏此文又有「研治群籍兼通左氏」一派，惟未有列賈誼於此範疇之內。

39 劉師培：〈經學教科書〉，載《劉申叔遺書》，冊1，頁8b，總頁2078。

> 西漢劉向條《別錄》，首明《春秋》傳授次第；班固傳〈儒林〉，言北平侯張蒼、及梁太傅賈誼、京兆尹張敞、太中大夫劉公子，皆修《左氏傳》，而列賈誼於張蒼之後，其承傳關係，於焉可見。[40]

王氏所論受《漢書》、《隋書》等啟發，惜未有以《新書》、《左傳》文本為據作深入討論，誠屬憾事。

細考《史記》、《漢書》本傳所載，賈誼即使學習《左傳》，亦不可能傳自張蒼。賈誼為洛陽人，年十八，河南守吳公召至門下。文帝元年（前179），徵為博士，賈生此時方離開洛陽，赴任長安。張蒼於呂后八年（前180）為御史大夫，文帝四年（前176）「丞相灌嬰卒，張蒼為丞相」[41]。賈誼本傳謂年十八而通《詩》、《書》，誦諸子百家之言，即使學習《左傳》亦不必傳自張蒼矣。再者，張蒼以為漢當繼秦水德，色尚黑；賈誼則謂改正朔，易服色，色尚黃，數用五，持見亦有所不同[42]。是觀之，賈誼當非張蒼弟子，前人謂賈生師事張蒼，其說皆有未備[43]。徐復觀《中國經學史的基礎．西漢經學史》云：

> 因《左氏傳》自戰國中期後流行甚廣，傳習者多，所以《漢書．儒林

40 王更生：〈賈誼春秋左氏承傳考〉，《孔孟學報》，第35期（1978年4月），頁135。

41 （漢）司馬遷：《史記》（北京市：中華書局，1982年），卷96，頁2680。

42 說參徐復觀：〈賈誼思想的再發現〉，載《兩漢思想史（卷二）》（臺北市：臺灣學生書局，1976年），頁121-122。

43 學者每謂賈誼師承張蒼，更以為賈誼乃荀卿之再傳弟子。丁毅華〈荀子、賈誼禮治思想的傳承〉即以直線之傳承關係，表示賈生與荀卿之學術淵源：
荀卿→李斯→吳廷尉→賈誼
（丁毅華：〈荀子、賈誼禮治思想的傳承〉，《天津師大學報》〔1991年第6期〕，頁33。）用「直線關係」以言漢代經學之傳承歷史，未必可信。徐復觀云：「後人常以五經博士出現以後的師承家法的情形，加在以前的經學傳承上去，每經都安放一條直線單傳的系統，一若每代只有一人傳習，這都是出於傅會而非常不合理的。」又云：「研究漢代經學史，應首先打破五經博士出現以後所偽造的傳承歷史。」（〈賈誼思想的再發現〉，載《兩漢思想史（卷二）》，頁121、122。）是以丁氏所列賈生師承關係，未可盡信。

傳》對漢初張蒼、賈誼、張敞、劉公子等「皆修《春秋左氏傳》」，而未著其所受，且四人間更沒有傳承關係。[44]

徐氏所言甚是。張蒼與賈誼於《左傳》傳授並無承傳關係。蔡廷吉《賈誼研究》云：「賈誼之習《左氏》，不必傳自張蒼，否則《漢書・儒林傳》不應略其傳授關係。」[45]蔡氏所言良是，可見賈誼師承張蒼之說，其實並不足信。

劉毓崧謂賈誼「于諸經固多所發明，而其學之最精者，尤在于《春秋》」[46]。劉說是也。考諸《新書》，知賈生引春秋史事說理，多有溢出《左傳》者，即使《左傳》載有相關史事，其說法亦與賈生所述頗相逕庭。考賈誼《新書》所記春秋史事，共二十三條，下表即比較《新書》與《左傳》互見部分：

	賈誼《新書》所記春秋史事	《左傳》出處[47]	與《左傳》關係		
			完全因襲	所載有別	未見有載
1	〈大都篇〉楚靈王問范無宇事	昭公十一年		✓	
2	〈審微篇〉周襄王出逃	僖公二十四年		✓	
3	〈審微篇〉晉文公請隧	僖公二十五年		✓	
4	〈審微篇〉叔孫于奚請曲縣繁纓	成公二年		✓	
5	〈傅職篇〉傅人之道				✓
6	〈容經篇〉釋《詩・邶風・柏舟》	襄公三十一年	✓		
7	〈春秋篇〉楚惠王食寒葅得蛭				✓
8	〈春秋篇〉衛懿公喜鶴亡國	閔公二年		✓	
9	〈春秋篇〉鄒穆公以秕換粟				✓

44 徐復觀：《中國經學史的基礎》（臺北市：臺灣學生書局，1982年），頁184。

45 蔡廷吉：《賈誼研究》（臺北市：文史哲出版社，1984年），頁11。

46 （清）劉毓崧：《通義堂文集》（上海市：上海古籍出版社，2002年，影民國劉氏《求恕齋叢書》本），卷8，〈西漢兩大儒董子賈子經術孰優論〉，頁43b。

47 賈誼《新書》部分史事見於《國語》，而《國語》與《左傳》本有《春秋》內外傳之稱，唯本部分先比較《左傳》與《新書》之關係，至若《國語》之部，自當撰文另述。

10	〈春秋篇〉楚王欲淫鄒君				✓
11	〈春秋篇〉晉文公出畋遇蛇				✓
12	〈春秋篇〉齊桓公割地歸燕				✓
13	〈春秋篇〉孫叔敖遇兩頭蛇			✓	
14	〈先醒篇〉楚莊王圍宋伐鄭	宣公十一至十四年		✓	
15	〈先醒篇〉宋昭公出亡至境	文公十六年		✓	
16	〈先醒篇〉虢君驕恣亡身	哀公十一年		✓	
17	〈耳痺篇〉伍子胥助吳伐楚	昭公二十年、定公四年、哀公十一年		✓	
18	〈諭誠篇〉楚昭王因當房之德而復國				✓
19	〈諭誠篇〉昭王戰中取屨				✓
20	〈退讓篇〉翟使至章華之臺	昭公七年			✓
21	〈禮容語下〉魯叔孫昭聘于宋	昭公二十五年	✓		
22	〈禮容語下〉晉叔向聘於周				✓
23	〈胎教篇〉蘧伯玉賢而不用				✓

賈生言春秋史事，因襲《左傳》文字者僅有二例（見上表）。至於其他春秋史事，賈生所言有與《左傳》故事相近者，惟所記略有不同，二者並無互見重文關係。可見賈生即使引用《左傳》，亦旨在論述春秋史事，並非旨在解經。汪之昌〈賈子新書書後〉云：

> 其述《左氏》事，〈禮容篇〉叔孫昭子一條，〈先醒篇〉宋昭公出亡而復位、虢君出走其御進酒食及枕土而死，〈耳痺篇〉子胥荷籠而自投於江，〈諭誠篇〉楚昭王以當房之德復國，今《左氏傳》並無其文。〈審微篇〉晉文公請隧、叔孫于奚救孫桓子，〈春秋篇〉衛懿公好鶴亡國，〈先醒篇〉楚莊王與晉人戰於兩棠、會諸侯於漢陽申天子之禁，皆與《左氏傳》異同，尤足見其廣徵博引，異於株守一先生之

說者。[48]

汪氏謂賈誼《新書》各篇所載春秋史事少與《左傳》文字相合，正見其「廣徵博引」，與後世株守一家師說之經師大相逕庭。下即舉《新書》與《左傳》記載相異之二事為例加以說明：

例四：賈誼《新書．春秋》記衛懿公喜鶴亡國事

案：〈春秋篇〉記衛懿公喜鶴亡國，與《左傳．閔公二年》大體相同而細節有異。〈春秋篇〉言衛懿公之鶴有飾以文繡者，《左傳》則以為「鶴有乘軒者」。可知賈誼所言與《左傳》有所不同。賈誼援引春秋史事，其意不在解經，僅用以勸勉時君當愛人民而遺忠道，以免如衛懿公因喜鶴而亡國，意味深長。章太炎《春秋左傳讀》謂「太傅說經，非僅章句也」[49]，「章句」近於訓解詞義，非賈誼之所重，其引用春秋史事，重在以古諷今，勸勉君主。觀賈誼先為長沙王太傅，後為梁懷王太傅，其任太傅一職[50]，旨在匡扶少主，多所勸勉，章氏所言誠是。

例五：賈誼《新書．耳痹》記伍子胥荷籠自投於江事

---

48 汪之昌：《青學齋集》（新陽：青學齋，1931年），卷23，頁3a。又劉汝霖《漢晉學術編年》云：「觀其書中述《左氏》事，僅〈禮容篇〉叔孫昭子一條。〈先醒篇〉言宋昭公出亡而復位；虢君出走，其御進酒食及枕土而死；〈耳痺篇〉言子胥荷籠而自投於江；〈諭誠篇〉言楚昭王以當房之德復國；皆不合《左氏》。〈審微篇〉言晉文公請隧，叔孫于奚救孫桓子，〈春秋篇〉言衛懿公喜鶴而亡其國，〈先醒篇〉言楚莊王與晉人戰於兩棠，會諸侯於漢陽，申天子之禁。皆與《左氏》異。」（劉汝霖：《漢晉學術編年》〔北京市：中華書局，1987年〕，頁52-53。）劉氏所言與汪之昌取意相近，皆謂《新書》與《左傳》互見部分不多。

49 章太炎：《春秋左傳讀》（臺北市：文史哲出版社，1984年），頁221。

50 案：太傅一職始置於周代，用以輔弼天子治理天下。秦代廢此官，至漢復置。《歷代職官表》卷67有載。「太傅」於賈誼之時等同於「太子太傅」，乃輔導太子之官。賈誼歷任長沙王太傅、梁懷王太傅，旨在勸教二人。後來梁懷王死，賈誼自傷為傅無狀，亦可見賈誼於扶翼幼主用力甚多。

案：〈耳痹篇〉言伍子胥荷籠自投於江。惟《左傳·哀公十一年》載子胥乃因吳王「使賜之屬鏤以死」[51]，說與賈生未合。鍾夏《新書校注》云：「誼此節所數事，頗異於他書，豈可一一辨證？古事傳聞不同，未可執一而論。」[52]其言是也。可見雖同載伍子胥之死，同為春秋史事，賈誼《新書》與《左傳》卻不盡相同。

此外，考賈生言春秋史事，有完全不見於《左傳》者：如〈退讓篇〉記翟使至章華之臺事、〈春秋篇〉言楚惠王食寒葅得蛭、鄒穆公以粃換粟、楚王欲淫鄒君、晉文公出畋遇蛇、齊桓公割地歸燕、孫叔敖遇兩頭蛇、〈諭誠篇〉言楚昭王因當房之德而復國、昭王戰中取屨、〈胎教篇〉言蘧伯玉賢而不用，《左傳》皆不載。可見賈生所言春秋史事，或別有所據，並不專用《左傳》。

小結

其實賈誼《新書》與《左傳》之關係，大抵僅在於賈生引用《左傳》故事立說而已。至於史事中之細節，賈生或別有所據，未必遵從《左氏》，此漢初學術崇尚自由之風氣使然。汪中〈賈誼新書序〉云：「其時經之授受，不著竹帛。解詁屬讀，率皆口學。其有故書雅記，異人之聞，則亦依事枚舉，取足以明教而已。」[53]汪氏之言是也。太史公謂賈生「頗通諸子百家之

---

51 （周）左丘明傳，（唐）杜預注，（唐）孔穎達正義，浦衛忠等整理，楊向奎審定：《春秋左傳正義》，載《十三經注疏》委員會整理：《十三經注疏》，卷58，頁465，總頁2167上。

52 《新書校注》，卷7，頁277。

53 （清）汪中：〈賈誼新書序〉，載《新編汪中集》，文集第四輯，頁423。王更生〈賈誼春秋左氏承傳考〉亦云：「今案賈誼之引春秋與左氏多不合，蓋因其經之授受，不著竹帛，解詁屬讀，率皆口耳，其有故書雅記異人之聞，則亦依事枚舉，取足以明教而已。」（王更生：〈賈誼春秋左氏承傳考〉，頁141。）王氏所言是也，其說蓋襲用汪中而未明言之。

書」[54]，今觀其言春秋史事，良有以也。此外，學者嘗言賈誼師事張蒼，傳《左傳》，今考知賈誼實無緣師承張蒼，故前說成疑。

四　賈誼禮學概說

陳澧《東塾讀書記》云：「賈誼之學，蓋長於禮。」[55]賈誼《新書》引《禮》文凡十三則，其中七則見於《禮記》，兩則見於《周禮》，三則為佚文。賈生為漢初通儒，其時因秦之速亡，尚仍在目，有志之士，多以此為鑒；賈生提出以禮治國，其引禮文，涉乎其禮論者眾。賈誼之禮治思想，學者嘗有論之，如唐雄山云：「賈誼的理想政治是禮治。」[56]今考《新書》，知賈生之禮治思想，乃承自荀卿。前人學者每多論述賈誼禮治思想與荀卿之關係，如汪中以為賈誼「固荀氏再傳弟子也。故其學長於禮」[57]。饒宗頤云：「賈長沙之學，於荀卿為再傳。」[58]二人所論並是。下文則主要探討賈誼引《禮》之文，以見其禮治思想之所據。至於賈生與荀卿之學術淵源，自當另文討論。賈誼《新書》引《禮》文者眾，下僅就引《禮記》、《周禮》、佚《禮》各舉一例：

例六：三引《禮記．王制》以論蓄積

《新書．憂民》：「王者之法，民三年耕而餘一年之食，九年而餘三年之食，三十歲而民有十年之蓄。」[59]

《新書．憂民》：「王者之法，國無九年之蓄謂之不足，無六年之蓄謂

---

54 《史記》，卷84，頁2491。

55 （清）陳澧：《東塾讀書記》（臺北市：世界書局，1964年），卷13，頁3a

56 唐雄山：《賈誼禮治思想研究》（廣州市：中山大學出版社，2005年），引言，頁5。

57 （清）汪中：〈賈誼新書序〉，載《新編汪中集》，文集第四輯，頁423。

58 饒宗頤：〈賈誼研究序〉，載陳炳良、陳煒良、江潤勳：《賈誼研究》（香港：求精印務公司，1958年），饒序，頁1。

59 《新書校注》，卷3，頁124。

之急，無三年之蓄曰國非其國也。」[60]

《新書・無蓄》:「〈王制〉曰:『國無九年之蓄，謂之不足；無六年之蓄，謂之急；無三年之蓄，國非其國也。」[61]

案:《新書》所引見諸《禮記・王制》:「國無九年之蓄曰不足，無六年之蓄曰急，無三年之蓄曰國非其國也。三年耕，必有一年之食。九年耕，必有三年之食。」[62]賈生所引與〈王制〉文字大抵相同。賈誼漢初人，距秦亡尚近，故其論治國之道，多以休養生息為主。此文所引，意在以史為鑒，述說糧食積蓄之重要性。古代社會以農立國，賈生治國之道，亦以農為本、以商為末，持重農抑商之見。王興國云:「古代積蓄的多少，是儒家用來考察官吏賢否而定黜陟的標準。」[63]王氏所言有理。可知賈生引《禮記》文字，亦旨在論治國之道。

例七:《新書・審微》:「禮，天子之樂宮縣，諸侯之樂軒縣，大夫直縣，士有琴瑟。」[64]

案:此文見於《周禮・春官・小胥》，文字稍有不同。《周禮・春官・小胥》:「正樂縣之位，王宮縣，諸侯軒縣，卿大夫判縣，士特縣，辨其聲。」[65]意謂修正懸掛樂器之位，王者四面均有懸掛樂器，諸侯除南方外三面懸掛樂器，卿大夫在東西兩面懸掛樂器，士在東面懸掛樂器，各有不同，以辨其聲。賈生化用《周禮》此文，接之以春秋時衛大夫叔孫于奚向衛君請曲縣、繁纓事，此事見諸《左傳・成公二年》。可知賈生用禮旨在補充春秋史事，亦其博通諸家典籍之證。

---

60 《新書校注》，卷3，頁124。

61 《新書校注》，卷4，頁164。

62 (漢) 鄭玄注，(唐) 孔穎達疏，龔抗雲整理，王受錦審定:《禮記正義》，載《十三經注疏》委員會整理:《十三經注疏 (整理本)》，卷12，頁441。

63 《賈誼評傳》，頁191。

64 《新書校注》卷2，頁74。

65 《周禮注疏》，載《十三經注疏 (整理本)》卷23，頁712。

例八：《新書・保傅》：「〈學禮〉曰：『帝入東學，上親而貴仁，則親疏有序而恩相及矣。帝入南學，上齒而貴信，則長幼有差而民不誣矣。帝入西學，上賢而貴德，則賢智在位而功不遺矣。帝入北學，上貴而尊爵，則貴賤有等而下不踰矣。帝入大學，承師問道，退習而考於大傅，太傅罰其不則而匡其不及，則德智長而理道得矣。此五學既成於上，則百姓黎民化輯於下矣。』」[66]

案：賈誼所引〈學禮〉屬佚禮。汪照云：「〈學禮〉，蓋古《禮經》也，今失傳。」[67]賈生引此，旨在說明天子學習之程序及重要性。《新書・保傅》此文前謂「及太子少長，知好色，則入於學。學者，所學之官也」，〈學禮〉以後接之以「學成治就，是殷周所以長有道也」[68]。可知賈生引〈學禮〉之文，亦與其以秦亡為鑒之論一脈相承。秦之速亡，賈生以為與不善教育太子相關，故其謂殷周所以長而有道，乃因教導太子有方；至若秦之速亡，則秦始皇以趙高傅胡亥之果也。

---

66 《新書校注》卷5，頁184。案：《新書・保傅》亦見《漢書・賈誼傳》、《大戴禮記・保傅》。今賈誼《新書・保傅》、〈傅職〉、〈容經〉、〈胎教〉四篇均互見於《大戴禮記・保傅》，《漢書・昭帝紀》云：「詔曰：『朕以眇身獲保宗廟，戰戰栗栗，夙興夜寐，修古帝王之事，通〈保傅傳〉、《孝經》、《論語》、《尚書》，未云有明。其令三輔、太常舉賢良各二人，郡國文學高第各一人。賜中二千石以下至吏民爵各有差。』」顏師古引文穎注曰：「賈誼作〈保傅傳〉，在《禮大戴記》中。」（卷7，頁223。）文穎東漢人，其說近古，大抵可信。文穎以為賈生撰作〈保傅〉，並在今《大戴禮記》。《漢書》則云昭帝通〈保傅傳〉，是賈生〈保傅傳〉於當時單行之證。及後大戴方取之入《大戴禮記》也。汪中〈賈誼新書序〉云：「孝昭通〈保傅傳〉，則當時以教冑子。〈傅職〉、〈保傅〉、〈連語〉、〈輔佐〉、〈胎教〉，戴德采之。」（〔清〕汪中：〈賈誼新書序〉，載《新編汪中集》，文集第四輯，頁424。）汪之昌〈賈子新書書後〉云：「吾觀《新書・傅職》、〈保傅〉、〈連語〉、〈輔佐〉、〈胎教〉，戴德采之。」（汪之昌：《青學齋集》，卷23，頁2b。）是以余嘉錫《四庫提要辨證》云：「《大戴禮》取《新書・保傅》、〈傅職〉、〈胎教〉、〈容經〉四篇，合為〈保傅篇〉。」（余嘉錫：《四庫提要辨證》〔北京市：中華書局，1980年〕，卷10，頁547。）

67 （清）汪照：《大戴禮注補》，《續修四庫全書》（上海市：上海古籍出版社，2002年，景清嘉慶九年〔1804〕金元鈺等刻本），卷3，頁3b。

68 《新書校注》，卷5，頁184。

此外，《新書．數寧》又引「《禮》：『祖有宗，宗有德。』」[69]以及〈保傅〉引「〈明堂之位〉」[70]兩段佚《禮》，可見《新書》文字亦有存舊之功。

小結

準上所論，賈生引《禮》文，亦不囿於一家之說，而以其禮治思想為核心，博用諸書，援經說事，泛引《禮記》、《周禮》，乃至佚《禮》之文。其中尤以引佚《禮》最堪注意，證賈生用經不單採一家，而必博采眾說。徐復觀云：「通過《新書》看，賈誼對《六藝》的評價，無分軒輊；但對於禮他下了更多的工夫。」[71]今觀其以禮述事已博采眾說，信哉其言。

五　賈誼《易》學概說

賈誼《新書》引《易》五則，其中一則重見，一則為今本《易》之佚文。秦火之時，《易》未在焚毀之列，是以漢興以來，《易》學傳授不絕。《漢書．藝文志》云：「及秦燔書，而《易》為筮卜之事，傳者不絕。漢興，田何傳之。」[72]此可證漢初傳《易》不斷。賈誼漢初人，下文舉例說明賈生用《易》之情況，以見漢初《易》學之一隅：

> 例九：《新書．容經》云：「龍也者，人主之辟也。亢龍往而不返，故《易》曰『有悔』。悔者，凶也。潛龍入而不能出，故曰『勿用』。勿用者，不可也。龍之神也，其惟蓏龍乎。能與細細，能與巨巨，能與高高，能與下下。吾故曰：龍變無常，能幽能章。故聖人

---

69 《新書校注》，卷1，頁30。案：《新書校注》闕「《禮》」字，考《新書》諸本俱有「禮」字，今據之補。

70 《新書校注》，卷5，頁185。

71 《中國經學史的基礎》，頁213。

72 班固：《漢書》（北京市：中華書局，1962年），卷30，頁1704。

者，在小不竇，在大不窕；狎而不能作，習而不能順；姚不惛，卒不妄；饒裕不贏，迫不自喪；明是審非，察中居宜。此之謂有威儀。」[73]

案：本篇名為〈容經〉，旨在討論禮容。此處賈生用《易》理以釋威儀，亦賈生引用古代經籍之法，即不拘某家，重在引書說理。賈生此處所引，「亢龍」四句乃出《易．乾》「上九，亢龍有悔」[74]，「潛龍」四句則為《易．乾》「初九，潛龍勿用」[75]。鍾夏云：「解悔為凶者殊少見，惟《公羊傳．襄公二十九年》注『悔，咎也』，與誼說近。」[76]「考之諸說，似無誼所謂『入而不能出』之義，九二即謂『見龍在田，利見大人』。」[77]可知學者多以賈生說解與諸解或異。賈生之解說非章句之儒所能囿，至其說解每多加引申，大有先秦賦《詩》斷章取義之遺風。吳智雄因云：「賈誼於〈容經〉中引此《易》文，重點在強調國君必須具有明是審非、察中居宜的威儀之容，所以特引初九與上九經文，一在下，一在上，下者入而不能出，上者往而不返，上下變化莫測、捉摸不定，以此方能有效駕馭群臣，統治國家。」[78]吳氏亦指出賈生解《易》旨在陳說國君威儀之容，並不專在解經。

例十：《新書．春秋》、〈君道〉云：「《易》曰：『鳴鶴在陰，其子和之。』」[79]

案：賈生所引見《易．中孚》「九二：鳴鶴在陰，其子和之」[80]。意謂鶴於不顯眼處鳴叫，其幼鶴亦隨聲應和。〈春秋〉引《易》以評鄒穆公。穆公因治國有道，愛護人民，深為國人愛戴。後穆公死，百姓悲痛不已，不論男女老

---

73 《新書校注》，卷6，頁230。

74 《周易正義》，載《十三經注疏（整理本）》，卷1，頁8。

75 《周易正義》，載《十三經注疏（整理本）》，卷1，頁2。

76 《新書校注》，卷6，頁243。

77 《新書校注》，卷6，頁243。

78 吳智雄：《西漢前期經學思想研究》，頁206。

79 此語兩見《新書》。《新書校注》，卷6，頁248；卷7，頁288。

80 《周易正義》，載《十三經注疏（整理本）》，卷6，頁285。

少，任何職業，俱欲報穆公之大德，賈生遂引《易》文以示此等應和。孔《疏》：「處於幽昧，而行不失信，則聲聞于外，為同類之所應焉。」[81]其解說亦與賈生謂穆公治國以德，因而百姓愛之不渝之情相類。可知孔氏所解與賈生取意相近。至若〈君道〉引《易》，旨在借周文王之逸事，刻劃人君與臣民關係之理想境界。賈生於《易》文後，復加「言士民之報也」句，指出因文王之大德，故百姓「不愛其死，不憚其勞，從之如集」[82]，大抵亦跟上文孔《疏》「聲聞于外，為同類之所應」取意相近。

> 例十一：《新書．胎教》：「《易》曰：『正其本而萬物理，失之毫釐，差以千里。』故君子慎始。《春秋》之元，《詩》之〈關雎〉，《禮》之〈冠〉、〈婚〉，《易》之〈乾〉、〈坤〉，皆慎始敬終云爾。」[83]

案：賈誼主張教育太子當從母親懷胎時開始，遂引上述《易》文，以明「君子慎始」[84]之意。此「《易》曰」之文，盧辯云：「據《易說》言也。」孔廣森云：「《易說》，通卦驗文。」[85]是二人以為此為緯書之文。惟今《易》無此文，孔氏所言實不知所據。王利器云：「考緯候起於哀、平，兩戴所記為古記之文。賈誼、東方朔、司馬遷時，緯候未出，何緣見之。」[86]賈誼漢初人，其時緯書未出，孔穎達以為數句為「《易．繫辭》文也」[87]。惟今《易．繫辭》未見此文，未知孔穎達所據。向宗魯云：「孔沖遠非不讀《易》者，以為〈繫辭〉，必有所受之矣。」[88]向氏所論雖未有明證，純屬推想之辭，惟孔穎達

---

81 《周易正義》，載《十三經注疏（整理本）》，卷6，頁285-286。

82 《新書校注》，卷7，頁288。

83 《新書校注》，卷10，頁390。

84 《新書校注》，卷10，頁390。

85 孔廣森：《大戴禮記補注》（上海市：商務印書館，1939年），卷3，頁36。

86 （漢）應劭撰，王利器校注：《風俗通義校注》（北京市：中華書局，1981年），卷2，頁61。

87 （漢）鄭玄注，（唐）孔穎達疏，龔抗雲整理，王雯錦審定：《禮記正義》，載《十三經注疏》委員會整理：《十三經注疏（整理本）》，卷50，頁1603。

88 向宗魯：《說苑校證》（北京市：中華書局，1987年），卷3，頁56。

既謂為《易．繫辭》，想必其時可見此文，今散佚而已。考「失之毫釐，差以千里」二句乃漢人習用語，《禮記．經解》[89]、《大戴禮記．禮察》、《史記．太史公自序》[90]、東方朔〈化民有道對〉[91]、《說苑．建本》[92]、《風俗通義．正失》[93]俱嘗引之，文字少異，而皆稱之為「《易》」。大抵賈生所引此《易》文並非緯書，而是今本《周易》之佚文。此《新書》多存古說之又一明證。

小結

賈生用《易》，亦如上引諸經相同，皆借經書內容以申述己說。且賈生引《易》亦有不見於今本《易》者，知其時所見書與今日或異。是以今藉《新書》以保留者，不僅為賈誼之遺文，更是諸經於西漢初年之歧解異說。

---

89 案：《禮記．經解》云：「故禮之教化也微，其止邪也於未形，使人日徙善遠罪而不自知也。是以先王隆之也。《易》曰：『君子慎始，差若毫氂，繆以千里』，此之謂也。」（〔漢〕鄭玄注，〔唐〕孔穎達疏，龔抗雲整理，王雯錦審定：《禮記正義》，載《十三經注疏》委員會整理：《十三經注疏（整理本）》，卷50，頁1603。）《禮記》此文引《易》有「君子慎始」四字，倘此句亦屬《易》文，則《新書》「故君子慎始」五字亦當屬《易》文矣。

90 案：《史記．太史公自序》云：「故《易》曰『失之毫釐，差以千里』。」（《史記》，卷130，頁3298。）

91 《漢書》，卷65，頁2858。案：東方朔云：「上為淫侈如此，而欲使民獨不奢侈失農，事之難者也。陛下誠能用臣朔之計，推甲乙之帳燔之於四通之衢，卻走馬示不復用，則堯、舜之隆宜可與比治矣。《易》曰：『正其本，萬事理；失之毫氂，差以千里。』願陛下留意察之。」

92 案：《說苑．建本》云：「《易》曰：『建其本而萬物理，失之毫釐，差以千里。』是故君子貴建本而重立始。」（《說苑校證》，卷3，頁56。）《說苑》所引《易》與賈生最為接近。

93 案：《風俗通義．正失》云：「《論語》曰：『名不正則言不順。』《易》稱：『失之毫釐，差以千里。』故糾其謬曰〈正失〉也。」（《風俗通義校注》，卷2，頁59。）

六　賈誼《書》學概說

《史記》本傳謂賈生以能「誦《詩》屬《書》聞於郡中」[94]，可知其於《書》學亦有用力。惟唐晏云：「西漢之初，《書》出最後，故陸生、賈生箸書多引《易》、《詩》、《春秋》而不及《書》。至文帝始獲伏生，雖遣晁錯往受，習者終鮮。」[95]徐復觀《兩漢思想史》謂賈誼「與陸賈一樣，沒有引用到『《書》』，而他對『《書》』的內容，只從字義上加以陳述；如〈道德說〉篇『是故著之竹帛謂之書，書者此之著也。』我推測，秦政焚書，以對《書》的影響最大。漢初伏生以其殘篇『教於齊魯之間』，晁錯尚未奉詔受讀，所以賈生僅知有其名而未嘗讀其書」[96]。唐、徐二說未是。徐復觀後來知悉前說未是，以為自己「犯下了大錯」，並云：

> 賈誼《新書》卷五〈保傅篇〉引「《書》曰：一人有慶，兆民賴之」，此係引用〈呂刑〉（一稱〈甫刑〉），又卷七〈君道篇〉引「《書》曰：大道亶亶，其去身不遠。人皆有之，舜獨以之」，這可能是出自今日看不到的《逸書》。並且他把傳統的「《詩》、《書》」的序列，改變為「《書》、《詩》」的序列，把《書》的地位安放於《詩》之上，這不能不懷疑他曾看到了《書》或《書》的一部分。他是雒陽人，生於高祖七年（前200），卒於文帝十二年（前168）；文帝即位之初，召為博士；而朝廷知道有伏生，據〈儒林傳〉，也在文帝時代；以賈生之出生地與年齡，不可能受到伏生的《書》教。則賈生在雒陽「以能誦《詩》、《書》屬文稱於郡中」（本傳）的「能誦《詩》、《書》」中的《書》，並非虛語；當時雒陽，尚有民間所出之《書》可誦，特旋被埋沒不章，遂使伏生獨得傳《書》之名，不是不

---

94 《史記》卷84，頁2491。案：《漢書．賈誼傳》作「以能誦《詩》、《書》屬文稱於郡中」，文字與《史記》本傳所載略有不同，於義無異。（《漢書》卷48，頁2221。）

95 《兩漢三國學案》卷3，頁99。

96 〈賈誼思想的再發現〉，載《兩漢思想史（卷二）》，頁123。

可能的。[97]

徐氏指出《新書》有二段出自《書》之文字，較其前說可信。並以引文證成「能誦《詩》、《書》」之可信。惟徐說尚有未備處，今翻檢整部《新書》，可見「《新書》引《書》之處凡三，一出於〈呂刑〉篇，一出於〈蔡仲之命〉篇，一未詳所出」[98]。至若《新書》引《書》之例，具見如下：

例十二：《新書・保傅》：「《書》曰：『一人有慶，兆民賴之。』」[99]

案：此《書》文見〈周書・呂刑〉「一人有慶，兆民賴之」[100]，文字與《新書》所引無異。賈生引〈呂刑〉前云：「夫教得而左右正，則太子正矣，太子正而天下定矣。」[101]顏師古注「一人有慶，兆民賴之」云：「一人，天子也。言天子有善，則兆庶獲其利。」[102]知賈生引《書》，旨在說明教得太子正道直行，他日太子登位，百姓自可於此中得其利。《新書・保傅》專論如何教育太子，此處引《書》正與篇旨相合。孫星衍云：「言天子有善，兆民享其利。」[103]取意正與賈生相近。

例十三：《新書・春秋》：「令尹避席，再拜而賀曰：『臣聞：「皇天無親，惟德是輔。」王有仁德，天之所奉也，病不為傷。』」[104]

案：《新書》所引「皇天無親，惟德是輔」二句，見諸《尚書・蔡仲之命》[105]。賈生此處引「皇天」二句乃見諸楚惠王食寒菹而得蛭之事。惠王食寒

97 《中國經學史的基礎》，頁114-115。

98 黃錦鋐：〈西漢之孔學〉（二），《淡江學報》第4期（1965年11月），頁18。

99 《新書校注》，卷5，頁186。

100 （漢）孔安國傳，（唐）孔穎達疏，廖名春、陳明整理呂紹綱審定：《尚書正義》，載《十三經注疏》整理委員會整理：《十三經注疏（整理本）》，卷19，頁640。

101 《新書校注》，卷5，頁186。

102 《漢書》，卷48，頁2252。

103 （清）孫星衍：《尚書今古文注疏》（北京市：中華書局，1986年），卷27，頁530。

104 《新書校注》，卷6，頁246。

105 《尚書正義》，載《十三經注疏（整理本）》，卷17，頁534。

葅而得蛭，患腹疾而不能進食，理當懲處庖宰、監食等人，然惠王以為弗忍，故不宣食寒葅得蛭之事。令尹因賀惠王，以為惠王因有仁德，腹疾將癒。令尹賀惠王之時，即引「皇天無親，惟德是輔」二句，以為惠王有仁德，上天將助惠王克服此病。〈蔡仲之命〉屬《書序》百篇篇目之一。賈生引《書》本無「《書》曰」二字[106]，與其餘二例不同，且「皇天無親，惟德是輔」二句《左傳・僖公五年》亦嘗引之，劉起釪《尚書學史》即以為《新書》「皇天」二句後為「偽古文〈蔡仲之命〉襲用」[107]。概言之，《新書》引《書》亦有存舊之功。

例十四：《新書・君道》：「《詩》曰：『愷悌君子，民之父母。』言聖王之德也。《易》曰：『鳴鶴在陰，其子和之。』言士民之報也。《書》曰：『大道亶亶，其去身不遠，人皆有之，舜獨以之。』去射而不中者，不求之鵠，而反脩之於己。君國子民者，反求之己，而君道備矣。」[108]

案：《新書》引《書》「大道亶亶，其去身不遠，人皆有之，舜獨以之」，乃屬今本《尚書》佚文[109]。考「大道亶亶，其去身不遠」二句，亦見於《文子・道原》[110]、《淮南子・原道》[111]，文前未言出《書》，且未有引錄後二句。是以末二句是否屬於《尚書》佚文，委實存疑。王洲明等《賈誼集

106 案：《新書・春秋》楚惠王食寒葅而得蛭一文互見於《新序・雜事四》、《論衡・福虛》，二文亦僅引「皇天」二句，而無「《書》曰」二字。

107 劉起釪：《尚書學史》（北京市：中華書局，1989年），頁98。

108 《新書校注》，卷7，頁288。

109 案：《逸周書彙校集注》據陳逢衡《逸周書補注》輯「大道亶亶，其去身不遠。人皆有之，舜獨以之」為《逸周書》之佚文。（黃懷信、張懋鎔、田旭東：《逸周書彙校集注》〔上海市：上海古籍出版社，2007年〕，附錄一佚文，頁1172。）

110 王利器：《文子疏義》〔北京市：中華書局，2000年〕，卷1，頁14。案：《文子・道原》：「大道坦坦，去身不遠。」與《新書》所引文字稍有不同

111 《淮南子》（臺北市：藝文印書館據宋鈔本《淮南鴻烈解》景印，1974年），卷1，頁13a。案：《淮南子・原道》：「大道坦坦，去身不遠。」與《新書》所引文字稍有不同。

校注》、李爾綱《新書全譯》、閻振益等《新書校注》、于智榮《賈誼新書譯注》、饒東原《新書讀本》以為四句俱為《尚書》引文，劉殿爵《賈誼新書逐字索引》則以為「大道」二句方是。若就《文子》、《淮南子》之互見資料而言，《賈誼新書逐字索引》標示引《書》之文較為謹慎可取。

賈生此文遍引群經（《詩》、《易》、《書》），以論君主之正道。以《詩．大雅．泂酌》論聖王之德，以《易．中孚》論士民之報，最後以《書》論君主當求己修身，其實皆屬斷章取義，就事引經，不囿一家之說，而以論事說理為務。

小結

一如上引諸經，賈生引用《尚書》時以能論事說理為尚。此外，賈生所引有未見於今本《尚書》者，後世輯佚者有據賈生引文而輯錄《尚書》佚文，可見《新書》引文實有助於《尚書》輯佚。清人唐晏嘗謂賈誼《新書》未有引用《尚書》文字[112]，據上文考證，《新書．春秋》引《尚書．蔡仲之命》無「《書》曰」二字，《新書．君道》所引《書》則為今本《尚書》佚文，唯《新書．保傅》引用〈呂刑〉，既題「《書》曰」，文字亦見今本《尚書》。唐說可商而未可盡信。且《史》、《漢》本傳皆謂賈生能誦《詩》、《書》，故《新書》引用《尚書》文字，自不為奇。

七　賈誼總論六經

劉歆云：「在漢朝之儒，唯賈生而已。」[113]自《漢書．藝文志》起，歷代史籍多置賈誼於儒家，至《宋史．藝文志》始列入雜家。「儒術在漢初未見獨尊，諸子百家之書及傳記，皆充秘府，學者於周、秦諸子之學等量齊觀，

112《兩漢三國學案》，卷3，頁99。

113《漢書》，卷36，頁1969。

不專治經學，亦無醇儒。賈誼生當其時，各學派思想混合而具有之多元性，正為其思想所應具，不得責之以『雜』也。」[114]今究之整部《新書》，亦可見賈生思想複雜多元之處。然賈生論事既多引用儒家經典，復有總論六經之處，可藉以體現賈生經學思想之時代意義。

就《新書》各篇所見，賈生嘗多番總論六經。《史》、《漢》本傳謂賈誼提倡改革漢室朝政時要「數用五」，惟今見《新書》有〈六術〉、〈道德說〉等篇，其中論事行文皆以六為綱領，學者因而以為此等篇章當屬賈生早年作品，仍承秦之遺緒，數用六而不用五[115]。惟考諸賈生所論，其論六經乃屬其道論之分屬。賈生論道術，以道為體，以術為用。他事亦皆以六為度。德有六理，皆由道所生，由六理而為六德，由六德而外遂為六術。六術又即六行，而六行之教在於六藝。《新書・六術》云：

> 德有六理，何謂六理？道、德、性、神、明、命。此六者德之理也。六理無不生也，已生而六理存乎所生之內。是以陰陽、天地、人盡以六理為內度，內度成業，故謂之六法。六法藏內，變流而外遂，外遂六術，故謂之六行。是以陰陽各有六月之節，而天地有六合之事，人有仁、義、禮、智、信之行，行和則樂與，樂與則六，此之謂六行。陰陽、天地之動也，不失六律，故能合六法；人謹修六行，則亦可以合六法矣。然而人雖有六行，細微難識，唯先王能審之，凡人弗能自志。是故必待先王之教，乃知所從事。是以先王為天下設教，因人所有，以之為訓；道人之情，以之為真。是故內本六法，外體六行，以與《書》、《詩》、《易》、《春秋》、《禮》、《樂》六者之術以為大義，謂之六藝。令人緣之以自修，修成則得六行矣。[116]

---

114 蔡廷吉：《賈誼研究》，頁101。

115 如王興國云：「〈六術〉、〈道德說〉中數多用六，顯為承秦之制。《史記・秦始皇本紀》云：『數以六為紀，符、法冠皆六寸，而輿六尺，六尺為步，乘六馬。』而賈誼於漢文帝元年上〈論定制度興禮樂疏〉中，建議『色尚黃，數用五』，故其以六為數的文章不應遲於此年。」（《賈誼評傳》，頁55。）

116《新書校注》，卷8，頁316。

可知六理之道，精微非常，絕非人人之所能得，故必遵循先王教化，以其所設六藝之道為教，然後方始有得。此後，賈生又論及六理、六美，以為實行六理、六美，實即行德之意，而將德書寫於竹帛便是書。至於六藝，則於德各有表述，〈道德說〉云：

> 《書》者，此之著者也；《詩》者，此之志者也；《易》者，此之占者也；《春秋》者，此之紀者也；《禮》者，此之體者也；《樂》者，此之樂者也。[117]

此文分論六藝，以為《書》用以紀錄德，《詩》反映德之所志，《易》則用以占驗德，《春秋》則編錄與德相關之事，《禮》乃德之體現，《樂》為表現行德之歡樂。六經排列次序，眾說紛紜，據周予同所論，古文經學家認為六經是周公舊典，依據時間的先後排列為《易》、《書》、《詩》、《禮》、《樂》、《春秋》；今文經學家認為六經為孔子所作，用以教人，根據本身程度之深淺排列為《詩》、《書》、《禮》、《樂》、《易》、《春秋》[118]。廖名春則不以為然，並據出土文獻為證，以為「孔子晚年以前輕視《周易》，所以殿《易》於《詩》、《書》、《禮》、《樂》之後；晚年以後重《易》而輕《詩》、《書》、《禮》、《樂》，所以冠《易》於《詩》、《書》、《禮》、《樂》之前」[119]；準此，六經排列次序自不與今古文經學相關。

考諸《新書》，關於六藝排列之資料只有寥寥數則。廖名春〈六經次序探源〉、王葆玹《西漢經學源流》同據《新書．六術》「以與《詩》、《書》、《易》、《春秋》、《禮》、《樂》六者之術」句，以為賈誼《新書》引六藝次

117《新書校注》，卷8，頁325。

118 周予同：《經今古文學》，載朱維錚編：《周予同經學史論著選集》（增訂本）（上海市：上海人民出版社，1996年），頁6-8。

119 廖名春：〈六經次序探源〉，載廖名春：《中國學術史新證》（成都市：四川大學出版社，2005年），頁25。案：此文曾發表於一九九九年十月北京「紀念孔子誕辰2500週年暨國際儒學聯合會第二屆會員大會」，後刊於《歷史研究》2002年第2期。

序當以《詩》為首[120]，惟此說可商而未可盡信。今考《新書》諸本，載〈六術〉一篇六藝次序，稍有差異，具列如下：

	《新書》版本	卷／頁	〈六術〉原文
1	兩京遺編本	8/8a-b	以與《書》《詩》《易》《春秋》《禮》《樂》六者之術
2	漢魏叢書本	8/7a	以與《書》《詩》《易》《春秋》《禮》《樂》六者之術
3	四部叢刊本	8/9a	以與《書》《詩》《易》《春秋》《禮》《樂》六者之術
4	抱經堂校定本	8/7a-b	以與《詩》《書》《易》《春秋》《禮》《樂》六者之術
5	賈子次詁本	9/1b	以與《詩》《書》《易》《春秋》《禮》《樂》六者之術
6	賈誼集校注	甲編/312	以與《詩》《書》《易》《春秋》《禮》《樂》六者之術
7	賈誼新書逐字索引	8/58	以與《書》《詩》《易》《春秋》《禮》《樂》六者之術
8	新書全譯	8/362	以與《詩》《書》《易》《春秋》《禮》《樂》六者之術
9	新書校注	8/316	以與《書》《詩》《易》《春秋》《禮》《樂》六者之術
10	新譯新書讀本	頁386	以與《詩》《書》《易》《春秋》《禮》《樂》六者之術

120 案：廖名春以為除〈六術篇〉「偶以『《易》、《春秋》』居『《禮》、《樂》』前外，都是按照《詩》、《書》、《禮》、《樂》、《易》、《春秋》的次序排列的」。（廖名春：〈六經次序探源〉，頁15。）王葆玹《西漢經學源流》以為「《新書》將《易》和《春秋》列於《詩》、《書》之後，……考慮到西漢儒者逐漸認識到《易》與《春秋》的內容比《詩》、《書》更為深奧，可見《新書》所講的次序更合乎西漢魯學的習慣」。（王葆玹：《西漢經學源流》〔臺北市：東大圖書公司，1994年〕，頁73-74。）

11	賈誼新書譯注	8/241	以與《詩》《書》《易》《春秋》《禮》《樂》六者之術

據上表，可知有明諸本多作「《書》、《詩》」，至清世則以「《詩》、《書》」為主。序號六以下屬今人作品，多據明清諸本為底本校點而成。今考《新書》引六藝次序可供比較者共七次，其中四次以《書》為首，三次以《詩》居先。《新書．傅職》作「詩書禮樂無經」、「教誨諷誦詩書禮樂之不經不法不古」，前者文字互見於《大戴禮記．保傅》，後者則無。此處「詩書禮樂」之序，屬戰國以來習說，荀子反覆提到「《詩》、《書》、《禮》、《樂》」次序，以《詩》居先。至於〈君道〉遍引《詩》、《易》、《書》三部典籍，其中所引《書》未見今本《尚書》，當為佚文，則此處「《書》」是否必指《尚書》，亦未可知。

〈六術〉、〈道德說〉所引均以「《書》」為首，「《詩》」次之，首尾呼應，環環相扣。且此皆引《書》、《詩》為序並加以解說，有條不紊，說理井然。是以廖、王二氏以為賈誼《新書》六藝排列之序，以《詩》為先，其說未可盡信。

八　結語：漢初學者用經之再思考

準上所論，賈誼《新書》與六經關係密切，且賈生之用經，亦屬漢初文人說理述事之法。究其要者，總結如下：

第一，朱熹云：「賈誼之學雜。」[121]以「雜」概括賈生學術，其說蓋是。惟「雜」之意，非謂賈生學術思想漫不經心，反之，乃指賈生博通諸家之書，不能以一家一派之學囿之。傅斯年《性命古訓辨證》下卷第一章「漢代

---

121 黎靖德編：《朱子語類》（北京市：中華書局，1994年），卷137，頁3257。案：又朱熹云：「賈誼、司馬遷皆駁雜。」（《朱子語類》，卷135，頁3227。）可知朱熹以為賈誼學術之特點乃在於雜。

性之二元說」云：「在西漢以至東漢之初，百家合流，而不覺其矛盾，揉雜排合而不覺其難通，諸家皆成雜家，諸學皆成雜學，名曰尊諸孔子，實則統於陰陽，此時可謂為綜合之時代。」[122]蔡尚志云：「彼時儒術未見獨尊，其視周、秦諸子之學為同列，故漢初學者之學，固不專治經也。……漢代學者，實無醇儒，而其思想亦受各學各派之影響。」[123]傅、蔡二人所言並是，可藉以得見漢初學者學術思想之實。劉歆稱先師皆出於建元之間[124]，皮錫瑞云：「自建元立五經博士，各以家法教授。」[125]可知家法、師法確立於武帝年間。後如陳喬樅、王先謙、唐晏等嘗論述賈生之經學流派，惟賈生文帝時人，其時家法師法蓋未盛行，故此等說法未必可信。

第二，賈生用經特重經世致用。汪中云：「漢世慕尚經術，史氏稱其緣飾，故公卿或持祿保位，被阿諛之譏，博士講授之師，僅僅方幅自守，文吏又一切取勝。蓋仲尼既沒，六藝之學其卓然著於世用者，賈生也。」[126]今考賈誼《新書》所引經說，大多隨事而解，斷章取義，賈生引經之目的乃以明事為根本，並不旨在解經，汪氏所謂「著於世用」是也。《新書》述事說理並多引經籍為證，藉以加強說理之說服力。任繼愈《中國哲學發展史》以為賈誼「的思想和陸賈一樣，首先不是對某家思想的繼承，而是對現實的反映，和對歷史經驗的總結。他不同於尋章摘句，引經據典的陋儒，而是把現實情況作為自己立論的根據。他的建議首先不是看符合不符合儒家的教條，而是著眼於如何解決面臨的問題」[127]。任氏所論，可謂真知灼見。司馬談〈論六家要旨〉嘗引《易．繫辭》「天下一致而百慮，同歸而殊塗」，並

---

122 傅斯年：《性命古訓辨證》（上海市：商務印書館，1937年）卷下，第一章「漢代性之二元說」，頁7a-b。

123 蔡尚志：《賈誼研究》（臺北市：國立政治大學中國文學研究所碩士論文，1977年），頁68。

124 語見（漢）劉歆〈移讓太常博士書〉，載《漢書》，卷36，頁1969。

125《經學歷史》，頁75。

126（清）汪中：〈賈誼新書序〉，載《新編汪中集》，文集第四輯，頁423。

127 任繼愈主編：《中國哲學發展史（秦漢）》（北京市：人民出版社，1985年），頁143-144。

謂陰陽、儒、墨、名、法、道德等六家，皆「務為治者也」[128]。此言「務為治者」，可見各家之於經世致用，並無二致。

第三，《新書》解經文字，一字千金，彌足珍貴。如論春秋史事，不必只據《左傳》；解《詩》論《易》，時有異說。賈生為學不主一家，今人研究賈生學術淵源之所屬，亦不必只以一家經說囿之。

餘論：前人學者多以賈生屬魯學，其實更近齊學。蒙文通從地域文化分析賈生學術所尚，謂「齊學和魯學不同的根本原因，是齊學本重百家言」[129]，「到漢文帝時，博士有魯學派的申公，有齊學派的賈誼（通諸子百家之言），有內學派的公孫臣」[130]。據本傳所載，賈誼為洛陽人，屬晉地。本傳謂賈生「頗通諸家之書」，正是齊學派學者之特質。漢初仍承戰國遺風，諸侯林立，學風各異，未趨一致，蒙氏所論，可作深思。

128《史記》，卷130，頁3288-3289。

129 蒙文通：〈經學導言〉，載《經史抉原》（成都市：巴蜀書社，1995年），頁28。

130 蒙文通：〈經學導言〉，載《經史抉原》，頁31。

論鄭玄在皮錫瑞經說中的地位

蔡長林*

一

對傳統經學稍有涉獵之人，大概都知道皮錫瑞（1850-1908）的大名。這是因為皮氏的《經學歷史》，可謂學子進入經學門徑最重要的參考書。尤其經由周予同註釋之後，頗便學子研讀，所以也就經久不衰，一再翻印。儘管著作動機並非出於單純的學術目的，《經學歷史》還是對於通盤掌握兩千年來經學發展大勢，提供了基本的認識框架。另外，《經學通論》鮮明的學術立場，以及充分的議題呈現，也為經學界提供了相當可觀的基礎知識和經學論題，學者或多或少在自己的著作中，都會援引皮氏《經學通論》的說法，作為論述背景或討論對象。也就是說，皮錫瑞的著作，對經學研究者而言，有其不可磨滅的意義在焉。

然而，相較於皮錫瑞身後盛名之享，對皮氏學術之研究，卻仍有待深入。綜觀海峽兩岸皮錫瑞的探討，主要集中在幾個方向，其一為對皮氏傳記資料與平生著述的介紹；其二為對皮氏《經學歷史》及其經學立場的評介與討論；其三則從晚清變法圖強的角度出發，討論皮氏在戊戌變法前後的相關作為及其歷史地位[1]。另外，晚近漸有學者（主要為臺灣研究生）結合《經學歷史》、《經學通論》及皮氏關於《周易》、《尚書》、《詩經》、《春秋》等相關論述，分別做專經的探討。然其敘述角度仍不離兩個觀點：一者，以皮氏

---

* 中央研究院中國文哲研究所。

1 相關討論，可參吳仰湘：〈大陸皮錫瑞研究述評〉，《船山學刊》，2005年第2期；蔡長林：〈臺灣皮錫瑞研究綜述〉，《中國文哲研究通訊》，第14卷第1期（2004年3月）。

為今文學家，因而指出他討論經典與經學史問題時易流於主觀的情形；二者，結合當時學術環境與時代背景的影響，而論其通經致用的理念。同時，關於皮錫瑞究竟是純粹的今文學家或為不排斥古文的今文學家的爭論，也不斷地出現在學者的論述中[2]。換言之，對皮錫瑞的整體評論，仍在晚清今古文之爭的框架中進行。

個人關心的是，如何才能真正掌握到皮錫瑞的學術體質，這牽涉到如何正確理解皮錫瑞學術內涵的問題。換言之，學者對皮氏的學術認定與皮錫瑞的學術內在之間，是有距離的。從治經的歷程來看，皮錫瑞早年受王闓運之影響而專力於今文《尚書》，中治鄭學，晚年博通，著力於經學史的研究。[3]他花費十年時間撰寫了《尚書大傳疏證》，此後又寫了《尚書古文疏正辨證》、《尚書古文冤詞平議》、《尚書古文考實》、《史記引尚書考》、《今文尚書疏證》、《尚書中侯疏證》等著作。光緒二十年（甲午，1895），皮錫瑞作了《孝經鄭注疏證》，以後治學重點逐漸轉向疏證鄭學，陸續撰作了《鄭志疏證》、《聖證論補評》、《六藝論疏證》、《魯禮禘祫義疏證》等書。日清之戰失敗後，憤於《馬關條約》的喪權辱國，極言變法不可緩，而後學術大變，服膺康、梁之說。晚年長期任教，力主今文家言的《經學歷史》與《經學通論》，即是皮氏晚年最重要的兩部著作[4]，也是後人論定其學術的主要依

2　相關著作，如胡楚生：〈「《書》以廣聽，知之術也！」──皮錫瑞論研讀《尚書》之效用〉、胡楚生：〈皮錫瑞《春秋通論》析評〉、趙制陽：〈皮錫瑞《詩經通論》評介〉、高志成：《皮錫瑞《易》學述論》、胡靜君：《皮錫瑞《詩經通論》研究》、夏鄉：《皮錫瑞《尚書》學述》、何銘鴻：《皮錫瑞《尚書》學研究》等。

3　如吳仰湘言：「皮氏精研《尚書》，考證經文，彰顯奧義，於伏生之學尤具暢微抉隱之功；兼攻鄭學，詳究古禮，疏通兩漢傳注，扶翼西京之學；晚年以今文貫通群經，融會眾家，創發大義。」〈《師伏堂日記》所見皮錫瑞之經學觀〉，《湖南大學報》，第18卷第6期，頁36。

4　按：《經學歷史》初刻於光緒三十一年（丙午，1906），由湖南思賢書局刊行。繼於宣統三年（庚戌，1911）由上海群益書社鉛印發行，添加句讀，易名為《經學史講義》。二十年代後，上海商務印書館曾據思賢書局本出版影印及排印本，並多次重印。《經學通論》則為皮錫瑞的最後一部著作，初版於光緒三十二年（丙午，1907），皮氏卒於光緒三十三年（丁未，1908），此二書可以說是皮氏經學觀點與學

據。

無疑，作為一位經學家，皮錫瑞最具影響力，流傳最廣的著作便是晚年出於今文經學立場所撰寫之《經學歷史》和《經學通論》。但是這兩部著作中所顯示出的今文學立場並不徹底，時有牴牾。在書中，他既力主今文，又受早年學術慣性影響，一力維護鄭玄，並且對當時常州一系學風有所保留，時有批評。這當是學界對其學術屬性認知會有歧義的根本原因，也是研究皮氏經學所必須深入釐析的一個重點[5]。然其潛在的問題卻是，學術界對皮氏早年治經內容不夠重視，尤其忽略了皮錫瑞的學術門徑，及其表述學術的方法，對其學術生涯所展現的支配性力量。拙見以為，皮氏一生治學，不論是在方法、態度與內容上，皆與鄭氏學密切相關，此所以晚年雖因目睹時艱，力主今文的同時，仍一力維護鄭玄的原因。換言之，在皮氏以今文經師面目為世所知的同時，吾人似不應忽視始終貫串其學術中堅實的鄭氏學基礎。這並不是說，皮氏以鄭氏學為極則[6]，而是指出不應忽視長期的漢學薰陶對皮錫瑞治經的影響。

眾多文獻顯示，皮氏是因舉業失利才轉而治經[7]。但不論是如吳仰湘所言，皮氏早在同治十二年（癸酉，1874）二十五歲時，即折節治經；抑或如皮名振、楊向奎諸人所言，是在光緒五年（己卯，1879），年三十始治

術立場的晚年定論。

5 按：論定一個學者是否為純粹的今文學者，除了歸宗《公羊》之外，還有一項重要的特徵，即是批駁東漢古文經說，尤其是鄭玄之學。而清代今文學批評鄭玄最力的，無疑是傳衍自陽湖莊氏一系，然皮錫瑞卻是維護鄭玄而批莊氏不餘遺力。這是討論皮氏學術屬性需要納入思考的一項重要議題。

6 按：皮氏在乙巳七月十三日的日記裏明白提到：「《經學歷史》粗畢。予以漢武、宣及嘉、道以後治今文學者為極則，東漢古文及乾隆治許、鄭學者次之，六朝、唐為衰，宋至明為極衰，不知未駭俗否？」

7 相關討論，可參吳仰湘：《通經致用一代師——皮錫瑞生平和思想研究》（長沙市：嶽麓書社，2002年），頁45-51。

經[8]，至少皮氏學術入手處，走的是「失意箋蟲魚」[9]之路，即所謂樸學訓詁之業，而非強調微言大義的今文經學。如《年譜》光緒五年載其〈寄懷欽同年書〉云：「臣精已銷，幼學多誤，乃欲稍治樸學，益振瑋辭。」（《年譜》，頁16）章太炎說：「錫瑞初習江、戴諸儒之學，既貫通矣，而時方鶩今文，守其故，則不足以致犬酒之饋，乃轉習今文，非其心所厭，固曰有所利之也。」[10]又說：「皮氏亦從吳、皖二派入手。久之，以翁（同龢）、潘（祖蔭）當道，非言今文，則謀生將絀，故以此投時好，然亦不盡采今文。」[11]皮氏之轉習今文，有其目睹時艱的感發，不必如太炎先生之所譏[12]。然章氏對皮錫瑞貫通所學的論斷，是必須重視的。皮氏自言治經自馬、鄭入手，留意訓詁考訂[13]。其研討經義，大抵以《皇清經解》、《續皇清經解》為基礎，而此二部叢書，主要是吳、皖兩派經師的漢學著作。故章氏所言吳、皖或江、戴諸儒之學，實為泛指：就方法而言，指的是乾嘉以來實事求是的樸學考據方法；就學術內容而言，其實就是漢人的經注之業，尤其是對鄭氏學的涉獵。

---

8 相關討論，請參：吳仰湘：〈皮錫瑞「年三十始治經」說辨誤〉，《孔子研究》，2003年第6期，頁114-115；皮名振：《皮鹿門年譜》（上海市：商務印書館，1939年），頁3、16；楊向奎：〈鹿門學案〉，《清儒學案新編》（濟南市：齊魯書社，1994年），卷4，頁275。

9 皮錫瑞：〈吳雲亭約懷欽赴陝甘行營索詩贈別〉，《師伏堂詩草》卷1。

10 章太炎：〈量守廬記〉，轉引自張舜徽：《清儒學記》（濟南市：齊魯書社，1991年），頁364。

11 章太炎：〈章太炎先生論訂書〉，收入支偉成：《清代樸學大師列傳》（臺北市：藝文印書館，1970年），頁10。

12 張舜徽即對太炎先生之言提出批評，他說：「章氏此言，全出臆測，未足取信。……章氏徒惑於今文學派末流之弊，必以兼習今文為厲禁，由於門戶之見太深的緣故，所以他的譏評，不可據為典要。」《清儒學記》，頁364。

13 皮錫瑞曾云：「少習鄭學，意欲舉鄭氏諸書盡為注解。」見氏著《師伏堂經學雜記》冊1，稿本。

三

這個問題從《師伏堂日記》來看，更容易說明[14]。光緒十八年（壬辰，1892），四十三歲的皮錫瑞獲聘主講南昌經訓書院。需要注意的是，太平天國亂後新建或重建的書院，基本上都是以漢學課士子，注重古注疏的研讀[15]。皮錫瑞之課士，亦是如此。據《年譜》於此年六月載：「講舍生於經解題有未能明辨者，輒擬作以示範。」[16]皮氏在書院前後七年（光緒十八-二十四），撰有經解數十篇[17]，作為諸生解經之示範，這些課藝皆為其日後立論著說的重

14 按：《師伏堂日記》起自光緒十八年（壬辰，1892）正月初一日，迄於光緒三十四年（戊申，1908）二月初四日，凡所聞見，一一備載，而記讀書、撰述之事尤詳，故於後人探究皮氏學術彌足珍貴。有關此《日記》之價值，可參吳仰湘：〈《師伏堂日記》所見皮錫瑞之經學觀〉。

15 按：時至晚清，以漢學主導科場，其勢已成。造成此一現象，與晚清書院培養大量專精漢學的士子有密切關聯。劉禹生云：「自阮芸臺總督兩廣，創建學海堂，課士人以經史百家之學，士人始知八股試帖之外，尚有樸學，非以時藝試帖取科名為學也。陳蘭甫創菊坡精舍繼之，浙江俞蔭甫掌詁經書院，及南皮督學湖北，創經心書院；後督鄂，創兩湖書院；督學四川，創尊經書院；督兩廣，創廣雅書院。於是湖南有校經堂，江蘇有南菁書院，蘇州有學古堂，河北有問津書院等，皆研求樸學，陶鑄學人之地。士人不復於舉業中討生活，皆力臻康、乾、嘉、道諸老之學，賤視爛墨卷如敝屣，光緒中葉以前之風氣如此。」又《復堂日記》亦載：「南皮師以武昌經心書院講席相延。書院為公視學日創構，課郡縣高才生以經訓文辭，略同詁經精舍及學海堂之制。師友風期，敬諾戒行。」上述之外，如蘇州正誼書院、杭州詁經精舍、上海詁經精舍及龍門書院、南昌經訓書院、長沙城南書院等以經解詩賦取代八股文教學，多為太平天國亂後，重建或新建的書院。必須指出的是，劉氏所言，稍嫌偏激。這些書院雖不以八股課士，卻並不自外於科舉，而賤視爛墨卷如敝屣。以張之洞為例，其興學課士雖以通經史、明小學為尚，然從所著《輶軒語》提點舉子應注意各色科舉程式觀之，他的目的實在普及乾嘉漢學的基礎上，抹退反科舉的色彩，並著力於藉科舉促進已衰落的漢學。劉禹生撰，錢實甫點校：《世載堂雜憶》（北京市：中華書局，1997年），頁14；譚獻著，范旭侖、年小朋整理：《復堂日記》（石家莊市：河北教育出版社，2001年），卷8，頁186；李兵：《書院與科舉關係研究》（武漢市：華中師範大學出版社，2005年），頁246-260。

16 皮名振：《清皮鹿門先生錫瑞年譜》（臺北市：臺灣商務印書館，1981年），頁24。

17 按：皮氏於光緒十九年，刊十八、十九年所撰經解文三十二篇，為《經訓書院自課

要基礎，例如與《尚書》相關之經解諸篇，其說亦採入俟後所撰《今文尚書考證》；又如與《詩經》相關之經解諸篇，每為王先謙《詩三家義集疏》所收錄[18]。

從現存《師伏堂日記》觀之，其涉筆記載，亦始於光緒十八年。從內容來看，頗有課諸生經藝之心得，而伴隨之的，正是他對鄭玄經說的取捨與評論。如日記第一條即云：

> 四月初次師課閱卷畢。〈昊天有成命「成王」解〉，此題毛、鄭所解皆非是，諸生罕能辨者。熊錫榮獨知《集傳》，未知成王為生存之號，未免強經就己云云，予置之第一。（壬辰，五月二十七日）[19]

又如：

> 閱初次課卷，題為〈祭法七廟二祧攷〉。祭法之解，當如王氏《經義述聞》，說祖考為太、高祖，二祧乃太、高祖之祖與父，然無始祖，殊不可通。故王子雍小變其說，以二祧為高祖之祖與父，而其說亦非是。七廟古義斷當從鄭，攷此者當以〈祭法〉還〈祭法〉，乃折衷鄭、王二說而斷從鄭。（壬辰，閏六月初十日）

又如：

> 金鶚《求古錄》論七廟從王駮鄭，予恐人惑其說，作〈金鶚天子四廟辨〉，辨列〈七廟二祧攷〉後。（壬辰，閏六月二十一日）

又如：

文》一、二卷。光緒廿一年，選刊廿、廿一年所撰經解文十七篇，為《經訓書院自課文》第三卷。

18 相關討論，可參夏鄉：《皮錫瑞尚書學述》（臺北市：國立臺灣師範大學國文研究所碩士論文，2003年6月），頁16-17。

19 按：《師伏堂日記》稿本藏湖北圖書館，此處所據為吳仰湘教授點校排版稿，特此致謝。

> 觀《求古錄》。所辨皮弁、玄端服、金奏、下管樂，皆極精；朝覲、祭祀，亦多獨得之見。予擬作〈虞制天子服五攷證〉一篇，以申伏駮鄭。（壬辰，七月初二日）

按：金鶚（1770-1819），字誠齋，浙江臨海人。優貢生，阮元選入詁經精舍肆業，精三《禮》之學。繼受知於山陽汪廷珍，至京師，居其邸，析疑辨難，成《禮說》二卷。元和陳奐往見之，與語，恨相見晚。所著《求古錄》一書，取宮室、衣服、郊祀、井田之類，貫串漢唐諸儒之說，條考而詳辨之。卒後稿全佚，陳奐求得之，釐為《求古錄禮說》十五卷、《鄉黨正義》一卷[20]。《求古錄》對皮氏而言，意義重大。據《年譜》所載：「是歲（光緒五年）公始治經。於杭州得金誠齋（鶚）《求古錄禮說》，喜其斷制精碻，故公於禮制，最為精審博通。」（《年譜》，頁16）另外，夏敬觀為《年譜》寫〈序〉時，也點出禮學是皮氏治學的特色：「蓋先生精《禮》經，考《詩》四家，《禮》二戴、《春秋》公羊、司馬《史記》記禮之辭相出入者，以證伏《傳》。」（《年譜》，〈序〉頁1-2）眾所皆知，《禮》是鄭氏學。不管皮氏如何申伏駁鄭，如何出入禮家言說，以證伏《傳》，都不可能繞過對鄭玄的討論。皮氏曾言：「余不長校刊，惟考定名物制度，頗可自信。」（《年譜》，頁70）《日記》中所涉多典章制度，可證其所言。且每以鄭玄說法為討論對象，隨處可見，以上僅舉《日記》數條，餘不贅敘。

又皮氏留有《經訓書院自課文》三卷，上列《日記》所載諸篇課藝，皆在其列。很明顯的，不論從違，這些經解課藝都必須討論到毛、鄭或馬、鄭或劉歆、賈逵、王肅之經說，而這正是皮氏在奠定其學術基礎時，所從事的工作。也就是說，以馬、鄭為代表的漢人經注，是皮錫瑞治經事業中最熟悉的對象。並且浸淫日久，形成了個人的學術見解。如云：

> 輿中觀《漢學商兌》，其詆斥漢學亦有見解，而堅持宋學門戶，尤甚

---

20 其詳請參《清史稿》卷428；楊向奎：《清儒學案新編》（濟南市：齊魯書社，1994年），冊5，頁429-430。

> 于漢學家。漢之大儒無過鄭君，宋之大儒無過朱子，而治漢學者匡鄭君之失，並無瞻徇；治宋學者於朱子之學必一一回護，絕不許人攻擊。此元、明以後錮蔽學者之耳目且數百年，尤不足以服人之心。此近日才俊之士，所以起而力爭也。如方東樹者，修齊諷經，自陷於異端邪說，乃欲自託於衛道而痛詆古義，謬妄蓋不足辨。（壬辰，十二月二十六日）

又如：

> 閱《書林揚觶》，仍是《漢學商兑》之意，挾朱子以排異己。今有老朽，專竊此等書。諸梁亦痛斥之，殆亦公論不可泯耶？予非排朱子者，購《大全》閱之，甚服。但恐天道五百年一變，鄭學興五百年，至宋而衰；朱學亦興五百年，至乾、嘉後而衰，此其中有天焉。講漢學者，其轉關也。如方某者，齗齗爭之，何所見不廣耶？（辛丑，八月二十日）

皮錫瑞的漢宋學立場，可以說是持漢學者的共同心理，是一種實事求是的治學態度，所謂「治漢學者匡鄭君之失，並無瞻徇」，即此意也。而樸學考證，從某個角度來看，就是去取與辨析，所以即使是課藝文，仍帶有講論學術的意味在內。也就是說，此時的皮錫瑞儘管正從事於被視為是今文學的伏生《尚書大傳》[21]，但在治學方法和學術精神上，他仍在乾、嘉漢學方法論的氛圍之內。

三

今人每將自署居室為「師伏堂」的皮錫瑞，視為晚清今文經學大家，

---

[21] 按：據《年譜》，此書始事於光緒十三年，原題《尚書大傳箋》；光緒二十一年，改名《大傳疏證》，重加注疏；光緒二十七年，刊《尚書大傳疏證》七卷於南昌，為師伏堂自刊本。

這樣的說法雖然沒有太大問題，不過這中間仍有一個學術轉變的過程，需要進一步釐清。拙見以為，皮錫瑞確實稱得上晚清今文學大家，但這必須等到他目睹時艱，接受了康、梁一系學術，在學術價值觀上有根本轉變之後才稱得上。（這一點崔適倒是與他相同[22]）嚴格來說，就專治伏生《尚書大傳》或今文《尚書》時期的皮氏而言，他談不上是講究微言大義，以《公羊》議政一派的今文學家，而是如王先謙以漢學方法疏證三家《詩》一般，疏證伏生《尚書大傳》與今文《尚書》，他的工作其實是陳壽祺氏父、迮鶴壽等人輯佚今文經典的延續與衍生。我們可以說他們重視今文經典，或治經專主今文，然而與借由《公羊》議政，帶有政治批評色彩的今文學家，或是思想史上對晚清今文學的主流看法，在概念上仍是有區別的[23]。所以即使皮氏自云：「束髮受書，喜治今學。」（《漢碑引經考・自序》）並且以十數年之功，致力於今文《尚書》學體系的重建，吾人仍應注意及皮氏這一系列著作的背後，在區別經學家法的學術意義上，而不止是作為論定皮氏今文家身分的依據，否則會忽略了漢學方法及其對鄭玄經說的討論，在皮氏治《尚書》歷程上的重要貢獻。

除了《尚書大傳疏證》之外，皮氏治《尚書》之書，尚有《古文尚書考實》、《史記引尚書考》、《尚書古文疏證辨證》、《古文尚書冤詞平議》、《今文尚書考證》、《尚書中侯疏證》等。其論述皆帶有分別今古文經學家法之

---

22 有關於崔適的學術轉變，可參蔡長林：《論崔適與晚清今文學》（中壢市：聖環圖書公司，2002年），頁7-10。

23 當然，這方面還可以進一步討論。如廖平在論及《續清經解》收陳氏父子的著作及貢獻時，即言：「陳氏父子《詩》、《書》遺說，雖未經排纂，頗傷繁冗，然獨取『今文』，力追西漢，魏、晉以來，無此識力。」觀廖平之意，以《續清經解》收陳氏父子之輯遺說，獨取今文，是看出他們有復興今文的意思。然而張舜徽在介紹常州今文學時，卻說：「加以當時輯佚之風很盛，關於西漢今文博士的遺說，考輯頗備，都給予今文學者有力的援助。不過輯佚家們僅僅考證今古文的異同，並非力主今文而排古文，所以不能算是今文學者。」廖平：〈知聖篇〉，收入李耀仙主編：《廖平學術論著選集》（成都市：巴蜀書社，1989年），頁210；張舜徽：《清儒學記》，頁519。

意識在內[24]，又每每以鄭氏之說為討論依據。如〈尚書大傳疏證自序〉即云：

> 近儒蒐輯古書，不遺餘力，而伏《傳》全本，莫睹人間。吳中略摭缺殘，侯官復增挍訂。揆之鄙見，尚有譌漏，乃重加補正，為作疏證。仿孔沖遠之例，釋滯求通；衍鼂家令之流，暢微抉隱。……近人並伏、鄭為一談，昧古、今之殊旨。西莊之作《後案》，阿鄭實多；樸園之攷今文，詆伏尤妄。今將別漢司農之注，守秦博士之傳。……錫瑞殫精數年，易稾三次，既竭駑鈍，粗得端緒。原注列鄭，必析異同。輯本據陳，間加釐訂。

由以上敘述可知，皮氏《尚書大傳疏證》之作，蓋不滿於前人輯校伏《傳》之訛漏，而併伏生、鄭玄為一談，汩亂古今文家法。例如王鳴盛《尚書後案》專門發揮鄭玄，而陳喬樅《今文尚書遺說考》則每駁伏生之說。所以他要區別伏博士之《傳》與漢司農之注，「冀以扶孔門之微言，具伏學之梗」。也就是說，他雖治伏生《尚書》，但仍要透過離析伏《傳》、鄭《注》來進行，這使得他必須重視經學中的今古文家法的問題。

同樣的意識，也體現在其《今文尚書考證》之中。如王先謙為此書作〈序〉時即指出：

> 自鄭君以漢末儒宗，雜糅今、古為《書》。東晉偽經、傳出，茫昧千年。本朝碩學朋興，今、古文界域始明，而蔽亦因之。曲阿高密，強仞今文，蔽一。尊尚古文，故抑伏《傳》，蔽二。不信《史記》，擯斥舊聞，蔽三。

另外，皮氏在凡例中也提到：

---

24 如據《古文尚書冤詞平議》所引《尚書古文考實》之說，主要在辨證孔安國未作《書傳》，且卒後其家始獻《書》，而《後漢書．儒林傳》所謂「遷書載〈堯典〉、〈禹貢〉、〈洪範〉、〈微子〉、〈金縢〉多古文說」，不可信據。又《古文尚書冤詞平議》言：「《史記》引《書》皆今文，見予所著《史記引書考》。」蓋皆是其治《尚書》力主今文的一貫立場。

> 國朝經學，盡闢榛蕪；山東大師，猶鮮墨守。百詩專攻僞孔，不及今文；西莊獨阿鄭君，無關伏義。艮庭兼疏伏、鄭，多以鄭學為宗；茂堂辨析古、今，每據古文為是。淵如以《史記》多古說，遂反執鄭義為今；樸園謂鄭《注》皆今文，不顧與伏書相背。伯申攷證，郅塙簡略，惜不多傳；默深詆訶，實工武斷，乃兼宋學。茲取其精當，辨其舛譌，不使今文亂真，非與前人立異。

蓋皮錫瑞不滿於清儒考辨今文《尚書》義說者，如「不遵伏生初祖」、「誤信《史記》為古文」，以及「盲從鄭玄之說」。尤其「盲從鄭玄」這一項，特別嚴重，這當然與乾、嘉以來的鄭氏學傳統有密切關係，所以對自閻若璩以下，歷乾、嘉至道光間治《尚書》之學者一一點名，指出其誤謬之處。

皮氏認為鄭玄雜糅今、古於前，清儒不明於此，誤以鄭注皆今文說，致使經義家法大亂。故其《尚書大傳疏證》之作，意在別擇伏、鄭，一一檢出；至於《今文尚書考證》，則又擴而充之，以鄭注與漢諸今文經說相校列，各還其家法師承之本源。此所謂「取其精當，辨其舛譌，不使今文亂真，非與前人立異」者。所以，即使皮氏意在治今文《尚書》之學，然而想要明白釐析出今文經說，客觀而現實的是，他無法繞開雜糅今、古文的鄭玄經說，而這也是皮氏致力於《尚書》的同時，又疏證鄭學的根本原因。

據皮名振《年譜》，光緒二十二年（丙申，1896）載：

> 七月初五日，漢儒鄭康成誕日，公作〈漢大司農鄭公碑文〉，自注云：「晉戴逵總角時，以雞卵汁溲白瓦屑，作鄭康成碑，其文不傳，乃為之補。臚列所注書，與漢晉文體，遂不相似。」蓋公至是兼治鄭學，冀疏通高密一家之言。（《年譜》，頁38）

按：皮名振此說，未得其實。前此皮氏治經即多涉及鄭學，惟散見於課藝、《尚書》及三《禮》的討論中，未有疏證成書而已。況且據《年譜》，光緒二十年皮氏即已撰《孝經古義》，此書為《孝經鄭注疏》的前身。而《孝經鄭注疏證》在光緒二十一年五月即已完成。在同一年末，皮氏也已動手撰寫

《鄭志疏證》，所以皮氏治鄭學，不始自此。而且皮氏之治鄭學，始終有一分別今古文家法的意識在其中。今觀皮氏〈孝經鄭注疏證序〉言：

> 鄭君先治今文，後治古文。《大唐新語》、《太平御覽》引鄭君〈孝經序〉云「避難於南城山」，嚴鐵橋以為避黨錮之難，是鄭君注《孝經》最早。其解社稷、明堂大典禮，皆引《孝經緯·援神契》、《鉤命決》文。鄭所據《孝經》本今文，其注一用今文家說。後注《禮》箋《詩》，參用古文。

又〈鄭志疏證自序〉言：

> 鄭君先通今文，後通古文，先所著書多今文說，後所著書多古文說。……其所著書先後不合，並非有意矛盾，故示參差之跡。學者因其參差之跡，正可考見經學門戶之廣。

又《魯禮禘祫義疏證》裏提到：「〈王制〉記先王之法度，與《周禮》不同，禮家各記所聞，本非一朝之制。〈王制〉今文說，《周禮》古文說，尤不相合。惟鄭君兼治今、古學，能疏通證明之。」（《魯禮禘祫義疏證》，頁1）而《六藝論疏證》亦言：「鄭君之學兼通古、今，其早出之書多今文說，晚定之書多古文說。」（《六藝論疏證》，頁4）蓋皮氏之治鄭學，自有其學術理路之必然，在於皮氏既治兩漢經說家法，必於鄭學中判別今、古文界線，以考見漢人經學之梗概。

皮氏在〈鄭志疏證序〉裏提到自己「治鄭學有年」，當然不僅是指在光緒二十年前後的《孝經鄭注疏證》以及《鄭志疏證》這兩部著作，而是指其學術生涯中不間斷的與鄭玄的接觸。若再比較其疏證今文《尚書》與疏證鄭玄諸作之時間，互有參差[25]，正所以見皮氏並非先治《尚書》，再治鄭學，

---

25 如據《年譜》所載，《今文尚書考證》始撰於光緒廿年十二月，至光緒廿三年正月書成，廿四年七月刊成；《鄭志疏證》始撰於光緒廿一年十二月，光緒廿二年十二月書成，光緒廿五年刊成。

或兼治鄭學，而是鄭氏學始終是皮氏在討論學術時，時時刻刻存在的「他者」。鄭氏學對皮氏而言，既是方法，也是內容，其後更有身世之寄託，今觀《年譜》光緒廿五年十一月載皮氏〈致賀贊元書〉，信中頗寓著書以寄身世之慨，其言：

> 自惟幼公、康成，皆遭黨錮，考其成書之歲，多在文網之中。非敢竊比前賢，不幸處境相類，既懲南山之謗，聊尋北海之遺，三百許日，已著二十萬餘言，有《尚書中侯》、《六藝論》、《魯禮褅祫義》、《駁五經異義》、《發墨守》等書疏證，並鄭君一家之學。益吾祭酒取赴書局，為之發刊。（《年譜》，頁74）

皮氏這幾部著作都是在戊戌政變後兩年內完成，我們有理由相信，除了身世之思以外，若非有深厚的鄭氏學累積，是無法在這麼短時間內完成幾部鄭學的疏證工作。而這些鄭氏學的累積，既顯現在疏證《孝經鄭注》及《鄭志》的工作上，也顯現在據鄭注別擇今、古文經說以治今文《尚書》上，更顯現在諸多《課藝》之中。其間軌跡，也都反映在《師伏堂日記》裏面。

四

許多文獻都顯示，隨著歲月增長，皮錫瑞對鄭玄也越見推重。如在光緒二十一年（乙未，1895）所撰〈孝經鄭注疏證序〉裏，皮氏即言道：「學者莫不宗孔子之經，主鄭君之注，而孔子所作之《孝經》，疑非孔子之舊；鄭君所箸之《孝經注》，疑非鄭君之書，甚非宗聖經、主鄭學之意也。」他把宗孔子與主鄭學並列在同一個高度，而嘆自明皇作注以來，鄭義湮燬，即使「今經學昌明，聖經莫敢議矣，而鄭《注》猶有疑之者」，此與治伏生《尚書大傳》時駁鄭從伏的態度，可謂大異其趣。

另外，在光緒二十三年（丁酉，1897）所撰〈聖證論補評自序〉裏，他批評王肅好與鄭玄異，故作《聖證論》以難鄭玄。皮氏則言「予服膺鄭學，乃據其本，更加校訂，採取先儒申鄭之說，參以己意，為之補評。肅論皆引

《家語》。……茲引其見於《家語》者，具列其文與注，以抉王肅依託之隱，而申鄭君未盡之旨，庶後人於兩家之得失有所攷焉。」在光緒二十四年（戊戌，1898）的〈魯禮禘祫義疏證自序〉中，他不滿於自王肅以來駁斥鄭玄關於禘、祫之義的解釋，乃謂「若謂鄭為傅會，豈嘗別有據依？工訶古人，求異而已」。蓋亦以鄭玄所釋為歸，而為之疏證。皮錫瑞出於維護鄭玄而攻擊王肅，隨處可見。其用意在《經學歷史》說得最清楚，蓋謂「漢學重在專門，鄭君雜糅今、古，近人議其敗壞家法。肅欲攻鄭，正宜分別家法，各還其舊而辨鄭之非，則漢學復明，鄭學自廢矣。乃肅不能分別，反效鄭君而尤甚焉。」另外，在〈三疾疏證自序〉中，皮氏乃言：「錫瑞既治鄭學，欲取各家之說與鄭相出入者，參稽互證，以輔鄭義。許在鄭前，有《駁五經異義》，為之作疏證矣；王在鄭後，為之作補評矣。」[26]都是參稽前後，宗主鄭氏。

另外，保存在《師伏堂經學雜記》中的一組經學文稿，是皮錫瑞晚年講授「經學家法」課程時，所編講義原稿[27]。這部《經學家法講義》手稿主要是皮錫瑞鄭學研究的心得。細觀文稿，不斷重複三大重點，其一、說明今文、古文家法之異同；其二、說明康成之先治今文再治古文，其後雜糅今、古，破壞家法；其三、說明鄭玄實集漢學之大成。

如第六則云：「漢廷所立今文十四博士，……東漢十四博士仍皆今文，《左氏》雖立學，旋罷。漢帝詔書，人臣上疏，鮮有引用《毛詩》、《周禮》、《左氏傳》者。自賈、許、馬、鄭諸大儒皆崇獎古文，其於今文往往詆為俗儒，斥其蔽冒。鄭君集漢學之大成，所著箋、注，雜採今、古文不分

---

26 按：《三疾疏證》，指的是《發墨守》、《箴膏肓》、《釋廢疾》三書，周予同簡稱之為《三疾疏證》。其詳請參朱維錚編：《增訂本周予同經學史論著選集》（上海市：上海人民出版社，1996年），頁99。

27 按：現藏湖南師範大學圖書館的《師伏堂經學雜記》第一冊中，有一組論述先秦至西晉經學的短文，共20篇。吳仰湘根據《師伏堂日記》的記載，結合這組文章中的相關文字，將其確定為皮錫瑞光緒二十九年（1903）在湖南師範館開講《經學家法》課程時所編講義原稿。故擬今名為《經學家法講義》。

別；鄭學行，而今文十四博士專家之學漸亡佚矣。」

又第十則言：「鄭君康成集漢學之大成。李申耆以為康成敗壞家法，非輕詆先儒也，以家法論，鄭君實不能辭其咎。兩漢諸儒篤守家法，見兩漢〈儒林傳〉，班班可考。後漢古學漸盛，與今學分門角立，而今學守今學之門戶，古學守古學之門戶。常相攻伐，不肯和同。古學以今學為黨同妒真，今學以古學為變亂師法。……康成先事第五元先，通京氏《易》、《公羊春秋》，是先通今文也。後事張恭祖，受《周官》、《禮記》、《左氏春秋》、《古文尚書》，是後通古文也。馬融所受者，亦古文也。馬融……。康成繼起，負絕世之資，兼通今、古之學，見當時今、古學攻擊甚重，意欲和同兩家之學，自成一家之言，雖以古學為宗，兼采今學，以附益其義。故論鄭學，不皆古文，亦不皆今文。」

又云：「《後漢書》論之曰：『東京學者，亦各名家，而守文之徒，滯固所稟，異端紛紜，互相詭激，遂令經有數家、家有數說，章句多者或乃百餘萬言。學徒勞而少功，後生疑而莫正。鄭玄囊括大典，網羅眾家，刪裁繁蕪，刊改漏失。自是學者略知所歸。』鄭君集漢學之大成，其道略見於此。當時今、古文家各持一說，莫能相通，見鄭君能別出手眼，為之溝通，按之皆有佐證，於是眾論翕然宗之，黃巾亦為羅拜車下，其聲名動人如此。」

第十六則云：「少習鄭學，意欲舉鄭氏諸書，盡為注解，以《易注》已有惠棟、張惠言疏解，《書注》有江聲、王鳴盛、孫星衍、陳喬樅疏解，《論語》有金鶚、劉寶楠疏解，服注《左氏》有李貽德疏解，緯書殘缺難通，乃姑置之，但作《孝經鄭注疏》及《尚書中候》、《尚書大傳》、《駁五經異義》、《發墨守》、《起廢疾》、《鍼膏肓》、《六藝論》、《魯禮禘祫義》、《鄭志》、《鄭記》、《答臨孝存周禮難》各種《疏證》，書皆刊行，以存鄭氏一家之學。」正如吳仰湘所指出，皮錫瑞在這部遺稿中自稱「少習鄭學」、「服膺鄭學」，並遍舉自己為鄭玄經注所作疏通證明、闡幽表微的工作，這對後人全面理解他的治學歷程、正確評判他的經學立場都極有裨益。事實上，皮錫瑞一意扶翼鄭學，成為清代精究鄭學的專門名家，其成就在清儒中甚至難有比肩之人。因此，今天應該全面評價皮錫瑞的治經成就，充分體認他融貫今、古文經學的學術品性，絕不能僅將他看作是專治今文家言的末世經師[28]。

鄭氏學在皮錫瑞經說裏具有關鍵地位的最重要證據，當在其《經學歷史》一書中。吳仰湘認為，皮氏以十個時代為劃分，並非是對經學史的分期與評述，而是著力宣揚「尊孔」、「崇經」的思想，體現皮錫瑞「信古」、「宗漢」、「主鄭」的經學取向。因此，《經學歷史》絕非經學史書，而是一本借史立論的經學論著[29]。吳氏之論斷，頗具啟發性。在「經學中衰時代」這一章中，我們可以清楚的看到皮錫瑞的敘事模式，是通過評析鄭學、王學和魏晉經注，描述出漢學消亡、鄭學衰落的大致情形。其實，皮氏心中理想的經學，是西漢的十四博士之學，其所謂魏晉經學之「中衰」，指的也是西漢十四博士之學的消亡。既然皮氏蘄向在西京，又何以痛鄭學之衰落？原因即在於鄭玄雖然雜糅今、古，今文使專門之學盡亡；然專門之學既亡，又賴鄭氏之說得略考見。是以今、古之學若無鄭注，學者欲治漢學，將無從措手。正因為欲治漢學，捨鄭莫由，鄭學成為後世追復漢學的津梁，有助於後人一虧西漢今文學說之厓略。所以，從「經學分立時代」以後各章，論歷代經學就以是否宗尚鄭學為一大標準[30]。掌握這一點，則皮氏之治今文《尚書》以鄭學為階梯，又為鄭氏遺說作疏證，也就可以理解了。

五

皮錫瑞受今文學的影響，主要有兩個時期。前受王闓運之啟發，專治

28 吳仰湘：〈皮錫瑞《經學家法講義》稿本的內容及其價值〉，《湖南大學學報》，第22卷第2期（2008年3月），頁44。

29 詳細討論，請參吳仰湘：〈皮錫瑞《經學歷史》並非經學史著作〉，《史學月刊》，2007年第3期，頁5-11；又：〈並非「經學歷史」的《經學歷史》——對皮錫瑞《經學歷史》的文本解讀〉，郭齊勇主編：《儒家文化研究》第2輯（北京市：三聯書店，2008年12月），頁173-210。

30 吳仰湘：〈皮錫瑞《經學歷史》並非經學史著作〉，頁8。

《尚書》一經，成其學術主脈；後受梁啟超之影想，轉治《公羊》，倡《公羊》改制之說。惟皮氏歸宗今文雖早，然其治學入手處實為樸學之業。如光緒廿年七月初一日皮氏答門人王子庚書云：「予少亦好議論詞藻，王壬秋（闓運）先生勸專治一經，不肯聽。近以才華日退，自分詞章不能成家，又困於名場，議論無所施，乃遁入訓詁。」（《年譜》，頁28）另外，太炎先生也指出皮氏治經的吳、皖淵源。故論皮氏治經之業，於其主今文學之立場，須稍作分疏，才能得其底韻。支偉成論及「湖南派經學家」之學術傳承時，言：「湖南地處僻遠，故乾、嘉時，樸學之風大是於吳、皖，而三湘七澤間，寂少聞焉。……待湘綺老人出，雜采古今，徒以聲音訓故不若惠、戴之精，又不屑依附常州末光，乃獨樹一幟，而後其派遂衍於蜀，湘學反微。鹿門繼起，實承其緒云。」[31]又云：「（皮氏）治經出入於古今文之間，頗與湘綺相類。」[32]我們似乎可以這樣認為：皮氏雖蘄向在西京，然所用者乃是以吳、皖樸學之法雜治今、古文經說，此所以皮氏在治學方法及治學內容上會帶有濃重的鄭氏學身影的緣故。

吳仰湘將皮錫瑞的經學取向歸結為四點，即「尊孔」、「崇古」、「宗漢」和「主鄭」。他指出：皮氏推尊孔子制作六經，崇尚漢儒師法家法，顯示今文學家的嚴正立場；而在佔注上的崇古宗漢，則與「凡古必真，凡漢皆是」的漢學家並無異趣；他對東漢古文經注，特別是鄭玄箋注的疏通發明，更與今文公羊學派工訶賈、馬、許、鄭的做法形成鮮明的對比，一洗其專己守殘、黨同妒真的學風。他雖尊崇今文經說，卻不貶抑古文經注，出入今古之間，融采眾家之長，不拘門戶，唯善是從，不但與「尊古斥今」的古文學家迴然有異，更與其他「尊今抑古」的今文學家截然相別[33]。其實，除了第一點顯示出今文家的特色之外，其餘的學術特性，與其所治鄭氏學兼該今古、融采眾長的學風脫離不了關係。同時，皮之批評莊、劉之學，反對以空言推衍

31 支偉成：《清代樸學大師列傳》，頁259。

32 同前註，頁267。

33 吳仰湘：〈《師伏堂日記》所見皮錫瑞之經學觀〉，頁41。

經義，要求通過文字的訓詁和典制的考訂，來探求聖賢的微言大義，乃至痛斥以臆說為微言，以穿鑿為大義的常州學派，皆與其學術門徑之深染鄭氏學有絕大關係。

唐賦的經藝書寫

吳儀鳳[*]

一　問題源起

翻開《文苑英華》和《全唐文》閱讀其中唐賦的部分，會發現有不少賦作都與經學有關。例如《文苑英華》卷六十一至卷六十三收錄儒學類賦作達三十篇[1]。其中不少賦題都是出自於經書之文句或典故，如〈人不學不知道賦〉及〈學然後知不足賦〉[2]都是用了《禮記‧學記》中的經文來命題的[3]。又如〈詩有六義賦〉[4]命題取自於〈詩大序〉[5]，〈壞宅得書賦〉[6]則用的是〈尚書序〉

* 東華大學中國語文學系。

1 這些儒學類賦作篇目參見〔附表一〕:「《文苑英華》所收儒學類賦作篇目一覽表」。

2 〈人不學不知道賦〉見《文苑英華》（宋‧李昉等編，臺北市：新文豐出版公司影印明隆慶刊本，1979年），卷62，頁3b-4a，總頁280-281；又見簡宗梧、李時銘主編：《全唐賦》（臺北市：里仁書局，2011年），第捌冊，卷59，頁5321-5322。〈學然後知不足賦〉見《文苑英華》，卷62，頁7a-8b，總頁282；又見《全唐賦》，第陸冊，卷42，頁3809-3811。

3 「人不學不知道」語見《禮記‧學記》，見《禮記注疏》（鄭玄注、孔穎達疏，南昌府學本，臺北市：藝文印書館，1993年），卷36，頁1b。「學然後知不足」語見《禮記‧學記》，見《禮記注疏》，卷36，頁2b。

4 〈詩有六義賦〉見《文苑英華》，卷63，頁6a-7a，總頁286；又見《全唐賦》，第肆冊，卷23，頁2059-2060。

5 〈詩大序〉原文如下：「故詩有六義焉：一曰風，二曰賦，三曰比，四曰興，五曰雅，六曰頌。」（《毛詩注疏》〔毛公傳、鄭玄箋、孔穎達疏，南昌府學本，臺北市：藝文印書館，1993年〕，卷1之1，頁9b-10a。）

6 〈壞宅得書賦〉見《文苑英華》，卷63，頁2a-2b，總頁284。；又見《全唐賦》，第柒冊，卷48，頁4293-4294。

中魯恭王壞孔子宅得《尚書》的典故[7]。

可是除了《文苑英華》儒學類所收錄之賦作以外，還有很多唐代賦作其命題都與儒學有關，例如〈宣尼宅聞金石絲竹之聲賦〉用的是前引魯恭王壞孔子宅得《尚書》同樣的典故[8]，而這類以經書典故命題的唐代賦作為數不少，筆者嘗試初步蒐羅後製做成〔附表二〕:「唐賦賦題與經藝相關篇目一覽表」，依此粗略地統計唐賦賦題與經藝相關之篇目至少有一百四十四篇，其中各經的分布如下：一、《周易》十七篇、二、《尚書》二十七篇、三、《詩經》二十二篇、四、《禮經》三十八篇、五、《春秋經》十篇、六、《論語》十篇、七、《孟子》二篇、八、緯書十二篇、九、其他與經學有關者六篇。

雖然唐代律賦常有取材自經史子集等書籍之典故或文句來命題者，但其取材自經書之比例如此之高，卻是少有人提及的。與此相關之前人研究，多是在論及唐賦時，集中於律賦的命題和作法，如鄺健行《科舉考試文體論稿：律賦與八股文》對於唐代律賦的形成及其體製，都做了較為詳細的考察，包括題下限韻、聲律、用韻等，並且也針對律賦與科舉考試的關係進行了一些考察[9]。之後論及唐代律賦的學者也多是從事上述這幾方面的研究，如尹占華《律賦論稿》全書以律賦為主，進行多方面的探討，其對於唐代律賦的試賦命題，認為是不拘於儒家一派[10]。游適宏在其《試賦與識賦——從考試的賦到賦的教學》書中第一章，則是對唐代科舉考試的甲賦具有哪些限制？

---

7 〈尚書序〉云：「至魯共王，好治宮室，壞孔子舊宅以廣其居，於壁中得先人所藏古文虞、夏、商、周之書及傳，《論語》、《孝經》，皆科斗文字。王又升孔子堂，聞金石絲竹之音，乃不壞宅，悉以書還孔氏。」（《尚書注疏》〔孔安國傳、孔穎達疏，南昌府學本，臺北市：藝文印書館，1993年〕，卷1，頁12a-13a。）

8 〈宣尼宅聞金石絲竹之聲賦〉共有王起（760-847）撰及許康佐撰二篇，見《文苑英華》，卷78，頁3a-4b，總頁353；王起賦又見《全唐賦》，第伍冊，卷33，頁3045-3046；許康佐賦又見《全唐賦》，第伍冊，卷32，頁2921-2922。

9 鄺健行：《科舉考試文體論稿：律賦與八股文》（臺北市：臺灣書店，1999年）。其中包括〈一、唐代律賦與律〉、〈二、初唐題下限韻律賦形式的審察及引論〉、〈三、唐代律賦用韻敘論〉、〈四、唐代律賦對於科舉考試的黏附與偏離〉等，均是針對唐代律賦研究之重要參考。

10 尹占華：《律賦論稿》（成都市：巴蜀書社，2001年），頁51。

又對考生進行了怎樣的能力鑑別？對上述問題做出說明[11]。而趙俊波在《中晚唐賦分體研究》第四章論律賦的雅正，包括語言的雅正、題材的雅正以及風格的雅正，認為：此皆與律賦好引用經典成詞有關。其中引王應麟《辭學指南》之語，言：「制辭須用典重之語，仍須多用詩書中語言，及擇漢以前文字中典雅者用。」趙氏認為在經史子當中，最為作家看重的是儒家經典，對它的黏附，自然使作品顯得典重、莊雅。他並指出唐代律賦在語言上對經典的取用，包括：一、以經中成語入文，二、融化經中語言，三、套用經典語言的句式。趙氏書中並多有舉例。其敘述題材雅正之處，則亦列舉了出自經書或寫國家典禮制度題目者十九篇[12]。而趙書在論及「重經史而輕文詞」一節中，則交代了唐人重視經史之學的背景[13]。

既然唐代律賦與科舉考試有著密切的關係，於是筆者便從徐松（1781-1848）《登科記考》中蒐羅唐代的科舉試賦題目，羅列成〔附表三〕：「唐代科舉試賦題目一覽表」。從〔附表三〕看來，雖然試賦題目並非一面倒地全是出自於儒家經書典故，但其中也有不少經藝書寫的賦題，如〈王師如時雨賦〉、〈人文化天下賦〉、〈止戈為武賦〉、〈天下為家賦〉、〈倒載干戈賦〉、〈樂德教冑子賦〉、〈性習相近遠賦〉、〈明水賦〉、〈寅賓出日賦〉、〈射隼高墉賦〉、〈梓材賦〉等，其所佔比例也不低。如果再結合縣試和州試的試題來看的話，當更為可觀，如〈宣州試射中正鵠賦〉也是經藝命題[14]。可惜縣試和州試的試賦題目今日多已不存，只能從少數文人文集中略窺一二。然則由此可以推想：經藝書寫的試賦命題當不在少數。

---

11 游適宏：《試賦與識賦——從考試的賦到賦的教學》（臺北市：秀威資訊科技公司，2008年），第一章〈限制式寫作測驗鴻起之一考察——唐代甲賦的測驗型態與能力指標〉，頁15-45。

12 趙俊波：《中晚唐賦分體研究》（北京市：中國社會科學出版社、華齡出版社，2005年），下篇，第四章〈論中唐律賦〉（上），頁284-296。

13 趙俊波：《中晚唐賦分體研究》，第四章第三節〈中唐律賦雅正風格形成的原因〉，頁299-301。

14 〈宣州試射中正鵠〉，見《白居易集箋校》（白居易撰、朱金城箋校，上海市：上海古籍出版社，1988年），卷38，頁2596。

由於近現代研究領域專業分工的結果，賦在近代文學研究的領域中，它的身份顯得很不討好。蓋作為文學，賦它並不總是那麼抒情，也不像詩，可以搖蕩性靈，於是當帝國消失、崩頹之際，賦也在平民思想的興趣下，被打入了冷宮，成為僵化的貴族文學，被批評為失去生命力之作，沒有多大的價值[15]。然則若暫時不從文學角度，而改由文化史的角度來看賦，其實賦有很大的價值，它可說是了解古代帝國文化一扇重要的窗口。而賦正是扮演了一種帝國文化的要角，它本身便是帝國文化的產物，因此它充滿了帝國的話語在其中。

經學自漢代立五經博士以來，一直在士人教育中扮演著重要的角色。賦之中也充滿了經學的話語，這一方面是與國家的經學教育政策有關，一方面也是儒家士人的信仰和理念。漢代立五經博士，確立經學的官方正統性，受到帝國的重視和尊崇，是士人學習的主要典籍。在唐代則更有科舉考試的引導作用，透過考試更加確立了研讀的範圍，建立了一套規範。

自漢代開始，士人獻賦以取得晉身之階的做法，便已使得賦具有某種功利的色彩。而有關漢代經學與賦的關係，目前大陸已有不少的相關論述，如萬光治《漢賦通論》第十一章〈漢賦與漢詩、漢代經學〉、胡學常《文學話語與權力話語：漢賦與兩漢政治》與馮良方《漢賦與經學》等[16]。因此，賦與經學可說是始自漢代就有密切的關係，這當然有其特定歷史社會文化背景的因素，前輩學者對此著墨較多。然則，將焦點放在賦作本身，以及可以明顯從賦本身看出其與經學之密切關聯者，則是本文選擇唐賦作為考察對象的主要原因。翻開《文苑英華》第一冊所收唐代賦篇之作，體國經野式的經學語

---

15 胡適的意見是其中比較有代表性的，其云辭賦：「離開平民生活越遠，所以漸漸僵化了，變死了。」(《白話文學史》〔臺北市：遠流出版公司，1986年〕，上卷，頁52。)；又批評〈兩京賦〉、〈三都賦〉：「簡直是雜貨店的有韻仿單，不成文學了。」(同上，頁80。)

16 萬光治：《漢賦通論》(北京市：中國社會科學出版社、華齡出版社，2005年增訂本)、胡學常：《文學話語與權力話語：漢賦與兩漢政治》(杭州市：浙江人民出版社，2000年)、馮良方：《漢賦與經學》(北京市：中國社會科學出版社，2004年)。又關於這方面的討論，請另參拙著〈漢賦與漢代經學關係述評〉。

言比比皆是，《尚書》「粵若稽古」式擬古的語言也多出現在賦篇中[17]。唐賦中可輕易地在賦中找到許多經學的話語[18]，雖然這種現象在唐以前的賦篇也可見到，但在唐賦上的表現尤為明顯。

從《文苑英華》中所見之唐人賦題看來，其中與經學相關之題目甚多，而且賦作內容中也多充滿經書的典故和套語。對於唐賦之中大量出現的經學題目和經學化的寫作話語此種現象，本文擬以「經藝書寫」一詞稱呼之。「經藝書寫」中「藝」之一字乃取用「六藝」之意，「六藝」之意有二：一是出自《周禮・保氏》中所說的禮、樂、射、御、書、數等六種技藝[19]；另一說等同於六經，如班固（32-92）《漢書・藝文志》中便以六藝指稱《樂》、《詩》、《禮》、《書》、《春秋》、《易》等六經[20]。《史記・孔子世家》也說：「孔子以《詩》、《書》、《禮》、《樂》教弟子，蓋三千焉；身通六藝者，七十有二人。」[21]鄭玄（127-200）《六藝論》用的也是六經之說[22]。《舊唐書・經籍志》著錄鄭玄《六藝論》一卷[23]，《新唐書・藝文志》也著錄鄭玄《六藝論》

---

17 「粵若稽古」或作「曰若稽古」，是《尚書》中的句子。唐賦如張仲甫〈雷賦〉首句即是「粵若稽古」（《文苑英華》，卷17，頁1a，總頁80；又見《全唐賦》，第參冊，卷16，頁1453）；任華〈明堂賦〉起首也是「粵若稽古」（《文苑英華》，卷47，頁2b，總頁210；又見《全唐賦》，第貳冊，卷12，頁1187）；崔損〈凌煙閣圖功臣賦〉首句云「粵若聖唐之馭極也」（《文苑英華》，卷114，頁519；又見《全唐賦》，第參冊，卷22，頁2011）；張餘慶〈祀后土賦〉首句云「粵若盛唐」（《文苑英華》，卷56，頁4b，總頁254誤作「奧若盛唐」；又見《全唐賦》，第陸冊，卷38，頁3423）。

18 例如王良友：《中唐五大家律賦研究》（臺北市：文津出版社，2008年），第五章〈中唐五大家律賦修辭分析〉製有「李程挪用經語一覽表」（頁288-290），可以參看。

19 見《周禮注疏》（鄭玄注、賈公彥疏，南昌府學本，臺北市：藝文印書館，1993年），卷14，頁6b。

20 班固撰、顏師古集注：《漢書集注》（點校本，臺北市：鼎文書局，1984年），卷30〈藝文志〉，頁1723。

21 司馬遷撰、裴駰集解、司馬貞索引、張守節正義：《新校本史記三家注》（點校本，臺北市：鼎文書局，1993年），卷47〈孔子世家〉，頁1938。案：本文標點與點校本略有不同。

22 鄭玄《六藝論》，參皮錫瑞：《六藝論疏證》（光緒己亥年長沙思賢書局刻本）。

23 劉昫撰：《舊唐書》（點校本，北京市：中華書局，1975年），卷46〈經籍志〉，頁一卷[24]。可見唐人是可見到鄭玄《六藝論》的，以「六藝」指稱六經是自漢代以來便已如此。而「藝」更有強調才藝、才能、技藝之意，不只是讀經書而已，更有強調議禮、考文、訂制度等強調實踐性的意義。因此本文採用「經藝」一詞。

唐賦中有以「六藝」為題之作，如封希顏〈六藝賦〉[25]，該賦所指稱之藝為《周禮．保氏》中禮樂射御書數之藝。另外，又有李益（746-829）〈詩有六藝賦〉[26]，指的是《詩經》中的風雅頌賦比興六義。雖然這兩篇題名「六藝」之作，並非本文所指「六經」之意，但唐人賦作中的確有不少直接以五經或經書為題名之作。其對於經學之重視，或是經學滲透入賦作中這一點，可說是毋庸置疑的。

吾人注意到唐賦中的經藝書寫現象具有其特殊性，因此認為由此一現象進行一些觀察和探討，或許可以發現唐賦與經學二者間的某些關聯性，而這一點是前人未曾提出過的。然而由於本身學力有限，在處理此一論題上，可能有力有未逮之處。現僅就力能所及，對唐賦中有關「經藝書寫」的部分，做出一些心得整理，還請博雅君子不吝指教。

二　經藝書寫的歷史考察

從目前既存的賦作看來，唐代是大量出現經藝書寫類賦作的時代，在此之前雖然也偶有一些與經藝有關之賦作，但數量不多，且篇幅也多不完整。之前的經藝書寫賦作多是典禮類的賦作，例如西漢揚雄（前53-18）的〈甘

1983。

24 歐陽修：《新唐書》（點校本，北京市：中華書局，1975年），卷57〈藝文志〉，頁1445。

25 封希顏：〈六藝賦〉，見《文苑英華》，卷61，頁7b-9a，總頁278-279；又見《全唐賦》，第壹冊，卷6，頁577-579。

26 李益：〈詩有六藝賦〉，見《文苑英華》，卷63，頁6a-7a，總頁286；又見《全唐賦》，第肆冊，卷23，頁2059-2060。

泉賦〉和〈河東賦〉，後來則有東漢王延壽（約124-約148）的〈魯靈光殿賦〉[27]。這類以郊祀、宮殿為主題的賦作，在後來唐代賦作中仍有，但就經藝書寫這一點來看的話，漢賦中的經藝書寫表現不像唐賦中那麼明顯，但已略見一些端倪了，例如〈魯靈光殿賦〉起首便用了「粵若稽古帝漢，祖宗濬哲欽明」這樣出自於《尚書》中的語言。

歌詠祥瑞之作是唐賦中另一項為數眾多的主題，而這顯然也是前有所承。從劉劭（約168-約249）的〈龍瑞賦〉中可以看出，該賦自言作於魏明帝太和七年（233）春。其序文云：

> 太和七年春，龍見摩陂，行自許昌，親往臨觀，形狀瑰麗，光色燭燿，侍衛左右，咸與睹焉。自載籍所記，瑞應之致，或翔集于邦國，卓犖于要荒，未有若斯之著明也。[28]

祥瑞之說經書中亦有之，如《尚書．皐陶謨》中的「簫韶九成，鳳凰來儀」、「擊石拊石，百獸率舞」[29]。發展到後來，緯書中有更多與瑞應相關的內容，而這些也是在唐賦經藝書寫中常見的一種表現形態[30]。

綜合而言，嚴格意義的經藝書寫，即以儒家經典命題的賦作在唐代以前是不常見的，因此經藝書寫此一現象的確可以說是唐賦發展上的一大特色。唐代以前的賦，偶有典禮賦和瑞應賦的寫作，這一點可以約略窺看出經藝書寫的部分端倪，但真正全面性的、徹底地在賦作中普遍化經藝書寫、以經藝命題的這種寫作手法，則是惟有唐代時方有之。唐以前的賦篇很少以經書典

---

27 見蕭統編：《文選》（李善注，胡克家刻本，臺北市：華正書局影印，1995年），卷11；又見於《全漢賦校注》下冊（費振剛等校注，廣州市：廣東教育出版社，2005年），頁850-862。

28 劉劭：〈龍瑞賦〉，見嚴可均編：《全上古三代秦漢三國六朝文》（北京市：中華書局，1958年），《全三國文》，卷32。

29 《尚書注疏》，卷5〈益稷〉，頁14b、15a。

30 唐賦中寫瑞應類題材的作品可參見《文苑英華》，卷84-89符瑞類。另可參看吳儀鳳：〈唐賦的帝國書寫特質〉（《東華漢學》，第4期，2006年9月）第二節指出這些瑞應題材賦作正是帝國書寫的一種表現。

故來命題，只有像辟雍、郊祀、籍田等這些與禮制相關的賦題，還有在都城和宮殿題材的賦作中，會出現較具有經學話語的辭彙。但是到了唐代，援引經義入題的賦作大量增加。此外，典禮如春射秋饗、鄉射、鄉飲之類的賦作撰寫，在唐以前只是偶爾、零星地寫作，在內容上也還未達到唐人那種以限韻文字為主，主題扣緊經義式的寫法，而且篇目之多，所寫題目之廣，也是前所未有的。這不得不讓人懷疑是因為科舉考試以賦取士之故。

以賦取士的做法，早在漢代即已有之。五代蜀馮鑒《文體指要》嘗云：「賦家者流，由漢晉而歷隋唐之初，專以取士。」[31]此處所指的應是獻賦以獲取青睞，取得晉身階之做法，此西漢之司馬相如（前179-前127）便為一例[32]。故以賦作為一種入仕的手段，早在司馬相如時便已是如此。這種獻賦以謀求官職的做法一直到唐代都存在著。杜甫（712-770）不也是企圖以獻三大禮賦而謀求仕途嗎？[33]但若說是以考試的方式，出題考驗考生作賦的這種做法，則是出現於隋開皇十五年（595）。當時楊素（？-606）考杜正玄，便手題以下數題，令杜正玄擬作，包括〈司馬相如上林賦〉、〈王褒聖主得賢臣頌〉、〈班固燕然山銘〉、〈張載劍閣銘〉、〈白鸚鵡賦〉等。而且給予時間限制，令其在一天之中未時之前完成。楊素意本在試退杜正玄，孰料杜正玄完全通過考試，沒有問題。他的弟弟杜正藏也是，在開皇十六年（596）時，蘇威（542-623）主考，試擬〈賈誼過秦論〉及〈尚書湯誓〉、〈匠人箴〉、〈連理樹賦〉、〈几賦〉、〈弓銘〉。同樣地，杜正藏應時便就，又無點竄[34]。

由此看來，隋代開皇十五、十六年時，已有以試賦來甄選人才的作法

31　吳曾：《能改齋漫錄》（臺北市：木鐸出版社，1982年），卷2〈事始〉「試賦八字韻腳」條引。

32　司馬相如因〈子虛賦〉而被漢武帝召見。見《漢書》，卷57〈司馬相如傳〉，頁2529-2533。

33　見《舊唐書》，卷190〈杜甫傳〉，頁5054。

34　唐．李延壽：《北史》（點校本，臺北市：鼎文書局，1980年），卷26〈杜銓附族孫正玄傳〉，頁961-962。

了。只不過當時主要是由經、史中出題，兼有雜文的命題擬作。而到了唐朝，則不但延續了隋代命題作文取士的做法，而且更加制度化、定型化。從本文末〔附表三〕:「唐代科舉試賦一覽表」中看來，試賦的情況由原本雜文中多選一的文體，逐漸被固定化下來，成為每年科舉考試中雜文科必考一詩一賦這樣的情況。同時，從命題上來看，也可以看出主考官有著越來越著重以經義來命題的現象。唐代的入仕管道，主要有三：門蔭入仕、科舉和雜色入流。門蔭入仕主要是沿襲魏晉南北朝九品中正的制度而來，是世襲貴族入仕的管道。科舉才是大多數中下階層士人主要的選擇。雜色入流是一般較低階的技術性吏員，較不為士子所重[35]。

在唐代的科舉考試中最為士人所重視的是進士科，這也是禮部舉行的固定的常科考試。進士科考試，在地方上有州縣的考試，然後才是由中央禮部舉行的省試。無論是在州縣的考試或是在中央的省試，都曾經出現過試賦的題目。例如〈宣州試射中正鵠賦〉，又如〈府試授衣賦〉、〈省試人文化天下賦〉等。而且這些命題都是出自於經書，考生必須熟知經書的內容和典故，掌握經義，方能在文辭上進行巧妙地鋪陳和作答。

除了常科的進士科考試外，吏部進行官員甄選的考試，即所謂科目選的考試，其中的「博學宏詞科」也經常以賦命題[36]。吾人由徐松的《登科記考》和孟二冬（1957-2006）的《登科記考補正》整理出的「唐代科舉試賦一覽表」(〔附表三〕)，其中便有不少賦題是博學宏詞科的試題[37]。此外，由於唐代有兩都，因此在試賦題目中也會有東都的試賦題目。由〔附表三〕:「唐代

---

35 有關唐代科舉考試制度的詳細說明，參見吳宗國：《唐代科舉制度研究》(瀋陽市：遼寧大學出版社，1997年）一書。

36 博學宏詞科屬科目選之說明，詳參吳宗國：《唐代科舉制度研究》第五章科目選。

37 博學宏詞科以賦命題，見於《登科記考》者，有〈公孫弘開東閣賦〉、〈五星同色賦〉、〈放馴象賦〉、〈鈞天樂賦〉、〈太清宮觀紫極舞賦〉、〈朱絲繩賦〉、〈披沙揀金賦〉、〈樂理心賦〉、〈瑤臺月賦〉、〈漢高祖斬白蛇賦〉等，參見本文末〔附表三〕:「唐代科舉試賦表」，該表依據徐松：《登科記考》(趙守儼點校，北京市：中華書局，1984年）及孟二冬之《登科記考補正》(北京市：北京燕山出版社，2003年）製作而成。

科舉試賦一覽表」中可以看到科舉考試命題試賦的頻繁性，因此可以說律賦的寫作是士人應科舉考試時必須具備的能力。

由科舉考試的命題再回過頭來看唐代士人所受的教育，則可以知道：基本上士人所受的教育主要還是經學教育，在經學教育中培養了士人崇聖尊儒的觀念。而隨著唐初《五經正義》的頒布，更奠定了五經在教育和科舉考試中的重要性。

科舉試題的命題是確立賦援引典故入題及寫作要求的重要因素。而除了賦題本身外，從玄宗開元二年（714）開始有了明確的限韻文字，而後幾乎已成為一種固定的試題要求。因而從命題上來看，其援引經義之處，除了賦題本身外，限韻文字往往也援引經義。而考生除了針對賦題作賦之外，限韻文字往往也是一個題目，它除了本身限韻的要求外，更傳達了某種與題目相輔相成的訊息。因此考生往往根據賦題和限韻文字這兩條線索，開始構思自己的賦作。賦的開始首重破題，正如研究律賦的學者所言一般，在這些律賦的寫作裡，它逐漸有一種讓閱卷官一看即知其程度深淺好壞的標準形成。這就是中晚唐時《賦譜》一類書籍產生之緣由，該類書籍旨在教人如何寫好應試的律賦。它需要具備哪些條件？它需要注意哪些地方？有關律賦寫作的要求，前輩學者研究甚多，在此不擬多加贅述[38]。

但是詩賦之間的命題往往也會出現重覆的現象，例如唐文宗開成二年（837）考〈霓裳羽衣曲詩〉，而開成三年（838）就考〈霓裳羽衣曲賦〉[39]。又如〈太學刱置石經詩〉是開成四年（839）考題，唐賦中便有同題之賦[40]；李

---

38 例如鄺健行：《科舉考試文體論稿》、游適宏：《試賦與識賦：從考試的賦到賦的教學》、王良友：《中唐五大家律賦研究》（臺北市：文津出版社，2009年）、尹占華：《律賦研究》、詹杭倫：《唐宋賦學研究》（北京市：中國社會科學出版社、華齡出版社，2004年）等對律賦的寫作要求都有不少的說明，可參看。

39 參見徐松：《登科記考》，卷21，開成二年至三年，頁776-780。亦可見《登科記考補正》，卷21，開成二至三年，頁866-871。

40 〈太學刱置石經賦〉見《文苑英華》，卷61，頁3b-4b，總頁276；又見《全唐賦》，第捌冊，卷59，頁5325-5326。

德裕（787-849）曾作〈振振鷺賦〉[41]，而〈振振鷺詩〉是大中八年（854）試題[42]；〈白雲起封中詩〉據《全唐詩》卷一二一得知：這是省試的詩題[43]，而唐人賦作中也有〈白雲起封中賦〉[44]；武宗會昌三年（843）試〈風不鳴條詩〉[45]，唐賦有〈風不鳴條賦〉[46]。可見詩賦之間的命題是可以互相挪用的，因此這也成了考生們模擬考試習作的題目取材。

由此看來，唐代賦作在典禮賦和經藝書寫上都是具有鮮明特色的。至於為何會如此呢？據本文推測這很可能與唐代科舉考試以賦取士，而賦又以經藝為命題的考試方式有著密切的關聯性。而作為一個大一統的唐代帝國，在此一特色上也展現了更為中央極權和強化國家意識的帝國形象，也因此在國家政教的推行上，典禮和經藝便形成其思想意識上的兩大主流，從而主導了士人的教育和考試方向。

三　唐賦經藝書寫的內在層次分析

有關唐賦之中的經藝書寫現象，本文擬分為外在層次及內在層次兩方面來分別敘述探討。首先說明內在層次的部分，這一部分是純粹就賦作本身的分析探討而言，第二部分是外在層次，這是就唐賦的經藝書寫現象中，具有具體創作背景或創作時具有實際外在現實目的指向者。外在層次將在下一節

---

41 李德裕：〈振鷺賦〉，見《李德裕文集校箋》（李德裕撰、傅璇琮、周建國校箋，石家莊市：河北教育出版社，1999年），別集卷1，頁419-420。

42 參見徐松：《登科記考》，卷22，大中八年，頁824。亦可見《登科記考補正》，卷22，大中八年，頁919。

43 《全唐詩》（彭定求編點校本，北京市：中華書局，1960年），卷121，陳希烈有〈省試白雲起封中〉詩。（第4冊，頁1214）

44 〈白雲起封中賦〉見《文苑英華》，卷12，頁4b-5b，總頁60；又見《全唐賦》，第陸冊，卷42，頁3795-3796。

45 參見徐松：《登科記考》，卷22，會昌三年，頁797-798。

46 〈風不鳴條賦〉有二首，見《文苑英華》，卷62，頁1b-3b，總頁62-63；又見《全唐賦》，第捌冊，卷58，頁5209-5210，及第柒冊，卷52，頁4705-4706。

中敘述。

唐賦的經藝書寫可以有廣義與狹義兩種區分，廣義的經義書寫係泛指與六經相關的書寫都算，包括賦文的用詞、風格等，而狹義的經藝書寫則專指賦題出自於經書者。本文的研究重點在於後者。

當然今日談用典，多是將其視為詩文中一種修辭的表現手法，古代則有《文心雕龍．事類》一篇專論、詩歌中的確有很多用典之佳例，一般在解說用典時，也都以詩歌為主。詩詞文中的引用可以說是修辭學的引用，賦文中的引用亦然，可是本文要處理的並不是修辭學意義的引用，本文欲探討的唐代賦篇，是以經藝成詞或典故或典章制度為命題者，其例為通篇命題之所在，並不是文句中個別文詞的使用，故並不適用傳統修辭學的引用。換言之，本文所欲處理的唐賦經藝書寫，並不是指賦文中使用經典成詞或套語的手法，當然這類情形在唐代賦文中很多，而且多能融化詞句，相關的研究可參看趙俊波《中晚唐賦分體研究》第四章第一節及王良友《中唐五大家律賦研究》第三章、第五章。賦文中融鑄經典成詞和用典的寫作手法很多，但是本論文所欲針對的，乃是唐代賦篇命題與經藝有關之部分，其中既可以說是直接來自於經典的成詞，也可以說是來自於經典的思想，既可以說是用典，也可以說是引用。但主要是對於唐賦以經藝命題的探討，而不是修辭學意義下對賦文文詞的運用。

命題則是主考官測試考生（作者）對此題目來源（出處）之知識背景的理解。測驗考生在賦文中能否展現出其正確的理解和態度。因此涉及考生（作者）對題目的理解和詮釋。一篇賦作包括：賦題、限韻文字和賦文三個部分。而經藝書寫現象在這三個部分都可以看到，並且三個部分在一篇賦作中不是孤立的存在，而是三者間彼此互相呼應、有機的結合成一個整體。由唐賦的實際作品看來，賦文詮釋的向度包括：一、經文本身，二、注解群，賦的限韻文字有時會給予經義詮解的指向。

賦文中以經藝書寫入賦的寫法在唐代律賦中很多，趙俊波、王良友等人均已指出這一點，此處不擬重述。本文主要研究的對象是以賦題本身具有經藝書寫者為主，亦即賦題係出自於儒家經書文句或典故者，這類賦作甚多，如〔附表二〕中所列。筆者也曾將各賦賦題出自經典何處進行過考察，另列有表格，唯材料過多，今限於篇幅，不擬納入，僅略述一、賦題對經藝的直接引用例，二、賦題對經藝的間接引用例，三、限韻文字的引用例，四、賦文與限韻文字、賦題三者的關係。

（1）賦題對經藝的直接引用例

一、直接引用經文者，大多數賦題皆是如此，如出自於《論語・為政篇》的〈君子不器賦〉。又如〈三驅賦〉之命題[47]，《周易・比卦・九五》中提到「王用三驅」，《隋書・禮儀志三》載有三驅之禮，意即：王者有三驅之禮也，以驅為名，至三而止[48]。另《史記・殷本紀》記載：湯見張網四面，乃去其三面。諸侯聞之，曰：湯德至矣，及禽獸[49]。故唐賦中另有〈開三面網賦〉[50]。《舊唐書・張玄素傳》言：「三驅之禮，非欲教殺，將為百姓除害，故湯羅一面。」[51]這便說明了三驅之禮的意義。又據《舊唐書・魏知古傳》載：先天元年冬天，玄宗畋獵於渭川，行三驅之禮[52]。故知三驅之禮在唐朝時仍然有在施行。另《舊唐書・褚亮傳》中有褚亮上疏諫唐高祖畋狩事，其中亦提及冬狩之禮，網唯一面，禽止三驅[53]。可見無論是網開三面或是三驅之禮其目的都是在勸諫帝王勿過度畋獵而應有所節制。

二、引用經書篇目者，如〈魚在藻賦〉、〈南有嘉魚賦〉都是直接引用

---

47 〈三驅賦〉見《文苑英華》，卷124，頁4a-5a，總頁566；又見《全唐賦》，第肆冊，卷25，頁2297-2298。

48 《隋書》（臺北市：鼎文書局，1993年），卷8〈禮儀志〉，頁168。

49 《史記》，卷3〈殷本紀〉，頁95。

50 〈開三面網賦〉見《文苑英華》，卷124，頁5b-6b，總頁567；又見《全唐賦》，第捌冊，卷59，頁5319-5320。

51 《舊唐書》，卷75〈張玄素傳〉，頁2641。

52 《舊唐書》，卷98〈魏知古傳〉，頁3063。

53 《舊唐書》，卷72〈褚亮傳〉，頁2581。

《詩經》同樣篇名之命題[54]。

三、援用其事者，如〈射雉解顏賦〉典出《左傳．昭公二十八年》：昔賈大夫惡，娶妻而美，三年不言不笑，御以如皋，射雉，獲之，其妻始笑而言。賈大夫曰：「才之不可以已！我不能射，女遂不言不笑夫！」[55]

四、引用經藝中的國家禮制，這類例子絕大多數都是典禮類題材之賦，例如〈開冰賦〉[56]，《禮記．月令》寫仲春之月「天子乃鮮羔開冰，先薦寢廟」[57]。既是經書中的禮制，也是現在的國家禮制[58]。

五、化用經文語句入題者，如《尚書．舜典》中「命汝典樂，教胄子」一句[59]，化為賦題〈樂德教胄子賦〉[60]。

六、斷章取義，片斷引用者，如〈天下為家賦〉，雖是出自於《禮記．禮運篇》[61]，但因為片段截取「天下為家」來命題，遂引起了一些爭議[62]。

---

54 〈魚在藻賦〉見《文苑英華》，卷139，頁9b-10a，總頁644；又見《全唐賦》，第肆冊，卷28，頁2473-2474。命題出自於《詩經．小雅．魚藻》。〈南有嘉魚賦〉見《文苑英華》，卷140，頁1a-2a，總頁645；又見《全唐賦》，第貳冊，卷11，頁1053。命題出自於《詩經．小雅．南有嘉魚》。

55 《春秋左傳注疏》（左丘明傳、杜預注、孔穎達疏，南昌府學本，臺北市：藝文印書館，1993年），卷52，頁30b。

56 〈開冰賦〉見《文苑英華》，卷39，頁7a-8a，總頁175；又見《全唐賦》，第伍冊，卷33，頁2961-2962。

57 《禮記注疏》，卷15〈月令〉，頁6b。

58 有關唐代典禮賦的部分，請參看本書第四章。

59 《尚書注疏》，卷3〈舜典〉，頁26a。

60 〈樂德教胄子賦〉有六篇，見《文苑英華》，卷76，頁4a-9a，總頁344-347；又見《全唐賦》，第陸冊，卷42，頁3791-3792（李彥芳）、第肆冊，卷24，頁2179-2180（羅讓）、第伍冊，卷31，頁2745-2746（徐至）、第伍冊，卷31，頁2753-2754（鄭方）、第伍冊，卷31，頁2741-2742（劉積中）、第伍冊，卷36，頁3287-3288（杜周士）。

61 原文為：「今大道既隱，天下為家，各親其親，各子其子，貨力為己，大人世及以為禮。」（《禮記注疏》，卷21〈禮運〉，頁4b。）

62 《唐摭言》，卷13〈無名子謗議下〉載：「劉允章試〈天下為家賦〉，為拾遺杜裔休駁奏，允章辭窮，乃謂與裔休對。時允章出江夏，裔休尋亦改官。」（見王定保撰、姜漢椿注譯：《新譯唐摭言》〔臺北市：三民書局，2005年〕，頁445。）

七、引用經書傳注者，命題不是出自於經文本身而是出自於注釋者，如〈冬日可愛賦〉、〈夏日可畏賦〉[63]兩篇賦題用的是《左傳・文公七年》中杜預（222-284）的注。《左傳・文公七年》酆舒問於賈季曰：「趙衰、趙盾孰賢？」對曰：「趙衰，冬日之日也；趙盾，夏日之日也。」杜預注：「冬日可愛，夏日可畏。」[64]又如〈鑄劍戟為農器賦〉，此題較為特別，乃是出自於《韓詩外傳》卷九：「鑄庫兵以為農器。」[65]南朝宋詩人鮑照〈河清頌〉亦云：「銷我長劍，歸為農器。」[66]可見唐賦在命題時也不限於只有《詩經》。

八、化用經典思想者。如〈聖人以四時為柄賦[67]。

九、結合文句與思想者。如〈靈臺賦〉既是《詩經・靈臺》之篇章，也是經書中之思想[68]。

（2）賦題對經藝的間接引用例

一、間接與經書相關者，如〈進善旌賦〉典出《管子・桓公問》：「舜有告善之旌，而主不蔽也。」[69]據《大戴禮記・保傅》記載，堯在位時，曾於庭

---

63 《文苑英華》收錄〈冬日可愛賦〉有齊映、席夔二首，〈夏日可畏賦〉有賈嵩一首，見《文苑英華》，卷5，頁7b-10a，總頁30-31；齊映賦又見《全唐賦》，第參冊，卷20，頁1815、席夔賦又見《全唐賦》，第伍冊，卷32，頁2917-2918、賈嵩賦又見《全唐賦》，第陸冊，卷44，頁3951-3952。

64 《春秋左傳注疏》，卷19上，頁15b。

65 韓嬰撰、屈守元箋疏：《韓詩外傳箋疏》（成都市：巴蜀書社，1996年），卷9，頁785。

66 鮑照：〈河清頌〉，見《鮑參軍集注》（鮑照撰、錢仲聯增補集說校，上海市：上海古籍出版社，1980年），卷2，頁97。

67 〈聖人以四時為柄賦〉見《文苑英華》，卷24，頁2b-3a，總頁109；又見《全唐賦》，第捌冊，卷58，頁5233-5234。

68 〈靈臺賦〉見《文苑英華》，卷60，頁6a-8b，總頁273-274；又見《全唐賦》，第壹冊，卷3，頁289-293。命題出自於《詩經・大雅・靈臺》。

69 王冬珍等校注：《新編管子》（臺北市：國立編譯館，2002年），下冊，卷18〈桓公問〉，頁1189。

前設置「進善旌」（即一面旗幟），讓百姓站在旗下，向他提出對政事的建議、評論[70]。此為間接引用經書之例。

二、出自《孔子家語》或《尸子》者，例如李方叔（780-805）〈南風之薰賦〉出自所謂的〈南風歌〉[71]。雖然《禮記．樂記》中有云：「昔者舜作五弦之琴以歌〈南風〉。」[72]《史記．樂書》亦云：「舜彈五弦之琴，歌〈南風〉之詩而天下治。……夫〈南風〉之詩者，生長之音也。」[73]但此賦之命題包括了限韻文字「悅人阜財生物遂感」，其中「阜財」二字係出自於〈南風歌〉。〈南風歌〉其辭據孔穎達（574-648）《禮記正義》所引：

> 《聖證論》引《尸子》及《家語》難鄭云：「昔者舜彈五弦之琴，其辭曰：『南風之薰兮，可以解吾民之慍兮！南風之時兮，可以阜吾民之財兮！』」[74]

雖然鄭玄《禮記注》及孔穎達《禮記正義》均認為〈南風歌〉是不可靠的[75]，但是這於此作賦並無妨礙。李方叔的〈南風之薰賦〉其所用限韻即是採用了《家語》中所流傳之〈南風歌〉之辭。

三、又有〈舜有羶行賦〉[76]，語出《莊子．徐無鬼》：「舜有羶行，百姓悅

---

70 方向東：《大戴禮記滙校集解》（北京市：中華書局，2008年），上冊，卷3〈保傅〉，頁328。

71 〈南風之薰賦〉有4篇，此為第4篇，見《文苑英華》，卷13，頁8a-9a，總頁66；又見《全唐賦》，第肆冊，卷28，頁2479-2480。案：《文苑英華》作者作「李叔」，誤，當據《全唐文新編》作「李方叔」，李方叔〈南風之薰賦〉又見《全唐文新編》（周紹良主編，長春市：吉林文史出版社，2000年），卷594，頁6756。

72 《禮記注疏》，卷38〈樂記〉，頁1a。

73 《史記》，卷24〈樂書〉，頁1235。

74 《禮記注疏》，卷38〈樂記〉，頁1b。

75 鄭玄注云：「〈南風〉，長養之風也，以言父母之長養己，其辭未聞也。」《孔疏》云：「今案：馬昭云：『《家語》王肅所增加，非鄭所見。』又《尸子》雜說，不可取證正經，故言未聞也。」（《鄭注》及《孔疏》俱見《禮記注疏》，卷38〈樂記〉，頁1a-b。）

76 〈舜有羶行賦〉見《文苑英華》，卷43，頁4b-5b，總頁192-193；又見《全唐賦》，第

之。」[77]雖然並非出自儒家典籍，但都是將舜視為聖王形象而予以歌頌的。

四、用典，但用的是史事，而並非直接引用自經書之典。如〈端午日獻尚書為壽賦〉用的是蘇綽獻《尚書》給隋煬帝的典故[78]，典出《隋書．蘇威傳》隋煬帝時天下大亂，蘇威知煬帝不可改，很是擔心，五月五日端午節這一天，百僚上饋，多以珍玩。蘇威獨獻《尚書》一部，微以諷帝，煬帝不悅[79]。

五、非以經藝本身為題，但與經藝相關者。如許堯佐〈五經閣賦〉[80]，屬於歌詠建築，觀此賦之作當是先有一座五經閣在而詠之，但該建築物之相關資料現已無考。

六、與當時實際時事結合之題，並非引用之例。如〈太學刱置石經賦〉和〈御註孝經臺賦〉[81]，這是與當時時事結合之命題。這個部分將會在第四節外在層次中述之。

七、其他間接與經書相關之賦題，包括大量引用緯書的祥瑞題目賦作，以及以三代聖王為題之賦，雖然並非直接引自經書，但也與經學有著密切關聯。由此也可看到唐人對於正統儒家經籍以外的材料並不排斥。

（3）限韻文字的作用

對於經籍的引用，除了表現在賦題、賦文以外，限韻文字也有，例如

陸冊，卷43，頁3839-3840。

77 郭慶藩輯：《莊子集釋》（王孝魚點校，臺北市：華正書局，1987年），卷24，頁864。

78 〈端午日獻尚書為壽賦〉見《文苑英華》，卷63，頁8a-8b，總頁287；又見《全唐賦》，第陸冊，卷45，頁4025-4027。

79 見《隋書》，卷41〈蘇威傳〉，頁1189。

80 〈五經閣賦〉見《文苑英華》，卷61，頁5a-6a，總頁277；又見《全唐賦》，第伍冊，卷32，頁2925-2926。

81 〈御註孝經臺賦〉見《文苑英華》，卷61，頁4b-5a，總頁276-277；又見《全唐賦》，第參冊，卷20，頁1865-1866。

〈河橋竹索賦〉，此賦題看起來普通，但特別的是它用的限韻文字是「誰謂河廣一葦航之」[82]，這是《詩經·衛風·河廣》中的句子，可見也有單以經文入限韻文字者。又如〈下車泣罪人賦〉限韻文字為「萬方之過在予一人」[83]，此典出自於《說苑·君道》[84]，但其意來自於《尚書·泰誓》「百姓有過，在予一人」[85]。故亦屬於間接引用經藝之例。

此外，限韻文字也有來自於傳注序文者，如〈南有嘉魚賦〉賦題雖然用的是《詩經·小雅》中的〈南有嘉魚〉，然其限韻文字「樂得賢者」云云（見下），卻襲用了正做為《詩經》傳注之屬的《詩序》之文[86]，而其功用則在於揭示題旨。

限韻文字其實扮演著重要的功能，它對於賦題有重要的指示作用，其與賦題間的關係有：一、說明或補述關係，如裴度（765-839）〈鑄劍戟為農器賦〉，限韻文字「天下無事務農為兵」屬於補述題意[87]。二、因果關係說明，如謝觀〈周公朝諸侯於明堂賦〉，限韻文字「九垓向序外方同心」[88]，題目是因，限韻文字是果。三、點明題旨，如裴度的〈三驅賦〉限韻文字為「蒐畋以時網去三面」[89]；〈開三面網賦〉限韻文字為「仁聖之道開〔弛〕三面」[90]。其限韻文字都更加點明了題目的主旨。四、確定題目出處及方向，有時賦題出處來源不只一處，這時藉助限韻文字可以掌握到命題的題旨和方向。例如

82 《文苑英華》，卷46，頁4b-5a，總頁207；又見《全唐賦》，第伍冊，卷34，頁3109。

83 王起〈下車泣罪人賦〉見《文苑英華》，卷121，頁6b-7b，總頁552-553；又見《全唐賦》，第捌冊，卷59，頁5278。

84 左松超：《說苑集證》（臺北市：國立編譯館，2001年），上冊，卷1〈君道〉，頁20。

85 《尚書注疏》，卷11〈泰誓〉，頁10a。

86 〈南有嘉魚〉之《詩序》云：「樂與賢也，太平君子至誠，樂與賢者共之也。」（《毛詩注疏》，卷10之1，頁1a。）

87 《文苑英華》，卷42，頁3b，總頁187；又見《全唐賦》，第肆冊，卷25，頁2289。

88 《文苑英華》，卷54，頁9a，總頁242；又見《全唐賦》，第陸冊，卷43，頁3847。

89 《文苑英華》，卷124，頁4a，總頁566；又見《全唐賦》，第肆冊，卷25，頁2297。

90 〈開三面網賦〉見《文苑英華》，卷124，頁5b，總頁567；又見《全唐賦》，第捌冊，卷59，頁5319。案：《文苑英華》缺一「弛」字，今據《全唐賦》補入。

〈衣錦褧衣賦〉[91]，因為其出處亦可見於《詩經》中〈衛風・碩人〉和〈鄭風・丰〉二篇，但無論怎樣解讀都無法找出其與賦作內容的關聯。後來找到《禮記・中庸》才確定這是本賦題的出處。因為限韻文字「君子之道闇然日章」以及賦文內容都是與此有連結的。可見限韻文字扮演著重要的題目指示功能，具有解題、闡明或補述題意的作用在，功能十分重要，並非只是為了要求考生押韻而已。

（4）賦文、限韻文字與賦題三者的關係

從一些唐賦經藝書寫的實例看來，唐人是有參看孔穎達的疏的，而《孔疏》基本上採取對前人之說集大成的做法，既引用鄭玄之說，也引用王肅（195-256）之說，將漢魏六朝前行學者的說法多採之。比較像是一種集解式的做法，這用來作為一種教科書倒是不錯的。

從命題來看，唐賦中出現的《詩經》命題多集中在〈雅〉，如〈小雅〉中的〈南有嘉魚〉便是一個題目。而〈南有嘉魚賦〉限以「樂得賢者次用」為韻，這也是用了《詩序》的詩旨，強調樂得賢者之意，嘉魚是賢者的比喻。

再看實際的賦作。例一、李蒙〈南有嘉魚賦〉云：「惟魚在淵兮其跡惟深，賢在野兮其道惟默。」「釣嘉魚在內穴，得奇士於滋川。」[92]又如楊諫〈南有嘉魚賦〉一開始即破題，云：「后非賢不乂，魚非水不託。」「我國家憂勞庶績，寤寐求賢。」「詩人格言，必將興之於王國。」[93]見此命題作賦者必須能熟稔《詩經・南有嘉魚》一詩之詩旨（即《詩序》所提供者），了解

---

91 〈衣錦褧衣賦〉，見《文苑英華》，卷113，頁1a-2a，總頁514；又見《全唐賦》，第伍冊，卷32，頁2909-2910。

92 李蒙〈南有嘉魚賦〉見《文苑英華》，卷140，頁1b-2a，總頁645；又見《全唐賦》，第貳冊，卷11，頁1053。

93 楊諫〈南有嘉魚賦〉見《文苑英華》，卷140，頁1a-1b，總頁645；又見《全唐賦》，第貳冊，卷12，頁1127。

其中的隱喻關係，而且知道命題者的用心，此既是為國家取才之試，應試者也站在國家渴求賢才的角度來作賦發揮。

例二、李程〈衣錦褧衣賦〉。〈衣錦褧衣賦〉出處有二：《詩經・衛風・碩人》及《詩經・鄭風・丰》，李程〈衣錦褧衣賦〉賦中點出「賦於〈碩人〉之篇」、「知我者謂我隱蔽文章，不知我者謂顛倒衣裳」。李程這篇賦並非只以〈碩人〉一詩之《詩序》為說，其中也用了莊姜〈綠衣〉之典，但主要是在講君子韜光不耀，脫離了原本《詩序》連結衛莊姜之說。李程的賦主要是以限韻中的「君子之道闇然日章」作為主旨。這出自於《禮記・中庸》。由此看來，好的寫作者還要能夠貫通各經。

例三、李子卿〈府試授衣賦〉以「霜降此時女工云就」為韻。賦一開始點出授衣的時間在「九月」，試賦之時，乃是題目和限韻文字都是題目，作賦者必須在賦中都達到兩個題目的題旨才行。〈府試授衣賦〉題目出於《詩經・豳風・七月》：「七月流火，九月授衣。」[94]〈府試授衣賦〉寫到：

> 將備服之纁素，豈徒事夫紅紫？則知王者之德，聖人之思，禮法在矣，古今以之。事陳王業，功當天時。澤及周王之道，歌得豳人之詩。……方今四隩既宅，九州攸同，人悦物茂，時和年豐，男勤耕於稼穡，女務績於蠶工，雖悦當今之化，亦猶行古之方。[95]

最後以「霜始降兮女工就，歲時窮兮寒衣授」作結，首尾兼顧，有所呼應。張何〈授衣賦〉直接以「稽〈月令〉之前制，得〈豳詩〉之首章」來點明題目出處[96]。可見作賦者除了點明題目「豳詩」外，還要展現對這題意的理解，從經義的、治道的角度去論說，又必須以優美的賦文進行舖敘。賦文中充滿對洋洋王道的讚美。這個題目乃是河南府考試之試題。作為考試的人才鑑

---

94 《毛詩注疏》，卷8之1，頁9a。

95 《文苑英華》，卷113，頁4a-5a，總頁515-516；又見《全唐賦》，第參冊，卷20，頁1853-1854。

96 張何〈授衣賦〉見《文苑英華》，卷113，頁5a，總頁516；又見《全唐賦》，第參冊，卷21，頁1941。

別，從賦中可以看出作者語言文字的構作能力、經典的學識及其吸收與融貫能力等。

總而言之，賦題、限韻文字、賦文三者可說在寫作時必須是三位一體的，三者間必須有著結構上的連結與統合。

四　唐賦經藝書寫的外在層次分析

唐賦中以經藝來命題之作，若進一步考察，會發現某些賦篇的寫作其實是有特定的時空背景因素的，並不是單純地紙上命題作文而已。也就是說，其命題本身便與當時的政治、社會等時事背景有關，因此由這些賦作的經藝書寫現象，還可以進一步觀察到賦作與外在環境間的聯結關係。以下即舉例說明之。

（1）壁經、石經、孝經臺等相關賦作

首先，在唐賦之中有直接以「壁經」、「石經」、「五經」為題名者，如：〈太學壁經賦〉（《文苑英華》，頁275）、〈太學刱置石經賦〉（《文苑》，頁276）。〈太學壁經賦〉是引用東漢熹平石經的典故，據《後漢書．蔡邕傳》云：

> 邕以經籍去聖久遠，文字多謬，俗儒穿鑿，疑誤後學。熹平四年，乃與五官中郎將堂谿典、光祿大夫楊賜、諫議大夫馬日磾、議郎張馴、韓說、太史令單颺等，奏求正定《六經》文字。靈帝許之。邕乃自書丹於碑，使工鐫刻，立於太學門外。於是後儒晚學，咸取正焉。[97]

〈太學壁經賦〉表面上看來是以東漢蔡邕（133-192）立熹平石經的典故為題

97　范曄：《後漢書》（點校本，臺北市：鼎文書局，1979年），卷60下〈蔡邕列傳〉，頁1990。

而作，然則實際上唐文宗開成二年（837）有立石經之舉。據《舊唐書·文宗本紀》載：開成二年十月癸卯，宰臣判國子祭酒鄭覃進《石壁九經》一百六十卷。時上（指文宗）好文，鄭覃以經義啟導，稍折文章之士，遂奏置五經博士，依後漢蔡伯喈刊碑列於太學，創立石壁九經，諸儒校正訛謬。上又令翰林勒字官唐玄度復校字體，又乖師法。故石經立後數十年，名儒皆不窺之，以為蕪累甚矣[98]。

正是在這樣一個唐文宗立開成石經的背景下，開成四年（839）便以〈太學創置石經詩〉為該年科舉試題。〈太學刱置石經賦〉也必然是在此一開成石經設立的背景下寫作的。該賦云：「我國家學校崇崇，刱石經于其中，用啟千年之聖，將遺萬古之風。」雖然賦中所述並不是十分具體，但文中有云「雕鎪之功備矣，文質之義昭然」、「鑿寒光而嶄嶄迭映，駢古色而字字相宣」，以及說明石經最主要的功用在於「辨舛錯而定魯魚，然後二三子是效是則」[99]（《文苑英華》，頁276）。這說明了開成石經具有刊正九經文字的作用。而〈太學壁經賦〉也說：

> 國家誕敷文命，建學崇政，置六經于屋壁，作群儒之龜鏡。剪遺文以辯謬，俾雅詰以詳正。……稽古至今，從百家之正義；歸真背偽，俾四海之同文。於是博考群臣，宣明舊典，既科斗之互缺，亦魚魯之相舛。依鳥跡而難從，訪蛇形而莫辨。定茲金簡，規程邈之隸書；遵彼古文，參史籀之大篆。然後命鍾、張之藝，詔文學之官，界四壁以繩直，揮五色之毫端。粲爾其彩，昭然可觀。雖一勞之克定，乃千載之不刊。錯綜既備，班列有次。欲昭明於六書，先褒貶於一字。俾去顛訛之惑，用全述作之意。苟不絕於韋編，將永齊於石記。至於止戈為武，反正為乏，將為後生之式，必憲先王之法。……瞻彼垣牆，代茲簡牘，篇章煥炳，文雅照燭，正以先王之脩；則曲禮三千，習

98 《舊唐書》，卷17下〈文宗本紀〉，頁571。

99 以上俱見《文苑英華》，卷61，頁3b-4b，總頁276；又見《全唐賦》，第捌冊，卷59，頁5325-5326。

> 以孔門之徒，則冠者五六。所謂一人作則，萬國儀刑；光我廊廟，異彼丹青。示人範於古訓，正國常於典經。既文明乎天下，宜遠域而來庭。[100]

這一篇〈太學壁經賦〉寫得比較好，具體地寫到刊刻石經具有訂正文字之功，而且提及在此過程中必須處理經文中各種古文的文字校訂問題。

唐代中央政府對於經學很重視，這可以從其重視五經文字校正的這一點看出來。最早在唐太宗時便已注重五經文字考定的工作了。《舊唐書．顏師古傳》載：

> 太宗以經籍去聖久遠，文字訛謬，令師古於秘書省考定五經，師古多所釐正，既成，奏之。太宗復遣諸儒重加詳議，于時諸儒傳習已久，皆共非之。師古輒引晉、宋已來古今本，隨言曉答，援據詳明，皆出其意表，諸儒莫不歎服。於是……頒其所定之書於天下，令學者習焉。[101]

唐太宗嘗嘆五經去聖遠，傳習寖訛，詔顏師古（581-645）於秘書省考定，多所釐正。因頒所定書於天下，學者賴之[102]。《舊唐書．太宗本紀》載：「貞觀七年十一月丁丑唐太宗頒新定五經。」[103]太宗時，孔穎達與顏師古、司馬才章、王恭、王琰等諸儒受詔撰定《五經義訓》，凡一百八十卷，名曰《五經正義》[104]。唐高宗永徽四年三月壬子朔，頒孔穎達《五經正義》於天下，每年明經令依此考試[105]。

既然唐代以科舉考試取士，在科舉考試中，經學始終是主要的教育和考

---

[100]〈太學壁經賦〉見《文苑英華》，卷61，頁275-276；又見《全唐賦》，第捌冊，卷59，頁5323-5324。

[101]《舊唐書》，卷73〈顏師古傳〉，頁2594。

[102]《新唐書》，卷198〈顏師古傳〉，頁5641-5642。

[103]《舊唐書》，卷3〈太宗本紀〉，頁43。

[104]《舊唐書》，卷73〈孔穎達傳〉，頁2602。

[105]《舊唐書》，卷4〈高宗本紀〉，頁71。

試的內容。根據相關文獻考察可知：中唐以後，由於太學衰微，民間私學盛行。而最為國家考試所重視的經書，其印刷刊行，據了解最早必遲至五代時，才開始以雕版印刷方式刊行儒家經典。在此之前，目前所發現的唐代較早的雕版印刷文件，多是佛經[106]。因此，唐文宗立開成石經便是基於社會的需要。

五經之外，《孝經》、《論語》也是被視為等同於經書的。《舊唐書．職官志》記載國子監祭酒、司業必須教授之經中，便包含了《孝經》、《論語》[107]，而唐玄宗更曾經親自御注《孝經》。《舊唐書．玄宗本紀》載：「開元十年六月辛丑，訓注《孝經》，頒于天下。」[108]唐賦之中有一篇〈御註孝經臺賦〉即是因唐玄宗天寶四年（745）題立之《石臺孝經》而作，《石臺孝經》今日尚存於西安碑林第一陳列室前。〈御註孝經臺賦〉其云：

> 玄宗探宣尼之旨，為聖理之閫。……勒睿旨於他山之石，樹崇臺為儒林之苑。……十八章之箴規，揭之備舉。乃知孝理馨香，有時而彰。不壞不朽，化被無疆，所以播鴻休於玉葉，表嗣子於明王。故曰孝者天之經也，宜乎配地久而天長。[109]

由帝王獎掖、提倡之經學表現其國家對經學的重視，於是便有著由上而下，風行草偃的風氣散布於士人社會中了。

---

106 參見張秀民撰、韓琦增訂：《中國印刷史》（杭州市：浙江古籍出版社，2006年），上冊，第一章唐代雕版印刷的始興部分，頁16-29。又可參見張樹棟、龐多益、鄭如斯撰：《簡明中華印刷通史》（桂林市：廣西師範大學出版社，2004年），第三章第一節隋唐時期的雕版印刷，頁65-69。

107《舊唐書》，卷44〈職官三〉「國子監祭酒」：「凡教授之經，以《周易》、《尚書》、《周禮》、《儀禮》、《禮記》、《毛詩》、《春秋左氏傳》、《公羊傳》、《穀梁傳》各為一經，《孝經》、《論語》兼習之。每歲終，考其學官訓導功業之多少，為之殿最。」（頁1891）

108《舊唐書》，卷8〈玄宗本紀〉，頁183。

109 張昔〈御註孝經臺賦〉見《文苑英華》，卷61，頁4b-5a，總頁276-277；又見《全唐賦》，第參冊，卷20，頁1865-1866。

（2）中和節相關賦作

唐德宗貞元五年（789）正月乙卯，德宗下令以二月一日為中和節[110]。將原本屬於民間上巳、重陽禳除災厄的節日改以中和節來取代。有關中和節的設立和它節日的民俗內涵，朱紅〈從中和節看唐代節日民俗〉一文有詳細的說明[111]。中和節有著德宗欲以農為本，重農思想的展現，故有獻農書之活動。侯喜〈中和節百辟獻農書賦〉就是在這樣一個背景下寫作的[112]。而這獻農書活動的思想的源頭當可以追溯至《禮記・月令》中所述孟春之月天子親載耒耜，帥三公、九卿、諸侯、大夫躬耕帝藉的重農、倡農思想上[113]。同時，中和節配合《禮記・月令》思想者尚有「仲春之月……日夜分，則同度量，鈞衡石」這一點上。中和節皇上賜玉尺給臣子，象徵用統一標準來治理天下，使之規範[114]。正是依照《禮記・月令》仲春之月所言，由於這一天晝夜平分，故可以來校正度量衡，使之準確。孔穎達疏《禮記・月令》仲春之月「日夜分，則同度量、鈞衡石」中便云：

> 平當平者，謂度量鈞衡之等，人之所用，當須平均。人君於晝夜分等之時而平正此當平之物。[115]

此《孔疏》解鄭玄注所云「因晝夜等而平當平也」這句話。因此，唐賦中〈平權衡賦〉一題所指便是由此而來[116]。而且這是德宗貞元九年（793）的科

---

110 王溥：《唐會要》（臺北市：世界書局，1974年），卷29〈節日〉，頁544。

111 朱紅：〈從中和節看唐代節日民俗〉，《史林》，2005年第5期，頁62-68。

112〈中和節百辟獻農書賦〉見《文苑英華》，卷22，頁2a-2b，總頁102；又見《全唐賦》，第陸冊，卷41，頁3667-3668。

113 參見《禮記注疏》，卷14〈月令〉，頁20a。

114 有關中和節賜玉尺之說，參見朱紅：〈從中和節看唐代節日民俗〉一文，頁65-66。

115《禮記注疏》，卷15〈月令〉「仲春之月」，頁6a。

116《文苑英華》所收〈平權衡賦〉有劉禹錫（772-842）、李宗和及陳佑三篇，見《文苑英華》，卷104，頁2b-5a，總頁475-476；劉賦又見《全唐賦》，第肆冊，卷29，頁2580-2581、李賦又見《全唐賦》，第肆冊，卷28，頁2487-2488、陳賦又見《全唐

舉試題，限韻文字為「晝夜平分，錙銖取則」，也完全點出題目正是由《禮記・月令》仲春之月「日夜分，則同度量、鈞衡石」這一句話的經文而來，而在思想內容上則必須結合鄭玄注與孔穎達疏，並且結合當時唐德宗中和節之時事一併來看，方能理解其意。

與中和節有關之賦尚有〈舞中成八卦賦〉，這是德宗時原本由昭義節度使王虔休所獻之〈聖誕樂〉，經德宗改編後，成為中和樂舞，而且舞中成八卦圖形，在德宗故去後，憲宗元和二年（807）進士科考試即以「舞中成八卦賦」為題[117]，以「中和所制，盛德斯陳」為韻，《文苑英華》中現存此賦三篇，為張存則、白行簡（約776-826）和錢眾仲所作[118]。元和二年出此題目，有著懷念德宗及強化憲宗繼位的正當性作用。

唐賦的經藝書寫，有些賦作比較容易可以直接從題目上看出其以經藝入題，但有些賦作則並不容易察知，一來必須對經書的內容熟稔，二來要能掌握賦作的寫作背景和思想脈絡，如此方能解讀出賦作隱含的深層意義。前述之〈平權衡賦〉就屬於有必要深入追究的這一類。

（3）祥瑞賦作與馴象的獻與放

此外，對於唐代歷史事件等政治社會背景的熟稔也是解讀這類賦作的一個關鍵。因為賦篇時而會結合時事命題，從而具有幽微的諷諫意涵，如果無法由此入手的話，對於賦篇的理解，往往只能停留在浮淺的表面意義，而無法進一步獲得更深一層的理解。例如唐德宗貞元十三年（797）的科舉試賦

賦》，第肆冊，卷28，頁2491-2492。

117 參見朱紅：〈由中和節看唐代節日民俗〉，頁67-68；又見徐松：《登科記考》，卷17，元和二年，頁623-625。

118〈舞中成八卦賦〉三篇，見《文苑英華》，卷79，頁4a-7a，總頁359-360；張存則賦又見《全唐賦》，第伍冊，卷37，頁3415-3416、白行簡賦又見《全唐賦》，第伍冊，卷36，頁3247-3248、錢眾仲賦又見《全唐賦》，第伍冊，卷37，頁3411-3412。

題目為〈西掖瑞柳賦〉[119]，由《資治通鑑》考察其時的背景如下：唐德宗建中四年（783）發生朱泚之亂，造成京城陷落，德宗逃離長安。之後，朱泚之亂平定，德宗班師回朝，再度回到叛軍佔領過後的長安城，心情想必是五味雜陳，非常複雜的。因為在此之前，德宗對於自己是否還能再回到長安？恐怕也是不確定的。而儘管亂事平定，重回長安，但當初戰爭時皇帝的倉惶出走，還是很狼狽不堪的，有拋棄宗廟、百姓，引發戰爭……等等的罪愆。德宗的出逃幾乎可以和唐玄宗天寶十四年的安史之亂出逃相比。

然而在班師回朝後，朝廷恢復運作，又開始科舉考試。宮廷內中書省的柳樹在經歷叛軍佔領後一度死去，此時竟然又活了，於是呂渭（734-800年）第二年便以〈西掖瑞柳賦〉為題，他可能想說中書省柳樹的復活是一個祥瑞的禎兆，表示對正統王師的歡迎和嚮往。不過，這個命題看似正面，可惜德宗似乎並不領情，而且很不喜歡。據《南部新書》載：「中書省柳樹久枯死。興元二年，車駕還而柳活。明年，呂渭以為禮部賦，上甚惡之。」[120]唐人韓鄂《歲華紀麗》書中曾著錄「漢武西掖瑞柳」，不過今日已不知此典故之出處，但唐人是知道的，呂渭用此典作為貞元十三年（797）禮部進士科考試的賦題，乍看之下，這個題目是一個祥瑞的題目，可想而知：考生們必然會是一番歌功頌德之辭，因為祥瑞的題目也是唐賦中常見的，祥瑞之題多與經書、緯書有關，經書如《禮記．中庸》言：「國家將興，必有禎祥。」[121]《公羊傳》於哀公十四年亦云：「麟者，仁獸也，有王者則至，無王者則不至。」何休（129-182）注云：「上有聖帝明王，天下太平，然後乃至。」[122]緯書則如《孝經援神契》所說：「德至鳥獸，則鳳皇翔，麒麟臻。」[123]這種思

119《文苑英華》所收〈西掖瑞柳賦〉有郭　和陳詡二篇，見《文苑英華》，卷87，頁5a-6a，總頁396；郭賦又見《全唐賦》，第伍冊，卷31，頁2769-2770、陳賦又見《全唐賦》，第參冊，卷18，頁1691-1692。

120《南部新書》（錢易撰、黃壽成點校，北京市：中華書局，2002年），甲，頁11。

121《禮記注疏》，卷53〈中庸〉，頁4a。

122 以上俱見《春秋公羊傳注疏》（公羊壽傳、何休解詁、徐彥疏，南昌府學本，臺北市：藝文印書館，1993年），卷28「哀公十四年」，頁8b-9a。

123 安居香山、中村璋八：《緯書集成》（石家莊市：河北人民出版社，1994年），中冊，

想在董仲舒（前176-前104）《春秋繁露・五行順逆》中亦有表露，其言：「恩及草木，則樹木華美，而朱草生；恩及鱗蟲，則魚大為，鱣鯨不見，群龍下。」「恩及於毛蟲，則走獸大為，麒麟至。」[124]後漢時的王充（27-97）在《論衡・講瑞篇》中也說：「黃帝、堯、舜、周之盛時，皆致鳳皇。」又云：「夫鳳皇，鳥之聖者也；騏驎，獸之聖者也；五帝、三王、皋陶、孔子，人之聖也。」[125]誠如《國語・周語》所說「周之興也，鸑鷟鳴于岐山」一樣[126]，因為聖者、王者出，故有祥瑞之出現。從現有的唐賦看來，其中有大量的祥瑞命題之作，究其思想仍是延續著這一脈相承的祥瑞信仰而來的。

呂渭的〈西掖瑞柳賦〉命題本來應該是一個很歌功頌德、逢迎皇帝的題目，熟料德宗並不喜歡，大概是因為這個題目會喚醒在此之前朱泚之亂倉惶出逃的失敗經驗，所以德宗根本不希望有人再去觸及這根敏感的神經吧！

以祥瑞命題的唐代賦作很多，光是《文苑英華》卷84至89「符瑞」一類中便收錄了六十八篇賦作。而且觀察唐代祥瑞類賦作的命題，其中大多數都與緯書有關，例如〈黃龍負舟賦〉、〈神龜負圖出河賦〉、〈白玉琯賦〉等都是取材自緯書[127]；也有取材自《瑞應圖》者，如〈蓂莢賦〉[128]；也有典出《尚

頁977。

124 董仲舒撰、蘇輿義證：《春秋繁露義證》（點校本，北京市：中華書局，1992年），卷13〈五行順逆〉，頁372、頁376。

125 王充之語俱見黃暉：《論衡校釋》（北京市：中華書局，1990年），卷16〈講瑞篇〉，頁721、722。

126《國語》（舊題左丘明撰、韋昭注，點校本，臺北市：漢京文化公司，1983年），卷1〈周語〉，頁30。

127〈黃龍負舟賦〉作者為呂溫，見《文苑英華》，卷84，頁3b-4b，總頁381；又見《全唐賦》，第伍冊，卷31，頁2833-2835。〈神龜負圖出河賦〉作者為裴度，見《文苑英華》，卷84，頁5b-6b，總頁382；又見《全唐賦》，第肆冊，卷25，頁2293-2294。〈白玉琯賦〉作者為王起，見《文苑英華》，卷86，頁6b-7a，總頁392；又見《全唐賦》，第伍冊，卷33，頁3014-3015。

128〈蓂莢賦〉有程諫與呂諲二首，見《文苑英華》，卷88，頁1a-2b，總頁399；程賦又見《全唐賦》，第貳冊，卷12，頁1163-1164、呂賦又見《全唐賦》，第貳冊，卷12，頁1137-1138。

書》者，像是〈鳳鳴朝陽賦〉、〈鳳皇來儀賦〉[129]。由於祥瑞命題的唐代賦作很多，內容又多是以歌功頌德為目的的寫作，故在此不擬多述。僅舉一遠方異國進貢珍稀之物——馴象之賦為例，來說明隨著寫作背景的不同，同樣的動物也會被賦予不同的意義，然賦作最終的目的都是要歌頌帝王。

《文苑英華》卷131收錄了與馴象有關的賦作四篇，前兩篇是〈越人獻馴象賦〉[130]，後兩篇是〈放馴象賦〉[131]。根據《舊唐書．代宗本紀》記載：代宗大曆六年，十一月己亥，文單國王婆彌來朝，獻馴象一十一[132]。在此之前，唐高宗永徽四年，林邑國王亦曾遣使來朝，貢過馴象[133]。唐玄宗先天、開元、天寶年中亦皆有獻馴象之紀錄[134]。

〈越人獻馴象賦〉命題取材自《漢書．武帝紀》元狩二年夏「南越獻馴象」[135]，但實際寫作背景中，有南方邊邑鄰國向唐王朝獻馴象之事。其中杜洩之〈越人獻馴象賦〉便言：此馴象乃是以自身可以入貢為幸、為榮，賦文中以馴象之口吻自言：「以君好生之故，我身必壽；以君賤貨之故，我齒斯存。豈克耕於野，輸眾人之力；曷如我入貢，霑萬乘之恩。雖自慚於陋質，

129〈鳳鳴朝陽賦〉作者為崔損，見《文苑英華》，卷84，頁9b-10b，總頁384；又見《全唐賦》，第參冊，卷22，頁2007-2008。〈鳳凰來儀賦〉作者為李解，見《文苑英華》，卷84，頁8b-9b，總頁383-384；又見《全唐賦》，第柒冊，卷53，頁4789-4791。

130 此二篇〈越人獻馴象賦〉作者一為闕名，一為杜洩，俱見《文苑英華》，卷131，頁4b-6a，總頁602-603；又見《全唐賦》，第捌冊，卷60，頁5454-5455，及第參冊，卷16，頁1444-1446。

131 此二篇〈放馴象賦〉作者一為獨孤授，一為獨孤良器，俱見《文苑英華》，卷131，頁6b-7a，總頁603-604；又見《全唐賦》，第參冊，卷21，頁1916-1917，及第伍冊，卷35，頁3203-3204。

132《舊唐書》，卷11〈代宗紀〉，頁298。

133《舊唐書》，卷4〈高宗紀〉，頁72。

134《唐會要》，卷98「林邑國」，頁1751。相關研究請另參見詹杭倫：〈越人獻馴象賦與杜甫關係獻疑〉，逢甲大學唐代研究中心、中文系主辦「唐代文化、文學研究及教學國際學術研討會」，2007年5月19、20日。

135《漢書》，卷6〈武帝紀〉，頁176。

永願在乎王門。」[136]闕名之〈越人獻馴象賦〉亦言：「服我后之皁棧，光我唐之域邑。驅之則百獸風馳，翫之則萬夫雲集。」[137]看似用馴象的口吻敘述，實際上展示的是寫作者欲彰顯唐帝國之服遠懷柔的大國風範，所以才會出現如「我有蒼舒之智高，思柔服也；我有周公之德王，以之馳三軍」這樣的文句[138]。

一般而言，大象的壽命約六、七十歲，這些之前被進貢至皇帝宮廷苑囿中的大象，到了代宗大曆十四年（779）時，因為花費頗重，所以代宗一聲令下，把他們都放了。據《資治通鑑》代宗大曆十四年載：先是，諸國屢獻馴象，凡四十有二，上曰：「象費豢養而違物性，將安用之！」命縱於荊山之陽，及豹、貀、鬥雞、獵犬之類，悉縱之；又出宮女數百人。於是中外皆悅，淄青軍士，至投兵相顧日：「明主出矣，吾屬猶反乎！」[139]

於是這一年（代宗大曆十四年）博學宏詞科的試賦題目就是〈放馴象賦〉[140]，可見主考官在命題時是多麼地切合時事！〈放馴象賦〉一題由時事而來，但其思想精神卻是源自於《禮記．中庸》中所言之「凡為天下國家有九經」其中的「柔遠人則四方歸之」[141]。

元稹（779-831）有〈和李校書新題樂府十二首〉其中〈馴犀〉一首開頭有云「建中之初放馴象」[142]，故知：元稹將放馴象之功歸之於德宗！而《舊唐書．德宗本紀》末史臣贊曰亦提及德宗「放文單之馴象」[143]，可見代宗、德宗二朝都有放過馴象。而由這些賦作實例看來，無論是貢獻馴象，或者是釋放馴象，都可以找到頌讚的理由，歌頌帝王一番！

---

[136]《文苑英華》，卷131，頁6a，總頁603；又見《全唐賦》，第參冊，卷16，頁1446。

[137]《文苑英華》，卷131，頁5a，總頁603；又見《全唐賦》，第捌冊，卷60，頁5455。

[138]《文苑英華》，卷131，頁6a，總頁603；又見《全唐賦》，第肆冊，卷23，頁2059-2060。

[139]《資治通鑑》代宗大曆十四年，頁7259-60。

[140] 參《登科記考補正》，卷11代宗大曆十四年，頁467。

[141]《禮記注疏》，卷53〈中庸〉，頁13-14。

[142]《元稹集》（冀勤點校，北京市：中華書局，2000年），卷24，頁283。

[143]《舊唐書》，卷13〈德宗紀〉，頁400。

（4）〈王師如時雨賦〉與平淮西

再如〈王師如時雨賦〉[144]，在閱讀《資治通鑑》憲宗元和十三、十四年整個完整的平淮西事件後，再回頭觀看此題，從而確定了〈王師如時雨賦〉這篇賦的寫作背景正是與平淮西有關的歌頌。〈王師如時雨賦〉是憲宗元和十四年（819）的科舉試題，配合著當時的時代背景看來，那時正是憲宗平淮西後，展現朝廷中央軍事魄力的一年[145]，對唐王朝而言，具有重大的意義，於是元和十四年的中書舍人庾承宣便在試賦的命題上訂下了〈王師如時雨賦〉這樣的題目，結合著此一時事背景來看，就更加明瞭主考官對於賦的命題所蘊含的深意。中唐之時，各地方節度使勢力坐大，往往專斷獨行，並不理會中央王朝，甚至自行廢立，唐王朝的權力面臨挑戰，處於弱勢，又不敢對地方節度使動用武力，中央政府面對囂張跋扈的藩鎮，長期的積弱不振，於是當裴度掛帥成功地平定淮西後，具有重振中央威望的重大作用和宣示意義。〈王師如時雨賦〉的命題援引了《孟子・滕文公》中的典故而成[146]，不過它顯然不只是引經據典地紙上文章而已，因為無論是命題者、寫作者和讀者，他們都身處於元和十四年的背景中，對於長時間來的國家局勢有一定的認識和了解，因此這個題目就不再僅僅是出自於古代經書的典故而已，而是真切實際感受的時事，具有面對當前現實局勢的意義。因此，看似引經據典的經藝書寫賦作如果能細密地進行一些寫作背景考察的話，是可以看出其中以古諷今、以古喻今的深層意涵的。

---

[144]〈王師如時雨賦〉有陳去疾和章孝標兩篇，俱見《文苑英華》，卷65，頁6a-7b，總頁295；又見《全唐賦》，第陸冊，卷43，頁3899-3900，及第伍冊，卷35，頁3199-3200。

[145] 相關史事請參考《資治通鑑》憲宗元和十三、十四年。

[146]《孟子・滕文公下》：「湯始征，自葛載，十一征而無敵於天下。東面而征，西夷怨；南面而征，北狄怨，曰：『奚為後我？』民之望之，若大旱之望雨也。歸市者弗止，芸者不變，誅其君，弔其民，如時雨降。民大悅。《書》曰：『徯我后，后來其無罰！』」（《孟子注疏》〔趙岐注、孫奭疏，南昌府學本，臺北市：藝文印書館，1993年〕，卷6上，頁10a。）

（5）望思臺相關賦作

有些賦篇其賦題雖然並非直接取材自經書，但是其寫作的內容和寫作的用意上都具有經藝的精神，也是值得注意的。例如《文苑英華》卷51中有三篇以望思臺為題之作，望思臺為漢武帝因懷念無辜而死的戾太子劉據所建，其典故見於《漢書・武五子傳》中戾太子劉據一節，其事大致如下：先是漢武帝派江充治巫蠱，江充至太子宮掘蠱，得桐木人，於是戾太子劉據起兵殺江充，結果與丞相交戰，太子兵敗，逃亡，藏匿，自殺。後來漢武帝憐太子無辜，乃作思子宮，為歸來望思之臺於湖。天下聞而悲之[147]。

如果只從表面上看，三篇〈望思臺賦〉就可能只是被解讀成憑弔古蹟，覽古、懷古或詠史之作[148]。但是若由其中之一的作者陸贄（754-805）身處的時代背景看來，其以〈望思臺賦〉為題，本身就具有諷諫的意含。《資治通鑑》卷二百三十三德宗貞元三年（787）記載德宗與李泌（722-789）有關太子事的一番對話[149]，其中便說明了德宗原本也對太子有疑，欲廢太子而改立，李泌因而提及昔日肅宗之子建寧王倓冤死之事，事後肅宗亦悔恨，其情頗與漢武帝相似，李泌昔日即輔佐肅宗，現又輔佐德宗，故特別以勿疑太子一事提醒德宗。蓋因太子所處之位，欲譖之者多矣，一旦皇帝疑心，類似戾太子據的悲劇就會一再重演。陸贄是德宗十分倚重的大臣，故而他的這篇〈傷望思臺賦〉和其他兩篇〈望思臺賦〉之作應該都是在此一背景下作的。

三篇寫望思臺賦之作，其中蔣凝的〈望思臺賦〉寫得最好。陸贄〈傷望思臺賦〉主要都環繞著漢武帝戾太子巫蠱之禍的本事而發，陳山甫〈望思臺賦〉有用到晉獻公太子申生因驪姬之亂自殺的典故[150]，而蔣凝的〈望思臺賦〉

---

147 參見《漢書》，卷63〈武五子傳〉「戾太子」一節，頁2741-47。

148 此三篇〈望思臺賦〉作者分別為陸贄、陳山甫及蔣凝，俱見《文苑英華》，卷51，頁6a-8b，總頁231-232；又見《全唐賦》，第參冊，卷22，頁1991-1992，及第柒冊，卷52，頁4727-4728，及第柒冊，卷48，頁4295-4296。

149 詳參《春秋左傳注疏》，卷12「僖公四年」，頁14a-16a。

150 詳參《春秋左傳注疏》，卷12「僖公四年」，頁14a-16a。

在「齊誅子糾以無道，晉殺申生而可哀」一句中，便用了兩個典故，包括齊桓公殺公子糾事[151]、晉獻公的太子申生自殺事。賦中對望思臺及其典故的描寫很詳細，又富有情景：

> 路入湖邑，臺名望思。幾里而雲瞻累土，千春而草沒餘基。仙掌一峰，遠指江充之事；黃河九曲，旁呑武帝之悲。昔者漢祚方隆，皇綱失理，因巫蠱之事作，有讒邪之禍起。宮中既得其桐人，臣下皆疑於太子。龍樓獲謗，方儲副以難明；鳳閣無恩，遂出奔而至死。[152]

陳山甫〈望思臺賦〉亦極力描寫「登臺有悼往之心」的情景，末言：「是臺也，可以申鑒於後王，豈徒處高〔明〕而縱目？」[153]而陸贄也在賦文一開始對望思臺做了描寫：

> 桃野之右，蒼茫古源。草木春慘，風煙晝昏。攬予轡以躊躇，見立表而斯存。迺漢武戾嗣勤命地也，然後築臺以慰遺魂！[154]

陸贄等作者在寫作〈望思臺賦〉時應該是可以看得到望思臺的。賦作雖不免於弔古，但也很具有現實的諷刺意義，而像蔣凝、陳山甫兩位作者更旁引春秋時晉獻公因寵幸驪姬，使太子申生自殺之事入賦，亦可見作者博古通今，引經義入賦，表達對時政關心的通變之法。若就其現實意義來看，亦不無經世致用之意。

以上透過實際唐賦作品的例子分析，探討賦的經藝書寫，其實命題上有時是有其時代背景和意義的，若能深入了解，將更可以明白其微言大義，知曉命題者和寫作者的用心。由前述所舉之例也可以發現：唐代的科舉試賦命

---

151 齊桓公遺書魯人殺公子糾事，見《史記》，卷32〈齊太公世家〉，頁1486。

152《文苑英華》，卷51，頁7b-8a，總頁231-232；又見《全唐賦》，第柒冊，卷48，頁4295。

153《文苑英華》，卷51，頁7b，總頁231；又見《全唐賦》，第柒冊，卷52，頁4728。案：《文苑英華》闕「明」字，據《全唐賦》校補。

154《文苑英華》，卷51，頁6a-6b，總頁231；又見《全唐賦》，第參冊，卷22，頁1991。

題有時是與時事有著密切的關聯性，同時背後也有著嚴肅的政教意含。由於唐代科舉考試制度的確立，更使得經學與科舉考試相結合，成為國家考試中最主要的內容。從唐賦中大量運用經書典故看來，經學仍是唐代士人教育過程中的必讀經典，因而即使是文士也不得不投入經學的研讀和學習中。唐賦中有許多賦篇可能都是為科舉考試而作，一般而言，科舉考試中的試賦題目大多都會取材自經書之中，如此一來，可以測驗出考生對於經書是否熟稔？此外，唐賦中更瀰漫著許多讖緯祥瑞的內容和符號。從唐賦的賦題取材來看，我們發現：其實唐代士人受到緯書很大的影響，他們對於緯書同經書一樣熟稔。而唐賦的內容又以祥瑞為其主要的取材對象。這些都可以看出唐代士人對這些讖緯學說的熟稔。

唐代建立了一套科舉考試制度，在這套考試制度中，儒家經典仍是最重要的經典。科舉考試中有試雜文，而賦是雜文考試中最常出現的考試文體，因此我們今日所看到的唐賦，有許多可能都是科舉試賦，或者是為準備科舉考試所撰寫的習作。

唐賦的內容裡，洋溢著對帝王的歌頌。作者盛讚皇帝仁德，所以招致祥瑞出現。同時把皇帝比喻為天、為日，更經常引用堯、舜、禹、湯等聖王的形象和相關的傳說作為典故來作一比擬。各式各樣的祥瑞、寶物和禮器，也都成為唐賦中重要的題目。例如祥瑞的動物有龍鳳龜，還有雲物、紫氣、嘉禾、連理樹及白色祥瑞的動物禽鳥等。至於欹器、鼎等也是具有特殊意義的禮器。在這些祥瑞或是特殊禮器的背後，其實都有一整套的政教思維，是可以進一步去挖掘和探索的。因為無論是科舉考試或是獻賦，撰寫者都很清楚地把他作品的閱讀對象設定為皇帝，因而在撰作過程中，寫作者的思維也都是環繞在皇帝的目光所及之處，關心他所關心的。而這些賦作更具有某些節慶時歡慶和祝賀的意味，尤其獻賦更可以因此獲得官祿，也成為士人的一種晉身階。因此，從初步的考察中發現：唐賦中大量運用經書的典故為題，並且具有濃厚的經學思想。賦這種文體具有帝國書寫的特性，因而它所採用的經書典故也多半都是從《尚書》、《禮記》中與帝王德行、國家制度、治國之方等大道有關者，而《詩經》的部分則以〈雅〉、〈頌〉為主，〈國風〉的部分則比較少。賦大抵還是從經國大業，潤色鴻業的角度出發，進行書寫的一種文體，因而賦與國家、與經學之間的關係顯得更為緊密。

唐賦與經學的關係十分密切，這一點如果純粹只從文學的角度去看，並不容易發現。許多看似枯燥乏味，缺乏性靈的賦作，其實都與科舉考試以經學命題有著密不可分的關聯。而研究者不宜片面地在沒有經學作為背景知識的情況下逕行地去詮釋，本文的研究亦在於強調和說明：唐賦的寫作與帝國的制度和考試脫離不了關係，更與經學脫不了關係。相對地，從這些與經學有關的唐賦中也可以看到唐代經學的另一個面向，從賦當中也可以看出士人的經學根柢。

五　結論

許多論及唐代科舉考試的資料多會徵引《舊唐書‧鄭覃傳》中鄭覃以經術之士，反對浮華文詞，反對進士之說，其云：

> （鄭）覃雖精經義，不能為文，嫉進士浮華，開成初，奏禮部貢院宜罷進士科。初，紫宸對，上語及選士，覃曰：「南北朝多用文華，所以不治。士以才堪即用，何必文辭？」[155]

在大多數述及唐代科舉考試的論述中都強調進士科考試著重的是文學、是文辭，並引述當朝之士批評科舉制度取士浮華的資料，從而予人一種唐代文辭之士與經術之士二者是壁壘分明，互相對立的印象。如胡美琦（1929-2012）《中國教育史》便說唐代考試只注重考文學[156]。又如科舉考試中的進士科考試必須經過三場，每一場定去留，其中第一場考試是帖經，但是依傅璇琮《唐代科舉與文學》書中第七章所述，帖經的地位在中唐後越來越滑落，變得一

155《舊唐書》，卷173〈鄭覃傳〉，頁4491。

156 胡美琦：《中國教育史》（臺北市：三民書局，1978年），頁272。

點也不重要，甚至可以用詩來替代[157]。閱讀這些材料不禁予人強烈的印象：唐代參與科舉考試的考生真是只重視文學而可以完全不理會經書。只要詩賦寫得好，就可以考上，即使不會背誦經書，也可以「以詩贖帖」，用作詩來取代。如此更使人覺得唐代都是文學之士。再加上皮錫瑞（1850-1908）《經學歷史》又言：「經學自唐以至宋初，已陵夷衰微矣。」[158]可見其對唐代經學之評價是不高的，他又說：唐代帖經而已，注重背誦，而不重經義。由這些材料中描繪出來的唐代士人景象，都是只重文學，不重經學的。

可是當實際從事唐賦的研讀和考察時，卻對其中充滿如此大量的經藝書寫現象，而對前人如此的評論不免產生懷疑。先是有經術與文學二者的對立現象，繼而又引用鄭覃感慨經術衰微的話語，來呈現出唐代的這種此消彼長的現象。然則從本文處理唐賦的經藝書寫現象來看，其實並不存在經術與文學二分對立的現象，反而賦之中有大量的經藝化的現象。不僅賦的選題和命題有一大堆和經學相關者，其所引用的經典繁多，儒釋道皆有，但其中仍是以儒家為主。當然其中也包含許多與典禮有關的賦作，還有許多與樂教和射禮有關之賦題，凡此都可以說展現了主事者對於考試人才選拔自有其一套思想的要求。

從實際的唐賦經藝書寫的作品來看，無論是主考官在命題上或是考生在作答上，彼此都引用了聖人之言，將此一考試的賦作納入國家政治經略思想的大背景脈絡中，以聖人之言互相對話，如果不明瞭題意出處、題旨的考生，無法達成理想的作答，一知半解的考生也不容易完美作答。是以惟有對於經義語句和內涵熟悉的考生方能在這限制性的遣詞造句和作文規範中勝出。而這些經藝書寫的命題有的有時事性，有的來源出處不只一端，考生還必須具有融會貫通的本領，對應著當前的社會而立言。這大概就是真正的經世致用之意，也是命題者所欲從考試中篩選人才的一個理想的目標吧！

---

157 參見傅璇琮：《唐代科舉與文學》（西安市：陝西人民出版社，2003年），第七章，頁171-173。

158 皮錫瑞：《經學歷史》（周予同注釋，臺北市：漢京文化公司，1983年），〈經學變古時代〉，頁220。

唐賦的經藝書寫是特定文類的專用手法，也是具有特定目的和特定的期待讀者及期待視野的寫作方式。它因應著唐代國家掄才的科舉考試而成為一種考試的文體，從而有了特定的讀者訴求和意識形態的籠罩，這大概都是賦在唐代所產生的前所未有的變化吧！

附表一　《文苑英華》所收儒學類賦作篇目一覽表

編號	賦題	文苑英華卷，頁，總頁	全唐文新編頁碼
1	辟雍賦	卷61，頁1a-2a，總頁275	卷546，頁6315
2	太學觀春宮齒冑賦	卷61，頁2a-2b，總頁275	卷961，頁13087
3	太學壁經賦	卷61，頁2b-3b，總頁275-276	卷546，頁6317
4	太學刱置石經賦	卷61，頁3b-4b，總頁276	卷546，頁6316
5	御註孝經臺賦	卷61，頁4a-5a，總頁276-277	卷455，頁5350
6	五經閣賦	卷61，頁5a-6a，總頁277	卷633，頁7151
7	觀太學射堂賦	卷61，頁6a-7a，總頁277	卷511，頁5983
8	八卦賦	卷61，頁7a-7b，總頁278	卷354，頁4047
9	六藝賦	卷61，頁7b-9a，總頁278-279	卷282，頁3198
10	金鏡賦	卷62，頁1a-2a，總頁279	卷946，頁12890
11	漢章帝白虎殿觀諸儒講五經賦	卷62，頁1a-2a，總頁279	卷632，頁7132
12	貢士謁文宣王賦	卷62，頁1a-2a，總頁280	卷482，頁5702
13	貢舉人見於含元殿賦	卷62，頁2b-3b，總頁280	卷482，頁5702
14	人不學不知道賦	卷62，頁3b-4a，總頁280-281	卷482，頁5703
15	重寸陰於尺壁賦	卷62，頁4a-5b，總頁281	卷641，頁7239
16	惜分陰賦	卷62，頁5b-6a，總頁281-282	卷719，頁8235

17	學植賦	卷62，頁6a-7a，總頁282	卷200，頁2275
18	學然後知不足賦	卷62，頁7a-8a，總頁282-283	卷757，頁8900
19	文戰賦	卷62，頁8a-8b，總頁283	卷766，頁9122
20	解議圍賦	卷62，頁8b-9b，總頁283	卷624，頁7056
21	書同文賦	卷63，頁1a-2a，總頁284	卷641，頁7234
22	壞宅得書賦	卷63，頁2a-2b，總頁284	卷804，頁9814
23	鑿壁偷光賦	卷63，頁2b-3b，總頁285	卷722，頁8281
24	螢光照字賦（三篇）	卷63，頁3b-4a，總頁285-286	卷719，頁8235；卷722，頁8282；卷722，頁8286
25	賦賦	卷63，頁5b-6a，總頁286	卷656，頁7425
26	詩有六義賦	卷63，頁6a-7a，總頁286-287	卷481，頁5688
27	擲地金聲賦	卷63，頁7a-8a，總頁287	卷641，頁7239
28	端午獻尚書為壽賦	卷63，頁8a-8b，總頁287	卷769，頁9166

附表二　唐賦賦題關涉經藝資料一覽表

唐賦與經藝1：《周易》

編號	作者	賦題	限韻	全唐文新編v卷/p頁	出處
1.	敬括	八卦賦		v354/p4047	周易·繫辭下
2.	錢眾仲	舞中成八卦賦	以中和所致盛德斯陳為韻	v713/p8121	周易·繫辭下
3.	張存則	舞中成八卦賦	以中和所致盛德斯陳為韻	v713/p8122	周易·繫辭下
4.	白行簡	舞中成八卦賦	以中和所製盛德斯陳為韻	v692/p7832	周易·繫辭下
5.	劉允濟	天行健賦		v163/p1918	周易·乾卦

6.	翟楚賢	天行健賦	以天德以陽故能行健為韻	v959/p13013	周易・乾卦
7.	陸肱	乾坤為天地賦	以取類著言純乎元理為韻	v765/p9112	周易・說卦
8.	張隨	雲從龍賦	以聖王得賢臣為韻	v362/p4162	周易・乾卦
9.	王起	履霜堅冰至賦	以君子之道闇然而日章為韻	v641/p7237	周易・坤卦
10.	獨孤授	師貞丈人賦	以武有七德師貞丈人為韻	v456/p5360	周易・師卦
11.	裴度	三驅賦	以蒐畋以時網去三面為韻	v537/p6231	周易・比卦
12.	武少儀	射隼高墉賦	以君子藏器待時為韻	v613/p6931	周易・解卦
13.	敬騫	射隼高墉賦	以君子藏器待時為韻	v365/p4223	周易・解卦
14.	羅讓	井渫不食賦		v525/p6115	周易・井卦
15.	陸贄	鴻漸賦	以鴻漸路適之為韻	v460/p5416	周易・漸卦
16.	白行簡	垂衣治天下賦	以聖理無為道光前古為韻	v692/p7828	周易・繫辭

唐賦與經藝2：《尚書》

編號	作者	賦題	限韻	全唐文新編v卷/p頁	出處
1.	袁司直	寅賓出日賦第一	以大明在天恒以時授為韻	v545/p6307	尚書・堯典
2.	周渭	寅賓出日賦第二	以大明在天恆以授時為韻	v453/p5331	尚書・堯典
3.	王儲	寅賓出日賦第三	以大明在天恆以時授為韻	v455/p5351	尚書・堯典

4.	獨孤授	寅賓出日賦第四	以大明在天恆以時授為韻	v456/p5366	尚書・堯典
5.	崔損	五色土賦第一	以皇子畢封依色建社為韻	v476/p5559	尚書・夏書・禹貢
6.	盧士開	五色土賦第二	以皇子畢封依色建社為韻	v457/p5378	尚書・夏書・禹貢
7.	吳連叔	謙受益賦第一	以君子立身謙德之柄為韻	v946/p12892	尚書・大禹謨
8.	孟翱	謙受益賦第二	以君子立身謙德之柄為韻	v958/p12997	尚書・大禹謨
9.	平洌	兩階舞干羽賦	以皇風廣被夷夏謐清為韻	v406/p4734	尚書・大禹謨
10.	趙蕃	甸人獻嘉禾賦		v722/p8282	尚書・嘉禾
11.	劉積中	樂德教冑子賦第一	以育材訓人之本為韻	v619/p7010	尚書・舜典
12.	羅讓	樂德教冑子賦第二	以育材訓人之本為韻依次用	v525/p6114	尚書・舜典
13.	徐至	樂德教冑子賦第三	以育材訓人之本為韻依次用	v619/p7011	尚書・舜典
14.	鄭方	樂德教冑子賦第四	以育材訓人之本為韻依次用	v619/p7012	尚書・舜典
15.	杜周士	樂德教冑子賦第五	以育材訓人之本為韻	v693/p7868	尚書・舜典
16.	王起	木從繩賦第一	以聖君順諫如木從繩為韻	v641/p7235	尚書・說命上
17.	張勝之	木從繩賦第二	以木以繩直君由諫明為韻	v739/p8581	尚書・說命上

唐賦與經藝3：《詩經》

編號	作者	賦題	限韻	全唐文新編v卷/p頁	出處
1.	李益	詩有六義賦	以風雅比興自家成國為韻	v481/p5688	詩經・大序
2.	李程	衣錦褧衣賦	以君子之道闇然日章為韻	v632/p7141	詩經・衛風・碩人詩經・鄭風・丰
3.	張仲素	河橋竹索賦	以誰謂河廣一葦航之為韻	v644/p7268	詩經・衛風・河廣
4.	李子卿	授衣賦	以霜降此時女工云就為韻	v454/p5345	詩經・豳風・七月
5.	張何	授衣賦	以霜降此時女工云就為韻	v457/p5376	詩經・豳風・七月
6.	王棨	鳥求友聲賦	以人自得求友聲之道為韻	v769/p9172	詩經・小雅・伐木
7.	楊諫	南有嘉魚賦第一	以樂得賢者次用韻	v365/p4225	詩經・小雅・南有嘉魚
8.	李蒙	南有嘉魚賦第二	以樂得賢者次用韻	v360/p4133	詩經・小雅・南有嘉魚
9.	王起	庭燎賦第一	以早設王庭輝映群辟為韻	v950/p12931	詩經・小雅・庭燎
10.	楊濤	庭燎賦第二	以天覆之廣文德以來為韻	v642/p7241	詩經・小雅・庭燎
11.	趙昂	攻玉賦	以他山之石為韻	v622/p7034	詩經・小雅・鶴鳴
12.	錢起	晴皋鶴唳賦	以警露清野高飛唳人為韻	v379/p4372 錢起詩集	詩經・小雅・鶴鳴
13.	李夷亮	魚在藻賦	以潛泳水府形諸雅什為韻	v594/p6755	詩經・小雅・魚藻
14.	賈餗	教猱升木賦	以仁義在躬教之則進為韻	v731/p8476	詩經・小雅・角弓

15.	崔損	鳳鳴朝陽賦	以鳳鳴山陽振翼飛舞為韻	v476/p5558	詩經・大雅・卷阿
16.	張叔良	五星同色賦	以昊天有成命為韻	v441/p5145	詩經・周頌・昊天有成命
17.	崔淙	五星同色賦	以昊天有成命為韻	v459/p5394	詩經・周頌・昊天有成命
18.	韋承慶	靈臺賦		v188/p2154	詩經・大雅・靈臺
19.	喬琳	鶺鴒賦	有序	v356/p4073	詩經・小雅・常棣
20.	李德裕	振振鷺賦		李德裕文集校箋p419	詩經・有駜 詩經・周頌・振鷺
21.	白居易	賦賦	以賦者古詩之流為韻	白居易集箋校v4/p2622	

唐賦與經藝4：《禮》

編號	作者	賦題	限韻	全唐文新編v卷/p頁	出處
1.	李德裕	知止賦		v697/p7934	禮記・大學
2.	李紳	善歌如貫珠賦	以聲氣圓直有如貫珠為韻	v694/p7874	禮記・樂記
3.	趙蕃	善歌如貫珠賦	以聲氣圓直有如貫珠為韻	v722/p8284	禮記・樂記
4.	元稹	善歌如貫珠賦	以聲氣圓直有如貫珠為韻依次用	v647/p7295	禮記・樂記
5.	雍陶	學然後知不足賦	以君子強志然後成立為韻	v757/p8900	禮記・學記
6.	黎逢	人不學不知道賦	以學然後知不足為韻	v482/p5703	禮記・學記

7.	羅立言	振木鐸賦	以發號施令王猷所先為韻	v692/p7844	禮記・明堂位
8.	白行簡	振木鐸賦	以振文教而納規諫為韻	v692/p7829	禮記・明堂位
9.	王起	振木鐸賦	以孟春之月遒人徇路為韻	v641/p7227	禮記・明堂位
10.	封希顏	六藝賦	以移風易俗安上理人為韻	v282/p3198	禮樂射御書數
11.	王起	開冰賦		v641/p7228	禮記・月令
12.	歐陽詹	明水賦	以元化無宰至精感通為韻	v595/p6769	禮記・郊特牲
13.	崔損	明水賦	以泠然感化潔我烝嘗為韻	v476/p5558	禮記・郊特牲
14.	賈稜	明水賦	以元化無宰至精感通為韻	v594/p6756	禮記・郊特牲
15.	陳羽	明水賦	以元化無宰至精感通為韻	v546/p6323	禮記・郊特牲
16.	韓愈	明水賦	以元化無宰至精感通為韻	v547/p6331	禮記・郊特牲
17.	闕名	明水賦	以元化無宰至精感通為韻	v960/p13082	禮記・郊特牲
18.	任華	明堂賦		v376/p4336	禮記・明堂位
19.	王諲	明堂賦		v333/p3813	禮記・明堂位
20.	劉允濟	明堂賦		v163/p1916	禮記・明堂位
21.	于沼	明堂賦		v947/p12901	禮記・明堂位
22.	李白	明堂賦		v347/p3970	禮記・明堂位
23.	韋允	郊特牲賦	以繭栗之微貴乎誠愨為韻	v733/p8506	禮記・郊特牲
24.	闕名	籍田賦		v960/p13082	禮記・月令
25.	石貫	籍田賦	以復收墜典以期農祥為韻	v762/p9042	禮記・月令

26.	闕名	土牛賦		v960/p13083	禮記・月令
27.	陳仲師	土牛賦	以以示農耕之早晚為韻	v716/p8147	禮記・月令

唐賦與經藝5：《春秋》

編號	作者	賦題	限韻	全唐文新編v卷/p頁	出處
1.	常袞	春蒐賦	以畋狩得時獻禽合禮為韻	v410/p4825	穀梁傳・昭公二十二年春
2.	胡瑱	大閱賦	以國崇武備明習順時為韻	v401/p4620	穀梁傳・桓公六年秋
3.	梁獻	大閱賦	以國崇武備明習順時為韻	v282/p3199	穀梁傳・桓公六年秋
4.	浩虛舟	射雉解顏賦	以藝極神驚愁顏變喜為韻	v624/p7058	左傳・昭公二十八年
5.	歐陽詹	藏冰賦	以西陸朝覿方出之為韻	v595/p6770	左傳・昭公四年

唐賦與經藝6：《論語》、《孟子》

編號	作者	賦題	限韻	全唐文新編v卷/p頁	出處
1.	白居易	君子不器賦	以用之則行無施不可為韻	v656/p7425	論語・為政
2.	鄭俞	性習相近遠賦	以君子之所慎焉為韻	v594/p6761	論語・陽貨
3.	浩虛舟	行不由徑賦	以處心行道有如此焉為韻	v624/p7057	論語・雍也
4.	羅立言	風偃草賦	以上之化人乃如是焉為韻	v692/p7845	論語・顏淵
5.	蔣防	草上之風賦	以君子之德風偃乎草為韻	v719/p8238	論語・顏淵

6.	陳仲師	駟不及舌賦	以是故先聖子欲無言為韻	v716/p8149	論語・顏淵
7.	陳仲卿	駟不及舌賦	以樞機一發策辱之本為韻	v948/p12908	論語・顏淵
8.	章孝標	王師如時雨賦	以慰悅人心如雨枯旱為韻	v683/p7709	孟子・梁惠王章句下第十一章
9.	陳去疾	王師如時雨賦	以慰悅人心如雨枯旱為韻	v760/p8983	孟子・梁惠王章句下第十一章

唐賦與經藝7：緯書

編號	作者	賦題	限韻	全唐文新編v卷/p頁	出處
1.	裴度	神龜負圖出河賦	以作瑞前王始啟文教為韻	v537/p6230	尚書・中候
2.	高郢	西王母獻白玉琯賦	以聖道昭格神物呈祥為韻	v449/p5284	尚書・帝驗期
3.	王起	白玉琯賦	以神人來獻以和八音為韻	v642/p7242	尚書・帝驗期
4.	程諫	蓂莢賦		v374/p4322	尚書・中候
5.	呂諲	蓂莢賦	以呈端聖朝為韻	v371/p4288	尚書・中候
6.	闕名	二黃人守日賦	以君德同明遠人來附為韻	v960/p13076	孝經・援神契
7.	滕邁	二黃人守日賦	以君德同明遠人來附為韻	v723/p8296	孝經・援神契
8.	潘炎	黃龍見賦		v442/p5164	易緯
9.	潘炎	黃龍再見賦		v442/p5163	易緯
10.	李為	日賦		v793/p9582	易緯
11.	王奉珪	日賦		v952/p12953	易緯

12.	李邕	日賦		v261/p2947	易緯

唐賦與經藝8：其他與經學及經書有關者

編號	作者	賦題	限韻	全唐文新編v卷/p頁	出處
1.	王履貞	太學壁經賦	以六經典法刊正文字為韻	v546/p6317	
2.	許堯佐	五經閣賦	以禮傳詩書易成教為韻	v633/p7151	
3.	張昔	御註孝經臺賦	以百行之本明王所尊為韻	v455/p5350	

附表三　唐代科舉試賦題目一覽表

西元	帝王	年號	欄位1	錄取人數	試賦題目	用韻	備註	知貢舉者	職銜	《登科記考》頁碼備查
685	武則天	垂拱元年	（光宅二年）	27	高松賦		省試	劉奇	考功員外郎	80
713	玄宗	先天二年	(開元元年)	77	籍田賦			房光庭		167
714	玄宗	開元二年		17	旗賦	風日雲野，軍國清肅		王邱	吏部侍郎	172
714	玄宗	開元二年			竹簾賦		哲人奇士，隱淪屠釣科			173
716	玄宗	開元四年		16	丹甑賦	周有豐年				184
717	玄宗	開元五年		25	止水賦	清審洞澈涵容		裴耀卿		187
719	玄宗	開元七年		25	北斗城賦	池塘生春草		李納		201
727	玄宗	開元十五年	孟二冬補		灞橋賦	水雲暉映，車騎繁雜				

730	玄宗	開元十八年		26	冰壺賦	清如玉壺冰，何慚宿昔意		崔明允		255-256
734	玄宗	開元二十二年		29	梓材賦	理材為器，如政之術		孫逖	考功員外郎	266-268
734	玄宗	開元二十二年			公孫宏開東閣賦	風勢聲理，暢休實久	博學宏詞科			
737	玄宗	開元二十五年	孟二冬移至開元十三年	27	花萼樓賦並序一首	以題為韻		姚奕	禮部侍郎	282
747	玄宗	天寶六年		23	罔兩賦	道德希夷仁美		李巖	禮部侍郎	313
751	玄宗	天寶十年		20	豹鳥賦	兩遍用四聲為韻		李麟	兵部侍郎	322-323
763	代宗	廣德元年	（寶應二年）	27	日中有王字賦	以題為韻次用		蕭昕	禮部侍郎	358-359
767	代宗	大歷二年		20	射隼高墉賦	君子藏器待時		薛邕(上都)	禮部侍郎	367-368
769	代宗	大歷四年			五星同色賦	以昊天有成命	博學宏詞科	薛邕(上都)	禮部侍郎	372
773	代宗	大歷八年		34	東郊朝日賦	國家行仲春之令		張渭(上都)	禮部侍郎	380
774	代宗	大歷九年			蜡日祈天宗賦		東都試	張謂(上都)	禮部侍郎	383-384
775	代宗	大歷十年		27	五色土賦	皇子畢封，依色建社	上都試	常袞（上都）	禮部侍郎	387-388
775	代宗	大歷十年			日觀賦	千載之統，平上去入	東都試	蔣渙(東都)	留守	
777	代宗	大歷十二年		12	通天臺賦	洪臺獨存，浮景在下		常袞	禮部侍郎	394
779	代宗	大歷十四年		20	寅賓出日賦	大明在天，恆以時授		潘炎	禮部侍郎	399-401
779	代宗	大歷十四年			放馴象賦	珍異禽獸，無育家國	博學宏詞科			

781	德宗	建中二年		17	白雲起封中賦			于邵	禮部侍郎	418-419
791	德宗	貞元七年		30	珠還合浦賦	不貪為寶，神物自還		杜黃裳	禮部侍郎	457-459
792	德宗	貞元八年		23	明水賦	玄化無宰，至精感通		陸贄	兵部侍郎	463-469
792	德宗	貞元八年			鈞天樂賦	上天無聲，昭錫有道	博學宏詞科試			
793	德宗	貞元九年		32	平權衡賦	晝夜平分，銖鈞取則		顧少連	戶部侍郎	478-482
793	德宗	貞元九年			太清宮觀紫極舞賦		博學宏詞科			
794	德宗	貞元十年			風過簫賦	無為斯化，有感潛應		顧少連	戶部侍郎	488-493
794	德宗	貞元十年			朱絲繩賦		博學宏詞科			493
796	德宗	貞元十二年		30	日五色賦			呂渭	禮部侍郎	502
796	德宗	貞元十二年			披沙揀金賦	求寶之道，同乎選才	博學宏詞科			505
797	德宗	貞元十三年			西掖瑞柳賦	應時呈祥，聖德昭感		呂渭	禮部侍郎	514
798	德宗	貞元十四年		20	鑒止水賦	以「澄虛納照，遇象分形」為韻，限三百五十字已上成		顧少連	尚書左丞	518-521
799	德宗	貞元十五年			樂理心賦	易直子諒，油然而生	博學宏詞科	高郢	中書舍人	525-526
800	德宗	貞元十六年		17	性習相近遠賦	君子之所慎焉		高郢	中書舍人	531-533
801	德宗	貞元十七年		18	樂德教胄子賦	育材訓人之本		高郢	中書舍人	541-542

802	德宗	貞元十八年			瑤臺月賦	仙家帝室，皎潔清光	博學宏詞科	權德輿	中書舍人	556
803	德宗	貞元十九年		20	中和節百辟獻農書賦	嘉節初吉，修是農政		權德輿	禮部侍郎	563-565
803	德宗	貞元十九年			漢高祖斬白蛇賦		博學宏詞科			564
807	憲宗	元和二年		28	舞中成八卦賦	中和所製，盛德斯陳		崔邠	禮部侍郎	620-622
810	憲宗	元和五年		32	洪鐘待撞賦			崔樞	禮部侍郎	647-649
819	憲宗	元和十四年		31	王師如時雨賦	慰悅人心，如雨枯旱		庾承宣	中書舍人	675-677
822	穆宗	長慶二年		29	木雞賦	致此無敵，故能先鳴		王起	禮部侍郎	710-712
823	穆宗	長慶三年		28	麗龜賦			王起	禮部侍郎	715-716
832	穆宗	大和六年		25	君子之聽音賦	審音合志鏗鏘		賈餗	禮部侍郎	755-757
837	穆宗	開成二年		40	琴瑟合奏賦			高鍇	禮部侍郎	771-776
838	穆宗	開成三年		40	霓裳羽衣曲賦	任用韻		高鍇	禮部侍郎	777
849	宣宗	大中三年		30	堯仁如天賦			李褒	禮部侍郎	812-814
862	宣宗	咸通三年		30	倒載干戈賦	聖功克彰，兵器斯戢		鄭從讜	中書舍人	840-842
863	宣宗	咸通四年		35	謙光賦			蕭倣	左散騎常侍	
866	懿宗	咸通七年			被袞以象天賦			趙騭	禮部侍郎	851-853
868	懿宗	咸通九年			天下為家賦			劉允章	禮部侍郎	855-856
876	懿宗	乾符三年		30	王者之道如龍首賦	龍之視聽，有符君德		崔沆	禮部侍郎	872-873

878	懿宗	乾符五年			至仁伐至不仁賦			崔澹	中書舍人	875-877
892	昭宗	景福元年		30	止戈為武賦			蔣泳		898-899
895	昭宗	乾寧二年		25	人文化天下賦	觀彼人文，以化天下		崔凝	刑部尚書	906-911
897	昭宗	乾寧四年		20	未明求衣賦			薛昭緯	禮部侍郎	915-916
901	昭宗	光化四年		26	天得一以清賦			杜德祥	禮部侍郎	924-926

嘉道之際北京士大夫的崇祀鄭玄活動

車行健*

一 序言

清代嘉慶、道光年間，以胡承珙（1776-1832）、胡培翬（1782-1849）為首的一群在北京擔任中級京官的士大夫們發起了為東漢著名的經學大師鄭玄（127-200）公祭的活動。據胡培翬〈漢北海鄭公生日祀於萬柳堂記〉載：

> 培翬春闈報罷，將出都門，墨莊宗兄邀宿齋中度夏。閒暇無事，遂蒐取各書，與《後漢書》本傳參考，補其缺略，成〈鄭公傳考證〉一卷。於《太平廣記》中得《別傳》云：「康成永建二年七月戊寅生。」墨莊以〈順帝紀〉是年七月書甲戌朔推之，知戊寅為七月五日。余因謂墨莊曰：「昔臧榮緒以庚子陳經，遂有生日之祝，近人多為歐陽、二蘇作生日，若鄭公之有功聖經，詎出歐、蘇下？今國家表章絕學，改革前典，既已復祀鄭公兩廡，吾儕於其生日，私致芹藻之敬，不亦可乎？」墨莊曰：「然！」遂作啟，相與徵同志十餘人，祀之於萬柳堂。[1]

這次的祭祀活動是發生在嘉慶十九年甲戌（1814），此後直至道光六年丙戌（1826），又至少舉辦了三次的公祭活動。參與的學者開始時主要都是在學術上傾向漢學的學者，如胡承珙、胡培翬、郝懿行（1757-1825）、馬瑞辰

---

* 政治大學中國文學系。

1 見氏撰：《研六室文鈔》，收入黃智明點校、蔣秋華校訂：《胡培翬集》（臺北市：中央研究院中國文哲研究所，2005年），頁228-229。

（1782-1853）、陳奐（1786-1863）等人，但也有傾向宋學立場的學者參與其中，如陳用光（1768-1835）[2]、夏炘（1789-1871）[3]，甚至亦涵蓋了在學術立場上明顯轉向今文經學的學者，如龔自珍（1792-1841）與魏源（1794-1857）等人。從參與人物的學術屬性中恰好具體而微地顯示出了清代學術的主要面向[4]。

當時這些學者會發起且舉行這樣的崇祀鄭玄的活動，是具有多方面的意義的，一方面呈顯出當時士林交遊及文人雅集活動的狀況，類似的活動還有由翁方綱（1733-1818）在乾隆年間所發起的「為東坡壽」的聚會，以及其他學者舉辦的為歐陽修（1007-1072）、黃庭堅（1045-1105）、顧炎武（1613-1682）等先賢祝壽或公祭的儀式。另一方面，由承襲乾嘉漢學餘緒的胡承珙、胡培翬等人在嘉道之際所倡導的公祭鄭玄的活動，這本身就極具象徵性地反映出了當時學界所尊崇的主流學風。但有趣的是，在稍後不久的道光二

---

2 陳用光師事姚鼐（1731-1815），又嘗遊於翁方綱門下，習聞二家緒論而篤守之。（參張舜徽：《清人文集別錄》〔武昌市：華中師範大學出版社，2004年〕，頁311。）陳氏嘗謂：「力宗漢儒，不背程朱，覃溪師之家法也；研精攷訂，澤以文章，姬傳師之家法也。」（《太乙舟文集》，《續修四庫全書》〔上海市：上海古籍出版社，1995年，景清道光23年孝友堂刻本〕，《集部》：冊1493，祁寯藻〈序〉，頁3a。）以此，羅檢秋將其歸入汲取漢學的宋學家。（參氏撰：《嘉慶以來漢學傳統的衍變與傳承》〔北京市：中國人民大學出版社，2006年〕，頁73-74。）又關於陳用光的相關研究請另參柳春蕊：《晚清古文研究——以陳用光、梅曾亮、曾國藩、吳汝綸四大古文子為中心》（南昌市：江西出版集團．百花洲文藝出版社，2007年），第一章。

3 關於夏炘的學術傾向，詳見第四節。

4 周予同（1898-1981）在序皮錫瑞（1850-1908）的《經學歷史》時認為中國經學可以歸納為西漢今文學、東漢古文學和宋學這三大派。而他在〈漢學與宋學〉一文中則依梁啟超（1873-1929）的主張將清學的演變情形分為三個時期，即順治、康熙、雍正三朝的啟蒙期，這時期的特色是反明而復於漢、宋。其次則是約當乾隆、嘉慶二朝的全盛期，以考證學為特長，可說是反宋而復於後漢。最後則是約當道光、咸豐、同治、光緒四朝的蛻變期，由經典研究的後漢古文學蛻變而為前漢今文學。（以上參朱維錚編：《周予同經學史論著選集》增訂本〔上海市：上海人民出版社，1996年〕，頁93、329-330）所謂「東漢古文學」或「後漢古文學」一般指的就是狹義的漢學。由此可知，清代的學術是包括了今文學派、漢學派與宋學派這三大派。

十三年（1843），由張穆（1805-1849）、何紹基（1799-1873）所主導且一直持續至同治年間的「顧祠修禊」活動，卻又標示出了另一個不同的學風。其中所顯示的意義就是：在清代國勢由盛轉衰的道光年間，士大夫們藉由崇祀顧炎武來強調其經世致用的學問面向，而非乾嘉學者重視的考證學風的面向。嘉道之際是清王朝國勢由盛而衰的轉折點，而在學術風尚的表現上，則是由盛極一時的乾嘉漢學過渡到倡言經世致用的晚清今文經學。當時的主流學風可藉由士大夫們自覺的崇敬先儒前賢的儀式性活動象徵性地呈現出來，同樣地，當崇敬的對象改變或被賦予不同的意涵時，往往也標識著主流學風的轉變。因而考察這類在文人雅集基礎上所舉行的崇祀先儒的儀式性活動，不但可一窺當時士人交遊的狀況，更可從中覘睹學風發展與演變之痕跡。

二　清儒祝祭先儒的風氣

從上引胡培翬的〈漢北海鄭公生日祀於萬柳堂記〉中可知，其時士大夫多有為「歐陽、二蘇作生日」的風氣，胡培翬之語可從時人詩文集中找出不少例證，如陳用光《太乙舟詩集》便載有：〈六月二十一日邀同人集太乙舟為歐陽文忠公作生日，梧門先生以集中寄許微人絕句分韻，用光得聲字〉[5]。張祥河（1785-1862）的《小重山房詩詞全集》中亦有幾首詩與此事有關，如《詩舲詩錄》卷三便載有〈歐陽文忠公生日，碩士、蘭雪二丈招同朱虹舫、徐星伯、黃霽青、謝向亭、潘功甫、龔定菴集九里梅花村舍賦詩，即席呈二丈〉[6]。《詩舲詩錄》卷四亦有〈六月二十一日集蘭雪舍人齋為歐陽公壽，公年四十，自號醉翁，是歲適紀丙戌，因用集中題滁州醉翁亭韻〉一詩[7]。其《怡園集》又有〈立秋後三日歐陽公生辰，王少鶴、白蘭巖招集同人拜滁州

---

5 （清）陳用光：《太乙舟詩集》，《續修四庫全書》（上海市：上海古籍出版社，1995年，景清咸豐四年孝友堂刻本），《集部》；冊1493，卷4，頁7a-b。

6 （清）張祥河：《小重山房詩詞全集》，《續修四庫全書》（上海市：上海古籍出版社，1995年，景清道光刻光緒增修本），《集部》；冊1513，《詩舲詩錄》，卷3，頁10a-b。

7 （清）張祥河：《小重山房詩詞全集》，《詩舲詩錄》，卷4，頁5a-b。

象於慈仁寺，分韻得賢字〉詩[8]。而年次稍晚的朱琦（1803-1861）在其《怡志堂詩初編》中亦有二詩紀此事：其一、卷五載有〈六月二十一日邵蕙西招集同人為歐陽文忠公作生日。會者凡八人：梅伯言農部、曾滌生閣學、龍翰臣侍講、孫芝房編修、劉椒雲學博、周子靜孝廉。以天下文章莫大乎是分韻，得下字〉[9]。其二、卷八有〈六月二十一日歐陽文忠生日，林穎叔水部、同少鶴農部招集松筠菴，拜公絹本遺像，潤臣舍人亦攜詩龕摹本張壁間。與會者：陶鳧香、張詩舲兩侍郎、錢萍江理少、龍翰臣通副、孔繡山中翰、劉炯甫孝廉。圖為穎叔所藏，上有乾隆御墨，並晁、李二跋，分得宜字〉[10]。

至於胡培翬所提及的「二蘇」，其實指的就是蘇軾（1036-1101），清人為蘇軾作壽的風氣很盛，時人詩文歌詠其事者也頗不少，如陳用光《太乙舟詩集》卷四「七言古體詩」便載有：〈東坡生日法梧門侍講過訪，因邀仝楊蓉裳農部、張船山、吳山尊兩前輩暨從子希祖、希曾小集太乙舟為東坡壽，山尊未來，船山以所摹宋本東坡象見示，用光欲船山為更摹一幅，並摹山谷像見惠，遂作長句一首乞之〉、〈覃溪師招作東坡生日，出所藏宋刊施顧注本詩集、天際烏雲帖及吳荷屋前輩所得茶錄舊拓本傳觀，賦長古一篇〉、〈丙寅十二月十九日小峴先生邀作東坡生日，因得觀其八世祖舜峰先生會試硃卷及凱還圖畫像，丁卯元旦夜作七古一首〉及〈東坡先生生日設祀於蝶寄小舫，邀朱學博存仁、楊孝廉殿春同賦為壽〉等詩紀其事[11]。又如朱琦（1769-1850）之《小萬卷齋詩稿》亦載有〈梁茝林花舫消寒第四集，以十二月十九日為蘇文忠公生日設祀，是日立春，成五言三十二韻〉、〈臘月十九日社友集韓司寇還讀齋為蘇文忠公生辰設祀，年丈潘榕皐農部（奕雋）詩先成次韻〉[12]。而共同發起公祭鄭玄的胡承珙亦曾參與過其事，其《求是堂詩集》卷

---

8 （清）張祥河：《小重山房詩詞全集》，《怡園集》，頁17 a -b。

9 （清）朱琦：《怡志堂詩初編》，《續修四庫全書》（上海市：上海古籍出版社，1995年，景清咸豐七年刻本），《集部》：冊1513，卷5，頁9b-10a。

10 （清）朱琦：《怡志堂詩初編》，卷8，頁8a-b。

11 （清）陳用光：《太乙舟詩集》，卷4，頁1a-2a、2a-3a、3a-4a、6a-7a。

12 （清）朱珔：《小萬卷齋詩稿》（清光緒十一年嘉樹山房藏版），卷21，頁6b-7a；卷

十四便載有二詩記述其事：〈丙子十二月十九日同人集梁茝鄰（章鉅）禮部寓齋為東坡先生生辰設祀〉及〈霽青編修招同人集寓齋為東坡先生作生日，賦得赤壁置酒李委吹笛故事〉[13]。此外，朱琦《怡志堂詩初編》卷五之〈劉寬夫侍御招集同人壽東坡先生，忽忽今數月矣，為補此詩〉亦與此事有關。[14]

清代士大夫這類藉由為先儒做冥壽而舉行的崇祀紀念追思活動的風氣，據魏泉教授研究，當是由翁方綱所發動的。翁方綱一生心儀蘇軾，他於乾隆三十三年（1768）廣東學政任內，以六十金購得蘇軾的〈天際烏雲帖〉墨跡，又於韶州道中，在英德南山後崖壁間發現了蘇軾的手題，因重摹勒石二片，一片嵌在廣州使院壁間，一片留以自隨。因有這二重金石翰墨因緣，翁方綱自此遂自號「蘇齋」。後來他又於北京琉璃廠購得一部宋版的《施顧注蘇詩》殘本，從此以「寶蘇」名其室，而其「蘇齋」之號也從此廣為人知。翁方綱於乾隆三十八年（1773）十二月十七日購得此書，十二月十九日恰是蘇軾生日，他便於當天以合裝〈蘇齋圖〉供奉於蘇軾像前，並邀集同人小集祝拜蘇軾生日，自此便開啟了翁方綱持續數十年的「為東坡壽」的活動。一直到嘉慶年間，經過翁方綱堅持了近二十年的「為東坡壽」的活動，不但逐漸為人接受並仿效，且祝壽的對象也不限於蘇軾，還擴及了其他的知名文人，如歐陽修、黃庭堅等宋賢，甚至也包括了李東陽（1447-1516）、王士禛（1634-1711）等明清先賢[15]。

不過在這類為先儒祝壽致祭的活動中，歷時最久，規模最大，參與人數最多的，當推在道光年間由張穆與何紹基發起的「顧祠修禊」活動。這個活動從道光二十三年（1843）開始，據張穆〈亭林年譜題詞〉云：「道光二十

30，頁19a-20a。

13 （清）胡承珙：《求是堂詩集》，《續修四庫全書》（上海市：上海古籍出版社，1995年，景道光13年刊本），《集部》，冊1500，卷14，頁12b-13a、20a-b。

14 （清）朱琦：《怡志堂詩初編》，卷5，頁8a-b。

15 以上敘述請參魏泉：《士林交游與風氣變遷——十九世紀宣南的文人群體研究》（北京市：北京大學出版社，2008年），頁37-41、48、50、69。

三年，穆與太史創議鳩貲為先生建祠堂於京師慈仁寺西偏。」[16]太史即為時任國史館提調的何紹基，他曾有〈別顧先生祠〉紀此事[17]。朱琦在〈崑山顧亭林先生祠記書後〉亦說道：

> 咸豐二年，韓君介孫教諭崑山，既於玉山講院之左建顧先生祠，而為之記。……近世學者頗知趨嚮先生，而吾友張石洲始為先生年譜。道光二十三年，道州何子貞又同石洲創為先生祠於京師慈仁寺之西南隅。後十三年為咸豐六年，琦又為先生〈祠記〉，而介孫於崑山適建先生祠，前後數年間，南北若合符契，樸學滋盛矣。[18]

張星鑑（1819-1878）在〈唐市新建顧亭林先生祠記〉則表露出了當時士大夫祠祭顧炎武的心聲：

> 京都廣寧門慈仁寺於道光二十三年建顧亭林先生祠，創是舉者，道州何編修紹基、山右張明經穆，捐石刻記者漢陽葉侍讀名澧也。先生足跡遍天下，所至都邑皆愛敬先生，先生之祀於京都也，四方學人所願也。[19]

顧祠祭事一直迴盪到民國年間士大夫的心中，瞿兌之（宣穎，筆名楚金，

16（清）張穆：《𣶏齋文集》（太原市：山西人民出版社，1986年），卷3，頁21a。

17 何紹基此詩述建祠事甚詳，其云：「亭林先生祠，小子始營繕。緊惟城西偏，慈仁森佛殿。當時寺宇宏，市集萃圖卷。國初諸老儒，買書乘暇宴。先生結契廣，僑寓置爐扇。至今雙松下，彷彿見遺跰。承平二百載，光陰若流箭。古碣餘斷龜，空梁墜飢燕。我卜隙地寬，謂可靈爽奠。諸公聞此議，合作相呼忭。畚鍤猥見屬，木甓自遴揀。刪蕪出古樹，明月夜來罥。崇崇屋三楹，爛爛秋一片。落成奉遺像，覽揆潔盥薦。肅然道義容，警我塵土賤。……」（見《何紹基詩文集》，〔清〕何紹基著，龍震球、何書置點校〔長沙市：嶽麓書社，1992年〕，冊1，頁168。）

18（清）朱琦：《怡志堂文初編》，《續修四庫全書》（上海市：上海古籍出版社，1995年，景清同治四年運甓軒刻本），《集部》，冊1530，卷6，頁14a-15a。案：朱氏此文自紀作於咸豐七年十二月。

19（清）張星鑑：《仰蕭樓文集》（清光緒六年刊本），頁46b。

1894-1973）在〈道光學術〉文章的開頭就敘及此事，並深致慨歎，其云：

> 昔者道光二十三年，何紹基、張穆創建顧亭林祠於燕京廣寧門內之慈仁寺，歲舉祀事。及咸豐六年重修，而朱琦、王錫振為文以紀之，今祠尚巋然。嘗過而仰瞻慨歎，作而言曰：「烏乎！此世運之關鍵，君子所以俯仰百年，而有深憂者有以夫！」[20]

據魏泉研究，從道光二十三年十月顧祠修建完工，次年二月二十四日舉辦首次公祭開始，一直到同治十二年（1873），在這三十年中，每年的春季（上巳前後）、秋季（重九前後）和顧炎武生日（五月二十八日）都有祭祀活動，總共舉行祀事八十五次，前後參與過祀事的士大夫共有二八六人[21]。如此的盛況，確實是無與倫比的。

就是因為這類由士林交遊及文人雅集所形成的崇祀該文人群體所心儀的先儒前賢活動，在清代中葉以後是如此的頻繁而密集，這個現象自然也反映在當時的小說中，晚清著名的小說《孽海花》在第十一回〈潘尚書提倡公羊學，黎學士狂臚老韃文〉中就曾生動地描摹了光緒年間北京士大夫公祭東漢今文經學大師何休（129-182）的情景：

> ……（袁）尚秋因剛纔的話，怕（陸）菶如芥蔕，特地走過來招呼道：「菶兄，八瀛尚書那裏，你今天去嗎？」菶如正收拾筆硯，聽了摸不著頭腦，忙應道：「去做什麼？」尚秋道：「八瀛尚書沒有招你嗎？今天是大家公祭何邵公哟！」菶如愕然道：「何邵公是誰呀？八瀛從沒提這人。喔，我曉得了，大家知道我跟他沒有交情，所以公祭沒有我的分兒！」尚秋忍不住笑道：「何邵公不是今人，就是注《公

20　楚金：〈道光學術〉，載於《中和月刊史料選集》第1冊，收入《近代中國史料叢刊》第60輯（臺北市：文海出版社，1970年），頁260。

21　以上敘述請參魏泉：《士林交游與風氣變遷——十九世紀宣南的文人群體研究》，頁152-153。又顧祠祭事的相關研究請另參王汎森：〈清代儒者的全神堂——國史儒林傳與道光年間顧祠祭的成立〉，《中央研究院歷史語言研究所集刊》，第79卷第1期（2008年3月）。

> 羊春秋》的漢何休呀！八瀛先生因於前幾天錢唐卿在湖北上了一個封事，請許叔重從祀聖廟，已經部議准了，八瀛先生就想著何邵公，也是一個漢朝大儒，邀著幾個同志，議論此事，順便就在拱宸堂公祭一番，略伸敬仰的意思。葦兄你高興同去觀禮嗎？」……那時（荀）子珮看見尚秋開口道：「你來得好晚，公祭的儀式，我們都預備好了。」尚秋聽了，方曉得他們在對面拱宸堂裏鋪排祭壇祭品，就答道：「有勞兩位了。」龔尚書手拿著一本書道：「剛纔（盛）伯怡議，這部北宋本《公羊春秋何氏注》，也可以陳列祭壇，你們拿去罷！」[22]

案：《孽海花》中人物皆有所實指，據冒鶴亭（1873-1959）考證，袁尚秋係影射袁昶（爽秋，1846-1900）、陸莑如影射陸潤庠（鳳石，1841-1915）、八瀛尚書影射潘祖蔭（伯寅，1830-1890）、錢唐卿影射汪鳴鑾（柳門，1839-1907）、荀子珮影射沈曾植（子培，1850-1922）、龔尚書影射翁同龢（叔平，1830-1904）、盛伯怡影射盛昱（伯熙，1850-1899）[23]。而小說中所謂「錢唐卿在湖北上了一個封事，請許叔重從祀聖廟，已經部議准了」事亦實有所本[24]，據思仿〈孽海花考證〉云：

> 按錢端敏即汪柳門鳴鑾。《清史稿》本傳云：少勤學，同治四年成進士，選庶吉士，授編修，還司業，益覃研經學。謂聖道垂諸六經，經學非訓詁不明，訓詁非文字不著，治經當從許書入手，當疏請以許慎

---

22 （清）曾樸撰，葉經柱校注：《孽海花》（臺北市：三民書局，1998年），頁116-118。

23 參冒鶴亭：〈孽海花閒話〉，收入魏紹呂編：《孽海花資料》（上海市：上海古籍出版社，1982年），頁220、221、225、232、236、253-255；又參劉文昭：〈孽海花人名索隱表〉（同上），頁329、338、341、349、351、353；及三民版《孽海花》所附〈孽海花人名索隱表〉，頁1、3、4、5、8。又據錢基博〈孽海花考信錄〉云，該書影射姓名的方式是：「多取同聲通假之例，而參以誼類相比。」（該文收入《孽海花》〔臺北市：桂冠圖書公司，2001年〕，附錄，引文見頁443。）

24 趙景深云：「《孽海花》所敘大都是實事，第二十一回明白揭出：『這部《孽海花》，卻不同別的小說，空中樓閣，可以隨意起滅，逞筆翻騰，一句假不來，一句謊不得。』這確是實話。我們至少可以說：事實的輪廓都是真的；加油加醬，自是在所不免。」（參氏撰：〈曾孟樸的孽海花〉，收入桂冠版《孽海花》，附錄，引文見頁448。）

從祀入文廟。《續東華錄》：光緒二年，國子監司業汪鳴鑾奏請以漢儒許慎從祀文廟，經部議准，奉旨報可，即謂此也。惟疏請時汪官司業，非在湖北，此則小說不盡與史合也。[25]

在此回小說的描寫中，由影射潘祖蔭的八瀛尚書發動，影射翁同龢的龔和甫尚書從旁附議贊助公祭何休的舉動，的確也真實而生動地反映了光緒年間潘、翁二人熱心提倡《公羊》學的實況[26]。

三　嘉道士人崇祀鄭玄的先導

由上節敘述可知，胡承珙、胡培翬等人於嘉道之際所發起的公祭鄭玄活動當是直接受到乾隆年間由翁方綱所發起的「為東坡壽」之影響，這類的為某一特定的先儒或前賢祝祭做壽的活動仍是屬於士林交遊與文人雅集的性質，就如張祥河對他曾參與過的宣南詩社的追憶所云：

宣南詩社，京朝士夫朋從之樂，無以逾此。或消寒，或春秋佳日，或為歐蘇二公壽。始則陶雲汀制軍澍、周稚圭中丞之琦、錢衎石給諫儀吉、董琴南觀察國華諸公。繼則鮑雙湖侍郎桂星、朱椒堂漕帥為弼、李蘭卿都轉彥章、潘功甫舍人曾沂諸公。後則徐廉峰太史寶善、汪大竹比部全泰、吳小谷太守清皐、西谷府丞清鵬諸公。其間人事不齊，旋舉旋輟。而余與吳蘭雪舍人嵩梁每舉必預。陶制府官江南時，歲寄宴費。余監司山左，亦仿此例。至是輒憶野寺看花、涼堂讀畫，為不可多得之勝事矣。[27]

25　思仿：〈孽海花考證〉，載於《中和月刊》第六卷合訂本，收入《近代中國史料叢刊續編》第21輯（臺北市：文海出版社，1975年），頁32-33。

26　據貢少芹《近五十年見聞錄》（臺北市：廣文書局，1991年）云：「光緒朝常熟翁相當國時，京師盛行公羊學。蓋翁相酷好此，凡遇講《公羊》者，皆引為知己，不惜極力援拔。一時士大夫乃以此為終南捷徑。」（卷2，頁8。）

27　（清）張祥河：《關隴輿中偶憶編》，王德毅主編：《叢書集成三編》（臺北市：新文豐雖然有此直接的淵源，但胡承珙、胡培翬等人在其時會有如此崇敬鄭玄之舉，也與當時鄭玄在官方祀典逐漸受到重視有關，這包括恢復鄭玄從祀孔廟的倡議與阮元（1764-1849）以學政巡撫之尊在山東與浙江二地的對鄭玄尊崇，尤其是前者更直接激勵了胡承珙、胡培翬公祭鄭玄的舉動[28]。以下分別對此二者敘述之。

（一）鄭玄復祀孔廟的倡議

鄭玄自唐太宗貞觀二十一年（647）配享孔廟，此後從宋至明初皆未變，直至嘉靖九年（1530），大學士張璁（1475-1539）力主更定祀典，他據程敏政（1445-1499）之言以「傳道之師」來取代「傳經之師」，遂將包括鄭玄在內的多位先儒「各祀於鄉」。[29]康熙二十年（1681），時任國子監祭酒的王士禛對此提出了異議，他在〈請增從祀理學真儒疏〉中建言：

> 惟至聖之道，萬古為昭，兩漢以來諸儒，凡發明經傳，踐履純正者，皆得從祀兩廡，俎豆千秋，典至隆也。臣查現在從祀先儒外，歷代諸儒，有功聖門，尚有當酌議增祀者，敬為我皇上陳之。……鄭康成……史稱純儒，唐、宋以來，皆列從祀，明嘉靖間始以張孚敬之議，改祀於鄉，公論久鬱，此漢儒之當復祀者也。……伏祈睿鑒，敕下禮部議覆施行，為此具本，謹具奏聞。[30]

出版公司，1997年），文學類，冊68，頁2b-3a。

28 胡培翬〈漢北海鄭公生日祀於萬柳堂記〉云：「『今國家表章絕學，改革前典，既已復祀鄭公兩廡，吾儕於其生日，私致芹藻之敬，不亦可乎？』墨莊曰：『然！』」（見氏撰：《研六室文鈔》，收入黃智明點校、蔣秋華校訂之《胡培翬集》，頁229。）

29 參《山東省志．諸子名家志》編纂委員會：《鄭玄志》（濟南市：山東人民出版社，2003年），頁364-365；又參張壽安：〈打破道統，重建學統——清代學術思想史的一個新觀察〉，《中央研究院近代史研究所集刊》，第52期（2006年6月），頁62-64。

30 （清）王士禛：〈請增從祀理學真儒疏〉，《帶經堂集》，《續修四庫全書》（上海市：上海古籍出版社，1995年，景清康熙五十年程哲七略書堂刻本），《集部》，冊1414，卷51，頁8a -9 b。

陸隴其（1630-1692）在康熙二十四年（1685）纂修《靈壽縣志》時，也提出了類此的主張，其云：

> 漢儒鄭康成，歷代從祀，嘉靖九年，以其學未純，改祀於鄉。然其所注《詩》、《禮》，現今行世，程、朱大儒亦多採其言，恐不當與何休、王肅輩同置門墻之外。若以其小疵而棄之，則孔門弟子亦有不能無疵者，豈可以一眚掩大德乎？謹附記於此，以備議禮者之採擇。[31]

此外，康熙朝中另一位大學者朱彝尊（1629-1709）也對鄭玄罷從祀之舉表達出反對之意，他在〈鄭康成不當罷從祀議〉文中極力為鄭玄辯護，他指出鄭玄為諸經所作之箋傳，「經自為經，緯自為緯，初不相雜」。即使引用緯書，也是取其醇者。但卻因為如此，遂使宋元儒極口詆之，甚至「以此罪之，竟黜其祀者」。然而即使宋儒如朱子（1130-1200）、蔡沈（1167-1230）在作注時，也不免徵引緯書，因此在朱彝尊看來，這樣的「在漢儒則有罪，在宋儒則無誅」的現象，是會讓後學感到不平的。最後他將矛頭指向程敏政，批評他說：「況鄭氏之功，文公、成公未有異議，乃一程敏政罷之，非萬世之公論也。」因而他主張「宜復其從祀孔廟，不當罷」[32]。

康熙年間學者熱心地為鄭玄恢復從祀孔廟地位的呼聲，最終在雍正朝獲得正面的回響，雍正二年（1724）決定對孔廟祀典做全面整理，而其重點則在配享諸儒之復祀、增祀的檢討。據張壽安教授研究，當時議請宜增宜復計二十二人，最後經雍正裁奪，將明代洪武至嘉靖年間所罷黜的漢唐諸儒做了個反正，雖然不是每位議立復祀的先儒都獲准復祀，如戴聖、何休被評為「未為純儒」，鄭眾、盧植（?-192）、服虔（?-192）、范寧（339-401）亦被譏為「謹守一家之言」，而皆未能再進入孔廟的「萬神殿」中，但鄭玄卻以

---

31 （清）陸隴其：《靈壽縣志》，《中國方志叢書》（臺北市：成文出版社，1976年，景康熙二十五年刊本），卷之3上，〈祀典〉，頁1b。

32 （清）朱彝尊：〈鄭康成不當罷從祀議〉，《曝書亭全集》，《四部備要》（臺北市：臺灣中華書局，1966年），卷60，頁3a-b。

「純粹深通」的評語而終得以恢復其從祀孔廟的崇高地位[33]。

（二）阮元在山東、浙江尊崇鄭玄的作為

阮元於乾隆五十八年（1793）擔任山東學政後[34]，便積極地推動修復鄭玄在高密祠墓的工作，據其〈重修高密鄭公祠碑〉一文所述：

> 元嘗博綜遺經，仰述往哲，行藏契乎孔、顏，微言紹乎游、夏，則漢大司農高密鄭公其人矣。……公墓祠在高密縣西北濰水東岸，四牡結轡於鄭公之鄉，高車竝軌于通德之門，是北海太守孔文舉所開建也。元以視學涖止斯土，展省祠墓，圮陁實甚，宰木不捍於樵采，驚沙坐見其飛積。趙商漢碑未傳於著錄，承節摹碣埋蝕於泥土，遂乃倡搢紳之夙願，鳩木石之工材，始於乾隆五十九年冬十月，至六十年秋八月成。掘沙百尺，門防易以東向，植樹四垣，饗堂翼其南榮。聽事啟楹，則長吏齋祀所止息也；茅廬栖畝，則賢裔耕讀便蠲除也。復將擢

33 以上敘述參張壽安：〈打破道統，重建學統——清代學術思想史的一個新觀察〉，頁70-71。相關原始文獻參（清）崑岡等奉敕撰《欽定大清會典事例》（光緒二十五年刊本），卷436〈禮部〉。原文如下：「雍正二年諭：『先儒從祀文廟，關繫學術人心，典至重也，宜復宜增，必詳加考證，折衷盡善，庶使萬世遵守，永無異議。爾等所議復祀諸儒，雖皆有功經學，然戴聖、何休，未為純儒；鄭眾、盧植、服虔、范寧，謹守一家之言，轉相傳述，視鄭康成之醇粹深通，似乎有閒，……著再公同確議，務期至當不易。』……遵旨議定：……嘉靖九年，林放、蘧瑗、鄭康成、鄭眾、盧植、服虔、范寧七人，改祀於鄉；……今議得二十二人中，林放、蘧瑗、秦冉、顏何、鄭康成、范寧六人，允宜復祀。」又清人相關討論鄭玄復祀孔廟問題的，尚有任兆麟〈論復鄭康成從祀〉（《有竹居集》，卷6。原書未見，收錄於王利器：《鄭康成年譜》〔濟南市：齊魯書社，1983年〕，〈祀典〉，頁347。）及（清）洪頤煊（1765-1837）：〈鄭康成不應罷從祀議〉（《筠軒文鈔》，《續修四庫全書》（上海市：上海古籍出版社，1995年，景民國二十三年《邃雅齋叢書》本），《集部》，冊1489，卷1，頁16a-18a），但二人皆是乾嘉時人，撰此類文時，鄭玄早已恢復從祀的地位。

34 案：阮元於乾隆五十八年六月二十五日奉旨出任山東學政，參王章濤：《阮元年譜》（合肥市：黃山書社，2003年），頁49。

> 彼秀異，用請於朝，以奉登俎，世世勿絕，庶使大儒之祀不致忽諸之歎，治經之士無歉仰止之懷，居斯鄉者，積學砥行，感憤而起，不益偉與！[35]

又其〈金承安重刻唐萬歲通天史承節撰後漢大司農鄭公碑跋〉亦有述此事：

> 漢高密鄭司農祠墓在濰水旁礪阜山下，承祀式微，不能捍采樵者。濰沙乘風內侵，其深及牆，祠宇頹沒，元率官士修之。祠南門外積沙深遠，遂改門東向。植松楊行栗於西南，以殺風勢。修齊正殿，改書木主，增建旁屋三楹，為官吏祭宿地。建坊書「通德門」，以復孔文舉之舊。祠外田廬號「鄭公莊」者三，散據高密、安邱、昌邑三縣地，鄭氏苗裔百數十人居之，務農少文，而譜系世守猶可考。擇其裔孫憲，書請於禮部箚，為奉祀生，給田廬，使耕且讀。[36]

阮元對鄭玄的尊崇行為在山東學政任內只是「修鄭司農祠墓、建通德門，立其後人」[37]。主要仍是表現了個人的崇拜景仰態度。但當他於嘉慶四年（1799）接任浙江巡撫後[38]，在其所創建的杭州詁經精舍中，推動拜祀鄭玄（同時也包括許慎〔30-124〕）的作為，則已是超出個人崇敬的範圍，而立足於一個更高大、更強而有力的位置來對鄭玄做極大程度的推尊。關於此事的原委，他自己在〈西湖詁經精舍記〉中有完整的記述，云：

> （阮元）于督學浙江時，聚諸生于西湖孤山之麓，成《經籍纂詁》百有八卷。及撫浙，遂以昔日修書之屋五十間，選兩浙諸生學古者讀書

---

35 （清）阮元：〈重修高密鄭公祠碑〉，鄧經元點校：《揅經室集》（北京市：中華書局，1993年），下冊，頁732-733。

36 （清）阮元：〈金承安重刻唐萬歲通天史承節撰後漢大司農鄭公碑跋〉，《揅經室集》，冊上，頁539。

37 （清）阮元：〈西湖詁經精舍記〉，《揅經室集》，冊上，頁548。

38 案：阮元於嘉慶四年十月初三日奉旨署理浙江巡撫事務，嘉慶五年正月初八日，實授浙江巡撫。參王章濤：《阮元年譜》，頁182、192。

> 其中，題曰「詁經精舍」。「精舍」者，漢學生徒所居之名。「詁經」者，不忘舊業且勗新知也。諸生請業之席，則元與刑部侍郎青浦王君述庵、兗沂曹濟道陽湖孫君淵如迭主之。諸生謂周、秦經訓至漢高密鄭大司農集其成，請祀於舍，孫君曰：「非汝南許洨長，則三代文字不傳於後世，其有功于經尤重，宜竝祀之。」乃于嘉慶五年五月己丑，奉許、鄭木主于舍中，群拜祀焉，此諸生之志也。元昔督學齊、魯，修鄭司農祠墓，建通德門，立其後人，是鄭君有祀而許君之祀未有聞，今得並祀于吳、越之間，匪特諸生之志，亦元與王、孫二君之志。[39]

從中央朝廷的重新恢復鄭玄從祀孔廟之舉，至以封疆大吏之尊在地方上推動崇祀鄭玄的作為，這些舉措從表面上來看固然與當時漢學復興的進程相迴應，但對於身處其時的那些崇尚漢學學風的士大夫們來說，能將所研治之抽象學問轉化為一具體可親的實際對象來崇敬，而且這種崇敬活動又是一種帶有高度認同感及文人酬酢之樂的群體行為，如此一來，嚴肅的學問本身，尤其是餖飣考據的煩瑣漢學，才更能與他們的生命產生呼應。

---

[39] 阮元：〈西湖詁經精舍記〉，《揅經室集》，冊上，頁547-548。案：《詁經精舍文集》卷三有收諸生所作〈詁經精舍崇祀許鄭兩先師記〉共四篇，其中陸堯春所作者對精舍創議崇祀許、鄭過程有較深入之描述，其云：「維時堯春與錢唐嚴君杰、烏程周中孚，有創立鄭祠之議。謀於觀察孫公，公欣然以為當；且謂許氏翼經，功與鄭氏埒，亦宜祀，其地即於精舍可。爰請於中丞，涓吉日，恭立兩先師栗主。是日也，絜牲醴，具菜果，率諸生拜於堂下，至誠且肅。」（《詁經精舍文集》，新文豐出版公司編輯部編：《叢書集成新編》冊59〔臺北市：新文豐出版公司，1985年〕，卷3，頁62。）又案：張壽安〈打破道統，重建學統——清代學術思想史的一個新觀察〉一文對阮元在山東與浙江推尊的作為，亦有詳細的敘述，相關論述參該文頁94-96。此外，張教授該文亦有探討孫星衍（1753-1818）於嘉慶元年（1796）奏請議立鄭玄五經博士一事，然此事前後歷時十年，最終未果，且終清之世，亦未能得立。所以此事對嘉道士人尊崇鄭玄行為的影響，恐遠不及鄭玄復祀孔廟及阮元在魯浙二省之舉措。張教授對此事之相關討論，參該文頁87-92。

四 嘉道年間北京士大夫崇祀鄭玄活動的分析

嘉慶十九年甲戌由胡承珙、胡培翬在北京所發起的公祭鄭玄活動，一直至道光六年，從現可考的材料中可知，這個公祭活動至少一共舉行了四次。而發起這樣的公祭鄭玄活動，其原委清楚地記載在第一節所引錄的胡培翬〈漢北海鄭公生日祀於萬柳堂記〉文中。在這篇文章中，胡培翬指出他和胡承珙一起推算出了鄭玄的生日為七月五日，因而便欲效法南朝臧榮緒（415-488）在孔子生日陳《五經》以祝之[40]，以及時賢為歐、蘇二公作生日的風雅舉措。於是便由胡承珙提筆作啟[41]，徵集了十餘位同道，一同祀之於萬柳堂。當天祝祀的情況，據胡培翬言：

> 是日也，宿雨初霽，天高景澄，而茲堂又僻處都城之東南隅，車轍罕至，塵囂遠隔，同人再拜禮成。登樓凝眺，懷古思舊，酌蔬賦詩，盡歡而退，屬余記之，時嘉慶甲戌歲也。同祀者：棲霞郝蘭皋懿行、涇

---

40 《南齊書》〈臧榮緒傳〉載：「榮緒惇愛《五經》，謂人曰：『昔呂尚奉丹書，武王致齋降位，李、釋教誡，竝有禮敬之儀。因甄明至道，乃著〈拜五經序論〉。常以宣尼生庚子日，陳《五經》拜之。自號『被褐先生』。』（《新校本南齊書》〔臺北市：鼎文書局，1980年〕，卷54〈高逸〉，頁937。）

41 胡承珙這篇題為〈約同人七月五日為鄭康成生日設祀啟〉的啟文內容如下：「昔樊侯作誦，必推申甫之生；臧生敶經，厥有庚子之拜。炳諸往古，沿逮今茲，漢大司農北海鄭君，道亞生知，照鄰殆庶，囊括大典，網羅眾家。鉤《河》摘《雒》之精，《起廢》《箴膏》之要，信乎大雅之懿，通人之冠矣。若乃嗇夫捧檄，已安里閭；賊徒戢戈，不入縣境。本初跋扈，致敬於東州；仲瑗宏通，願居於北面，此其所以布衣雄世，高車式門者也。屬冀部迫豺虎之災，致賢者厄龍蛇之讖。而遐稽《別傳》，用綴遺聞。當永建之二季，實覽揆于初度。七月曰相，五日為期。是則流火乍逢，輒抒懷舊之念；範金欲事，必依通德之門者矣。夫禮隆降誕，於古無徵，而哲命初生，其時宜謹。懿夫閣史，藏書禮堂，所寫凍醪，介壽匜雅。是分苟義，據之昭通。儻神靈之憑鑒，我等高山是卬，同志為朋，願逐後車之塵，敢忘豆間之祭？比諸舍菜，雖芹藻而可將；相約合錢，貴束脩之自致。庶幾瓣香有在，歸於六藝之文，靈風灑然，歆茲一斛之酭。」（見氏撰：《求是堂文集》，《續修四庫全書》〔上海市：上海古籍出版社，1995年，景道光十七年刊本〕，《集部》，冊1500，駢體文，卷1，頁31a-b。

朱蘭坡玮、胡墨莊承珙、玉鐎世琦、文登畢九水亨、陽湖洪孟慈飴孫、桐城馬元伯瑞辰、徐槫亭璈、胡小東方朔、祈門陳警園士瀛、錢塘葉小輈朝采及培翬也。[42]

關於公祭地點萬柳堂，胡承珙亦曾有文記之：

萬柳堂者，故益都相國別業，康熙間嘗招鴻博諸君子觴詠于此者也。在水一方，去天尺五，蓮池放棹，花嶼移牀，翾飛絮而擘箋，拗碧筩而遞盞，其已事矣。既而火城不返，沙路旋平，奉誠之主既遷，王珣之宅遂捨。堂後歸倉場侍郎石公文柱，始改為拈花寺。樹猶如此，艸條為之泫然，池又已平，倒載歸于何處？過之者輒有甘棠愛樹之思，峴首沈碑之慕焉。今者，寺尚拈花，人思補柳，時朱埜雲處士補種柳五百株。草色迷舊，烟痕逗新，遂以壬申二月晦日，偕同人游焉。

至則女牆覆雲，僧房閉日，古佛欲臥，面餘網塵，啞鐘不縣，腹飽苔繡，其東則御書樓也，奎章炳若，靈光巋然，相與緣梯而登，凭檻而望，戶外修竹翩隨裒翻，城頭好山忽與眉接。于時野氣勃發，林芳轉清，山桃小紅，沙荻短翠，新植之柳，含青濛濛，就殘之花，綴白點點。乃復越斷澗，蓦層坡，借草成茵，蔭柏作蓋，勝槩追古，遙情抒今。……危樓再升，疏酌更舉，觀東皋之春事，延西崦之夕陽，蔬香半畝，闌入酒尊，農謌數聲，妍勝菱唱，曲水淺淺，風來自波，高柯亭亭，烟脫忽暝。然後旋軫弭轡，雲散而歸，將以此導褉飲之先路，躡帬屐之後塵焉。……[43]

---

[42] （清）胡培翬：〈漢北海鄭公生日祀於萬柳堂記〉，《研六室文鈔》，見黃智明點校，蔣秋華校訂：《胡培翬集》，頁229。

[43] （清）胡承珙：〈游萬柳堂記〉，《求是堂文集》，駢體文，卷2，頁27a-28a。除駢文外，胡承珙又有詩詠其地，其《求是堂詩集》中有〈游萬柳堂〉二首，一云：「廉園何怪地傳疑（元廉希憲萬柳堂相傳在右安門外，已莫詳其處矣），國老風流轉盼移；碧水春風猶野外，綺堂晴翠想當時。（徐東海〈萬柳堂詩〉「綺堂晴翠千峰秀」）太平多暇游能數（入聲），宰相憐才事可思；蘋葉荒蕪魚子少，沙鷗應亦恨來遲。」二云：「苔痕漠漠荻芽肥，無復垂竿坐釣磯；高柳已隨人去盡，閒雲猶共鳥爭飛，危樓

從胡培翬的記文中可知，這次的公祭活動除倡議的胡培翬、胡承珙二人外，尚有郝懿行（蘭皋）、朱珔（蘭坡）、胡世琦（玉鐎，1775-1829）、畢亨（九水）、洪飴孫（孟慈，1773-1816）、馬瑞辰（元伯）、徐璈（樗亭，1779-1841）、胡方朔（小東，1791-1833）、陳士瀛（謦園）、葉朝采（小�，1798-？）等，共十二人。而整個公祭過程除了最重要的祭拜活動之外，主要的是同人間的「登樓凝眺，懷古思舊，酌蔬賦詩」的賞玩酬酢，可以看出仍是屬於文人雅集的性質。

第二次公祭活動則是在五年後的嘉慶二十四年己卯（1819），胡培翬在〈漢北海鄭公生日祀於萬柳堂記〉文末補記了這次活動的過程，其云：

> 己卯歲七月初五日，復祀於萬柳堂。同祀者：元和蔣香度廷恩、新城陳石士用光、嘉興錢衎石儀吉、桐城光栗原聰諧、長洲陳碩甫奐、崇明陳辛伯兆熊、鶴山馮晉魚啟蓁、邵陽魏默深源、武進張彥惟成孫，暨朱蘭坡、胡墨莊、徐樗亭與余。向之同祀者，洪君孟慈已宦歿湖北，郝君蘭皋以病不能至，餘六人俱已出都。憶甲戌，海昌陳同年受笙均為余繪圖，且賦詩一章，今亦出都矣。[44]

雖然有些人事的異動，但整體來說，這次的公祭活動似比上次的規模更大，

山色迎朝爽，破寺鐘聲戀夕暉，莫道新栽林樹小，綠陰終解罩春衣。（時朱埜雲處士補種柳五百株）」（卷12，頁14b）詩文可以互相參照。又前人有關萬柳堂的記載頗不少，茲引錄崇彝：《道咸以來朝野雜記》（點校本）（北京市：北京古籍出版社，1982年）與鄧之誠：《骨董瑣記全編》（北京市：北京出版社，1996年）的記載以供參考。崇彝《道咸以來朝野雜記》謂：「萬柳堂，在沙窩門內（即廣渠門之俗名），本馮益都相國別業，當年宴鴻博於此，為風雅勝地。此業後歸石姓，復改為拈花寺。阮文達、潘文勤二公曾補種柳二次，今寺亦廢。」（頁25）又鄧之誠《骨董瑣記全編》「宣南名跡」條則謂：「萬柳堂在夕照寺之旁，馮文毅所建，後歸石文桂，改建拈花寺，康熙末年即廢，鮑西風詩所謂『故相遺墟尚可尋』是也。……阮文達嘗於拈花寺補柳，屬朱崔年作圖。同光時，潘文勤尚補植新柳，招勝流觴詠。顧其地荒辟，積潦為泊，去御河流處絕遠，今竟無過而問之者矣。」（頁110）

44 （清）胡培翬：〈漢北海鄭公生日祀於萬柳堂記〉，《研六室文鈔》，見黃智明點校，蔣秋華校訂：《胡培翬集》，頁229-230。

反響也更熱烈，這次的與會者錢儀吉（衎石，1783-1850）也有專文記此事，其〈鄭君生日祠記〉云：

> 先儒北海鄭君卒於漢獻帝建安五年，年七十四，范蔚宗之言云爾，不及其生者，史例也。惠定宇氏引《鄭君別傳》謂生於永建二年七月戊寅。胡侍御承珙考是年七月甲戌朔日食見於〈本紀〉，以是知鄭君之生為七月五日。嘉慶十九年同人為位於海岱門外之萬柳堂以祀，至二十四年祀如初，儀吉與焉。……遂記之同會者：元和蔣廷恩、新城陳用光、涇朱琦、胡承珙、桐城徐璈、光聰諧、鶴山馮啟蓁、武進張成孫、益陽（案：當做邵陽）魏源、太倉陳奐、陳兆熊，為之主者歙胡培翬，以事不至者金應麟、沈欽裴、汪喜孫、錢師康也。[45]

陳奐在《師友淵源記》中對此也有回憶：

> 曩者萬柳堂公祭十有三人，胡給事墨莊承珙、朱編修蘭坡琦、陳編修石士用光、徐戶部樗亭璈、錢戶部衎石儀吉、蔣中書香度廷恩、魏明經默深源、胡戶部竹邨培翬、張上舍彥惟成孫、馮中書晉漁啟蓁、光刑部栗原聰諧，名賢雅集，極一時盛事，奐亦廁殿與姪陳庶常辛伯兆熊焉。[46]

綜合三人的記述，可以知道，此次與祭者計有胡承珙、胡培翬、朱琦、徐璈、蔣廷恩（香度，1752-1822）、陳用光、錢儀吉、光聰諧（栗原，1781-1858）、陳奐、陳兆熊（辛伯）、馮啟蓁（晉魚，？-1849年）、魏源、張成孫（彥惟，1798-？）等，共十三人。但事實上原先邀約的人數還更多，因為有的人受邀卻未能赴會，包括金應麟（1793-1852）、沈欽裴、汪喜孫（1786-

45 （清）錢儀吉：〈鄭君生日祠記〉，《衎石齋記事稾《續修四庫全書》（上海市：上海古籍出版社，1995年，景清道光刻咸豐四年蔣光焴增修光緒六年錢彝甫印本），《集部》，冊1508，卷1，頁13a-14a。

46 （清）陳奐：《師友淵源記》，王德毅主編：《叢書集成續編》（臺北市：新文豐出版公司，1989年《邃雅齋叢書》據《函雅堂叢書》本景印），冊247，頁15b。

1848）、錢師康。此外再加上第一次即有參加，但此次卻「以病不能至」的郝懿行。

綜合這二次公祭，可知共有二十五人次參加，扣掉二次重複參加的四人（胡承珙、胡培翬、朱珔、徐璈）外，共有二十一人參加這兩次的祀鄭活動。如果再包括錢儀吉所記的第二次祀鄭活動「以事不至」的四人，如此一來，與這兩次祀鄭活動有關的士大夫共有二十五人，在當日京城的文人雅集活動中，也算是頗有規模了。這類的文人雅集除了原有舊同人聯絡感情的作用外，還提供了新成員彼此結識訂交的機會，陳奐自言他就是在這個場合上「始獲與墨莊交」[47]。由於陳奐與胡承珙治《毛詩》「志術既同」，因此當胡承珙病篤時，還遺言囑陳奐讐校其所著之《毛詩後箋》[48]，陳奐不但欣然答應，而且還將「《後箋》之未畢者補之」[49]。由此可見二人情誼之一斑。

第三次公祭的時間是在時隔一年後的嘉慶二十五年（1820）庚辰，此次祭事不見於胡培翬的記載，而是出現在夏炘（心伯）的《聞見一隅錄》中，其言道：

> 績溪胡竹邨農部、涇胡墨莊承珙編修共攷七月五日為康成生日，京師講經學者聚集設祭，行之已數年矣。己卯冬，余至京。庚辰七月五日，復會於陶然亭，到者二十有三人，流連終日，極山林開曠之樂。[50]

---

[47] （清）陳奐：《師友淵源記》，頁14b。又（清）陳奐：〈毛詩後箋序〉亦云：「曩奐游學至京師，相見胡墨莊先生於萬柳堂，己卯秋七月也。」（見（清）胡承珙，郭全芝校點：《毛詩後箋》〔合肥市：黃山書社，1999年〕，冊上，頁3。）案：據山本正一〈陳碩甫年譜〉云：胡承珙此年冬天赴閩，二人便未再相見，因此二人直接的交往還不到半年。（參林慶彰、楊晉龍主編：《陳奐研究論集》〔臺北市：中央研究院中國文哲研究所，2000年12月〕，頁130。）

[48] （清）陳奐：《師友淵源記》，頁15a。

[49] 引文見（清）胡培翬：〈求是堂文集序〉，《研六室文鈔》，見黃智明點校，蔣秋華校訂：《胡培翬集》），頁186；又參（清）陳奐：《師友淵源記》，頁15a；及（清）陳奐：〈毛詩後箋序〉，頁3。

[50] （清）夏炘：《聞見一隅錄》（同治五年刻本），卷之二，《日下錄》，頁8b。

雖然這次與會人數的規模更甚於前兩次，但夏炘對他所參加的這次公祭活動似乎頗有微詞，他批評道：

> 然竊觀諸君子恭敬凝重，講論經義者，固亦有人。其中有閒譚戲謔者，有醉酒歡呼者，有脫衣袒襲者。遐想明時羅文恭、徐文貞二公講學於京師僧舍；鄒南皋、馮少墟二先生講學於首善書院，其氣象當不如是。又上溯南宋之時，朱子與呂伯恭會於三衢，與陸子靜會於白鹿洞，其氣象更必不若是，然後知漢學之不如宋學也。[51]

治學「自朱子入，而終身服膺不衰」[52]，且自謂「平生酷嗜朱子之學」的夏炘[53]，從他措辭如此強烈的批評話語中，明顯可以看到他對當時的漢學家們欠缺涵養工夫之不滿，而這種不滿自然也轉化到了漢、宋學之優劣高下的評騭比較中，其最終得出漢學不如宋學的結論也是不令人意外的。

夏炘的批評給後來的李慈銘（1829-1894）留下了深刻的印象，他在同治二年（1863）的日記中記道：

> 憶道光初，胡竹邨氏曾舉是祭，所招有龔定庵、夏心伯。而《定庵集》中有詩紀事，乃痛砭鄭君之學，心伯著《庭聞錄》深詆同集之人，叫讙裸袒。夫以胡氏經學名家，又爾時承乾嘉之後，海宇晏清，人才尚盛，而召客已不能盡擇。蓋同方同術，自古為難，何論今日耶？即如都中近日顧祠大會，大率不識一字之朝貴及翕熱奔走之少年，其胸中尚不知《日知錄》為何書，而儼然衣冠，春秋奠醊，奴顏婢膝，塵汗糞言，吾知亭林炎灵逭逃之不暇矣。禮堂孤學，服膺畢生，束帶陳經，羹墻可見，奚必修市脯之敬，盡村酤之醇乎？[54]

51　（清）夏炘：《聞見一隅錄》，頁8b -9a。

52　語見張舜徽：《清人文集別錄》，頁363。

53　語見（清）夏炘：《景紫堂文集》，收入《近代中國史料叢刊》第94輯（臺北市：文海出版社，1973年），卷9，〈記益友胡竹邨先生事〉，頁12b。

54　原文未見，轉引自羅繼祖：《楓窗三錄》（大連市：大連出版社，2000年），頁423-424。

李慈銘所指出的道光初的那次聚會應是道光六年丙戌（1826）由胡培翬所發起的第四次公祭鄭玄活動，而夏炘所批評的應是嘉慶二十五年（1820）的第三次公祭活動，李慈銘將二者混在一起談了。第四次的公祭鄭玄，龔自珍確實有詩紀之，他在該年七月祭事結束後寫下了一首長詩，詩題為：〈同年生胡戶部（培翬）集同人祀漢鄭司農於寓齋，禮既成，繪為卷子，同人為歌詩，龔自珍作祀議一篇質戶部，戶部屬檃括其旨，為諧語以諧之〉。[55]

由於後兩次的公祭鄭玄活動皆沒有留下與會核心人士（如胡培翬）的第一手詳實報導，所以對活動的細節與實際參與人士的掌握皆不若前兩次清晰。不過從上面引述的種種記述材料仍可知這四次公祭鄭玄活動的靈魂人物應該就是胡培翬，這四次聚會都是由他所發動的[56]，而前兩次公祭的地點在萬柳堂，第三次在陶然亭，第四次則在胡培翬的寓邸。正是因為胡培翬與這幾次公祭鄭玄活動的關係密切，且前兩次均在萬柳堂舉行，以致有人誤會龔自珍詩題所謂之「同年生胡戶部（培翬）集同人祀漢鄭司農於寓齋」，以為萬柳堂就是胡培翬的產業[57]。

胡培翬在道光十年（1830）受到戶部假照案的牽連，遭到鐫級的處分，雖然到了道光十三年（1833），奉旨準捐復原官，但他卻「以親老，不復出矣」[58]。因此，由他在北京所舉行的公祭鄭玄活動最遲應止於道光十三年，但

---

55 劉逸生、周錫䪖箋注：《龔自珍編年詩注》（杭州市：浙江古籍出版社，1995年），頁265。

56 第一次據胡培翬〈漢北海鄭公生日祀於萬柳堂記〉言，是胡培翬向胡承珙提議，獲得胡承珙的同意與支持。第二次則據錢儀吉〈鄭君生日祠記〉言：「為之主者，歙胡培翬。」張星鑑〈陳碩甫先生傳〉亦言：「胡戶部實主其事。」（見〔清〕繆荃孫纂錄：《續碑傳集》，收入《近代中國史料叢刊》第99輯〔臺北市：文海出版社，1973年〕，卷74，頁8b。）第三次舉行時，胡承珙已於前一年的嘉慶二十四年離京南下任福建延建邵道。（清國史館原編：《清史列傳》（臺北市：臺灣中華書局，1964年），卷69〈儒林下〉，〈胡承珙〉，頁32b。）。第四次則在龔自珍的詩題中就明言「同年生胡戶部（培翬）集同人祀漢鄭司農於寓齋。

57 鄧之誠謂：「或曰：萬柳，竹村之堂也，龔自珍詩可證。」（見氏撰：《骨董瑣記全編》，頁110）其實龔詩只說在寓齋祀鄭，並未說寓齋就是萬柳堂。

58 （清）參胡培翬：〈族兄竹邨先生事狀〉，《研六室文鈔》，見黃智明點校，蔣秋華校

從道光六年以後，就不再有相關記載述及此事了。雖然如此，胡培翬在嘉道年間所舉辦的祀鄭活動還是迴盪在道咸以後士大夫的腦海裏，為他們留下了深刻的印象，前引李慈銘在同治年間的日記就可見一斑。當然，當迴盪的力量大到某一程度時，祀鄭這件事就不會只停留在士人的印象回憶當中，有時還甚至會轉化為實際的行動，如蔣湘南（1796-1854）在道光十六年（1836）的七月五日就曾效法胡培翬之舉，於齋中設祀禮敬鄭玄，並留下了詩歌記錄此事[59]。又如咸豐九年（1859）左右，陳奐的弟子張星鑑之同學趙次侯（1828-1900）適逢三十歲生日，而其生日正好與鄭玄的七月五日相同，因此其同志便欲為其稱觴祝壽，但趙次侯以「古無慶生日之禮」的理由婉拒，且提出「為吾壽，曷不為先師鄭君壽？」的想法。這個提議獲得大家的同意，於是他們便於家塾內，「謹書先師神位，肅衣冠而拜之」[60]。從這兩個例子都可以看出，儘管已身處時代與學風轉變的空氣中，但承繼乾嘉漢學餘緒的嘉道之際漢學家們的祀鄭舉動，仍為道咸之後的士人們提供了一定程度的儀範作用。

五　與祭者撰作之祀鄭詩所反映的意義

嘉道之際由胡培翬所主辦的這幾次祀鄭活動也留下了幾首歌詠此事的相關詩歌，如與胡培翬共同倡議發起公祭鄭玄的胡承珙在其詩集中就留下了〈七月五日同人集萬柳堂為鄭康成生日致祭〉詩，該詩內容如下：

> 司農北海天人姿，六經絕業千秋師，炯如日星麗雲漢，亙若河嶽環陬維。
>
> 歸然通德小天下，炎精世亂羌獨治？宣尼夜半呼起起，令人卻憶生申時。

訂：《胡培翬集》），頁15-16。

59（清）蔣湘南：〈漢經師鄭司農生日設祀齋中禮畢賦詩以志〉，《春暉閣詩選》，《續修四庫全書》（上海市：上海古籍出版社，1995年，景民國十年陝西教育圖書社鉛印本），《集部》，冊1541，卷6，頁15a-b。

60 張星鑑：〈漢北海鄭君生日祀於虞山趙氏書齋記〉，《仰蕭樓文集》，頁43a-44a。

乾象之曆亦已改，仰觀流火無差池，茆葅束脯致精潔，於粲灑掃陳祝詞。
想見冀州高會日，攝齋上座揚鬚眉，太山太守尚北而，何況六代沿今茲。
吾儕落落苦難偶，各抱遺經思不朽，望塵十丈拜馬蹄，何如挾策隨車走？
眼花耳熱千金歡，何似經神一杯酒？此間自是壇坫場，相國風流百年後。
當時群屐數難終，彈指園亭竟何有？況復登樓思古情，碣石沈淪憶來久。
君不見白雲一片漢時秋，猶照城東數株柳！[61]

胡承珙參與過嘉慶十九年與二十四年的祀鄭活動，從此詩之詩題及詩文中皆未提供可辨識的資訊，然檢視胡承珙《求是堂詩集》，此詩收錄於卷十五《賞春集》，此詩前後所收錄的詩歌有〈為亡友張阮林鈔所著左傳辨杜八卷成有感〉及〈夕照寺亡友張阮林旅殯在焉〉。案：張阮林（聰咸）生於乾隆四十八年（1783），死於嘉慶十九年[62]，則胡承珙此首祀鄭詩當即作於是年，而其所詠者也應是第一次公祭鄭玄活動之情景。

參與過首次公祭鄭玄活動的郝懿行也有詩紀此事，其詩題為〈嘉慶甲戌七月五日同人於萬柳堂集為北海鄭公生日設祭賦詩紀之兼呈同集諸子〉：

古今如旦暮，燕齊猶比鄰，天涯聚首日，共拜傳經人。
城南選勝地，遲客聽車輪，柳條踠垂帽，芳草如鋪茵。
我生距千載，懸弧後一晨余以七月六日生，家園傍通德，汲古尊經神。
書帶縈階下，竹窗懷清新，論述有至樂，擁書不知貧。
俛仰一頭雪，慨然望車塵，敢謂同鄉里，鑽研情獨親？
敬從諸子後，持蔬為主賓，緬想行酒日，悽愴歲在辰。[63]

郝懿行跟鄭玄既是同鄉，生日又差一天，自然對鄭玄的態度除了敬仰之外，更多了幾分的親切。

---

[61] （清）胡承珙：《求是堂詩集》卷15，頁9a-b。

[62] 參江慶柏編著：《清代人物生卒年表》（北京市：人民文學出版社，2005年），頁418。

[63] （清）郝懿行：《曬書堂集》，《續修四庫全書》（上海市：上海古籍出版社，1995年，景清光緒十年東路廳署刻本），《集部》，冊1481，卷上，頁13a-b。

此外，端木國瑚（鶴田，1773-1837）《太鶴山人集》亦有〈胡竹村農部培翬以七月五日祀鄭司農於京師萬柳堂乃司農生日也屬賦詩〉一詩紀之。其詩云：

> 野堂號萬柳，宿昔常經過，不見廉孟子，空聞雨打荷。
> 益都属在邇，高會鴻辭科，朝芳容易歇，佛地笑拈花。
> 幸來胡農部，學禮今名家。推尋高密傳，逸事興嘆嗟。
> 降生日奎豕戊戌日，厄歲非龍蛇，敬同庚子例，義起無人瑕。
> 應聲集朝彥，釋菜來參差，一朝通德門，直輳東華車。
> 千年書帶草，接跡生鑾坡，禮堂萬柳陰，學市成婆娑。
> 其時屬流火，薦及七月瓜，讀書此北面，吾道歸包羅。
> 萬物務根本，徒事枝葉那，西風萬條烟，其奈秋堂何？
> 人生易夕照，此會誰人多，願从祭酒末，一餕朱顏酡。[64]

端木國瑚不見載於第一次與第二次公祭活動的名單中，而第三次的祀鄭活動舉事地點，據夏炘言，是在陶然亭，而第四次的地點，據龔自珍詩云，是在胡培翬的寓齋，因此端木國瑚此詩所紀的究竟是何時所辦的祀鄭活動，就頗令人費解。比較可能的情況應是在有明確資料可考的四次公祭活動之外的另外一次，考端木國瑚子端木百祿所編、陳謐補編的《太鶴山人年譜》，在道光元年至十三年間，端木國瑚只有在道光二年至三年及十年至十三年有在北京的紀錄[65]，但他在道光三年（1823）的上半年離京南歸[66]，而道光十年他又是在八月初才始至北京[67]。再對照詩中所明言之「高會鴻辭科」，恰好道光二

---

64 （清）端木國瑚：《太鶴山人集》（清刻本），卷12，頁21b-22a。

65 端木百祿編、陳謐補編：《太鶴山人年譜》，收入《乾嘉名儒年譜》第13冊（北京市：北京圖書館出版社，2006年），頁10b-15a。

66 龔自珍在道光三年曾寫下〈送端木鶴田出都〉一詩以贈之。參劉逸生、周錫韋复：《龔自珍編年詩注》，頁196-197。樊克政將此詩之作繫於此年上半年，因為「本年七月以後，龔自珍以居憂無詩」。參氏撰：《龔自珍年譜考略》（北京市：商務印書館，2004年），頁229。

67 端木百祿編、陳謐補編：《太鶴山人年譜》，頁13b。

年、三年、十二年及十三年這四年皆有會試舉行[68]。除道光三年下半年他人已不在京師可以排除外[69]，道光十二年與十三年皆在胡培翬因戶部假照案的牽連而遭到鐫級處分的道光十年之後，從常理來判斷，胡培翬在道光十年之後再舉辦公祭鄭玄這類同人雅集活動的可能性應該不會太高，因而端木國瑚詩中所紀的祀鄭活動便較有可能是在道光二年於北京萬柳堂所舉行的。如果這個假設成立的話，則由胡培翬在嘉道之際於北京所舉辦的公祭鄭玄活動至少就有五次的紀錄。

綜合三人之祀鄭詩，大體上可以看出他們不但在詩中表達出對公祭鄭玄活動本身的肯定之外[70]，而且也對鄭玄本人的人格、學問及事跡深致欽慕敬仰之忱，尤其是胡承珙從對鄭玄的禮敬的情緒中激發出「吾儕落落苦難偶，各抱遺經思不朽」的志向，強烈展現出藉由鑽研經書而獲得不朽名聲的企圖。

但在這些正面表達對鄭玄禮敬的祀鄭詩中，也有態度鮮明地表現出對鄭玄的學術不予苟同的詩作，這就是龔自珍於道光六年七月，在參加完了公祭鄭玄之後所寫下的一首題為〈同年生胡戶部（培翬）集同人祀漢鄭司農於寓齋，禮既成，繪為卷子，同人為歌詩，龔自珍作祀議一篇質戶部，戶部屬

68 這四年分別是：道光二年壬午恩科、道光三年癸未科、道光十二年壬辰恩科、道光十三年則是癸巳科。以上參見江慶柏編著：《清朝進士題名錄》（北京市：中華書局，2007年），冊中，頁817、828、864、875。

69 龔自珍〈送端木鶴田出都〉詩有「此鶴南飛誓不回」句，劉逸生、周錫䪖《龔自珍編年詩注》謂此句係述說端木此年應癸未科會試落第南歸事（頁196-198）。案：清代會試一般在春季三月舉行，端木落第後至遲在七月前便已離京南歸，因而應當無緣參與是年七月五日公祭鄭玄的活動。

70 端木國瑚詩有「敬同庚子例，義起無人瑕」二句，但事實上公祭鄭玄之舉在當時不是沒有引起時人的質疑，錢儀吉在〈鄭君生日祠記〉中就記述道，當他參加完祀鄭活動後，就有人向他提出：「生日為壽，非古也；以唐後之禮奉漢儒，可乎？」以及「為位於寺禮與？」的詰問。針對前者，他用「隨時之義」的理由來回應，至於後者，他則認為是「不得已焉爾」，因為若在學校或公家的場地祭祀的話，皆限制甚多，於是只好「公私為會，一切皆託之釋子之宮」，而且他又認為「儒而釋之」是不可的，但若「釋而儒之」，「又何病焉」！（見氏撰：〈鄭君生日祠記〉，《衎石齋記事稾》，卷1，頁13a-14a。）

括其旨，為諧語以諧之〉的長詩，詩歌的內容如下：

> 我稽十三經，名目始南宋。異哉北海君，先期適兼綜。《詩箋》附庸毛；《易》爻辰無用；《尚書》有今文，只義餽貧送；四辨餽〈堯典〉；三江饋〈禹貢〉；《魯論》與《孝經》，逸簡不可諷；《爾雅》賸一鱗，引家亦摭弄。排何發《墨守》，此獄不可訟，吾亦姑置之，說長懼驚眾。唯有《孟》七篇，千秋等塵封。我疑〈經籍志〉，著錄半虛哄，義與歆莽違，下筆費彌縫；何況東漢年，此書未珍重。余生惡《周禮》，〈考工〉特喜誦。封建駁子輿，心肝為隱痛。五帝而六天，誕妄讖所中。同時有四君，偉識引余共。堂堂十七篇，姬公發孔夢，經文純金玉，注義峙麟鳳。吾曹持議平，功罪勿枉縱，鄭功此第一，千秋合崇奉。（鄭兼治十三經，人間完本有《詩》、《三禮》。輯錄本有《箴膏肓》、《起廢疾》、《發墨守》、《易》、《書》、《魯論》、《孝經》、《爾雅》注也。《孟子注》見《隋．經籍志》，《隋志》殆未可信。莊君綬甲、宋君翔鳳、劉君逢祿、張君瓚昭言封建，皆信《孟子》，疑《周禮》，海內四人而已。張說為尤悲也。）[71]

劉逸生對此詩有如下的評論：

> （此詩）本是一篇對漢代鄭玄的經學發表議論的著作，龔氏把它改為韻語，對鄭氏兼治十三經的成績，評價頗為中肯，詩中不滿鄭氏解釋《周禮》中的封建，貶《周禮》而信《孟子》，可以看出龔氏在經學中的見識，是後人研究龔氏經學思想的一篇重要作品。[72]

麥若鵬《龔自珍傳論》對此詩的內涵有更為詳細的解說，其云：

> 詩中確指《十三經》之名起于南宋，而鄭玄早在東漢就進行綜合整理注釋，使這些典籍得以完整地保存下來，其功不可磨滅，龔自珍指出

71 劉逸生、周錫韄：《龔自珍編年詩注》，頁265-266。

72 劉逸生、周錫韄：《龔自珍編年詩注》，〈前言〉，頁9。

> 鄭玄整理注釋古籍也有缺失。如把不屬于「經」的「傳」、「記」等古籍劃入「經」的範圍，在注釋中摻進了讖緯的誕妄語言等等。《周禮》為古文經，在群經中出現最晚，傳說為周公所作，兩漢的今文家多不相信，鄭玄採取調和今古文的辦法，彌縫折中，但難自圓其說。……龔自珍在詩中坦率地指出，「余生惡《周禮》，〈考工〉特喜誦。」說明龔自珍認為「禮經為《周禮》」的觀點是錯誤的。至於《儀禮》十七篇……從鄭玄開始全注十七篇，前無所繼承，獨闢途徑，後啟來者。所以龔自珍特別加以讚揚。[73]

巧合的是，龔自珍的生日也與鄭玄同是七月五日，但關於這點，他本人並沒有像郝懿行一樣在詩歌中提及此事，也不像上節提到的張星鑑注意到其同學趙次侯與鄭玄同日生的關聯，卻反而是當時人曹籀在序龔自珍的文集時，有意地提到了這個巧合[74]。龔自珍之所以不像郝懿行與張星鑑等人那麼在意與鄭玄生日接近的現象，這其中最主要的原因應該是與他的思想轉向有直接的關係。嘉慶二十四年他在京師向劉逢祿（1776-1829）問公羊家言，這次的會晤對龔自珍的思想有極大的影響，他自言：「從君燒盡蟲魚學，甘作東京賣餅家！」[75]劉逸生認為這年是龔自珍「從古文經學轉向今文經學……決定性的一年」[76]。思想既然已從古文經學轉向今文經學，則他再去參加由他的同年友胡培翬所主辦的，目的在推尊東漢古文經學大師鄭玄的祭典活動，自然會覺得格格不入[77]。

---

73 麥若鵬：《龔自珍傳論》（合肥市：安徽大學出版社，2005年），頁223。案：麥氏謂鄭玄始全注《儀禮》十七篇，此說不確。馬融（79-166）及盧植皆有注《儀禮》，關於此問題的討論請參黃彰健《經今古文學問題新論》（臺北市：中央研究院歷史語言研究所，1982年），頁336。

74 參（清）龔自珍，王佩諍點校：《龔自珍全集》（上海市：上海古籍出版社，1999年），附錄，頁654。

75 劉逸生、周錫韚：《龔自珍編年詩注》，頁20。

76 劉逸生、周錫韚：《龔自珍編年詩注》，〈前言〉，頁4。

77 事實上龔自珍對鄭玄的批評不只有此詩，據其自云，他還有〈非鄭〉一篇。（見《己亥雜詩》第六十三首「經有家法夙所重，詩無達詁獨不用。我心即是四始心，泬寥龔自珍這首與眾不同的祀鄭詩所顯示出的意義，自然不能只侷限於龔自珍本人的思想意識狀況，而是從某種角度來說，根本性地反映了整體學風的微妙變化。龔自珍參與公祭鄭玄活動的時刻正處於學風轉變之際，亦即從乾嘉漢學逐漸轉向道咸以降之今文經學，因而思想活躍且又敏銳的龔自珍正巧在此時遇到劉逢祿，並受其影響，最後使其從身受漢學家學薰陶的學風中「改宗」、「皈依」常州今文經學。但其時乾嘉漢學仍深入人心，再加上始終未曾失去影響力的程朱宋學亦不乏崇奉者，於是這三種學風便在以士林交遊雅集為主的活動中，意外地形成了多聲共鳴的有趣情況。龔自珍這首帶著當年何休慨歎鄭玄「入吾室，操吾矛」意味的祀鄭詩[78]，以及夏炘板著道學家的嚴肅臉孔對參與聚會的漢學家們的荒唐行徑大加斥責，都讓我們看到了這幾次以尊崇漢學為主軸的儀式性活動中「反漢」、「非漢」的插曲。

六　結論

嘉道士大夫們的公祭鄭玄活動本身就具有豐富的意涵。這類儀式性的活動往往具有高度的象徵意義。可以說清儒藉由祠祭他們心儀的先儒前賢來表彰某種學術文化的價值風尚，因而在這種表彰的過程中亦往往反映了他們在其身處時代及置身之群體中，所自覺認知或把握到的重要學術風氣，或甚至欲以他們所崇奉的學術風氣來取代原有的風尚。如嘉道之際上承鼎盛之乾嘉漢學餘緒，胡承珙與胡培翬二人藉由漢學考證的方式，獲知鄭玄的確切生日，因而發起這幾次的祭鄭活動，這本身就極具象徵性地反映出了當時學界

再發姬公夢」詩註〔劉逸生、周錫䪖：《龔自珍編年詩注》，頁528。〕)。王佩諍〈龔自珍佚著待訪目〉亦列有此篇。(參〔清〕龔自珍著，王佩諍校：《龔自珍全集》，頁662。)

78 《後漢書．鄭玄傳》：「時任城何休好公羊學，遂著《公羊墨守》、《左氏膏肓》、《穀梁廢疾》；玄乃發《墨守》；起《膏肓》；鍼《廢疾》。休見而歎曰：『康成入吾室，操吾矛，以伐我乎！』」(見《新校本後漢書》〔臺北市：鼎文書局，1991年〕，〈張曹鄭列傳〉，頁1207-1208。)

所尊崇的主流學風。但稍後不久，由張穆、何紹基所主導的顧祠修禊活動，則又標示出了另一個不同的學風，亦即強調顧炎武經世致用的一面，而非考證學風的面向[79]。誠如魏泉教授所說的：

> 從嘉慶至道光初年的祭祀鄭玄，到道光二十三年的修建顧祠，這一變化本身就反映了當時京師學者中學術思想和治學祈向的一種轉變。[80]

直至晚清小說《孽海花》所描述的公祭何休活動，儘管這只是小說中所呈現的虛擬的祭典，但也適切的反映出盛行於同光年間的主流學風。從鄭玄至顧炎武，再至何休，這個演變的脈胳是有跡可尋的。

此外，這類的祭典既是屬於文人雅集、宴會酬酢的性質，因而在成員的組成上就很難只從學術立場的角度來挑選與會成員，更多的是同年、同鄉或官場上的同事關係，既然如此，與會者的學術傾向自然也不可能就會與祭鄭活動的發起人胡承珙與胡培翬的漢學立場一致，所以才會有終身服膺朱子的夏炘譏刺漢學家之缺乏涵養工夫，也會有「改宗」今文家的龔自珍對鄭玄經學的批評。這個情況讓吾人注意到了一個有趣的現象，亦即雖然這類的祭典活動皆似乎若合符節地呼應到當時的主流學風，但所謂主流，其實也只是個相對的概念，在所謂的主流學風之外，其他的學風也皆並未消聲匿跡，尊崇服膺或思欲興廢繼絕者亦大有人在。或許這種多元並存、多聲共鳴的現象就是清代學術的實況。

79 參王汎森：〈清代儒者的全神堂——國史儒林傳與道光年間顧祠祭的成立〉，頁82。

80 魏泉：《士林交游與風氣變遷——十九世紀宣南的文人群體研究》，頁152。

龔自珍論「六經」與「六藝」

——學術源流與知識分化的第一步

張壽安*

一　前言：一個學術史角度的研究

學界研究清代學術思想史，可大略分為四個範疇：經學、史學、思想、科技，從學術史角度切入者並不多見。把學術史視為思想史的內在理路，應是上世紀六〇年代以後的轉進，二十世紀初，恐非如是，在清代，也非如此。今人將學術性的研究皆視為學術史研究之一環，然而在清代所謂學術史則有特定的研究關懷。然則所謂學術史的角度是什麼呢？那就是劉師培（光緒十年-民國八年，1884-1919，年三十六）提示的「校讎古籍出於章學誠」，也就是章學誠（乾隆三年-嘉慶六年，1738-1801，年六十四）提出的校讎學理論「辨章學術、考鏡源流」，主要目標是：梳理三代以上、周秦、秦漢以降的學術流變，對各種學問之間的源流分衍，提出分辨，劃出畛域。學界有名之為「校讎學」者[1]，有名之為「流略之學」者[2]，有名之為「學術史」者[3]。

本人長期研究清代學術思想史，近年來逐漸察覺清儒有一「學術史」建立之潛流。這股潛流起於清初，漸形明朗於清中葉。據目前觀察，汪中（乾

* 中央研究院近代史研究所。

1 詳劉咸炘：《續校讎通義》（臺北市：廣文書局，1972年）。

2 余嘉錫：〈書章實齋遺書後〉，《余嘉錫論學雜著》（北京市：中華書局，2007年），冊下，頁619。

3 蔣伯潛：〈目錄與學術史〉，《校讎目錄學纂要》（北京市：北京大學出版社，1990年）。

隆九年-五十九年，1744-1794，年五十一）、章學誠或是最要代表；到中、晚清學術史觀大開，阮元（乾隆二十九年-道光二十九年，1764-1849，年八十六）、龔自珍（乾隆五十七年-道光二十一年，1792-1841，年五十）則居轉折關鍵。這股學術史觀的出現，從萌芽到開展，和清儒輯佚、校勘、訓詁、考證的學術工作一路雙脈並進。古學鉤沈打開了清儒的學術視域，清儒的學術意識也層層上轉，返本探源，考證工夫背後的「學術史意識」亦逐漸形成，學術論辯的議題、性質和層次也一步步提升。從爭朱陸——理學內部的正統之辨，到爭漢宋——儒學內部的正統之辨，到建立孔曾學脈、孔荀學脈——打破孔孟道統唯一之說，到六經皆史——經史地位之爭，再到孔墨學派相埒——孔子乃諸子之一，再到六經皆文——文學地位的提昇，紛紛紜紜，波瀾壯闊，終至上探千古學術之原，對「秦漢學術」、進而「先秦學術」作出全面大反思。令經、史、子、文、技、藝之學的地位和價值都起了革命性的變化，千古學術也面臨重新統系。這種全面性的學術梳理，恐非梁啟超（同治十二年-民國十八年，1873-1929，年五十六）「節節復古」[4]一語所能囊括。目前學界對此議題尚無多留意，一般而言，學界頗認為「學術史」是晚清民初從日本引進的概念與學科。唯本人近年來研究阮元、章學誠、汪中、龔自珍等的學術史觀，深深察覺清儒本就有此一傳統，晚清梁啟超、劉師培等人的學術史視域和論著未必皆襲自日本，康、梁以上，自有傳承。

二〇〇六年發表〈打破道統．重建學統——清代學術思想史的一個新觀察〉，即以阮元學圈為中心，討論「專門漢學」的學統重建工程。這個大盛於乾嘉的漢學意識，鉤沉出「鄭玄學」、「說文學」，也梳理出許鄭之學的流衍學脈，尤其詁經精舍建立「許慎鄭玄祠」，大異於當時書院崇祀朱熹的傳統；四十年後俞樾（道光一年-光緒三十二年，1821-1906，年八十六）、章梫（咸豐十一年-民國三十八年，1861-1949，年八十九）統紹前修，完成阮元未竟之志，增立「許慎鄭玄祠從祀制」，考證出許鄭之學由漢唐至清的傳

4 「自宋以後，程、朱等亦偏注諸經，而漢唐注疏廢。入清代則節節復古。」梁啟超：《清代學術概論》（臺北市：里仁書局，2000年），頁63。

承譜系，所增四十七位傳經之儒，無一宋明理學家。兩㕑學統之異，清楚可鑑[5]。阮元學圈從事的學統梳理工程尚不只此，《疇人傳》的編撰，更是統緒出技藝之學的千年譜系。這些孜孜矻矻的學統重整工程，並非為考證而考證，亦非迷失了義理的方向，而是在其背後有一千古「學術史」的理念等待釐清。本研究即欲發掘此一理念[6]。

「打破道統」一文發表後，學界對道統豈可打破反應相對熱烈，而筆者則持續關懷學統重建議題。首先，學統重建並不是欲恢復某一特定之學術譜系，而是學術史觀的逐步開啟與學門的各自建立。其次，學統重建也不是「儒學開出近代專門知識」云云[7]。事實上，學統重建，已不再囿於儒學的範疇。學統重建，是對先秦、秦漢乃至兩漢以降之學術，作統脈式的探源述流。此一全面性反思，立基於清儒的學術犖治成果，包括鉤沈古學、分梳舊學、創發新學，因此絕非理學、儒學、或孔學這些特定性質的學術範疇所能涵蓋。初步觀察，它展現在：經／史、經／子、經／文、文／史、史／子、文／子的學科劃分，並史學、子學、文學、技、藝之學的獨立與地位提升。再次，也得指出晚清和清中葉所面對的學術挑戰不同，晚清學界面對的最大衝擊是中西學術交會，而清中葉學者面對的則是五、六百年以來「道學主導

5 張壽安：〈打破道統．重建學統──清代學術思想史的一個新觀察〉，《中央研究院近史所集刊 專號：中國近代的知識轉型── 1600-1949》，第52期（2006年6月），頁53-112。

6 近年來學界又提重新詮釋清代學術思想史，和三十年前（1976）余英時先生提出「我們為什麼要重新詮釋清代思想史」的針對方法論和文字獄，在關懷上已有很大不同。羅志田：〈國無學不立：重建國學的努力〉，見氏著：《國家與學術：清季民初關於「國學」的思想論爭》（北京市：生活．讀書．新知三聯書店，2003年），頁33-82、余英時：〈清代思想史的一個新解釋〉（1975年第2期），〈略論清代儒學的新動向──《論戴震與章學誠》自序〉（1975年第9期），二文後收入氏著：《歷史與思想》（臺北市：聯經出版事業公司，1976年）。專書為余英時撰：《論戴震與章學誠清代中期學術思想史研究》（香港：龍門書店公司，1976年）。

7 牟宗三曾提出「良知自我坎陷開出民主、科學」之說，相關評論參考李明輝：〈儒學如何開出民主與科學？〉收入《唐君毅思想國際會議論文集》（香港：法住出版社，1991年），冊4，頁125-140；並刊於《原道》，第6期（2000年6月），頁369-384。

儒學傳統」之後的學術重整。學術的對話者不同，議題和詮釋當然有異，在相當程度上得分別討論，不宜比附。本文的關懷屬於後者，即清中葉的學術轉型。

這個從學術史角度切入的研究和先前學術界所討論的漢宋之爭、清代禮學、清代新義理學都不相同。基本上，上述研究仍偏向思想史、研究方法、或儒學的性質等，和「學術史觀」之建立，分屬不同範疇。後者的視域已擴展到先秦，要探究的是三代學術本源、要梳理的是經、史、子、集與周秦兩漢以降的百家學術流變，不僅不限於儒學，也不限於任何一家一派。本研究的目的，就是要瞭解清代這些超卓之士，他們的學術史觀如何建立、如何論述、並對傳統經、史、子、集之分類與地位如何進行重省。當然，本研究也期望能藉此說明清代考證學背後的學術史意義。

在初探阮元之後，本有意向下順尋此一學術史意識的發展，亦有心上溯，探其萌端。兩相拉扯，頗費了一些時間瞭解章學誠、汪中，最後鎖定龔自珍作下一個研究目標。原因是多重的：一、龔自珍是段玉裁（雍正十三年-嘉慶二十年，1735-1815，年八十一）的外孫，有極深厚的樸學素養；二、章學誠提出六經皆史，龔自珍極可能是第一個從經學角度作出回應的學者；三、龔自珍受學劉逢祿（乾隆四十一年-道光九年，1776-1829，年五十四），深蘊常州公羊學的變革思想。

龔自珍在學術史觀建立上的貢獻是很多方面的[8]，本文選擇最重要的議題——「經學」——作為焦點，討論龔自珍如何梳理「經/經學」？又如何分判「六經/六藝」？為經學的千年傳統釐出一個統序，建立一種史觀；並經由六經/六藝的分判，觀察龔自珍如何董理千古學術、建立知識系統；同時也揭明他如何總結清學發展出的專門之學，將其與六藝分相屬繫。

基本上，六經作為中國傳統學術的中心，屬一種「百科全書式」的知

---

8 關於此一議題，本人另有兩篇文章，敬請參考：〈龔自珍論乾嘉學術：說經、專門、與通儒之學——鉤沈一條傳統學術分化的線索〉，收入何佑森先生紀念論文集編輯委員會編：《中國學術思想論叢：何佑森先生紀念論文集》（臺北市：大安出版社，2009年），頁275-308。〈六經皆史？且聽經學家怎麼說〉，出版中。

識。清儒實事求是的說經方法，不僅鉤沈出豐富的古學，也在實踐過程中發展出多樣專門知識。龔自珍從「辨章學術，考鏡源流」的學術史觀點，上溯《漢書・藝文志》，釐清「六經」與「六藝」，進而梳理出六藝的知識系統，直接與乾嘉新興專門之學相繫。這個觀點，不僅說明傳統經學在前近代中國所呈現的分化情形，也為清代學術史的研究開出一個新視域。前者可為今後治經學者參考，後者則可為近年來學界關注之「中國近代知識轉型」議題提供一條線索。

本文分三部分：一，說明何謂六經？何謂經學史？二，分析六藝的知識分化。三，解釋知識擴張所產生的意義。

二　釐清「經／經學」：建立「經學學術史」

今日學界言「六經」，經的數字為六，已是共識。殊不知這是劉師培在一九〇五年《經學教科書》中提出的重要定義。其實，經的數字在中國歷史上有多次增減，而經目在歷代也每每不同。秦、漢時有六經、五經、七經，唐以後有九經、十二經、十三經，到了清代更有十七經、二十一經之說。「經數」與「經目」的變易，是經學史上的重要事件，雖然現今的經學史已罕見論及，令人遺憾。龔自珍的時代，所面對的，正是經數的不斷增加。然則，龔自珍為何反將二十一經縮回為六經？又如何為六經正名？從學術史（尤其是經學學術史）之發展的角度觀察，龔自珍「六經正名」的意義何在？影響如何？是本小節的討論重心。

「六經」一詞最早出現在《莊子・天運》，指《詩》、《書》、《禮》、《樂》、《易》、《春秋》。《禮記・經解》所列六經經目也與《莊子》同。據《史記・儒林列傳》所言「及至秦之季世，焚詩書，坑術士，六藝從此缺焉」。漢興，《樂經》失傳。所以漢武帝所置五經博士，沒有《樂經》。漢章帝時《白虎通》所述五經的經目是：《易》、《尚書》、《詩》、《禮》、《春秋》。也不含樂經。至於「七經」之說，大約起於東漢。蓋漢代崇尚「孝治」，又推尊孔子，故納《孝經》、《論語》於五經，遂稱為七經。在此我們看出，因為政教的需要，經的內容也漸次擴大，數與目都在變化。到了南北朝時，經數與經目的變化轉劇。劉宋時設國子助教十人，分掌「十經」。所謂十經是把五經中的《禮》分為三（《禮記》、《周禮》、《儀禮》），《春秋》也分為三（《春秋左氏傳》、《春秋公羊傳》、《春秋穀梁傳》），再把《論語》、《孝經》合為一經，共十經（其實是十一經）。到了唐初陸德明的《經典釋文》，經數減為九，去除《春秋公羊傳》、《春秋穀梁傳》。但值得留意的是他在〈序錄〉裏敘述經學源流時，把《老子》和《莊子》都列入經典，位置還在《爾雅》之前。顯然，這是因為唐代「上承六朝盛談玄學之後，而唐初又昌言道教，故老、莊二子，亦與於經典之列」[9]。完全反映了時代的變化。又據顧炎武言：「自漢以來，儒者相傳，但言五經，而唐時立之學官，則云九經者，三《傳》、三《禮》分而習之，故云九也。」[10]這是指科舉考試的分卷分房，士子可擇經應試。唐宋取士皆用九經，即指三《禮》、三《傳》、合《詩》、《書》、《易》，遂為九經。今所見唐文宗開成二年（837）所刻楷書十二經，則是增加了《論語》、《孝經》、《爾雅》[11]。這十二經實際上已經粗具了今日所謂十三經的規模。到宋末，經數與經目產生了劃時代的意義。一則結合開成所刻十二經和宋儒推重的《孟子》，併為十三經，這當然是因為理學家「孫奭及二程子表彰孟子之學也。」[12]二則也因為當時鏤版盛行，書籍流傳勿需手抄，遂有「合刻本」的十三經注疏本，流傳於世。從此，十三經之名遂一定不可復易，此後學界所論十三經，皆依此規模[13]。

9　程發軔：《國學概論》（臺北市：正中書局，1994年），冊上，頁27。又說章學誠「《文史通義》以梁武帝崇尚異教，佛老書皆列於經。」

10　（清）顧炎武著，（清）黃汝成集釋、秦克誠點校：《日知錄集釋》（長沙市：嶽麓書社，1996年），卷38，〈十三經注疏〉，頁641。

11　周予同：《中國經學史講義》，收入朱維錚編：《周予同經學史論著選集（增訂本）》（上海市：上海人民出版社，1996年），頁852。

12　程發軔：《國學概論》，冊上，頁28。周予同亦言：「至宋代，又將《孟子》列入經，因而有十三經之稱。」《中國經學史講義》，頁853。關於歷代經數的變化，參考程發軔書，頁22-29；周予同書，頁845-853。

13　關於《十三經注疏》的出現和宋真宗以降延續唐代《五經正義》為諸經撰「疏」密切

然則，宋元以後道學大盛，影響經學甚重，不可不言。蓋宋時程、朱道學大儒輩出，始取《禮記》中之兩篇文字〈大學〉〈中庸〉，及《孟子》以配《論語》，謂之《四書》。朱子歿後，朝廷以其《四書》訓說立於學官，於是《四書》亦為一經，經元、明、清三代不變，《四書》遂與《十三經》敵體並立，納入科舉，經典的訓釋與流傳性質，頓生劇變。我們試看清初納蘭成德（順治十二年-康熙二十五年，1655-1685，年三十一）所編《通志堂經解》所列諸經之目，即可見一斑，計：《易》、《書》、《詩》、《春秋》、《三禮》、《孝經》、《論語》、《孟子》、《四書》。馬宗霍在論及宋以後十三經合刊本流傳所造成的學術影響時曾言：「是故唐以前但有官學，宋以來又有官書，其於扶翼聖道，豈曰小補之哉。」[14]從官學到官書，確實改變了經之為學的性質。據此我們不難看出，「經」在傳統學術的發展中，並不是鐵板一塊，從不更改。其實它是隨著時代的政治思想與文化價值需求，而不斷挪移。經數與經目的變化，正反映著學術內部的張力與弛力，一代擴及一代。

到了清代，變化更加劇烈。康熙朝御纂的七經，指：《易》、《書》、《詩》、《春秋》、《周禮》、《儀禮》、《禮記》。顯然，禮學在清代極度受到重視。乾隆初專門漢學漸興之際，四世傳經志在存古學的惠棟（康熙三十六年-乾隆二十三年，1697-1758，年六十二），提出的《九經古義》是：《易》、《書》、《詩》、《春秋》、《禮記》、《儀禮》、《周禮》、《公羊傳》、《論語》。相較於康熙皇帝，惠棟更推崇春秋學，尤其屬意於《公羊》大義，把《春秋》和《禮》結合起來闡釋，不能不說是惠棟經學的另一特點[15]。納蘭成德編纂的《通志堂經解》，亦取九經之數，但經目則不同於惠棟，計：

相關；《十三經注疏》的合成，或言北宋之季或言南宋光、寧以後。詳馬宗霍：《中國經學史》（臺北市：臺灣商務印書館，1986年），頁107-115；並參考安井小太郎等著，連清吉、林慶彰合譯：《經學史》（臺北市：萬卷樓圖書公司，1996年），頁115-119。

14 馬宗霍書，頁109。

15 參（清）惠棟：《松崖文鈔》，卷1，〈九經古義述首〉、〈春秋左傳補注自序〉。漆永祥點校：《東吳三惠詩文集》（臺北市：中央研究院文哲所，2006年），頁300、305。

《易》、《書》、《詩》、《春秋》、《三禮》、《孝經》、《論語》、《孟子》、《四書》；基本規模還是承襲宋明舊制。至於戴震（雍正元年-乾隆四十二年，1723-1777，年五十二）的《七經小記》，則是取《詩》、《書》、《易》、《禮》、《春秋》，外加《論語》、《孟子》；相較於惠棟的析《禮》為三、特舉《公羊》、不取《孟子》，顯然戴震的經學視域仍具有濃厚的徽學氣息，異於吳學、常州二脈，當然吾人也可以據此見證戴震學術理念的關懷範疇與獨特進路。到嘉慶年間，沈濤（乾隆？年-咸豐十一年，？-1861）提出「十經」之說，他取南朝周續之所言「五經、五緯」，號曰十經。沈濤把經數縮回為五，但卻信取秦漢以來的緯書，並稱其為經，不僅企圖改變經的觀念，也企圖擴大解經的資源，令學術界對經有了較新的意圖。乾嘉間，因為〈夏小正〉、〈曾子》等的研究逐受到重視，阮元等甚至推崇曾子為孔學真傳，所以《大戴禮記》地位昇高。王昶（雍正二年-嘉慶十一年，1724-1806，年八十三）有擬納入十三經而為十四經者[16]。同其時，又因為《說文》、天文、曆算研究已有相當成就，遂有提議納《說文解字》、《周髀算經》、《九章算經》而成十七經者。其中最特別的是段玉裁，這位戴震的大弟子、龔自珍的外祖父、沈濤的老師，竟然在他七十八歲的高齡提出了「二十一經」的主張。除了十三經再加上：《大戴禮記》、《國語》、《史記》、《漢書》、《資治通鑑》、《說文解字》、《周髀算經》、《九章算經》等八種，共為二十一經[17]。仔細考察段玉裁的意思乃是指：知識不斷擴充，原初的十三經早已不敷「學」

---

[16] （清）王昶：〈汪少山《大戴禮記解詁》序〉，《春融堂集》，《續修四庫全書》（上海市：上海古籍出版社，2003年，景清嘉慶十二年塾南書舍刻本），冊1438，卷36，頁48-49。

[17] 嘉慶十七年（1812）八月，沈濤為其書齋「十經齋室」求記於段玉裁，段玉裁於十一月撰成〈十經齋記〉一文，同時也請沈濤為他的「廿一經堂」作記，沈濤遂撰〈廿一經堂記〉。詳沈濤：〈與段茂堂先生書〉、〈十經齋考室文〉、〈廿一經堂記〉，收入氏撰：《十經齋文集》（臺北市：中國書店，1842年，景道光二十四年刊本），卷1；及附錄段玉裁撰：〈十經齋記〉。並參考劉盼遂：《段玉裁先生年譜》嘉慶十七年壬申條，收入（清）段玉裁：《段玉裁遺書》（臺北市：大化書局，1977年）下冊，頁1324-1325。

之需求，也不足以擔當所謂「經典」地位，因此必須增補，建立新的經典範式。雖然，今日的經學家多認為這些經目都只是「私人擬議，未成定論」[18]，故不予討論。其實，這裡面的含意是極其深重的，不容忽視。（詳下）

龔自珍面對的時代正是經數與經目劇烈變化的時代，他的理念可以從二方面來談。首先是「六經正名」：確立經數為六，經目為《易》、《書》、《詩》、《禮》、《樂》、《春秋》。至於弟子記錄師傳之言，或經師解經而為一家之言者，則都只是「傳」或「記」，絕非經。如：《大戴禮記》、《小戴禮記》、《公羊傳》、《穀梁傳》等。關於六經的源起，龔自珍認為：「孔子之未生，天下有六經久矣。」六經是三代以來用以治教的典制，蔚為一地之人文風範，所以孔子才說：「入其國，其教可知也。有《易》、《書》、《詩》、《禮》、《樂》、《春秋》之教。」因此，他認為六經作為三代政教之本，是不可增刪的。至於周末官失其守、私人講學著述興起之後所出現的簿錄書冊，當如何定位，和六經有何差異？龔自珍則援引《漢書・藝文志》班固「序六藝為九種」的校讎學理論，很清楚的把經、傳、記、群書一一劃分開來。他說：

> 善夫，漢劉向之為《七略》也。班固仍之，造〈藝文志〉，序六藝為九種，有經，有傳，有記，有群書。傳則附于經，記則附於經，群書頗關經，則附於經。何謂傳？《書》之有大、小夏侯、歐陽傳也。《詩》之有齊、魯、韓、毛傳也。《春秋》之有公羊、穀梁、左氏、鄒、夾氏，亦傳也。何謂記？大、小戴氏所錄，凡百三十有一篇是也。何謂群書？《易》之有《淮南道訓》、《古五子》十八篇，群書之關《易》者也。《書》之有《周書》七十一篇，群書有關《書》者也。《春秋》之有《楚漢春秋》、《太史公書》，群書之關《春秋》者

---

18 程發軔：「此皆私人擬議，未成定論，故不列於經目。」《國學概論》，冊上，頁28。周予同在討論完歷代經數的增加之後也說：「綜上所述，經的領域逐漸擴大。現在依普遍的習慣，以十三經為限。十四經的名稱不甚普遍，二十一經不過是個人的主張而已。」同註9，頁853。都未能看出經數、經目變化的學術史意義。

> 也。然則《禮》之有《周官》、《司馬法》，群書之頗關《禮經》者也。漢二百祀，自六藝而傳、記、而群書、而諸子畢出，既大備。微夫劉子政氏之目錄，吾其如長夜乎？何居乎，世有七經、九經、十經、十二經、十三經、十四經之喋喋也？[19]

六經在孔子之前已經存在，至於傳、記都只是受學者的記錄，不可列名為經。蓋古昔無私人著述，著錄皆藏於官府，受學亦於官府，春秋以降私人講學起於孔子，當時學術是由老師口授弟子各錄所得。但這些記錄都只能稱為記或傳，絕不是經。龔自珍把經數還原為六，遂進一步斥責後世所謂十三經、十四經云云全是錯誤。他分析錯誤之因有二：其一，把「傳」視為經。他特舉春秋為例，指出宋代十三經經目中的《春秋》就是把《左氏傳》、《公羊傳》、《穀梁傳》都視為經，把《春秋》三傳訛成了《春秋》三經。他又說若據此邏輯推論，則《詩》也可以分成《魯詩》、《韓詩》、《齊詩》、《毛詩》，豈不該有四種《詩經》？十三經之數只怕還得增加呢。其二，把「記」視為經。蓋劉宋以降至趙宋經數增衍不斷，其中禮經的經目一直包括禮記一目。事實上，大、小戴《禮記》乃西漢人選輯而成，這些文字在古時原本是單篇行世，後世把選輯成的《禮記》納入經目，根本是把記當作經。若回考史實，當初單篇行世的《古文記》約有百三十餘篇，難不成《禮經》也得有百三十一經？其三，把「群書」視為經，如《論語》、《孝經》、《爾雅》、《史記》等等。龔自珍認為這些「書」的作用是「輔經」，載錄當時的歷史、文字、文化等，其本身是獨立的，並不專為解經。因此從學術之本源觀察，經數為六；其他數字，全係臆言。

龔自珍的六經正名直接影響到晚清劉師培。一九〇五年劉氏刊刻他非常著名的第一部《經學教科書》[20]，開宗明義首章「經學總述」就完全肯定龔自

---

[19] （清）龔自珍：〈六經正名〉，（清）龔自珍著，王佩諍校：《龔自珍全集》（上海：上海古籍出版社，1999年。以下簡稱《全集》），頁37。

[20] 錢玄同：〈左盦著述繫年〉，民前7年（光緒31年，乙巳，1905）- 民前6年（1906）載劉師培以教科書為名寫出五種：《倫理教科書》、《經學教科書》、《中國文學教

珍的「六經正名」，指出經數應該是六，只有六經才是經之正名。歷代學者無論以經數為九、為十三、十七，全屬荒謬無稽。至於以《大學》、《中庸》為經，更是宋儒偏好，流俗之論，不事正名，積非成是。他說：「及程、朱表彰《學》、《庸》，亦若十三經之外，復益二經，流俗相沿，習焉不察。以傳為經，以記為經，以群書為經。此則不知正名之故也。」[21]清儒以專門經學著稱於中國學術史，正名若此，實可為今後治經學者鑑。吾人今日若仍將十三經打成一綑，不分經、傳、記、群書之異，真不知將如何建立經學學術史之觀念，更遑論研治經學學術史？

龔自珍六經正名的另一個理念是：「序六藝為九種。」這是一個非常重要的觀念，是清儒建立「學術史觀」的重要宣言（詳下一小節）。此處只討論其與經數、經目之增減的相關議題。我們都知道班固《漢書・藝文志》是中國最早的一部目錄學著作，也是最早的一部校讎學著作。但基本上，班固是沿襲了劉向、歆父子《別錄》和《七略》的分類體系，把古代典籍分成六大類。因此，龔自珍特別表彰劉向《別錄》，他說：

> 劉子政氏之序六藝為九種也。有苦心焉，酙酌曲盡善焉。序六藝矣，七十子以來，尊《論語》而譚《孝經》，小學者，又經之戶樞也；不敢以《論語》夷于記、夷于群書也，不以《孝經》還之記、還之群書也；又非傳，於是以三種為經之貳。雖為經之貳，而仍不敢悍然加以經之名。向與固可謂博學明辨慎思之君子者哉！[22]

劉向把六藝序分為九種，這九種是：《易》、《書》、《詩》、《禮》、《樂》、

科書》、《中國歷史教科書》、《中國地理教科書》，總名為「國學教科書五種」，是劉師培為國學保存會所編。詳劉師培：《劉申叔遺書》，冊上，總目頁4。是知劉氏《經學教科書》成於一九〇六之前。稍後有皮錫瑞：《經學歷史》（1906）、《經學通論》（1907）等，都較劉書為晚。另一以教科書為名者為關文瑛：《經學教科書》，於一九三七年出版。

21 劉師培著，陳居淵注：《經學教科書》（上海市：上海古籍出版社，2006年），第一課「經學總述」，頁5-6。

22 （清）龔自珍：〈六經正名〉，《全集》，頁37。

《春秋》、《論語》、《孝經》、小學。顯然可見的是，前六種為經，後三種不是經。從龔自珍的文字裡我們發現，他關懷的不只是為何這不是經的三種書可以與經並列？而是劉向用什麼方法使其與經並列？原來劉向的原則是——視為「經之貳」！然則，經與經之貳，有何差別？又有何意義？這差別可大了。不僅表現出劉向對傳統學術分類上的本末次第，也表現出他對一代學術文化特色的容納。龔自珍在此極力贊美劉向在分類上的分寸拿捏，既納入了時學，又不令六藝——作為學術本源——的地位鬆脫。他指出劉向之所以把三種書納入六藝，是因為漢人及孔門弟子尊崇《論語》、《孝經》，不忍次之於記、於群書；但又必須謹守經／傳／記／群書的分際，不可將他書混雜入經；於是另列此三種於六藝之末，稱之為經之貳。稱之為貳，是推重其輔經的功能。至於小學的文字聲音訓詁，乃治經之樞紐，亦不敢棄去之。

龔自珍這一番委曲婉轉的闡釋，確實是表彰劉向「辨章學術、考鏡源流」的眼光和學術分類之高明，但暗地裏卻另有意指。仔細梳理，原來他一方面借此暗諷宋明以降把《論語》、《孟子》納入經，是混亂了經的地位，同時也蔑視了子學的獨立性；不僅未賦予孔、孟一家之言（不專事經）的自創意義，也完全不識學術之本，混淆經／子學術源流。另一方面，也是最重要的，則是要指出劉向的尊《論語》、《孝經》並非劉向等人欲尊《論語》、《孝經》，而是因為：「本朝立博士，向與固因本朝所尊而尊之，非向、固尊之也。」[23]這句話很清楚地指出，經數與經目的變易和時代文化的特色密切相關。綜合而論，龔自珍這番議論，一則為六經正名，釐清經數為六，不得增減，十三經等經數之繁衍全屬無據；二則從他對六藝九種分類法的肯定，可以看出他已經開啟了一條經學學術史研究的大道。換言之，經數經目雖不得增減，但經之為「學」的內容與意義，則隨時代需求而變異。經，作為一種文獻研究，或許可以只專注於小學；但作為一種學、一種有發展意義的學術，則絕對不能脫離時代。二千年來，經之註解歷代不同，議題亦每有更迭，經數、經目與時代政治文化變遷緊密相繫，有志治經學史者，豈可不留

---

23 同上，頁38。

意哉。

三　區分「六經/六藝」：六藝的知識分化

首先，必須嚴正指出：六經與六藝，在龔自珍的理念裏是兩個不同的概念[24]。「六經」是《易》、《書》、《詩》、《禮》、《樂》、《春秋》六種經，是周史之宗子；「六藝」雖然名目也是易、書、詩、禮、樂、春秋，但既稱為「藝」，就表明它們是傳統學術的六大類（也是六大基礎人文學），不能單單視其為六種經的文本而已。他深深了解劉向、歆父子校定古籍把古代圖書大分為六類（六藝、諸子、詩賦、兵書、術數、方技）、並以「六藝略」領銜的用心。所以文集中反覆分析劉向、歆父子的學術史觀。其中最重要的觀點之一，就是對六經的學術流衍所進行的繫類：

> 善乎，漢劉向之為《七略》也，班固仍之，造〈藝文志〉，序六藝為九種。有經，有傳，有記，有群書。[25]

所謂「有經，有傳，有記，有群書」這種劃分等第，確立了六經作為六藝知識載體的大本地位，而傳、記、群書則居於輔助詮釋的位置。龔自珍給予經崇高的地位，同時也肯定經的流傳具有多樣詮釋，他甚至指出在周末王官之學流向私人教授時，就已經呈現了多樣性。因此，六藝略中的每一藝，都各有一經作為大本，其下再分繫若干傳、記、群書，載明此一藝的流傳情況。為了具體瞭解，以下進一層分析：序六藝為九種。

何謂「序六藝為九種」？在此，我們得先約略了解一下劉向、歆父子和繼起之班固《漢書．藝文志》的目錄體系[26]。《漢書˙藝文志》循《七略》把

---

[24] 「六藝」有二種說法，一指《周官》的禮、樂、射、御、書、數；一指《詩》、《書》、《禮》、《樂》、《易》、《春秋》。縱使在漢初，《詩》、《書》、《禮》、《樂》、《易》、《春秋》，有稱之為六經者，也有稱之為六藝者。頗為混用。

[25] （清）龔自珍：〈六經正名〉，《全集》，頁37。

[26] 劉向、歆父子之《別錄》、《七略》和班固〈藝文志〉在分類上略有不同，詳程千

古籍分為六大類，每一類就是一「略」[27]，計：六藝略、諸子略、詩賦略、兵書略、術數略、方技略。每一「略」之下又再細分若干「種」，如六藝略下分成九種，計：易、書、詩、禮、樂、春秋、論語、孝經、小學。諸子略下分成十種，計：儒家、道家、陰陽家、法家、名家、墨家、縱橫家、雜家、農家、小說家。詩賦略下分為五種，計：屈原賦之屬、陸賈賦之屬、荀卿賦之屬、雜賦、歌詩。兵書略下分四種，計：兵權謀、兵形勢、兵陰陽、兵技巧。數術略下分成六種，計：天文、曆譜、五行、蓍龜、雜占、形法。方技略下分成四種，計：醫經、經方、房中、神仙。總計：六大類、三十八種、五九六家、一三二六九卷[28]。

依此，六藝略、諸子略、方技略等的六大分類，就類似早期圖書分類有社會科學類、自然科學類、語言文學類云云。九種，則猶如文學下再分詩、戲曲、小說云云。今人見六藝九種，往往惶惑，遂把六藝視同六經，其實是混淆於兩個六字。倘若當年班固將六藝略定名為「周孔略」，周孔略下再分易、書、詩、禮、樂、春秋六類，其下再分九種，又於九種之下，各錄相關書目。豈不分類體系等第清晰，且避開六字之嫌。若以六藝略春秋種為言，以《春秋》古經領銜，其下錄：《左氏傳》、《公羊傳》、《穀梁傳》、《鄒氏傳》、《夾氏傳》、《左氏微》、《張氏微》等「傳」。換言之，在漢志的目錄體系裏，「經」與說經之「傳」、說經之「記」、屬經之「群書」，因性質不同，故其從屬關係，上下、等第分明，不可踰越。

除了「略」、「種」的目錄分類之外，《漢書．藝文志》還有一個體例上的特點——序、論——直接探討了先秦、秦漢的學術源流，十分重要。蓋《漢書．藝文志》首列「大序」一篇，是為綱領。先述編纂緣由，再敘

帆：《別錄七略漢志源流異同考》，收入楊家駱主編：《校讎學系編》（臺北市：鼎文書局，1977年）。自珍於此，並無詳論。

[27] 劉向校書，編成《別錄》。劉歆《七略》，指：輯略、六藝略、諸子諸、詩賦略、兵書略、術數略、方技略。「略」是漢代圖書分類的名稱，如同晉以後四部的「部」。

[28] 根據顧實《漢書藝文志講疏》、陳國慶《漢書藝文志注釋彙編》前言、喬衍琯《中國歷代藝文志考評稿》三書的統計都是五九六家、一三二六九卷。

經之分派，諸子之興起、秦焚書、漢求書，及至成帝時之校書，劉向、劉歆撰寫《別錄》、《七略》之大要，終至班固據而撰〈藝文志〉，把書籍蒐討、編纂的經過，作一總述。其次，在每略之每一「種」中，首列書目既畢，也各附一段「後論」。以六藝略為例，「後論」大要是敘述該藝（經）成書之經過，孔子和該經的關係，書名的含義，一直到西漢經師之授受，部分也談到今文經和古文經的同異。在九種敘述既畢後，附上一段「總論」，談該略之學術源流、得失[29]。在這個部分，班固論述了六藝之學的變遷，兩漢經學的差異。首先，他認為古之學者耕且養，三年而通一藝，治經的方法是「存其大體、玩經文而已」，所以用日少而畜德多，年三十則五經既立。接著他就批評經、傳乖離之後，經學走上碎義巧說之途，所謂「談五字之文，至於二三萬言」，痛陳漢代經學煩瑣之弊。同樣的，在諸子略，班固也詳述官失其職，子學興起，游走諸侯，伸其匡時濟世之志。詩賦略，論述詩的功能，賦從先秦至漢的流變；又述兵書、術數、方技各「類」及「種」名的命名含義[30]。

這種「辨章學術、考鏡源流」的大視域，給了龔自珍很深的啟示。於是他匯理清初以來學術發展的新趨向，用自己的識見為漢志的六略重新作了一番整理，更進一層的是，他整理了清初以降漸趨發展成熟的幾種專門知識，附加在與其可相當的藝類之下，視之為新的學問門類，並稱之為「配」。此舉，有兩層重要意義：一析理出六藝略、詩賦略等的「知識」內容，二使這些在乾嘉間發展成熟的知識被獨立出來，不再渾含概括於六經之下。這就是龔自珍很自豪大膽的校讎學觀點，所謂「六藝之配」：

> 六藝九種，以誰氏為配？答曰：我其縱言之。[31]

我們先羅列出龔自珍的「配」：

---

29 詳孫德謙：《漢書藝文志舉例》，收入《二十五史補編》（臺北市：臺灣開明書店，1959年），第二冊。

30 詳《漢書．藝文志》。

31 （清）龔自珍：〈六經正名答問五〉，《全集》，頁40。

尚書（29篇）：周書（18篇），穆天子傳（6篇），百篇書序，三代宗彝之銘（19篇），秦陰（1篇，陰符經），桑欽水經（1篇）。

春秋：左氏春秋，春秋公羊傳，鄭語（1篇），太史公書。

禮古經：重寫定大戴記（存十之四），小戴記（存十之七），周髀算經，九章算經，考工記，弟子職，漢官舊儀。

詩：屈原賦（25篇），漢房中歌，郊祀歌，鐃歌。

小學：許慎說文。

「是故，書之配六，詩之配四，春秋之配四，禮之配七，小學之配一。」

又說：

穀梁氏不受《春秋》制作大義，不得為《春秋》配也。

《國語》、《越絕》、《戰國策》，文章雖古麗，抑古之雜史也，亦不以配《春秋》。

《周官》五篇，既不行於周，又未嘗以行於秦漢，文章雖閎侈，志士之空言也，故不以配《禮》。

若夫〈詩小序〉，不能得《詩》之最初義，往往取賦詩斷章者之義以為義，豈〈書序〉之倫哉？故不得為《詩》之配。

還有一些雖不能稱配，但可「附屬通籍」者：

焦氏《易林》、伏生《尚書大傳》（惠棟輯逸）、《世本》（洪飴孫輯逸）、董仲舒書之第二十三篇（盧文弨校本）、《周官》五篇。此五者，附于《易》、《書》、《春秋》、《禮》經之尾，如附庸之臣王者，雖不得為配，得以屬籍通，已為尊矣！盡之矣！盡之矣！[32]

「配」是「匹敵」的意思。古時帝王祭天，以先祖為配。所以配有與之相當、相偶之意。朱熹解釋為「合而有助」，如功臣得配饗太廟，所以也有輔

[32] （清）龔自珍：〈六經正名答問五〉，《全集》，頁40-41。

助的意思。在我們解釋為何龔自珍如此配之前，得先留意幾點。首先，他並未為《易》作任何的配書[33]。其次，《穀梁》不配《春秋》，是因為「不受《春秋》制作大義」。可見在龔自珍的理念裏，經具有孔子的削刪大義，而大義是藉制作來顯現，絕非單純的古史或典制，這和章學誠六經皆史的觀念不同，也是龔自珍為何走上以《公羊》解《春秋》的信念所在。他在〈五經大義終始論〉一文中，以《春秋》三世之旨串解群經，不把六經當成單純的史書，更說明他的經學觀和章學誠有很大的差異，尤其是解經方法，差距更大。再次，我們看到戰國晚期的幾本史書如：《國語》、《越絕書》、《戰國策》，龔自珍也不予配經，他的理由是：「文章雖古麗，抑古之雜史也。」可見文章古麗與否，並不是配經的條件，甚至也不是稱史與否的條件，只能歸入雜史之流。這和章學誠以文言史、以文體論史體，兩人的見解差異更大。

其次，我們看一下龔自珍的「配」，並從這些配書中觀察龔自珍如何一一析理出六藝的知識內容。

首先，配《尚書》者：（1）《周書》，古史之屬。（2）《穆天子傳》，史書也是地理書，它記載周穆王在位五十五年南征北戰之事，是考證西北地理的重要參考資料。（3）百篇〈書序〉。這是《尚書》學的歷史公案。〈書序〉作者歷代說法不一，到宋朱熹主張書序非孔子之言，蔡沈作《書集傳》刪去〈書序〉。龔自珍治經主今文《尚書》，故主張刪定〈書序〉以為闡釋《尚書》之輔。（4）三代宗彝之銘，著錄金石文字之遺。（5）秦陰（《陰符經》）。（6）漢桑欽所撰《水經》，是中國第一部記述水系的專書，也是現存最古的地理書和水道書。我們可以說：龔自珍在此企圖分化出「書」這一大類學術的可能細目，包括了：水道、地理、官制、金石文字，甚至古史、傳說。

其次，配《春秋》的有四種：（1）《左氏春秋》；（2）《春秋公羊傳》；（3）《鄭語》（1篇）；（4）《太史公書》。龔自珍取《公羊傳》配《春秋》，不取《穀梁傳》，原因是《穀梁》不傳制作大義，前已言及。至於取《左氏

---

33 丁四新：〈龔自珍的陰陽五行觀及其影響〉，《江西社會科學》，1995年5期。

春秋》為配，則是因為龔自珍基本上相信左丘明和孔子同時得見百十國寶書，退而修史；因此《左氏春秋》具有輔助了解孔子所修《春秋》之史實的功能，所以它不是傳，而是群書，得配《春秋》。至於只取《太史公書》不取《漢書》，顯然也在制作大義。蓋司馬遷撰寫《史記》志在上紹孔子，暗寓褒貶，成一家之言，立意不同於班固的史書編撰。據此，不難看出龔自珍對《春秋》之學的態度，絕不只是單純的史書典制，還得蘊含是非經義。這又和章學誠不同了。（按：段玉裁所謂二十一經，則包括《漢書》、《資治通鑑》。詳下）

其三，配《禮》古經的有七種：（1）《大戴禮記》。（2）《小戴禮記》：蓋漢時禮學有大戴、小戴、慶氏之學，其學皆傳自宣帝時的后蒼，三家並立於學官，並無軒輊，相傳為孔子弟子及後傳者所記，主要討論禮儀法度倫理秩序。傳統的說法大、小戴《記》分別為漢元帝時戴德、戴聖編輯成書。其後大戴不顯於世，今所謂《禮記》是指《小戴禮記》。清人對《大戴禮記》的研究超過前代。因為古禮經是單篇行世以口授流傳，弟子載錄訛誤淆亂之處甚多。龔自珍的意思是：重新寫定大、小戴《記》，作為研究古禮的重要參考文獻。（3）《周髀算經》。（4）《九章算經》：都是古代的算學書。前者成書或在秦漢之間，後者西漢張蒼、耿壽昌曾作過增補整理，成書最遲在東漢前期。九章算數將數學問題大分為九類就是九章。梁啟超論清代曆算之學成績時，提到戴震入四庫館，子部天文算學類提要，殆出其手，而用力最勤者，則在輯校各種古算書，待戴校書成，官書局已聚珍板印行，而曲阜孔氏匯刻為《算經十書》，可見清人於算學用力之勤。龔自珍以之配《禮》，是因為「九數為六藝之一，古之小學也」。他指出九數之學是古昔小學教育（指：禮、樂、射、御、書、數六藝）的內容之一，不可與占候等玄談相混，故置於禮學之下。清儒專研天文曆算之學，把古禮學中的重要知識內容一一開發出來，九數之學得以配禮，也說明禮學分化出天文、曆算等的專門知識。（5）《考工記》：約成書於春秋末期（約西元前770-476），載錄了先秦大量的手工業生產技術、工藝資料，是中國現存最早的手工業技術文獻。分為六大工類：攻木之工、攻金之工、攻皮之工、設色之工、刮磨之工、摶埴之工，包括三十個工種，是制器、工藝、技術之學。它的內容涉及先秦時代的制車、兵器、禮器、鐘磬、練染、建築、水力等技術，還涉及天文、數學、物理、化學、力學、聲學等自然知識。龔自珍特別表揚此書，是因為《考工記》在清儒的研究下已經脫離《周禮》而成為一門獨立的學科。蓋《考工記》在漢時被納入《周禮》補〈冬官〉之佚，漢鄭玄作注，唐孔穎達作疏，歷代研究者並不多見。清儒研治三禮之學，文字訓詁之外，特重名物制度，尤其是繪圖解經。清初江永特別把《考工記》從《周禮》中取出進行考證撰《冬官考工記》，開啟清儒專治《考工記》之風氣。戴震的《考工記圖》就是直接受他影響而完成的。全書繪圖五十八幅，使數千年古器古物的尺寸形制一目了然，尤其是車制，最是詳盡。這是清儒用繪圖解經形式完成的第一部《考工記》研究專著。其後程瑤田、阮元、王宗涑、鄭珍到晚清孫詒讓等，都在這種圖像與「力度辨方之文表裡一存」相互發明的研究方法下展開，揭示了古代手工業技術的形制和圖像。這個在清代獨立發展出的專門知識，為研究中國科技史奠定了重要基礎。（6）《弟子職》：是教養倫理之書，記載弟子事師、受業、饌饋、灑掃、執燭、坐立、進退之禮，是古師相傳教弟子者。今本《管子》中有弟子職一篇，但《漢書・藝文志》將《弟子職》納入孝經類。清人考證該篇漢時乃單行本，管子作內政以教士乃納入。龔自珍取其配禮，蓋重其教弟子之禮。（7）《漢官舊儀》：禮書也，不僅言及官制，而且大量涉及禮儀，如籍田、宗廟、舂桑、酎、祭天等禮儀，所以隋唐史志多列入儀注類。至此，我們可以試著歸納出龔自珍企圖分化出「禮」這一大類學術的可能細目，將包括：典章、制度、教化、禮儀、天文、算學、製器、工藝云云。

其四，配《詩》的「漢房中歌」是一種漢時的楚聲樂府，「郊祀歌」是祭樂，「鐃歌」則是軍樂。我們可以試著說龔自珍企圖分化出「詩」的音樂多元性，不只是性質或功能而已。

至於小學以許慎《說文》為配，則是乾嘉樸學考證經史的基本訓練，識字為先，而《說文》在沈寂了千年之後大興於清代，正是在小學、《爾雅》之外，必得附加的基礎知識。蓋《說文》勝在字形，《爾雅》勝在訓詁。

以上我們約略分析了龔自珍所論六藝的知識分化。接著我們得探討一下龔自珍為何會興起重新定義六經、又分化六藝知識的念頭？他是否受到某些人的影響？

四　知識擴張與二十一經

龔自珍交遊廣闊，對乾嘉漢學、常州今文學、陽湖文學、乃至對蒙古、西北地理、東南海防問題等都有深刻的認識，他的學術史觀受到浙東章學誠很深的影響，已是事實，縱使尚未找到直接史料。但直接影響到他對經學進行如此大規模反思的，他的外公段玉裁——這位戴震最重要的弟子—應是關鍵之一。民初，章太炎（同治七年-民國二十五年，1868-1936，年六十九）曾提出此一觀察，可惜並未深論。以下我們試探討段玉裁的經學態度、和對龔自珍可能產生的影響。

前面已經提過，從經數增衍與經目變化的角度來看，段玉裁在經學史上最特別的，就是他提出了二十一經的說法，把經書的數字增加到了最高。我們試看段玉裁為何提出二十一經？他的理念是：

> 余謂言學但求諸經而足矣。六經，漢謂之六藝，樂經亾散在五經中。《禮》經，周禮之輔，小戴《記》也。《春秋》之輔，左、公羊、穀三《傳》也。《孝經》、《論語》、《孟子》，五經之木鐸也。《爾雅》，五經之鼓吹也。昔人併左氏於經，合集為十三經。其意善矣。愚謂當廣之為二十一經。《禮》益以《大戴禮》，《春秋》益以《國語》、《史記》、《漢書》、《資治通鑑》，《周禮》六藝之書、數，《爾雅》未足當之也，取《說文解字》、《九章算經》、《周髀算經》以益之。庶學者誦習佩服既久，於訓詁名物制度之昭顯，民情物理之隱微，無不憭然，無道學之名而有其實。余持此論久矣，未敢以問於人。[34]

[34] （清）段玉裁：〈十經齋記〉，《經韻樓集》，卷9，收入《段玉裁遺書》（臺北市：大化書局，1977年），冊下，頁1046。

這篇〈十經齋記〉是段玉裁為他的得意弟子沈濤的書齋——「十經齋室」——所寫的記文。前已言及，沈濤把經數增加為十，是納入了五種緯書。他認為「緯」實始於太古，和「讖」同出異名，只不過讖雜占驗，而緯則輔儷經書。他甚至認為七緯之名，是源自孔子因七經而定之名。他引劉熙《釋名》：「緯，圍也，反覆圍繞以成經也。」雖然《漢書‧藝文志》九流十家中無讖，後人遂視之為偽書。實際上《漢書‧藝文志》所錄圖書秘記多為讖緯之書，連《史記》中也多有載錄。沈濤把緯書重新納入經，他的目的是「永宏秘經，考信六藝」[35]，不僅發金匱之遺書，同時也重新開啟經學的學術源頭，使經的研究文獻不僅只限於那六種。用今日的話語來說，就是「開發學術新資源」。

段玉裁與沈濤對於「何謂經？」的討論，並不因這篇記而終止，有趣的是，段玉裁不僅在這篇記裡表明他醞釀多年的二十一經理念，同時也邀請沈濤為他晚年授徒的——「廿一經堂」寫記。沈濤的這篇記頗類似一篇簡短的經學史，他的主要觀點是認為：經的意思是常、是常道，具有存治亂施諸四海的政教功能，因此經數是可以隨時代需求而改變的。首先，他說孔子以前並無經名，縱使三代官府載錄圖書用以教授士子，但並無稱經者。他認為六經之名起於孔子，把五經定為五常之道也始於孔子。接著他就概略說明歷代所謂經之內容的變化：漢時有五經（《易》、《書》、《詩》、《禮》、《春秋》）；唐宋以後因經術隆升，取士遂有九經（前五經中，《禮》分為三禮，《春秋》分為三傳）；宋熙寧朝罷了三禮；明代又歸返舊制並加上《論語》、《孝經》、《孟子》、《爾雅》，成為十三經。沈濤的這個定義很影響了他的經學觀點，也因為如此，他才提出自己的十經說，以增加經數的方式，來開啟學術資源。也因為這個定義，他才會積極肯定段玉裁把經數擴增到二十一。他說大、小戴《記》共事曲台，所以《禮》宜益以《大戴禮記》；《史記》、《漢書》、《資治通鑑》都是續前朝之史存古訓治亂，功能等同《春秋》，所

---

35 詳（清）沈濤：〈十經齋室考文〉，收入氏著：《十經齋文集》卷1，引文出自該卷，頁5。並參考（清）沈濤：〈廿一經堂記〉，同書，卷1；〈治經廔記〉，同書，卷4。

以得增益於《春秋》；至於《說文解字》、《九章算經》、《周髀算經》更是小學之至要，足以補《爾雅》訓詁之未備[36]。

段玉裁寫這篇記時已經七十八歲，應該是他學術生命最成熟時的定論，也是他晚年「築堂以授生徒、扶微學」的最終心願。他之所以在十四經外，納入了四種史書、一種小學書、二種算學書，顯然是因為他觀察到隨著學術的發展，被稱為經典的知識範疇必須擴大。尤其是他發現《周禮》六藝之學中的「書、數」，非《爾雅》一書所能承載，所以不僅主張增入《說文》以輔助小學，更應增加《周髀算經》、《九章算經》兩種算學書，以彰顯「數」之學的知識內容。至於納入的四種史書，顯然是有鑑於當時史學界所建立起的史學經典。其中較值得我們留意的是，段玉裁使用的模式和龔自珍相似：為六經作配；雖然他用的動詞是：輔、益，如「周禮之輔」「春秋之輔」「益以國語」，而龔自珍用的名詞則是「配」。

以上我們敘述了段玉裁和當時學界的關懷。在結論處我們得仔細分析一下龔自珍和他們的差異，以展現龔自珍觀點的重要性。

五　結論

段玉裁的二十一經和龔自珍的六藝論看似相似，其實完全不然。他倆的不同絕非所舉以配經的選項不同，而是兩人對「經之為學」的理念完全兩途。段玉裁仍然沿襲六經、十三經云云的傳統敘述，把經當作一種冠冕，一種肯定某種學問經典位置的冠冕，雖然他們已經考慮到因應時代需求可以增加新的典範納入經，較諸固守著六經、傳、記的經生而言，已經開啟並納入了史學、曆算等的新局面。但因為他們堅守一切學問的中心者必須被稱為經，所以經數的不斷增加，對他們而言是被允許的。因此，他們不只讚美十三經的出現，自身在面對新知識的發展時，也同樣以增加經數和經目來肯定新學。他們未曾細究經之大本，也未曾梳理經之為學的歷史發展。若與之前

---

36 詳（清）沈濤：〈廿一經堂記〉，頁9-11。

的十三經等說法相較，或許可以說，沈、段所謂的經已不是之前固守經數為六的六經之學的經，反倒較類似今人所說的「典範」，是經典的意思。既是經典，個個學科皆可以有經典，當然不必限於六這個數字了。

段玉裁的二十一經，無論從實質或表面看來確實是擴大了學術典範的概念與內涵，必須被視為一種進步，尤其納入史學、算學等的新典範。但他最大的疏失，是未能把握住六經作為古代政教大本的地位。龔自珍則從「辨章學術，考鏡源流」的學術史大視角，肯定六經／六藝的源流關係，同時重新思考經、史、子、集的定位。他想要分辨出：古史與經的關係、經的出現與流傳、經學與子學的差別、秦焚書與漢初的經學傳衍、西漢以後的經與家法等等，全是古代學術史之發展的大議題。龔自珍有極深厚的經學、史學、子學和文學、佛學造詣，他把經當作治教之本，視其為一種整合性的學問。觀察其源，索驥其流，才能掌握學問的源出與流變。所以，源與流是很清楚的被劃分的。學術史所謂「辨章學術、考鏡源流」，要點就在於此。因此，他一開始就堅持經的數字只是六，不得增減。他說：孔子未生，天下有六經久矣，孔子述而不作[37]。經是三代的典制史錄政教之本，不同於私人載錄。至於學術下私人之後所出現的各種論述記錄，都只能稱為傳、記、群書，輔助了解經義則可，卻不能被稱為經。所以，他堅決反對經數增衍，無論十三或二十一。龔自珍的這個理論為經學作了很重要的宣言，他清理了經的源頭，釐清了經數與經目，也梳理出六經之學的流傳：在體裁上有傳、記、注、疏之別，在家派上，更是自秦漢以來就呈現多家並列、同傳於世的局面。漢景帝時所立春秋博士就有兩家（董仲舒、胡毋生）；漢武帝時所立五經博士，也非五家，而是七家；到漢光武帝時五經博士更立為十四家[38]；可見經的流傳在漢初就是以「家」為單位的多元，並非後世所拘執的一家傳經云云。龔自珍

---

37 詳（清）龔自珍：〈六經正名〉、〈古史鉤沈論二〉，《全集》，第一輯，頁36-37；頁21-25。

38 十四博士為：「《易》四：施、孟、梁丘、京氏；《尚書》三：歐陽、大、小夏侯；《詩》三：魯、齊、韓氏；《禮》二：大、小戴氏；《春秋》二：公羊嚴、顏氏。」詳馬宗霍，《中國經學史》，頁40-41。

分辨經與經之流傳，建立起經學史的多元發展史觀；同時彰顯劉向「分六藝為九種」的校讎學觀點，以六藝伸展出六經之學的歷史變化，建立了「經學學術史」的研究視角。肯定經之為學的時代變遷，而非一元正統。

至於清初以降發展出的新學門，龔自珍則以配的方式，把他們懸繫於六藝之下。乍看之下，似乎地位較低，不如段玉裁的等列於經。其實龔自珍這種分列方式，有雙重意義：一，給予這些新起的專門之學以獨立的地位；二，說明這些新起的學門，源出於六藝的某一藝，表明學有其本，戒惕學術不可流於「工具性的技、藝」。這種兼顧本末、緣起、與發展的學術史眼光，在清儒中是很罕見的。近代學者每每稱揚龔自珍，卻未見及此，殊是可憾。

最後我得說明，龔自珍的六藝分化並不是一個完美的論述，甚至也不完整。他的六藝之配，有些是為了鉤沈古史、存文獻、徵考辨，屬一種文獻目的，他的六藝之配也未必完全合理。但作為歷史發展進程的一環，龔自珍確實提供了很關鍵性的理論。這又可分兩方面來談。

首先，面對之後的學術發展而言。今日我們探討傳統學術的近代轉型，清乾嘉學者發展出的專門之學，實際上代表著傳統學術在十九世紀所展現的分化。龔自珍在「辨章學術、考鏡源流」的大視域下，為六藝、詩賦二略，重新董理出多種專門知識，若再對照龔自珍論阮元學圈學術成就時所羅列的十大項專門之學[39]，並與近代與西學接觸後形成之相關專門學科相勘，我們就不得不承認傳統學術在十七到十九世紀的知識蓬勃發展下已經發生轉型，傳統學術的分化和專門知識的出現，是明顯指標。至於，每一專科的發展詳情，則有待作更深入的個別專題探討。

其次，揭明六藝乃傳統學術之本源。龔自珍把六藝從六經的概念中擴充

---

[39] 龔自珍把乾嘉專門之學大分為十類：訓詁之學（含音韻、文字），校勘之學，目錄之學，典章制度之學，史學（含水、地之學），金石之學，九數之學（含天文、曆算、律呂），文章之學，性道之學，掌故之學。其實包含十五類。詳（清）龔自珍：〈阮尚書年譜第一序〉，《全集》，頁225-227。參考拙文〈龔自珍論乾嘉學術：說經、專門、與通儒之學——鉤沈一條傳統學術分化的線索〉。

出來，以校讎學的觀點審度六藝，把六藝視為遠古學術的六大類型，說明每一藝的學術性質，梳理每一藝所含具之潛質性知識，同時顧及學術的時代發展性與衍生性，這也就是他頻頻讚美劉向「序六藝為九種」的蘊意所在。此一理念最重要的就是把六藝視為傳統學術本源，為有志考辨千古學術流變者立下一個「律令」，亦即學術基軸。龔自珍所揭示的六藝理念，對晚清學術轉折期的重要思想家如章太炎、劉師培、馬一浮等都產生了深刻的啟示，並在晚清中西學術交鋒的年代，展現出另一種翻騰[40]。

---

[40] 梁啟超在談到龔自珍對晚清學術的影響時，曾慨嘆「複雜」，頗有不知從何說起之感。氏著：《論中國學術思想變遷之大勢》（上海市：上海古籍出版社，2006年），頁110。近來已有學者注意到「六藝」在晚清學術論述中的重要性，如討論馬一浮的「六藝含攝一切學術」等，但卻罕見論及龔自珍區分六經與六藝的開創性意義。

利用民國時期經學著作的途徑

林慶彰*

一　前言

文獻是研究一個學科的基礎。文獻的形成、真偽、流傳，多是該學科文獻學探討的重點所在。所以，坊間各個學科多有它的文獻學、史料學或目錄學。如以中國文學來說，有通論性的、有斷代的，也有以文類為主的，可說不一而足[1]。至於哲學、歷史、語言文字學等學科的文獻學著作，也不難見到。何以經學沒有文獻學？從晚清以來，經學備受打壓，逐漸從大學課堂中退出。新中國成立後，取消經學這個學科。文化大革命期間，經學被認為是阻礙中國進步的絆腳石，人人談經學即色變。既沒有經學，怎麼會有經學文獻學？

有人會以為打壓、仇視經學，是中國大陸的現象。何以臺灣也沒有經學

---

* 中央研究院中國文哲研究所。

1 通論性的，如：（1）謝灼華：《中國文學目錄學》（北京市：書目文獻出版社，1986年）；（2）張君炎：《中國文學文獻學》（南昌市：江西人民出版社，1986年）；（3）徐有富主編：《中國古典文學史料學》（南京市：南京大學出版社，1992年）；（4）潘樹廣主編：《中國文學史料學》（合肥市：黃山書社，2冊，1992年）；（5）何新文：《中國文學目錄學通論》（南京市：江蘇教育出版社，2001年）。斷代性的，如：（1）曹道衡、劉躍進：《先秦兩漢文學史料學》（北京市：中華書局，2005年）；（2）劉躍進：《中古文學文獻學》（南京市：江蘇古籍出版社，1997年）；（3）穆克宏：《魏晉南北朝文學史料述略》（北京市：中華書局，1997年）；（4）陶敏、李一飛：《隋唐五代文學史料學》（北京市：中華書局，2001年）；（5）查洪德、李軍：《元代文學文獻學》（北京市：中國社會科學出版社，2002年）。以文類為主的，如：（1）馬積高：《歷代辭賦研究史料概述》（北京市：中華書局，2001年）；（2）王兆鵬：《詞學史料學》（北京市：中華書局，2004年）等等。

文獻學的著作？不論哪一種學科的文獻學著作，百分之九十都從中國大陸輸入，臺灣學者自已撰寫的，可說少之又少。主要是中國的大學院校裏有很多文獻和古籍研究所，培養了許多文獻學的人才。臺灣的教育主管機構根本不重視這個學科，至今才有一所古典文獻學研究所，且能否持續辦下去，還在未定之天。

本論題是經學文獻學上的問題。筆者所以選這個論題來發表論文，是因為：（1）中央研究院中國文哲研究所經學文獻組，自二〇〇七年一月起開始執行為期六年的「民國以來經學研究計畫」，前四年的子計畫是「民國時期的經學研究」。在開始執行計畫時，發現不但沒有一本完整的經學著作總目可檢索，連頗有名氣的經學家，既沒有人為其整理著作目錄，生平資料也少之又少。為了讓執行的計畫有較良好的效果，我們先編輯《民國時期經學圖書總目》，作為研究的基礎。又為每一位經學家編輯著作目錄，準備匯集成《民國經學家著作目錄彙編》[2]。為了讓參加計畫的學者容易找到所需的資料，我們編輯經學家的著作集，已出版的有《李源澄著作集》，排版中的有《張壽林著作集》、《李鏡池著作集》。因為要收集資料，翻檢了不少相關的專著和期刊、報紙，因此有了一些心得，就在這篇文章中把它寫出來。（2）筆者在東吳大學中國文學系碩士班和臺北大學古典文獻學研究所都有講授「經學文獻學」的課程，討論這個問題正好可以開拓學生的視野。（3）為了彌補經學文獻學著作的空缺，筆者擬將多年來授課的講義，出版《經書文獻學》和

2　個別經學家的著作目錄已陸續刊出，刊在《中國文哲研究通訊》第17卷4期（2007年12月）的有：（1）〈陳柱生平事略及著作目錄〉（袁明嶸）；（2）〈張西堂著作目錄〉（陳恆嵩）；（3）〈李鏡池著作目錄〉（黃智明）；（4）〈李源澄著作目錄〉（林慶彰）；（5）〈張壽林著作目錄〉（陳文采、袁明嶸）。刊在《經學研究論叢》第15輯（2008年3月）的有：（1）〈馬其昶著作目錄〉（張晏瑞）；（2）〈吳承仕著作目錄〉（陳恆嵩）；（3）〈錢玄同著作目錄〉（王世豪）；（4）〈于省吾著作目錄〉（趙惠瑜）；（5）〈陳夢家著作目錄〉（鄭淑君）。刊在《經學研究集刊》第5期（2008年11月）的有：（1）〈張爾田著作目錄〉（張晏瑞）；（2）〈周予同研究文獻目錄〉（陳亦伶）；（3）〈陳登原著作與後人研究論著目錄〉（郭明芳）；（4）〈趙紀彬著作目錄〉（趙威維）；（5）〈金德建著作目錄〉（林彥廷）。其他完稿，將陸續在《經學研究集刊》刊出。

《中國經學史文獻學》兩本專著，這篇論文就是民國經學史文獻學的一部分。

如果因為筆者對這個問題的討論而引起共鳴，甚至有人投入經學文獻學的研究，那也是意外的收穫。

二　檢索經學著作的方法

民國時期經學著作有多少？至目前為止，這是很難回答的問題，因為從來沒有人做過統計。但有些數字可供參考：

（一）利用書目

一、《民國時期總書目》，北京圖書館編，北京市：書目文獻出版社。

本書目收錄一九一一年到一九四九年九月止中國出版的中文圖書。編輯工作於一九六一年由文化部出版局發起，在上海圖書館製作卡片，編輯三年因故工作停頓，一九七三年由北京圖書館接手編輯任務，一九七八年該館成立《民國時期總書目》編輯組進行編輯工作。按照學科分為二十餘類，一九八六年起陸續分冊出版，一九九五年全部出齊。全書二十冊。由於中國已將經學這一學科取消，所以整部書找不到經學的類目，經學的書籍被拆散在下列各冊中：

（1）文學理論、世界文學、中國文學。在詩歌韻文中有《詩經》的著作，詩詞曲中又有《詩經》的著作；

（2）哲學、心理學。在先秦哲學中有《周易》的著作，在儒家總論中有《四書》、《四書》研究、《孟子》的著作；

（3）語言文字。在訓詁學中有《爾雅》的著作；

（4）社會科學。在古代政治思想中有《尚書》的著作；

（5）軍事。在戰術戰略中有《論語》兵學的著作。

（6）綜合性圖書。有舊經籍一類，其下有經學概論、群經合輯、群經總義等類目，收錄經學概論和經學史的著作。

將這些被拆散到各冊中的經學著作，加起來也僅僅二二〇種而已。和當時出版經學著作總數量相較，漏收多達一〇〇〇種。這種書目怎能稱為總書目？所以漏收那麼多，一是本書目不收線裝書，可是民國時期的出版物至少有四分之一是線裝書，這只要檢索《東北地區古籍線裝書聯合目錄》（瀋陽市：遼海出版社）僅收平裝書，如何能反映民國時期的學術全貌？二是本書目僅收錄北京圖書館、上海圖書館和重慶市圖書館三所圖書館的藏書，須知經學研究也有很高的地域性，無錫圖書館的藏書，上海圖書館不一定有收藏。須作全面性普查，才能減少遺漏。

二、《經學研究論著目錄》（1912-1987），林慶彰主編，臺北市，漢學研究中心，一九八九年十二月。

本書目為有系統收集民國以來經學論著的第一本書目，資料收集比較齊備，體例整齊劃一，檢索又方便，是專科目錄中的傑作，對編輯各學科的目錄有很大的影響。

本目錄收一九一二-一九八七年間的經學專著和論文之條目一萬三千多條，如只取一九一二-一九四九之專著則有六六〇種，這雖不是民國時期經學圖書的總數目，但已是《民國時期總書目》所著錄的三倍。

三、《抗日戰爭時期出版圖書聯合目錄》，四川省中心圖書館委員會編，成都市，四川大學出版社，一九九二年十月。

本書收錄一九三七年七月至一九四五年九月在中國出版的圖書條目，全書分哲學、宗教、理科、醫藥、農業、工作、社會、教育、經濟、政治、法律、軍事、史地、語言文字、文學、藝術、總類等十七類，哲學、史地、文學、總類有經學著作，但數量不多。本書分類之錯亂史無前例，例如：王緇塵的《廣解四書讀本》編入哲學類，在頁一；而蔣伯潛的《語譯廣解四書讀本》卻編入總類，在頁一六三六。兩書性質相同，分類卻相差一千六百多頁，讀者如何找到他所需要的書？

四、《民國時期經學圖書總目》 林慶彰主編 編輯中

本書根據《經學目錄初編》所收六六〇種，再增補五〇〇餘種，合計約一二〇〇種。每種書註明作者、書名、出版地、出版者、冊數、出版年月。

同一書有多種版本者皆按出版時間先後分別著錄。本書是民國時期較完備的經學圖書目錄。

（二）利用新編叢書

近年中國大陸整理古籍的成果頗為豐碩，其中以編歷代各文類的總集出版成果最多，已出版者有《全宋詩》、《全明詞》、《全清詞》、《全明散曲》、《全清散曲》、《全元文》等都是，編輯叢書的大多環繞著《四庫全書》作編輯工作，已出版者有《四庫未收書叢刊》、《四庫禁燬書叢刊》、《續修四庫全書》等都是。要檢索民國時期經學著作，可利用的叢書有下列數種：

1 《民國叢書》

上海市　上海書店　一九八九-一九九六年

本叢書預計出版十輯，影印民國時期圖書三〇〇〇餘種。現已出版五輯，收書一一二六種。可惜收錄的經學著作過少，第二輯收經學著作十一種，第五輯收七種，合計也僅有十八種而已。其他各輯都未收經學著作。

2 《民國圖書籍粹》

本叢書由中國教育部高校圖書情報工作指導委員會文獻資源建設工作組策畫，從中國大陸二十餘所大學圖書館挑選十萬種民國時期平裝圖書，經專家評選，選取其中九〇一三種，按出版年代分四輯影印。[3]就已出版的五〇〇〇冊來觀察，收錄的經學著作也不多。

[3] 第一輯（1912-1919）、第二輯（1920-1929）、第三輯（1930-1939）、第四輯（1940-1949）。見〈教育部高校圖書情報工作指導委員會文獻資源建設工作組工作匯報〉，西寧，2007年8月。

3 《民國時期經學叢書》 第一-四輯

臺中市　文听閣圖書公司　二四〇冊　二〇〇八年九月-二〇〇九年十月

本叢書每輯六十冊，約收入經學著作一二〇種，編輯工作自二〇〇六年九月開始，先根據林慶彰主編《經學研究論著目錄（1912-1987）》，找出一九一二-一九四九年間出版的經學專著，編成《民國時期經學圖書總目》。接著，查各書的典藏地點，做成記錄，以便利用。部分收集到的資料，提供給執行「民國以來經學研究計畫」的學者和有興趣的學界人士參考，本叢書預計編輯八輯。每輯收書一二〇至一三〇種，裝成六十冊，每半年出版一輯。有志研究經學的學者，能利用這套書，對民國時期經學的豐富內容將大感驚訝，對這時期經學的觀感必有所修正。

（三）利用電子資料庫

近年建置電子資料庫的工作大為發達，每一學術機構皆有他們建置的資料庫，加上帶有商業行為的資訊公司所建置的資料庫，可說五花八門、良莠不齊，因此，選擇優良的資料庫一如選擇優良的工具書，顯得非常重要。以下將可以檢索民國經學圖書的資料庫略作介紹。

1　超星數字圖書館

「超星數字圖書館」，是目前規模最大，主題最廣，藏量最多的電子資料庫，收書五十萬種以上，但所收經學著作仍相當有限。[4]

2　高等學校中英文圖書數字化國際交流計畫

浙江大學與美國合作的「高等學校中英文圖書數字化國際交流計畫」，

[4] 可參考鄭育如：〈超星數字圖書館述評〉，《國文天地》，第23卷第4期（2007年9月），頁23-27。

預計收書百萬種，所收民國經學著作也僅百餘種而已。可見，要利用圖書館和電子資料庫來蒐集民國時期的經學著作，是相當吃力的事。

三　蒐集經學論文的方法

（一）利用論文目錄

要檢索經學論文，可利用論文目錄。此種工具書不論是按分類、筆畫，或拼音排列，都應稱為目錄。稱為索引，是名稱的誤用。像《中國史學論文索引》第一、二編（中國科學院歷史所）、《中國語言學論文索引》（商務印書館）、《中華民國期刊論文索引》（臺灣中央圖書館）等書，都應稱為目錄。

1　《經學研究論著目錄》（1912-1987）

本書上一節已有介紹，它所收集民國時期的經學論文條目約有三千多條，是目前檢索單篇論文最方便的工具書，但本書所收的論文條目也有不少遺漏，詳細情形見下一節的檢討。

2　《中國史學論文索引》　中國科學院歷史研究所第一、二所　北京大學歷史系合編　北京市　科學出版社　一九五七年六月

本書分兩編，第一編收一九〇〇年至一九三七年七月之論文條目三萬多篇，第二編收一九三七年七月至一九四九年九月論文條目三萬多條，兩編合計有六萬多條。本書是目前收集民國時期論文條目較完備的工具書。

本書第一編將經學的條目拆散，《書經》、《春秋》與《三傳》散入中國斷代史的中國古代史中，石經則編入中國考古學金石學的研究中，其他各經皆未有標目，需逐頁檢索。第二編將經學的論文條目編入下冊中國學術思想史中，立有「經學」一類，分一般論著、易經、三禮、四書（附孝經）等四

個子目。《詩經》論文條目則分入中國文學史的古典文學中，立有「詩經」一小目，本編雖仍把經書拆散，但這個分類比第一編要合理得多。

3　《中國哲學史論文索引》第一冊（1900-1949）　方克立、楊守義、蕭文德合編　北京市　中華書局　一九八六年四月

《中國哲學史論文索引》分為五冊，本書為第一冊，收一九〇〇-一九四九年間研究哲學的論文條目，經學的論文條目收入先秦儒家類中，該類有周易、尚書、三禮、大學、中庸、春秋三傳、論語、孝經等，這也是較合理的分類法。

4　《中國史學論文引得續編》（1905-1964）——歐美所見中文期刊文史哲論文綜錄　余秉權編　哈佛大學哈佛燕京圖書館出版　不著出版年月

本書為編者所編《中國史學論文引得》之續編，一九六四年和一九六五年本書編者在美國和歐洲漢學圖書館查閱期刊五九九種，抄錄論文條目二五〇〇〇條，各條目按作譯者姓名筆畫排列，外國作者編於卷末，每一條目均註明收藏地點的代號，如HU代表夏威夷大學，DLC代表美國國會圖書館。

本書各條目因根據各期刊抄錄而得，所以準確度非常高，相當難得[5]。且所抄錄的五九九期刊在臺灣幾乎都收錄不全，甚至未收錄。所收經學研究條目達數百條之多，讀者只要知道各條目之作者，然後按照作者筆畫即可檢索到該條目和典藏的圖書館。

---

[5] 余先生的書，偶有失誤，例如：頁391在張壽林下著錄「二十年奉職西曹之回顧　新民學院季刊　1：2/3　42.12　1-5」，表示此文為張壽林之著作。實則，此文為董康所作。

（二）利用電子資料庫

1　經學研究論著目錄資料庫　漢學研究中心

本資料庫為漢學研究中心委託《經學目錄》之主編林慶彰教授建置，收錄《經學目錄》初編、二編、三編之條目五萬餘條，可用書篇名、關鍵詞、作者、出版社、年份等來檢索，對讀者來說提供了最大的方便。

民國時期的經學論著條目都收錄在本目錄的初編（1912-1987），當時海峽兩岸隔絕，國民政府又查禁大陸一切出版物，所以根本沒有工具書可參考，以致本目錄失收抗戰時期的經學論著條目甚多，這是相當無奈的事。如何將這些失收的論著條目從報紙和期刊中抄錄出來，是一件重大的學術工程。

2　中國期刊全文數據庫（世紀期刊）

本資料庫為中國知識資源總庫之一種，收一九一五年至一九九三年之期刊數百種，論文十二萬篇，可全文下載。惟民國時期之經學論文收錄仍不夠多，所以檢索十篇只能得到一篇。

3　大成老舊刊全文數據庫

收錄清末至一九四九年以前，中國出版的六〇〇〇多種期刊，一三〇餘萬篇論文，是目前檢查民國時期期刊論文最方便的資料庫。此一資料庫剛剛建置完成，優缺點還有待進一步了解。

四　現有檢索工具的檢討

利用第二、三節所提到的工具書和電子資料庫，來檢索民國時期的經學論著還有沒有遺漏？很顯然地專著方面的遺漏可能比較少，論文方面從來沒有一個學者對此事作過分析和檢討，依筆者的觀察，如從期刊和報紙副刊兩方面去重新檢索，應該會比我們所編的《經學研究論著目錄（1912-1987）》（省稱《經學目錄初編》）所收的論文條目三千多條要多出至少一千條以上，以下是筆者的分析：

（一）就期刊論文來說

現有的期刊論文索引包括《國學論文索引》（1-5編）、《文學論文索引》（1-3編）、〈人人月刊雜誌要目索引〉都僅編到抗日戰爭前後，即民國二十六年七月左右，這一部分的索引編得非常仔細，所有有關經學的條目我們編《經學目錄初編》時都已全部抄錄進去，不太可能遺漏。

抗戰到新中國成立前，即民國二十六年七月至民國三十八年九月，這十一年間當時並沒有即時編成的期刊論文索引，即使有也不可能涵蓋所有的期刊，因為當時的中國陷入四分五裂的狀態，有國民政府控制的大後方地區，有汪偽政權控制的地區，有日本直接控制的華北偽政權，和東北的滿州國，也有陝北共產黨控制區。以上所提及的各地區都有他們的學術活動，甚至推崇儒家經典和闡發儒家思想。他們在期刊上所發表的論文數量有多少要逐一抄錄將大費工夫，所以誰也無法告知總計有多少篇。

新中國成立後中國科學院歷史研究所第一、二所和北京大學歷史系合編的《中國史學論文索引》第一編（1900-1937）、第二編（1937-1949），二書收錄論文條目十多萬條，其中第二編收錄的時段恰好是抗戰期間至新中國成立前，最符合我們的需求，可惜它限定在史學方面，所收錄的經學條目不是很多，且這一時段的期刊在當時都還沒來得及整理，有所遺漏也是很自然的事。

余秉權先生所編的《中國史學論文引得續編——歐美所見中文期刊文史哲論文綜錄》（1905-1964）該書也包含抗戰期間至新中國成立前的論文條目，所收雜誌多達五九九種，對檢索這一時段的論文條目有相當大的幫助。不過這本引得是余先生在歐美圖書館所見的中文期刊的論文條目，顯然總數不夠多，從他在書前所附的〈本索引所收期刊一覽〉也可以看出缺期很多。

方克立等所編《中國哲學史論文索引》第一冊（1900-1949）也收這一時段的期刊和報紙論文條目，根據書末所收〈報紙期刊一覽表〉所收報紙有三十三種，期刊九四三種，數量相當多，但必須逐一核對後才能知道失收多少種期刊，已收錄的期刊有缺期的也要逐一核對。

筆者所編《經學目錄初編》收錄此一時段期刊論文條目多達一千餘條，已將上述四種目錄索引中的經學論文條目全數抄入，所以《經學目錄初編》所收此一時段的經學論文條目可說是較完備的。要找出本目錄失收的條目，可不必在現有的目錄和索引中檢索，應該從未收入的期刊和已收而缺期的期刊入手，這是民國時期學術研究最迫切的事情。一九三七-一九四九年間出版，而《經學目錄初編》未收入的期刊，刊有不少經學和儒學的論文，例如：李源澄主編的《論學》，一九三七年一月創刊，先後出版八期，刊有李氏的經學論文三篇：

1. 讀經雜感並評胡適讀經平議

   論學　第5期　頁62-67　1937年5月

2. 春秋修辭學崩薨卒葬篇

   論學　第6、7期合刊　頁1-19　1937年6月

3. 漢學宋學之異同

   論學　第8期　頁67-72　1937年7月

另外，李氏在該刊也發表多篇儒學論文：

1. 周秦儒學史論

   論學　創刊號　頁26-34　1937年1月

2. 新儒學派發微

   論學　創刊號　頁35-49　1937年1月

3. 儒家德名釋義

   論學　第2期　頁35-49　1937年2月

《論學》這期刊，上文所提到的各種目錄都未收入，如果不補抄，這些論文永遠埋沒在故紙堆裏，很難被充分利用。

（二）就報紙論文來說

民國時期較早編輯完成的目錄，如《國學論文索引》、《文學論文索引》等工具書，都有收報紙論文條目，所以，民國元年至二十六年之報紙大抵不用再查。最為困難的一如期刊，也是抗戰期間至新中國成立前這一時段。這十餘年間，中國成割據狀態，各個報紙有什麼專刊，可能都還沒有較準確的數據。至於為報紙編論文目錄，更是鳳毛麟角。張錦郎先生所編《中文報紙文史哲論文索引》（臺北市：正中書局，1973年11月），收一九三六年至一九七一年間，國內二十家報紙中的文史哲論文一二一二七篇。分兩冊，第一冊收《中央日報》，設有經學類，收論文八十三篇，在民國時期內的有三十餘條；第二冊收《申報》、《東南日報》、《大公報》等十九種報紙，也設有經學類，收論文一〇一條，在民國時期內的有二十餘條。合計近六十條。並非專為中國的報紙而編，且當時兩岸隔絕，也不可能為中國編目錄。

由於沒有較完備的報紙論文目錄，許多論文皆不曾聽過，更不可能引用，例如《東南日報》的〈文史〉專刊有多篇李源澄有關儒學的論文，抄錄如下：

1. 申孟子難告子義

   東南日報　第7版　文史　第55期　1947年9月2日

2. 孟荀言性釋義

   東南日報　第7版　文史　第65期　1947年11月12日

3. 易象初義

   東南日報　第7版　文史　第80期　1948年3月3日

除這三篇儒學的論文外，此一專刊中還有李氏所撰寫其他類別的論文甚多，這些論文都沒有被編入相關目錄中，如果不是將《東南日報》逐日翻檢，也不可能知道這些論文。可見逐一翻檢報紙的重要性。

五　編輯民國時期經學文獻集成

既有那麼多的期刊和報紙的經學論文未收入現有的目錄和索引中，那麼就無法呈現出民國時期經學研究的完整面貌。如何才能解決這個問題是相當令人頭痛的，比較可行的辦法還是要把期刊和報紙分開來討論。

（一）期刊部分

可根據《全國中文期刊聯合目錄》（1833-1949）[6]所著錄的期刊來與《經學目錄初編》所收期刊相核對，看看那些是《經學目錄初編》所未收的，有些可利用各期刊的總目錄，如《新中華總目》（北京市：三聯書店，1957年）、《東方雜誌總目》（北京市：三聯書店，1957年，1980年重印），有些要查明典藏的圖書館，調出原期刊，一一核對後補抄，如果可能也把全文掃描或影印下來。《全國中文期刊聯合目錄》也有失收的期刊，已有學者作增補，核對時也應該把這些增補的部分一併核對。

（二）報紙部分

根據《上海圖書館所藏報紙目錄》，民國時期的報紙專刊約有三〇〇〇多種，在抗戰期間至新中國成立前也有一〇〇〇多種，可根據該報紙目錄，將各專刊的文史哲論文條目逐一抄錄下來，或掃描、或全文影印，然後編成各學科的論文總目，當然經學論文總目也包括在其中，這種作法戲曲和俗文學界已有相當好的例子，如傅曉航、張秀蓮主編的《中國近代戲曲論著總目》，其中有部分的條目即抄自民國的報紙專刊。編者將報刊中戲曲的文章逐期抄錄，編成〈報刊文章編目〉，又將文章篇目加以分類，編成〈報刊文

6　此書為全國第一中心圖書館委員會全國圖書聯合目錄編輯組編。一九六一年北京圖書館出版，一九八一年書目文獻出版社出版增訂本。

章分類索引〉，提供戲曲研究者以前未見過的戲曲資料條目[7]。又如關家錚所編《二十世紀俗文學周刊總目》（濟南市：齊魯書社，2007年1月），抄錄：（1）上海《大晚報·火炬通俗文學》周刊目錄，（2）香港《星島日報·俗文學》周刊目錄，（3）上海《神州日報·俗文學》周刊目錄，（4）上海《大晚報·通俗文學》周刊目錄，（5）上海《中央日報·俗文學》周刊目錄，（6）北平《華北日報·俗文學》周刊目錄[8]，並編有論文首字音序、論文首字筆畫等索引，檢索起來非常方便。

其他學科如能仿照以上二書的編輯方法，將報紙專刊中的論文依學科編成文獻學、經學、哲學、歷史學、語言文字學、中國文學等論文總目，可以提供各學科學者相當多罕見的資料。

（三）論文集部分

歷代文人的文集，大都稱「文集」，現代學人的論文，彙集成書，大都稱「論文集」，民國時期是個新舊交替的時代，傳統文人大都有文集，現代學人的論文有的編入綜合性的論文集，有的編入個人論文集，數量相當多。可是，一般的書目，大都將這些論文集，用專書的形態來處理，僅著錄書名、作者、出版地、出版者、頁數、出版年而已，並不著錄篇名，該論文集內容也無從得知，為了了解各論文集有那些論文，現代論文集的分類目錄也應運而生，可利用的目錄有：

1　現代論文集文史哲論文索引　楊國雄、黎樹添合編
香港　香港大學亞洲研究中心　1979年

本書收一九二七-一九七四年間兩岸三地出版之論文集八五五種，全書

7　可參考陳美雪：〈《中國近代戲曲論著總目》的學術價值〉，《國文天地》，第24卷第4期（2008年9月），頁94-97。

8　可參考陳惠美：〈報刊中的俗文學資料——《二十世紀俗文學周刊總目》簡介〉，《國文天地》，第23卷第10期（2008年3月），頁95-98。

分二十類，各篇論文著錄項有編號、篇名、著譯者、論文集代號、起迄頁次、原刊處等，有經學類，收論文數十篇。

2　**一五二二種學術論文集史學論文分類索引　周迅等編**
北京市　書目文獻出版社　1990年2月

本書收一九一一-一九八六年間大陸出版論文集一五二二種，篇名三四一四六篇，全書分為十八類，有經學論文數十篇。

六　結語

從以上的論述和檢討中，可得以下數點結論：

其一，要檢索民國經學著作，目前最方便的是利用《經學目錄初編》。可是該書專書類僅收入六六〇種，遺漏甚多。筆者現在正根據《經學目錄初編》作增補，所收之專著已達一二〇〇種，擬於二〇〇九年十二月前初版《民國時期經學圖書總目》，以反映這一時期經學研究的整體面貌。

其二，就檢索期刊論文來說，《經學目錄初編》所收此一時段的論文條目約有三〇〇〇餘條，一九一二-一九三七年間的論文條目因為有較完備的工具書可作參考，遺漏較少。一九三七-一九四九年間因中國處於四分五裂的狀態，無暇編輯工具書，所以論文篇目遺漏較多。要完整呈現此一時段研究經學的整體面貌，必須將當時出版的報紙和期刊逐一翻檢，抄錄相關條目，作成《民國時期經學研究論文總目》，或與《民國時期經學圖書總目》合為一書，稱為《民國時期經學論著總目》則更為理想。

要發揚民國學術，就必須整理久已被忽視的民國學術文獻，編輯《民國叢書》、《民國圖書籍粹》、《民國時期經學叢書》、《民國文集叢刊》等書，都是整理的成果。但就整理期刊論文來說，臺灣的圖書館因為所藏這一時期的期刊太少，即使有心編輯也無能為力。中國大陸圖書館多的是工作人員，文獻研究所也多達二十餘所，且經費相當充裕，整理期刊和報紙論文的工作，比臺灣要方便許多，能不能完成此項學術研究工程，端看有心與否而已。

東方經學和西方經學比較淺析

陳以信*

東方的儒家思想和西方的基督教義，分別是雄據舊世界兩翼的經世之學。自漢武帝獨尊儒術，經學便主導了中國的政治和文化發展，雖然屢受道家和佛家衝擊，儒學依舊是歷朝治國的根本理念。基督教的興起，則始於羅馬皇帝君士坦丁改奉基督教；及後羅馬帝國分裂、瓦解，伊斯蘭步步進迫，都沒有影響到它在西方社會中的主流地位。

明代以來，傳教士來華宣教，國人信奉基督的已不在少數；與此同時，西方也冒起一批研究儒家思想的漢學家，比較兩種學說的客觀條件早已存在。可惜的是，從義理、文化、哲學方面探索兩者異同的文章比比皆是，以經學角度分析的則乏善可陳。究其原因，大抵樂於空談儒家思想的人多，潛心鑽研微言大義的人少；立志活出基督精神的人多，從頭徹尾通讀聖經的人少。經學研究必須有堅實的文字訓詁和版本校勘的基礎，基督教經學更要求通曉包括希臘文、拉丁文、希伯來文、亞蘭文及科普特文在內的一眾古代語言；一人而兼通東西方經學，大概需要超人之能了。話雖如此，兩種經學無論在歷史源起、典籍的形成和傳播、學派的承傳和流變、研究的精神和方法，都有不少值得比較的地方。何況當今之世，學術細分，同時研究基督教新舊約經文的學者已絕無僅有，但也無礙兩類學者之間的交流與批評。進行東西方經學的比較研究，無疑是有益的。

可能會有人以為，儒家和基督教的經典，無論在語言文字上，或是在宗教倫理上，彼此之間有著根本的差異，難作直接比較。這裏我可以舉出幾點

---

* 香港大學中文學院。

商榷：古代的希伯來文，和許多其他閃族語言一樣，都是只標輔音，不標元音的；當中涉及的釋讀疑難，並不比我們的假借問題簡單。這些古代西方語言（包括希臘文、拉丁文）最初都是沒有標點的；加之它們每個字詞之間不像現代英文那樣留有空位，而是每個字母緊貼著寫下去，句讀之難較中文尤甚。希臘文、拉丁文等早期都只有大寫字母，現時常用的小寫是歷千百年演變後的產品。中世紀時歐洲各地文字異形，一點不比戰國時六國文字紛亂失色。先秦典籍多書於竹簡，後期才轉抄至絹帛紙張，編成書本；早期西方文獻也是寫在一卷卷的莎草紙上，繼而轉抄到羊皮紙，訂成書冊。東西方都經歷過這種由「卷」抄至「書」的媒體轉換，由大寫改成小寫、篆書改成隸書的文字簡化，在傳抄過程中出現的錯簡、脫字、誤讀，有不少例子可供比較。

雖然儒家以孔子為聖人，但一般以為孔子僅是大思想家、教育家，並不具有神性；基督教則認為耶穌是上帝的兒子，聖父、聖子、聖靈三位一體。儒家是哲學、社會學、政治學，基督教是宗教、神學，兩者不可混為一談。但事實卻是，漢代今文的讖緯之學，往往把孔子說成是其母夢感黑帝所生，一個會作法的神人。在記載耶穌生平的福音書當中，最早寫成的《馬可福音》只把耶穌描述成一個宣揚「天國近了」，會施行奇蹟，治病趕鬼的先知，其神性不顯；後來根據《馬可福音》改編而成的《馬太福音》和《路加福音》，則加插入馬利亞夢感成孕，耶穌出世之際異象頻生的故事，惟兩書的出生故事大異其趣。在早期基督教派當中，伊便尼派就認為耶穌只是上帝揀選的僕人，因其正直聖潔，被上帝收為義子；諾斯替派也以為耶穌是人，而一度被基督「上身」附體，後遭其離棄便死在十字架上。不同教派各師其說，直至君士坦丁促成尼西亞會議，確立耶穌神性、人性並存，聖父、聖子、聖靈三位一體的官方說法，違者皆成異端，慘遭滅絕，這才結束了二百多年來就耶穌身份爭論不休的一段歷史。假若古文經不顯，讖緯之學歷久不衰，也難保孔子不會像老子變成太上老君一般，儒學最終變成了儒教。基督教和儒家本質上有不少相似的地方，我們下面還會再談。

大抵世界上各大宗教和思想體系，都包含導人向善、警惡懲奸的元素，儒家和基督教自不例外，這裏且按下不表。但兩種經學一些相似之處，卻並非舉世皆然，下面試舉數項說明。

儒家和基督教都經歷過遭統治者逼害，險陷於絕的苦況，同樣也受到後來的統治者欽點，成為一統天下的顯學。秦始皇焚書坑儒，及至漢武帝罷黜百家，獨尊儒術，儒家翻了個身。朝廷以明經取士，又禁止民間研習諸子之學，自此經學與歷朝政治結下不解之緣。基督教方面，自尼祿開始，歷代羅馬皇帝都曾下詔處決基督徒，直至君士坦丁開放教禁，杜多思進而定為國教，基督教占有絕對優勢，教廷主導歐洲文化、經濟發展達千年之久。漢朝和羅馬的皇帝都十分關注經學問題，多次召開經學會議，其中最著名的是章帝時的白虎觀會議和君士坦丁主持的尼西亞會議。

不知是受到這段險遭沒頂經歷的影響，或是由於有官方撐腰，漢代儒家和羅馬時代的基督教都比較排外，強調自己擁有全部的真理；另一方面對內部對立意見的攻擊卻絕不手軟，動輒指責對方是異端。今古文之爭如是，基督教派之爭亦如是。

雖然儒學和基督教分別由孔子和耶穌所創，但孔子推崇六經，述而不作，所以在孔子以前經已存在的《詩》、《書》、《禮》、《樂》、《易》、《春秋》就成為了儒家經典，與《論語》、《孟子》等「新經典」互相輝映；耶穌是虔誠的猶太教徒，所以基督徒把傳統的猶太經書都納入他們的聖經，稱之為「舊約」，把包括福音書和保羅書信等基督教寫作歸入「新約」。換言之，儒家的六經就像是基督教的舊約。這種新舊並存的經學模式跟其他主要宗教大異，例如佛教雖然受到婆羅門教影響，伊斯蘭教受到基督教影響，但是佛教和伊斯蘭教都不會使用婆羅門教或者基督教、猶太教的經書。

新舊經書並立，是儒家經學和基督教經學的共同特點。其中一項特色，就是新經書常常引用舊經文去證明論據正確。「新儒家經書」最常引用的「舊經書」是《詩經》；無獨有偶，基督教新約最常引用的舊約經書是《詩篇》。在這一點上，東西方經學是驚人地相似，但到目前為止仍然未出現比較兩門經學引詩的專著。

東西方經學另一個共同的特點是多偽經。偽經多，大概與教內派系爭鬥白熱化，欲以杜撰的經文來壓倒對手分不開。儒家的偽經問題，這裏不必多談了。有趣的是，基督教除了一批被教廷裁定為不合於教義的偽經，連教廷承認的聖經裏面，也包含數封被現代學者公認為杜撰的保羅書信。就算是真經當中，比較不同的抄本，往往也會發現抄手根據自己對教義的理解，隨手改動經文的情況。過往因為缺乏先秦抄本，對儒家偽經的討論流於片面，現在隨著郭店簡、上博簡和清華簡相繼被發現，相信有助了解儒家經典的傳抄方式，進而探討東西方改經現象背後的規律與動機。

上博簡《孔子詩論》裏面出現的「孔子」合文，一度引起學界廣泛討論。其實，以合文書寫神聖的稱謂，是早期基督教抄經的通例，一般稱之為「nomina sacra」。東西方都出現這種合文，是巧合還是經學必然的並行發展，實在值得探究下去。

愚見以為東西方經學之間，最值得比較的是研究方法，尤其是古籍校勘學。西方經學的傳統可以上溯至耶柔米，但現代基督教經學其實始於新舊教分裂，新教學者欲從聖經中找出獨立於教廷的信條，致力搜尋新約聖經早期希臘文本，與教廷頒佈的拉丁文本抗衡，結果卻發現抄本各有乖互，不知孰是孰非，進而產生了要重構原文的目標。經過歷代學者的努力，總結了數條校勘定律，其中最重要是Bengel提出的「Proclivi scriptioni praestat ardua」，意思是難懂的句子優於易懂的。

驟眼看來，這樣的定律簡直是有違常識。我們比較異文，總是以讀來通順、意思明確的版本為佳，Bengel卻說艱澀難明者為佳，不成是壞了腦子？其實這話大有深意。一般抄手不會隨意改動文字，尤其是神聖的經書；無意中抄錯固所多有，有意改動卻較為罕見。發生得更多的反而是，抄手遇到他解不通的句子，便主觀地以為眼前的版本定是抄錯了，於是憑己意把它「改正」過來，結果以不誤為誤，反而把對的改錯了。每逢出現這種情況，原文必然是難懂的，「改正」過來的必然是易懂的。

這裏我可以舉一個〈緇衣〉的例子說明。選〈緇衣〉為例，是因為我們有傳世本、郭店本和上博本可供比併，對〈緇衣〉的主旨、內容也沒有甚麼異議，不像《老子》那樣，有意見認為傳世本是經過刻意改編而成的。

〈緇衣〉首句，傳世本作「好賢如〈緇衣〉，惡惡如〈巷伯〉」。〈緇衣〉和〈巷伯〉都出自《詩經》，這句話本來很易懂：「如同〈緇衣〉一詩所寫那樣愛好賢士，如同〈巷伯〉所寫那樣憎惡奸惡。」但是到了郭店和上博本出土，兩個版本都寫成「好美如好緇衣，惡惡如惡巷伯」。如果這裏「緇衣」和「巷伯」指的都是《詩經》中的兩首詩，「如同憎惡那首題為〈巷伯〉的詩那樣憎惡奸惡」是說不通的；相反如果「緇衣」和「巷伯」指的是朝服和奄官，「愛好美麗如同愛好黑色的朝服」同樣不通。所以李學勤先生認為：「不管怎樣說，簡本都不如今傳本。」

問題是，如果說傳世本跟原文相同，為甚麼簡本又會同時重出「好」、「惡」二字，「賢」字又會變成「美」？西方經學的另一條定律是「Utrum in alterum abiturum erat?」，意即：「那一句會容易演化成另一句？」很明顯，這裏傳世本不等同原文。

因為簡本難懂，傳世本易懂，所以李學勤先生以傳世本為佳，這是東方經學的思維；西方經學則以為易懂的版本是後起的。不過這裏簡本也明顯不通。哪麼原文應該是怎樣的呢？

這裏我嘗試提出一個可能的答案：「好美如〈緇衣〉，惡惡如惡巷伯」，意思是「如同〈緇衣〉一詩所寫那樣愛好稱頌（賢人），如同憎惡奄官那樣憎惡奸惡」。這裏的「美」不是指美麗、美色，而是讚美、稱頌的意思，正如〈甘棠〉「美召伯」，《韓非子》「然則今有美堯、舜、湯、武、禹之道於當今之世者」一樣的用法。這裏的「緇衣」是指《詩經》中的一首詩，「巷伯」卻是泛指奄官。值得注意的是，雖然上博簡《孔子詩論》中未見提及〈緇衣〉，《孔叢子》中卻有孔子說「於〈緇衣〉見好賢之心至也」的記載。至於〈巷伯〉，則從未發現有孔子對這首詩的評論。其實〈巷伯〉詩中充滿怨毒之氣，大概也不為孔子所喜。所謂「惡巷伯」，指的當是一般人對奄官的厭惡之心。

假若原文真的是「好美如〈緇衣〉，惡惡如惡巷伯」，那麼簡本和傳世本如何形成，便變得很簡單了。簡本（或是兩份簡本的共同祖本）的抄手見前半句和後半句並不對稱，便以為「緇衣」前面脫去「好」字，自作聰明把字補入；傳世本祖本的抄手，則從另一個方向想，以為在他之前的抄手受到後半句兩個「惡」字的影響，在「巷伯」前多抄了一個「惡」字，於是又自作聰明把第三個「惡」字刪掉，前後句再次「回復」對稱。「美」、「善」、「賢」可以互訓，所以「美」又被改作較易懂的「賢」了。

這樣的解決方法，便符合西方經學的定律了。當然，這只是個小問題，雖說是首句，但不論這句如何讀法，都不足以影響我們對整篇〈緇衣〉的理解。這個簡單的小例子，卻能夠說明西方經學自有其值得借鏡的地方，東西方經學比較，並不是無的放矢。

經學研究國際學術研討會
會議日程表

主辦單位：嶺南大學中文系、中央研究院中國文哲研究所
日期：二〇〇九年五月二十九（星期五）至三十日（星期六）
地點：香港嶺南大學

五月二十九日（星期五）
開幕禮暨主題演講

時間	程序	地點
09:00-09:30	報到	康樂樓三樓招待處
09:30-10:00	主禮嘉賓致辭： 嶺南大學陳玉樹校長 嶺南大學中文系主任許子東 中央研究院中國文哲研究所林慶彰 主持：籌委會主席李雄溪	康樂樓三樓林秀樑會議中心（AM308）
10:00-10:20	合照	
10:20-10:40	茶點	康樂樓三樓（AM312）
10:40-11:20	主題演講（一）　主持：林慶彰 講者：葉國良 講題：關於劉師培的《禮經舊說》	康樂樓三樓林秀樑會議中心（AM308）
11:20-12:00	主題演講（二）　主持：林慶彰 講者：彭林 講題：錢穆先生與禮學	

時間	程序	地點
12:00-12:40	主題演講（三）　主持：林慶彰 講者：單周堯 講題：高本漢的經籍研究	
12:40-14:00	午膳	逸夫校園聯福樓

第一場分組討論

地點 時間	第一組 康樂樓三樓308室（AM308）	第二組 康樂樓三樓310室（AM310）
14:00-14:20	主持：李雄溪	主持：陳雄根
	李家樹 清崔述《讀風偶識》探索	許振興 區大典《孝經通義》考論
14:20-14:40	林慶彰 利用民國時期經學著作的途徑	盧鳴東 民國粵、港地區《論語》粵譯本兩種
14:40-15:00	張曉生教授 傅遜《春秋左傳註解辨誤》述評	陳以信 東方經學與西方經學比較淺析
15:00-15:20	綜合討論	
15:20-15:40	茶點（AM312）	

第二場分組討論

地點 時間	第一組 康樂樓三樓308室（AM308）	第二組 康樂樓三樓310室（AM310）
15:40-16:00	主持：李家樹	主持：鄺健行
	蔡根祥 《上博（五）‧鮑叔牙與濕朋之諫》「天不見禹，地不生龍」解義	陳雄根 《禮記》與《孔子家語》互見文例研究
16:00-16:20	虞萬里 《孔子詩論》應定名為「孔門詩傳」論	楊天宇 鄭司農《周官解詁》之「讀為」例考辨——兼評段玉裁對「讀為」術語的界定
16:20-16:40	末永高康 《子羔》、《孔子詩論》中的有關《詩》的提問	王鍔 經、經學和經學史研究——兼序《南北朝經學史》
16:40-17:00	李雄溪 「六月棲棲」諸訓平議	張壽安 龔自珍論「六經」與「六藝」
17:00-17:20	綜合討論	
17:30-20:00	歡迎晚宴（康樂樓二樓中菜廳）	

五月三十日（星期六）

第三場分組討論

地點 時間	第一組 康樂樓三樓308室（AM308）	第二組 康樂樓三樓310室（AM310）
9:00-9:20	主持：車行健	主持：汪春泓
	鄭吉雄 《周易・屯》卦音義覆議——敬答成中英教授	趙生群 《左傳》疑詁新證
9:20-9:40	孫劍秋 《易緯乾鑿度》中的時間觀	張曉生 傅遜《春秋左傳屬事》與高士奇《左傳紀事本末》之「晉文公之伯」紀事比較
9:40-10:00	羅燕玲 王弼《易》學「主爻說」中的義理成份	郭鵬飛 讀王引之《經義述聞・春秋左傳》札記
10:00-10:20	謝向榮 《周易・萃》卦辭首「亨」字衍文說平議	蕭敬偉 讀王引之《經義述聞・春秋名字解詁》札記
10:20-10:40	綜合討論	
10:40-11:00	茶點（AM312）	

第四場分組討論

地點 時間	第一組 康樂樓三樓308室（AM308）	第二組 康樂樓三樓310室（AM310）
	主持：蔣秋華	主持：許子濱
11:00 － 11:20	張高評 「于敘事中寓論斷」與藉事明義——以《左傳》解經為討論核心	陳致 《詩經》中「允」字與金文中「吮」字考釋
11:20 － 11:40	丁亞傑 清末民初桐城派《孟子》文法論——以姚永概《孟子講義》、吳闓生《孟子文法讀本》為核心	鄧佩玲 《詩・周頌・維天之命》「假以溢我」與金文新證
11:40 － 12:00	吳儀鳳 唐賦的經義書寫研究	蔡崇禧 常棣與唐棣名實新考
12:00 － 12:20	綜合討論	
12:20 － 14:00	午膳（康樂樓二樓中菜廳）	

第五場分組討論

地點 時間	第一組 康樂樓三樓308室（AM308）	第二組 康樂樓三樓310室（AM310）
14:00-14:20	主持：蔡長林	主持：陳致
	金培懿 作為帝王教科書的《論語》——宋代《論語》經筵講義探析	汪春泓 論《漢書》之成書以及前漢《春秋》學之命運
14:20-14:40	勞悅強 盡善盡美——從《論語集注》看朱熹的新經學	潘漢芳 沈欽韓《春秋左氏傳補注》「桓子咋謂林楚」釋義研究
14:40-15:00	詹海雲 狂狷在中國思想文化史上的意義	許子濱 《左傳》「晏嬰纚縗斬」楊伯峻注商榷
15:00-15:20	綜合討論	
15:20-15:40	茶點（AM312）	

第六場分組討論

地點 / 時間	第一組 康樂樓三樓308室（AM308）	第二組 康樂樓三樓310室（AM310）
15:40-16:00	主持：郭鵬飛	主持：劉楚華
	朱淵清 漢代經學三題	錢宗武 傳本《書》經文獻價值的語言學證明
16:00-16:20	潘銘基 論賈誼經學思想之時代意義	鄧國光 《尚書・洪範》義周、秦之際流播的考察
16:20-16:40	車行健 嘉道之際北京士大夫的公祭鄭玄活動	蔣秋華 方宗誠《書傳補義》析論
16:40-17:00	蔡長林 皮錫瑞的鄭玄評論	馮曉庭 王晳《春秋皇綱論》初探
17:00-17:20	綜合討論	

閉幕禮

時間	程序
17:20-17:40	大會總結 林慶彰 李雄溪
18:00-20:30	晚宴（黃金海岸酒店）

經學研究叢書·臺灣高等經學研討論集叢刊 0502003

嶺南大學經學國際學術研討會論文集

主　　編　李雄溪、林慶彰
編　　輯　蔣秋華、許子濱

發 行 人　陳滿銘
總 經 理　梁錦興
總 編 輯　陳滿銘
副總編輯　張晏瑞
編 輯 所　萬卷樓圖書股份有限公司
排　　版　浩瀚電腦排版股份有限公司
印　　刷　晟齊實業有限公司
封面設計　斐類設計工作室

發　　行　萬卷樓圖書股份有限公司
　臺北市羅斯福路二段 41 號 6 樓之 3
　電話 (02)23216565
　傳真 (02)23218698
　電郵 SERVICE@WANJUAN.COM.TW
大陸經銷　廈門外圖臺灣書店有限公司
　電郵 JKB188@188.COM

ISBN 978-957-739-755-3
2014 年 2 月初版

定價：新臺幣 1500 元

如何購買本書：
1. 劃撥購書，請透過以下郵政劃撥帳號：
　帳號：15624015
　戶名：萬卷樓圖書股份有限公司
2. 轉帳購書，請透過以下帳戶
　合作金庫銀行 古亭分行
　戶名：萬卷樓圖書股份有限公司
　帳號：0877717092596
3. 網路購書，請透過萬卷樓網站
　網址 WWW.WANJUAN.COM.TW
大量購書，請直接聯繫我們，將有專人為您服務。客服：(02)23216565 分機 10
如有缺頁、破損或裝訂錯誤，請寄回更換

國家圖書館出版品預行編目資料

嶺南大學經學國際學術研討會論文集 /李雄溪、林慶彰主編.
-- 初版. -- 臺北市 : 萬卷樓, 2014.02
面 ;　公分. -- (經學研究叢書)
ISBN 978-957-739-755-3(平裝)
1.經學 2.文集
090.7　　101007426